A-Z LANCASHIRE

CONTENTS

REFERENCE

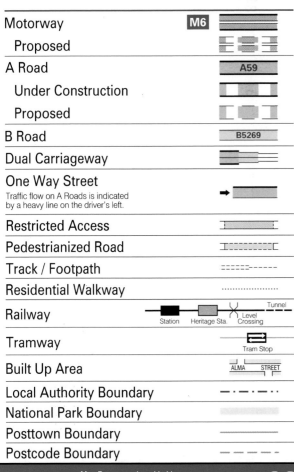

Motorway	**M6**
Proposed	
A Road	**A59**
Under Construction	
Proposed	
B Road	**B5269**
Dual Carriageway	
One Way Street	
Traffic flow on A Roads is indicated by a heavy line on the driver's left.	→
Restricted Access	
Pedestrianized Road	
Track / Footpath	
Residential Walkway	
Railway	Station Heritage Sta. Level Crossing Tunnel
Tramway	Tram Stop
Built Up Area	ALMA STREET
Local Authority Boundary	
National Park Boundary	
Posttown Boundary	
Postcode Boundary	

Map Continuation	**80** Small Scale Pages **34**
Car Park (Selected)	P
Church or Chapel	†
Fire Station	■
House Numbers (A & B Roads only)	13 8
Hospital	H
Information Centre	i
National Grid Reference	360
Police Station	▲
Post Office	★
Toilet	▽
with facilities for the Disabled	♿
Viewpoint	※ ※
Educational Establishment	
Hospital or Hospice	
Industrial Building	
Leisure or Recreational Facility	
Place of Interest	
Public Building	
Shopping Centre or Market	
Other Selected Buildings	

SCALE

Map Pages numbered in blue are 1:19000 3⅓ inches to 1 mile

0	¼	½ Mile

0	250	500	750 Metres

5.26 cm to 1 km   8.47 cm to 1 mile

Map Pages numbered in green are 1:38000 1⅔ inches to 1 mile

0	½	1 Mile

0	500 Metres	1 Kilometre

2.63 cm to 1 km   4.23 cm to 1 mile

Copyright of Geographers' A-Z Map Company Ltd.

Head Office:
Fairfield Road, Borough Green, Sevenoaks, Kent, TN15 8PP
Telephone 01732 781000 (General Enquiries & Trade Sales)

Showrooms:
44 Gray's Inn Road, London, WC1X 8HX
Telephone 020 7440 9500 (Retail Sales)

www.a-zmaps.co.uk

This map is based upon Ordnance Survey mapping with the Permission of The Controller of Her Majesty's Stationery Office.

© Crown copyright licence number 399000. All rights reserved.

Edition 1 2000
Copyright © Geographers' A-Z Map Co. Ltd. 2000

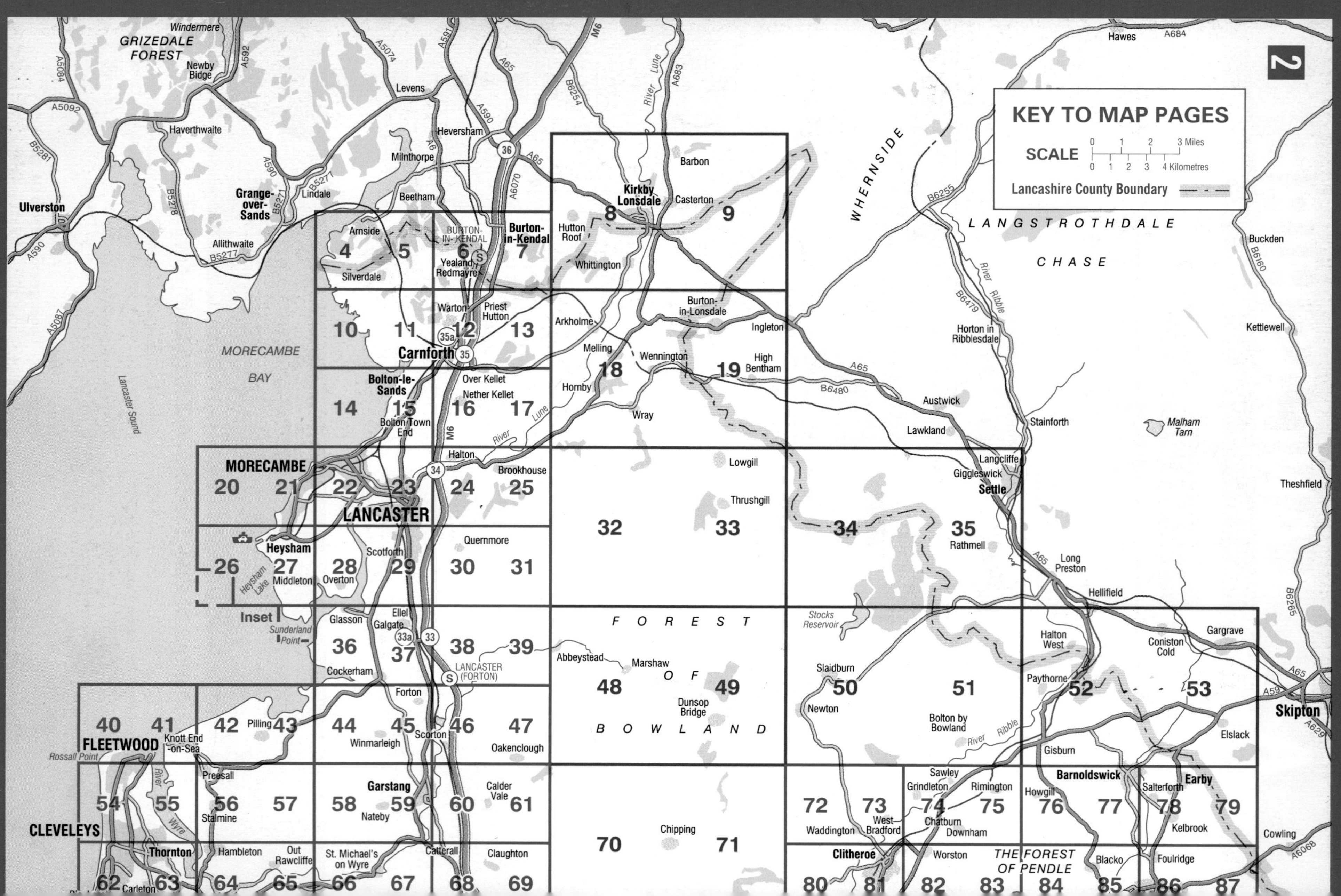

2

KEY TO MAP PAGES

SCALE

0 1 2 3 Miles
0 1 2 3 4 Kilometres

- - - Lancashire County Boundary

3

BLACKPOOL · LYTHAM ST. ANNE'S · BURNLEY · ACCRINGTON · BLACKBURN · PRESTON · SOUTHPORT · CHORLEY · WIGAN · BOLTON · BURY · ROCHDALE · OLDHAM · MANCHESTER · SALFORD · STOCKPORT · ALTRINCHAM · SALE · WARRINGTON · ST. HELENS · PRESCOT · LIVERPOOL · BOOTLE · CROSBY · WALLASEY · BIRKENHEAD · SKELMERSDALE · ORMSKIRK · MAGHULL · KIRKBY · LITHERLAND

Grid squares: 88–107, 108–127, 128–147, 148–165, 166–185, 186–205, 206–225

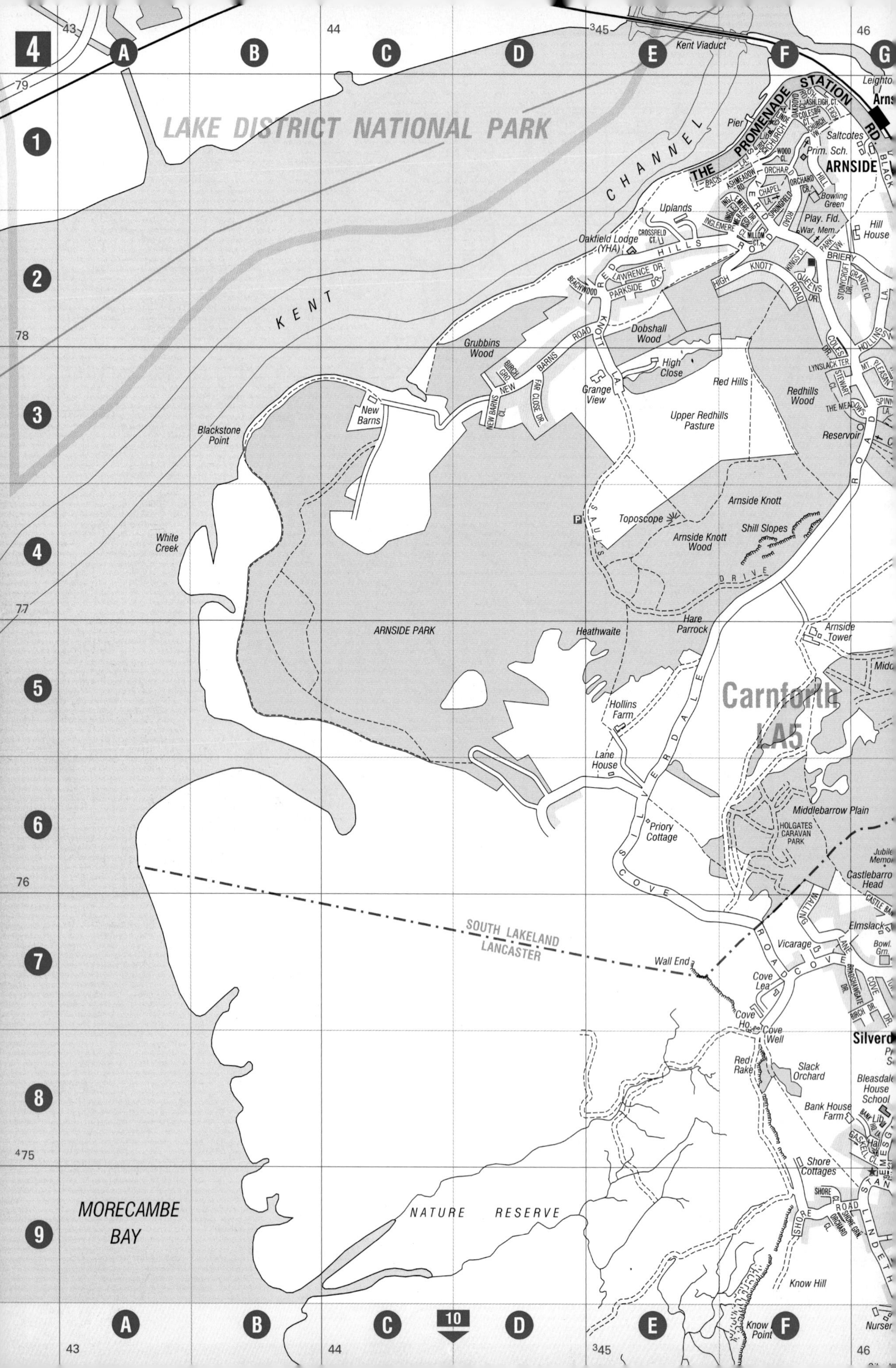
4
LAKE DISTRICT NATIONAL PARK
KENT CHANNEL
Kent Viaduct
Pier
THE PROMENADE
STATION RD.
ARNSIDE
Saltcotes
Prim. Sch.
Bowling Green
Play. Fld.
War. Mem.
Hill House
Uplands
Oakfield Lodge (YHA)
RED HILLS ROAD
HIGH KNOTT ROAD
LAWRENCE DR.
PARKSIDE DR.
BEACHWOOD
Grubbins Wood
Dobshall Wood
NEW BARNS ROAD
KNOTT LA.
High Close
Grange View
Red Hills
Redhills Wood
Upper Redhills Pasture
Reservoir
New Barns
Blackstone Point
White Creek
Toposcope
Arnside Knott
Shill Slopes
Arnside Knott Wood
SAUL'S DRIVE
ARNSIDE PARK
Heathwaite
Hare Parrock
Arnside Tower
Carnforth LA5
Hollins Farm
Lane House
SILVERDALE ROAD
Middlebarrow Plain
HOLGATES CARAVAN PARK
Priory Cottage
COVE ROAD
Castlebarrow Head
SOUTH LAKELAND
LANCASTER
Wall End
Vicarage
Elmslack
Cove Lea
Cove Ho.
Cove Well
Red Rake
Slack Orchard
Silverdale
Bleasdale House School
Bank House Farm
Shore Cottages
SHORE ROAD
Know Hill
Know Point
NATURE RESERVE
MOREWAMBE BAY
10
43
44
345
46
79
78
77
76
475

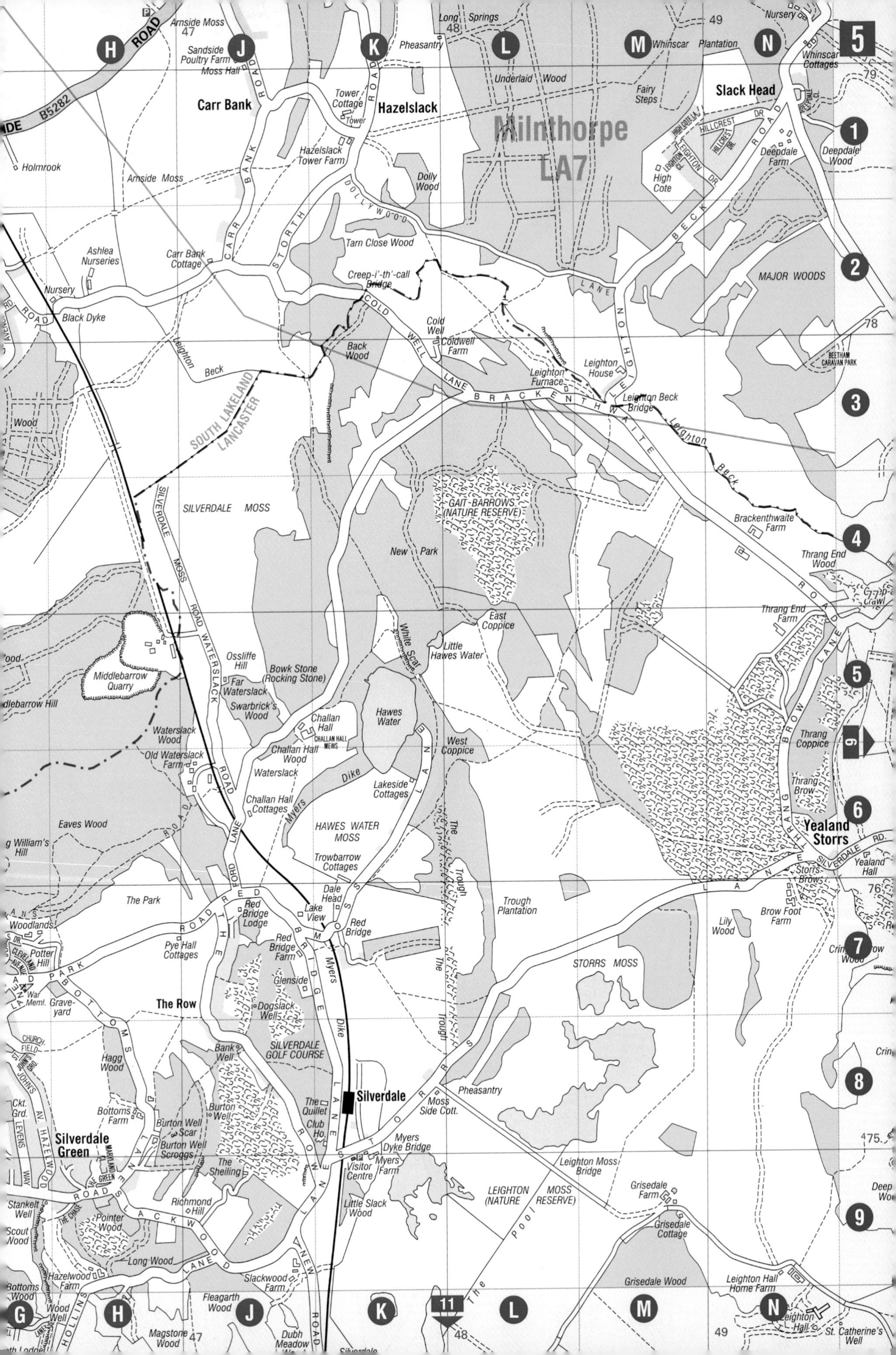
5
H
J
K
L
M
N
G
1
2
3
4
5
6
7
8
9
47
48
49
79
78
76
475
Arnside Moss
Sandside Poultry Farm
Moss Hall
Carr Bank
Holmrook
B5282
ROAD
Long Springs
Pheasantry
Whinscar Plantation
Nursery
Whinscar Cottages
Tower Cottage
Tower
Hazelslack
Hazelslack Tower Farm
Underlaid Wood
Fairy Steps
Slack Head
Milnthorpe LA7
HIGH COTE LA.
HILLCREST DR.
HILLCREST DR.
LEIGHTON CL.
LEIGHTON DR.
DEEPDALE CL.
High Cote
Deepdale Farm
Deepdale Wood
Dolly Wood
DOLLYWOOD
Amside Moss
CARR BANK ROAD
STORTH ROAD
Tarn Close Wood
Ashlea Nurseries
Carr Bank Cottage
Nursery
Creep-i'-th'-call Bridge
COLD WELL LANE
BECK ROAD
LANE
LEIGHTON
MAJOR WOODS
Black Dyke
Leighton Beck
Cold Well
Coldwell Farm
Back Wood
Leighton House
Leighton Furnace
BEETHAM CARAVAN PARK
SOUTH LAKELAND
LANCASTER
BRACKENTHWAITE
Leighton Beck Bridge
Leighton Beck
Wood
SILVERDALE MOSS ROAD
WATERSLACK ROAD
SILVERDALE MOSS
GAIT BARROWS (NATURE RESERVE)
New Park
Brackenthwaite Farm
Thrang End Wood
ROAD
Crag-a-Crawl
Thrang End Farm
East Coppice
White Scar
Little Hawes Water
Middlebarrow Quarry
dlebarrow Hill
Ossliffe Hill
Far Waterslack
Swarbrick's Wood
Bowk Stone (Rocking Stone)
Challan Hall
CHALLAN HALL MEWS
Hawes Water
West Coppice
Thrang Coppice
Waterslack Wood
Old Waterslack Farm
Challan Hall Wood
Waterslack
Myers Dike
Lakeside Cottages
LANE
Thrang Brow
THRANG BROW LANE
Challan Hall Cottages
Eaves Wood
HAWES WATER MOSS
Yealand Storrs
SILVERDALE RD.
Yealand Hall
g William's Hill
ROAD
LANE
The Trough
Trowbarrow Cottages
Storrs Brows
The Park
Dale Head
Trough Plantation
LANE
Woodlands
RED BRIDGE LANE
Lake View
Red Bridge Lodge
Red Bridge
MOSS LANE
Red Bridge Farm
Lily Wood
Brow Foot Farm
Pye Hall Cottages
Potter Hill
CLEVELAND AVENUE
Myers Dike
The Trough
STORRS MOSS
Crin
Wood
Glenside
PARK ROAD
War Meml.
Graveyard
The Row
Dogslack Wells
BOTTOMS LANE
CHURCH FIELD
Hagg Wood
Bank Well
SILVERDALE GOLF COURSE
STORRS LANE
Pheasantry
Moss Side Cott.
Silverdale
The Quillet
Club Ho.
Bottoms Farm
Burton Well
Burton Well Scar
Burton Well Scroggs
Silverdale Green
MARLAND
Myers Dyke Bridge
Visitor Centre
Myers Farm
Leighton Moss Bridge
The Sheiling
THE GREEN
ROAD
LEIGHTON MOSS (NATURE RESERVE)
Grisedale Farm
Deep Wo
Stankelt Well
THE CHASE
Pointer Wood
Richmond Hill
Little Slack Wood
The Pool
Grisedale Cottage
Scout Wood
SLACKWOOD LANE
Long Wood
Hazelwood Farm
NEW ROAD
Slackwood Farm
Grisedale Wood
Leighton Hall Home Farm
Bottoms Wood
Wood Well
HOLLINS
Fleagarth Wood
11
Magstone Wood
Dubh Meadow
Leighton Hall
St. Catherine's Well
Silverdale

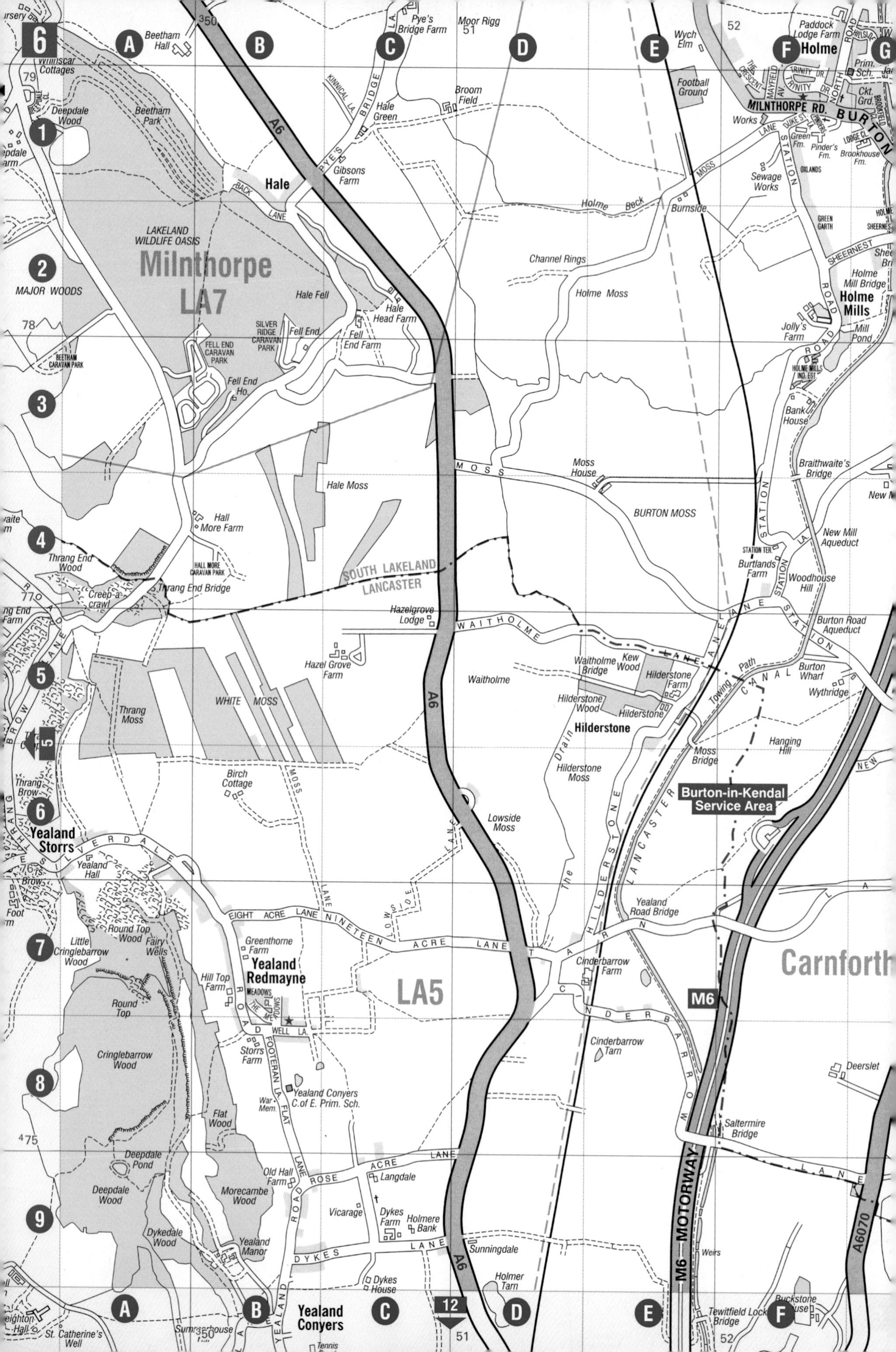
6
A
B
C
D
E
F
G
Beetham Hall
Pye's Bridge Farm
Moor Rigg
Wych Elm
Paddock Lodge Farm
Holme
Wilmscar Cottages
Deepdale Wood
Beetham Park
Kinnical La.
Hale Green
Broom Field
Football Ground
Prim. Sch.
Ckt. Grd.
Milnthorpe Rd.
Burton
Works
Green Fm.
Pinder's Fm.
Brookhouse Fm.
Gibsons Farm
Hale
Back Lane
Sewage Works
Burnside
Holme Beck
Moss Lane
Station Road
Lakeland Wildlife Oasis
Milnthorpe LA7
Major Woods
Channel Rings
Holme Moss
Green Garth
Sheernest
Holme Mill Bridge
Holme Mills
Hale Fell
Hale Head Farm
Silver Ridge Caravan Park
Fell End
Fell End Farm
Beetham Caravan Park
Fell End Caravan Park
Fell End Ho.
Jolly's Farm
Mill Pond
Holme Mills Ind. Est.
Bank House
A6
Moss
Moss House
Braithwaite's Bridge
Hale Moss
Burton Moss
Hall More Farm
Hall More Caravan Park
Thrang End Wood
Creep-a-crawl
Thrang End Bridge
South Lakeland
Lancaster
Station Ter.
Burtlands Farm
New Mill Aqueduct
Woodhouse Hill
Hazelgrove Lodge
Waitholme Lane
Burton Road Aqueduct
Hazel Grove Farm
Waitholme
Waitholme Bridge
Kew Wood
Hilderstone Farm
Towing Path
Canal
Burton Wharf
Wythridge
White Moss
Thrang Moss
Hilderstone Wood
Hilderstone
Hanging Hill
Moss Bridge
Thrang Brow
Birch Cottage
Moss Lane
Hilderstone Moss
Burton-in-Kendal Service Area
Yealand Storrs
Lowside Moss
Yealand Hall
Silverdale
Yealand Road Bridge
Lancaster Canal
Hilderstone Lane
Eight Acre Lane
Nineteen Acre Lane
Lowside
Little Cringlebarrow Wood
Round Top Wood
Fairy Wells
Greenthorne Farm
Hill Top Farm
Yealand Redmayne
Cinderbarrow Farm
Carnforth
LA5
Round Top
Well La.
Cinderbarrow Lane
M6
Cringlebarrow Wood
Storrs Farm
Cinderbarrow Tarn
Deerslet
Yealand Conyers C.of E. Prim. Sch.
War Mem.
Footeran La.
Flat Lane
Flat Wood
Saltermire Bridge
Deepdale Pond
Old Hall Farm
Rose Acre Lane
Langdale
Deepdale Wood
Morecambe Wood
Vicarage
Dykes Farm
Holmere Bank
M6 Motorway
A6070
Dykedale Wood
Yealand Manor
Dykes Lane
Sunningdale
Weirs
Holmer Tarn
Dykes House
Yealand Conyers
Tewitfield Lock Bridge
Buckstone House
St. Catherine's Well
Summerhouse
12
Tennis
1
2
3
4
5
6
7
8
9
50
51
52
75
76
77
78
79

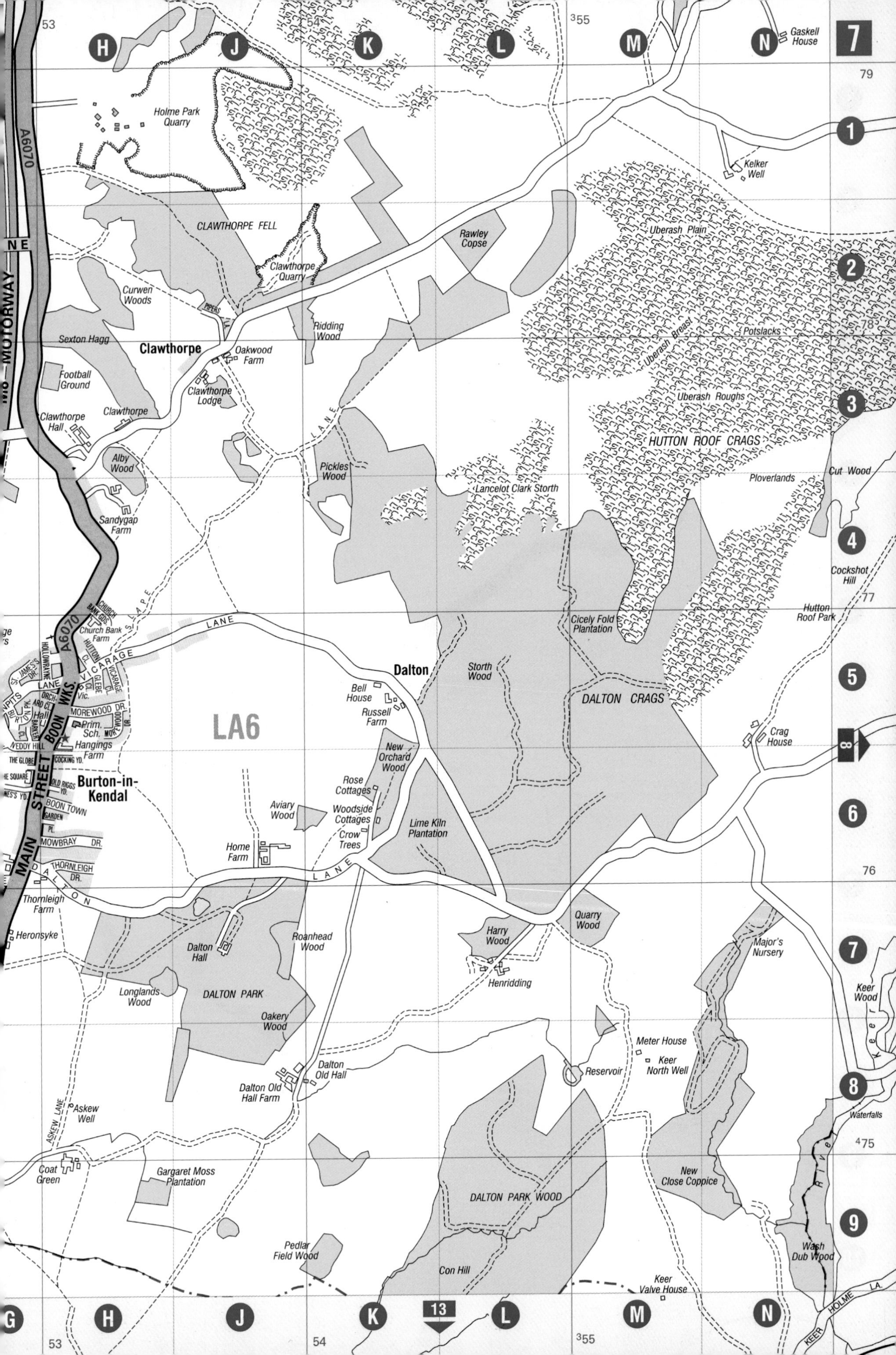
Gaskell House
Holme Park Quarry
CLAWTHORPE FELL
Clawthorpe Quarry
Rawley Copse
Uberash Plain
Curwen Woods
Sexton Hagg
Clawthorpe
Oakwood Farm
Ridding Wood
Uberash Breast
Potslacks
Football Ground
Clawthorpe Lodge
Uberash Roughs
Clawthorpe Hall
HUTTON ROOF CRAGS
Alby Wood
Pickles Wood
Lancelot Clark Storth
Ploverlands
Cut Wood
Sandygap Farm
Cockshot Hill
Hutton Roof Park
Church Bank Farm
Cicely Fold Plantation
LANE
VICARAGE
Dalton
Storth Wood
Bell House
Russell Farm
DALTON CRAGS
LA6
Crag House
Prim. Sch.
Hangings Farm
New Orchard Wood
Burton-in-Kendal
Rose Cottages
Aviary Wood
Woodside Cottages
Lime Kiln Plantation
Crow Trees
Home Farm
MAIN STREET
Thornleigh Farm
Heronsyke
Harry Wood
Quarry Wood
Roanhead Wood
Dalton Hall
Major's Nursery
Henridding
Longlands Wood
DALTON PARK
Keer Wood
Oakery Wood
Meter House
Keer North Well
Reservoir
Dalton Old Hall
Dalton Old Hall Farm
Askew Well
Waterfalls
Coat Green
Gargaret Moss Plantation
New Close Coppice
DALTON PARK WOOD
Pedlar Field Wood
Wash Dub Wood
Con Hill
Keer Valve House
M6 MOTORWAY
A6070
KEER HOLME LA.
River Keer

8
13

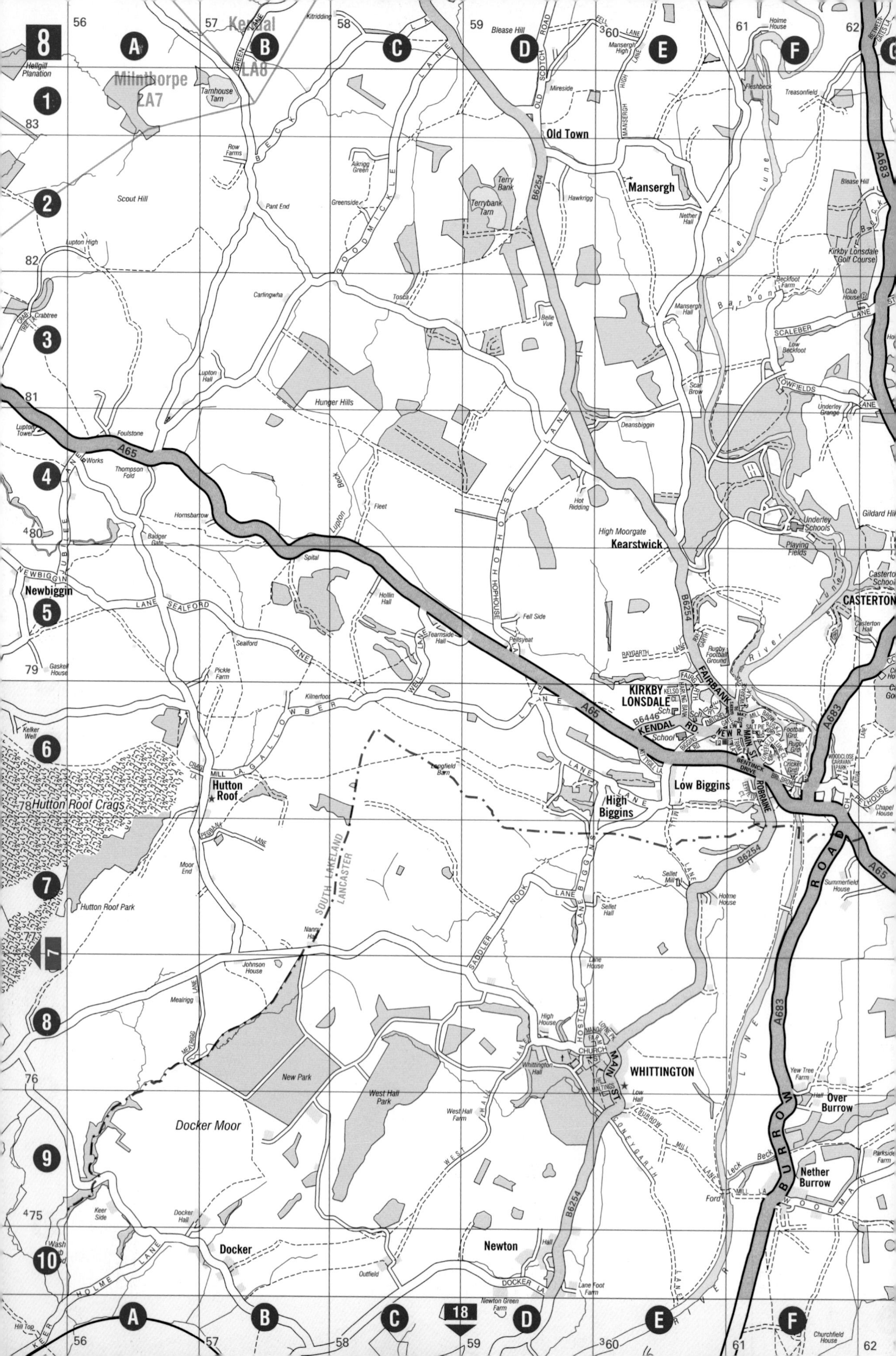
Old Town
Mansergh
Kearstwick
KIRKBY LONSDALE
CASTERTON
Low Biggins
High Biggins
Hutton Roof
Hutton Roof Crags
Newbiggin
WHITTINGTON
Over Burrow
Nether Burrow
Docker
Newton
Docker Moor
New Park
West Hall Park
Hunger Hills
Scout Hill
Kirkby Lonsdale Golf Course
Underley Schools
Playing Fields
Terrybank Tarn
Tarnhouse Tarn
Hellgill Plantation
A65
A683
B6254
B6446
SOUTH LAKELAND
LANCASTER
River Lune
Barbon Beck
Lupton Beck
Milnthorpe 2A7
Kendal LA8

7
18

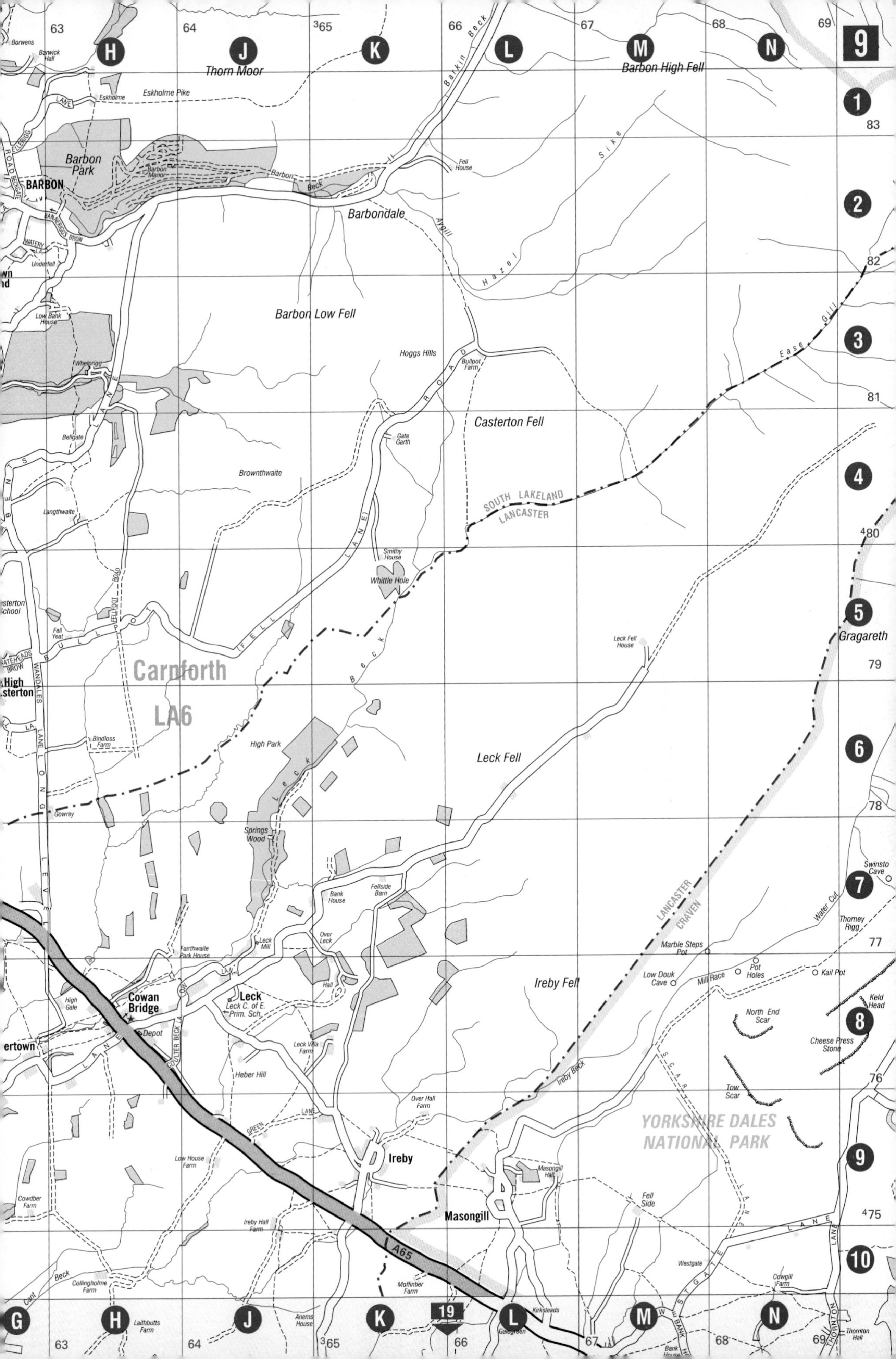
Borwens
Barwick Hall
Thorn Moor
Eskholme
Eskholme Pike
Barkin Beck
Barbon High Fell
Barbon Park
Barbon Manor
BARBON
Barbon Beck
Fell House
Barbondale
Sike
Hazel
Argill
Underfell
Barbon Low Fell
Low Bank House
Whelprigg
Hoggs Hills
Bullpot Farm
Ease Gill
Casterton Fell
Bellgate
Gate Garth
Brownthwaite
Langthwaite
SOUTH LAKELAND
LANCASTER
Smithy House
Whittle Hole
Casterton School
Fell Yeat
Gragareth
Leck Fell House
Carnforth
LA6
High Casterton
Beck
Bindloss Farm
High Park
Leck Fell
Leck
Gowrey
Springs Wood
Swinsto Cave
Bank House
Fellside Barn
Over Leck
Water Cut
Thorney Rigg
LANCASTER
CRAVEN
Marble Steps Pot
Fairthwaite Park House
Leck Mill
Hall
Low Douk Cave
Mill Race
Pot Holes
Kail Pot
Ireby Fell
Keld Head
High Gale
Cowan Bridge
Leck
Leck C. of E. Prim. Sch.
North End Scar
Depot
Cheese Press Stone
Leck Villa Farm
Heber Hill
Ireby Beck
Tow Scar
Over Hall Farm
YORKSHIRE DALES NATIONAL PARK
Low House Farm
Ireby
Masongill Hall
Cowdber Farm
Fell Side
Masongill
Ireby Hall Farm
A65
Westgate
Cant Beck
Collingholme Farm
Moffinber Farm
Cowgill Farm
Kirksteads
Laithbutts Farm
Anems House
Galegreen
Thornton Hall
Bank House
WESTGATE
THORNTON LANE
SCAR LANE
GREEN LANE
COWAN BECK LANE
BULLPOT ROAD
FELL LANE
FELLFOOT ROAD
WANDALES LANE
LONG LEVEL
BENTS LANE
BANNERIGGS BROW
WATERY LANE
19

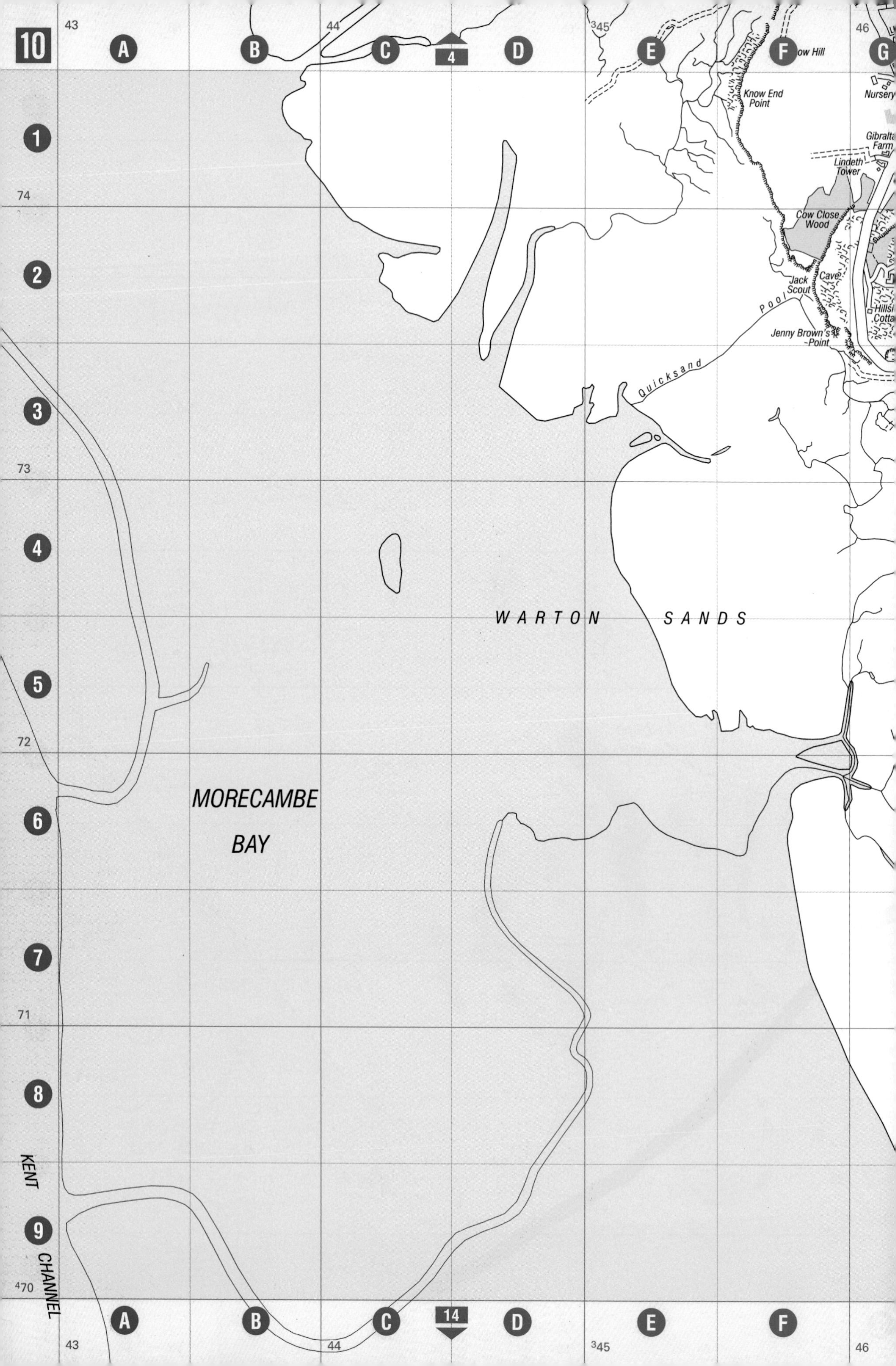

10

A B C D E F G

43 44 345 46

1

74

2

3

73

4

WARTON SANDS

5

72

MORECAMBE

6

BAY

7

71

8

KENT

9

470

CHANNEL

43 44 345 46

A B C D E F

4

14

Know Hill

Know End
Point

Nursery

Gibraltar
Farm

Lindeth
Tower

Cow Close
Wood

Jack
Scout

Cave

Hillsi
Cotta

Pool

Jenny Brown's
-Point

Quicksand

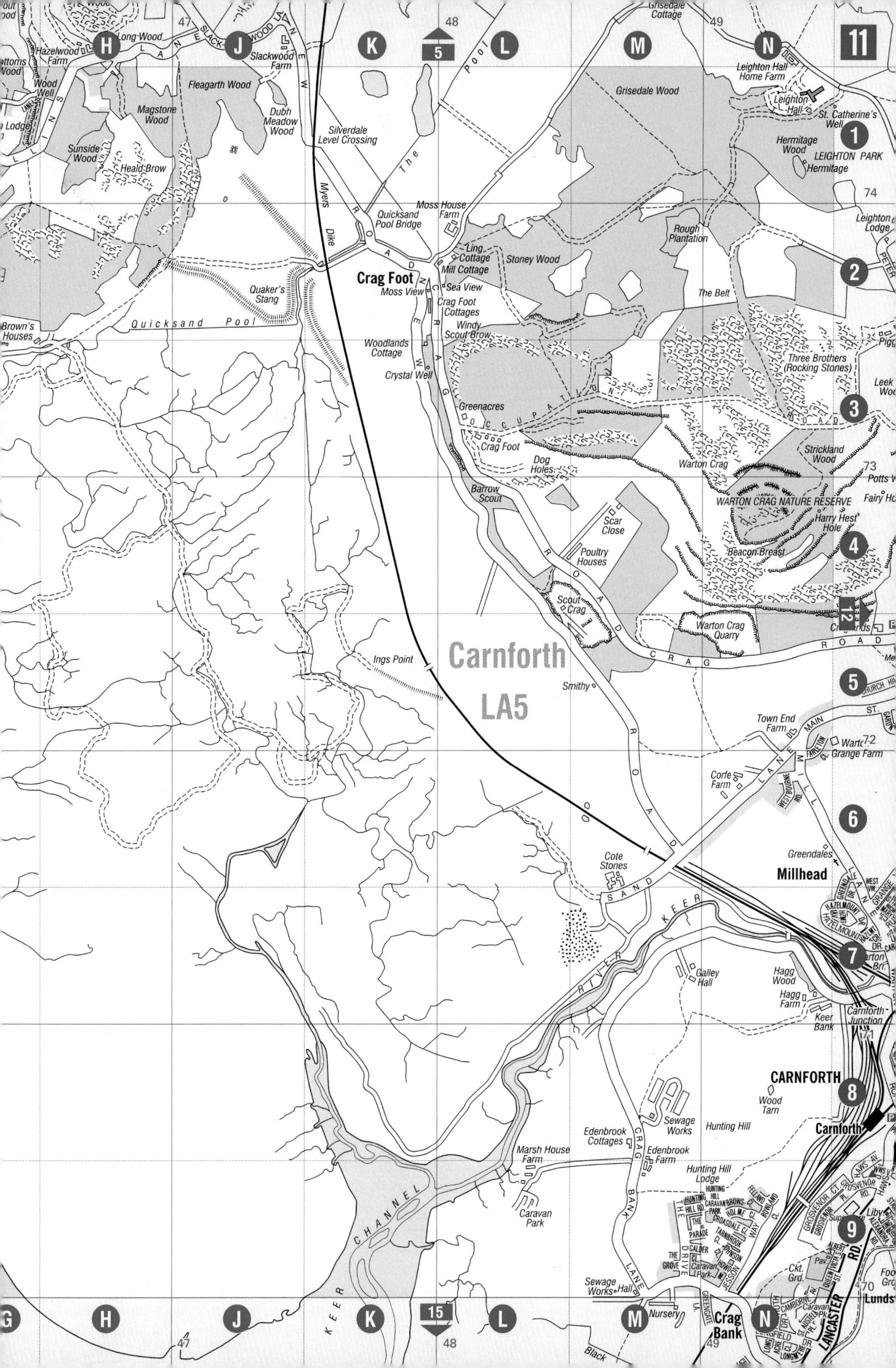
H
J
K
L
M
N
5
47
48
49
Long Wood
Hazelwood Farm
Slackwood Farm
Fleagarth Wood
Grisedale Cottage
Grisedale Wood
Leighton Hall Home Farm
Leighton Hall
St. Catherine's Well
Hermitage Wood
Hermitage
LEIGHTON PARK
Wood Well
Magstone Wood
Dubh Meadow Wood
Silverdale Level Crossing
Sunside Wood
Heald Brow
The Pool
Myers Dike
Quicksand Pool Bridge
Moss House Farm
Rough Plantation
Leighton Lodge
74
Ling Cottage
Mill Cottage
Stoney Wood
Crag Foot
Moss View
Sea View
Crag Foot Cottages
Windy Scout Brow
The Belt
Quaker's Stang
Quicksand Pool
Brown's Houses
Woodlands Cottage
Crystal Well
Three Brothers (Rocking Stones)
Leek Wood
Greenacres
OCCUPATION ROAD
Crag Foot
Dog Holes
Warton Crag
Strickland Wood
73
Potts Wood
Fairy Hole
Barrow Scout
WARTON CRAG NATURE RESERVE
Harry Hest Hole
Scar Close
Poultry Houses
Beacon Breast
Scout Crag
12
Warton Crag Quarry
CRAG ROAD
Ings Point
Carnforth
LA5
Smithy
CHURCH HILL
Town End Farm
MAIN ST.
Warton Grange Farm
72
Corfe Farm
WESTBOURNE RD.
MILL LANE
Greendales
Millhead
Cote Stones
SAND LANE
KEER
RIVER
Galley Hall
Hagg Wood
Hagg Farm
Keer Bank
Carnforth Junction
71
CARNFORTH
Wood Tarn
Sewage Works
Hunting Hill
Carnforth
Edenbrook Cottages
Edenbrook Farm
Marsh House Farm
Hunting Hill Lodge
Caravan Park
CRAG BANK LANE
KEER CHANNEL
GROSVENOR RD.
HAWS AV.
Supermarket
Library
LANCASTER RD.
Ckt. Grd.
Caravan Park
Sewage Works
Hall
Nursery
Crag Bank
470
G
15
Black

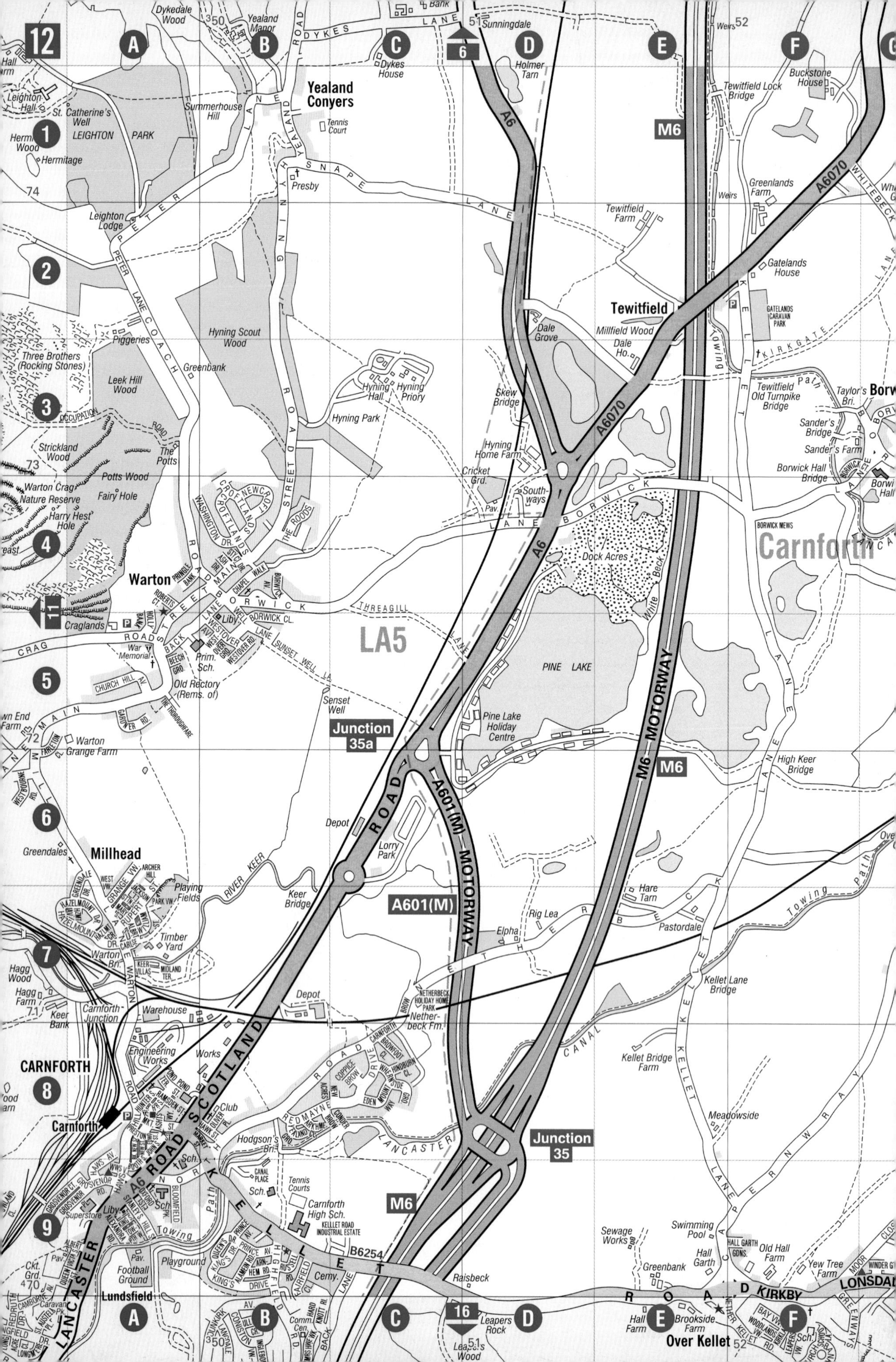
Dykedale Wood
Yealand Manor
Bank
Dykes Lane
Sunningdale
Holmer Tarn
Weirs
Leighton Hall
St. Catherine's Well
Leighton Park
Hermitage
Dykes House
Yealand Conyers
Tennis Court
Summerhouse Hill
Yealand Road
Tewitfield Lock Bridge
Buckstone House
M6
Snape Lane
Presby
Peter Lane
Leighton Lodge
Hyning Road
A6
Greenlands Farm
Tewitfield Farm
A6070
Whitebeck
Gatelands House
Tewitfield
Gatelands Caravan Park
Millfield Wood
Dale Grove
Dale Ho.
Kirkgate
Peter Lane
Coach Road
Hyning Scout Wood
Piggeries
Three Brothers (Rocking Stones)
Greenbank
Leek Hill Wood
Hyning Hall
Hyning Priory
Hyning Park
Skew Bridge
Tewitfield Old Turnpike Bridge
Taylor's Bri.
Sander's Bridge
Sander's Farm
Occupation Road
Strickland Wood
The Potts
Potts Wood
Fairy Hole
Hyning Home Farm
Cricket Grd.
Borwick Hall Bridge
Borwick Lane
Warton Crag Nature Reserve
Harry Hest Hole
Crofilands
Washington Dr.
Street
The Roods
Southways
Pav.
Borwick Mews
Carnforth
Dock Acres
White Beck
Warton
Pringle Bank
Main Street
Chapel Walk
Borwick Av.
Roberts Ct.
Holly Bank
Back Lane
Well Lane
Borwick Cl.
Threagill Lane
Liby.
Craglands
Crag Road
War Memorial
Westover Av.
Westover Rd.
Beech Grd.
Prim. Sch.
Sunset Well La.
LA5
Pine Lake
Church Hill Av.
Old Rectory (Rems. of)
The Thoroughfare
Gardner Rd.
Senset Well
Junction 35a
Pine Lake Holiday Centre
Warton Grange Farm
Farleton Cl.
Westbourne Rd.
M6 Motorway
High Keer Bridge
A601(M) Motorway
Depot
Lorry Park
Road
Greendales
Millhead
Archer Hill
West Vw.
Grange Vw.
Park Vw.
Playing Fields
River Keer
Keer Bridge
Hare Tarn
A601(M)
Hazelmount Dr.
Hazelmount
Rig Lea
Pastordale
Elpha
Timber Yard
Warton Bri.
Keer Villas
Midland Ter.
Netherbeck Holiday Home Park
Nether-beck Fm.
Kellet Lane Bridge
Hagg Wood
Hagg Farm
Keer Bank
Carnforth Junction
Warehouse
Depot
Brow
Canal
Kellet Bridge Farm
Engineering Works
Works
Carnforth Road
Coppice Brow
Browfoot Cl.
Hindburn Cl.
Eden Mount Way
New Acres
Redmayne
Conder Brow
CARNFORTH
Carnforth
Club
Scotland Road
Lancaster Road
Meadowside
Junction 35
Hodgson's Bri.
Canal Place
Tennis Courts
Carnforth High Sch.
Kelllet Road Industrial Estate
Kellet Lane
North Road
Haws Av.
Grosvenor Pl.
Grosvenor Rd.
Superstore
Liby.
Bloomfield
Stanley's Hill
Towing Path
Sch.
M6
Pernwray
Sewage Works
Swimming Pool
Hall Garth
Hall Garth Gdns.
Old Hall Farm
Yew Tree Farm
Winder
Greenbank
Playground
B6254
Raisbeck
Kirkby Lonsdale Road
Moor
Ckt. Grd.
Pav.
Football Ground
Cemy.
Queen's Dr.
Prince Av.
King's Drive
Lundsfield
Lancaster Road
Caravan
Leapers Rock
Leapers Wood
Hall Farm
Brookside Farm
Over Kellet
Bay Vw.
Woodlands
Greenways
Leapers Wood
Cambourne
Hard Knott Ri.
Back Lane
Comm. Cen.
Coniston
16
6
11
74
73
72
71
470
50
51
52
1 2 3 4 5 6 7 8 9
A B C D E F G

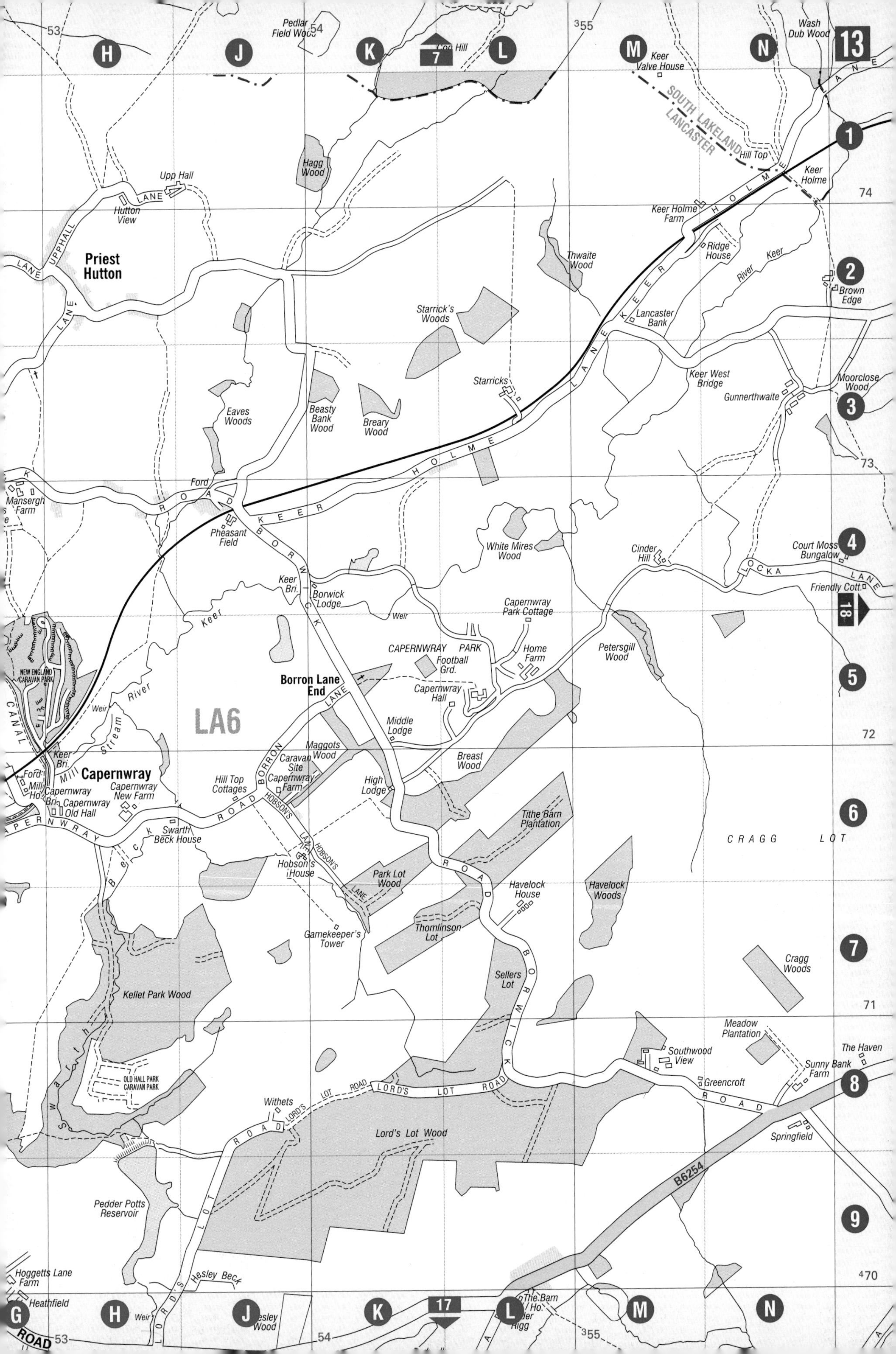

H
J
K
L
M
N
Pedlar Field Wood
Wash Dub Wood
Keer Valve House
SOUTH LAKELAND
LANCASTER
Hill Top
Keer Holme
Keer Holme Farm
Ridge House
River Keer
Brown Edge
Upp Hall
Hutton View
Priest Hutton
Hagg Wood
Thwaite Wood
Starrick's Woods
Lancaster Bank
Keer West Bridge
Gunnerthwaite
Moorclose Wood
Starricks
Eaves Woods
Beasty Bank Wood
Breary Wood
KEER HOLME LANE
Ford
Mansergh Farm
Pheasant Field
White Mires Wood
Cinder Hill
Court Moss Bungalow
LOCKA LANE
Friendly Cott.
Keer Bri.
Borwick Lodge
Weir
Capernwray Park Cottage
CAPERNWRAY PARK
Football Grd.
Home Farm
Petersgill Wood
NEW ENGLAND CARAVAN PARK
CANAL
River Keer
Borron Lane End
Capernwray Hall
LA6
Middle Lodge
Mill Stream
Keer Bri.
Capernwray
Maggots Wood
Caravan Site
Capernwray Farm
Breast Wood
Hill Top Cottages
High Lodge
Capernwray New Farm
Capernwray Old Hall
Mill Ho.
Ford
Swarth Beck House
BORRON ROAD
HOBSON'S LANE
CAPERNWRAY ROAD
Tithe Barn Plantation
CRAGG LOT
Hobson's House
Park Lot Wood
Havelock House
Havelock Woods
BORWICK ROAD
Gamekeeper's Tower
Thomlinson Lot
Cragg Woods
Sellers Lot
Kellet Park Wood
Meadow Plantation
The Haven
Southwood View
Sunny Bank Farm
OLD HALL PARK CARAVAN PARK
Greencroft
Withets
LORD'S LOT ROAD
Springfield
Lord's Lot Wood
Swarth Beck
B6254
Pedder Potts Reservoir
Hesley Beck
Hoggetts Lane Farm
Heathfield
Weir
Hesley Wood
The Barn
Ho.
Rigg
ROAD
1
2
3
4
5
6
7
8
9
74
73
72
71
470
53
54
355

7
18
17

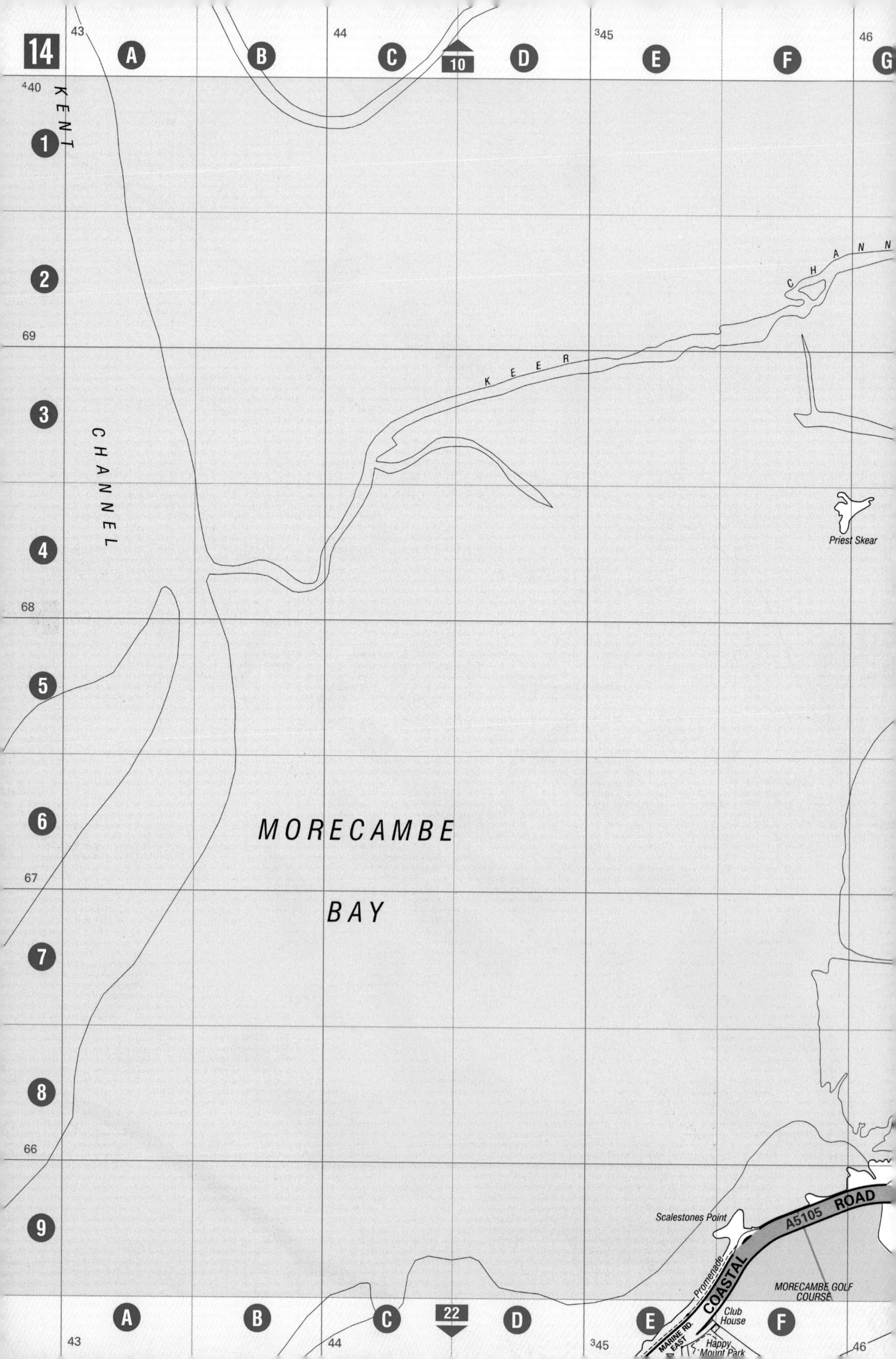

14

A B C D E F G

43 44 ³45 46

10

440

K E N T

1

2

69

C H A N N E L

3

K E E R

C H A N N

4

Priest Skear

68

5

6

7

67

M O R E C A M B E

B A Y

8

66

9

Scalestones Point

A5105 ROAD

COASTAL

Promenade

Club House

MARINE RD. EAST

Happy Mount Park

MORECAMBE GOLF COURSE

A B C D E F

43 44 ³45 46

22

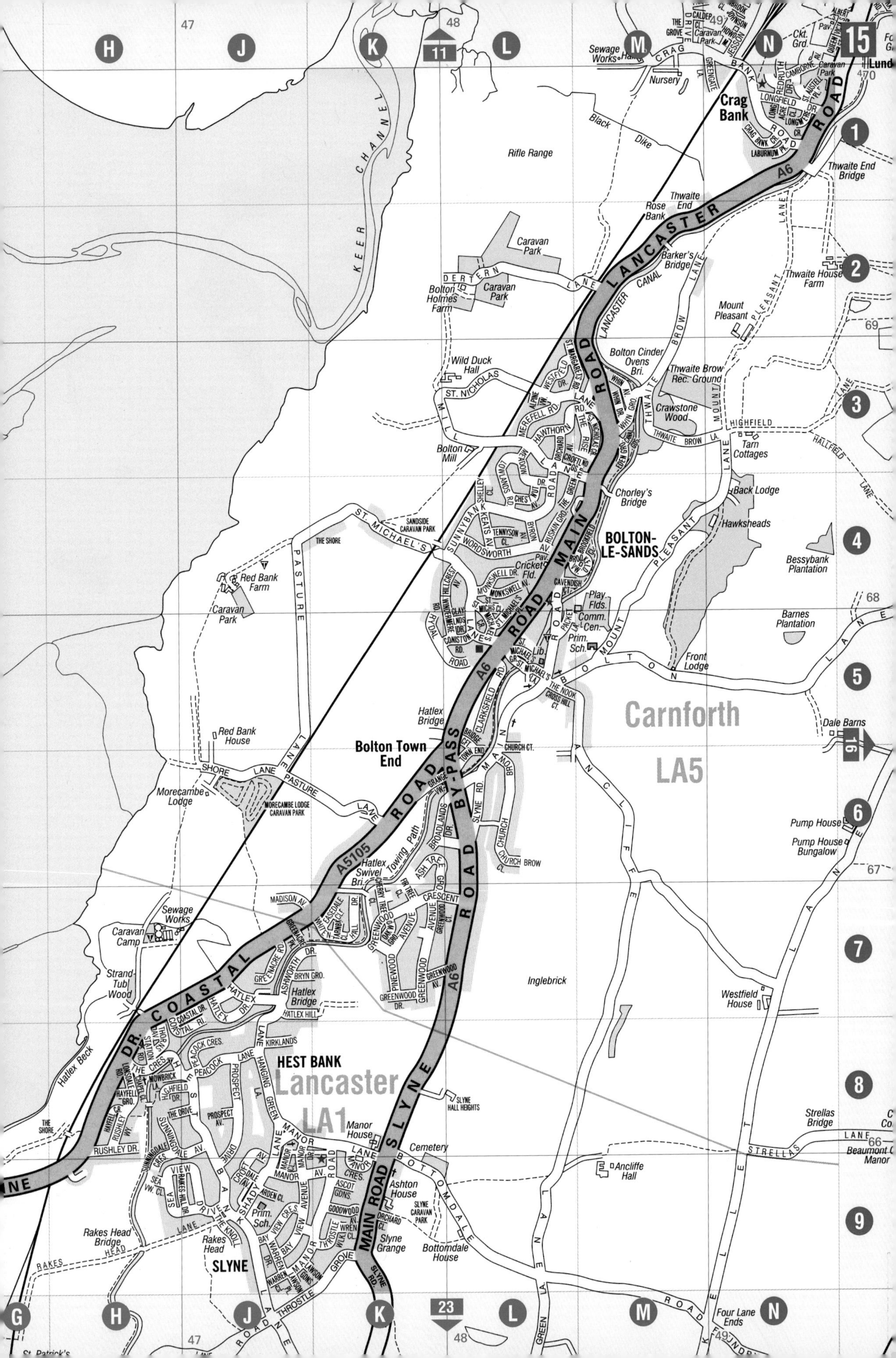

H
J
K
L
M
N
11
23
16
47
48
49
470
69
68
67
66
1
2
3
4
5
6
7
8
9
G
KEER CHANNEL
Sewage Works
Nursery
Crag Bank
CRAG BANK ROAD
Black Dike
Rifle Range
Thwaite End
Thwaite End Bridge
Rose Bank
LANCASTER ROAD
A6
Caravan Park
Barker's Bridge
LANCASTER CANAL
Thwaite House Farm
Mount Pleasant
Bolton Holmes Farm
DERTERN LANE
Wild Duck Hall
ST. NICHOLAS
Bolton Cinder Ovens Bri.
Thwaite Brow Rec. Ground
Crawstone Wood
THWAITE BROW LA.
HIGHFIELD
Tarn Cottages
HALLFIELD LANE
Bolton Mill
MILL LANE
MAIN ROAD
Chorley's Bridge
Back Lodge
Hawksheads
ST. MICHAEL'S LANE
SANDSIDE CARAVAN PARK
THE SHORE
PASTURE LANE
BOLTON-LE-SANDS
Bessybank Plantation
Red Bank Farm
Caravan Park
Cricket Fld.
Play. Flds.
Comm. Cen.
Prim. Sch.
Lib.
Barnes Plantation
Front Lodge
BOLTON LANE
MOUNT PLEASANT
RYDAL ROAD
CONISTON RD.
Carnforth
LA5
Hatlex Bridge
Dale Barns
Red Bank House
Bolton Town End
SHORE LANE
ANCLIFFE LANE
CHURCH CT.
Morecambe Lodge
MORECAMBE LODGE CARAVAN PARK
A5105
ROAD
BY-PASS
Pump House
Pump House Bungalow
Hatlex Swivel Bri.
Towing Path
CHURCH BROW
Sewage Works
Caravan Camp
MADISON AV.
CRESCENT
Strand Tub Wood
COASTAL DR.
Hatlex Bridge
HATLEX HILL
Inglebrick
Westfield House
Hatlex Beck
HEST BANK
Lancaster
LA1
SLYNE HALL HEIGHTS
THE SHORE
Manor House
Cemetery
Strellas Bridge
STRELLAS LANE
Beaumont Manor
RUSHLEY DR.
Ancliffe Hall
BOTTOMDALE ROAD
Ashton House
SLYNE CARAVAN PARK
Prim. Sch.
Rakes Head Bridge
RAKES HEAD LANE
Rakes Head
Slyne Grange
Bottomdale House
SLYNE
MAIN ROAD
SLYNE RD.
THROSTLE GROVE
GREEN LANE
KELLET LANE
Four Lane Ends
St. Patrick's

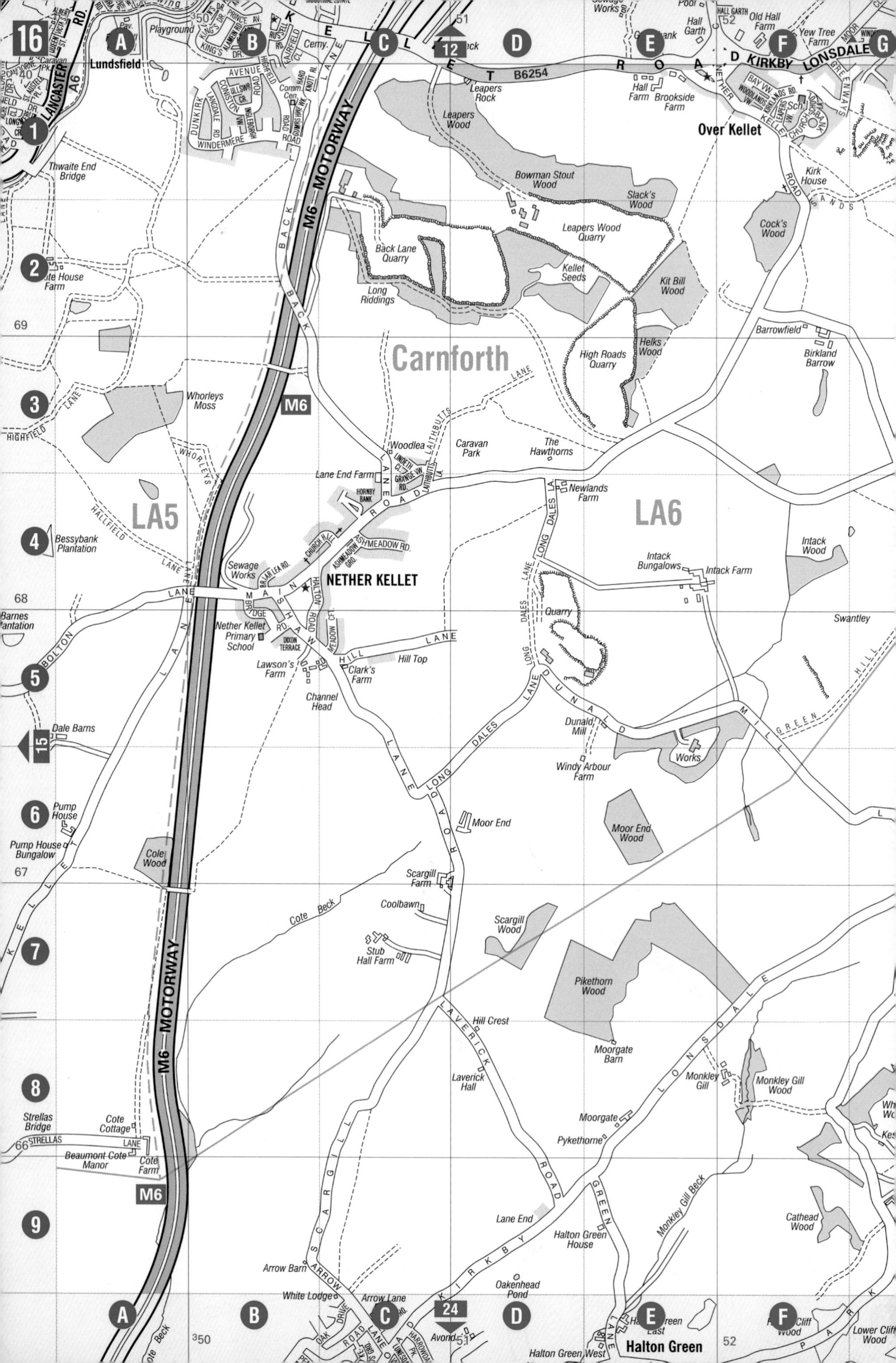
Lundsfield
Playground
Cemy.
Leapers Rock
Leapers Wood
B6254
KIRKBY LONSDALE
Hall Farm
Brookside Farm
Over Kellet
Old Hall Farm
Yew Tree Farm
Hall Garth
Thwaite End Bridge
M6 MOTORWAY
Bowman Stout Wood
Slack's Wood
Leapers Wood Quarry
Kirk House
Cock's Wood
Back Lane Quarry
Kellet Seeds
Kit Bill Wood
Long Riddings
Carnforth
Barrowfield
Birkland Barrow
Helks Wood
High Roads Quarry
Whorleys Moss
M6
Woodlea
Caravan Park
The Hawthorns
Lane End Farm
Newlands Farm
LA5
LA6
Bessybank Plantation
Intack Wood
Intack Bungalows
Intack Farm
Sewage Works
NETHER KELLET
Nether Kellet Primary School
Quarry
Swantley
Barnes Plantation
Lawson's Farm
Clark's Farm
Hill Top
Channel Head
Dunald Mill
Windy Arbour Farm
Works
Dale Barns
15
Pump House
Pump House Bungalow
Moor End
Moor End Wood
Cole Wood
Scargill Farm
Coolbawn
Cote Beck
Scargill Wood
Stub Hall Farm
Pikethorn Wood
Hill Crest
Laverick Hall
Moorgate Barn
Monkley Gill
Monkley Gill Wood
Strellas Bridge
Cote Cottage
Beaumont Cote Manor
Cote Farm
Moorgate
Pykethorne
M6
Lane End
Halton Green House
Monkley Gill Beck
Cathead Wood
Arrow Barn
Oakenhead Pond
White Lodge
Arrow Lane
24
Halton Green
Halton Green West
Lower Cliff Wood
12
51
52
350
69
68
67
66
A B C D E F G
1 2 3 4 5 6 7 8 9

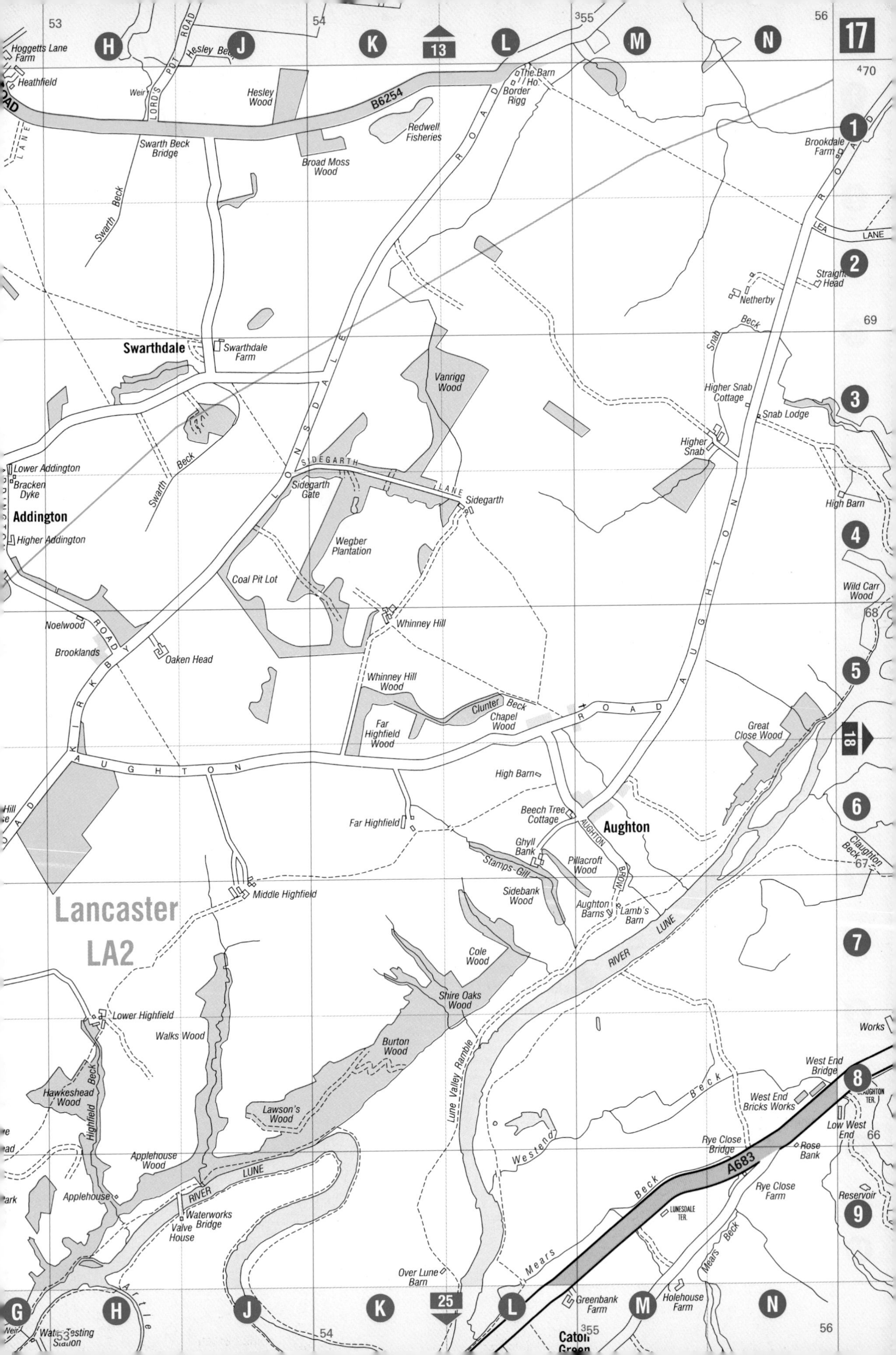

Hoggetts Lane Farm
Heathfield
Hesley Beck
Lord's Pot Road
Weir
Hesley Wood
B6254
Redwell Fisheries
The Barn Ho
Border Rigg
Swarth Beck Bridge
Broad Moss Wood
Swarth Beck
Brookdale Farm
Lea Lane
Straight Head
Netherby
Snab Beck
Swarthdale
Swarthdale Farm
Vanrigg Wood
Higher Snab Cottage
Snab Lodge
Higher Snab
Sidegarth Lane
Lonsdale Road
Lower Addington
Bracken Dyke
Addington
Higher Addington
Sidegarth Gate
Sidegarth
Wegber Plantation
High Barn
Wild Carr Wood
Coal Pit Lot
Noelwood
Whinney Hill
Brooklands
Kirkby Road
Oaken Head
Whinney Hill Wood
Clunter Beck
Chapel Wood
Far Highfield Wood
Aughton Road
Great Close Wood
High Barn
Beech Tree Cottage
Aughton
Far Highfield
Ghyll Bank
Pillacroft Wood
Stamps Gill
Claughton Beck
Middle Highfield
Sidebank Wood
Aughton Brow
Aughton Barns
Lamb's Barn
Lancaster LA2
River Lune
Cole Wood
Shire Oaks Wood
Lower Highfield
Walks Wood
Burton Wood
Works
Lune Valley Ramble
West End Bridge
Hawkeshead Wood
Highfield Beck
West End Bricks Works
Claughton Ter.
Lawson's Wood
Low West End
Westend Beck
Rye Close Bridge
Rose Bank
Applehouse Wood
A683
Rye Close Farm
Applehouse
Reservoir
River Lune
Waterworks Bridge
Valve House
Lunesdale Ter.
Mears Beck
Over Lune Barn
Artle Beck
Greenbank Farm
Holehouse Farm
Weir
Water Testing Station
Caton Green

13
18
25

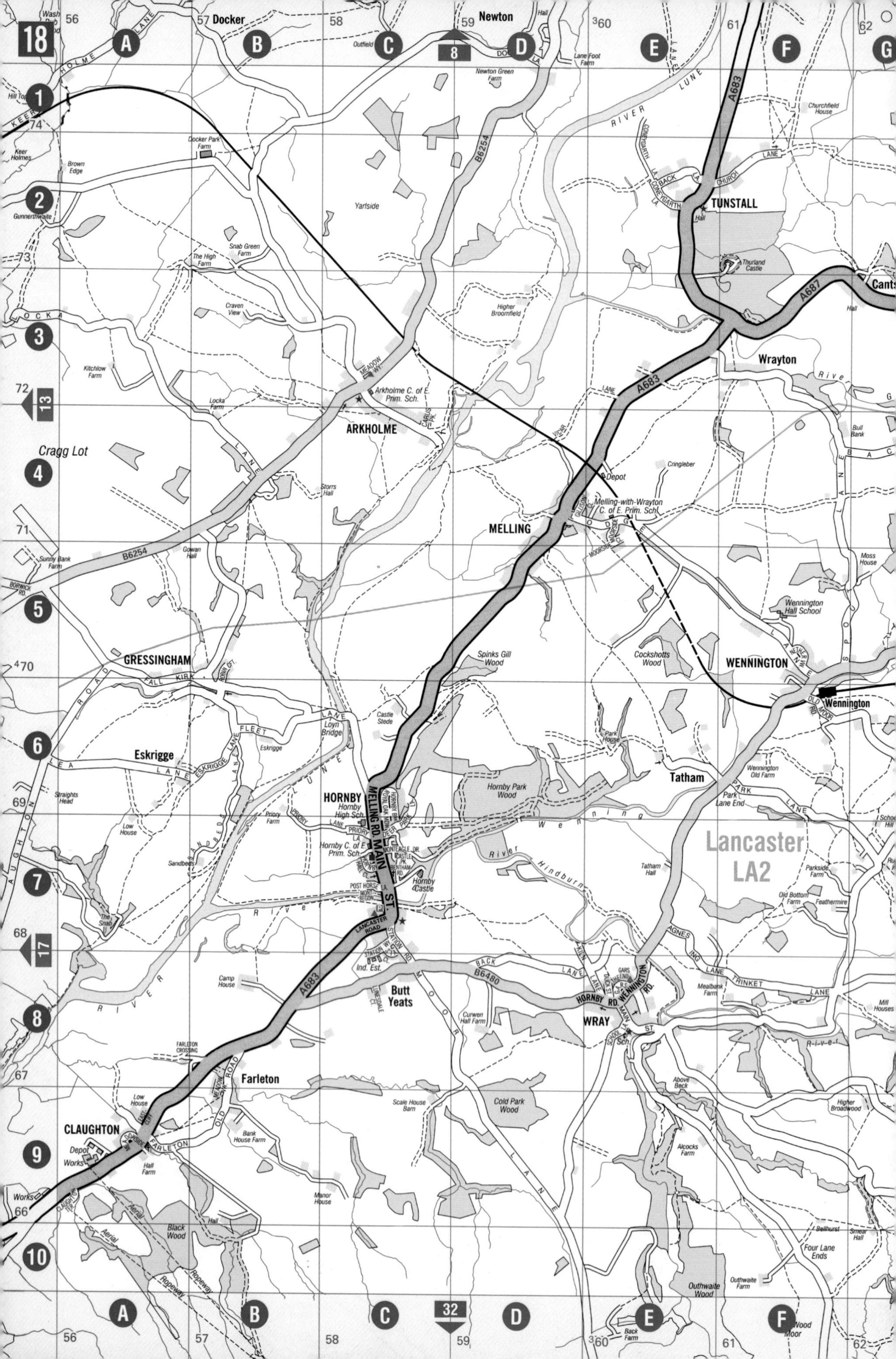

Docker
Newton
8
13
17
32
TUNSTALL
Thurland Castle
Wrayton
ARKHOLME
Arkholme C. of E. Prim. Sch.
Cragg Lot
MELLING
Melling-with-Wrayton C. of E. Prim. Sch.
Depot
GRESSINGHAM
Eskrigge
HORNBY
Hornby High Sch.
Hornby C. of E. Prim. Sch.
Hornby Castle
WENNINGTON
Wennington
Wennington Hall School
Tatham
Lancaster
LA2
Butt Yeats
WRAY
Farleton
CLAUGHTON
Spinks Gill Wood
Hornby Park Wood
Cockshotts Wood
Cold Park Wood
Black Wood
Outhwaite Wood
Four Lane Ends
River Lune
River Wenning
River Hindburn
A683
A687
B6254
B6480

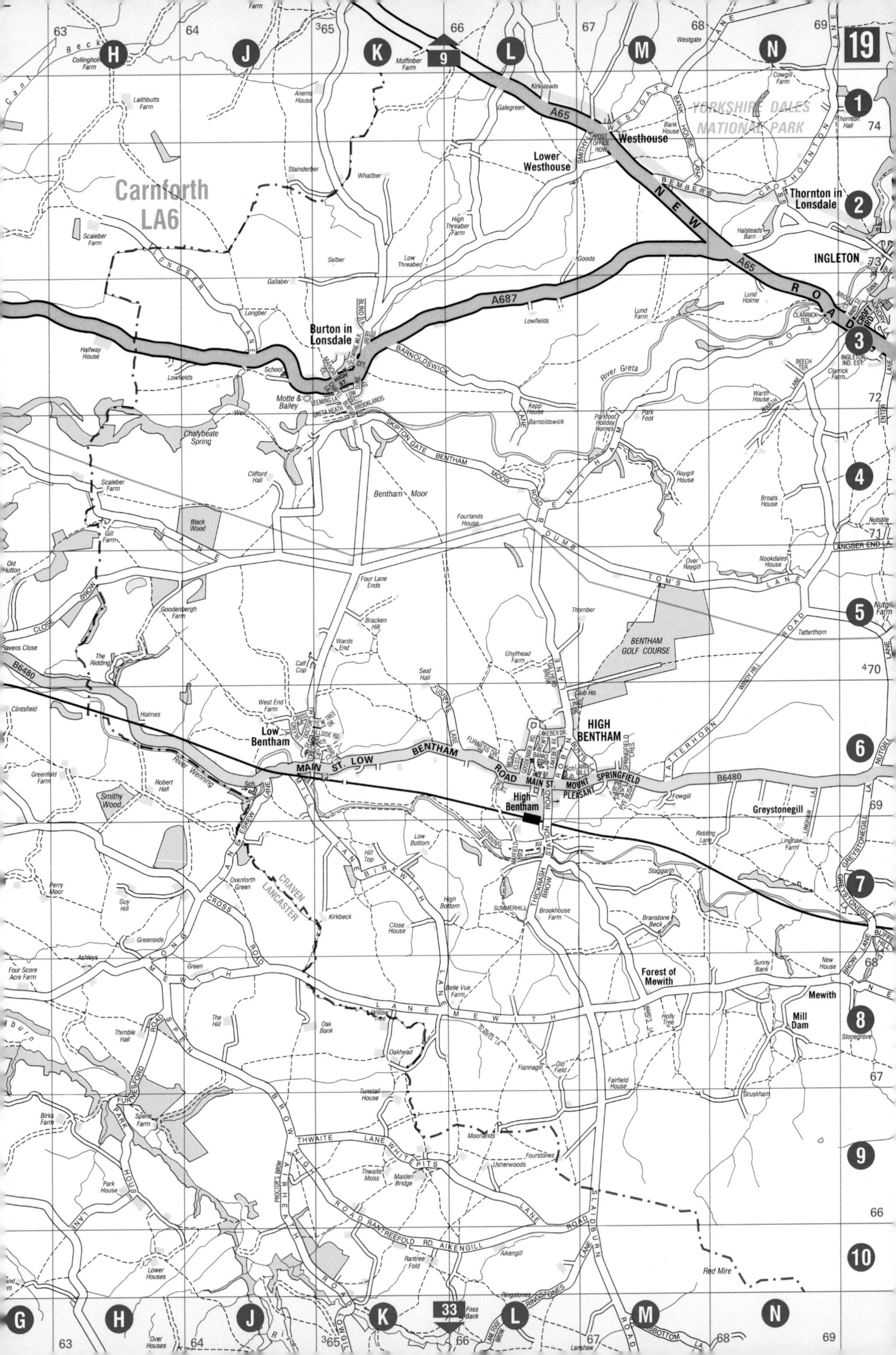
9
33
H
J
K
L
M
N
G
1
2
3
4
5
6
7
8
9
10
63
64
365
66
67
68
69
74
73
72
71
470
69
68
67
66
YORKSHIRE DALES NATIONAL PARK
Carnforth LA6
CRAVEN
LANCASTER
A65
A687
B6480
NEW ROAD
Westhouse
Lower Westhouse
Thornton in Lonsdale
INGLETON
Burton in Lonsdale
Low Bentham
HIGH BENTHAM
High Bentham
Forest of Mewith
Mewith
Mill Dam
Greystonegill
Bentham Moor
BENTHAM GOLF COURSE
River Greta
River Wenning
Farm
Collingholme Farm
Laithbutts Farm
Moffinber Farm
Anems House
Kirksteads
Galegreen
Westgate
Cowgill Farm
Thornton Hall
Stainderber
Whaitber
High Threaber Farm
Low Threaber
Scaleber Farm
Selber
Gallaber
Gooda
Halsteads Barn
Longber
Lund Farm
Lund Holme
Lowfields
Halfway House
School
Motte & Bailey
Chalybeate Spring
Weir
Kepp House
Barnoldswick
Parkfoot Holiday Homes
Park Foot
Warth House
Clarrick Farm
INGLETON IND. EST.
Clifford Hall
Raygill House
Broats House
Black Wood
Fourlands House
Nutstile
Gill Farm
Old Hutton
Four Lane Ends
Over Raygill
Nookdales House
Goodenbergh Farm
Bracken Hill
Thornber
Nutgill Farm
Tatterthorn
Ravens Close
Wards End
The Ridding
Calf Cop
Seat Hall
Ghyllhead Farm
Club Ho.
Clintsfield
West End Farm
Holmes
Greenfold Farm
Robert Hall
Smithy Wood
Fowgill
Ridding Lane
Linghaw Farm
Low Bottom
Hill Top
Staggarth
Perry Moor
Oxenforth Green
Guy Hill
Kirkbeck
High Bottom
Close House
SUMMERHILL
Brookhouse Farm
Branstone Beck
Greenside
Ashleys
Green
Four Score Acre Farm
Belle Vue Farm
Sunny Bank
New House
The Hill
Thimble Hall
Oak Bank
Willow Tree
Holly Tree
Stonegrove
Oakhead
Flannagill
Old Field
Fairfield House
Gruskham
Tunstall House
Birks Farm
Spens Farm
Moorlands
Fourstones
Usherwoods
Thwaite Moss
Maiden Bridge
Park House
Aikengill
Rantree Fold
Red Mire
Lower Houses
Ringstones
Foss Bank
Over Houses
Lanshaw
WESTGATE
BANK HOUSE LANE
THORNTON
BEMBERS
CROTHORNTON
SMITHY LA.
POST OFFICE ROW
LONGBER LANE
BARNOLDSWICK LANE
SKIPTON GATE
BENTHAM MOOR ROAD
BENTHAM
DUMB TOM'S LANE
LANGBER END LA.
CLOSE BROW
LANE
ROAD
MAIN ST.
LOW BENTHAM ROAD
MOUNT PLEASANT
SPRINGFIELD
FURNESS DR.
TATTERHORN
WINDY HILL
BENTHAM LANE
STATION ROAD
THICKRASH BROW
WENNING AV.
MAIFIELD
BIRKWITH LANE
ESKEW LANE
CROSS ROAD
LONG LANE
MEWITH LANE
SCARFES LA.
GREYSTONEGILL LA.
BROW LANE
HIGH SPEN ROAD
FURNESFORD
PARK HOUSE
HIGH FAIRHEATH ROAD
THWAITE LANE
WHITE PITS LANE
RANTREEFOLD RD.
AIKENGILL ROAD
SLAIDBURN ROAD
PROCTOR'S BROW
LOWGILL
RINGSTONES
LANE FOOT BROW
HIGH ST.
BLIND LA.
THE CFT.
MANOR CL.
DUKE ST.
BROOKLANDS
GRETA HEATH
FEEMING LA.
BRIDGE ST.
MAIN ST.
CROFT RD.
CLARRICK TER.
BEECH TER.
HILLSIDE RD.
YEW TREE DR.
SCH.
P
Sch.
Sch

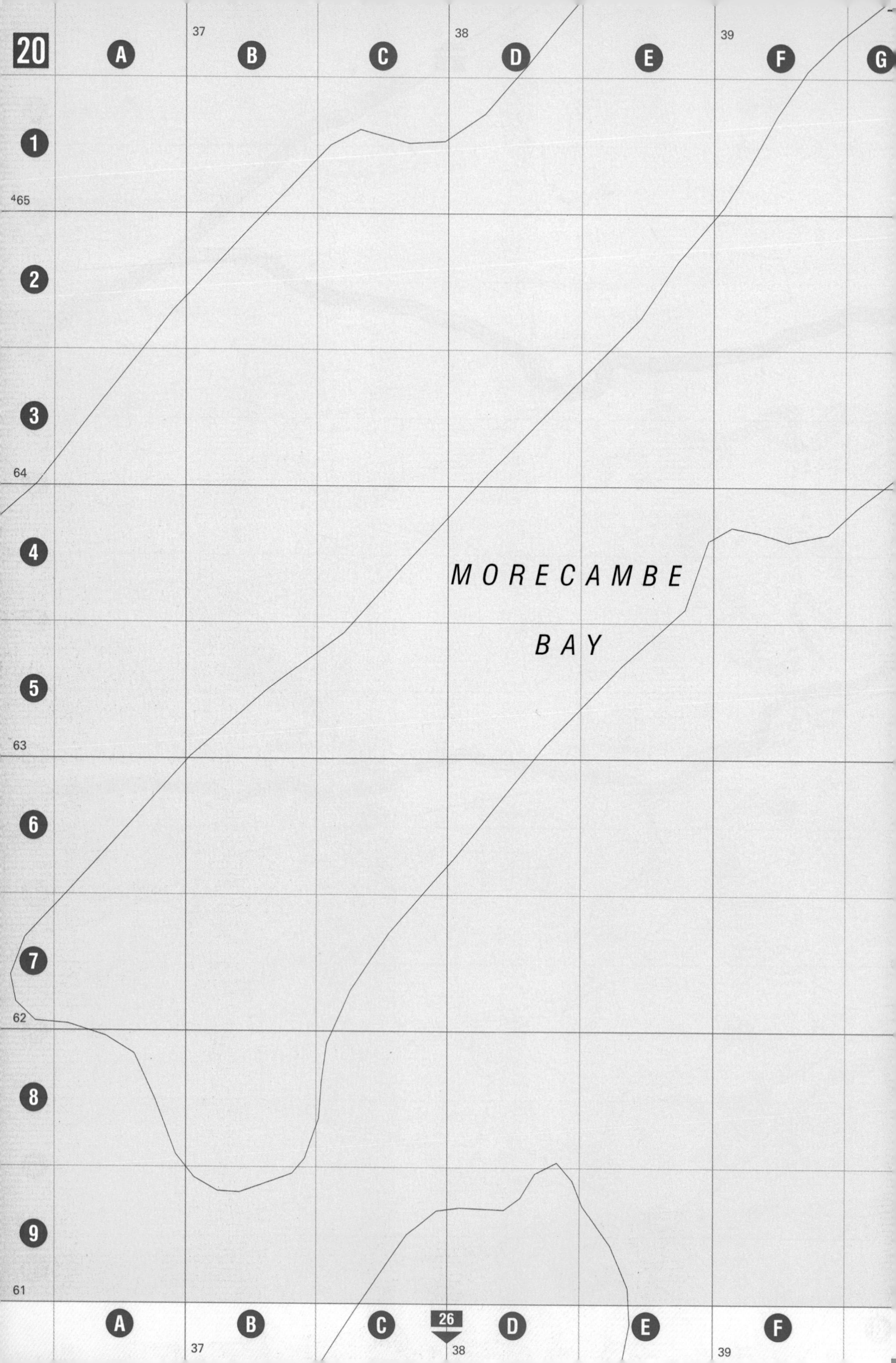

A   B   C   D   E   F   G

1

⁴65

2

3

64

4

M O R E C A M B E

B A Y

5

63

6

7

62

8

9

61

A   B   C   26   D   E   F

37   37   38   38   39

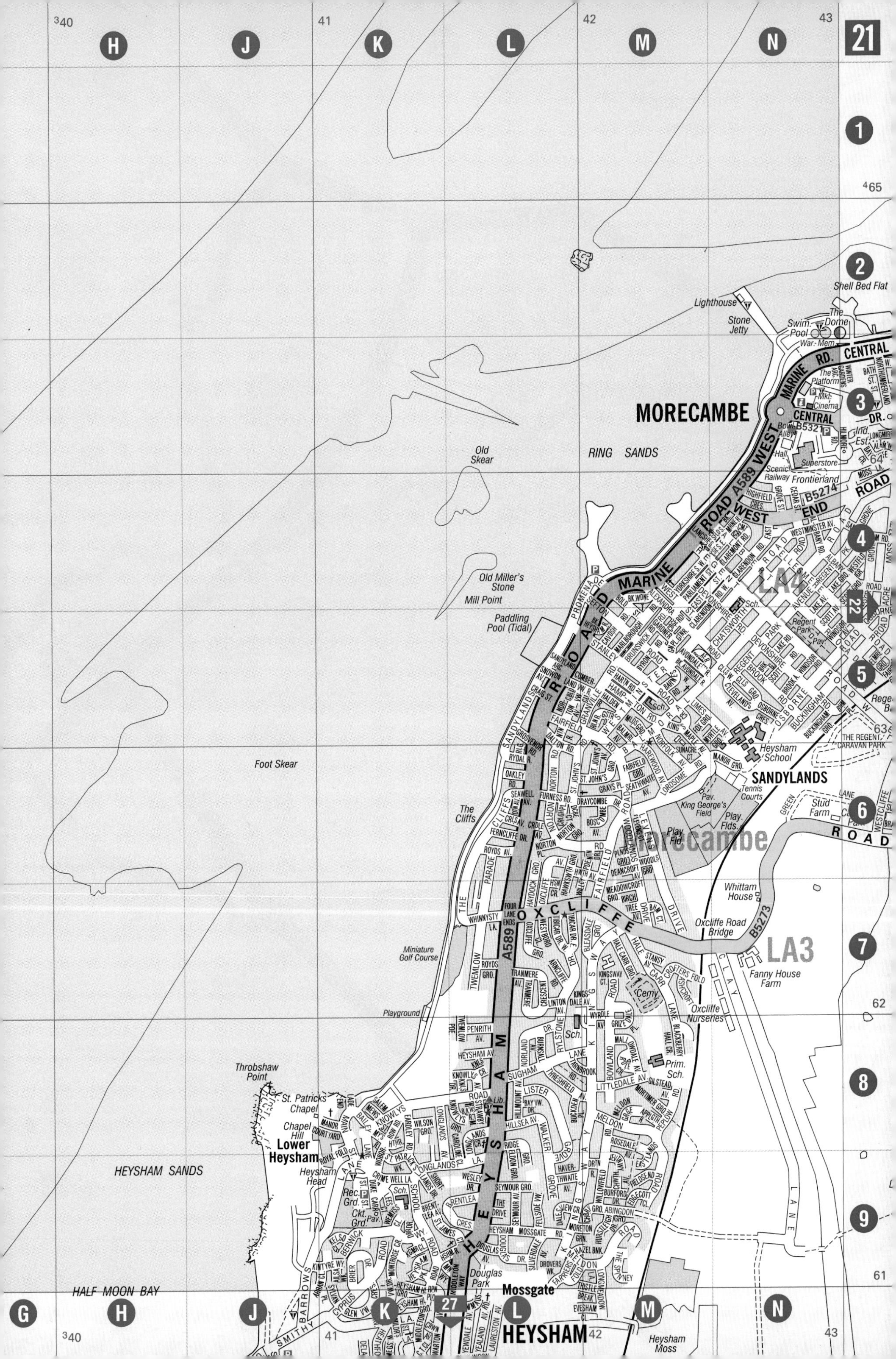
21
H
J
K
L
M
N
G
340
41
42
43
465
64
63
62
61
1
2
3
4
5
6
7
8
9
22
27
Shell Bed Flat
Lighthouse
Stone Jetty
Swim. Pool
The Dome
War. Mem.
MORECAMBE
The Platform
Mkt.
Cinema
Bowl. Alley
Hall
Superstore
Scenic Railway
Frontierland
Ind. Est.
MARINE RD. CENTRAL
CENTRAL DR.
B5321
A589
B5274
WEST END ROAD
MARINE ROAD WEST
Old Skear
RING SANDS
Old Miller's Stone
Mill Point
Paddling Pool (Tidal)
LA4
Regent Park
Sch.
Heysham School
SANDYLANDS
THE REGENT CARAVAN PARK
Tennis Courts
Pav.
King George's Field
Play. Fld.
Play. Flds.
Morecambe
Stud Farm
Whittam House
Oxcliffe Road Bridge
B5273
LA3
Fanny House Farm
Cemy.
Oxcliffe Nurseries
Foot Skear
The Cliffs
OXCLIFFE
FOUR LANE ENDS
Miniature Golf Course
Playground
HEYSHAM
Prim. Sch.
Throbshaw Point
St. Patricks Chapel
Chapel Hill
Lower Heysham
Heysham Head
Rec. Grd.
Ckt. Grd.
Lib.
HEYSHAM SANDS
HALF MOON BAY
Douglas Park
Mossgate
HEYSHAM
Heysham Moss
CLAY LANE

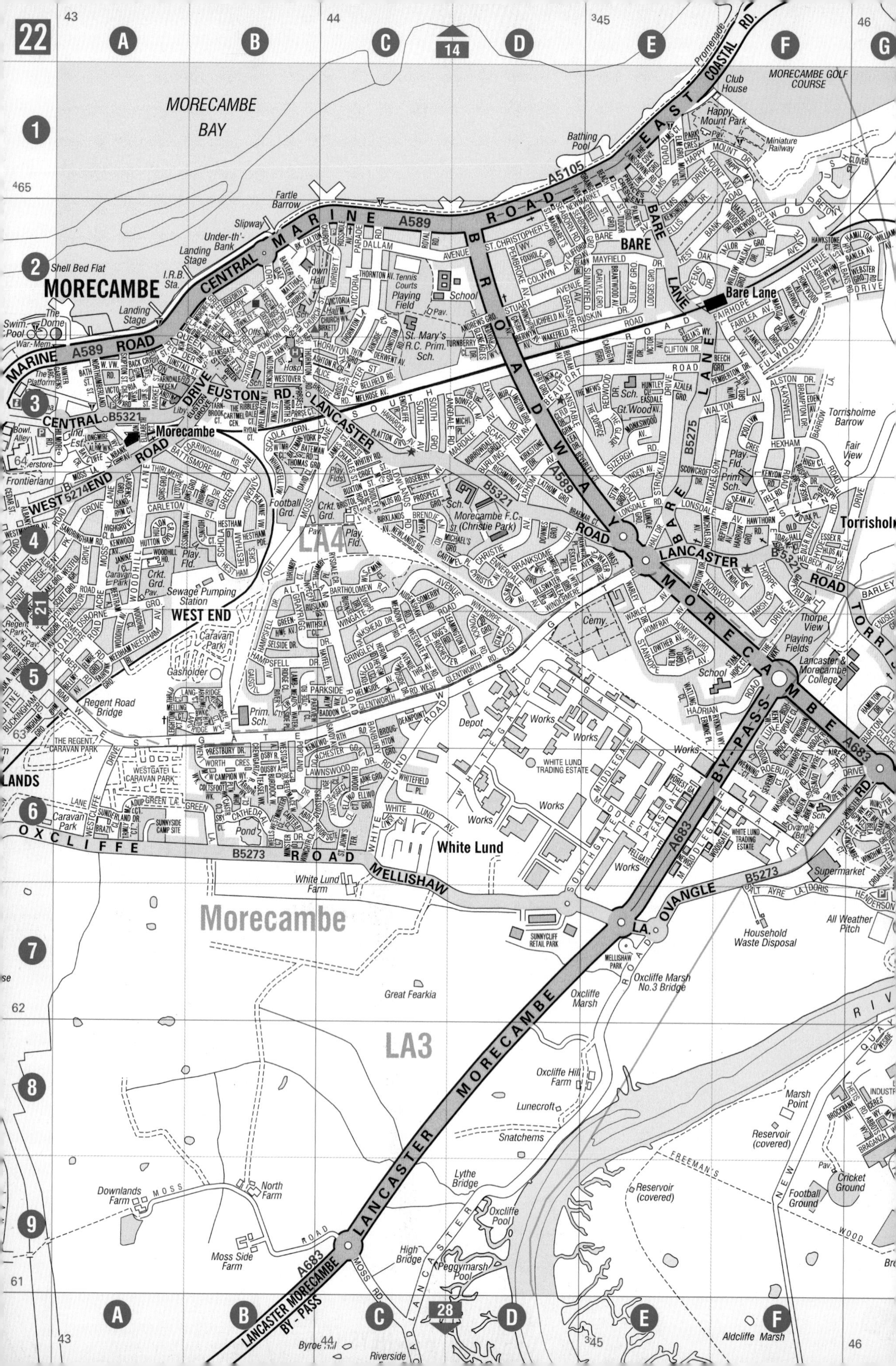

22
14
28
21
A
B
C
D
E
F
G
1
2
3
4
5
6
7
8
9
43
44
345
46
465
64
63
62
61
MORECAMBE BAY
MORECAMBE GOLF COURSE
Club House
Happy Mount Park
Miniature Railway
Bathing Pool
Promenade
EAST
COASTAL RD.
A5105
Fartle Barrow
Slipway
Under-th'-Bank
Landing Stage
I.R.B. Sta.
Shell Bed Flat
MORECAMBE
The Dome
Swim. Pool
War-Mem.
CENTRAL
MARINE
ROAD
A589
Town Hall
Tennis Courts
Playing Field
School
St. Mary's R.C. Prim. Sch.
Hosp.
BROADWAY
BARE
BARE LANE
Bare Lane
B5275
EUSTON RD.
LANCASTER
The Platforms
Morecambe
B5321
Bowl. Alley
Frontierland
WEST END
ROAD
B5274
Football Grd.
Crkt. Grd.
Play. Fld.
LA4
Morecambe F.C. (Christie Park)
Sewage Pumping Station
WEST END
Caravan Park
Gasholder
Regent Road Bridge
Prim. Sch.
Cemy.
Torrisholme Barrow
Fair View
Torrishol
Thorpe View
Playing Fields
Lancaster & Morecambe College
School
Depot
Works
WHITE LUND TRADING ESTATE
White Lund
White Lund Farm
THE REGENT CARAVAN PARK
WESTGATE CARAVAN PARK
SUNNYSIDE CAMP SITE
Caravan Park
Pond
OXCLIFFE
B5273
ROAD
MELLISHAW
Morecambe
SUNNYCLIFF RETAIL PARK
OVANGLE
Supermarket
Household Waste Disposal
All Weather Pitch
MELLISHAW PARK
Oxcliffe Marsh No.3 Bridge
Oxcliffe Marsh
Great Fearkia
LA3
MORECAMBE
LANCASTER
A683
BY-PASS
Oxcliffe Hill Farm
Lunecroft
Snatchems
Marsh Point
Reservoir (covered)
FREEMAN'S
Lythe Bridge
Reservoir (covered)
Cricket Ground
Football Ground
Downlands Farm
MOSS
North Farm
Moss Side Farm
Oxcliffe Pool
High Bridge
Peggymarsh Pool
LANCASTER MORECAMBE BY-PASS
Byroe Hill
Riverside
Aldcliffe Marsh
LANDS

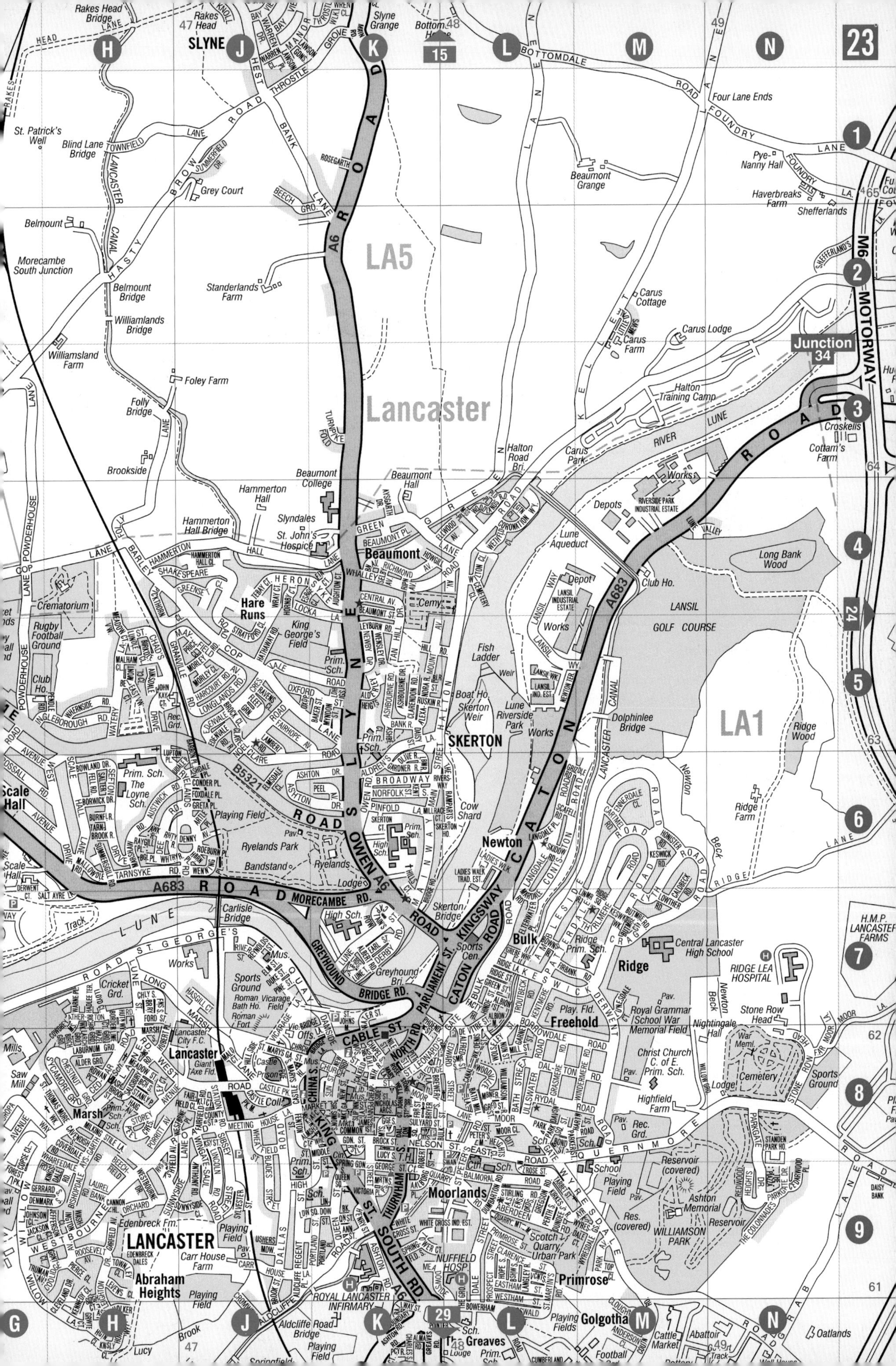

Rakes Head Bridge
Rakes Head
SLYNE
Slyne Grange
Bottom House
15
Four Lane Ends
BOTTOMDALE ROAD
FOUNDRY LANE
Pye-Nanny Hall
Haverbreaks Farm
Shefferlands
St. Patrick's Well
Blind Lane Bridge
Grey Court
Beaumont Grange
Belmount
Morecambe South Junction
Belmount Bridge
Williamlands Bridge
Standerlands Farm
LA5
Carus Cottage
Carus Farm
Carus Lodge
Junction 34
M6 MOTORWAY
Williamsland Farm
Foley Farm
Folly Bridge
Lancaster
Halton Training Camp
RIVER LUNE
Croskells
Cottam's Farm
Brookside
Halton Road Bri.
Carus Park
Beaumont College
Beaumont Hall
Hammerton Hall
Syndales
St. John's Hospice
Hammerton Hall Bridge
Works
Depots
RIVERSIDE PARK INDUSTRIAL ESTATE
Lune Aqueduct
Beaumont
Long Bank Wood
Club Ho.
Crematorium
Hare Runs
Cemy.
Depot
LANSIL INDUSTRIAL ESTATE
A683
LANSIL GOLF COURSE
24
Rugby Football Ground
King George's Field
Fish Ladder
Works
Club Ho.
Prim. Sch.
Boat Ho.
Skerton Weir
Lune Riverside Park
LA1
Dolphinlee Bridge
Ridge Wood
Rec. Grd.
Prim. Sch.
SKERTON
Scale Hall
Prim. Sch.
The Loyne Sch.
B5321
Playing Field
Cow Shard
Newton
Ridge Farm
Ryelands Park
Bandstand
Ryelands
High Sch.
Prim. Sch.
Lodge
LADIES WALK TRAD. EST.
A683 ROAD
MORECAMBE RD.
Skerton Bridge
Carlisle Bridge
High Sch.
Track
LUNE
KINGSWAY
CATON ROAD
Bulk
Ridge Prim. Sch.
Central Lancaster High School
H.M.P. LANCASTER FARMS
Works
Mus.
Sports Cen.
Greyhound Bri.
Ridge
RIDGE LEA HOSPITAL
Cricket Grd.
Sports Ground
Roman Bath Ho.
Vicarage Field
Roman Fort
GREYHOUND BRIDGE RD.
Play. Fld.
Freehold
Royal Grammar School War Memorial Field
Nightingale Hall
Stone Row Head
Lancaster City F.C.
Mills
Lancaster
Giant Axe Fld.
Castle
Prison
CABLE ST.
Christ Church C. of E. Prim. Sch.
War Meml.
Cemetery
Sports Ground
Saw Mill
Marsh
Prim. Sch.
Highfield Farm
Rec. Grd.
Moorlands
School
Playing Field
Reservoir (covered)
Ashton Memorial
Res. (covered)
WILLIAMSON PARK
Reservoir
DAISY BANK
LANCASTER
Edenbreck Fm.
Playing Field
WHITE CROSS IND. EST.
Scotch Quarry Urban Park
NUFFIELD HOSP.
Primrose
Carr House Farm
Abraham Heights
Playing Field
ROYAL LANCASTER INFIRMARY
29
Playing Fields
Golgotha
Aldcliffe Road Bridge
Playing Field
The Greaves
Cattle Market
Abattoir
Oatlands
Lucy Brook

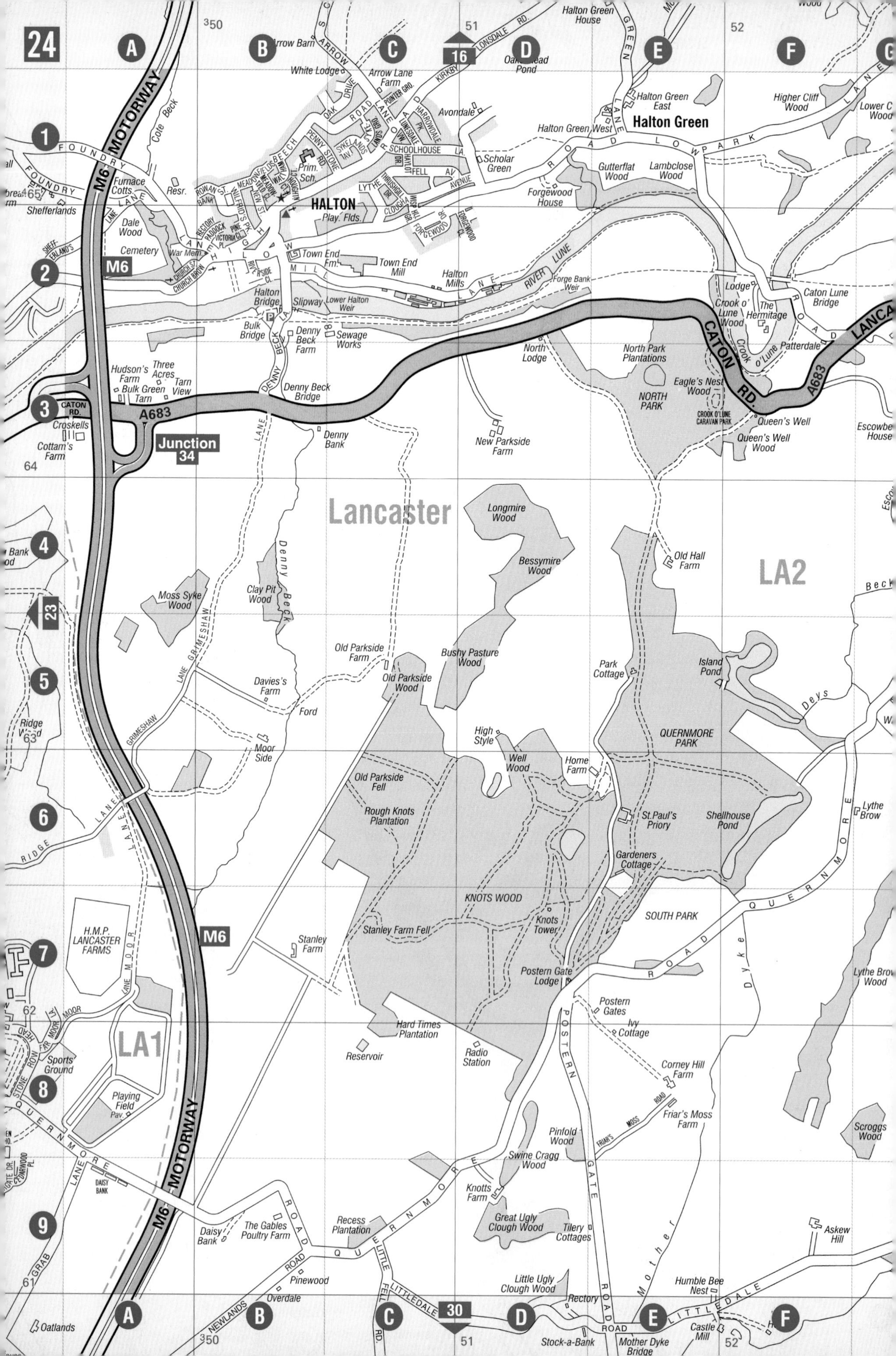
A
B
C
D
E
F
G
1
2
3
4
5
6
7
8
9
350
51
52
65
64
63
62
61
16
23
30
M6 MOTORWAY
M6
Junction 34
A683
CATON RD.
Halton Green House
Arrow Barn
White Lodge
Arrow Lane Farm
Oakhead Pond
Avondale
Halton Green East
Halton Green
Halton Green West
Higher Cliff Wood
Lower C Wood
LOW PARK LANE
Scholar Green
Gutterflat Wood
Lambclose Wood
Forgewood House
FOUNDRY
FOUNDRY
Furnace Cotts.
Resr.
Shefferlands
Dale Wood
Cemetery
War Mem.
HALTON
Play. Flds.
Prim. Sch.
SCHOOLHOUSE LA.
FELL AV
AVENUE
HIGH ROAD
LOW ROAD
Town End Fm.
Town End Mill
Halton Mills
MILL LANE
RIVER LUNE
Forge Bank Weir
Halton Bridge
Slipway
Lower Halton Weir
Bulk Bridge
Denny Beck Farm
Sewage Works
Lodge
Crook o' Lune Wood
The Hermitage
Caton Lune Bridge
Patterdale
North Lodge
North Park Plantations
NORTH PARK
Eagle's Nest Wood
CROOK O'LUNE CARAVAN PARK
Queen's Well
Queen's Well Wood
Escowbe House
Hudson's Farm
Three Acres
Tarn View
Bulk Green Tarn
Croskells
Cottam's Farm
Denny Beck Bridge
Denny Bank
New Parkside Farm
Lancaster
Longmire Wood
Bessymire Wood
Old Hall Farm
LA2
Bank
Moss Syke Wood
Clay Pit Wood
Denny Beck
GRIMESHAW LANE
Old Parkside Farm
Old Parkside Wood
Bushy Pasture Wood
Park Cottage
Island Pond
Deys Beck
Davies's Farm
Ford
Ridge Wood
Moor Side
High Style
Well Wood
Home Farm
QUERNMORE PARK
Old Parkside Fell
Rough Knots Plantation
St.Paul's Priory
Shellhouse Pond
Lythe Brow
RIDGE LANE
Gardeners Cottage
KNOTS WOOD
Knots Tower
SOUTH PARK
H.M.P. LANCASTER FARMS
Stanley Farm
Stanley Farm Fell
Postern Gate Lodge
QUERNMORE ROAD
Lythe Brow Wood
MOOR LANE
LA1
Postern Gates
Ivy Cottage
Hard Times Plantation
Reservoir
Radio Station
Sports Ground
Corney Hill Farm
Playing Field
Pav.
Friar's Moss Farm
FRIAR'S MOSS ROAD
Pinfold Wood
Scroggs Wood
Swine Cragg Wood
Knotts Farm
DAISY BANK
Great Ugly Clough Wood
Tilery Cottages
Daisy Bank
The Gables Poultry Farm
Recess Plantation
Askew Hill
POSTERN GATE ROAD
Mother Dyke
Pinewood
Overdale
Little Ugly Clough Wood
Humble Bee Nest
Rectory
LITTLEDALE ROAD
LITTLE FELL RD.
NEWLANDS ROAD
GRAB LANE
Oatlands
Stock-a-Bank
Mother Dyke Bridge
Castle Mill

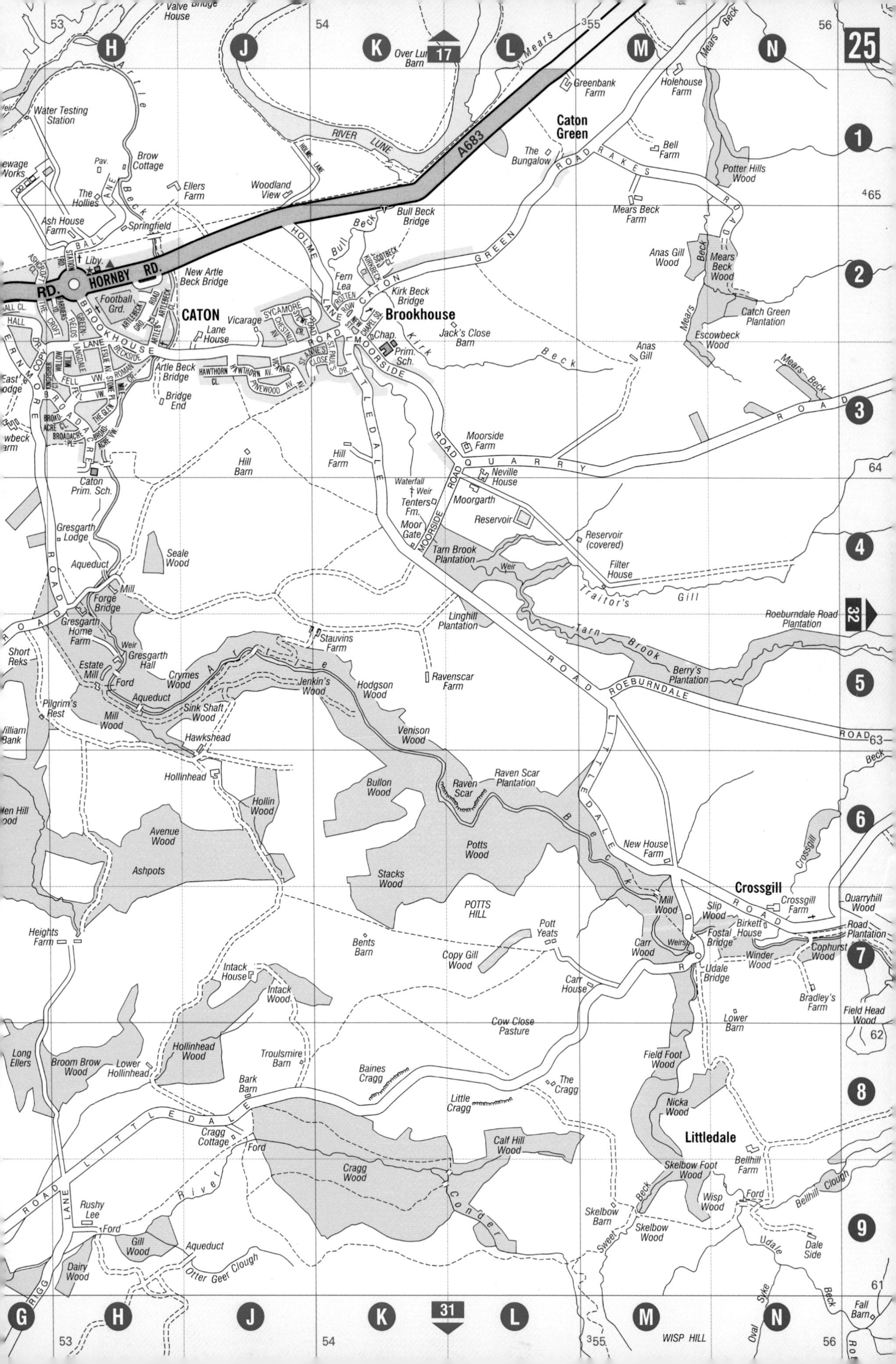
25
H
J
K
L
M
N
17
31
G
53
54
55
56
465
64
63
62
61
1
2
3
4
5
6
7
8
9
32
Valve Bridge House
Over Lune Barn
Mears
Greenbank Farm
Holehouse Farm
Mears Beck
Water Testing Station
Artle Beck
Caton Green
Brow Cottage
RIVER LUNE
A683
HOLME LANE
The Bungalow
Bell Farm
Sewage Works
Pav.
The Hollies
Ellers Farm
Woodland View
ROAD RAKES
Potter Hills Wood
Ash House Farm
Springfield
Bull Beck Bridge
Mears Beck Farm
Liby.
HORNBY RD.
New Artle Beck Bridge
Bull Beck
CATON GREEN
Anas Gill Wood
Mears Beck Wood
Football Grd.
CATON
Fern Lea
Kirk Beck Bridge
Brookhouse
Catch Green Plantation
Vicarage
SYCAMORE
Lane House
Chap.
Prim. Sch.
Jack's Close Barn
Escowbeck Wood
BROOKHOUSE ROAD
MOORSIDE
Kirk Beck
Anas Gill
Artle Beck Bridge
HAWTHORN CL.
HAWTHORN AV.
PINEWOOD AV.
VICARAGE AV.
ST. PAUL'S DR.
ST. ANNE'S CLOSE
Bridge End
QUARRY ROAD
ROAD
Moorside Farm
Hill Barn
Hill Farm
Neville House
Caton Prim. Sch.
Waterfall
Weir
Moorgarth
Tenters Fm.
Reservoir
Moor Gate
MOORSIDE ROAD
Gresgarth Lodge
Reservoir (covered)
Tarn Brook Plantation
Seale Wood
Aqueduct
Filter House
Traitor's Gill
Mill
Forge Bridge
Gresgarth Home Farm
Linghill Plantation
Roeburndale Road Plantation
Stauvins Farm
Tarn Brook
Short Reks
Gresgarth Hall
Ravenscar Farm
Estate Mill
Crymes Wood
Artle Beck
Berry's Plantation
Ford
Jenkin's Wood
Hodgson Wood
ROEBURNDALE ROAD
Aqueduct
Sink Shaft Wood
Pilgrim's Rest
Mill Wood
Venison Wood
William Bank
Hawkshead
Hollinhead
Raven Scar Plantation
Bullon Wood
Raven Scar
Hollin Wood
LITTLEDALE
Beck
Avenue Wood
New House Farm
Potts Wood
Crossgill
Ashpots
Stacks Wood
Mill Wood
Crossgill Farm
Quarryhill Wood
POTTS HILL
Slip Wood
Birkett House
Fostal Bridge
Road Plantation
Heights Farm
Bents Barn
Pott Yeats
Carr Wood
Weirs
Cophurst Wood
Copy Gill Wood
Winder Wood
Intack House
Udale Bridge
Carr House
Intack Wood
Bradley's Farm
Field Head Wood
Cow Close Pasture
Lower Barn
Long Ellers
Hollinhead Wood
Troulsmire Barn
Field Foot Wood
Broom Brow Wood
Lower Hollinhead
Baines Cragg
The Cragg
Bark Barn
Little Cragg
Nicka Wood
LITTLEDALE ROAD
Cragg Cottage
Calf Hill Wood
Littledale
Ford
Bellhill Farm
Cragg Wood
Skelbow Foot Wood
River Conder
Beck
Ford
Bellhill Clough
Rushy Lee
Wisp Wood
LANE
Skelbow Barn
Ford
Skelbow Wood
Gill Wood
Aqueduct
Udale Beck
Dale Side
Dairy Wood
Otter Geer Clough
Sweet Beck
Oval Syke
Fall Barn
WISP HILL
RIGG LANE

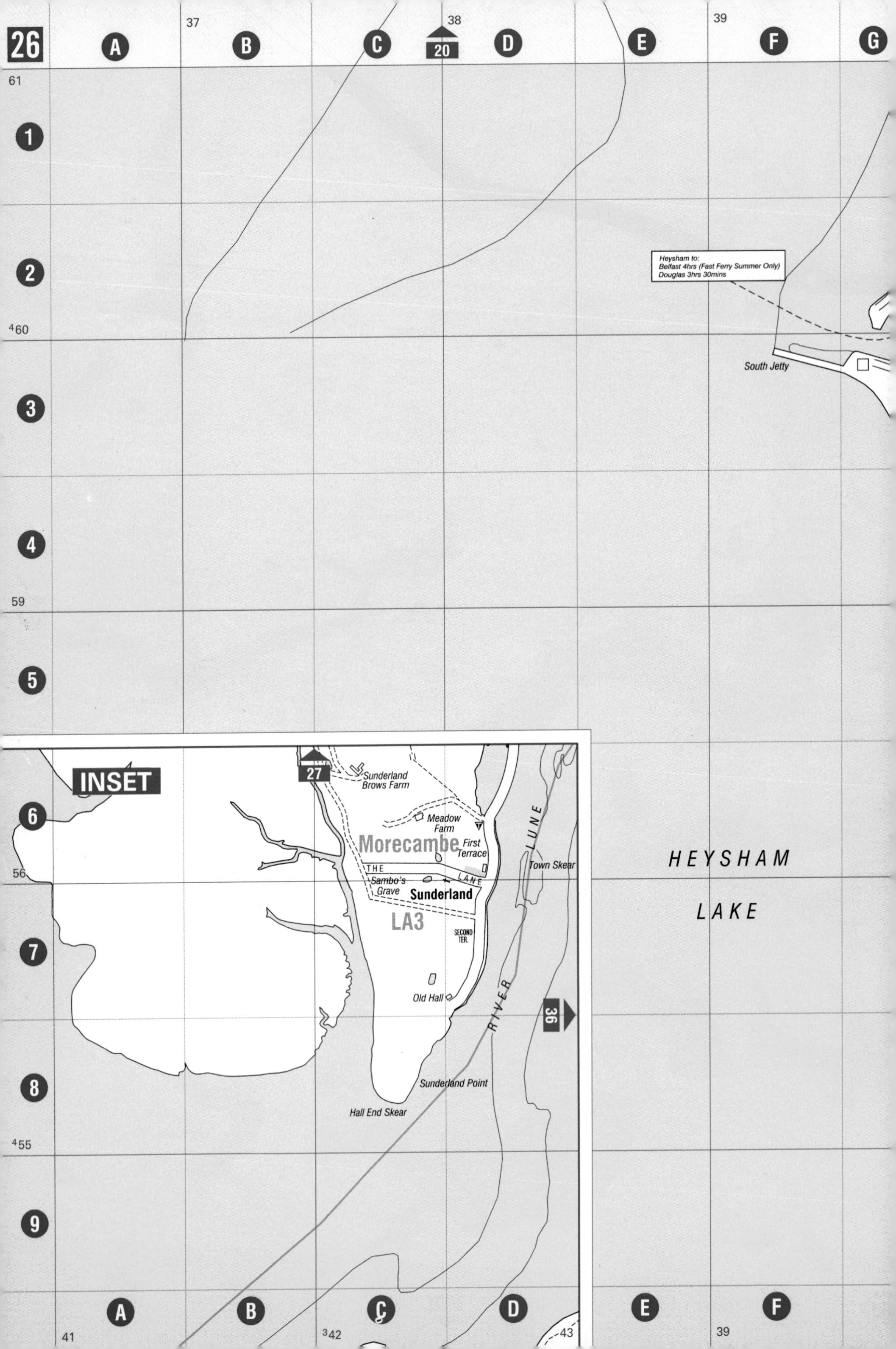

A 37 B C 38 20 D E 39 F G

61

1

2

⁴60

South Jetty

Heysham to:
Belfast 4hrs (Fast Ferry Summer Only)
Douglas 3hrs 30mins

3

4

59

5

INSET

6

56

27 Sunderland
Brows Farm

Meadow
Farm

Morecambe First
Terrace

THE LANE

Sambo's
Grave **Sunderland**

LA3

SECOND
TER.

LUNE

Town Skear

HEYSHAM

LAKE

7

Old Hall

RIVER

36

8

Sunderland Point

Hall End Skear

⁴55

9

A B C D E F

41 ³42 ³43 39

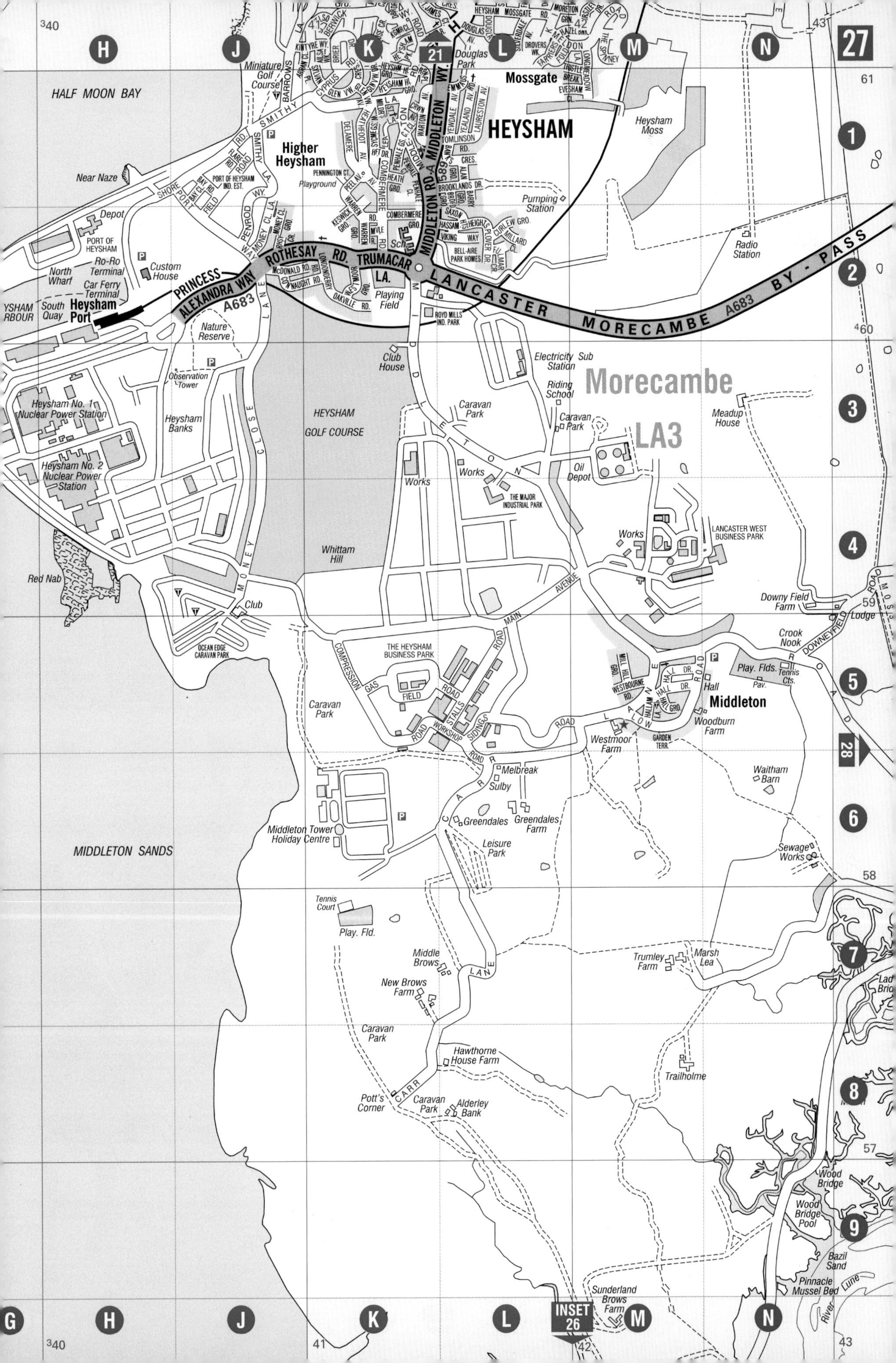
HALF MOON BAY
Near Naze
HEYSHAM
Higher Heysham
Mossgate
Heysham Moss
Pumping Station
Radio Station
Depot
PORT OF HEYSHAM
North Wharf
Ro-Ro Terminal
Car Ferry Terminal
Custom House
South Quay
Heysham Port
PRINCESS ALEXANDRA WAY
ROTHESAY RD.
TRUMACAR LA.
LANCASTER MOREGAMBE BY-PASS
A683
Playing Field
ROYD MILLS IND. PARK
Nature Reserve
Observation Tower
Club House
Electricity Sub Station
Morecambe
Riding School
Caravan Park
LA3
Meadup House
Heysham No. 1 Nuclear Power Station
Heysham No. 2 Nuclear Power Station
Heysham Banks
HEYSHAM GOLF COURSE
Works
Oil Depot
THE MAJOR INDUSTRIAL PARK
LANCASTER WEST BUSINESS PARK
Whittam Hill
Red Nab
Club
OCEAN EDGE CARAVAN PARK
MONEY CLOSE LANE
MAIN AVENUE
Downy Field Farm
Lodge
Crook Nook
DOWNEYFIELD ROAD
THE HEYSHAM BUSINESS PARK
Middleton
Hall
Woodburn Farm
Westmoor Farm
Play. Flds.
Tennis Cts.
Waitham Barn
Melbreak
Sulby
Greendales
Greendales Farm
Leisure Park
Middleton Tower Holiday Centre
MIDDLETON SANDS
Sewage Works
Tennis Court
Play. Fld.
Middle Brows
New Brows Farm
Trumley Farm
Marsh Lea
Caravan Park
Hawthorne House Farm
Trailholme
Pott's Corner
Alderley Bank
Wood Bridge
Wood Bridge Pool
Bazil Sand
Pinnacle Mussel Bed
River Lune
Sunderland Brows Farm
INSET 26
28
21

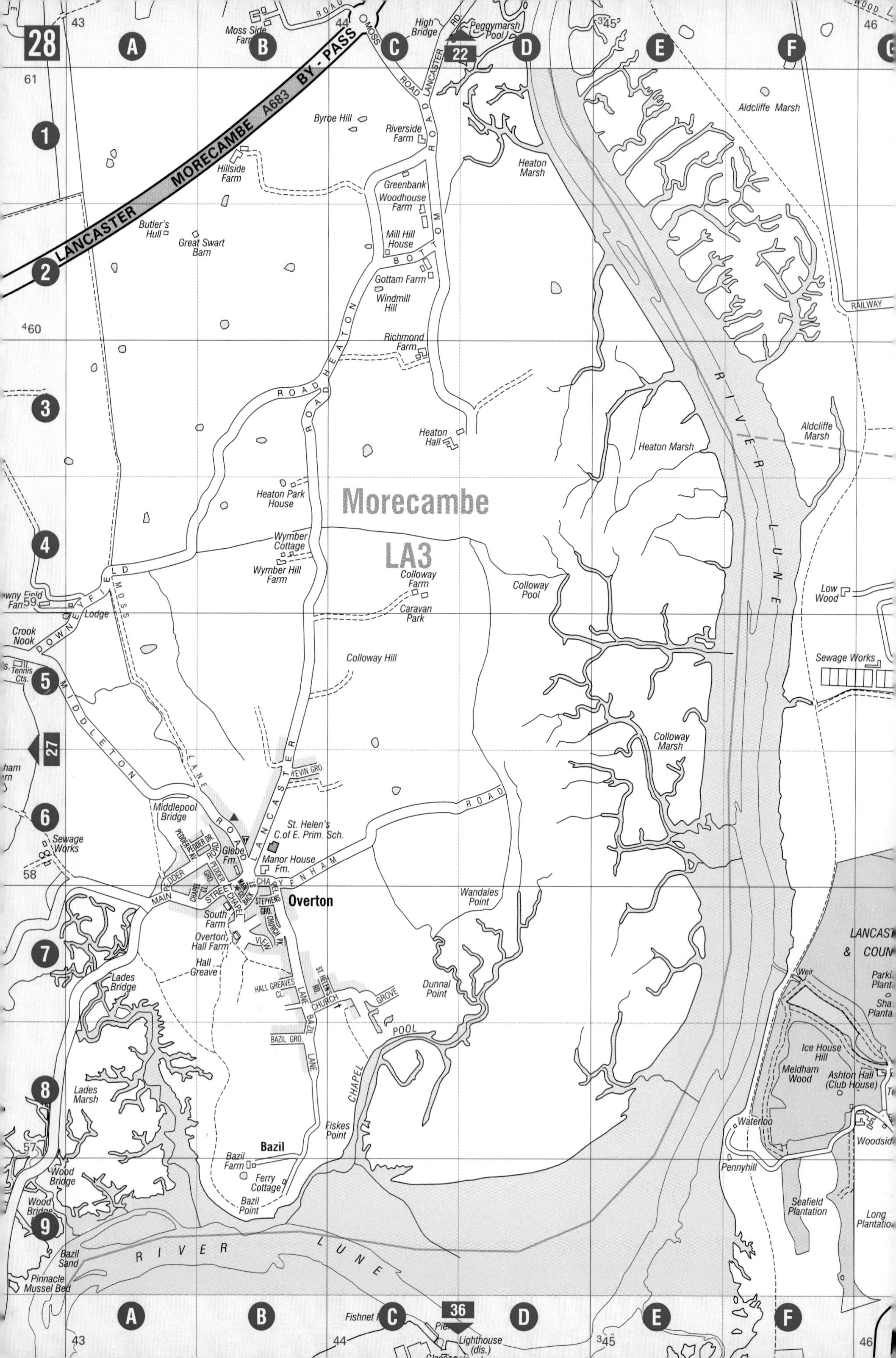

A
B
C
D
E
F
1
2
3
4
5
6
7
8
9
LANCASTER MORECAMBE A683 BY-PASS
Moss Side Farm
High Bridge
Peggymarsh Pool
22
Byroe Hill
Riverside Farm
Hillside Farm
Greenbank
Woodhouse Farm
Mill Hill House
Butler's Hull
Great Swart Barn
Gottam Farm
Windmill Hill
Richmond Farm
Heaton Marsh
Aldcliffe Marsh
RAILWAY
Heaton Hall
Heaton Park House
Morecambe
LA3
Wymber Cottage
Wymber Hill Farm
Colloway Farm
Caravan Park
Colloway Pool
Colloway Hill
Crook Nook
Lodge
DOWNEYFIELD
MIDDLETON
MOSS LANE
HEATON ROAD
LANCASTER ROAD
RIVER LUNE
Low Wood
Sewage Works
Colloway Marsh
27
KEVIN GRO.
Middlepool Bridge
Sewage Works
St. Helen's C.of E. Prim. Sch.
Glebe Fm.
Manor House Fm.
YENHAM ROAD
Overton
MAIN STREET
South Farm
Overton Hall Farm
Hall Greave
Wandales Point
Lades Bridge
Dunnal Point
HALL GREAVES CL
CHURCH GROVE
BAZIL GRO.
BAZIL LANE
CHAPEL POOL
LANCASTER & COUNTY
Weir
Ice House Hill
Meldham Wood
Ashton Hall (Club House)
Waterloo
Pennyhill
Seafield Plantation
Long Plantation
Lades Marsh
Fiskes Point
Bazil
Bazil Farm
Ferry Cottage
Bazil Point
Wood Bridge
Bazil Sand
Pinnacle Mussel Bed
RIVER LUNE
36
Fishnet
Lighthouse (dis.)
43
44
45
46
61
60
59
58
57

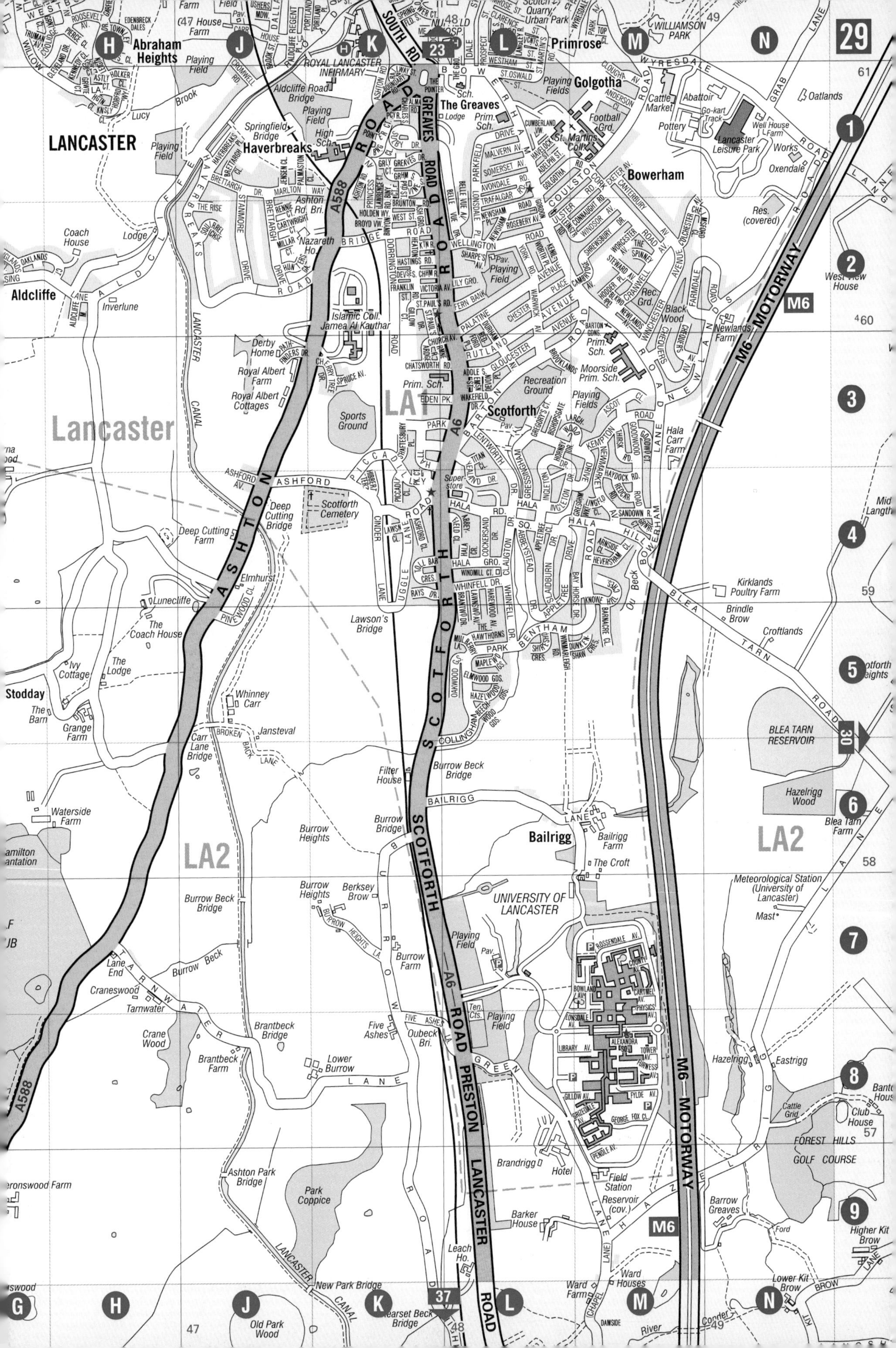
LANCASTER
Abraham Heights
Haverbreaks
Aldcliffe
Lancaster
Stodday
LA1
LA2
LA2
Primrose
Golgotha
Bowerham
Scotforth
Bailrigg
UNIVERSITY OF LANCASTER
ROYAL LANCASTER INFIRMARY
Aldcliffe Road Bridge
Springfield Bridge
Playing Field
High Sch.
The Greaves
Prim. Sch.
St. Martins Coll.
Football Grd.
Cattle Market
Abattoir
Pottery
Go-kart Track
Well House Farm
Lancaster Leisure Park
Oatlands
Works
Oxendale
Res. (covered)
West View House
Newlands Farm
Black Wood
Rec. Grd.
Islamic Coll. Jamea Al Kauthar
Derby Home
Royal Albert Farm
Royal Albert Cottages
Sports Ground
Recreation Ground
Moorside Prim. Sch.
Playing Fields
Hala Carr Farm
Scotforth Cemetery
Deep Cutting Bridge
Deep Cutting Farm
Super store
Elmhurst
Lunecliffe
The Coach House
Ivy Cottage
The Lodge
The Barn
Grange Farm
Whinney Carr
Jansteval
Carr Lane Bridge
Lawson's Bridge
Kirklands Poultry Farm
Brindle Brow
Croftlands
BLEA TARN RESERVOIR
Hazelrigg Wood
Blea Tarn Farm
Filter House
Burrow Beck Bridge
Burrow Bridge
Burrow Heights
Bailrigg Farm
The Croft
Meteorological Station (University of Lancaster)
Mast
Waterside Farm
Burrow Beck Bridge
Berksey Brow
Burrow Farm
Lane End
Craneswood
Tarnwater
Crane Wood
Brantbeck Bridge
Brantbeck Farm
Five Ashes
Oubeck Bri.
Lower Burrow
Ten. Cts.
Playing Field
Hazelrigg
Eastrigg
Cattle Grid
Club House
FOREST HILLS GOLF COURSE
Brandrigg
Hotel
Field Station
Reservoir (cov.)
Barker House
Barrow Greaves
Ford
Higher Kit Brow
Lower Kit Brow
Ward Houses
Ward Farm
Leach Ho.
Ashton Park Bridge
Park Coppice
New Park Bridge
Old Park Wood
River Conder
A588
A6
M6 MOTORWAY
M6
23
30
37
ASHTON ROAD
SCOTFORTH ROAD
LANCASTER ROAD
PRESTON LANCASTER ROAD
GREAVES ROAD
SOUTH RD
BOWERHAM ROAD
BLEA TARN ROAD
HAZELRIGG LANE
BAILRIGG LANE
LANCASTER CANAL
H
J
K
L
M
N
G
1
2
3
4
5
6
7
8
9
47
48
49
57
58
59
460
61

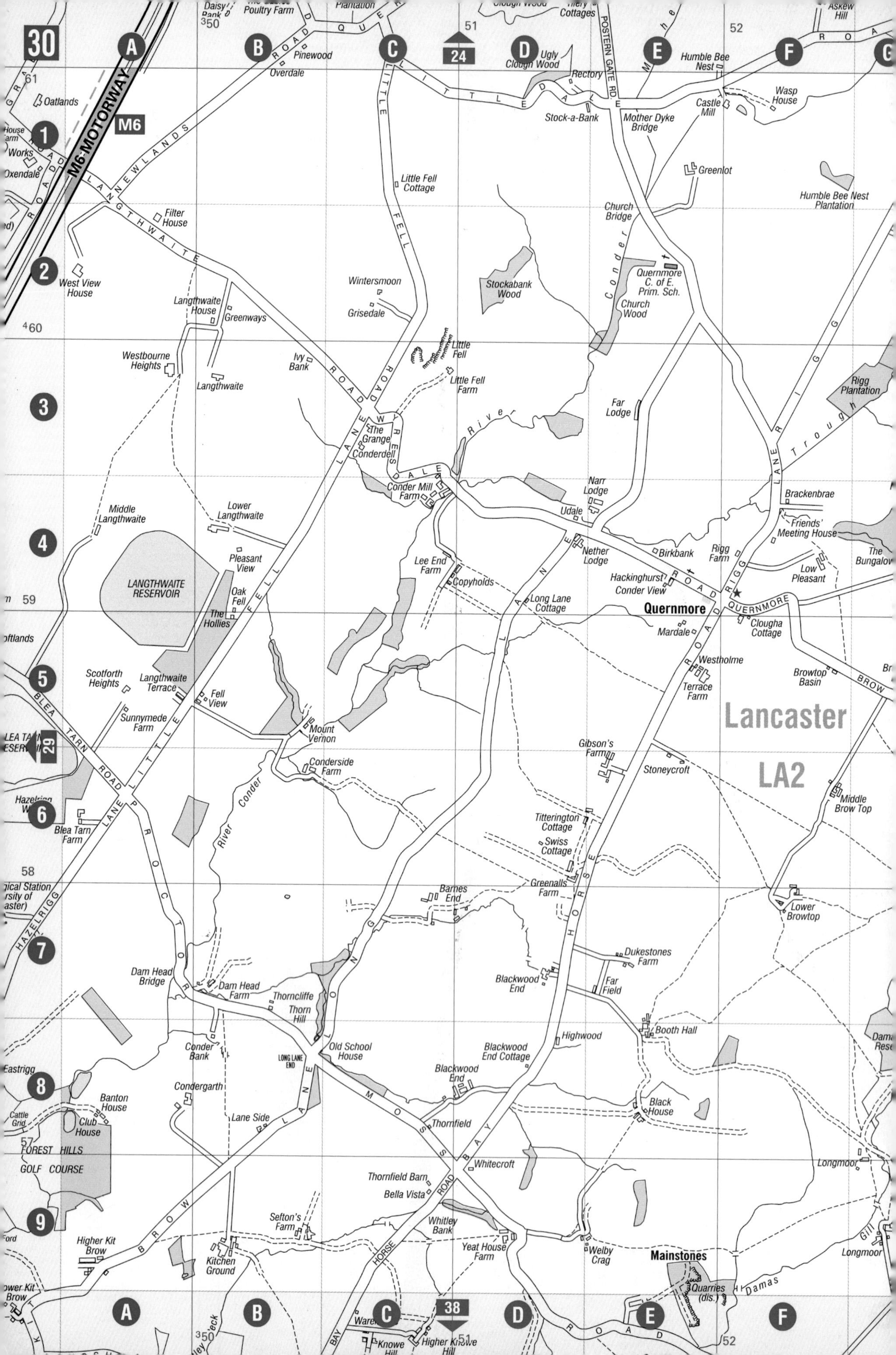

M6 MOTORWAY
M6
24
38
29
Lancaster
LA2
Quernmore
Mainstones
LANGTHWAITE RESERVOIR
Poultry Farm
Pinewood
Overdale
Oatlands
Oxendale
Works
NEWLANDS ROAD
LANGTHWAITE ROAD
Filter House
West View House
Langthwaite House
Greenways
Westbourne Heights
Langthwaite
Ivy Bank
Wintersmoon
Grisedale
Little Fell Cottage
Little Fell
Little Fell Farm
LITTLE FELL ROAD
WYRESDALE ROAD
The Grange
Conderdell
Conder Mill Farm
Ugly Clough Wood
Rectory
Stock-a-Bank
LITTLEDALE
POSTERN GATE RD.
Humble Bee Nest
Wasp House
Castle Mill
Mother Dyke Bridge
Greenlot
Humble Bee Nest Plantation
Church Bridge
River Conder
Quernmore C. of E. Prim. Sch.
Church Wood
Stockabank Wood
Rigg Plantation
Far Lodge
Narr Lodge
Udale
Brackenbrae
Friends' Meeting House
The Bungalow
Nether Lodge
Birkbank
Rigg Farm
Low Pleasant
Hackinghurst
Conder View
Clougha Cottage
Mardale
Westholme
Terrace Farm
Browtop Basin
BROW
QUERNMORE ROAD
RIGG LANE
Trough
Middle Langthwaite
Lower Langthwaite
Pleasant View
Oak Fell
The Hollies
Lee End Farm
Copyholds
Long Lane Cottage
Scotforth Heights
Langthwaite Terrace
Fell View
Sunnymede Farm
Mount Vernon
Conderside Farm
Gibson's Farm
Stoneycroft
Middle Brow Top
BLEA TARN ROAD
Blea Tarn Farm
LITTLE FELL LANE
Titterington Cottage
Swiss Cottage
Greenalls Farm
Barnes End
Lower Browtop
PROCTOR
HAZELRIGG
Dam Head Bridge
Dam Head Farm
Thorncliffe
Thorn Hill
LONG LANE
Dukestones Farm
Blackwood End
Far Field
Highwood
Booth Hall
Conder Bank
Old School House
LONG LANE END
Blackwood End Cottage
Blackwood End
Eastrigg
Banton House
Club House
Condergarth
Lane Side
Black House
Thornfield
Cattle Grid
FOREST HILLS GOLF COURSE
MOSS
HORSE BAY ROAD
Whitecroft
Longmoor
Thornfield Barn
Bella Vista
Whitley Bank
Sefton's Farm
Yeat House Farm
Welby Crag
Higher Kit Brow
BROW
Kitchen Ground
Quarries (dis.)
Damas Gill
Longmoor
ROAD
Ware
Knowe Hill
Higher Knowe Hill
350
51
52
461
460
59
58
57
1
2
3
4
5
6
7
8
9
A
B
C
D
E
F
G

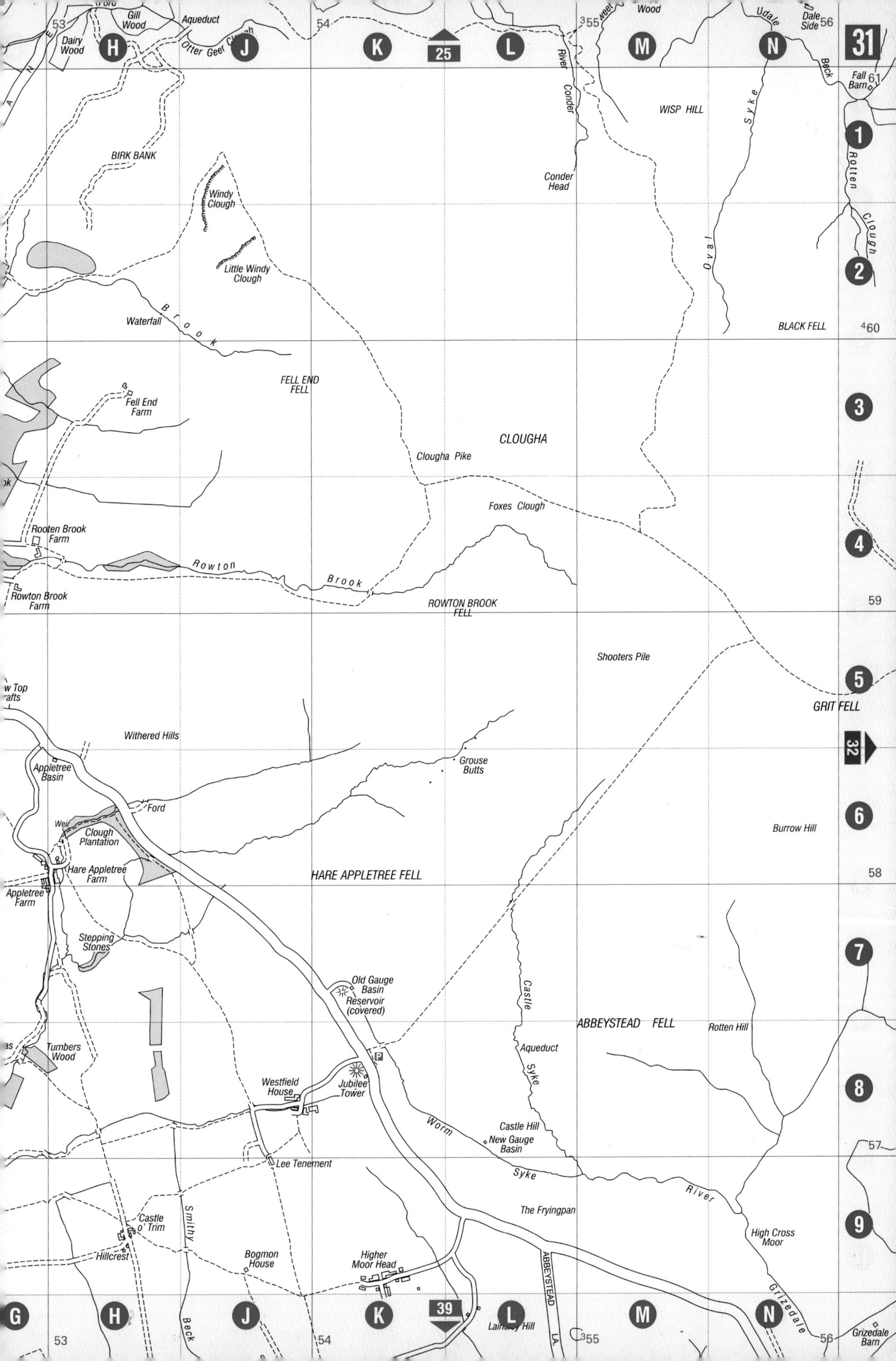
Dairy Wood
Gill Wood
Aqueduct
Otter Geer Clough
25
River Conder
Wood
Udale
Dale Side
Beck
Fall Barn
WISP HILL
Oval Syke
Rotten Clough
BIRK BANK
Windy Clough
Little Windy Clough
Conder Head
Brook
Waterfall
BLACK FELL
FELL END FELL
Fell End Farm
CLOUGHA
Clougha Pike
Foxes Clough
Rooten Brook Farm
Rowton Brook
Rowton Brook Farm
ROWTON BROOK FELL
Shooters Pile
GRIT FELL
Withered Hills
32
Appletree Basin
Grouse Butts
Ford
Weir
Clough Plantation
Burrow Hill
Hare Appletree Farm
HARE APPLETREE FELL
Appletree Farm
Stepping Stones
Old Gauge Basin
Reservoir (covered)
Castle Syke
ABBEYSTEAD FELL
Rotten Hill
Tumbers Wood
Aqueduct
Westfield House
Jubilee Tower
Worm Syke
Castle Hill
New Gauge Basin
Lee Tenement
River
The Fryingpan
Castle o' Trim
Smithy Beck
High Cross Moor
Hillcrest
Bogmon House
Higher Moor Head
ABBEYSTEAD LA.
Grizedale
39
Grizedale Barn

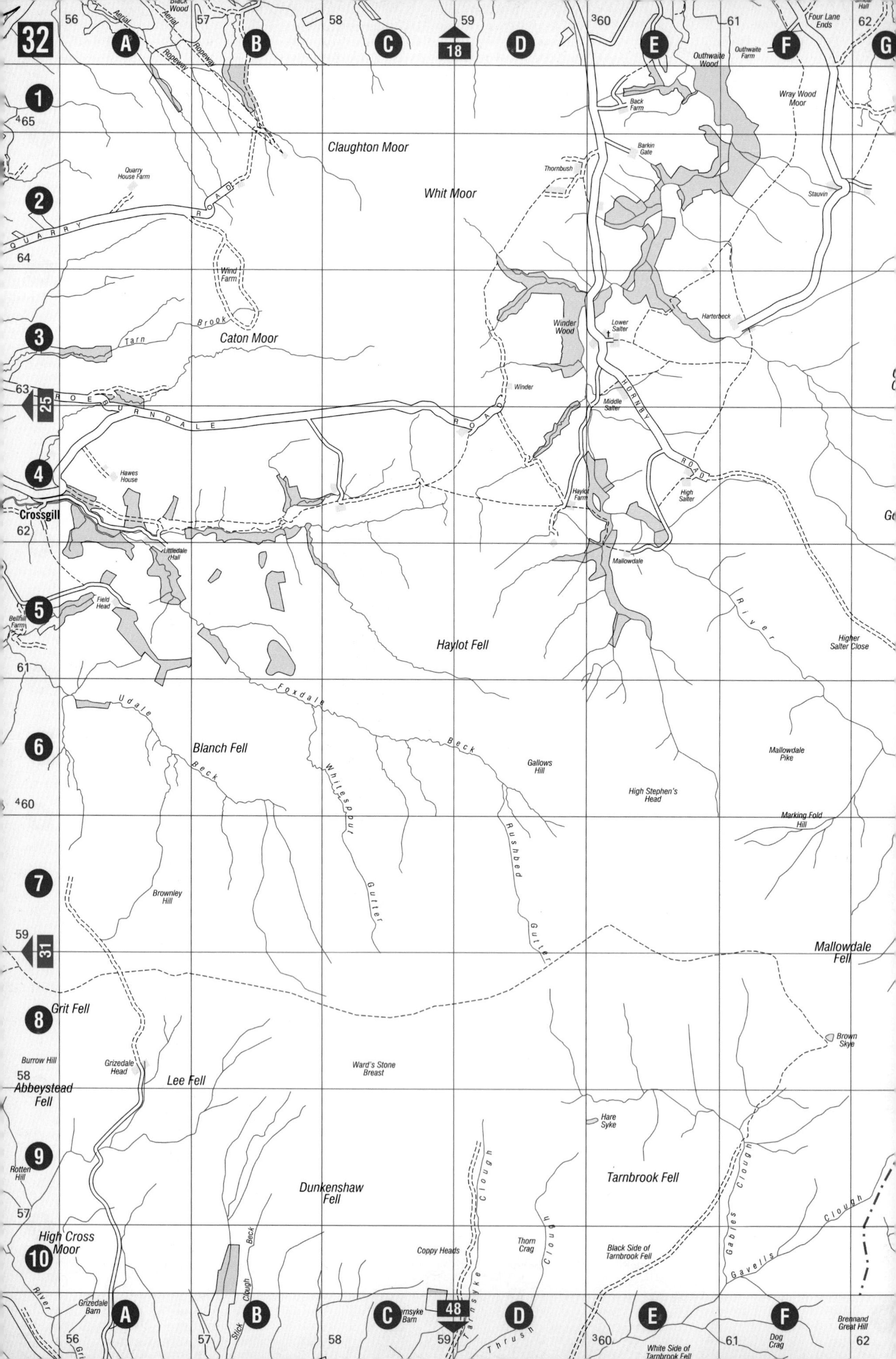
Claughton Moor
Whit Moor
Caton Moor
Haylot Fell
Blanch Fell
Grit Fell
Lee Fell
Abbeystead Fell
Dunkenshaw Fell
Tarnbrook Fell
High Cross Moor
Mallowdale Fell
Crossgill
Outhwaite Wood
Four Lane Ends
Outhwaite Farm
Wray Wood Moor
Back Farm
Barkin Gate
Thornbush
Stauvin
Quarry House Farm
Wind Farm
Winder Wood
Lower Salter
Harterbeck
Winder
Middle Salter
Hawes House
Haylot Farm
High Salter
Littledale Hall
Mallowdale
Field Head
Bellhill Farm
Higher Salter Close
Gallows Hill
Mallowdale Pike
High Stephen's Head
Marking Fold Hill
Brownley Hill
Brown Skye
Burrow Hill
Grizedale Head
Ward's Stone Breast
Hare Syke
Rotten Hill
Coppy Heads
Thorn Crag
Black Side of Tarnbrook Fell
Grizedale Barn
Brennand Great Hill
Dog Crag
White Side of Tarnbrook Fell
Quarry Road
Roeburndale Road
Hornby Road
Tarn Brook
Udale Beck
Foxdale Beck
Whitespout Gutter
Rushbed Gutter
Clough
Gables Clough
Gavells Clough
River
Aerial Ropeway
18
25
31
48

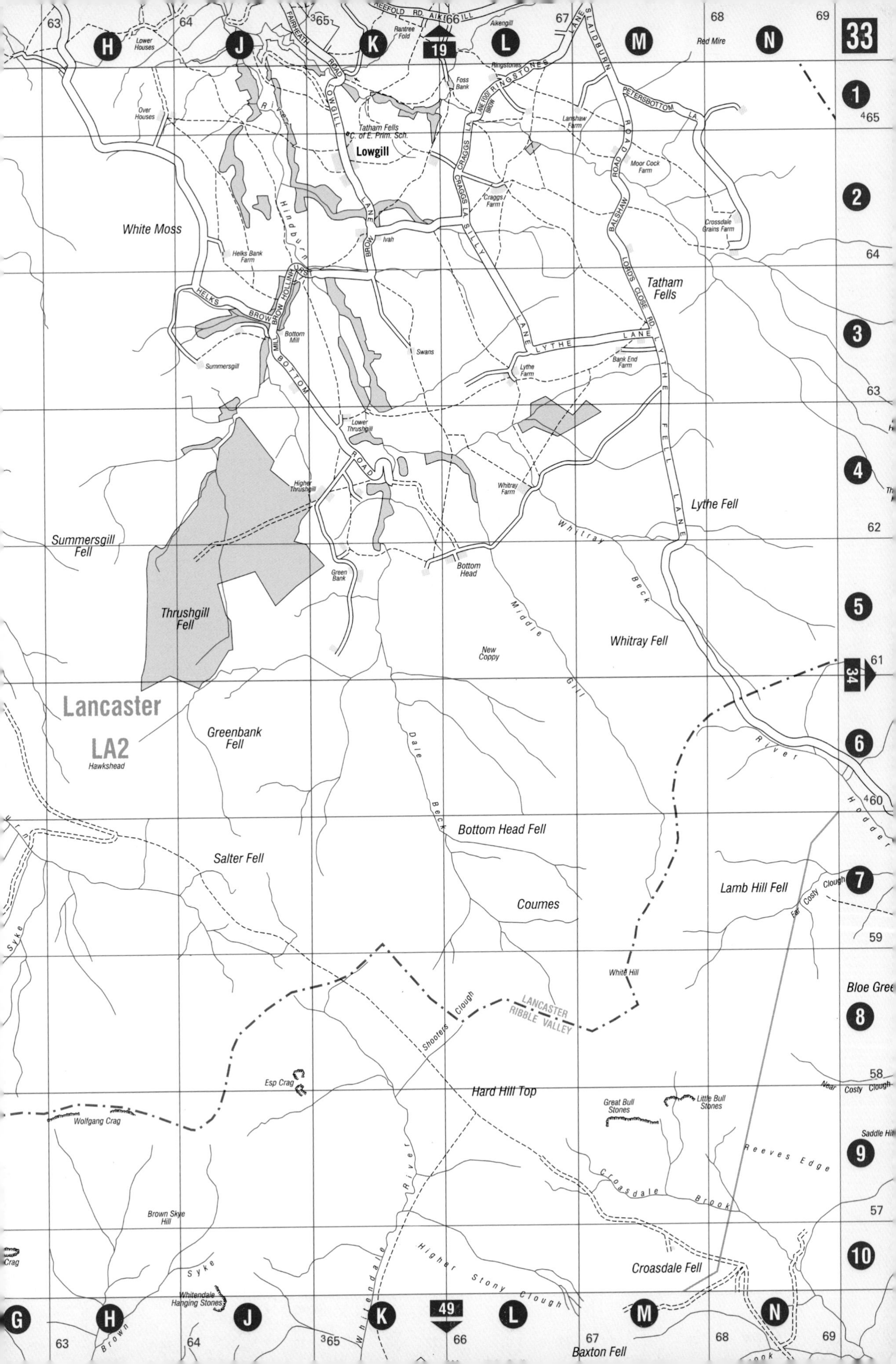
Lower Houses
Over Houses
White Moss
Helks Bank Farm
Summersgill
Summersgill Fell
Thrushgill Fell
Lancaster
LA2
Hawkshead
Greenbank Fell
Salter Fell
Wolfgang Crag
Esp Crag
Brown Skye Hill
Whitendale Hanging Stones
Tatham Fells C. of E. Prim. Sch.
Lowgill
Rantree Fold
Aikengill
Foss Bank
Ringstones
Lanshaw Farm
Moor Cock Farm
Craggs Farm
Crossdale Grains Farm
Ivah
Tatham Fells
Bottom Mill
Swans
Lythe Farm
Bank End Farm
Lower Thrushgill
Higher Thrushgill
Whitray Farm
Lythe Fell
Green Bank
Bottom Head
New Coppy
Whitray Fell
Bottom Head Fell
Coumes
Lamb Hill Fell
White Hill
Bloe Gree
Lancaster
Ribble Valley
Hard Hill Top
Great Bull Stones
Little Bull Stones
Saddle Hil
Reeves Edge
Croasdale Brook
Croasdale Fell
Higher Stony Clough
Baxton Fell
Shooters Clough
Dale Beck
Middle Gill
Whitray Beck
River Hodder
Far Costy Clough
Near Costy Clough
River Hindburn
Whitendale River
Fairheath Road
Lowgill Lane
Brow
Craggs La.
Craggs La.
Silly Lane
Lane Foot Brow
Ringstones La.
Petersbottom La.
Slaidburn Road
Balshaw Road
Lords Close Rd.
Lythe Fell Lane
Lythe Lane
Helks Brow
Hollin Brow
Mill Brow
Bottom Road
Syke
Brown
Crag
19
49
34

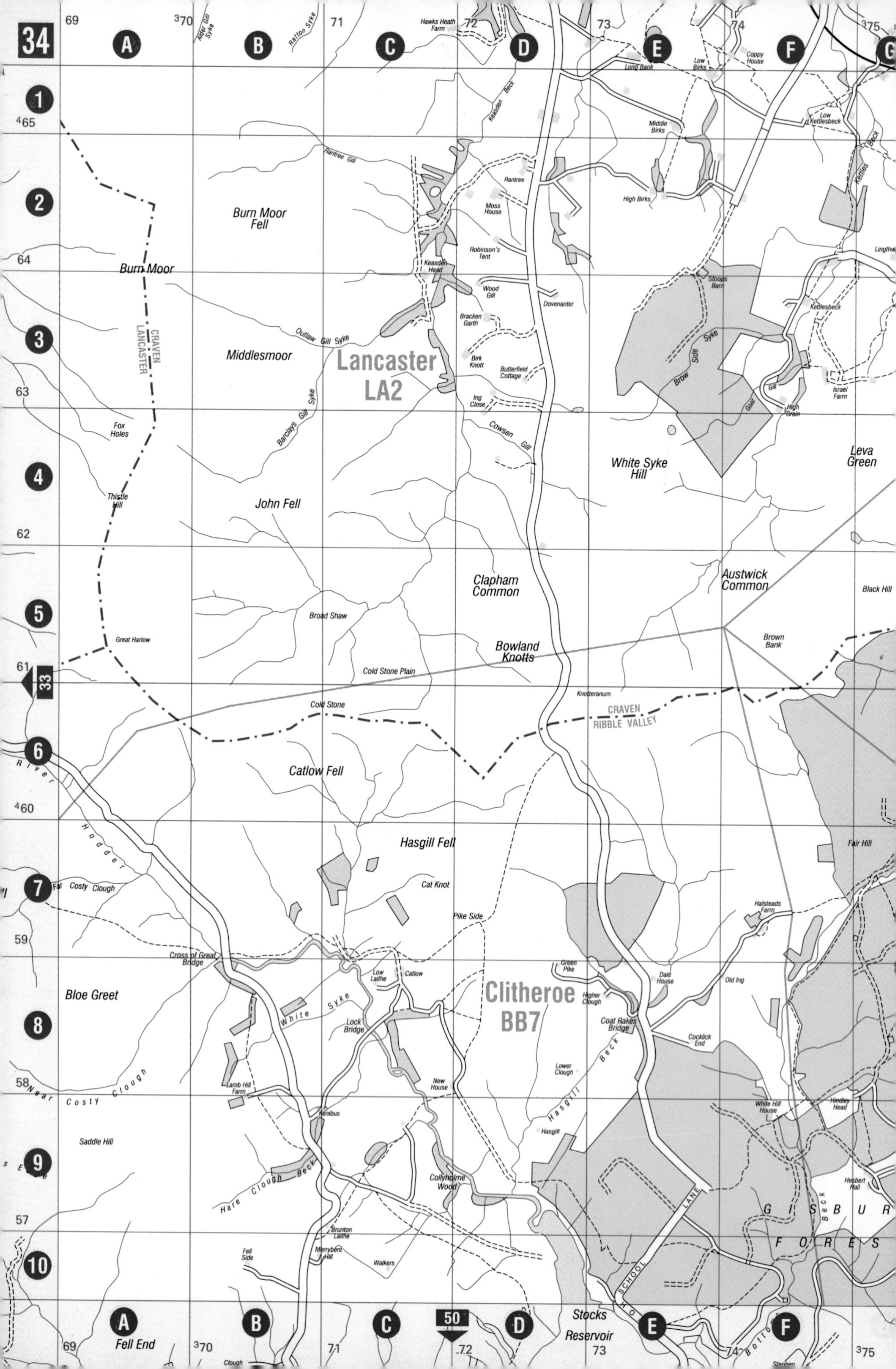
Burn Moor Fell
Burn Moor
Middlesmoor
Lancaster
LA2
CRAVEN
LANCASTER
Fox Holes
Thistle Hill
John Fell
Great Harlow
Broad Shaw
Cold Stone Plain
Cold Stone
Bowland Knotts
Clapham Common
Catlow Fell
Hasgill Fell
Cat Knot
Pike Side
Far Costy Clough
Cross of Greet Bridge
Bloe Greet
Low Laithe
Catlow
White Syke
Lock Bridge
Lamb Hill Farm
Kenibus
New House
Collyholme Wood
Hare Clough Beck
Near Costy Clough
Saddle Hill
Brunton Laithe
Merrybent Hill
Fell Side
Walkers
Fell End
Clitheroe
BB7
Green Pike
Higher Clough
Coat Rakes Bridge
Dale House
Lower Clough
Hasgill Beck
Hasgill
Stocks Reservoir
SCHOOL LANE
Old Ing
Cocklick End
Halsteads Farm
White Hill House
Hindley Head
Hesbert Hall
GISBURN FOREST
Fair Hill
Brown Bank
Black Hill
Austwick Common
Leva Green
White Syke Hill
Knotteranum
CRAVEN
RIBBLE VALLEY
River Hodder
Hawks Heath Farm
Ratton Syke
Alder Gill Syke
Keasden Beck
Rantree Gill
Rantree
Moss House
Robinson's Tent
Keasden Head
Wood Gill
Dovenanter
Bracken Garth
Birk Knott
Butterfield Cottage
Ing Close
Cowsen Gill
Outlaw Gill Syke
Barclays Gill Syke
Long Bank
Low Birks
Coppy House
Middle Birks
High Birks
Low Kettlesbeck
Kettles Beck
Stoops Barn
Kettlesbeck
Brow Side Syke
Goat Gill
High Grain
Israel Farm
Lingthw

33
50

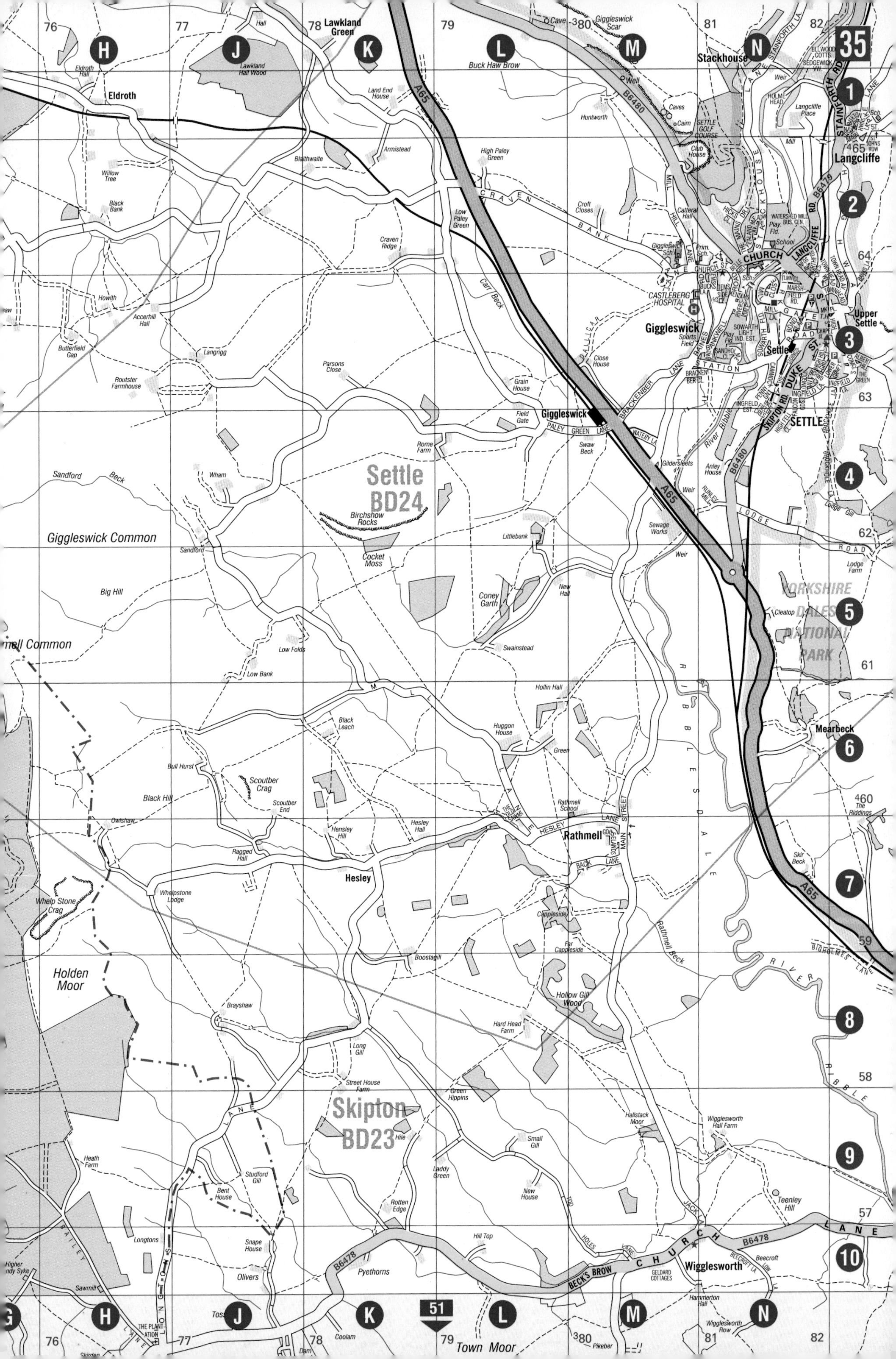
35
Eldroth
Lawkland Green
Stackhouse
Langcliffe
Upper Settle
Giggleswick
Settle
SETTLE
Settle BD24
Giggleswick Common
YORKSHIRE DALES NATIONAL PARK
Mearbeck
Rathmell
Hesley
Skipton BD23
Holden Moor
Wigglesworth
Town Moor
51

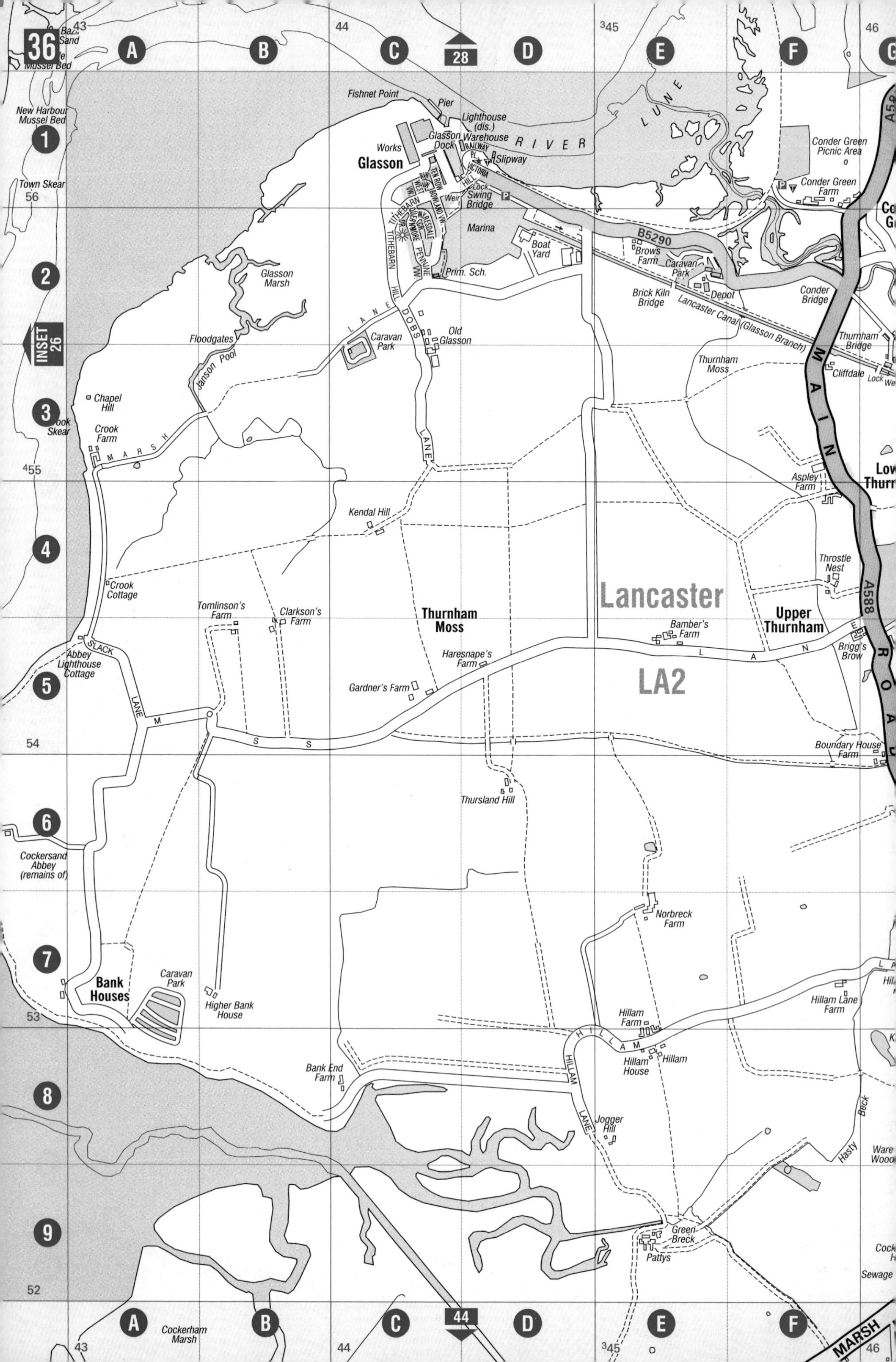

A **B** **C** 28 **D** **E** **F**

1

New Harbour
Mussel Bed

Town Skear
56

2

INSET
26

3
Chapel
Hill
Crook
Farm
Crook
Skear

455

4
Crook
Cottage

5
Abbey
Lighthouse
Cottage

54

6
Cockersand
Abbey
(remains of)

7
Bank
Houses
Caravan
Park
Higher Bank
House

53

8

9

52

A Cockerham **B** Marsh **C** 44 **D** **E** **F**

43 44 345 46

Fishnet Point
Pier
Lighthouse
(dis.)
Glasson Warehouse
Glasson Dock
Works
Glasson
RAILWAY
VICTORIA
Slipway
Lock
Swing
Bridge
Weir
Marina
Boat
Yard
Prim. Sch.
Caravan
Park
Old Glasson

RIVER LUNE

Conder Green
Picnic Area
Conder Green
Farm

Brows
Farm
Caravan
Park
Brick Kiln
Bridge
Depot
Conder
Bridge
B5290
Lancaster Canal (Glasson Branch)

Thurnham
Bridge
Cliffdale
Lock We

Glasson
Marsh

Floodgates

Janson Pool

MARSH

Kendal Hill

Thurnham
Moss

Aspley
Farm

Low
Thurr

Throstle
Nest

Lancaster

Tomlinson's
Farm
Clarkson's
Farm
**Thurnham
Moss**
Haresnape's
Farm
Gardner's Farm

Bamber's
Farm

Upper
Thurnham

Brigg's
Brow

SLACK LANE
M O S S

LA2

L A N

Boundary House
Farm

Thursland Hill

Norbreck
Farm

Hillam
Farm
Hillam Lane
Farm

Bank End
Farm
HILLAM LANE
Hillam
House
Hillam
Hillam

Jogger
Hill

Hasty Beck

Ware
Woo

Green
Breck
Pattys

Cock
Sewage

MARSH

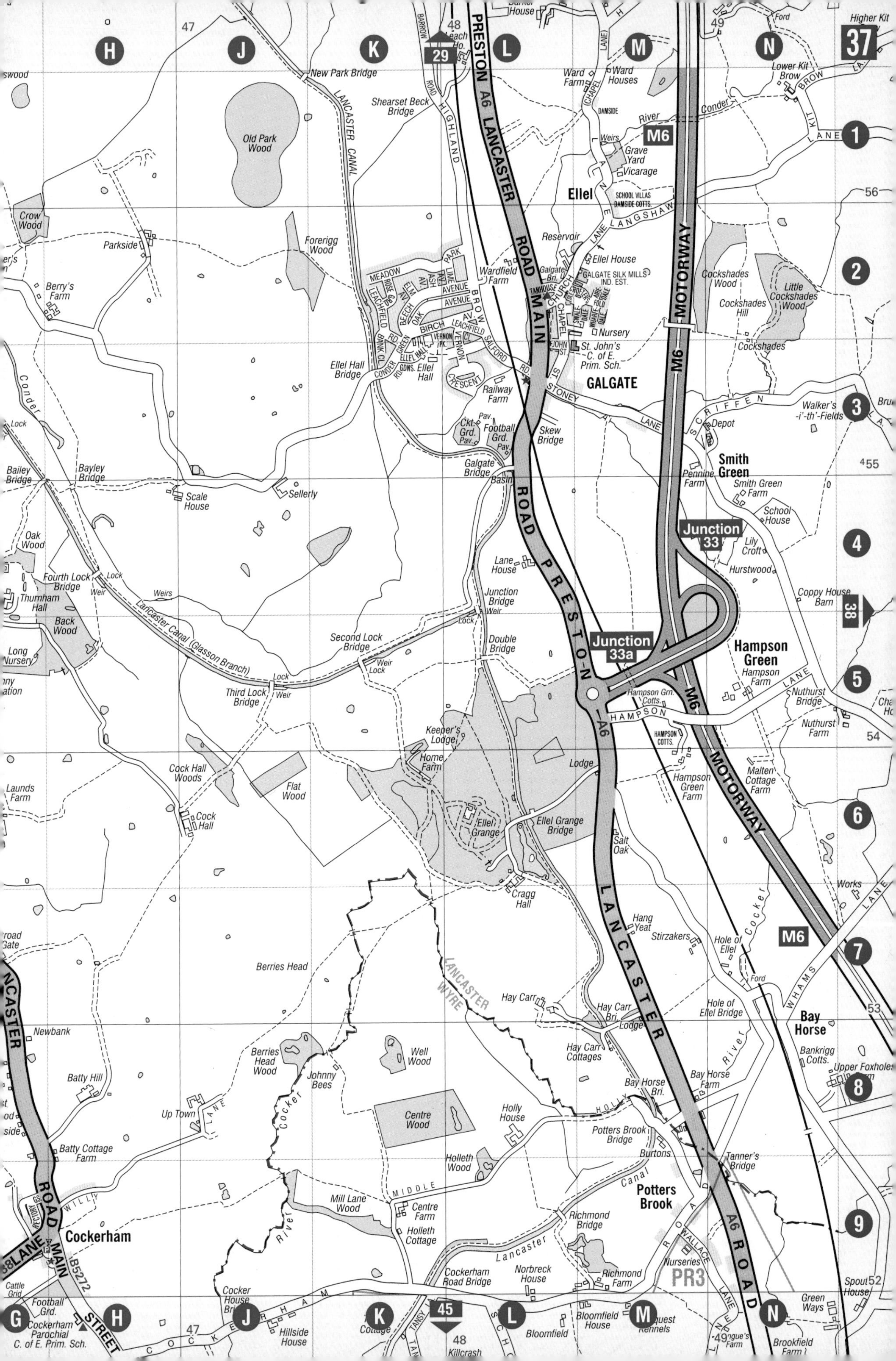

37
38
29
45
H
J
K
L
M
N
G
1
2
3
4
5
6
7
8
9
47
48
49
56
55
54
53
52
Higher Kit
Lower Kit Brow
Kit Brow Lane
New Park Bridge
Leach Ho.
Shearset Beck Bridge
Old Park Wood
Lancaster Canal
Barrow Road
Highland Road
Preston Lancaster Road
Lancaster Road
A6
M6
M6 Motorway
Ward Farm
Ward Houses
Damside
River Conder
Weirs
Grave Yard
Vicarage
Ellel
School Villas
Damside Cotts.
Langshaw Lane
Reservoir
Ellel House
Galgate Silk Mills Ind. Est.
Galgate Bri.
Tanhouse
Nursery
St. John's C. of E. Prim. Sch.
GALGATE
Stoney Lane
Crow Wood
Parkside
Forerigg Wood
Wardfield Farm
Meadow
Park
Rose
Leachfield
Elm
Lime
Ash
Beech
Oak
Birch
Avenue
Vernon
Salford Road
Brow
Crescent
Ellel Hall Bridge
Conder Gdns.
Ellel Hall
Railway Farm
Berry's Farm
Conder
Lock
Bailey Bridge
Bayley Bridge
Scale House
Sellerly
Ckt. Grd.
Pav.
Football Grd.
Galgate Bridge
Basin
Skew Bridge
Scriffen Lane
Depot
Smith Green
Pennine Farm
Smith Green Farm
School House
Walker's-i'-th'-Fields
Cockshades Wood
Little Cockshades Wood
Cockshades Hill
Cockshades
Oak Wood
Fourth Lock Bridge
Weir
Weirs
Thurnham Hall
Back Wood
Long Nursery
Lancaster Canal (Glasson Branch)
Second Lock Bridge
Third Lock Bridge
Lane House
Junction Bridge
Double Bridge
Junction 33
Junction 33a
Lily Croft
Hurstwood
Coppy House Barn
Hampson Green
Hampson Farm
Hampson Grn. Cotts.
Hampson Lane
Hampson Cotts.
Nuthurst Bridge
Nuthurst Farm
Keeper's Lodge
Home Farm
Lodge
Launds Farm
Cock Hall Woods
Flat Wood
Cock Hall
Ellel Grange
Ellel Grange Bridge
Hampson Green Farm
Malten Cottage Farm
Salt Oak
Cragg Hall
Works
Whams Lane
Berries Head
Lancaster
Wyre
Hang Yeat
Stirzakers
Hole of Ellel
Cocker
Ford
Hay Carr
Hay Carr Bri.
Lodge
Hole of Ellel Bridge
Bay Horse
Newbank
Berries Head Wood
Johnny Bees
Well Wood
Hay Carr Cottages
River
Bankrigg Cotts.
Upper Foxholes
Batty Hill
Bay Horse Bri.
Bay Horse Farm
Up Town Lane
Centre Wood
Holly House
Holly Lane
Potters Brook Bridge
Burtons
Batty Cottage Farm
Holleth Wood
Tanner's Bridge
Mill Lane Wood
Middle
Centre Farm
Potters Brook
Canal
Richmond Bridge
Willy Lane
Rectory Gdns.
Cockerham
Main Road
B5272
Holleth Cottage
River
Lancaster
Cockerham Road Bridge
Norbreck House
Richmond Farm
Wallace Lane
Nurseries
PR3
A6 Road
Spout House
Green Ways
Cattle Grid
Football Grd.
Cockerham Parochial C. of E. Prim. Sch.
Street
Cocker House Bri.
Cockerham
Hillside House
Tansy
School
Bloomfield House
Bloomfield
Tongue's Farm
Kennels
Brookfield Farm
Killcrash

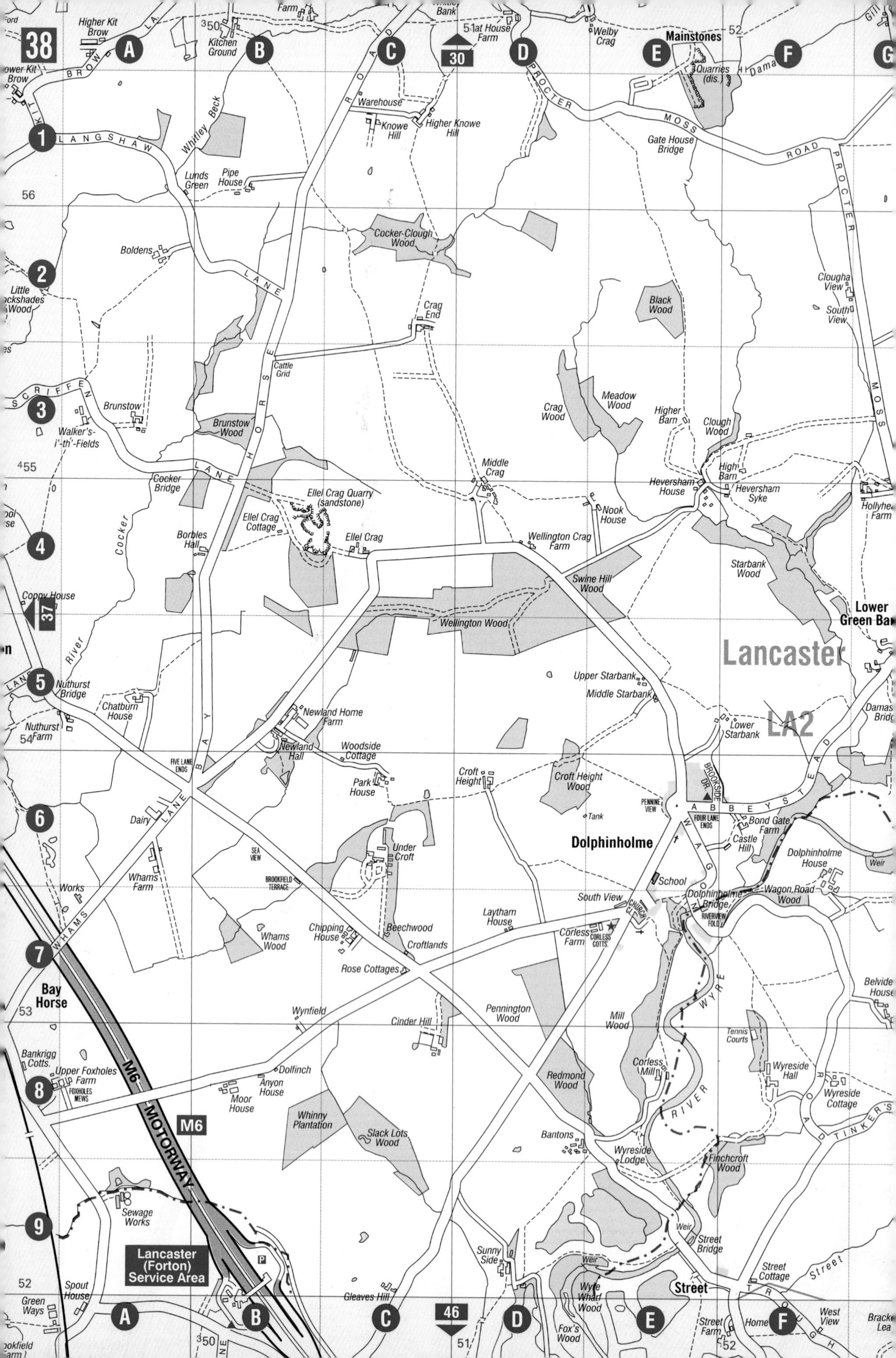

38
Higher Kit Brow
A
Kitchen Ground
B
C
30
Flat House Farm
D
Welby Crag
Mainstones
E
F
G
Quarries (dis.)
Lower Kit Brow
KIT BROW
LANGSHAW
1
Whitley Beck
Warehouse
Knowe Hill
Higher Knowe Hill
PROCTER MOSS ROAD
Gate House Bridge
Lunds Green
Pipe House
56
Cocker-Clough Wood
Boldens
2
Little Cockshades Wood
LANE
Black Wood
Clougha View
South View
Crag End
Cattle Grid
SCRIFFEN
3
Brunstow
Walker's-i'-th'-Fields
Brunstow Wood
BAY HORSE
Crag Wood
Meadow Wood
Higher Barn
Clough Wood
PROCTER MOSS
455
Cocker Bridge
Middle Crag
Heversham House
High Barn
Heversham Syke
Hollyhead Farm
Ellel Crag Quarry (sandstone)
Ellel Crag Cottage
Ellel Crag
Borbles Hall
Cocker
Nook House
Wellington Crag Farm
4
Swine Hill Wood
Starbank Wood
Coppy House
37
River
Wellington Wood
Lower Green Bank
Lancaster
5
Nuthurst Bridge
Chatburn House
Upper Starbank
Middle Starbank
Newland Home Farm
Nuthurst Farm
54
Newland Hall
Woodside Cottage
Lower Starbank
LA2
Damas Bridge
FIVE LANE ENDS
Park House
Croft Height
Croft Height Wood
BROOKSIDE DR.
PENNINE VIEW
ABBEYSTEAD
6
Dairy
LANE
Tank
FOUR LANE ENDS
Bond Gate Farm
Under Croft
SEA VIEW
Dolphinholme
Castle Hill
Dolphinholme House
Whams Farm
Weir
Works
BROOKFIELD TERRACE
School
WAGON ROAD
South View
Dolphinholme Bridge
Wagon Road Wood
RIVERVIEW FOLD
CHURCH CL.
WHAMS
Chipping House
Beechwood
Laytham House
Corless Farm
CORLESS COTTS.
7
Whams Wood
Croftlands
Rose Cottages
Bay Horse
Belvide House
53
Wynfield
Pennington Wood
Mill Wood
WYRE
Cinder Hill
Tennis Courts
Bankrigg Cotts.
Dolfinch
Corless Mill
Wyreside Hall
Upper Foxholes Farm
M6
8
FOXHOLES MEWS
Anyon House
Moor House
Redmond Wood
RIVER
Wyreside Cottage
M6 MOTORWAY
M6
Whinny Plantation
Slack Lots Wood
Bantons
TINKER'S
Wyreside Lodge
Finchcroft Wood
Sewage Works
9
Weir
Sunny Side
Street Bridge
Lancaster (Forton) Service Area
P
Weir
Street Cottage
Street
52
Spout House
Wyre Wharf Wood
Street
Green Ways
Gleaves Hill
46
TROUGH
A
B
C
D
E
F
West View
Home
Bracken Lea
Street Farm
Fox's Wood
Brookfield Farm
350
51
52

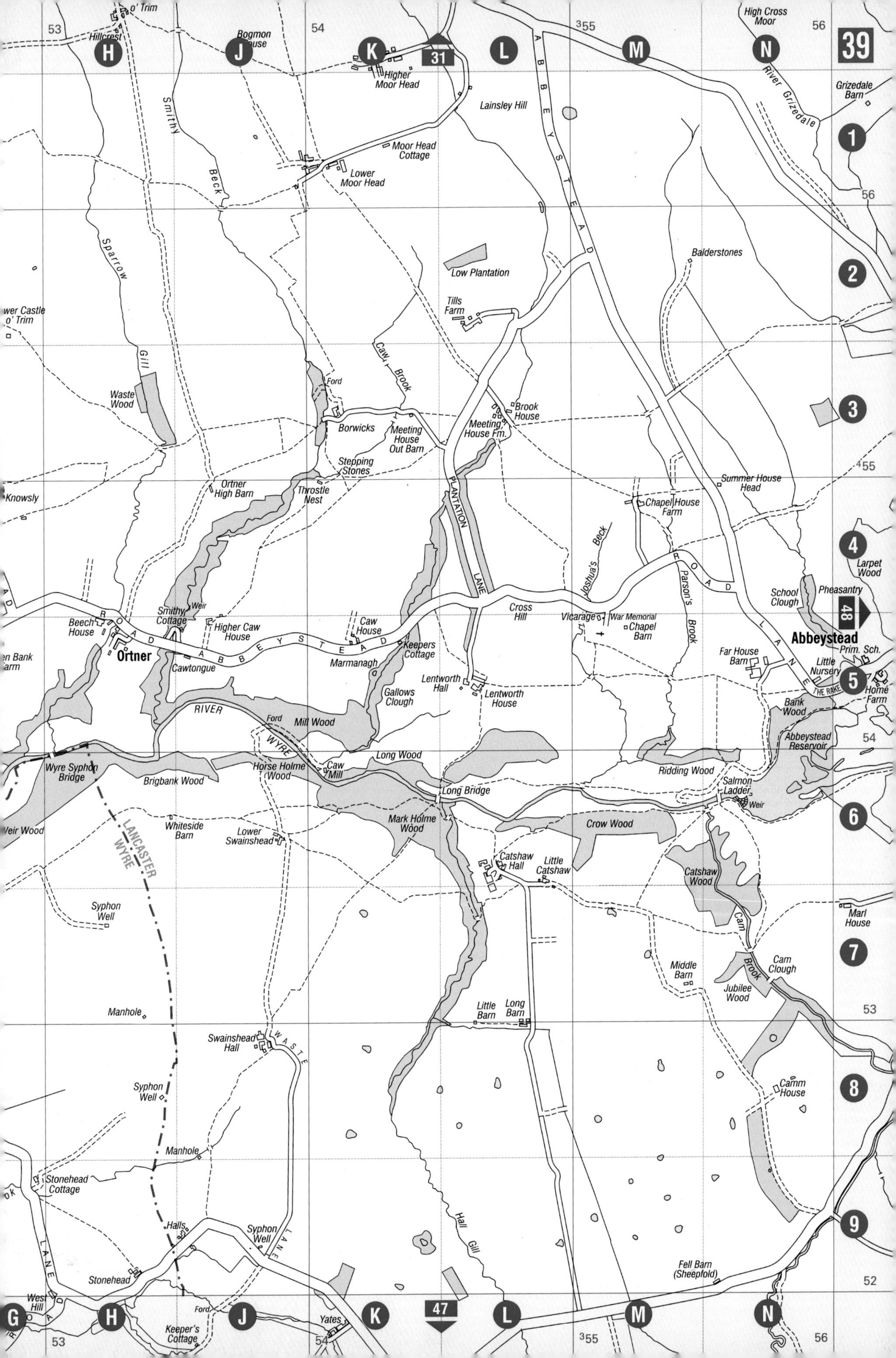

o' Trim
Hillcrest
Bogmon House
Higher Moor Head
31
Lainsley Hill
High Cross Moor
River Grizedale
Grizedale Barn
Smithy Beck
Moor Head Cottage
Lower Moor Head
Sparrow Gill
ABBEYSTEAD
Balderstones
Low Plantation
Tills Farm
Lower Castle o' Trim
Waste Wood
Ford
Caw Brook
Brook House
Borwicks
Meeting House Out Barn
Meeting House Fm.
Stepping Stones
Summer House Head
Ortner High Barn
Throstle Nest
Knowsly
PLANTATION LANE
Chapel House Farm
Joshua's Beck
Parson's Brook
ROAD
LANE
Larpet Wood
School Clough
Pheasantry
48
Smithy Cottage
Weir
Higher Caw House
Caw House
Cross Hill
Vicarage
War Memorial
Chapel Barn
Abbeystead
Prim. Sch.
Beech House
Ortner
ABBEYSTEAD ROAD
Keepers Cottage
Marmanagh
Cawtongue
Far House Barn
Little Nursery
THE RAKE
Home Farm
Lentworth Hall
Lentworth House
Gallows Clough
Bank Wood
Abbeystead Reservoir
RIVER WYRE
Mill Wood
Wyre Syphon Bridge
Brigbank Wood
Horse Holme Wood
Caw Mill
Long Wood
Ridding Wood
Salmon Ladder
Long Bridge
Weir Wood
LANCASTER WYRE
Whiteside Barn
Lower Swainshead
Mark Holme Wood
Crow Wood
Catshaw Hall
Little Catshaw
Catshaw Wood
Syphon Well
Marl House
Cam Brook
Middle Barn
Cam Clough
Jubilee Wood
Manhole
Little Barn
Long Barn
Swainshead Hall
WASTE LANE
Camm House
Syphon Well
Manhole
Stonehead Cottage
Hall Gill
Halls
Syphon Well
Stonehead
Fell Barn (Sheepfold)
West Hill
Ford
Keeper's Cottage
Yates
47
LANE
ROAD
H
J
K
L
M
N
G
1
2
3
4
5
6
7
8
9
53
54
355
56
55
52

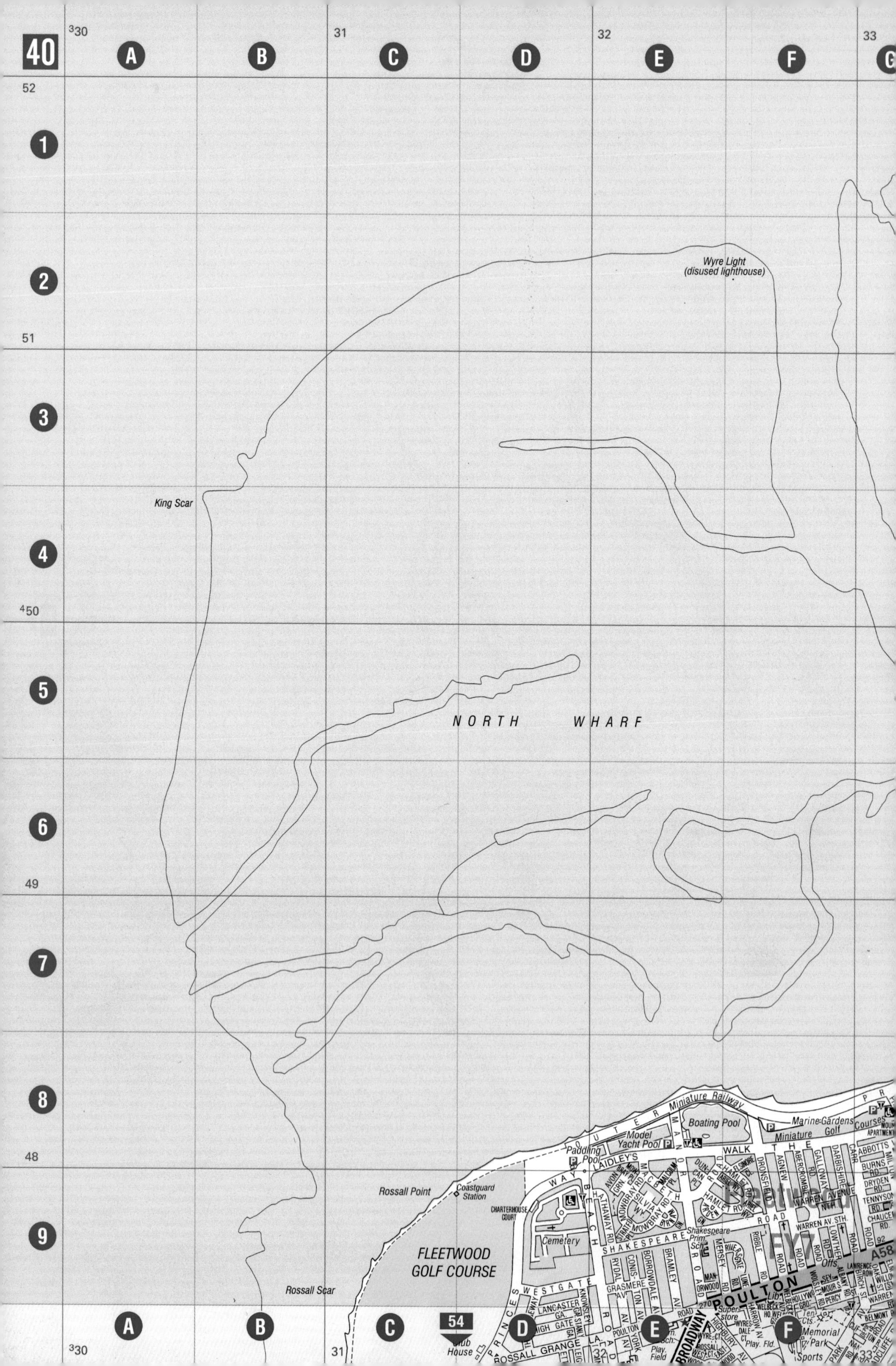
330
31
32
33
A
B
C
D
E
F
G
52
51
450
49
48
1
2
3
4
5
6
7
8
9
Wyre Light
(disused lighthouse)
King Scar
NORTH WHARF
Miniature Railway
Boating Pool
Marine Gardens
Miniature Golf
Courses
Model Yacht Pool
Paddling Pool
OUTER
MANOR
WALK
THE
LAIDLEY'S
WAY
BEACH
Rossall Point
Coastguard Station
CHARTERHOUSE COURT
Cemetery
Shakespeare Prim. Sch.
SHAKESPEARE
FLEETWOOD
GOLF COURSE
Rossall Scar
WESTGATE
PRINCES
POULTON
BROADWAY
HATHAWAY RD.
RYDAL
CONISTON AV.
BORROWDALE AV.
BRAMLEY AV.
GRASMERE AV.
MERSEY RD.
RIBBLE RD.
DRONSFIELD RD.
AGNEW
ABERCROMBIE RD.
GALLOWAY
DARBISHIRE RD.
CARR RD.
ABBOTTS
BURNS
DRYDEN RD.
TENNYSON RD.
CHAUCER RD.
WARREN AVENUE NTH.
WARREN AV. STH.
LOWTHER RD.
Fleetwood
FY7
A587
LANGASTER GA.
HIGH GATE
KNOWSLEY
ROSSALL GRANGE LA.
Club House
Memorial Park
Sports
Play. Fld.
Super-store
HIGHBURY
WYRE-DALE CT.
Lib.
Offs.
330
31
32
33
A
B
C
D
E
F
54

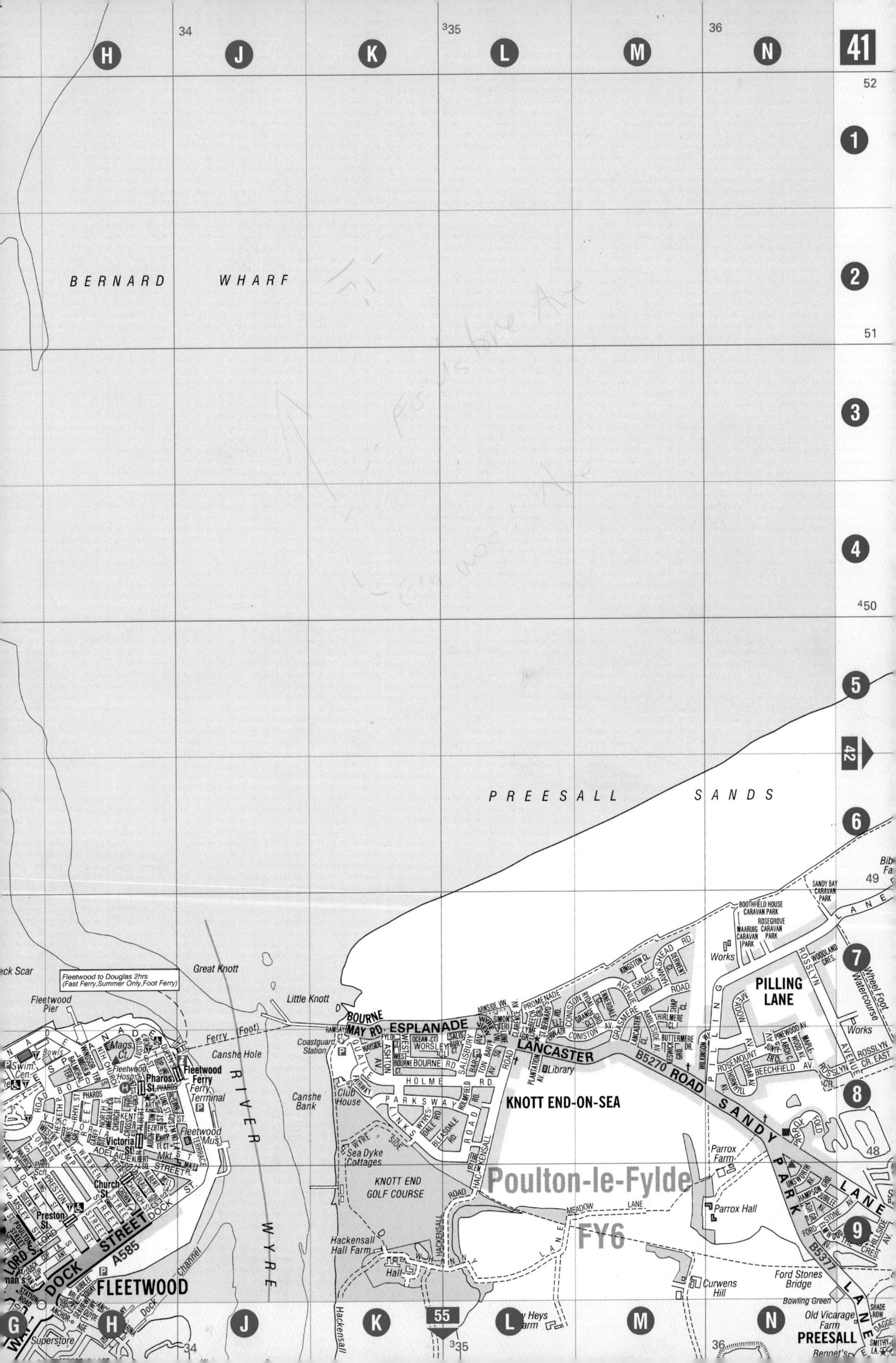

1

2

51

3

4

450

5

42 ▶

6

Bib
Fa

49

7

8

48

9

BERNARD WHARF

PREESALL SANDS

ck Scar

Great Knott

Little Knott

Fleetwood Pier

Fleetwood to Douglas 2hrs
(Fast Ferry, Summer Only, Foot Ferry)

Ferry (Foot)

Canshe Hole

Coastguard
Station

Canshe
Bank

RIVER

WYRE

Channel

Club
House

Sea Dyke
Cottages

KNOTT END GOLF COURSE

Hackensall
Hall Farm

Hall

FLEETWOOD

A585

DOCK STREET

nan's

Superstore

Church
St.

Preston
St.

Victoria
St.

Fleetwood
Mus

Fleetwood
Ferry
Terminal

Fleetwood
Hosp

Pharos
St.

Pharos

Mags
Ct.

BOURNE
MAY RD. ESPLANADE

LANCASTER

KNOTT END-ON-SEA

BOURNE RD

Library

HOLME

PARKSWAY

ROAD

HACKENSALL ROAD

MEADOW LANE

HACKENSALL

LANE

Poulton-le-Fylde

FY6

Parrox
Farm

Parrox Hall

Ford Stones
Bridge

Bowling Green
Old Vicarage
Farm

PREESALL

Rennet's

SMITHY
LA

SHADE
ROW

BOOTHFIELD HOUSE
CARAVAN PARK

ROSEGROVE
CARAVAN
PARK

MAARUG
CARAVAN
PARK

Works

SANDY BAY
CARAVAN
PARK

PILLING
LANE

WHEEL
ROAD

Works

ROSSLYN AVENUE

WOODLAND
CRES.

B5270 ROAD SANDY PARK

B5377 LANE

PILLING LANE

Hay Heys
Farm

Curwens
Hill

HILLSIDE
CRES.

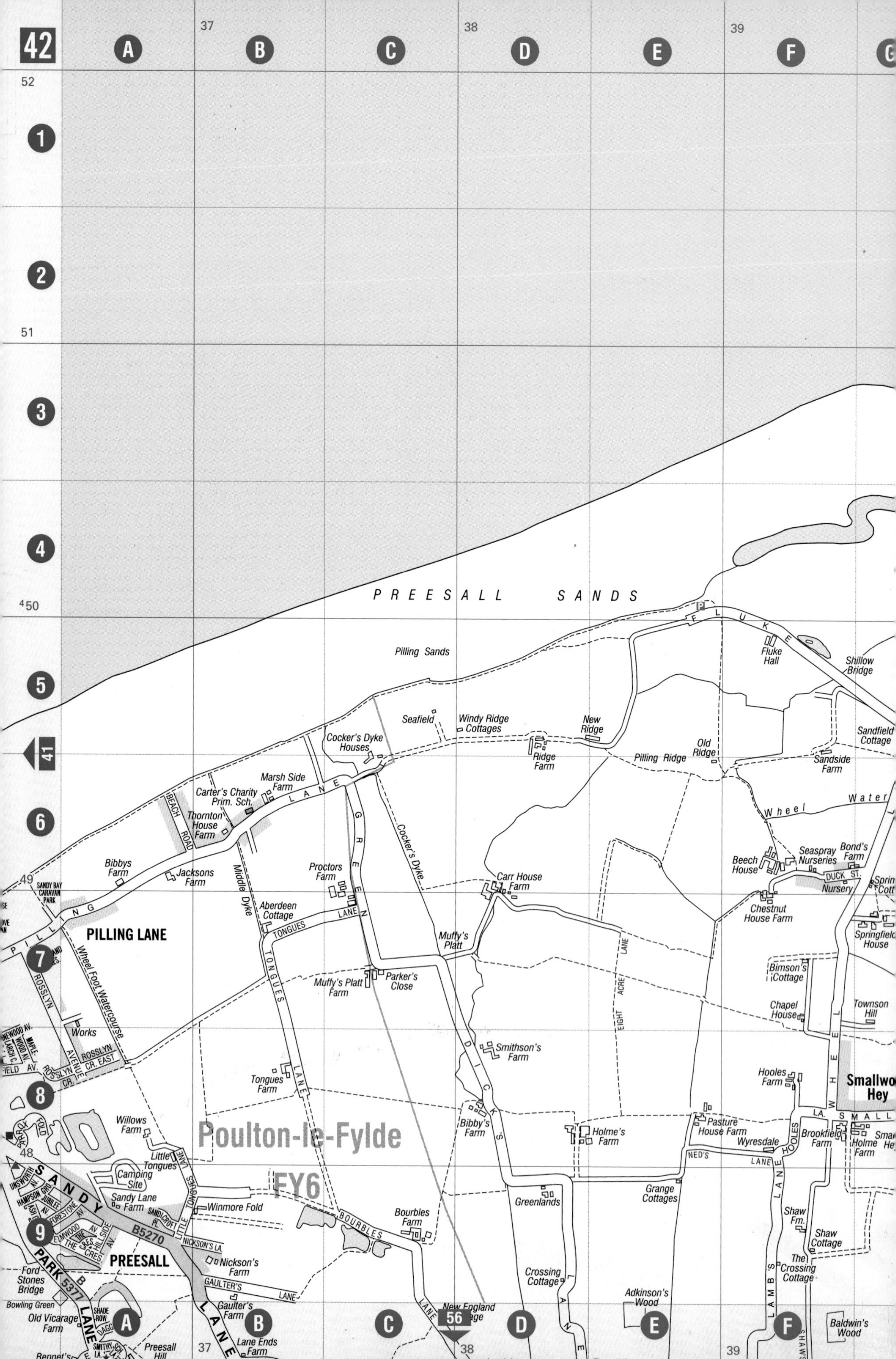

A   B   C   D   E   F   G

37   38   39

52

51

50

49

48

PREESALL   SANDS

Pilling Sands

Fluke Hall

Shillow Bridge

Sandfield Cottage

Seafield   Windy Ridge Cottages   New Ridge   Pilling Ridge   Old Ridge   Sandside Farm

Cocker's Dyke Houses   Ridge Farm

Wheel   Water

Carter's Charity Prim. Sch.   Marsh Side Farm   Seaspray Nurseries   Bond's Farm

Thornton House Farm   Beech House   DUCK ST.   Sprin Cott

Nursery

Bibbys Farm   Jacksons Farm   Proctors Farm   Carr House Farm   Chestnut House Farm   Springfield House

Aberdeen Cottage   Muffy's Platt   Bimson's Cottage

PILLING LANE   Tongues   Chapel House   Townson Hill

Wheel Foot Watercourse   Muffy's Platt Farm   Parker's Close   Smallwo Hey

Works   Smithson's Farm   Hooles Farm

Tongues Farm   Bibby's Farm   Holme's Farm   Pasture House Farm   Wyresdale   Brookfield Farm   Smal Holme He Farm

Willows Farm   Greenlands   NED'S   Shaw Fm.

Poulton-le-Fylde   Grange Cottages   Shaw Cottage

Camping Site   Sandy Lane Farm   FY6   The Crossing Cottage

Winmore Fold   Bourbles Farm   Baldwin's Wood

Nickson's LA.   Crossing Cottage   Adkinson's Wood

PREESALL   Nickson's Farm

Ford Stones Bridge   Gaulter's Farm

Bowling Green   Old Vicarage Farm   Gaulter's LANE   New England ge   56

Bennet's   Preesall Hill   Lane Ends Farm

SANDY   PARK   LANE   B5270   B5377

A   B   C   D   E   F

37   38   39

Cocker's Dyke   GREEN   LANE   TONGUES LANE   DICK S   EIGHT   ACRE   LANE   WHEEL   HOOLES LANE   LAMBS LANE   SHAWS

Middle Dyke   BOURBLES

Sandy Bay Caravan Park

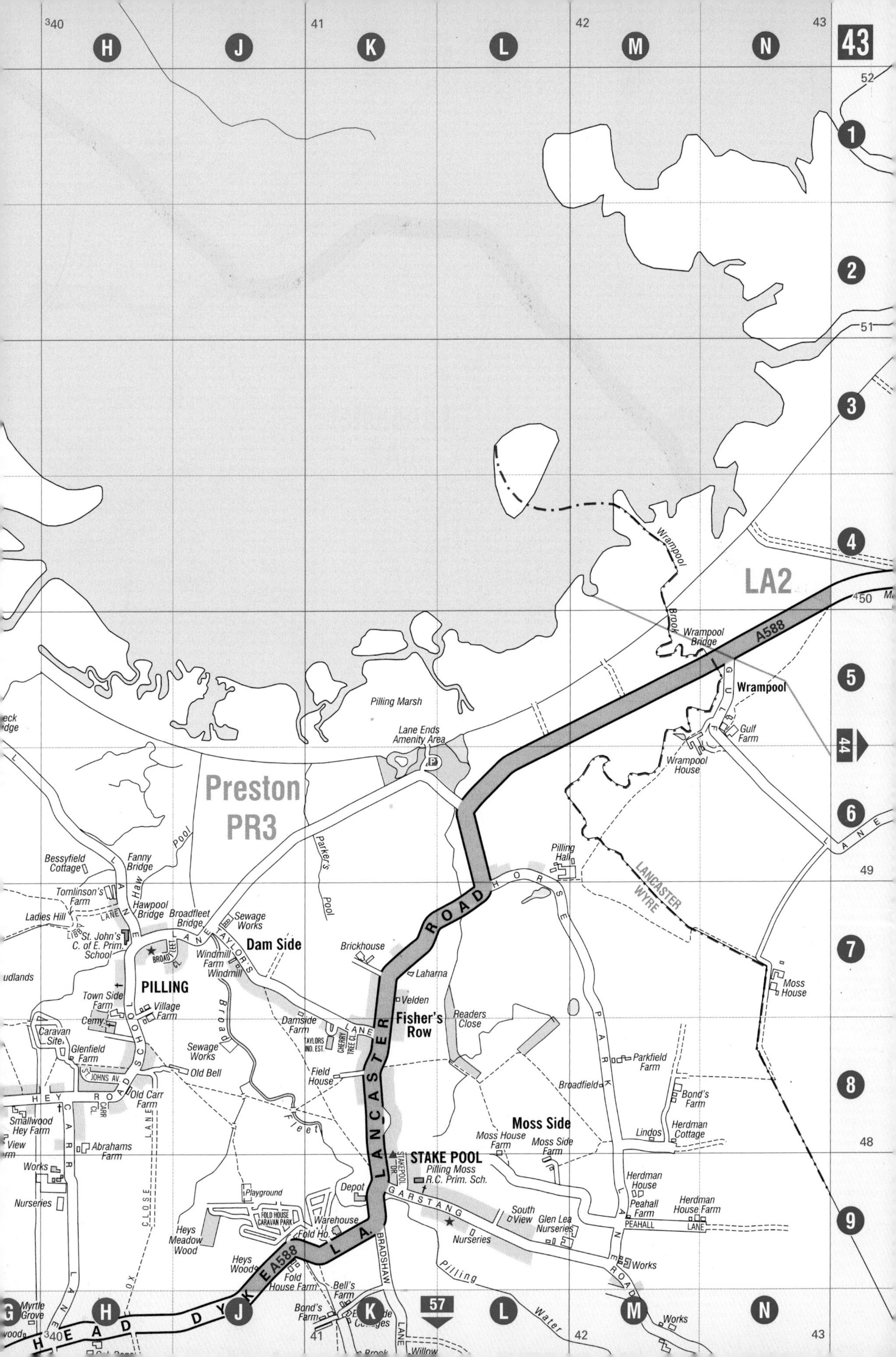

H
J
K
L
M
N
340
41
42
43
52
51
450
49
48
1
2
3
4
5
6
7
8
9
LA2
Preston
PR3
A588
Wrampool Brook
Wrampool Bridge
Wrampool
Gulf Farm
Wrampool House
44
Pilling Marsh
Lane Ends Amenity Area
Parker's Pool
Pilling Hall
LANCASTER
WYRE
Moss House
Bessyfield Cottage
Fanny Bridge
Haw Pool
Tomlinson's Farm
Hawpool Bridge
Broadfleet Bridge
Sewage Works
Ladies Hill
St. John's C. of E. Prim. School
Dam Side
Windmill Farm
Windmill
PILLING
Brickhouse
Laharna
Velden
Fisher's Row
Readers Close
Town Side Farm
Village Farm
Cemy.
Caravan Site
Glenfield Farm
Damside Farm
TAYLORS IND. EST.
CHERRY TREE CL.
Sewage Works
Old Bell
Field House
Parkfield Farm
Broadfield
Bond's Farm
Old Carr Farm
Smallwood Hey Farm
Abrahams Farm
Moss Side
Moss House Farm
Moss Side Farm
Lindos
Herdman Cottage
STAKE POOL
Pilling Moss R.C. Prim. Sch.
Works
Nurseries
Depot
Playground
FOLD HOUSE CARAVAN PARK
Warehouse
Fold Ho.
Heys Meadow Wood
Heys Wood
Fold House Farm
Bell's Farm
Bond's Farm
South View
Glen Lea Nurseries
Nurseries
Herdman House
Peahall Farm
Herdman House Farm
PEAHALL LANE
Works
Pilling Water
Myrtle Grove
Works
HEAD DYKE LANE
LANCASTER ROAD
HORSE PARK LANE
GARSTANG ROAD
BRADSHAW LANE
STAKEPOOL DR.
TAYLOR'S LANE
BROADFLEET LANE
SCHOOL LANE
ST. JOHNS AV.
HEY ROAD
CARR LANE
CARR CL.
CLOSE LANE
GULF LANE
Broad Fleet
57

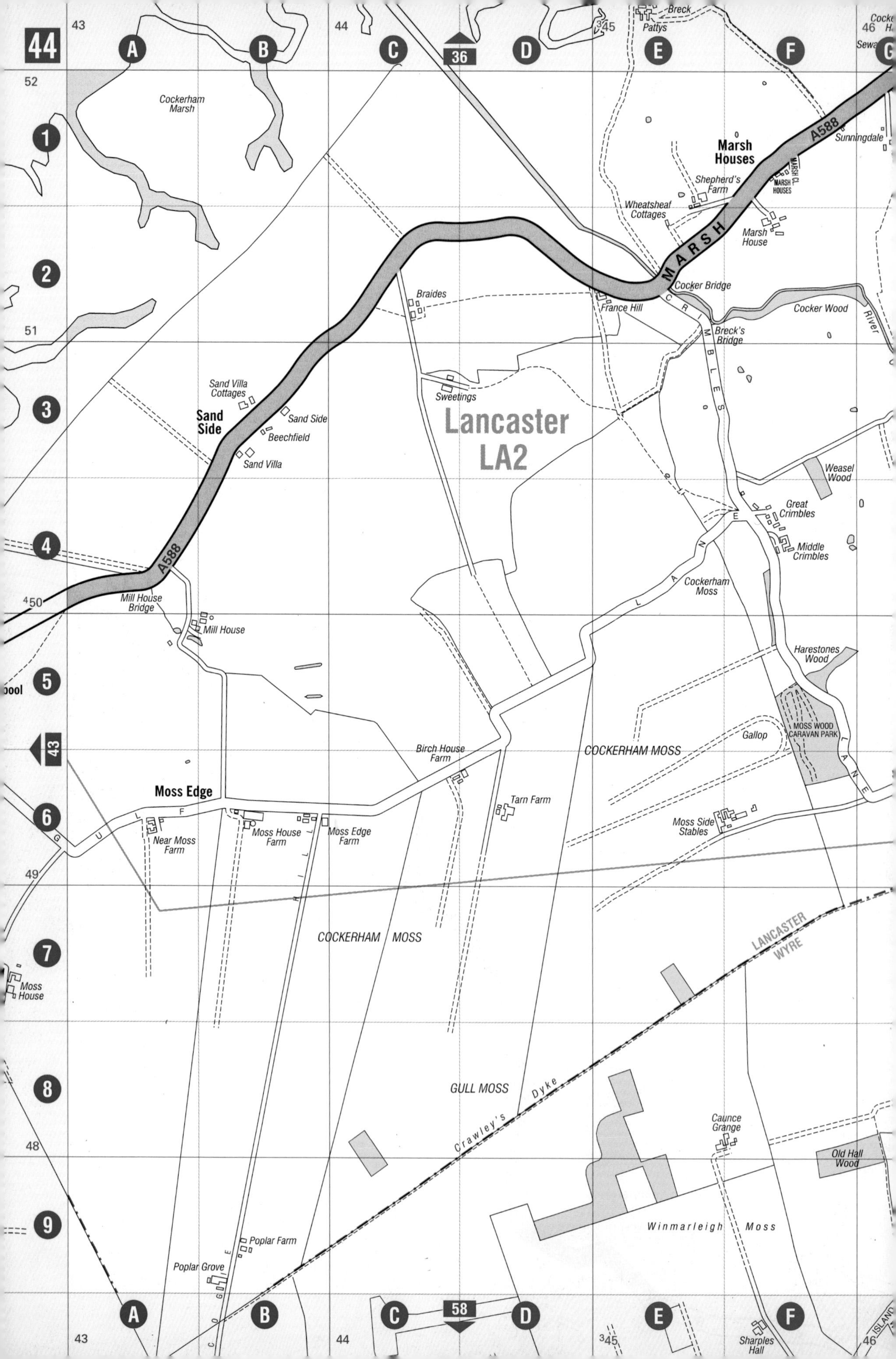

Cockerham Marsh
Marsh Houses
Shepherd's Farm
Wheatsheaf Cottages
Marsh House
Sunningdale
MARSH CL
MARSH HOUSES
A588
MARSH
Cocker Bridge
France Hill
Cocker Wood
River
Breck's Bridge
CRIMBLES
Braides
Sweetings
Lancaster
LA2
Sand Villa Cottages
Sand Side
Beechfield
Sand Villa
Weasel Wood
Great Crimbles
Middle Crimbles
LANE
Cockerham Moss
Mill House Bridge
Mill House
Harestones Wood
MOSS WOOD CARAVAN PARK
Gallop
COCKERHAM MOSS
Birch House Farm
Moss Edge
Tarn Farm
Moss Side Stables
GULF
Near Moss Farm
Moss House Farm
Moss Edge Farm
HILL
COCKERHAM MOSS
Moss House
LANCASTER
WYRE
GULL MOSS
Crawley's Dyke
Caunce Grange
Old Hall Wood
Winmarleigh Moss
Poplar Farm
Poplar Grove
Sharples Hall
Breck
Pattys
Sewa

36
43
58

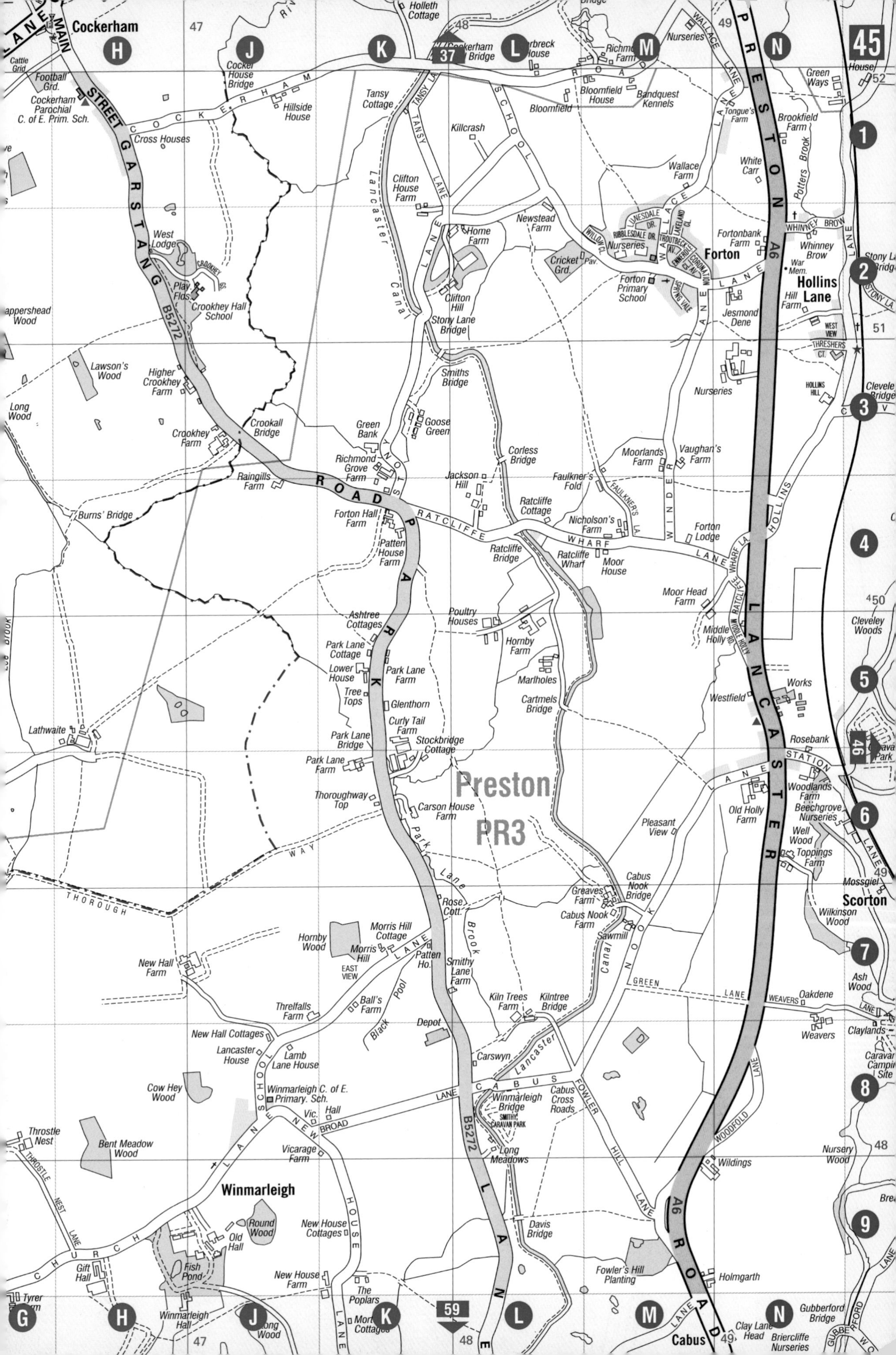

45
Cockerham
Holleth Cottage
Cockerham Bridge
37
Orbreck House
Richmond Farm
Nurseries
Wallace Lane
Preston Lancaster
Green Ways
House
Cattle Grid
Football Grd.
Cockerham Parochial C. of E. Prim. Sch.
Cocker House Bridge
Cockerham Road
Tansy Cottage
Tansy Lane
Bloomfield House
Bandquest Kennels
Bloomfield
Tongue's Farm
Brookfield Farm
Hillside House
Cross Houses
Killcrash
School Lane
Garstang Street
Clifton House Farm
Lancaster Canal
Wallace Farm
White Carr
Potters Brook
Newstead Farm
Home Farm
Lunesdale Dr.
Ribblesdale Dr.
Troutbeck Av.
Lakeland Cl.
Willow Cl.
Nurseries
Coronation Av.
Ennerdale Av.
Spring Vale
Fortonbank Farm
Whinney Brow
Whinney Brow
War Mem.
Stony Lane Bridge
Stony La.
Forton
Cricket Grd.
Pav.
Forton Primary School
Hollins Lane
Hill Farm
Jesmond Dene
West Lodge
Crookhey Gr.
Play. Flds.
Crookhey Hall School
B5272
Clifton Hill
Stony Lane Bridge
West View
Threshers Ct.
Lappershead Wood
Lawson's Wood
Higher Crookhey Farm
Smiths Bridge
Nurseries
Hollins Hill
Clevelely Bridge
Long Wood
Crookall Bridge
Crookhey Farm
Green Bank
Goose Green
Corless Bridge
Moorlands Farm
Vaughan's Farm
Richmond Grove Farm
Raingills Farm
Road
Jackson Hill
Faulkner's Fold
Faulkner's La.
Winder Lane
Hollins
Burns' Bridge
Forton Hall Farm
Ratcliffe Cottage
Nicholson's Farm
Forton Lodge
Ratcliffe Wharf Lane
Patten House Farm
Ratcliffe Bridge
Ratcliffe Wharf
Moor House
Park Lane
Moor Head Farm
Wharf La.
Ratcliffe Rd.
Middle Holly Rd.
Middle Holly
Ashtree Cottages
Poultry Houses
Hornby Farm
Cleveley Woods
Park Lane Cottage
Lower House
Park Lane Farm
Marlholes
Works
Tree Tops
Glenthorn
Cartmels Bridge
Westfield
Lathwaite
Curly Tail Farm
Park Lane Bridge
Stockbridge Cottage
Rosebank
46
Caravan Park
Park Lane Farm
Preston PR3
Station Lane
Thoroughway Top
Carson House Farm
Old Holly Farm
Woodlands Farm
Beechgrove Nurseries
Pleasant View
Well Wood
Toppings Farm
Way
Thorough
Cabus Nook Bridge
Greaves Farm
Mossgiel
Scorton
Rose Cott.
Cabus Nook Farm
Wilkinson Wood
Hornby Wood
Morris Hill Cottage
Morris Hill
Sawmill
Patten Ho.
Brook
Nook
Ash Wood
East View
Smithy Lane Farm
New Hall Farm
Green Lane
Weavers Lane
Oakdene
Ball's Farm
Pool
Black
Kiln Trees Farm
Kiltree Bridge
Weavers
Claylands
Threlfalls Farm
Depot
New Hall Cottages
Caravan Camping Site
Lancaster House
Lamb Lane House
Carswyn
Cow Hey Wood
Cabus
Cabus Cross Roads
Fowler Hill Lane
Winmarleigh C. of E. Primary Sch.
Winmarleigh Bridge
Smithy Caravan Park
Woodfold
Vic.
Hall
Broad
New
Throstle Nest
Bent Meadow Wood
Vicarage Farm
Long Meadows
Wildings
Nursery Wood
Throstle Nest Lane
Winmarleigh
Round Wood
Old Hall
A6 Road
Church
New House Cottages
House
Davis Bridge
Gift Hall
Fish Pond
New House Farm
Fowler's Hill Planting
Holmgarth
Tyrer Farm
The Poplars
Winmarleigh Hall
Long Wood
Mort Cottages
59
Cabus
Clay Lane Head
Briercliffe Nurseries
Gubberford Bridge
Gubberford
H J K L M N
G H J K L M N
1 2 3 4 5 6 7 8 9
47 48 49 52 51 450 49 48

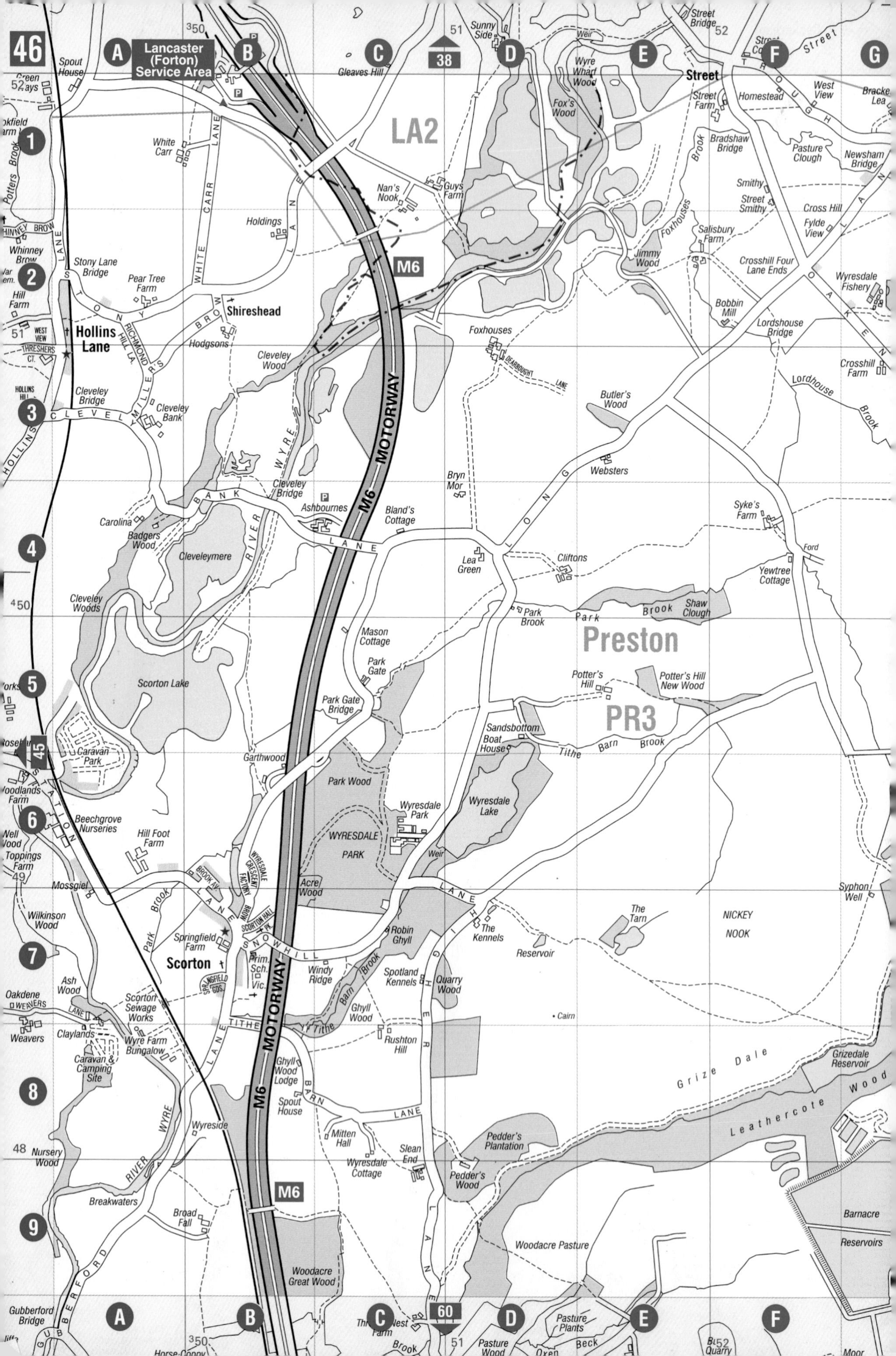
Lancaster
(Forton)
Service Area
38
60
45
LA2
PR3
Preston
M6
MOTORWAY
Spout House
Green Bays
Potters Brook
Whinney Brow
Hill Farm
West View
Threshers Ct.
Hollins Lane
Hollins Hill
Stony Lane Bridge
Pear Tree Farm
White Carr
White Carr Lane
Holdings
Shireshead
Hodgsons
Richmond Hill La.
Millers Brow
Cleveley Bridge
Cleveley Bank
Cleveley Wood
Cleveley Woods
Cleveleymere
Carolina
Badgers Wood
Bank Lane
Ashbournes
River Wyre
Scorton Lake
Caravan Park
Woodlands Farm
Station Lane
Beechgrove Nurseries
Hill Foot Farm
Toppings Farm
Well Wood
Mossgiel
Wilkinson Wood
Brook Av.
Wyresdale Crescent
Factory Brow
Scorton Hall
Springfield Farm
Springfield Gds.
Scorton
Park Brook
Snowhill
Prim. Sch.
Vic.
Oakdene
Weavers Lane
Weavers
Ash Wood
Claylands
Scorton Sewage Works
Wyre Farm Bungalow
Caravan & Camping Site
Tithe Barn Lane
Wyreside
Nursery Wood
River Wyre
Breakwaters
Broad Fall
Gubberford Bridge
Gubberford Lane
Gleaves Hill
Nan's Nook
Guys Farm
Sunny Side
Weir
Wyre Wharf Wood
Fox's Wood
Street Bridge
Street
Street Farm
Homestead
West View
Bracken Lea
Street Cott.
Oakenclough Road
Bradshaw Bridge
Pasture Clough
Newsham Bridge
Smithy
Street Smithy
Cross Hill
Fylde View
Salisbury Farm
Foxhouses Brook
Jimmy Wood
Crosshill Four Lane Ends
Bobbin Mill
Wyresdale Fishery
Lordshouse Bridge
Foxhouses
Dearbought Lane
Crosshill Farm
Lordhouse Brook
Butler's Wood
Long Lane
Websters
Bryn Mor
Bland's Cottage
Lea Green
Cliftons
Syke's Farm
Ford
Yewtree Cottage
Park Brook
Shaw Clough
Mason Cottage
Park Gate
Park Gate Bridge
Potter's Hill
Potter's Hill New Wood
Sandsbottom
Boat House
Tithe Barn Brook
Garthwood
Park Wood
Wyresdale Park
Wyresdale Lake
Weir
Acre Wood
Robin Ghyll
The Kennels
Higher Lane
Reservoir
The Tarn
Nickey Nook
Syphon Well
Windy Ridge
Spotland Kennels
Quarry Wood
Ghyll Wood
Rushton Hill
Cairn
Grizedale Reservoir
Grize Dale
Ghyll Wood Lodge
Spout House
Mitten Hall
Slean End
Wyresdale Cottage
Pedder's Plantation
Pedder's Wood
Leathercote Wood
Barnacre Reservoirs
Woodacre Pasture
Woodacre Great Wood
Nest Farm
Brook
Pasture Plants
Pasture Wood
Oxen Beck
Quarry
Moor
Horse Coppy

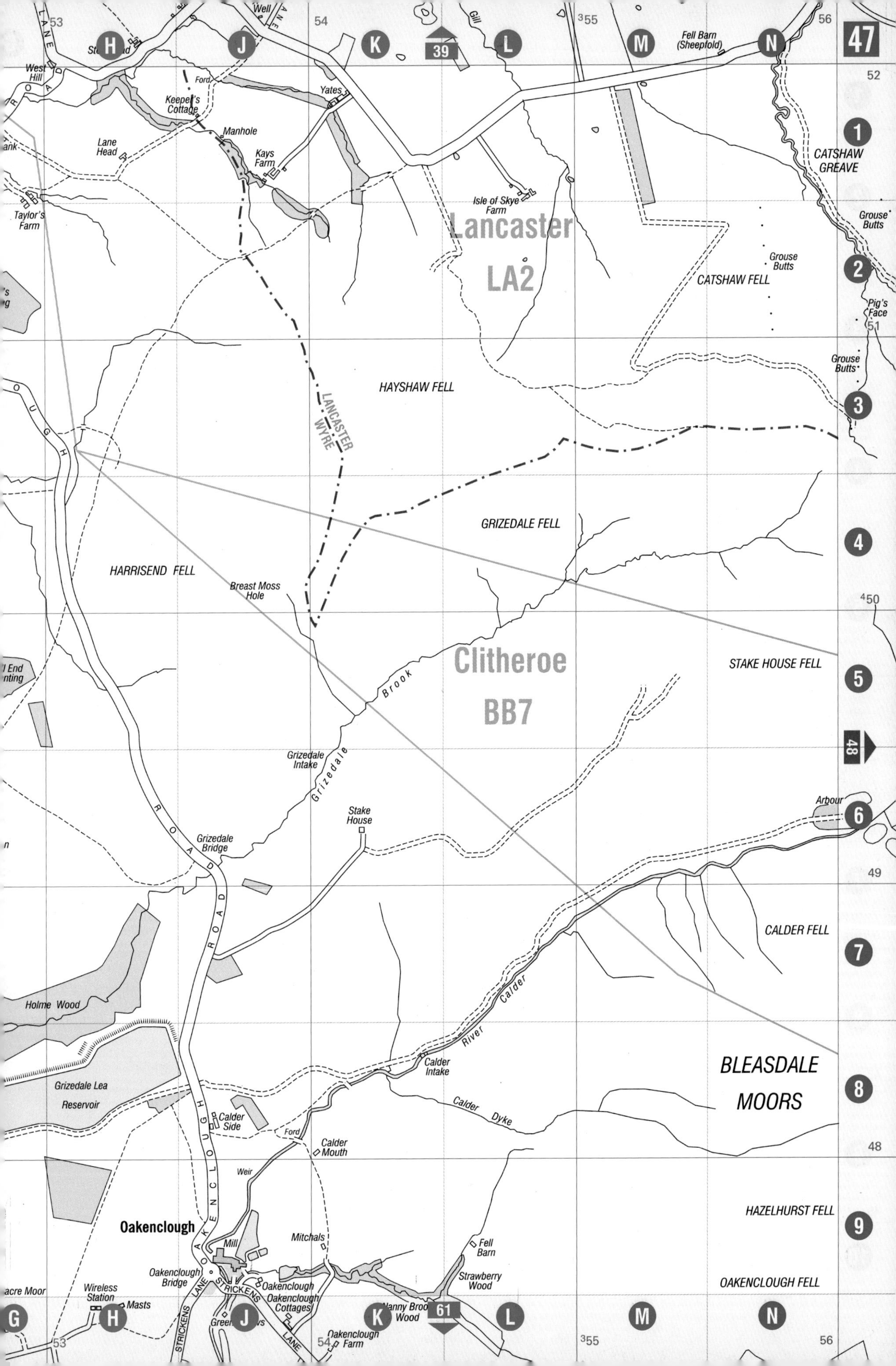

Lancaster
LA2
Clitheroe
BB7
HAYSHAW FELL
CATSHAW FELL
CATSHAW GREAVE
GRIZEDALE FELL
HARRISEND FELL
STAKE HOUSE FELL
CALDER FELL
BLEASDALE MOORS
HAZELHURST FELL
OAKENCLOUGH FELL
LANCASTER
WYRE
Fell Barn (Sheepfold)
West Hill
Keeper's Cottage
Manhole
Kays Farm
Yates
Lane Head
Taylor's Farm
Isle of Skye Farm
Grouse Butts
Pig's Face
Breast Moss Hole
Grizedale Intake
Stake House
Grizedale Bridge
Grizedale Brook
Arbour
River Calder
Calder Intake
Calder Dyke
Holme Wood
Grizedale Lea Reservoir
Calder Side
Ford
Calder Mouth
Weir
Oakenclough
Mitchals
Fell Barn
Mill
Strawberry Wood
Oakenclough Bridge
Oakenclough Cottages
Wireless Station
Masts
Oakenclough Farm
STRICKENS LANE
OAKENCLOUGH ROAD
39
48
61

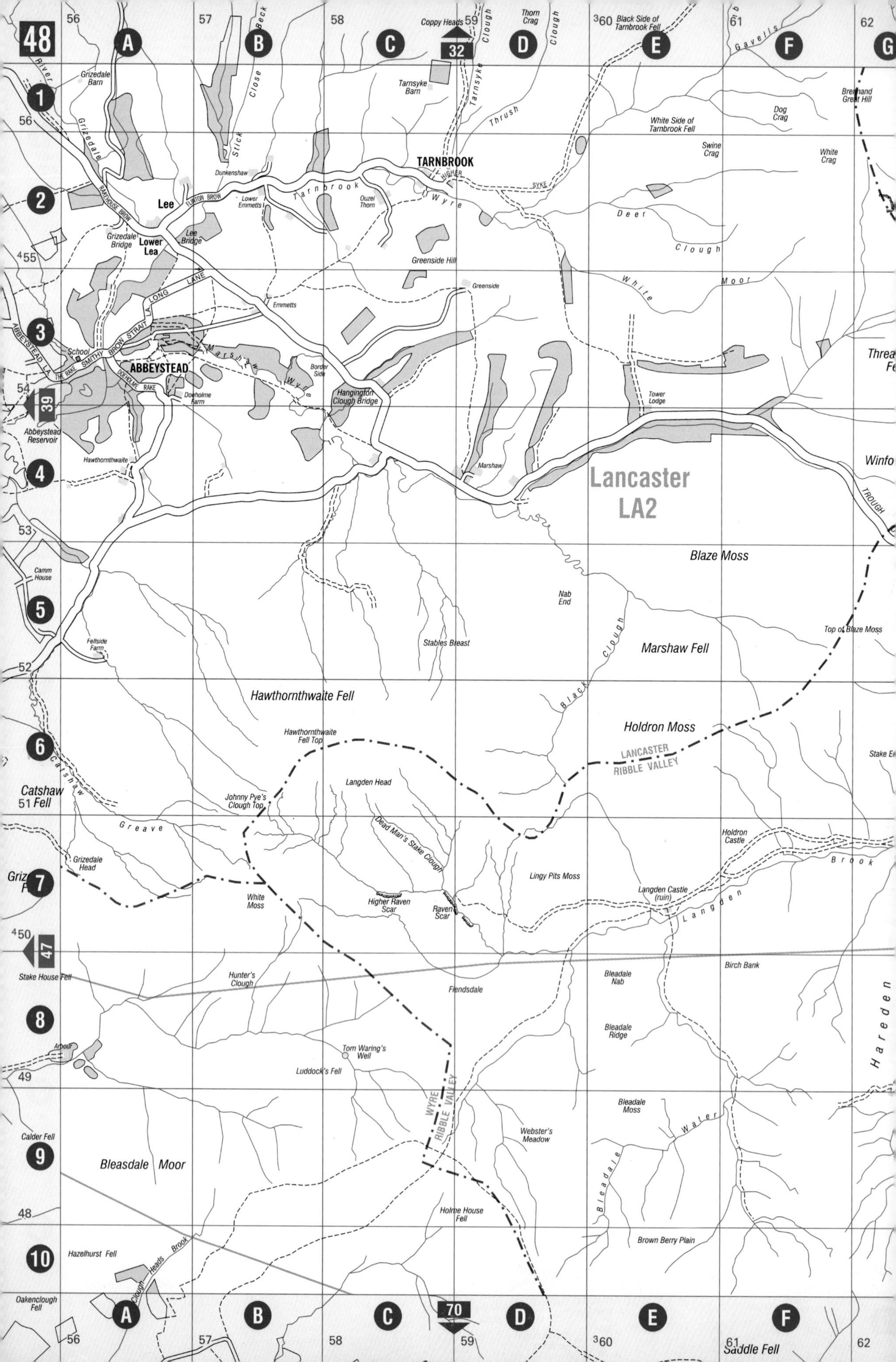
TARNBROOK
Lee
Lower Lea
ABBEYSTEAD
Lancaster LA2
Grizedale Barn
Tarnsyke Barn
Coppy Heads
Thorn Crag
Black Side of Tarnbrook Fell
White Side of Tarnbrook Fell
Dog Crag
Swine Crag
White Crag
Dunkenshaw
Lower Emmetts
Ouzel Thorn
Grizedale Bridge
Lee Bridge
Greenside Hill
Greenside
Emmetts
School
Border Side
Hangington Clough Bridge
Doeholme Farm
Abbeystead Reservoir
Hawthornthwaite
Tower Lodge
Marshaw
Camm House
Blaze Moss
Nab End
Marshaw Fell
Top of Blaze Moss
Fellside Farm
Stables Breast
Hawthornthwaite Fell
Holdron Moss
Hawthornthwaite Fell Top
LANCASTER
RIBBLE VALLEY
Catshaw Fell
Langden Head
Johnny Pye's Clough Top
Dead Man's Stake Clough
Holdron Castle
Grizedale Head
Lingy Pits Moss
Langden Castle (ruin)
White Moss
Higher Raven Scar
Raven Scar
Stake House Fell
Hunter's Clough
Fiendsdale
Bleadale Nab
Birch Bank
Bleadale Ridge
Tom Waring's Well
Luddock's Fell
WYRE
RIBBLE VALLEY
Bleadale Moss
Webster's Meadow
Calder Fell
Bleasdale Moor
Holme House Fell
Brown Berry Plain
Hazelhurst Fell
Oakenclough Fell
Saddle Fell
Hareden
Winfo
Threa Fe
Stake Fe

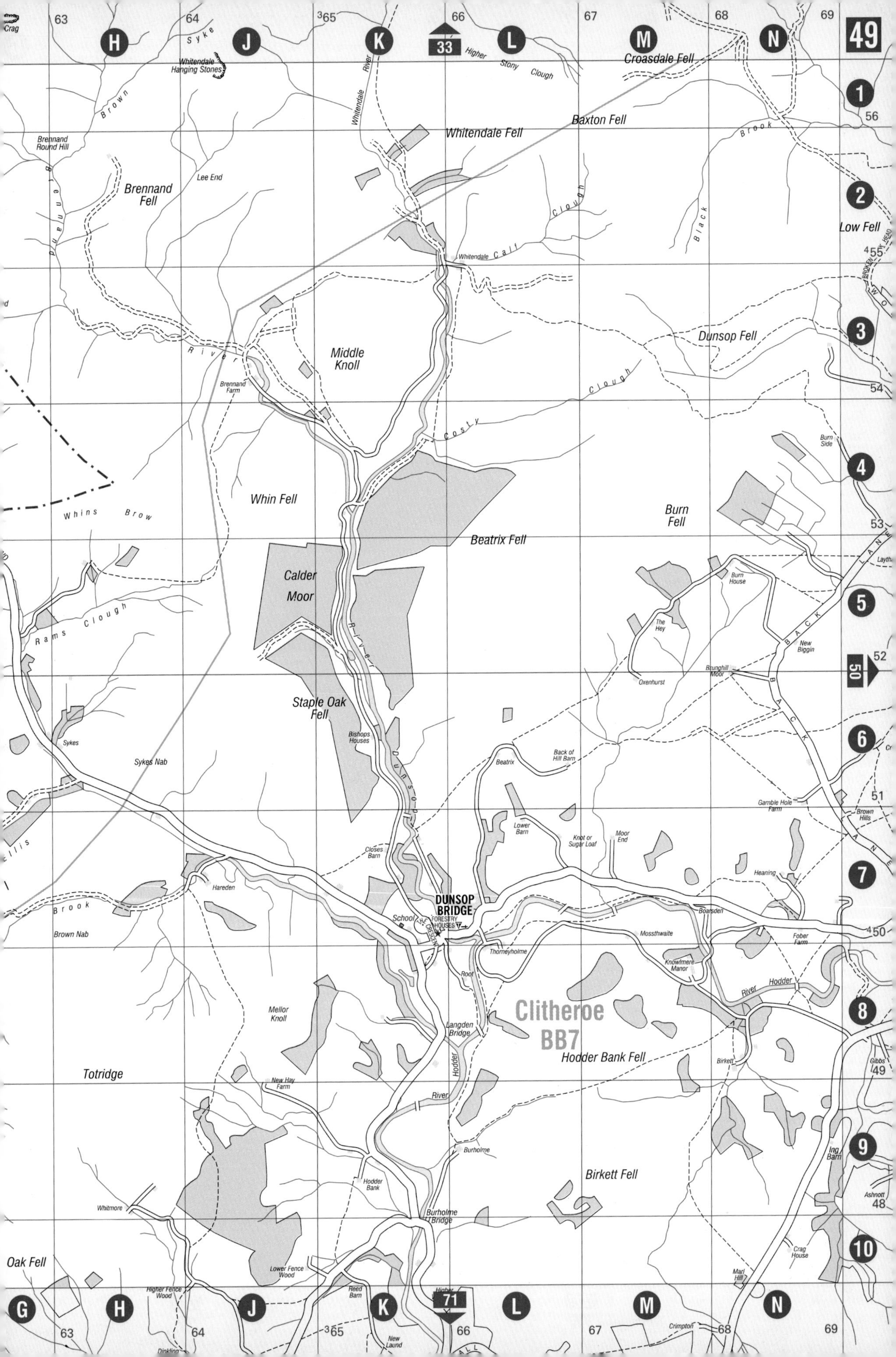

49
H
J
K
L
M
N
33
Crag
Whitendale Hanging Stones
Syke
Higher Stony Clough
Croasdale Fell
Whitendale River
Brown
Baxton Fell
Whitendale Fell
Brook
Brennand Round Hill
Brennand Fell
Lee End
Brennand
Clough
Black
Low Fell
Whitendale Calf
Dunsop Fell
River
Middle Knoll
Brennand Farm
Clough
Costy
Whin Fell
Whins Brow
Burn Side
Burn Fell
Beatrix Fell
Calder Moor
Burn House
Rams Clough
The Hey
River
New Biggin
Brunghill Moor
Oxenhurst
Staple Oak Fell
Sykes
Bishops Houses
Sykes Nab
Dunsop
Beatrix
Back of Hill Barn
Gamble Hole Farm
Brown Hills
Lower Barn
Knot or Sugar Loaf
Moor End
Closes Barn
Heaning
Hareden
DUNSOP BRIDGE
Brook
School
FORESTRY HOUSES
Boarsden
Brown Nab
Mossthwaite
Fober Farm
Thorneyholme
Knowlmere Manor
River Hodder
Roaf
Mellor Knoll
Clitheroe BB7
Langden Bridge
Hodder Bank Fell
Birkett
Gibbs
Totridge
New Hay Farm
River
Hodder
Burholme
Ing Barn
Birkett Fell
Hodder Bank
Whitmore
Ashnott
Burholme Bridge
Oak Fell
Crag House
Lower Fence Wood
Marl Hill
Higher Fence Wood
Reed Barn
Higher
71
G
Crimpton
New Laund
Dinkling
Back Lane
Laythe
50

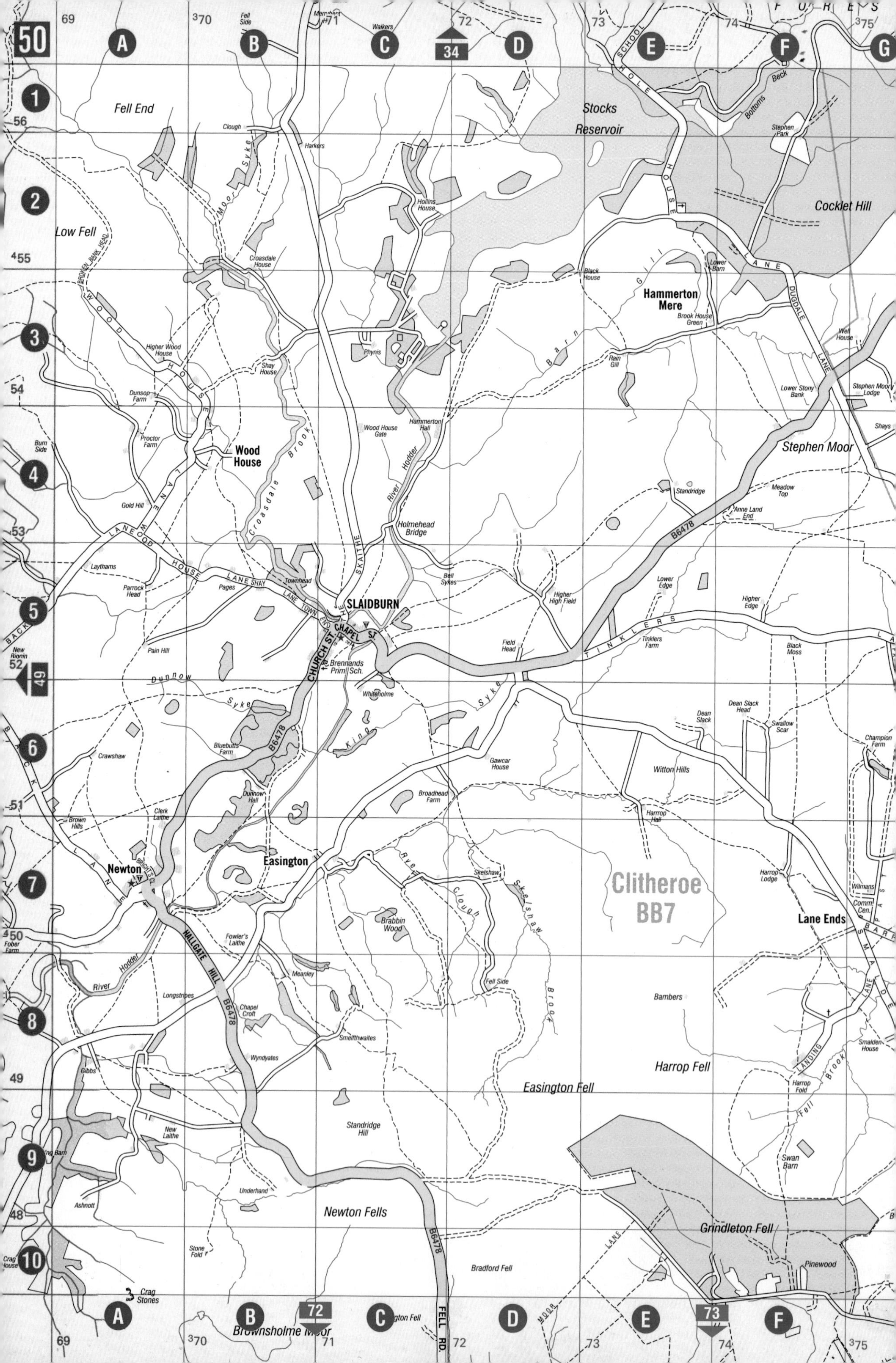

Fell End
Stocks Reservoir
Cocklet Hill
Low Fell
Hammerton Mere
Wood House
SLAIDBURN
Stephen Moor
Newton
Easington
Clitheroe BB7
Lane Ends
Harrop Fell
Easington Fell
Newton Fells
Grindleton Fell
Brabbin Wood
Witton Hills
Standridge Hill
Bradford Fell
Brownsholme Moor
Pinewood
B6478
HALLGATE HILL
FELL RD.
CHURCH ST.
CHAPEL ST.
TINKLERS LANE
River Hodder
Croasdale Brook

34
49
72
73

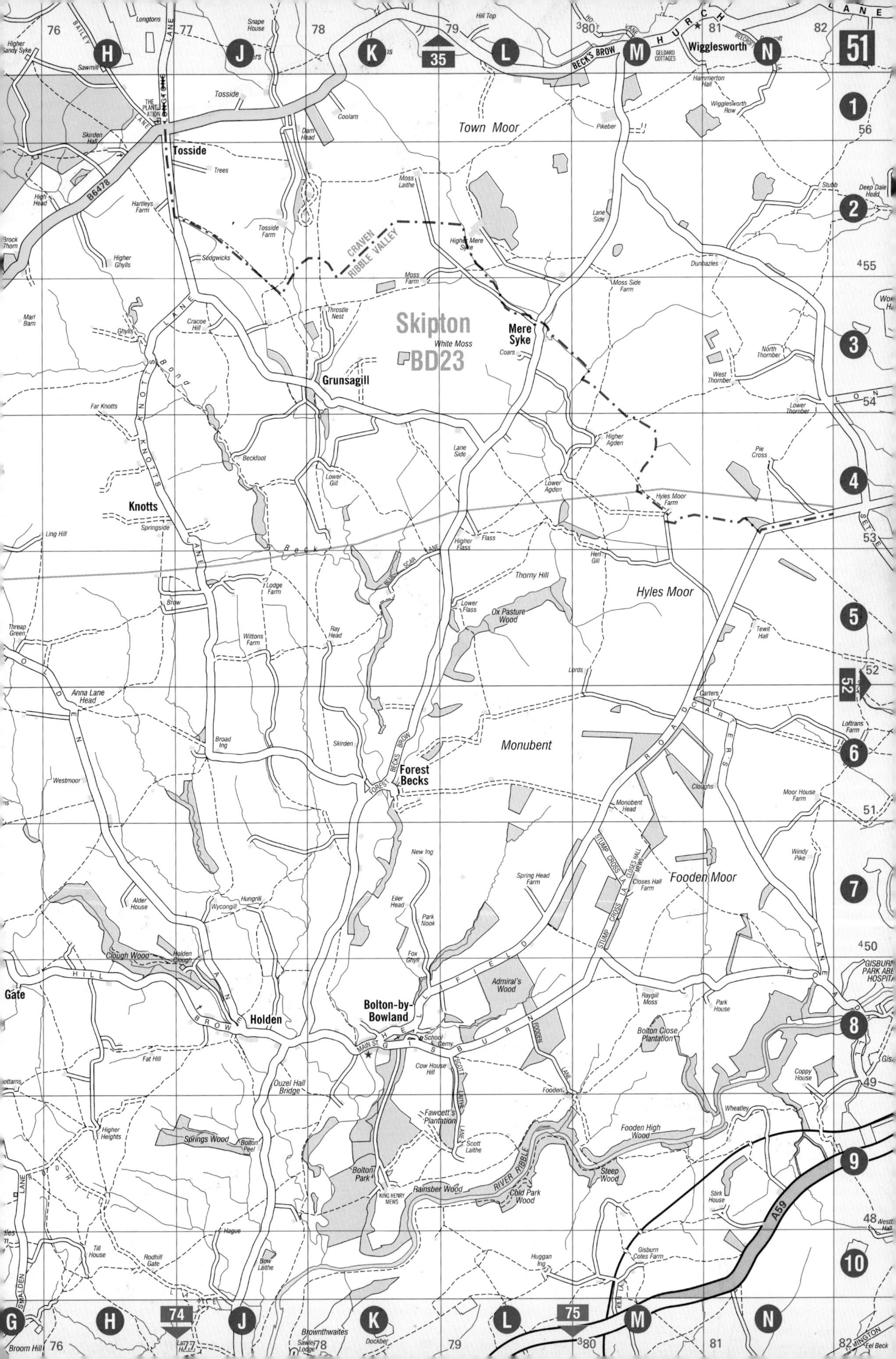

35
74
75
52
Skipton
BD23
Tosside
Grunsagill
Mere Syke
Knotts
Forest Becks
Bolton-by-Bowland
Holden
Wigglesworth
Town Moor
Hyles Moor
Monubent
Fooden Moor
CRAVEN RIBBLE VALLEY
B6478
A59
RIVER RIBBLE
Longtons
Snape House
Hill Top
Higher Sandy Syke
Sawmill
Tosside
THE PLANTATION
Coolam
Dam Head
Skirden Hall
Trees
Moss Laithe
High Head
Hartleys Farm
Brock Thorn
Tosside Farm
Higher Ghylls
Sedgwicks
Higher Mere Syke
Moss Farm
Throstle Nest
Marl Barn
Cracoe Hill
Ghylls
White Moss
Coars
Far Knotts
Beckfoot
Lower Gill
Lane Side
Higher Agden
Lower Agden
Hyles Moor Farm
Springside
Ling Hill
Higher Flass
Flass
Hen Gill
Thorny Hill
Lodge Farm
Brow
Lower Flass
Ox Pasture Wood
Ray Head
Wittons Farm
Threap Green
Lords
Tewit Hall
Anna Lane Head
Carters
Loftrans Farm
Broad Ing
Skirden
Westmoor
Cloughs
Monubent Head
Moor House Farm
New Ing
Windy Pike
Spring Head Farm
Closes Hall Farm
Alder House
Hungrill
Wycongill
Eller Head
Park Nook
Clough Wood
Holden Clough
Fox Ghyll
Admiral's Wood
Raygill Moss
Park House
Bolton Close Plantation
Gate
School
Cemy
MAIN ST.
Fat Hill
Cow House Hill
Ouzel Hall Bridge
Fooden
Coppy House
Higher Heights
Fawcett's Plantation
Wheatley
Springs Wood
Bolton Peel
Scott Laithe
Fooden High Wood
Steep Wood
Bolton Park
KING HENRY MEWS
Rainsber Wood
Cold Park Wood
Stirk House
Hague
Till House
Rodhill Gate
Bow Laithe
Huggan Ing
Gisburn Cotes Farm
Browntwaites
Dockber
Broom Hill
GELDARD COTTAGES
Hammerton Hall
Wigglesworth Row
Pikeber
Lane Side
Stubb
Deep Dale Head
Dunnazles
Moss Side Farm
North Thornber
West Thornber
Lower Thornber
Pie Cross
BECK'S BROW
BAILEY
LANE
KNOTTS LANE
Bond
Beck
BLUE SCAR LANE
FOREST BECKS BROW
ROAD
CARTER'S
STUMP CROSS LA
CLOSES HALL MEWS
FIELD
GISBURN
FOODEN LANE
SCOTT LAITHE LANE
HILL
BROW
SMALDEN LANE
GISBURN PARK
76
77
78
79
80
81
82
56
55
54
53
52
51
50
49
48
1
2
3
4
5
6
7
8
9
10
H
J
K
L
M
N
G

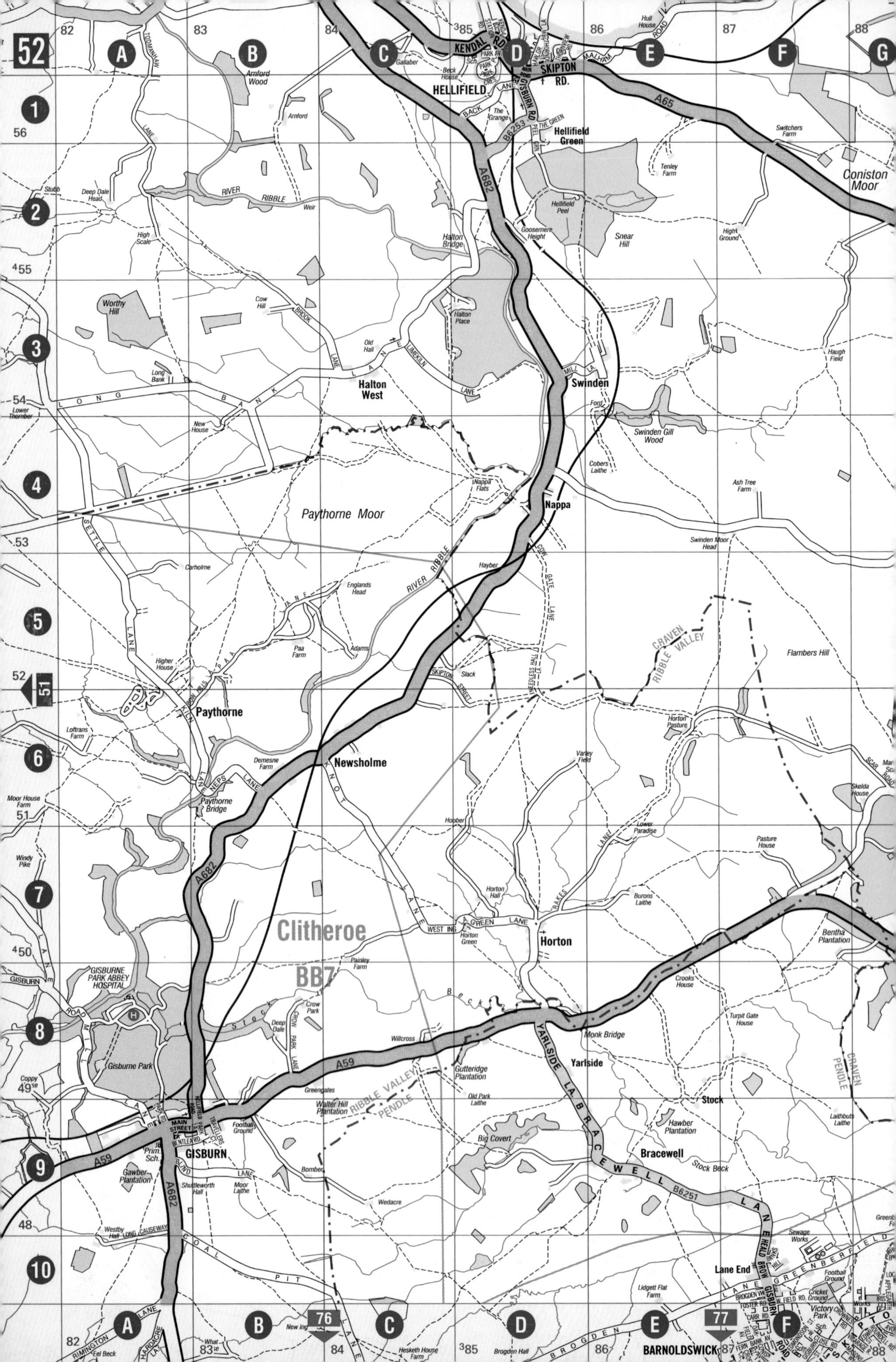
52
HELLIFIELD
Hellifield Green
Arnford Wood
RIVER RIBBLE
Halton Bridge
Halton Place
Old Hall
Halton West
Swinden
Swinden Gill Wood
Coniston Moor
Snear Hill
Hellifield Peel
Goosemere Height
Worthy Hill
Cow Hill
Long Bank
LONG BANK LANE
Paythorne Moor
Nappa
Nappa Flats
Hayber
Englands Head
Paa Farm
Adams
Paythorne
Paythorne Bridge
Newsholme
Demesne Farm
Higher House
Loftrans Farm
Moor House Farm
Windy Pike
CRAVEN RIBBLE VALLEY
Flambers Hill
Horton Pasture
Varley Field
Skelda House
Hoober
Lower Paradise
Pasture House
Horton Hall
Horton Green
Burons Laithe
Bentha Plantation
Horton
Clitheroe BB7
Painley Farm
Crooks House
GISBURNE PARK ABBEY HOSPITAL
Gisburne Park
Crow Park
Deep Dale
Willcross
Monk Bridge
Turpit Gate House
Yarlside
Gutteridge Plantation
Old Park Laithe
Walter Hill Plantation
RIBBLE VALLEY PENDLE
CRAVEN PENDLE
Stock
Hawber Plantation
Laithbuts Laithe
GISBURN
Gawber Plantation
Shuttleworth Hall
Moor Laithe
Big Covert
Bracewell
Stock Beck
Bomber
Wedacre
BRACEWELL LANE B6251
Westby Hall
LONG CAUSEWAY
COAL PIT LANE
Lane End
Lidgett Flat Farm
Sewage Works
Football Ground
Cricket Ground
Victory Park
BARNOLDSWICK
76
77
51
A682
A65
A59
B6253
KENDAL RD.
SKIPTON RD.
Rimington Lane
Eel Beck
New Ing
Hesketh House Farm
Brogden Hall
BROGDEN LANE
GISBURN ROAD
Tenley Farm
Switchers Farm
High Ground
Haugh Field
Ash Tree Farm
Swinden Moor Head
Cobers Laithe
Deep Dale Head
Stubb
High Scale
Lower Thornber
New House
Carholme
Slack
Greengates
Coppy

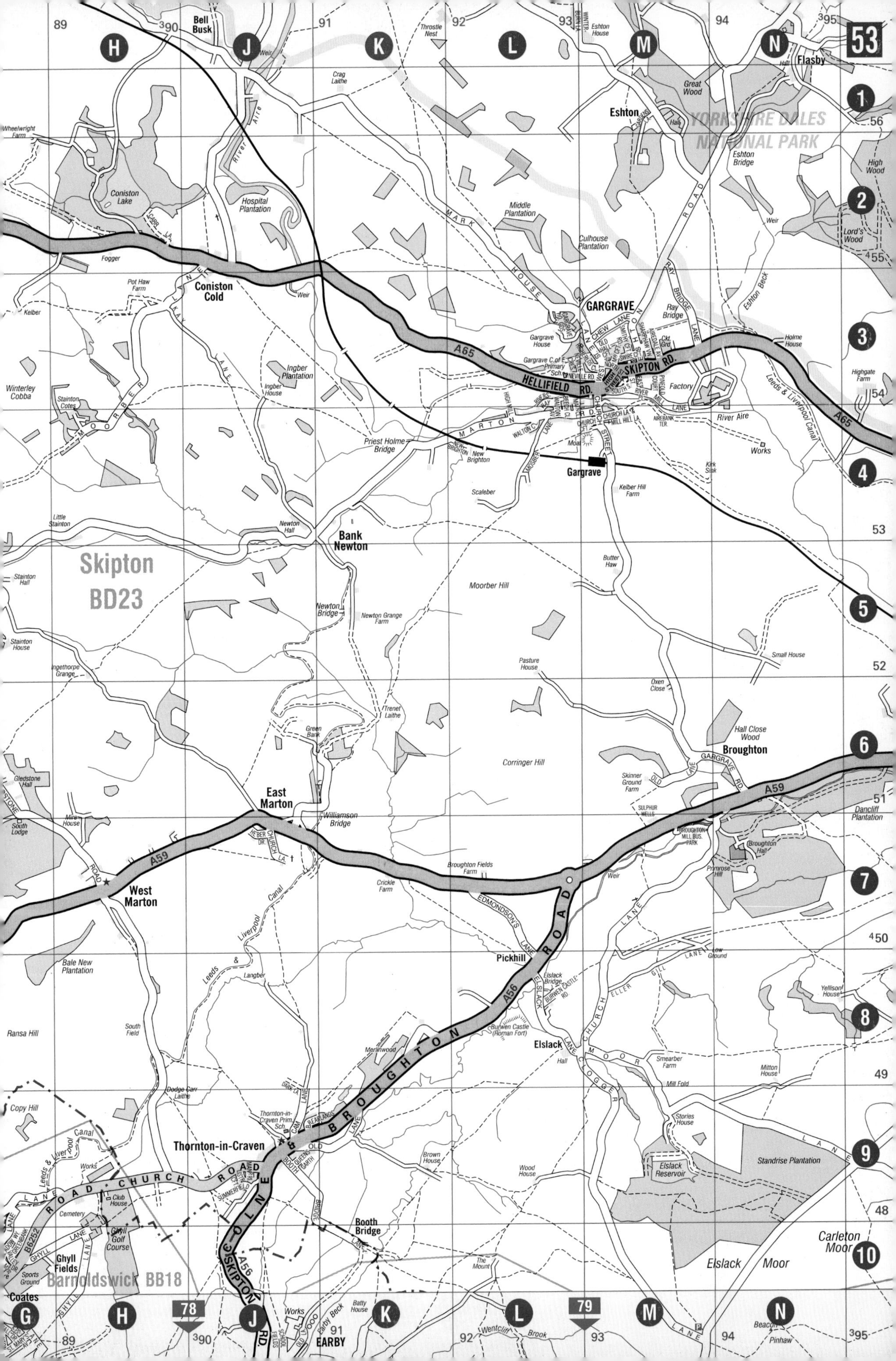

53
Bell Busk
Throstle Nest
Eshton House
Flasby
Crag Laithe
Great Wood
Eshton
YORKSHIRE DALES NATIONAL PARK
Wheelwright Farm
Eshton Bridge
High Wood
Coniston Lake
Hospital Plantation
River Aire
Middle Plantation
Lord's Wood
Culhouse Plantation
Fogger
Pot Haw Farm
Coniston Cold
GARGRAVE
Ray Bridge
Kelber
Gargrave House
Holme House
A65
HELLIFIELD RD.
SKIPTON RD.
Factory
Highgate Farm
Winterley Cobba
Stainton Cotes
Ingber Plantation
Ingber House
River Aire
Leeds & Liverpool Canal
Priest Holme Bridge
New Brighton
Gargrave
Works
Kirk Sink
Scaleber
Kelber Hill Farm
Little Stainton
Newton Hall
Bank Newton
Skipton BD23
Stainton Hall
Butter Haw
Moorber Hill
Newton Bridge
Newton Grange Farm
Stainton House
Small House
Pasture House
Ingethorpe Grange
Oxen Close
Trenet Laithe
Green Bank
Hall Close Wood
Broughton
Corringer Hill
Gledstone Hall
Skinner Ground Farm
East Marton
Williamson Bridge
South Lodge
Mire House
Sulphur Wells
Dancliff Plantation
Broughton Hall
A59
Broughton Fields Farm
Primrose Hill
West Marton
Crickle Farm
Weir
Leeds & Liverpool Canal
Bale New Plantation
Langber
Pickhill
Low Ground
Elslack Bridge
Yellison House
Ransa Hill
South Field
Burwen Castle (Roman Fort)
Merlinwood
Elslack
Hall
Smearber Farm
Mitton House
Mill Fold
Copy Hill
Dodge Carr Laithe
Thornton-in-Craven Prim. Sch.
Stories House
Thornton-in-Craven
Standrise Plantation
Canal
Works
Brown House
Wood House
Elslack Reservoir
CHURCH ROAD
COLNE RD.
BROUGHTON ROAD
A56
Club House
Cemetery
Ghyll Golf Course
Booth Bridge
B6252
Carleton Moor
Ghyll Fields
Elslack Moor
Sports Ground
The Mount
Barnoldswick BB18
Coates
Works
Earby Beck
Batty House
EARBY
Wentcliff Brook
Beacon
Pinhaw
78
79

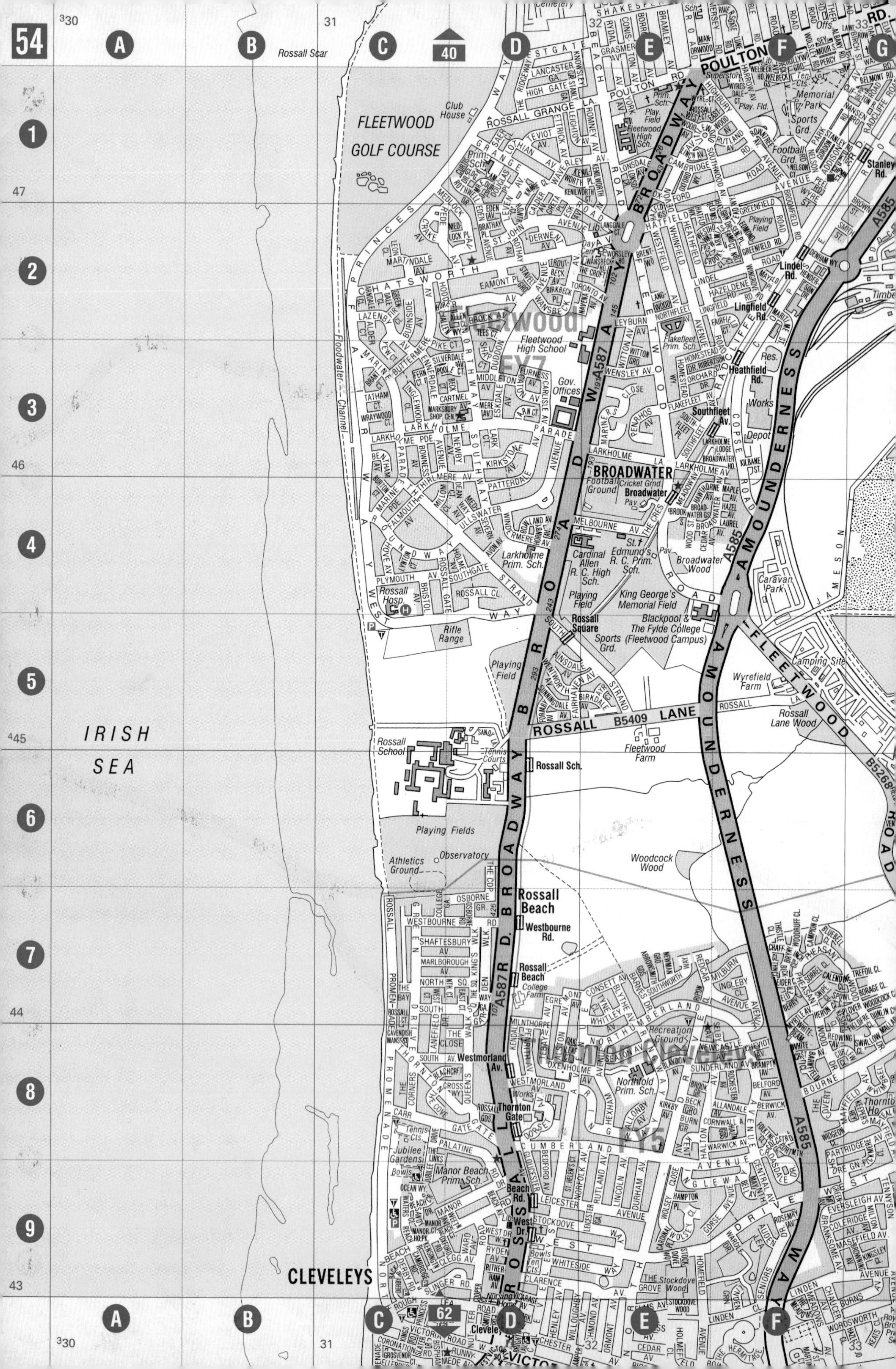

Rossall Scar
40
FLEETWOOD GOLF COURSE
Club House
IRISH SEA
Floodwater Channel
Fleetwood
FY7
Fleetwood High School
Gov. Offices
BROADWATER
BROADWAY
A587
A585
AMOUNDERNESS WAY
ROSSALL B5409 LANE
Rossall School
Rossall Sch.
Playing Fields
Athletics Ground
Observatory
Rossall Beach
Westbourne Rd.
Rifle Range
Rossall Hosp.
Larkholme Prim. Sch.
Cardinal Allen R. C. High Sch.
St. Edmund's R. C. Prim. Sch.
King George's Memorial Field
Blackpool & The Fylde College (Fleetwood Campus)
Rossall Square
Sports Grd.
Broadwater Wood
Caravan Park
Camping Site
Wyrefield Farm
Rossall Lane Wood
Fleetwood Farm
FLEETWOOD ROAD
B5268
Woodcock Wood
Memorial Park
Sports Grd.
Football Grd.
Stanley Rd.
Lindel Rd.
Lingfield Rd.
Heathfield Rd.
Southfleet Av.
Flakefleet Prim. Sch.
Works
Depot
Thornton Cleveleys
FY5
Northfold Prim. Sch.
Recreation Ground
Westmorland Av.
Thornton Gate
Beach Rd.
West Dr.
Manor Beach Prim. Sch.
Jubilee Gardens
CLEVELEYS
Stockdove Wood
62
Cleveleys
VICTORIA ROAD

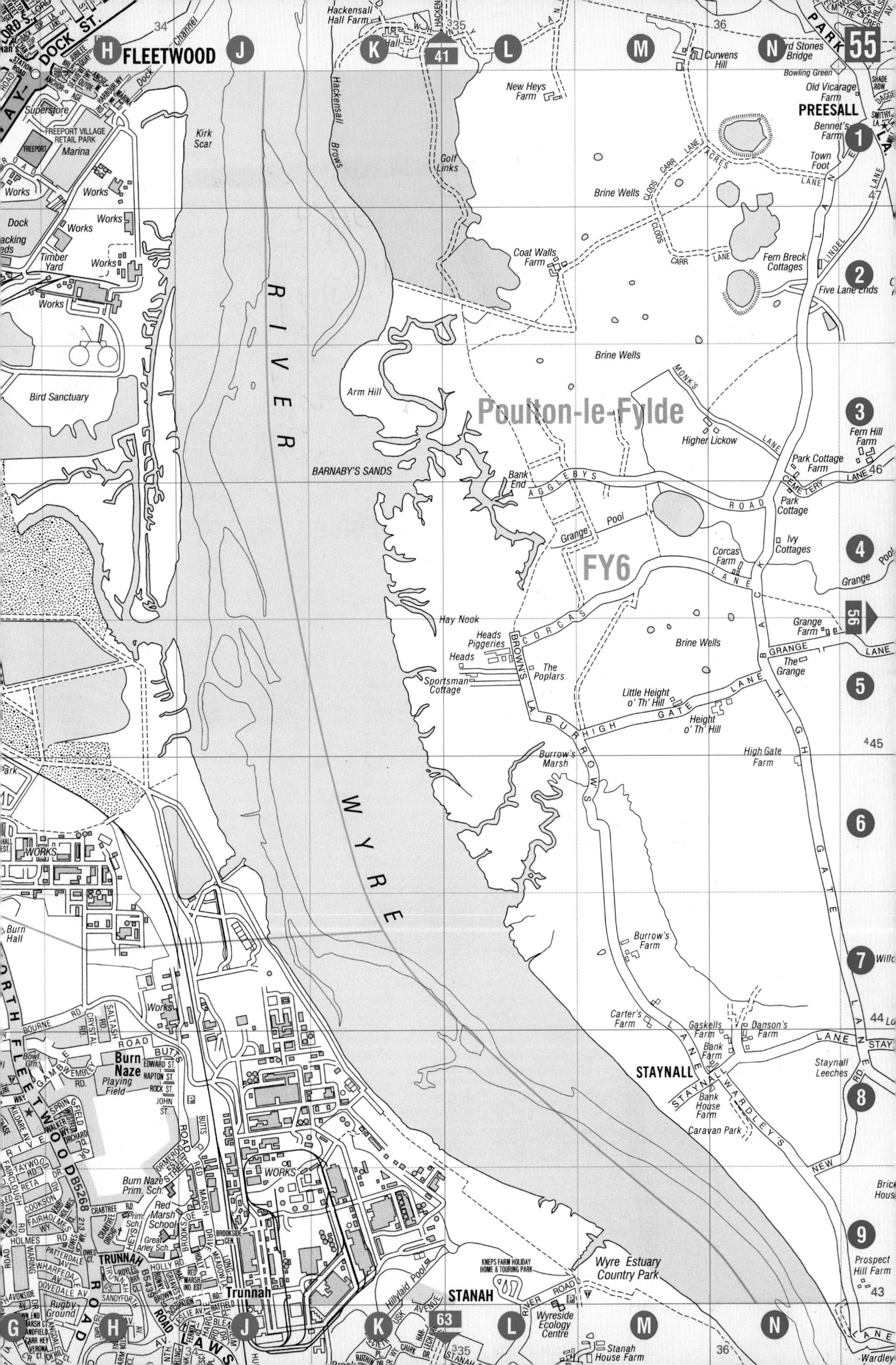
FLEETWOOD
DOCK ST.
Superstore
FREEPORT VILLAGE RETAIL PARK
Marina
Works
Dock
Timber Yard
Bird Sanctuary
Kirk Scar
Hackensall Hall Farm
Hackensall Brows
Golf Links
New Heys Farm
Curwens Hill
Hard Stones Bridge
Bowling Green
Old Vicarage Farm
PREESALL
Bennet's Farm
Town Foot
Brine Wells
Coat Walls Farm
Fern Breck Cottages
Five Lane Ends
RIVER WYRE
Arm Hill
Poulton-le-Fylde
Higher Lickow
Fern Hill Farm
Park Cottage Farm
BARNABY'S SANDS
Bank End
AGGLEBYS ROAD
CEMETERY LANE
Park Cottage
Ivy Cottages
Grange Pool
Corcas Farm
FY6
CORCAS LANE
Grange Farm
Hay Nook
Heads Piggeries
Heads
BROWN'S LA.
The Poplars
GRANGE LANE
The Grange
Sportsman Cottage
Little Height o' Th' Hill
HIGH GATE LANE
Height o' Th' Hill
High Gate Farm
Burrow's Marsh
BURROWS LANE
Burn Hall
Burrow's Farm
Works
Carter's Farm
Gaskells Farm
Danson's Farm
Bank Farm
STAYNALL
Staynall Leeches
Bank House Farm
Caravan Park
WARDLEY'S NEW LANE
Burn Naze
Playing Field
Burn Naze Prim. Sch.
Red Marsh School
Great Arley Sch.
TRUNNAH
Trunnah
Rugby Ground
WORKS
KNEPS FARM HOLIDAY HOME & TOURING PARK
Wyre Estuary Country Park
STANAH
Hillylaid Pool
Wyreside Ecology Centre
Stanah House Farm
Prospect Hill Farm
B5268
B5439
NORTH FLEETWOOD ROAD
41
56
63

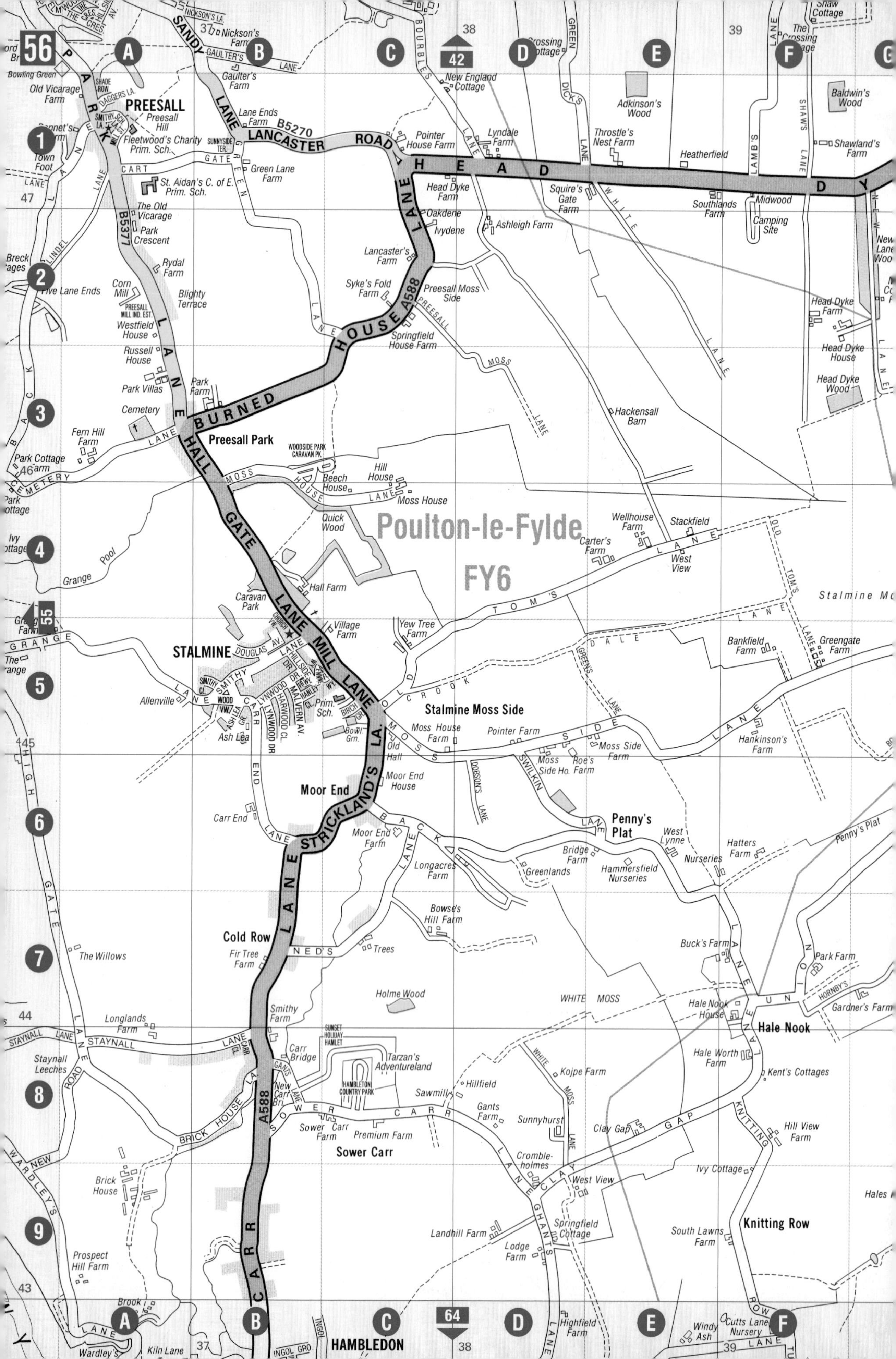
56
PREESALL
STALMINE
Poulton-le-Fylde
FY6
Preesall Park
Stalmine Moss Side
Moor End
Cold Row
Sower Carr
Hale Nook
Knitting Row
Penny's Plat
HAMBLEDON
LANCASTER ROAD
B5270
HEAD DYKE LANE
A588
BURNED HOUSE LANE
HALL GATE LANE
MILL LANE
STRICKLAND'S LA.
CARR LANE
PARK LANE
B5377
SANDY LANE
Preesall Hill
Fleetwood's Charity Prim. Sch.
St. Aidan's C. of E. Prim. Sch.
Park Crescent
Rydal Farm
Blighty Terrace
Corn Mill
Five Lane Ends
Westfield House
Russell House
Park Villas
Park Farm
Cemetery
Fern Hill Farm
Park Cottage Farm
Grange Pool
Quick Wood
Hall Farm
Caravan Park
Village Farm
Yew Tree Farm
Moss House
Hill House
Beech House
WOODSIDE PARK CARAVAN PK.
Pointer House Farm
Head Dyke Farm
Oakdene
Ivydene
Lancaster's Farm
Syke's Fold Farm
Preesall Moss Side
Springfield House Farm
Ashleigh Farm
Lyndale Farm
Squire's Gate Farm
Throstle's Nest Farm
Adkinson's Wood
Heatherfield
Southlands Farm
Midwood
Camping Site
Baldwin's Wood
Shawland's Farm
Head Dyke Farm
Head Dyke House
Head Dyke Wood
Hackensall Barn
Wellhouse Farm
Stackfield
Carter's Farm
West View
TOM'S LANE
Stalmine Moss
Bankfield Farm
Greengate Farm
DALE LANE
CROOK
MOSS SIDE LANE
Moss House Farm
Pointer Farm
Moss Side Farm
Moss Side Ho.
Roe's Farm
Hankinson's Farm
Old Hall
Moor End House
Moor End Farm
Carr End
Longacres Farm
Greenlands
Bridge Farm
Hammersfield Nurseries
West Lynne
Nurseries
Hatters Farm
Bowse's Hill Farm
Buck's Farm
Park Farm
Gardner's Farm
Fir Tree Farm
Trees
Holme Wood
WHITE MOSS
Hale Nook House
Smithy Farm
SUNSET HOLIDAY HAMLET
Tarzan's Adventureland
HAMBLETON COUNTRY PARK
Carr Bridge
New Carr Bri.
Sawmill
Hillfield
Kojpe Farm
Gants Farm
Sunnyhurst
Clay Gap
Hale Worth Farm
Kent's Cottages
Hill View Farm
Ivy Cottage
Sower Carr Farm
Premium Farm
Cromble-holmes
West View
Springfield Cottage
Landhill Farm
Lodge Farm
South Lawns Farm
Highfield Farm
Windy Ash
Cutts Lane Nursery
Brick House
Prospect Hill Farm
Brook
Wardley's
Kiln Lane
Longlands Farm
STAYNALL LANE
Staynall Leeches
The Willows
HIGH GATE LANE
BRICK HOUSE LA.
NEW ROAD
Allenville
Ash Lea
Old Vicarage Farm
Bowling Green
Town Foot
The Old Vicarage
Nickson's Farm
Gaulter's Farm
Lane Ends Farm
Green Lane Farm
New England Cottage
Crossing Cottage
Shaw Cottage
The Crossing Cottage
42
55
64
37
38
39
47
46
45
44
43

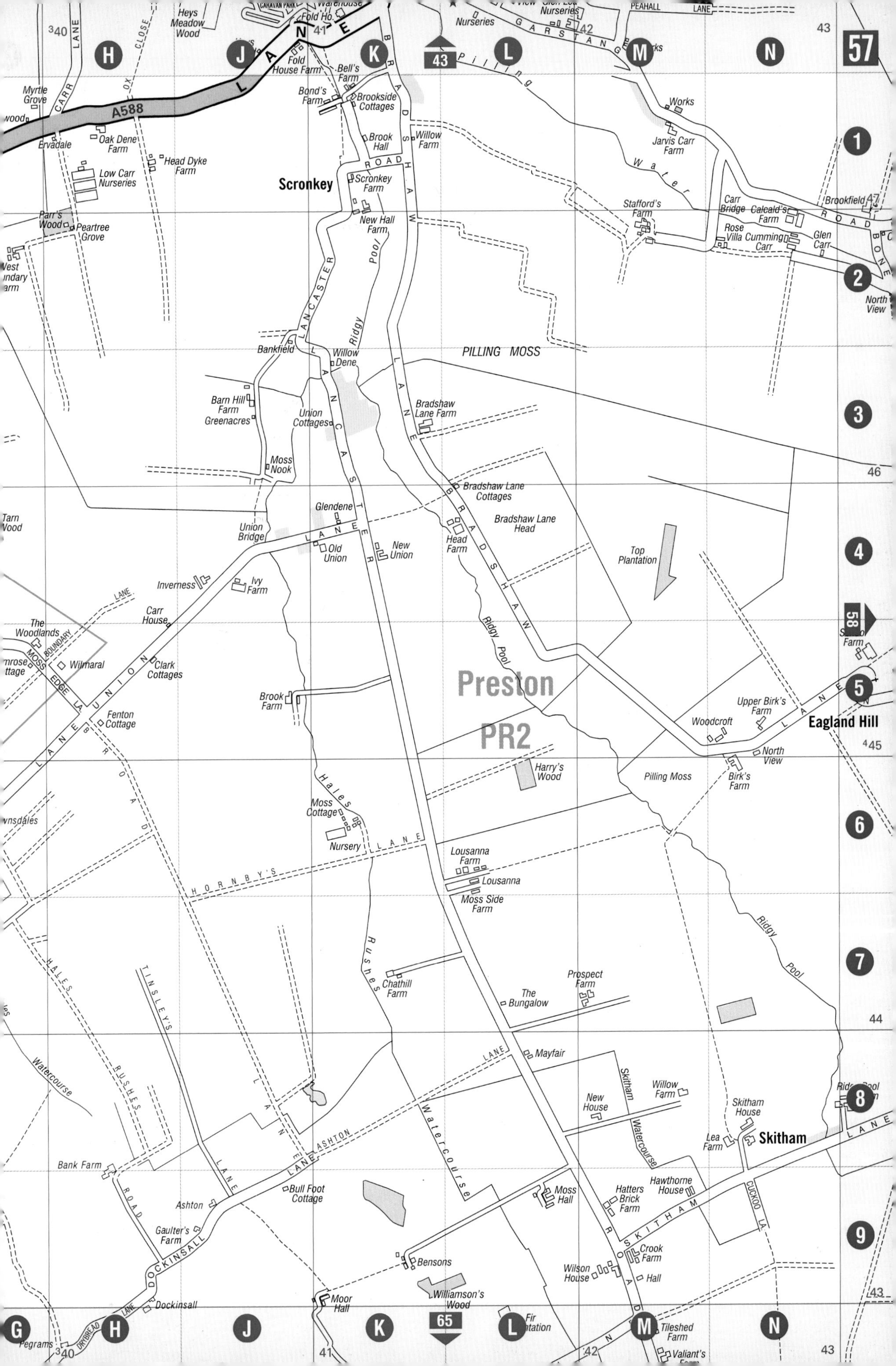

Scronkey
PILLING MOSS
Preston
PR2
Eagland Hill
Skitham
A588
Pilling Moss
Top Plantation
Harry's Wood
Williamson's Wood
Bradshaw Lane Head
Bradshaw Lane Cottages
Bradshaw Lane Farm
Head Farm
Lousanna Farm
Lousanna
Moss Side Farm
Prospect Farm
The Bungalow
Mayfair
New House
Willow Farm
Skitham House
Lea Farm
Hatters Brick Farm
Hawthorne House
Moss Hall
Crook Farm
Hall
Wilson House
Tileshed Farm
Bensons
Moor Hall
Bull Foot Cottage
Chathill Farm
Nursery
Moss Cottage
Brook Farm
Fenton Cottage
Clark Cottages
Carr House
Inverness
Ivy Farm
Wilmaral
The Woodlands
Bank Farm
Ashton
Gaulter's Farm
Dockinsall
Pegrams
Union Bridge
Old Union
New Union
Glendene
Moss Nook
Union Cottages
Barn Hill Farm
Greenacres
Bankfield
Willow Dene
New Hall Farm
Scronkey Farm
Brook Hall
Willow Farm
Brookside Cottages
Bond's Farm
Bell's Farm
Fold House Farm
Fold Ho.
Heys Meadow Wood
Nurseries
Myrtle Grove
Ervadale
Oak Dene Farm
Head Dyke Farm
Low Carr Nurseries
Parr's Wood
Peartree Grove
Tarn Wood
Works
Jarvis Carr Farm
Stafford's Farm
Carr Bridge
Calcald's Farm
Rose Villa
Cumming Carr
Glen Carr
Brookfield
North View
Upper Birk's Farm
Woodcroft
Birk's Farm
Ridgy Pool
Hales
Rushes
Watercourse
Skitham Watercourse
Pilling Water
BRADSHAW LANE
LANCASTER LANE
UNION LANE
HORNBY'S LANE
ASHTON LANE
DOCKINSALL LANE
SKITHAM LANE
SKITHAM ROAD
CUCKOO LA.
TINSLEY'S LANE
HALES RUSHES
MOSS EDGE LANE
BROAD ROAD
ROAD LANE
CARR LANE
OX CLOSE
PEAHALL LANE
GARSTANG
BOUNDARY
DRYBREAD LANE
H J K L M N G
1 2 3 4 5 6 7 8 9
43 58 65
340 41 42 43 44 45 46 47

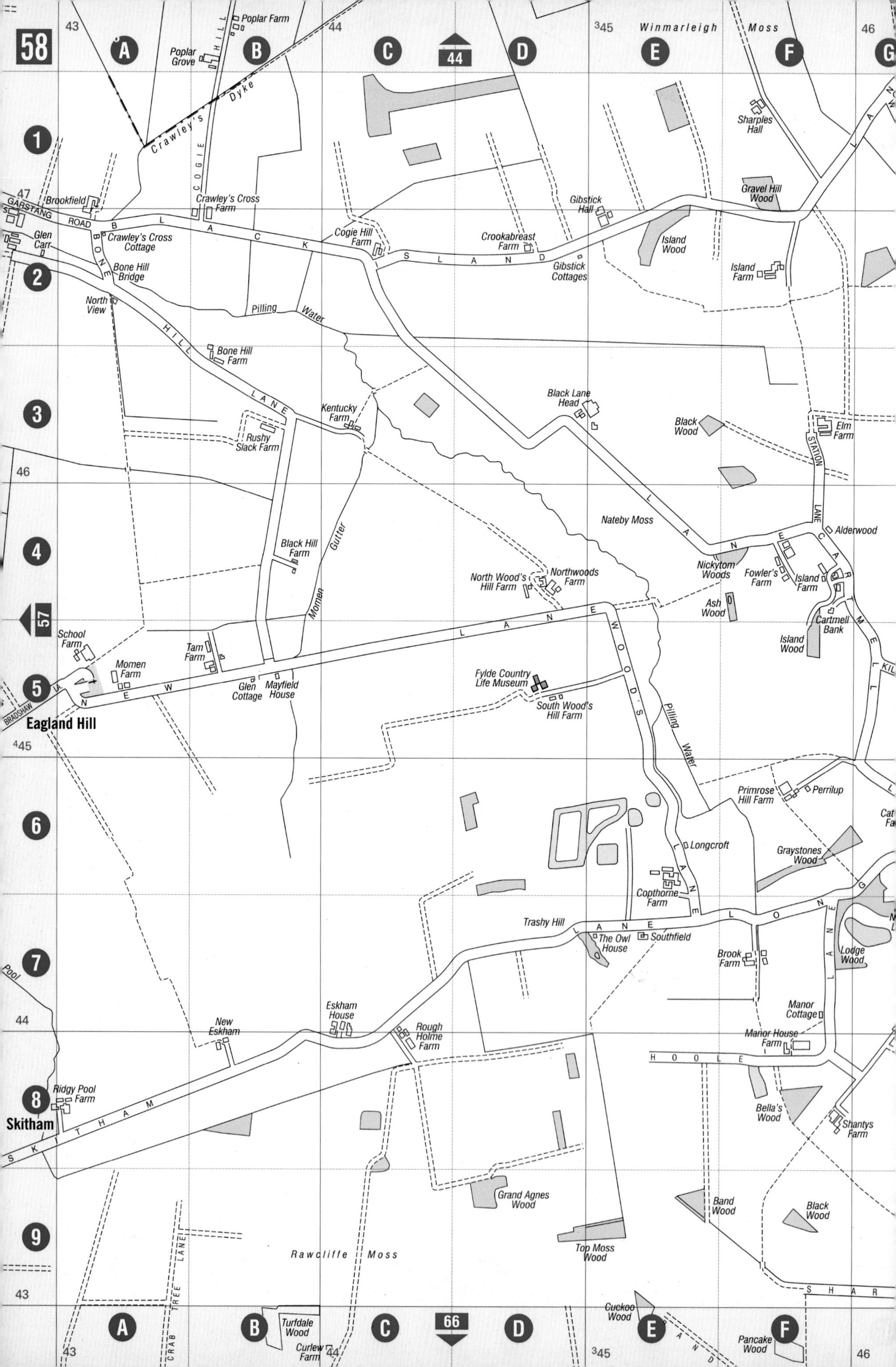
44
66
57
Winmarleigh Moss
Poplar Farm
Poplar Grove
Crawley's Dyke
COGIE HILL
Sharples Hall
Brookfield
GARSTANG ROAD
Crawley's Cross Farm
BLACK
Glen Carr
Crawley's Cross Cottage
Cogie Hill Farm
Crookabreast Farm
SLAND
Gibstick Hall
Gibstick Cottages
Island Wood
Gravel Hill Wood
Island Farm
BONE
Bone Hill Bridge
North View
HILL
Pilling Water
Bone Hill Farm
LANE
Kentucky Farm
Rushy Slack Farm
Black Lane Head
Black Wood
Elm Farm
STATION
Momen Gutter
Black Hill Farm
Nateby Moss
LANE
Alderwood
Nickytom Woods
Fowler's Farm
Island Farm
North Wood's Hill Farm
Northwoods Farm
Ash Wood
CARTMELL
Cartmell Bank
Island Wood
School Farm
Tam Farm
Momen Farm
NEW LANE
Glen Cottage
Mayfield House
WOOD'S
Fylde Country Life Museum
South Wood's Hill Farm
BRADSHAW
Eagland Hill
Pilling Water
Primrose Hill Farm
Perrilup
Longcroft
Graystones Wood
LANE
Copthorne Farm
Trashy Hill
LANE
The Owl House
Southfield
LONG
Brook Farm
Lodge Wood
LANE
Pool
New Eskham
Eskham House
Rough Holme Farm
Manor Cottage
Manor House Farm
HOOLE
Ridgy Pool Farm
Skitham
SKITHAM
Bella's Wood
Shantys Farm
Grand Agnes Wood
Band Wood
Black Wood
TREE LANE
Rawcliffe Moss
Top Moss Wood
SHAR
CRAB
Turfdale Wood
Curlew Farm
Cuckoo Wood
Pancake Wood
43
44
345
46
47
46
445
44
43
A
B
C
D
E
F
G
1
2
3
4
5
6
7
8
9

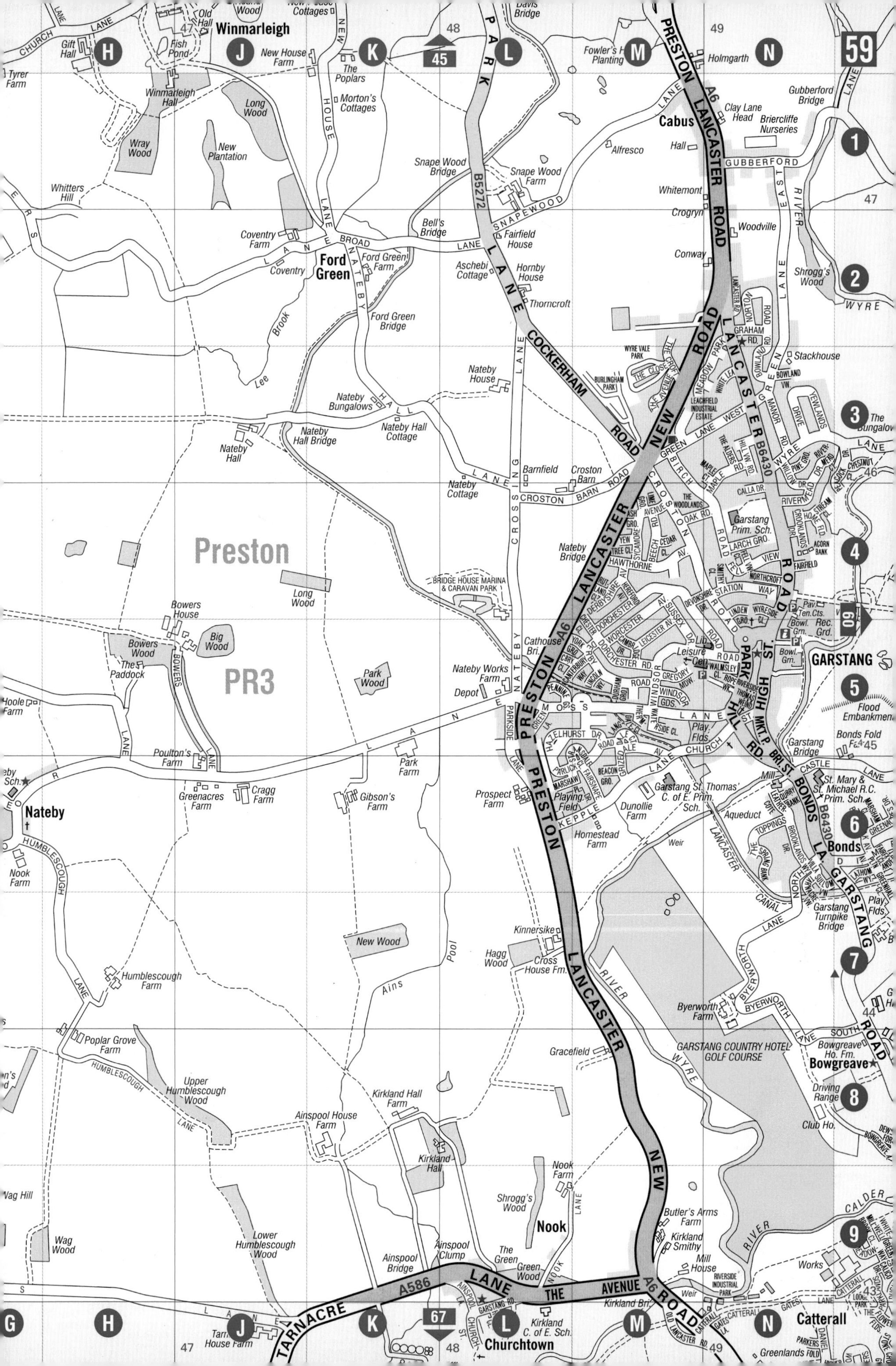

59
Winmarleigh
Ford Green
Cabus
Preston
PR3
GARSTANG
Bonds
Bowgreave
Nateby
Churchtown
Catterall
Nook
Winmarleigh Hall
Wray Wood
Long Wood
New Plantation
Whitters Hill
Coventry Farm
Coventry
Ford Green Farm
Ford Green Bridge
Snape Wood Bridge
Snape Wood Farm
Bell's Bridge
Fairfield House
Aschebi Cottage
Hornby House
Thorncroft
Nateby House
Nateby Bungalows
Nateby Hall
Nateby Hall Bridge
Nateby Hall Cottage
Nateby Cottage
Barnfield
Croston Barn
Nateby Bridge
BRIDGE HOUSE MARINA & CARAVAN PARK
Long Wood
Bowers House
Big Wood
Bowers Wood
The Paddock
Park Wood
Nateby Works Farm
Depot
Cathouse Bri.
Poulton's Farm
Park Farm
Greenacres Farm
Cragg Farm
Gibson's Farm
Prospect Farm
Dunollie Farm
Homestead Farm
Nook Farm
Humblescough Farm
Poplar Grove Farm
Upper Humblescough Wood
New Wood
Kinnersike
Hagg Wood
Cross House Fm.
Gracefield
Kirkland Hall Farm
Kirkland Hall
Ainspool House Farm
Shrogg's Wood
Nook Farm
Wag Hill
Wag Wood
Lower Humblescough Wood
Ainspool Bridge
Ainspool Clump
The Green
Green Wood
Tarn House Farm
Kirkland C. of E. Sch.
Kirkland Bri.
Butler's Arms Farm
Kirkland Smithy
Mill House
RIVERSIDE INDUSTRIAL PARK
Works
Greenlands Fold
Byerworth Farm
GARSTANG COUNTRY HOTEL GOLF COURSE
Bowgreave Ho. Fm.
Driving Range
Club Ho.
Garstang Turnpike Bridge
Garstang Bridge
Bonds Fold
Flood Embankment
St. Mary & St. Michael R.C. Prim. Sch.
Garstang St. Thomas' C. of E. Prim. Sch.
Aqueduct
Weir
Garstang Prim. Sch.
Leisure Cen.
Lib.
Holmgarth
Clay Lane Head
Briercliffe Nurseries
Gubberford Bridge
Alfresco
Hall
Whitemont
Crogryn
Woodville
Conway
Stackhouse
Shrogg's Wood
The Bungalow
WYRE VALE PARK
BURLINGHAM PARK
LEACHFIELD INDUSTRIAL ESTATE
Fowler's Hill Planting
Davis Bridge
New House Farm
The Poplars
Morton's Cottages
Gift Hall
Fish Pond
Old Hall
Tyrer Farm
Hoole Farm
LANCASTER ROAD
PRESTON LANCASTER NEW ROAD
COCKERHAM ROAD
PARK LANE
NATEBY CROSSING LANE
CROSTON BARN ROAD
BROAD LANE
SNAPEWOOD
GUBBERFORD
HUMBLESCOUGH LANE
TARNACRE LANE
THE AVENUE
GREEN LANE WEST
HIGH ST.
BRIDGE ST.
STATION WAY
CHURCH ST.
MOSS LANE
KEPPLE LANE
BYERWORTH LANE
SOUTH ROAD
RIVER WYRE
RIVER CALDER
LANCASTER CANAL
A6
A586
B5272
B6430
H J K L M N G
1 2 3 4 5 6 7 8 9
47 48 49 46 45 44 43
45
60
67

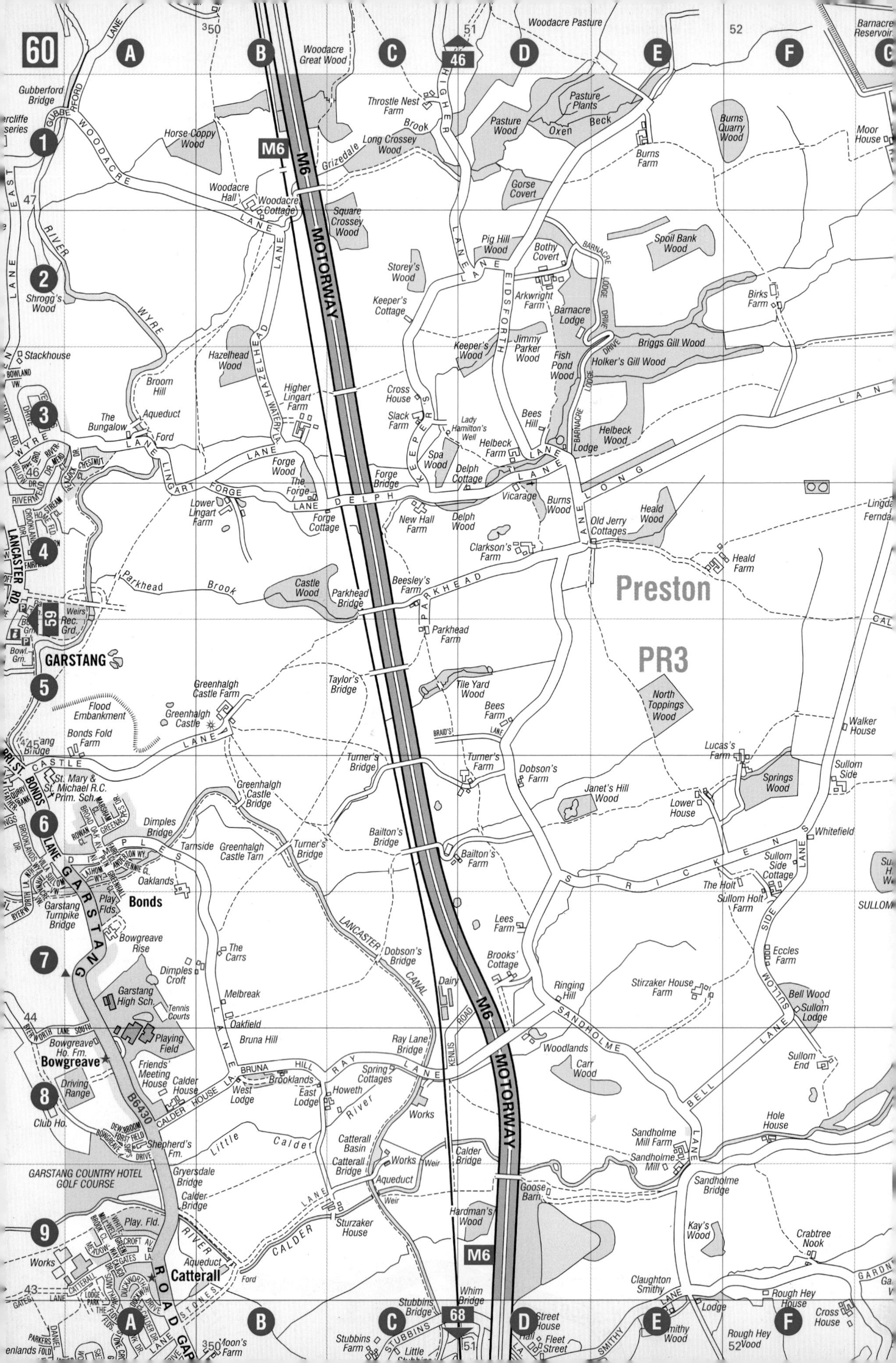
A
B
C
D
E
F
G
1
2
3
4
5
6
7
8
9
350
51
52
47
46
45
44
43
46
59
68
Woodacre Pasture
Barnacre Reservoir
Woodacre Great Wood
Gubberford Bridge
GUBBERFORD LANE
WOODACRE LANE
Horse Coppy Wood
M6
MOTORWAY
Throstle Nest Farm
HIGHER LANE
Brook
Grizedale
Long Crossey Wood
Pasture Wood
Pasture Plants
Oxen Beck
Burns Quarry Wood
Moor House
Burns Farm
Gorse Covert
Woodacre Hall
Woodacre Cottage
Square Crossey Wood
Pig Hill Wood
Bothy Covert
BARNACRE LODGE DRIVE
Spoil Bank Wood
RIVER WYRE
Shrogg's Wood
Storey's Wood
Keeper's Cottage
EIDSFORTH LANE
Arkwright Farm
Barnacre Lodge
Birks Farm
Stackhouse
Hazelhead Wood
HAZELHEAD LANE
Keeper's Wood
Jimmy Parker Wood
Fish Pond Wood
Briggs Gill Wood
Holker's Gill Wood
Broom Hill
Higher Lingart Farm
Cross House
WATERY LA.
The Bungalow
Aqueduct
Ford
Slack Farm
KEEPER'S LANE
Lady Hamilton's Well
Bees Hill
Helbeck Farm
Helbeck Wood
Lodge
LONG LANE
Forge Wood
The Forge
Forge Bridge
Spa Wood
Delph Cottage
Vicarage
Burns Wood
LINGART LANE
FORGE LANE
DELPH LANE
Lower Lingart Farm
Forge Cottage
New Hall Farm
Delph Wood
Heald Wood
Old Jerry Cottages
LANCASTER RD.
Clarkson's Farm
Heald Farm
Parkhead Brook
Castle Wood
Parkhead Bridge
Beesley's Farm
PARKHEAD LANE
Preston
Weirs
Rec. Grd.
Parkhead Farm
PR3
GARSTANG
Bowl. Grn.
Taylor's Bridge
Tile Yard Wood
North Toppings Wood
Greenhalgh Castle Farm
Flood Embankment
Greenhalgh Castle
Bees Farm
Walker House
BRAID'S LANE
Bonds Fold Farm
CASTLE LANE
Turner's Bridge
Turner's Farm
Dobson's Farm
Lucas's Farm
Sullom Side
St. Mary & St. Michael R.C. Prim. Sch.
Greenhalgh Castle Bridge
Janet's Hill Wood
Springs Wood
Lower House
Dimples Bridge
DIMPLES LANE
Bailton's Bridge
Bailton's Farm
Whitefield
STRICKENS LANE
Tarnside
Greenhalgh Castle Tarn
Turner's Bridge
Oaklands
Sullom Side Cottage
The Holt
Sullom Holt Farm
GARSTANG ROAD
Bonds
Garstang Turnpike Bridge
Play Flds.
LANCASTER CANAL
Lees Farm
Bowgreave Rise
The Carrs
Dobson's Bridge
Brooks' Cottage
Eccles Farm
Dimples Croft
Garstang High Sch.
Tennis Courts
Melbreak
Dairy
Ringing Hill
Stirzaker House Farm
Bell Wood
Sullom Lodge
SULLOM SIDE LANE
Oakfield
KENLIS ROAD
SANDHOLME LANE
Bowgreave Ho. Fm.
Playing Field
Bruna Hill
Ray Lane Bridge
Woodlands
Carr Wood
Bowgreave
Friends' Meeting House
Calder House
BRUNA HILL
RAY LANE
Spring Cottages
Sullom End
Driving Range
West Lodge
Brooklands
East Lodge
Howeth
River
BELL LANE
B6430
CALDER HOUSE LANE
Works
Club Ho.
Shepherd's Fm.
Little Calder
Sandholme Mill Farm
Hole House
Catterall Basin
Calder Bridge
Sandholme Mill
Weir
GARSTANG COUNTRY HOTEL GOLF COURSE
Gryersdale Bridge
Catterall Bridge
Aqueduct
Goose Barn
Sandholme Bridge
Calder Bridge
Hardman's Wood
Play. Fld.
RIVER
Sturzaker House
Kay's Wood
Crabtree Nook
CALDER
Works
Aqueduct
Catterall
Ford
Claughton Smithy
Whim Bridge
Rough Hey House
Stubbins Bridge
Street House
Lodge
Cross House
STONES LANE
ROAD
Moon's Farm
Stubbins Farm
STUBBINS LANE
Fleet Street
Smithy Wood
Rough Hey Wood
SMITHY LANE

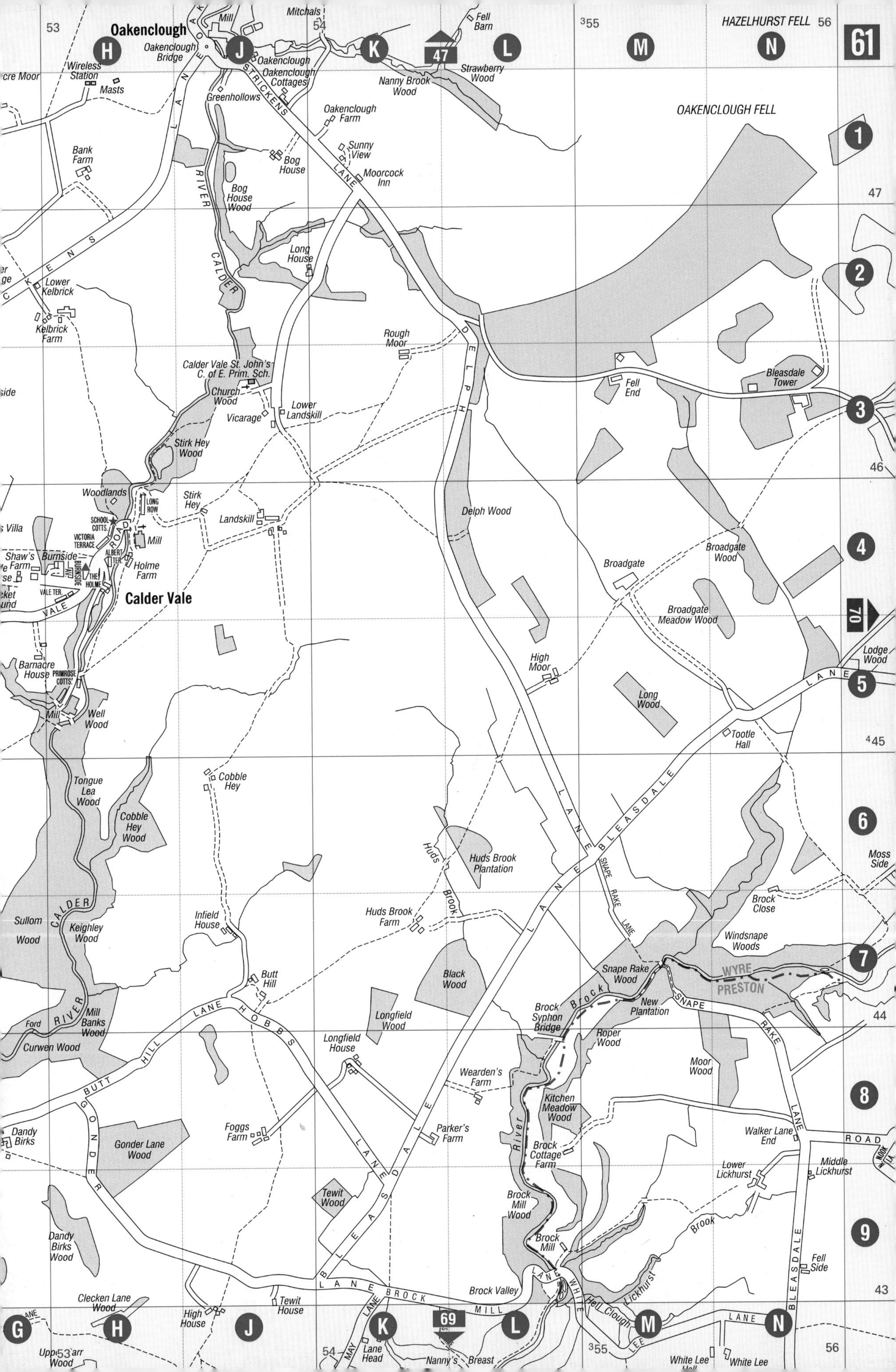
Oakenclough
Oakenclough Bridge
Mill
Mitchals
Fell Barn
47
Strawberry Wood
Nanny Brook Wood
HAZELHURST FELL
Wireless Station
Masts
Oakenclough
Oakenclough Cottages
Greenhollows
STRICKENS
Oakenclough Farm
OAKENCLOUGH FELL
Bank Farm
Sunny View
Bog House
Moorcock Inn
Bog House Wood
RIVER
CALDER
Long House
STRICKENS
Lower Kelbrick
Kelbrick Farm
Rough Moor
DELPH
LANE
Calder Vale St. John's C. of E. Prim. Sch.
Church Wood
Vicarage
Lower Landskill
Fell End
Bleasdale Tower
Stirk Hey Wood
Woodlands
Stirk Hey
Landskill
Delph Wood
SCHOOL COTTS.
LONG ROW
VICTORIA TERRACE
ROAD
Mill
ALBERT TER.
Holme Farm
Shaw's Farm
Burnside
BURNSIDE
THE HOLME
VALE TER.
VALE
Calder Vale
Broadgate
Broadgate Wood
Broadgate Meadow Wood
70
Lodge Wood
Barnacre House
PRIMROSE COTTS.
High Moor
Long Wood
Mill
Well Wood
Tootle Hall
Cobble Hey
Tongue Lea Wood
Cobble Hey Wood
BLEASDALE
LANE
Huds Brook Plantation
Moss Side
Huds
Brook
SNAPE RAKE LANE
Brock Close
Sullom Wood
CALDER
Keighley Wood
Infield House
Huds Brook Farm
Windsnape Woods
Butt Hill
Black Wood
Snape Rake Wood
WYRE
PRESTON
Brock
New Plantation
SNAPE
Brock Syphon Bridge
Ford
RIVER
Mill Banks Wood
Curwen Wood
LANE
HOBBS
Longfield Wood
Roper Wood
RAKE
Longfield House
BUTT HILL
Wearden's Farm
Moor Wood
Kitchen Meadow Wood
GONDER
Foggs Farm
Parker's Farm
DALE
Walker Lane End
ROAD
LANE
Dandy Birks
Gonder Lane Wood
River
Brock Cottage Farm
Lower Lickhurst
Middle Lickhurst
NOOK LA.
LANE
Tewit Wood
BLEASDALE
Brock Mill Wood
Brook
Dandy Birks Wood
Brock Mill
Fell Side
BLEAS
LANE
WHITE
Lickhurst
Brock Valley
LANE
BROCK
MILL
Clecken Lane Wood
Tewit House
Hell Clough
LANE
High House
69
MAY LANE
Lane Head
Nanny's Breast
LEE
White Lee Hall
White Lee
Upper Barnacre Wood
G
H
J
K
L
M
N
1
2
3
4
5
6
7
8
9
47
46
45
44
43
53
54
55
56

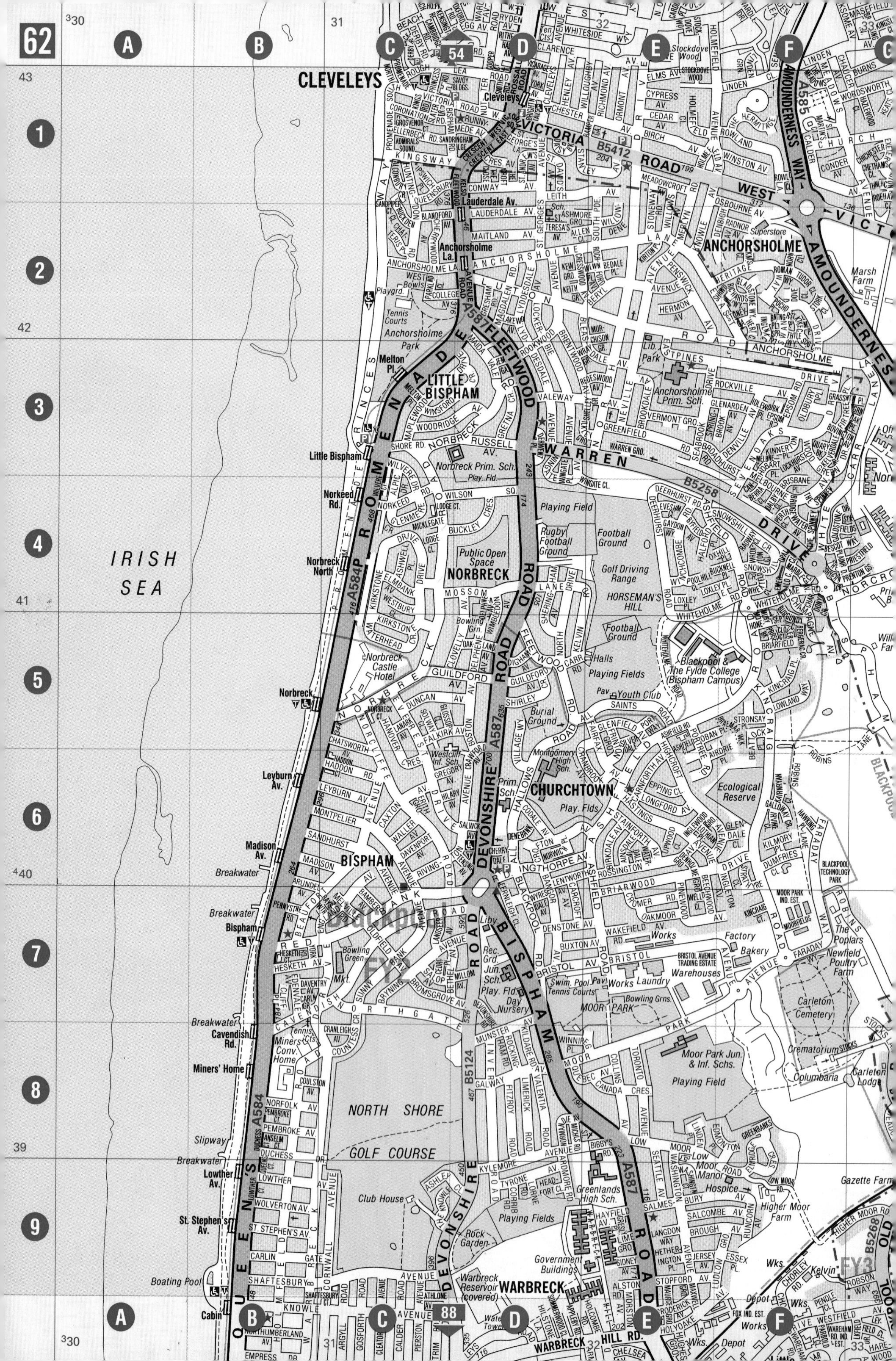
54
CLEVELEYS
VICTORIA ROAD WEST
B5412
AMOUNDERNESS WAY
A585
ANCHORSHOLME
Anchorsholme Park
LITTLE BISPHAM
FLEETWOOD ROAD
A587
PROMENADE
A584P
IRISH SEA
Norbreck Prim. Sch.
WARREN DRIVE
B5258
Playing Field
Rugby Football Ground
Football Ground
Golf Driving Range
HORSEMAN'S HILL
NORBRECK
Public Open Space
Norbreck Castle Hotel
Blackpool & The Fylde College (Bispham Campus)
Halls
Playing Fields
Youth Club
Burial Ground
Montgomery High Sch.
CHURCHTOWN
Ecological Reserve
DEVONSHIRE ROAD
BISPHAM
Breakwater
Bispham
BISPHAM ROAD
Blackpool FY2
Bowling Green
BLACKPOOL TECHNOLOGY PARK
MOOR PARK IND. EST.
Factory
Bakery
BRISTOL AVENUE TRADING ESTATE
Warehouses
Laundry
The Poplars
Newfield Poultry Farm
Carleton Cemetery
Crematorium
Columbaria
Carleton Lodge
Miners' Conv. Home
Miners' Home
Cavendish Rd.
NORTH SHORE GOLF COURSE
B5124
Moor Park Jun. & Inf. Schs.
Playing Field
Slipway
QUEEN'S PROMENADE
A584
Lowther Av.
St. Stephen's Av.
Club House
Playing Fields
Rock Garden
Greenlands High Sch.
Government Buildings
Hospice
Higher Moor Farm
Gazette Farm
B5268
FY3
Boating Pool
Cabin
Warbreck Reservoir (covered)
WARBRECK
Water Tower
WARBRECK HILL RD.
88
Depot
Wks.
FOX IND. EST.

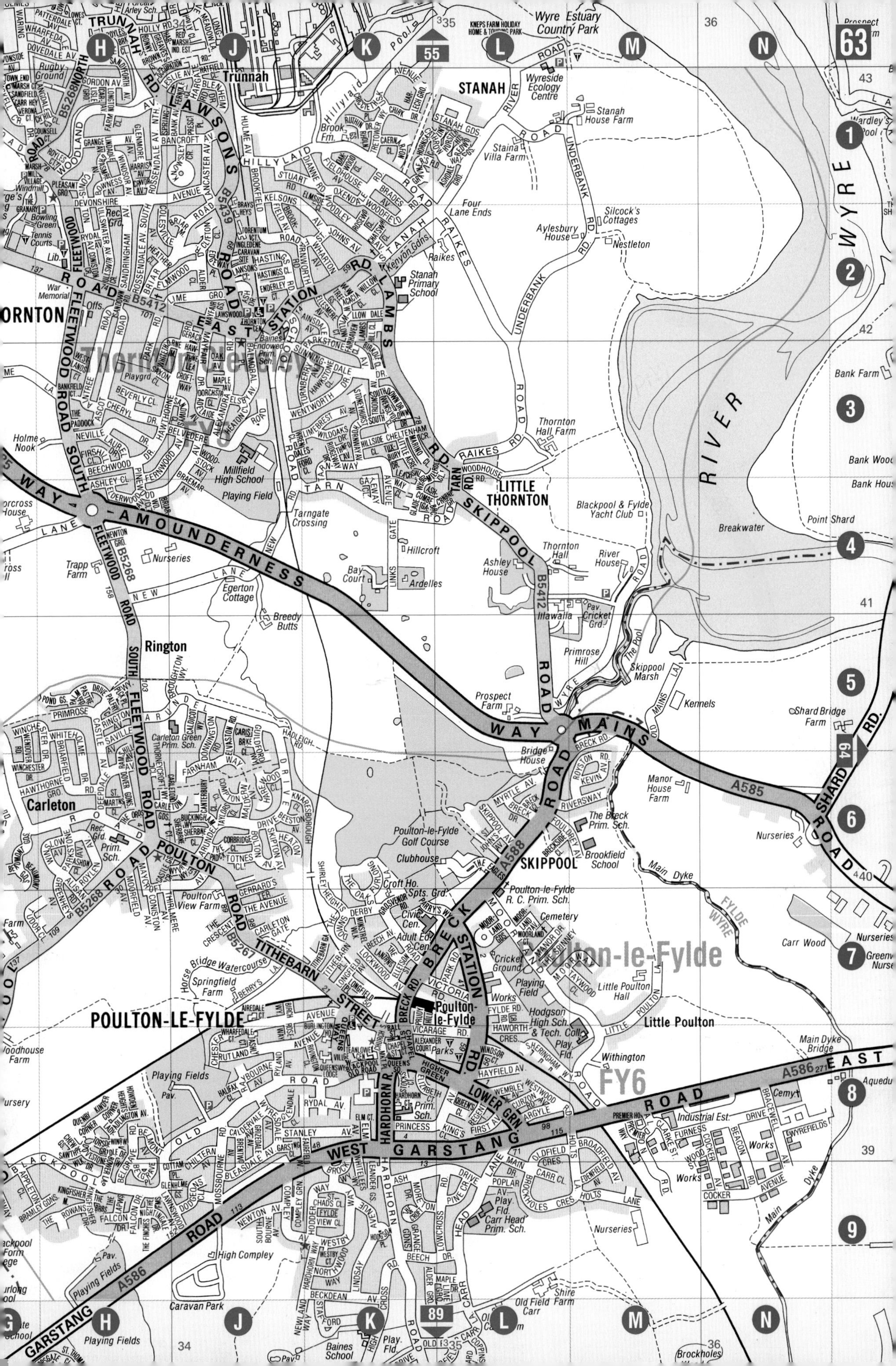
55
Wyre Estuary
Country Park
Prospect Farm
TRUNNAH
Trunnah
STANAH
Wyreside
Ecology
Centre
Stanah
House Farm
Staina
Villa Farm
Four
Lane Ends
Silcock's
Cottages
Aylesbury
House
Nestleton
RIVER
WYRE
LAWSONS ROAD
B5439
Rugby
Ground
Windmill
Bowling
Green
Tennis
Courts
Lib.
War
Memorial
ORNTON
Thornton Cleveleys
FY5
Stanah
Primary
School
Raikes
Kenyon Gdns.
STATION
LAMBS RD.
EAST
B5412
Baines
Endowed
Prim.
Sch.
Millfield
High School
Playing Field
Thornton
Hall Farm
LITTLE
THORNTON
Bank Farm
Bank Wood
Bank House
Point Shard
Breakwater
Blackpool & Fylde
Yacht Club
Thornton
Hall
River
House
Ashley
House
Holme
Nook
AMOUNDERNESS WAY
Tarngate
Crossing
Hillcroft
Bay
Court
Ardelles
Nurseries
Trapp
Farm
Egerton
Cottage
Breedy
Butts
Rington
Illawalla
Pav.
Cricket
Grd.
Primrose
Hill
The Pool
Skippool
Marsh
Kennels
Prospect
Farm
Shard Bridge
Farm
64
A585
SHARD RD.
Manor
House
Farm
Bridge
House
MAINS
WAY
Carleton Green
Prim. Sch.
Carleton
Prim.
Sch.
Poulton-le-Fylde
Golf Course
Clubhouse
The Breck
Prim. Sch.
Brookfield
School
SKIPPOOL
A588
BRECK ROAD
Nurseries
Main Dyke
FYLDE
WYRE
Poulton-le-Fylde
R. C. Prim. Sch.
Cemetery
Carr Wood
Nurseries
Croft Ho.
Spts. Grd.
Civic
Cen.
Adult Ed.
Cen.
Poulton
View Farm
POULTON ROAD
B5267
B5268
Horse Bridge Watercourse
Springfield
Farm
TITHEBARN
STREET
Cricket
Ground
Playing
Field
Works
Poulton-
le-Fylde
Little Poulton
Hall
Little Poulton
POULTON-LE-FYLDE
Hodgson
High Sch.
& Tech. Coll.
Play.
Fld.
Withington
FY6
Main Dyke
Bridge
A586
EAST
Aqueduct
Cemy.
Woodhouse
Farm
Playing Fields
Pav.
Prim.
Sch.
LOWER GRN.
GARSTANG ROAD
WEST
Industrial Est.
Works
Works
Nurseries
Play.
Fld.
Carr Head
Prim. Sch.
High Compley
Caravan Park
Playing Fields
A586
Shire
Farm
Old Field
Carr
89
GARSTANG
Playing Fields
Baines
School
Play.
Fld.
Brockholes
34
35
36
43
42
41
40
39

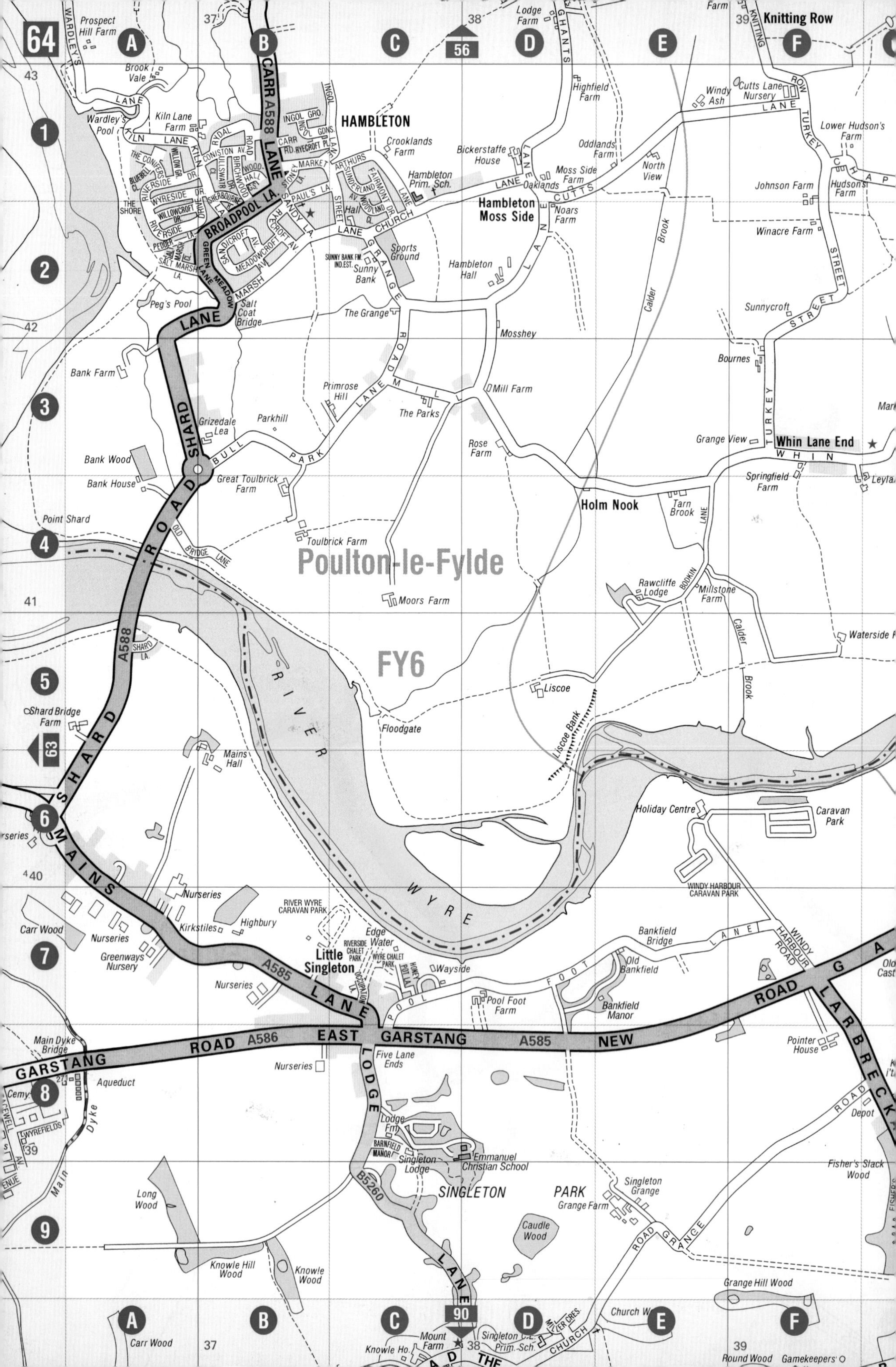

HAMBLETON
Hambleton Moss Side
Holm Nook
Knitting Row
Whin Lane End
Little Singleton
Poulton-le-Fylde
FY6
SINGLETON PARK
RIVER WYRE
Prospect Hill Farm
Brook Vale
Wardley's Pool
Kiln Lane Farm
Crooklands Farm
Bickerstaffe House
Hambleton Prim. Sch.
Highfield Farm
Oddlands Farm
Moss Side Farm
Oaklands
Noars Farm
North View
Windy Ash
Cutts Lane Nursery
Lower Hudson's Farm
Johnson Farm
Hudson's Farm
Winacre Farm
Sunnycroft
Bournes
Grange View
Springfield Farm
Lodge Farm
Sports Ground
Sunny Bank
SUNNY BANK FM. IND.EST.
The Grange
Hambleton Hall
Mosshey
Mill Farm
Peg's Pool
Salt Coat Bridge
Bank Farm
Primrose Hill
The Parks
Grizedale Lea
Parkhill
Rose Farm
Bank Wood
Bank House
Great Toulbrick Farm
Tarn Brook
Point Shard
Toulbrick Farm
Moors Farm
Rawcliffe Lodge
Millstone Farm
Waterside
Liscoe
Liscoe Bank
Floodgate
Shard Bridge Farm
Mains Hall
Holiday Centre
Caravan Park
WINDY HARBOUR CARAVAN PARK
Nurseries
Highbury
Kirkstiles
RIVER WYRE CARAVAN PARK
Edge Water
RIVERSIDE CHALET PARK
WYRE CHALET PARK
Wayside
Carr Wood
Greenways Nursery
Bankfield Bridge
Old Bankfield
Bankfield Manor
Pool Foot Farm
Pointer House
Main Dyke Bridge
Aqueduct
Five Lane Ends
Cemy.
Main Dyke
Lodge Fm.
Emmanuel Christian School
Singleton Lodge
Depot
Fisher's Slack Wood
Long Wood
Singleton Grange
Grange Farm
Caudle Wood
Knowle Hill Wood
Knowle Wood
Grange Hill Wood
Church Wood
Mount Farm
Knowle Ho.
Singleton C.E. Prim. Sch.
Round Wood
Gamekeepers
CARR LANE A588
BROADPOOL LA.
SHARD LANE
SHARD ROAD A588
MAINS LANE A585
GARSTANG ROAD A586
EAST
GARSTANG NEW ROAD A585
LODGE LANE B5260
POOL FOOT LANE
WINDY HARBOUR ROAD
LARBRECK ROAD
GRANGE ROAD
CHURCH ROAD
BULL PARK LANE
MILL ROAD
GRANGE ROAD
CHURCH LANE
CUTTS LANE
GHANTS LANE
KNITTING ROW LANE
TURKEY STREET
WHIN LANE
BODKIN LANE
OLD BRIDGE LANE
SHARD LA.
KILN LANE
WARDLEY'S LANE
MARSH LANE
GREEN MEADOW LANE
SANDY LA.
MARKET ST.
ST PAUL'S LA.
MILLER CRES.
BARNFIELD MANOR
OCCUPATION LA.
HONEY POT LA.
WYREFIELDS
Calder Brook
56
63
90
A B C D E F
1 2 3 4 5 6 7 8 9
37 38 39
40 41 42 43

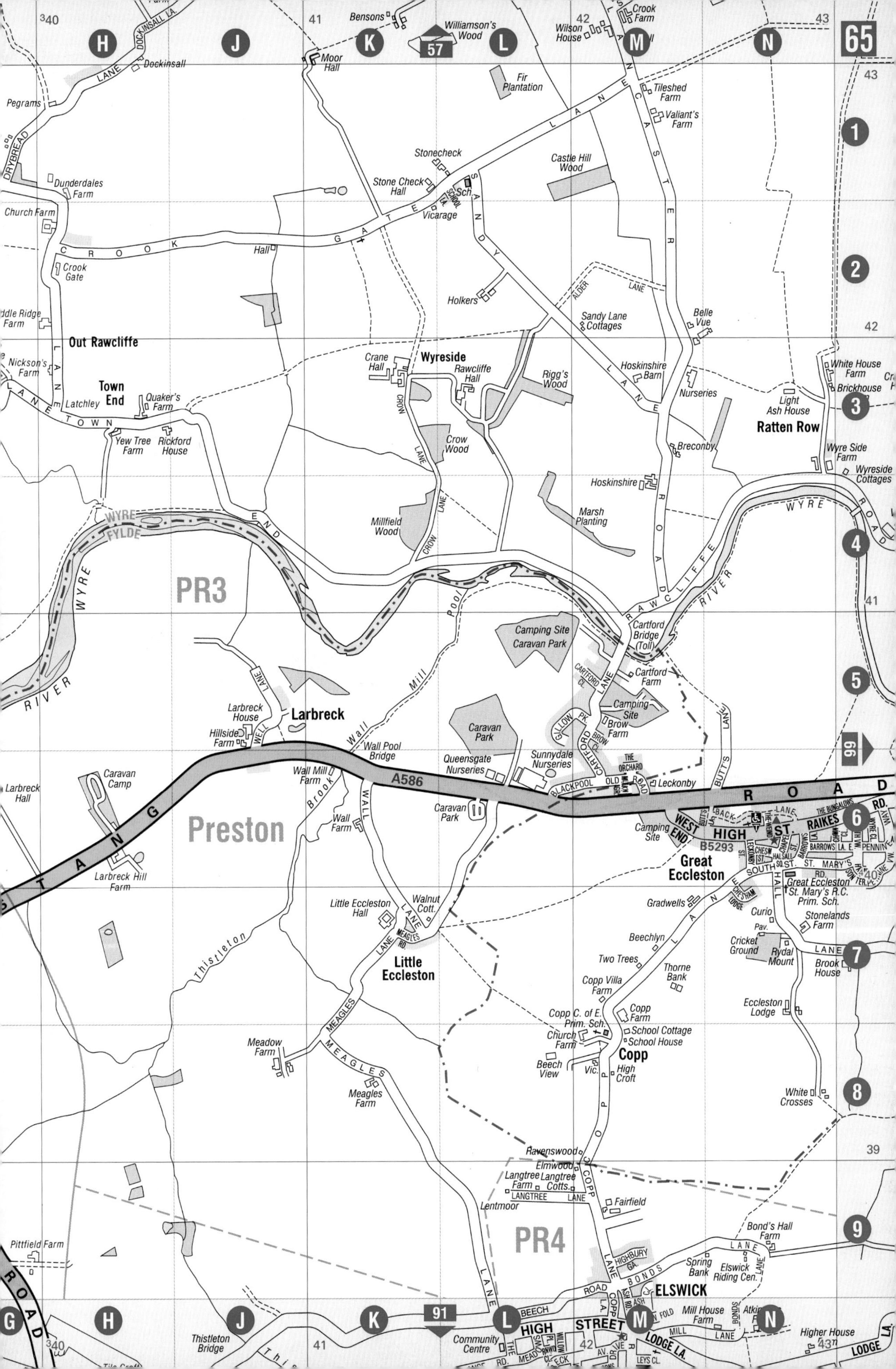

Dockinsall
Bensons
Williamson's Wood
57
Moor Hall
Crook Farm
Wilson House
Fir Plantation
Pegrams
Tileshed Farm
Valiant's Farm
Drybread
Dunderdales Farm
Stonecheck
Castle Hill Wood
Stone Check Hall
Sch.
Vicarage
Church Farm
Crook Gate
Crook Gate Lane
Hall
Sandy Lane
Holkers
Alder Lane
Lancaster Road
Sandy Lane Cottages
Belle Vue
Out Rawcliffe
Nickson's Farm
Crane Hall
Wyreside
Rawcliffe Hall
Rigg's Wood
Hoskinshire Barn
White House Farm
Brickhouse
Town End
Quaker's Farm
Latchley
Town Lane
Nurseries
Light Ash House
Ratten Row
Yew Tree Farm
Rickford House
Crow Wood
Crow Lane
Breconby
Wyre Side Farm
Wyreside Cottages
Hoskinshire
Marsh Planting
Millfield Wood
End Lane
Wyre
Fylde
PR3
Rawcliffe Road
River Wyre
Pool
Cartford Bridge (Toll)
Camping Site Caravan Park
Cartford Farm
Cartford Cl.
Cartford Lane
Mill
Larbreck House
Larbreck
Camping Site
Brow Farm
Hillside Farm
Well Lane
Wall Pool Bridge
Caravan Park
Gillow Pk.
Brow Cl.
Butt's Lane
Caravan Camp
Wall Mill Farm
Queensgate Nurseries
Sunnydale Nurseries
The Orchard
Blackpool Old Road
Leckonby
Larbreck Hall
A586
Brook
Wall
Caravan Park
Road
St.
Raikes Rd.
Preston
Wall Farm
Wall Lane
Camping Site
West End
High St
B5293
Back Lane
The Bungalows
Barrows La.
St. Mary's Rd.
Great Eccleston
South Hall Lane
Great Eccleston St. Mary's R.C. Prim. Sch.
Larbreck Hill Farm
Little Eccleston Hall
Walnut Cott.
Gradwells
Curio
Stonelands Farm
Meagles Rd.
Beechlyn
Cricket Ground
Pav.
Rydal Mount
Brook House
Thistleton
Little Eccleston
Two Trees
Thorne Bank
Copp Villa Farm
Eccleston Lodge
Copp Farm
Copp C. of E. Prim. Sch.
School Cottage
School House
Meadow Farm
Meagles Lane
Church Farm
Beech View
Vic.
Copp
High Croft
Meagles Farm
White Crosses
Ravenswood
Elmwood
Langtree Farm
Langtree Cotts.
Langtree Lane
Copp Lane
Lentmoor
Fairfield
Bond's Hall Farm
Pittfield Farm
PR4
Highbury Ga.
Bonds Lane
Spring Bank
Elswick Riding Cen.
Elswick
Road
Beech Road
91
High Street
Mill House Farm
Mill Lane
Lodge La.
Community Centre
Thistleton Bridge
Higher House
Leys Cl.
340
41
42
43
39
1
2
3
4
5
6
7
8
9
66
G
H
J
K
L
M
N

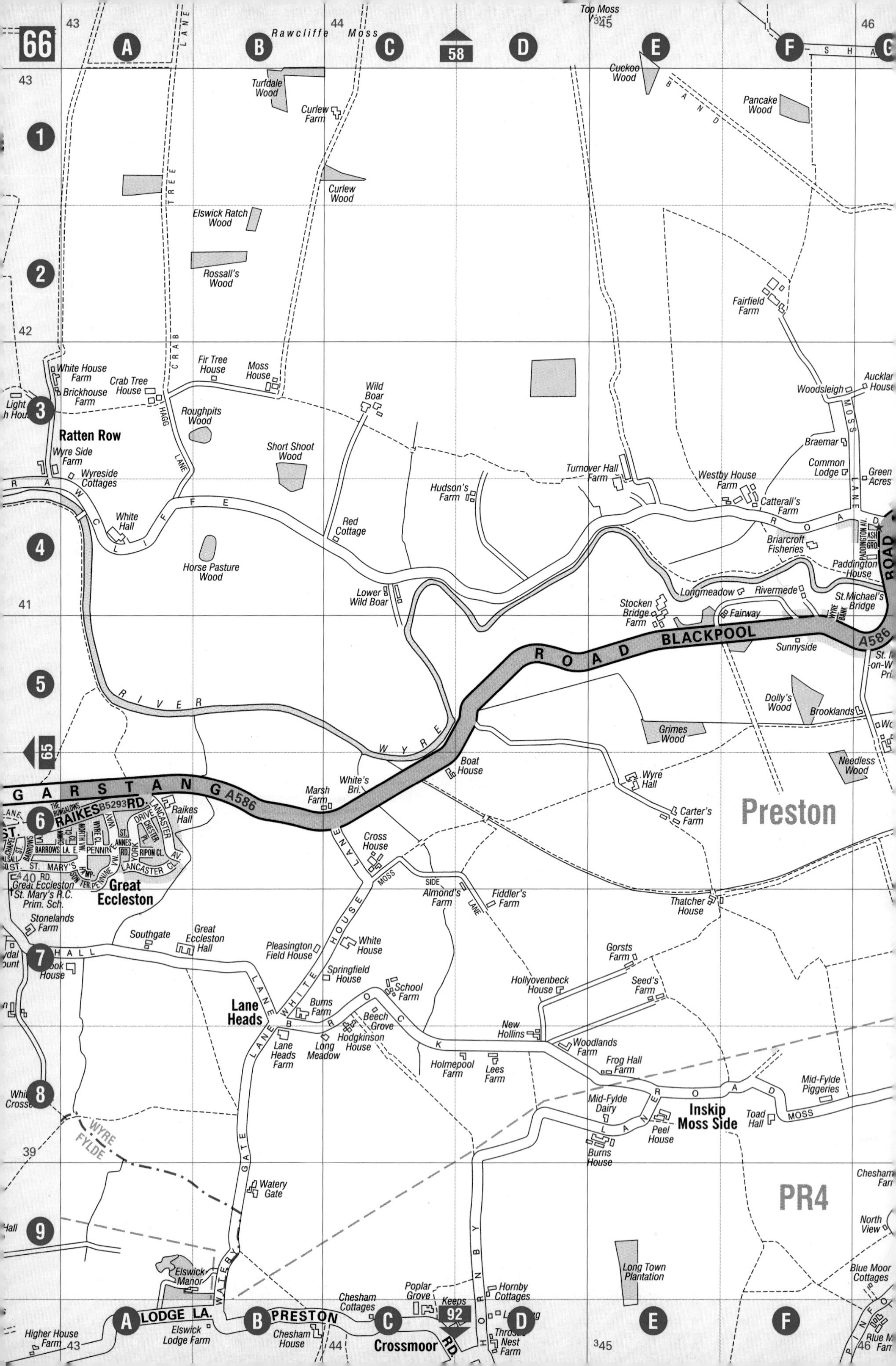
Rawcliffe Moss
Top Moss
58
65
92
Turfdale Wood
Curlew Farm
Curlew Wood
Cuckoo Wood
Pancake Wood
BAND
Elswick Ratch Wood
Rossall's Wood
CRAB TREE LANE
Fairfield Farm
White House Farm
Brickhouse Farm
Crab Tree House
Fir Tree House
Moss House
Wild Boar
Woodsleigh
Auckland House
Ratten Row
HAGG LANE
Roughpits Wood
Short Shoot Wood
Wyre Side Farm
Wyreside Cottages
RAWCLIFFE ROAD
White Hall
Red Cottage
Horse Pasture Wood
Turnover Hall Farm
Hudson's Farm
Westby House Farm
Catterall's Farm
Braemar
Common Lodge
MOSS LANE
Green Acres
Briarcroft Fisheries
Paddington House
Longmeadow
Rivermede
St. Michael's Bridge
Lower Wild Boar
Stocken Bridge Farm
Fairway
BLACKPOOL ROAD
A586
Sunnyside
RIVER WYRE
Dolly's Wood
Brooklands
Grimes Wood
Needless Wood
Boat House
Wyre Hall
White's Bri.
Marsh Farm
GARSTANG RD.
RAIKES RD.
B5293
Raikes Hall
Carter's Farm
Preston
Cross House
MOSS SIDE LANE
Almond's Farm
Fiddler's Farm
Thatcher House
Great Eccleston
Great Eccleston St. Mary's R.C. Prim. Sch.
Stonelands Farm
Southgate
Great Eccleston Hall
HALL LANE
Pleasington Field House
WHITE HOUSE LANE
White House
Springfield House
School Farm
Gorsts Farm
Seed's Farm
Hollyovenbeck House
Lane Heads
Burns Farm
Beech Grove
Hodgkinson House
Long Meadow
Lane Heads Farm
BROCK ROAD
New Hollins
Woodlands Farm
Holmepool Farm
Lees Farm
Frog Hall Farm
Mid-Fylde Dairy
Mid-Fylde Piggeries
Inskip Moss Side
Toad Hall
MOSS
Peel House
Burns House
WYRE
FYLDE
Watery Gate
WATERY GATE LANE
HORNBY RD.
PR4
Long Town Plantation
Chesham Farm
North View
Blue Moor Cottages
Elswick Manor
Poplar Grove
Hornby Cottages
Keeps
Chesham Cottages
LODGE LA.
PRESTON
Elswick Lodge Farm
Higher House Farm
Chesham House
Crossmoor
Throstle Nest Farm
Blue Moor Farm
A B C D E F G
1 2 3 4 5 6 7 8 9
43 44 45 46
43 42 41 40 39

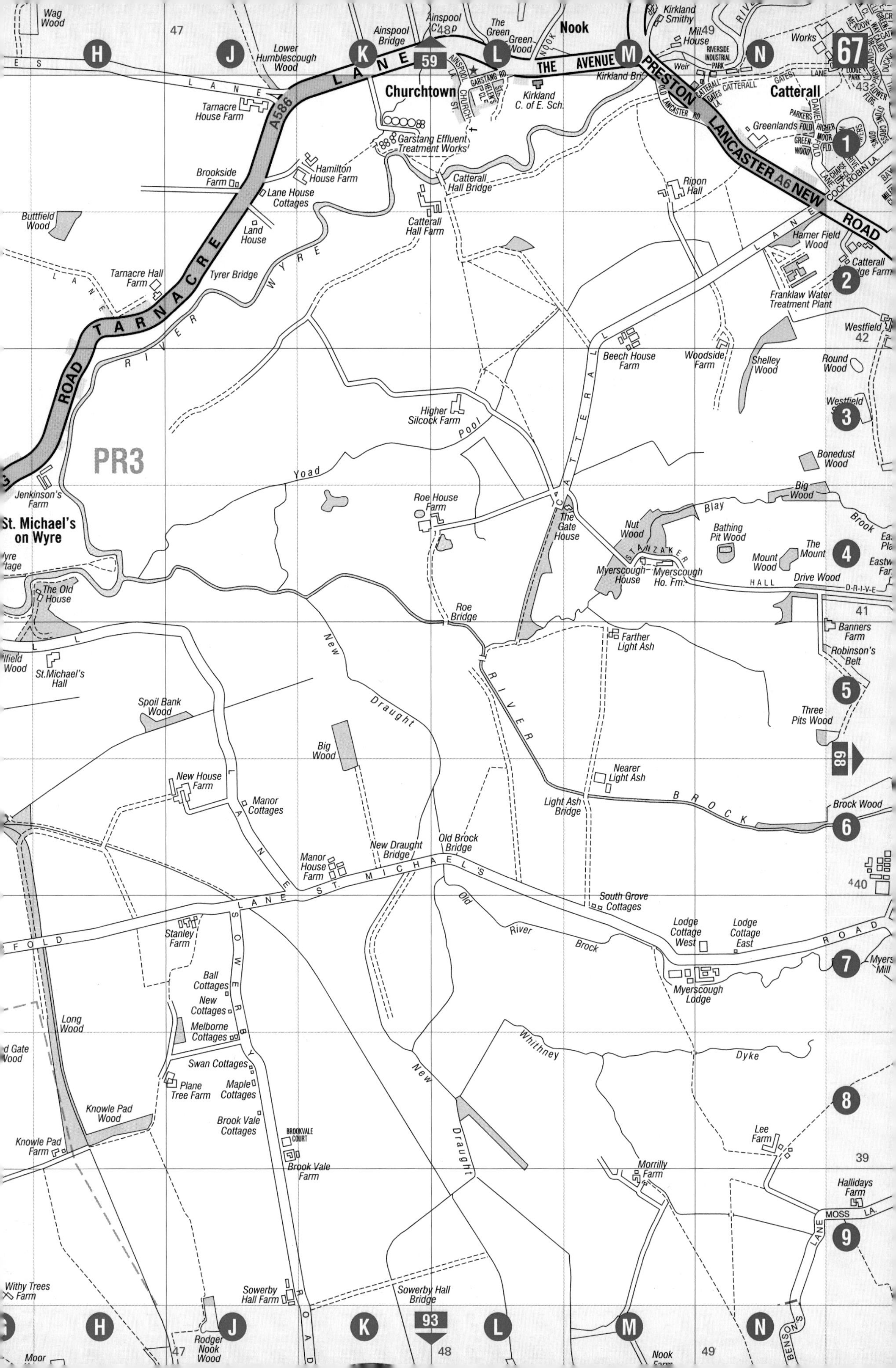
67
Churchtown
Catterall
Nook
St. Michael's on Wyre
PR3
THE AVENUE
PRESTON LANCASTER A6 NEW ROAD
TARNACRE LANE
A586
TARNACRE ROAD
RIVER WYRE
RIVER BROCK
Yoad Pool
Blay Brook
New Draught
Old River Brock
Whithney Dyke
ST. MICHAEL'S ROAD
SOWERBY ROAD
CATTERALL LANE
HALL DRIVE
Wag Wood
Lower Humblescough Wood
Ainspool Bridge
The Green
Green Wood
Kirkland Smithy
Mill House
Kirkland Bri.
Kirkland C. of E. Sch.
Garstang Effluent Treatment Works
Tarnacre House Farm
Brookside Farm
Hamilton House Farm
Lane House Cottages
Land House
Catterall Hall Bridge
Catterall Hall Farm
Greenlands
Ripon Hall
Hamer Field Wood
Franklaw Water Treatment Plant
Buttfield Wood
Tarnacre Hall Farm
Tyrer Bridge
Beech House Farm
Woodside Farm
Shelley Wood
Round Wood
Westfield
Higher Silcock Farm
Bonedust Wood
Big Wood
Jenkinson's Farm
Roe House Farm
The Gate House
Nut Wood
Bathing Pit Wood
The Mount
Mount Wood
Myerscough House
Myerscough Ho. Fm.
Drive Wood
The Old House
Roe Bridge
Banners Farm
Robinson's Belt
St.Michael's Hall
Farther Light Ash
Spoil Bank Wood
Big Wood
Three Pits Wood
New House Farm
Manor Cottages
Nearer Light Ash
Light Ash Bridge
Brock Wood
Manor House Farm
New Draught Bridge
Old Brock Bridge
South Grove Cottages
Stanley Farm
Lodge Cottage West
Lodge Cottage East
Myerscough Lodge
Ball Cottages
New Cottages
Melborne Cottages
Long Wood
Swan Cottages
Plane Tree Farm
Maple Cottages
Knowle Pad Wood
Brook Vale Cottages
Knowle Pad Farm
BROOKVALE COURT
Brook Vale Farm
Lee Farm
Morrilly Farm
Hallidays Farm
MOSS LA.
Withy Trees Farm
Sowerby Hall Farm
Sowerby Hall Bridge
Rodger Nook Wood
BENSON'S
59
68
93
H J K L M N
1 2 3 4 5 6 7 8 9
47 48 49
43 42 41 40 39

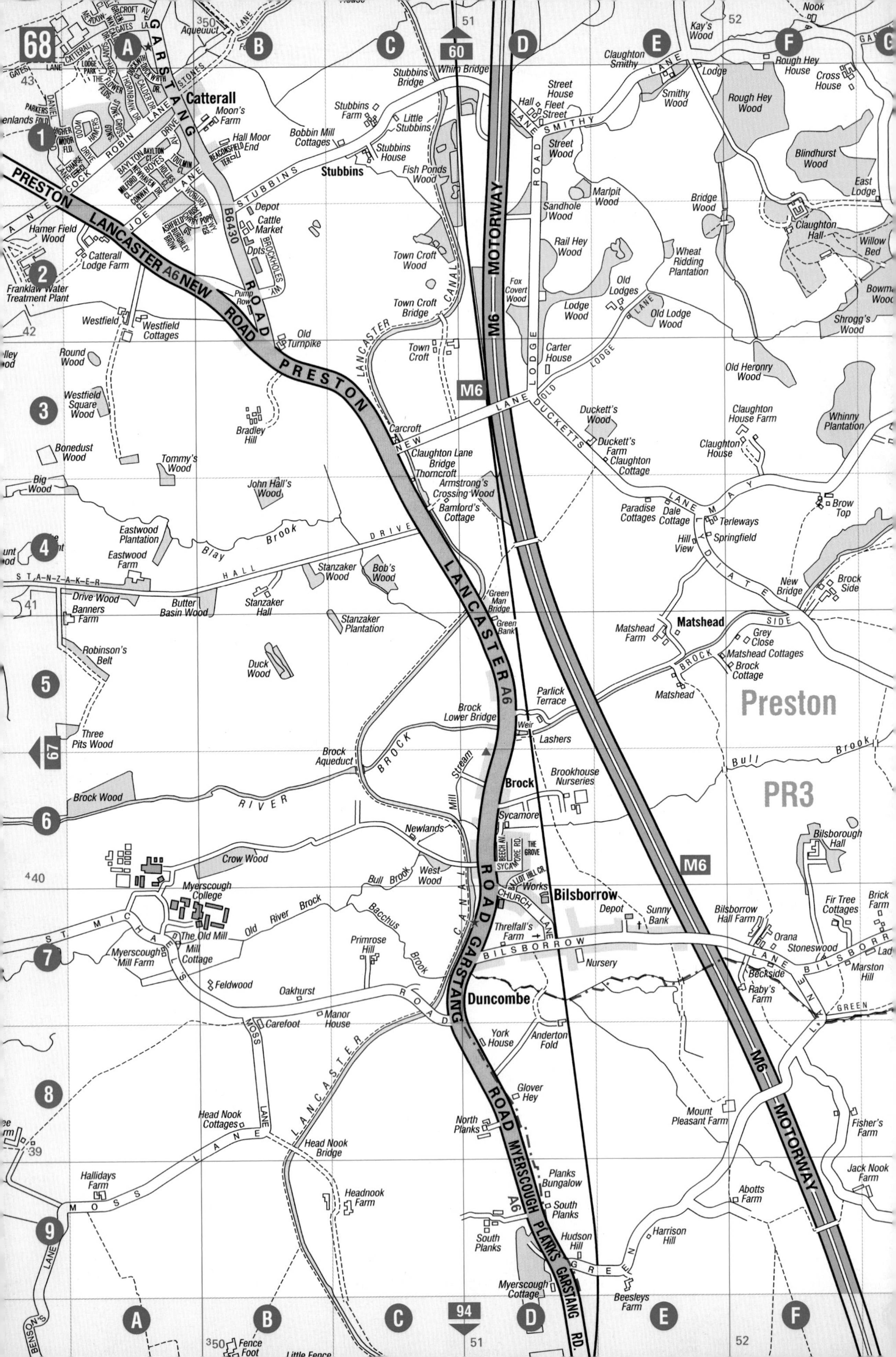
Catterall
Stubbins
Matshead
Preston
PR3
Brock
Bilsborrow
Duncombe
M6 MOTORWAY
PRESTON LANCASTER NEW ROAD
A6
B6430
GARSTANG ROAD
LANCASTER CANAL
RIVER BROCK
Claughton Hall
Myerscough College
Bilsborough Hall
Whim Bridge
Stubbins Bridge
Claughton Smithy
Rough Hey Wood
Blindhurst Wood
Brock Wood
Crow Wood
Duck Wood
Stanzaker Hall
Green Man Bridge
Brock Aqueduct
Head Nook Bridge
MOSS LANE
ST MICHAELS ROAD
BILSBORROW LANE
DUCKETTS LANE
LODGE LANE
HALL DRIVE
STANZAKER
Myerscough Planks Garstang Rd.
60
67
94
50
51
52
39
40
41
42
43

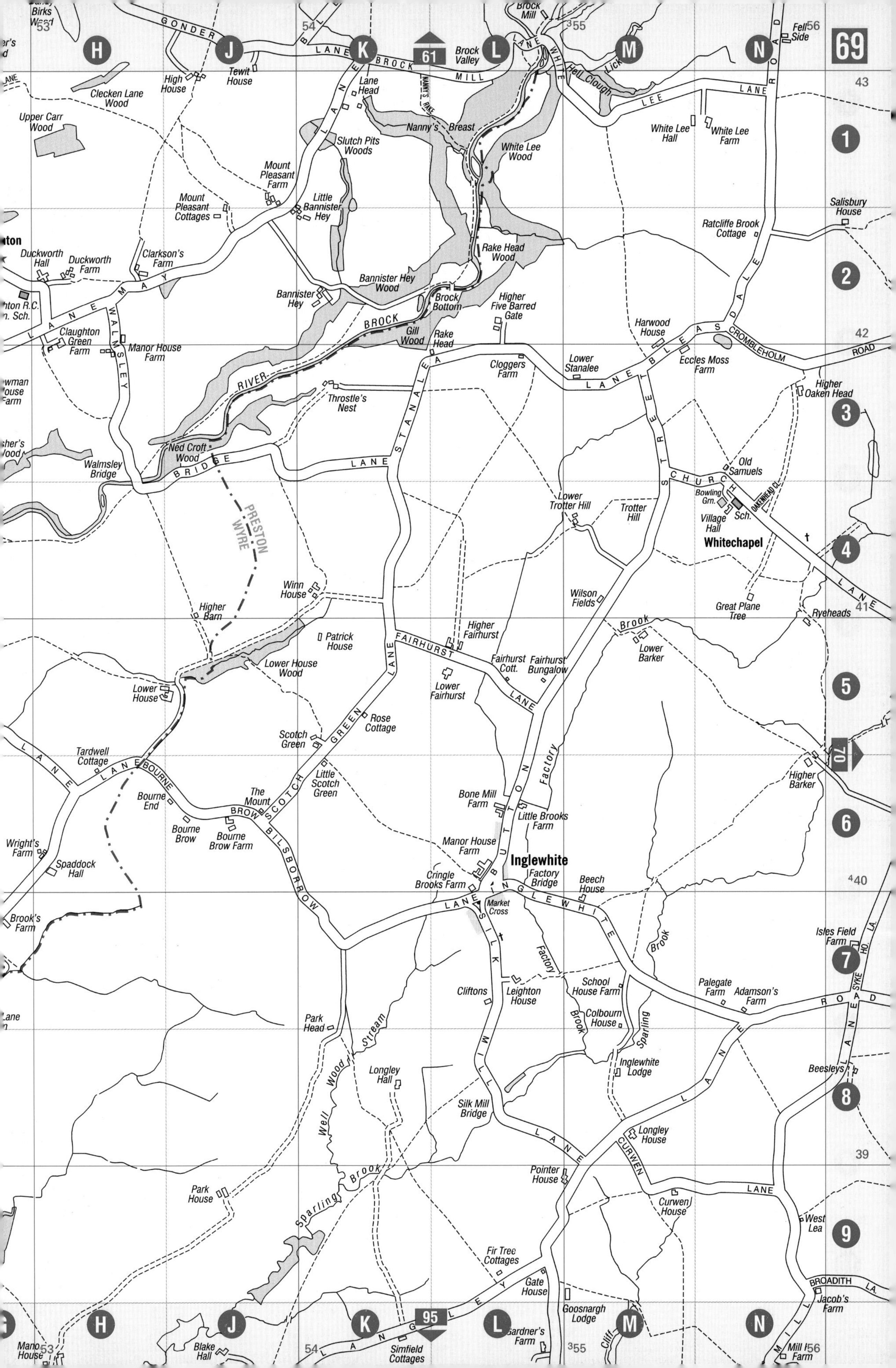

Birks Wood
53
54
355
Fell Side
56
H
J
K
L
M
N
61
GONDER LANE
BROCK MILL LANE
Brock Mill
Brock Valley
WHITE LEE LANE
Hell Clough
Lick
ROAD
43
High House
Tewit House
Lane Head
NANNY'S RAKE
Clecken Lane Wood
Upper Carr Wood
Nanny's Breast
White Lee Hall
White Lee Farm
1
Slutch Pits Woods
White Lee Wood
Mount Pleasant Farm
Little Bannister Hey
Mount Pleasant Cottages
Salisbury House
Ratcliffe Brook Cottage
Rake Head Wood
Duckworth Hall
Duckworth Farm
Clarkson's Farm
2
Bannister Hey Wood
Bannister Hey
Brock Bottom
Higher Five Barred Gate
MAY LANE
WALMSLEY
DALE
Claughton Green Farm
Manor House Farm
BROCK
Gill Wood
Rake Head
Harwood House
42
CROMBLEHOLM ROAD
BLEASDALE
STANALEA
Cloggers Farm
Lower Stanalee
LANE
Eccles Moss Farm
RIVER
Throstle's Nest
Higher Oaken Head
3
Ned Croft Wood
BRIDGE LANE
Walmsley Bridge
STREET
CHURCH
Old Samuels
Bowling Grn.
Sch.
OAKENHEAD CL.
Village Hall
Whitechapel
Lower Trotter Hill
Trotter Hill
PRESTON
WYRE
4
Winn House
Higher Barn
Wilson Fields
Great Plane Tree
LANE
Ryeheads
41
Brook
Lower Barker
Higher Fairhurst
FAIRHURST LANE
Patrick House
Lower House Wood
Fairhurst Cott.
Fairhurst Bungalow
Lower Fairhurst
Lower House
5
Rose Cottage
Scotch Green
SCOTCH GREEN
Tardwell Cottage
BOURNE LANE
LANE
Little Scotch Green
Factory
70
Higher Barker
Bourne End
The Mount
BROW
BUTTON
Bone Mill Farm
Little Brooks Farm
6
Bourne Brow
Bourne Brow Farm
BILSBORROW
Manor House Farm
Wright's Farm
Spaddock Hall
Inglewhite
Factory Bridge
Cringle Brooks Farm
Beech House
440
LANE
Market Cross
INGLEWHITE
Brook's Farm
SILK
Isles Field Farm
Factory
Brook
SYKE HO. LA.
7
Cliftons
Leighton House
School House Farm
Palegate Farm
Adamson's Farm
ROAD
Park Head
Stream
Colbourn House
Brook
Sparling
Well Wood
Longley Hall
Inglewhite Lodge
Beesleys
8
Silk Mill Bridge
MILL LANE
Longley House
CURWEN
39
Pointer House
Sparling Brook
Park House
Curwen House
LANE
West Lea
9
Fir Tree Cottages
Gate House
BROADITH LA.
Jacob's Farm
Goosnargh Lodge
Gardner's Farm
LANGLEY
95
Mano House
Blake Hall
Simfield Cottages
Cliff
Mill Farm

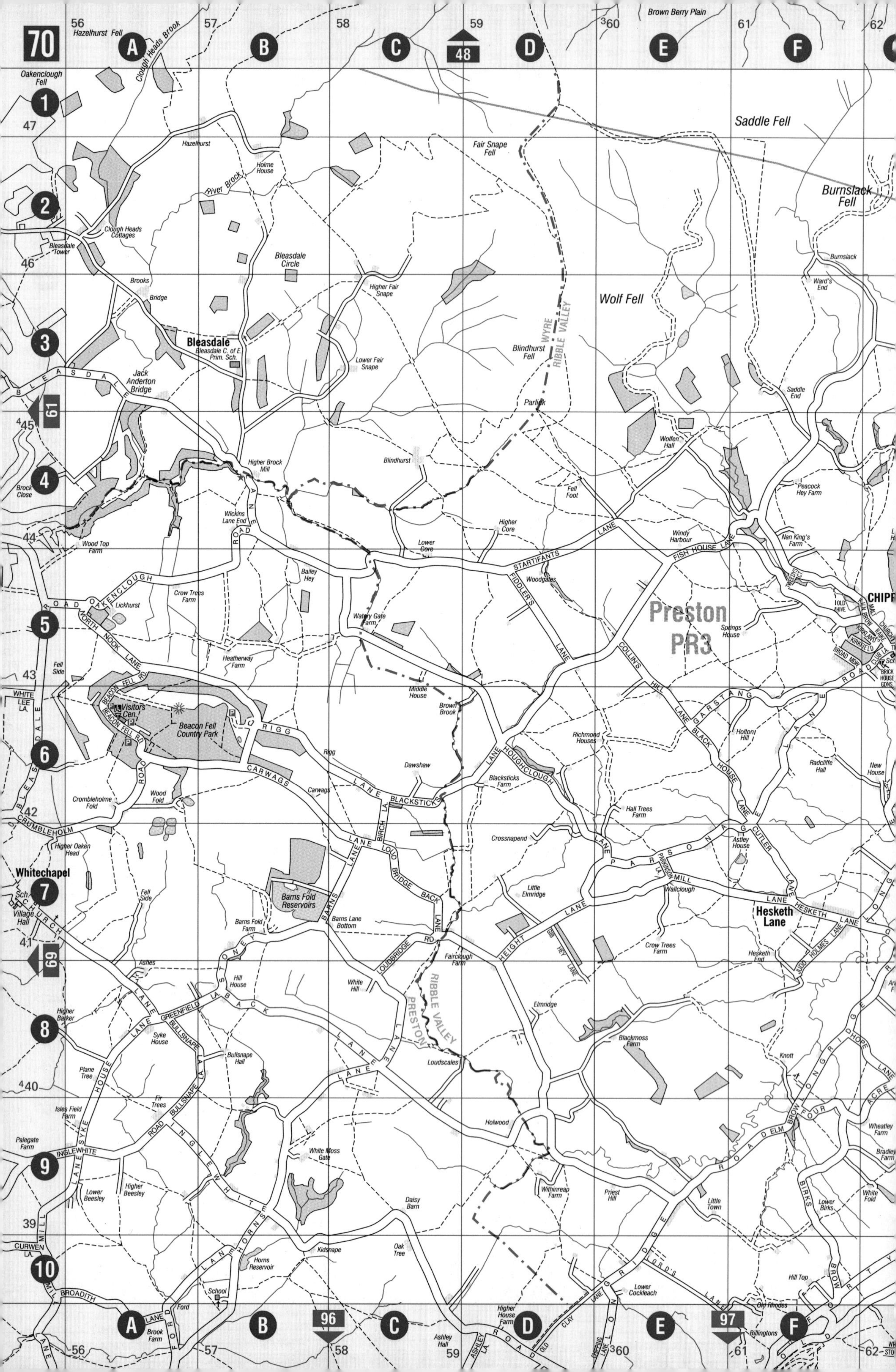

70
Hazelhurst Fell
Clough Heads Brook
Oakenclough Fell
Brown Berry Plain
48
Saddle Fell
Fair Snape Fell
Hazelhurst
Holme House
River Brock
Clough Heads Cottages
Bleasdale Tower
Burnslack Fell
Burnslack
Ward's End
Bleasdale Circle
Brooks
Bridge
Higher Fair Snape
Wolf Fell
Bleasdale
Bleasdale C. of E. Prim. Sch.
WYRE
RIBBLE VALLEY
Blindhurst Fell
Saddle End
Jack Anderton Bridge
Lower Fair Snape
BLEASDALE
61
Parlick
Wolfen Hall
Higher Brock Mill
Blindhurst
Peacock Hey Farm
Brock Close
Fell Foot
Wickins Lane End
LANE
ROAD
Higher Core
Windy Harbour
Nan King's Farm
Wood Top Farm
Lower Core
STARTIFANTS
LANE
FISH HOUSE LANE
Bailey Hey
Woodgates
FIDDLER'S
OAKENCLOUGH
ROAD
Crow Trees Farm
Lickhurst
NORTH NOOK LANE
Watery Gate Farm
Preston
PR3
Springs House
CHIPP
COLLIN'S HILL
Heatherway Farm
Fell Side
WHITE LEE LA.
BEACON FELL RD
Visitors Cen.
Beacon Fell Country Park
Middle House
Brown Brook
RIGG
GARSTANG
ROAD
Holton Hill
Richmond Houses
Rigg
HOUGHCLOUGH
BLACK HOUSE LANE
Radcliffe Hall
New House
CARWAGS
Carwags
Dawshaw
Blacksticks Farm
Crombleholme Fold
Wood Fold
BLACKSTICKS
BIRCH LA.
Hall Trees Farm
CRUMBLEHOLME
Higher Oaken Head
LOUD BRIDGE BACK LANE
Crossnapend
PARSONAGE
Astley House
CUTLER LANE
Whitechapel
Sch.
Village Hall
CHURCH
Fell Side
Barns Fold Reservoirs
BARNS
Little Elmridge
PARKINSON LA.
MILL
Wallclough
HESKETH LANE
Hesketh Lane
Barns Fold Farm
Barns Lane Bottom
HEIGHT LANE
GIB HEY LANE
Crow Trees Farm
Hesketh End
JUDD HOLMES LANE
69
Ashes
STONEY
Hill House
LOUDBRIDGE RD
Fairclough Farm
White Hill
RIBBLE VALLEY
PRESTON
Elmridge
Higher Barker
GREENFIELD LANE
BACK LANE
Syke House
BULLSNAPE LA.
Bullsnape Hall
Blackmoss Farm
Knott
Plane Tree
Loudscales
LONGRIDGE
HOUSE
Fir Trees
Holwood
FOUR ACRE
Isles Field Farm
BULLSNAPE ROAD
INGLEWHITE
ELM ROAD
Wheatley Farm
Palegate Farm
INGLEWHITE
White Moss Gate
Bradley Farm
Lower Beesley
Higher Beesley
Withinreap Farm
Priest Hill
Little Town
Daisy Barn
BIRKS
Lower Birks
White Fold
CURWEN LA.
Kidsnape
Oak Tree
HORNS LANE
Horns Reservoir
LONGRIDGE
LORD'S LANE
Hill Top
BROW
School
Ford
Lower Cockleach
BROADITH LANE
Higher House Farm
Old Rhodes
96
97
Brook Farm
FORD
Ashley Hall
ASHLEY LA.
ROAD
OLD CLAY LANE
CHIPPING LANE
Billingtons
56
57
58
59
60
61
62
47
46
45
44
43
42
41
40
39
A
B
C
D
E
F
1
2
3
4
5
6
7
8
9
10

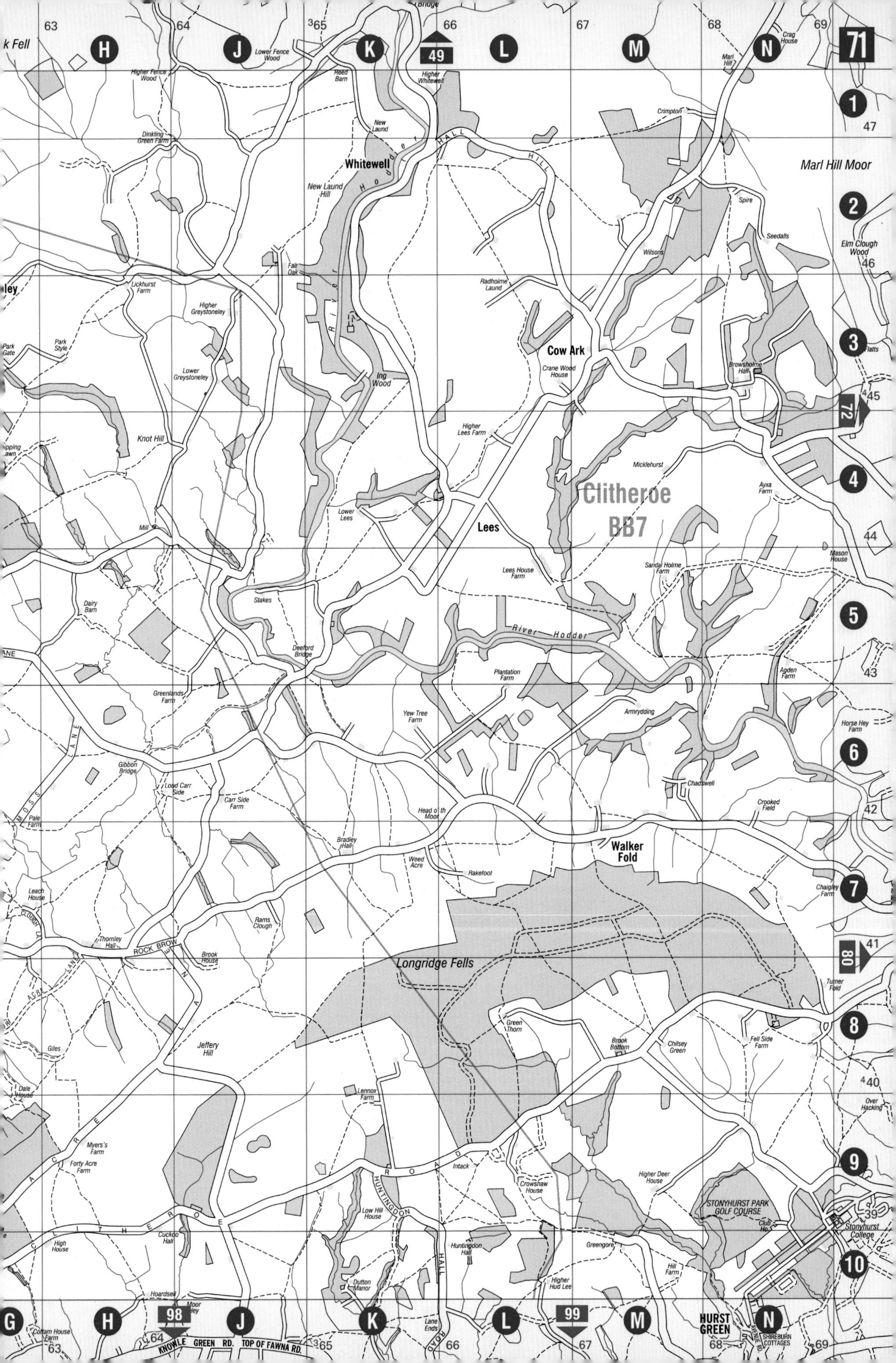
71
H
J
K
L
M
N
49
63
64
65
66
67
68
69
k Fell
Lower Fence Wood
Higher Fence Wood
Reed Barn
Higher Whitewell
Crag House
Marl Hill
Crimpton
Marl Hill Moor
Dinkling Green Farm
New Laund
Whitewell
New Laund Hill
River Hodder
HALL HILL
Spire
Seedalls
Elm Clough Wood
Wilsons
Fair Oak
Radholme Laund
Lickhurst Farm
Higher Greystoneley
Park Style
Park Gate
Lower Greystoneley
Cow Ark
Crane Wood House
Browsholme Hall
Flatts
72
Ing Wood
Higher Lees Farm
Knot Hill
Micklehurst
Clitheroe BB7
Ayxa Farm
Lower Lees
Lees
Mill
Lees House Farm
Sandal Holme Farm
Mason House
Dairy Barn
Stakes
Deeford Bridge
Plantation Farm
Agden Farm
Greenlands Farm
Yew Tree Farm
Armrydding
Horse Hey Farm
Gibbon Bridge
Loud Carr Side
Carr Side Farm
MOSS LANE
Pale Farm
Chadswell
Crooked Field
Head o' th Moor
Bradley Hall
Weed Acre
Rakefoot
Walker Fold
Leach House
Chaigley Farm
Rams Clough
Thornley Hall
ROCK BROW
Brook House
80
Longridge Fells
Turner Fold
Green Thorn
Brook Bottom
Chilsey Green
Fell Side Farm
Jeffery Hill
Giles
Dale House
Lennox Farm
Over Hacking
Myers's Farm
Forty Acre Farm
Intack
ROAD
Crowshaw House
Higher Deer House
STONYHURST PARK GOLF COURSE
Club Ho.
Stonyhurst College
Low Hill House
HUNTINGDON HALL ROAD
Huntingdon Hall
Greengore
CLITHEROE
High House
Cuckoo Hall
Dutton Manor
Hill Farm
Higher Hud Lee
Hoardsell
Moor Hey
98
99
Lane Ends
HURST GREEN
SHIREBURN COTTAGES
Cottam House Farm
KNOWLE GREEN RD.
TOP OF FAWNA RD.
1
2
3
4
5
6
7
8
9
10
39
40
41
42
43
44
45
46
47

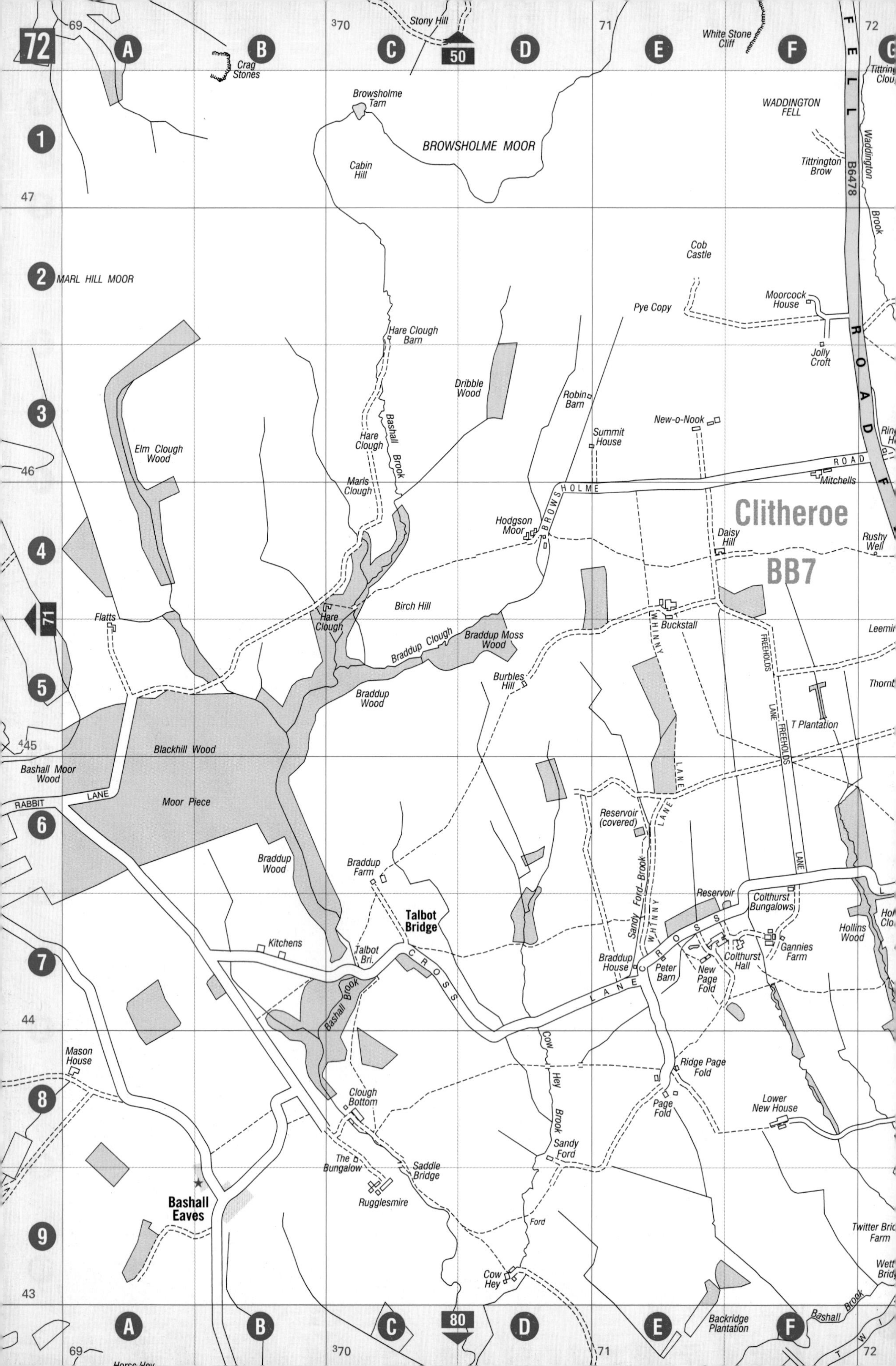

69
370
Stony Hill
50
71
White Stone Cliff
72
A
B
C
D
E
F
Crag Stones
Browsholme Tarn
WADDINGTON FELL
FELL ROAD
Waddington
BROWSHOLME MOOR
Cabin Hill
Tittrington Brow
B6478
1
47
Brook
Cob Castle
2
MARL HILL MOOR
Moorcock House
Pye Copy
Hare Clough Barn
Jolly Croft
Dribble Wood
Robin Barn
3
Bashall Brook
Summit House
New-o-Nook
Hare Clough
Elm Clough Wood
ROAD
46
Marls Clough
BROWSHOLME
Mitchells
Clitheroe
Hodgson Moor
4
Daisy Hill
Rushy Well
BB7
Birch Hill
71
Flatts
Hare Clough
Braddup Clough
Braddup Moss Wood
Buckstall
WHINNY
FREEHOLDS
5
Burbles Hill
Braddup Wood
T Plantation
LANE
FREEHOLDS
445
Blackhill Wood
Bashall Moor Wood
LANE
RABBIT
LANE
Moor Piece
Reservoir (covered)
LANE
6
Braddup Wood
Braddup Farm
LANE
Reservoir
Colthurst Bungalows
Talbot Bridge
Sandy Ford Brook
WHINNY
CROSS
Hollins Wood
Kitchens
Talbot Bri.
CROSS
Gannies Farm
7
Braddup House
Peter Barn
New Page Fold
Colthurst Hall
Bashall Brook
LANE
44
Cow Hey Brook
Mason House
Ridge Page Fold
8
Clough Bottom
Page Fold
Lower New House
Sandy Ford
The Bungalow
Saddle Bridge
Rugglesmire
Bashall Eaves
Ford
9
Twitter Bric Farm
Cow Hey
43
Bashall Brook
80
Backridge Plantation
69
370
71
72

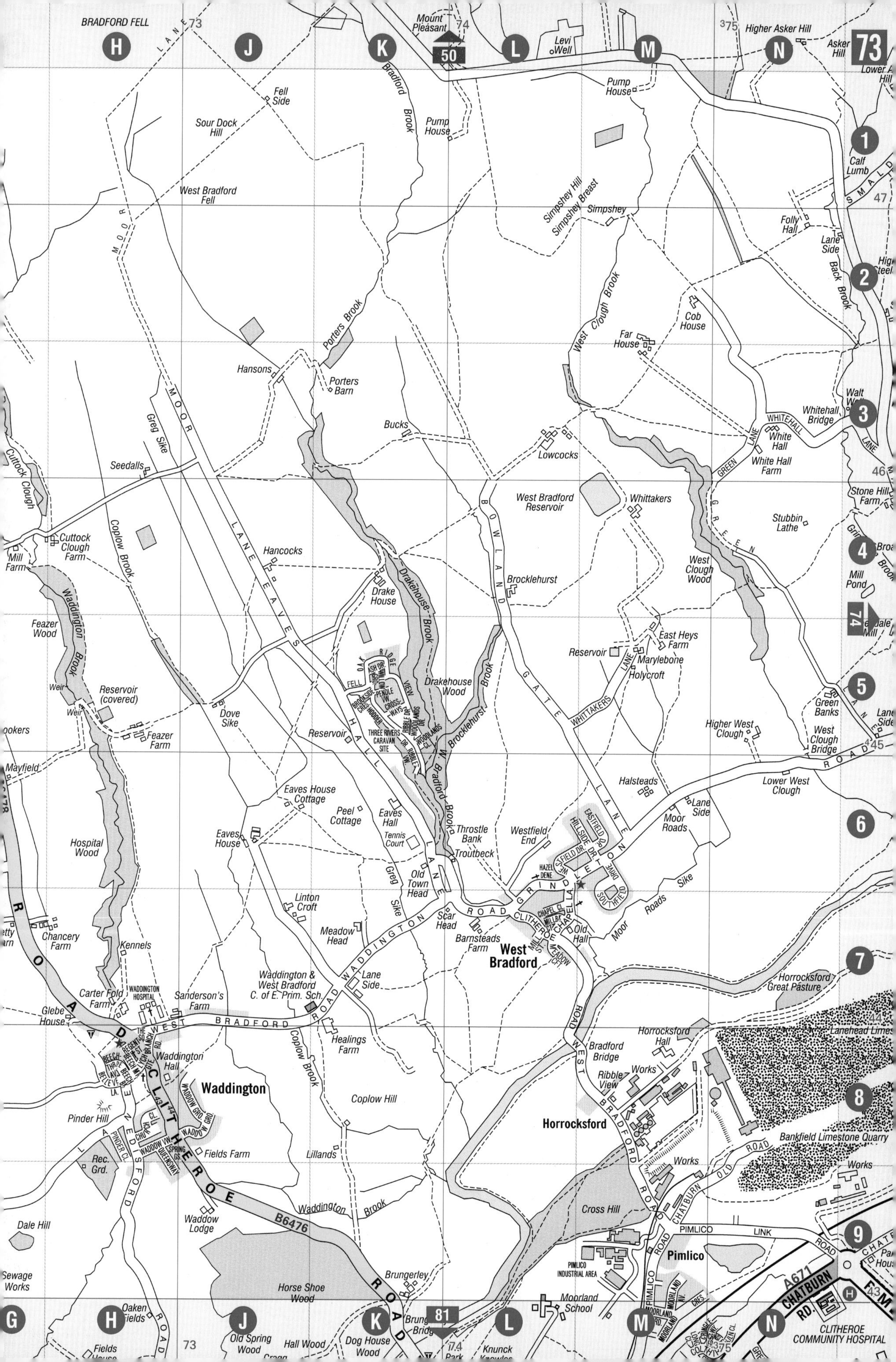
BRADFORD FELL
Mount Pleasant
50
Higher Asker Hill
Asker Hill
Levi Well
Pump House
Fell Side
Sour Dock Hill
Bradford Brook
West Bradford Fell
Simpshey Hill
Simpshey Breast
Simpshey
Folly Hall
Lane Side
Back Brook
Calf Lumb
Porters Brook
Cob House
West Clough Brook
Far House
Hansons
Porters Barn
Bucks
Lowcocks
Walt Well
Whitehall Bridge
White Hall
White Hall Farm
Greg Sike
Seedalls
Cuttock Clough
Cuttock Clough Farm
Mill Farm
Coplow Brook
West Bradford Reservoir
Whittakers
Stubbin Lathe
Stone Hill Farm
Hancocks
Drake House
Drakehouse Brook
Brocklehurst
West Clough Wood
Mill Pond
74
Feazer Wood
Waddington Brook
East Heys Farm
Reservoir
Marylebone
Holycroft
Reservoir (covered)
Weir
Dove Sike
Drakehouse Wood
Brocklehurst Brook
THREE RIVERS CARAVAN SITE
Feazer Farm
Reservoir
Higher West Clough
Green Banks
West Clough Bridge
Mayfield
Halsteads
Lower West Clough
Eaves House Cottage
Peel Cottage
Eaves Hall
Tennis Court
W. Bradford Brook
Moor Roads
Lane Side
Hospital Wood
Eaves House
Throstle Bank
Troutbeck
Westfield End
Linton Croft
Old Town Head
Scar Head
Meadow Head
Barnsteads Farm
West Bradford
Old Hall
Moor Roads Sike
Chancery Farm
Kennels
Lane Side
Waddington & West Bradford C. of E. Prim. Sch.
Horrocksford Great Pasture
Carter Fold Farm
WADDINGTON HOSPITAL
Sanderson's Farm
Glebe House
WEST BRADFORD ROAD
Healings Farm
Horrocksford Hall
Lanehead Limes
Waddington Hall
Bradford Bridge
Ribble View
Works
Waddington
Coplow Hill
Horrocksford
Pinder Hill
Fields Farm
Lillands
Bankfield Limestone Quarry
Works
Works
Rec. Grd.
Waddow Lodge
Waddington Brook
Cross Hill
Dale Hill
B6476
PIMLICO LINK ROAD
Pimlico
PIMLICO INDUSTRIAL AREA
Horse Shoe Wood
Brungerley
A671
CHATBURN RD.
Sewage Works
Oaken Fields
Moorland School
81
Fields House
Old Spring Wood
Hall Wood
Dog House Wood
Brungerley Bridge
Park
Knunck Knowles
CLITHEROE COMMUNITY HOSPITAL

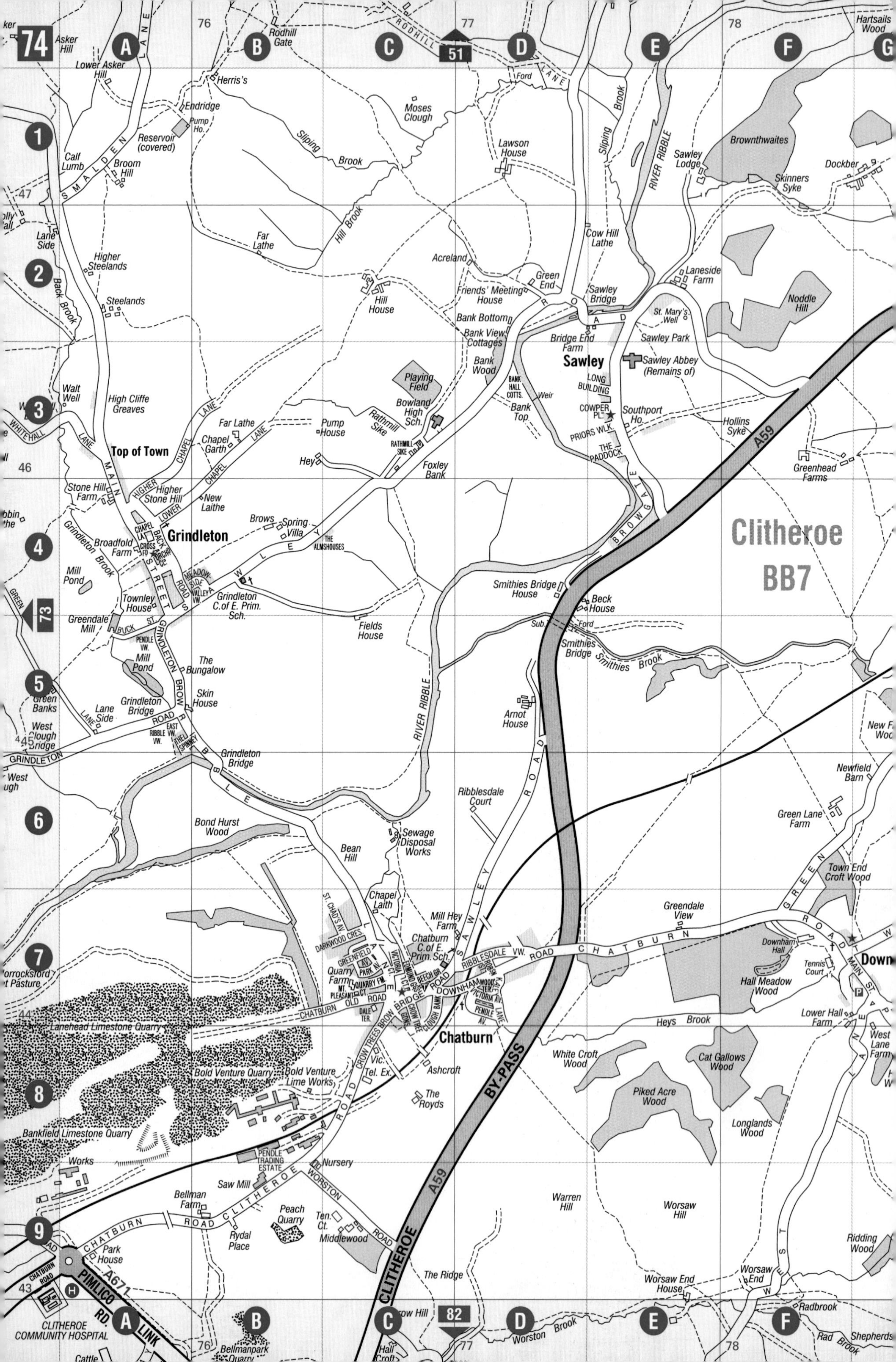

Asker Hill
Lower Asker Hill
Rodhill Gate
Herris's
Endridge
Pump Ho.
Reservoir (covered)
Calf Lumb
Broom Hill
SMALDEN LANE
RODHILL LANE
Moses Clough
Sliping Brook
Lawson House
Sliping Brook
RIVER RIBBLE
Hartsails Wood
Browthwaites
Sawley Lodge
Skinners Syke
Dockber
Lane Side
Higher Steelands
Steelands
Back Brook
Hill Brook
Far Lathe
Cow Hill Lathe
Acreland
Green End
Friends' Meeting House
Sawley Bridge
Laneside Farm
Hill House
Bank Bottom
Bank View Cottages
Bridge End Farm
St. Mary's Well
Sawley Park
Noddle Hill
Sawley
Sawley Abbey (Remains of)
Bank Wood
Playing Field
Bowland High Sch.
Walt Well
High Cliffe Greaves
Far Lathe
Pump House
Rathmill Sike
BANK HALL COTTS.
Bank Top
Weir
LONG BUILDING
COWPER PL.
Southport Ho.
PRIORS WLK.
THE PADDOCK
Hollins Syke
A59
Greenhead Farms
WHITEHALL
Top of Town
Chapel Garth
CHAPEL LANE
HIGHER CHAPEL LANE
LOWER CHAPEL LANE
Hey
RATHMILL SIKE
Foxley Bank
Stone Hill Farm
Higher Stone Hill
New Laithe
MAIN ST.
Grindleton
Brows
Spring Villa
THE ALMSHOUSES
BROWGATE
Clitheroe BB7
Grindleton Brook
Broadfold Farm
CHAPEL LA.
CROSS FD.
BACK ST.
CHURCH CT.
VALLEY
MEADOW SIDE
VALLEY VW.
Mill Pond
Grindleton C.of E. Prim. Sch.
Smithies Bridge House
Beck House
Townley House
Greendale Mill
BUCK ST.
PENDLE VW.
Fields House
Sub.
Ford
Smithies Bridge
Smithies Brook
Mill Pond
GRINDLETON BROW
The Bungalow
Skin House
Green Banks
Lane Side
Grindleton Bridge
Arnot House
West Clough Bridge
EAST VW.
RIBBLE VW.
THE SPINNEY
GRINDLETON ROAD
Grindleton Bridge
RIVER RIBBLE
New Field
Newfield Barn
West Clough
Ribblesdale Court
SAWLEY ROAD
Green Lane Farm
Bond Hurst Wood
Sewage Disposal Works
Bean Hill
Town End Croft Wood
Chapel Laith
ST. CHAD'S AV.
DARKWOOD CRES.
Mill Hey Farm
Greendale View
Chatburn C.of E. Prim. Sch.
GREENFIELD AV.
PARK AV.
VICTORIA CT.
Quarry Farm
QUARRY FM.
MT. PLEASANT
RIBBLESDALE VW.
CHATBURN ROAD
GREEN ROAD
Downham Hall
Tennis Court
Down
Horrocksford Pasture
Hall Meadow Wood
MAIN ST.
CHATBURN OLD ROAD
DALE TER.
DOWNHAM ROAD
BEECH GR.
CLOUGH BANK
CROW TREES
BRIDGE ROAD
WOOD TER.
VICTORIA AV.
PENDLE AV.
Heys Brook
Lower Hall Farm
Lanehead Limestone Quarry
Chatburn
West Lane Farm
White Croft Wood
Cat Gallows Wood
BY-PASS
CROW TREES BROW
Vic.
Tel. Ex.
Ashcroft
Bold Venture Quarry
Bold Venture Lime Works
The Royds
Piked Acre Wood
Longlands Wood
Bankfield Limestone Quarry
Works
PENDLE TRADING ESTATE
Nursery
Saw Mill
WORSTON ROAD
Warren Hill
Worsaw Hill
Bellman Farm
Peach Quarry
Ten. Ct.
Middlewood
CHATBURN ROAD
CLITHEROE ROAD
Rydal Place
Park House
Ridding Wood
A671
PIMLICO LINK RD.
CLITHEROE A59
The Ridge
Worsaw End House
Worsaw End
WEST LANE
CHATBURN ROAD
CLITHEROE COMMUNITY HOSPITAL
Crow Hill
Worston Brook
Radbrook
Rad Brook
Shepherds
Bellmanpark Quarry
Hall Croft
Cattle

51
73
82

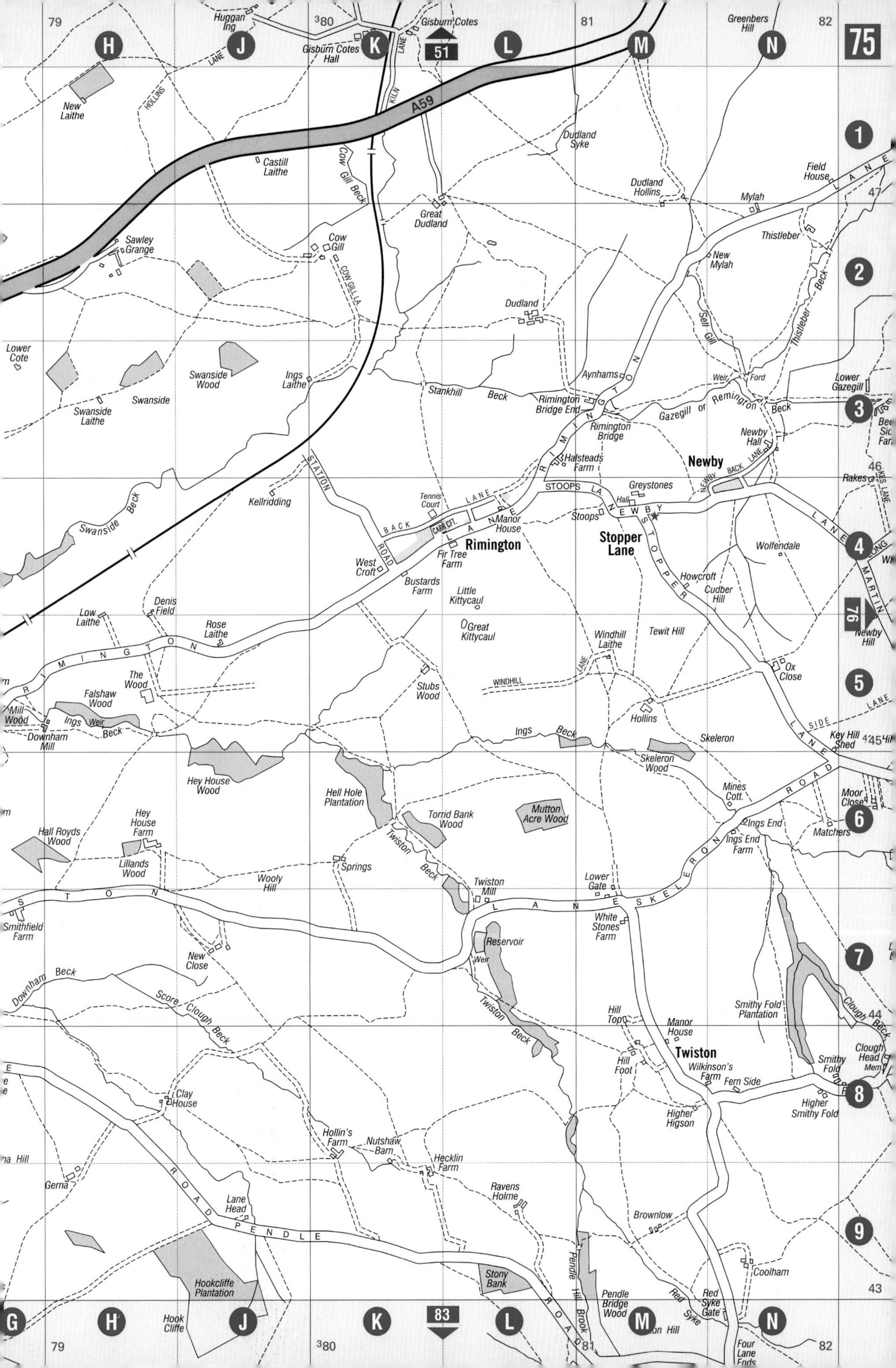

Huggan Ing
Gisburn Cotes
Gisburn Cotes Hall
51
Greenbers Hill
New Laithe
A59
Castill Laithe
Cow Gill Beck
Dudland Syke
Dudland Hollins
Field House
Mylah
Great Dudland
Sawley Grange
Cow Gill
Thistleber
New Mylah
Dudland
Sell Gill
Thistleber Beck
Lower Cote
Swanside Wood
Swanside
Swanside Laithe
Ings Laithe
Stankhill Beck
Aynhams
Rimington Bridge End
Gazegill or Remington Beck
Lower Gazegill
Rimington Bridge
Newby Hall
Halsteads Farm
Newby
Greystones
Rakes
Kellridding
Swanside Beck
Tennis Court
Manor House
Stoops
Stopper Lane
Rimington
Fir Tree Farm
West Croft
Wolfendale
Bustards Farm
Howcroft
Cudber Hill
Little Kittycaul
Great Kittycaul
Denis Field
Low Laithe
Rose Laithe
Windhill Laithe
Tewit Hill
Newby Hill
Ox Close
The Wood
Falshaw Wood
Stubs Wood
Hollins
Mill Wood
Downham Mill
Ings Weir Beck
Ings Beck
Skeleron
Key Hill Shed
Skeleron Wood
Hey House Wood
Hell Hole Plantation
Mines Cott.
Moor Close
Torrid Bank Wood
Mutton Acre Wood
Ings End
Ings End Farm
Matchers
Hall Royds Wood
Hey House Farm
Lillands Wood
Springs
Twiston Beck
Wooly Hill
Twiston Mill
Lower Gate
Smithfield Farm
White Stones Farm
Reservoir
Weir
New Close
Downham Beck
Score Clough Beck
Smithy Fold Plantation
Clough Beck
Hill Top
Manor House
Twiston
Clough Head
Hill Foot
Wilkinson's Farm
Fern Side
Smithy Fold
Higher Smithy Fold
Clay House
Higher Higson
Hollin's Farm
Nutshaw Barn
Hecklin Farm
Gerna
Ravens Holme
Lane Head
Brownlow
Pendle Hill Brook
Coolham
Stony Bank
Hookcliffe Plantation
Pendle Bridge Wood
Red Syke
Red Syke Gate
Hook Cliffe
Four Lane Ends
PENDLE ROAD
RIMINGTON LANE
STATION ROAD
BACK LANE
STOOPS LANE
NEWBY
STOPPER LANE
SKELERON ROAD
WINDHILL LANE
83

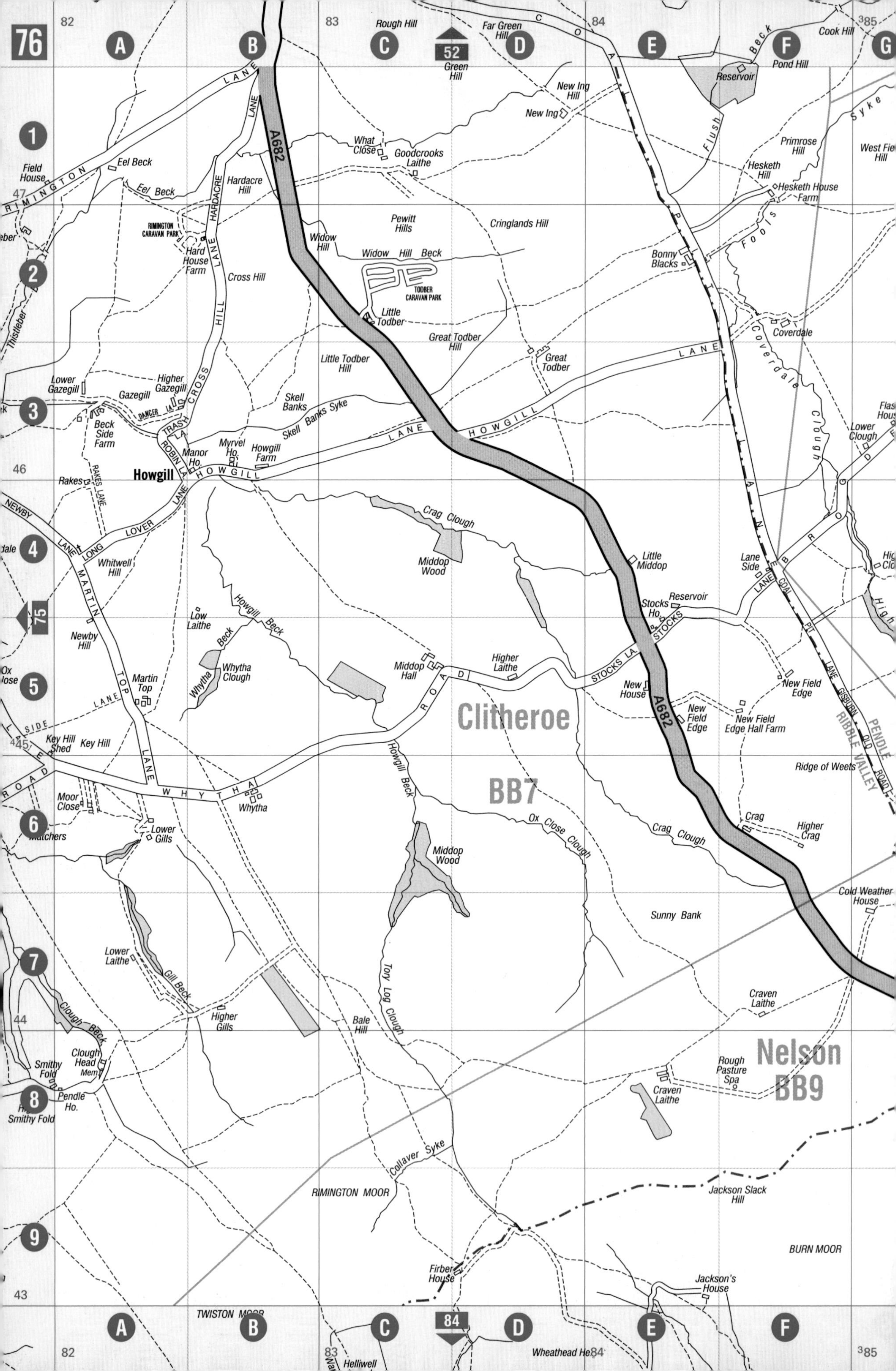
A
B
C
D
E
F
G
1
2
3
4
5
6
7
8
9
52
84
75
82
83
84
385
47
46
45
44
43
A682
Clitheroe
BB7
Nelson
BB9
Howgill
Rough Hill
Far Green Hill
Green Hill
Cook Hill
Pond Hill
Reservoir
Flush Beck
New Ing Hill
New Ing
Syke
West Field Hill
Primrose Hill
Hesketh Hill
Hesketh House Farm
Fools
Field House
Eel Beck
RIMINGTON LANE
HARDACRE LANE
Hardacre Hill
RIMINGTON CARAVAN PARK
Hard House Farm
Cross Hill
CROSS HILL LANE
What Close
Goodcrooks Laithe
Pewitt Hills
Cringlands Hill
Widow Hill
Widow Hill Beck
TODBER CARAVAN PARK
Little Todber
Great Todber Hill
Great Todber
Little Todber Hill
Bonny Blacks
Coverdale
Coverdale Clough
COAL PIT LANE
Thistleber
Lower Gazegill
Higher Gazegill
Gazegill
DANCER LA
Skell Banks
Skell Banks Syke
HOWGILL LANE
TRASH LA
ROBIN LA
Beck Side Farm
Manor Ho.
Myrvel Ho.
Howgill Farm
Flash House
Lower Clough
BROAD
Rakes
RAKES LANE
NEWBY LANE
LONG LOVER LANE
Crag Clough
Middop Wood
Little Middop
Lane Side
Whitwell Hill
MARTIN TOP LANE
Low Laithe
Howgill Beck
Whytha Beck
Whytha Clough
Stocks Ho.
Reservoir
STOCKS LA
Newby Hill
Middop Hall
Higher Laithe
ROAD
New House
New Field Edge
New Field Edge Hall Farm
Martin Top
SIDE LANE
Key Hill Shed
Key Hill
GISBURN OLD ROAD
RIBBLE VALLEY
PENDLE
Ridge of Weets
WHYTHA LANE
Whytha
Moor Close
Matchers
Lower Gills
Crag
Higher Crag
Ox Close Clough
Cold Weather House
Sunny Bank
Lower Laithe
Gill Beck
Tory Log Clough
Craven Laithe
Higher Gills
Bale Hill
Clough Beck
Smithy Fold
Clough Head
Mem
Pendle Ho.
Rough Pasture Spa
Craven Laithe
Higher Smithy Fold
Collaver Syke
RIMINGTON MOOR
Jackson Slack Hill
BURN MOOR
Firber House
Jackson's House
TWISTON MOOR
Wheathead
Helliwell

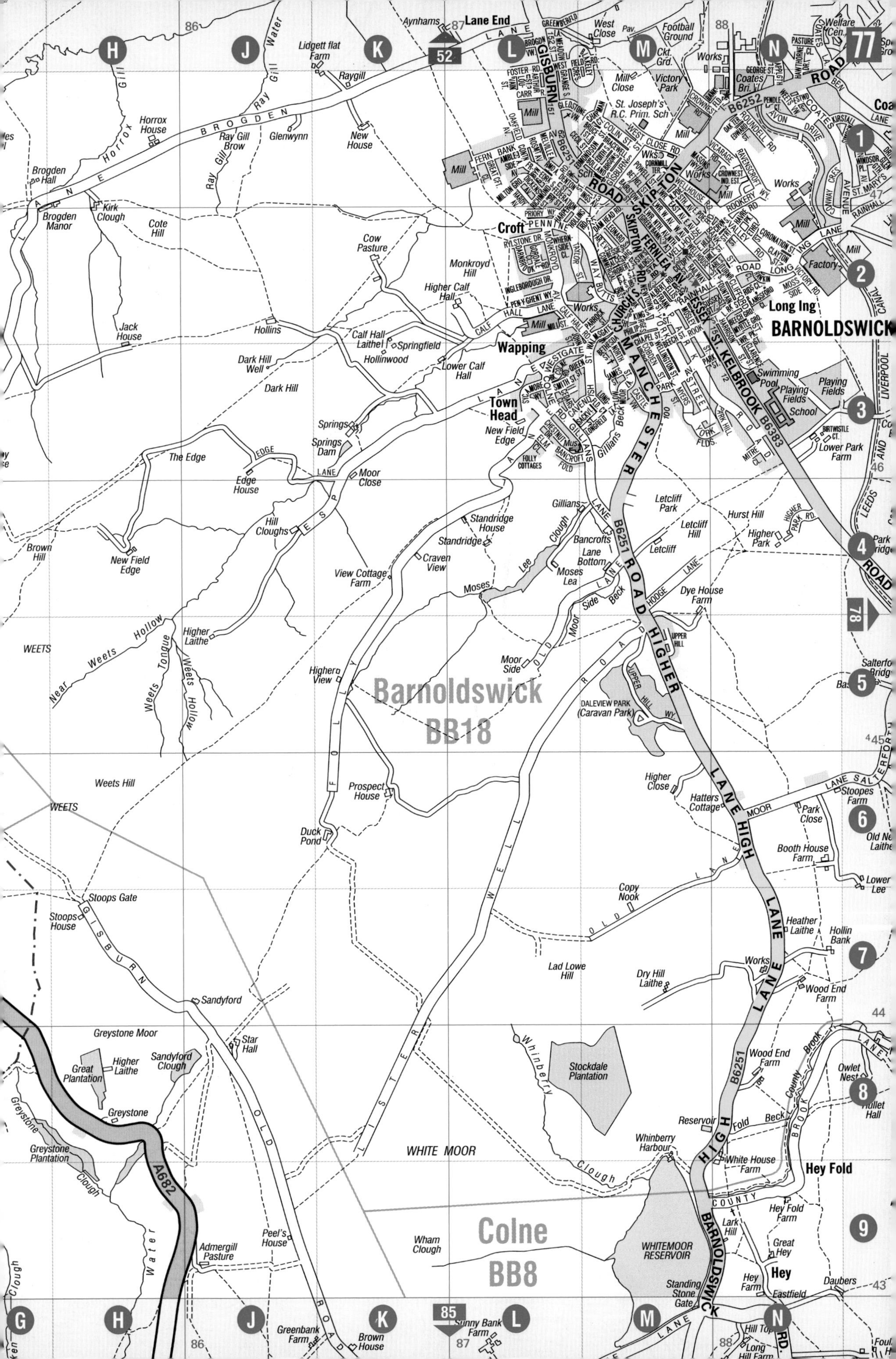
77
52
78
85
H
J
K
L
M
N
G
1
2
3
4
5
6
7
8
9
86
87
88
47
46
45
44
43
Lane End
Aynhams
Lidgett flat Farm
Raygill
Horrox House
Brogden Hall
Brogden Manor
Kirk Clough
Cote Hill
BROGDEN LANE
Horrox Gill
Ray Gill
Ray Gill Brow
Glenwynn
New House
Jack House
Hollins
Dark Hill Well
Dark Hill
Cow Pasture
Monkroyd Hill
Higher Calf Hall
Calf Hall Laithe
Springfield
Hollinwood
Lower Calf Hall
CALF HALL LANE
Croft
Wapping
Town Head
New Field Edge
FOLLY COTTAGES
Springs
Springs Dam
The Edge
EDGE LANE
Edge House
Moor Close
Hill Cloughs
ESP LANE
Brown Hill
New Field Edge
View Cottage Farm
Craven View
Standridge House
Standridge
Moses
Lee Clough
Gillians
Bancrofts
Lane Bottom
Moses Lea
Letcliff Park
Letcliff Hill
Letcliff
Hurst Hill
Higher Park
HODGE LANE
Dye House Farm
UPPER HILL
Higher Laithe
WEETS
Near Weets
Weets Hollow
Weets Tongue
Higher View
Moor Side
Barnoldswick
BB18
DALEVIEW PARK (Caravan Park)
UPPER HILL WY.
Weets Hill
WEETS
Prospect House
Duck Pond
FOLLY LANE
WELL ROAD
HIGHER ROAD
Higher Close
Hatters Cottage
MOOR LANE
SALTERFORTH LANE
Stoopes Farm
Park Close
Booth House Farm
Lower Lee
Copy Nook
OLD LANE
Heather Laithe
Hollin Bank
Lad Lowe Hill
Dry Hill Laithe
Works
Wood End Farm
Stoops Gate
Stoops House
GISBURN OLD ROAD
Sandyford
Greystone Moor
Star Hall
Higher Laithe
Great Plantation
Sandyford Clough
Greystone
Greystone Clough
Greystone Plantation
Whinberry Clough
Stockdale Plantation
Wood End Farm
Owlet Nest
Hullet Hall
County Brook
Reservoir
Fold
Beck
Whinberry Harbour
White House Farm
Hey Fold
WHITE MOOR
LISTER WELL ROAD
A682
Water
Peel's House
Admergill Pasture
Colne
BB8
Wham Clough
WHITEMOOR RESERVOIR
Lark Hill
Hey Fold Farm
Great Hey
Hey
Hey Farm
Eastfield
Daubers
Standing Stone Gate
BARNOLDSWICK LANE
HIGH LANE
B6251
COUNTY
Greenbank Farm
Brown House
Sunny Bank Farm
Hill Top
Long Hill Farm
BARNOLDSWICK
Long Ing
Mill
Factory
Works
Swimming Pool
Playing Fields
School
Lower Park Farm
Birtwistle Ct.
HIGHER PARK RD.
LEEDS AND LIVERPOOL CANAL
Salterforth Bridge
Welfare Cen.
Football Ground
Pav.
West Close
Ckt. Grd.
Mill Close
Victory Park
St. Joseph's R.C. Prim. Sch
Coates Bri.
B6252
COATES LANE
GISBURN ROAD
B6251
SKIPTON ROAD
MANCHESTER ROAD
CHURCH ST.
FERNLEA AV.
ESSEX ST.
KELBROOK ROAD
B6383
PARK ROAD
WESTGATE
GILLIANS LANE
Gillians Beck
LONG ING LANE
ROOKERY WY.
CORONATION ST.
MITRE CL.
YORK FLDS.
Mus.
Sch.

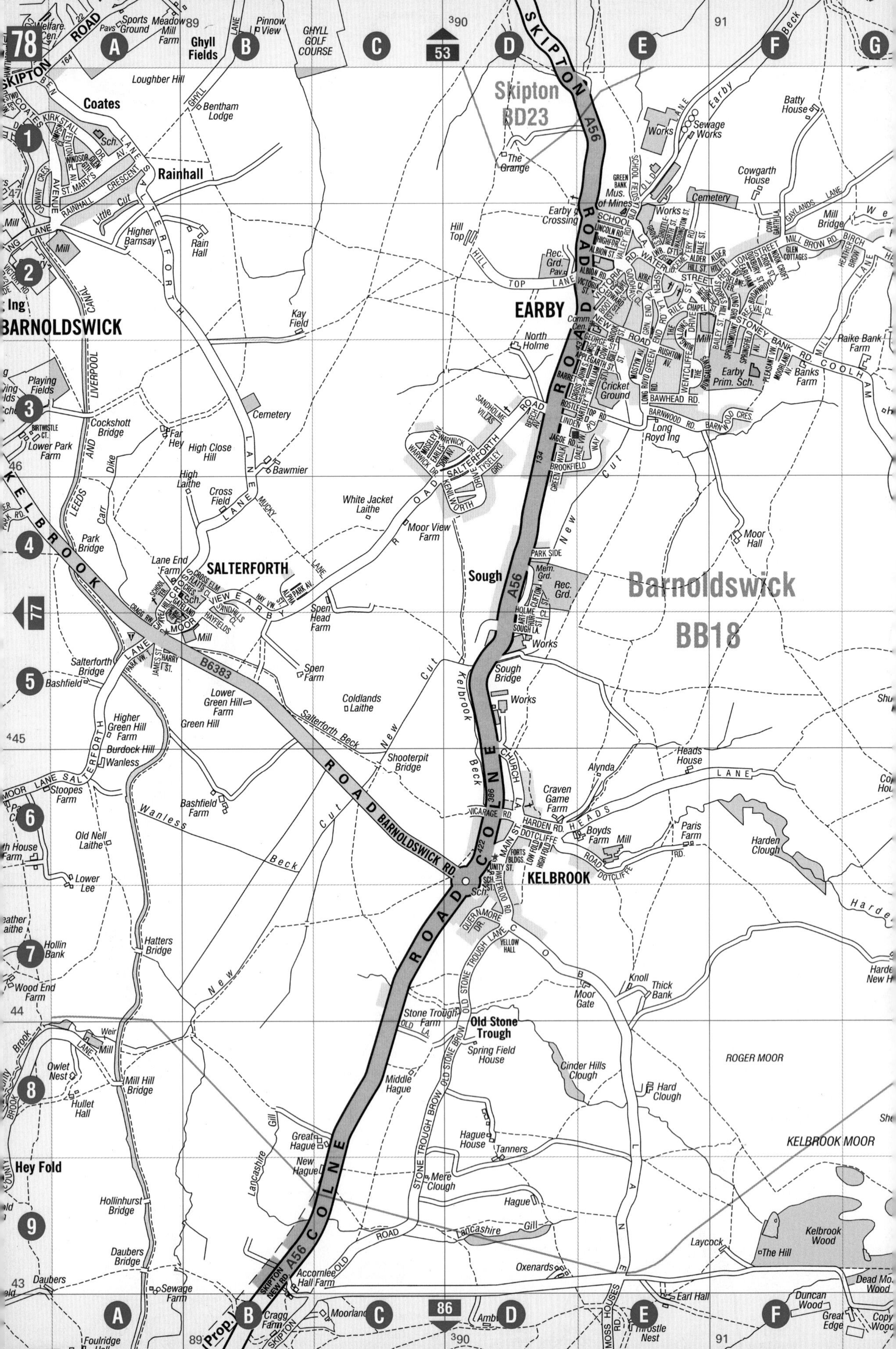
53
86
77
A
B
C
D
E
F
G
1
2
3
4
5
6
7
8
9
89
390
91
47
46
445
44
43
Skipton
BD23
Barnoldswick
BB18
EARBY
BARNOLDSWICK
SALTERFORTH
KELBROOK
Coates
Rainhall
Ghyll Fields
Sough
Old Stone Trough
Hey Fold
SKIPTON ROAD
COLNE ROAD
BARNOLDSWICK RD.
KELBROOK ROAD
A56
B6383
LEEDS AND LIVERPOOL CANAL
GHYLL GOLF COURSE
Sports Ground
Meadow Mill Farm
Pinnow View
Loughber Hill
Bentham Lodge
The Grange
Hill Top
Higher Barnsay
Rain Hall
Mill
Kay Field
North Holme
Playing Fields
Cockshott Bridge
Lower Park Farm
Far Hey
High Close Hill
Cemetery
Bawmier
High Laithe
Cross Field
White Jacket Laithe
Moor View Farm
Park Bridge
Lane End Farm
Spen Head Farm
Spen Farm
Salterforth Bridge
Bashfield
Higher Green Hill Farm
Lower Green Hill Farm
Green Hill
Coldlands Laithe
Burdock Hill
Wanless
Stoopes Farm
Shooterpit Bridge
Bashfield Farm
Old Nell Laithe
Lower Lee
Hollin Bank
Wood End Farm
Hatters Bridge
Owlet Nest
Mill Hill Bridge
Hullet Hall
Hollinhurst Bridge
Daubers Bridge
Daubers
Sewage Farm
Foulridge Hall
Sough Bridge
Works
Heads House
Alynda
Craven Game Farm
Boyds Farm
Paris Farm
Harden Clough
Knoll
Thick Bank
Moor Gate
Stone Trough Farm
Spring Field House
Cinder Hills Clough
Hard Clough
ROGER MOOR
KELBROOK MOOR
Middle Hague
Great Hague
New Hague
Hague House
Tanners
Mere Clough
Hague
Laycock
Kelbrook Wood
The Hill
Oxenards
Accornlee Hall Farm
Cragg Farm
Moorland
Earl Hall
Throstle Nest
Duncan Wood
Great Edge
Dead Moor Wood
Batty House
Sewage Works
Cowgarth House
Cemetery
Mill Bridge
Raike Bank Farm
Banks Farm
Earby Prim. Sch.
Cricket Ground
Long Royd Ing
Moor Hall
Mus. of Mines
Earby Crossing
Rec. Grd.
Mem. Grd.
Comm. Cen.
Earby Beck
Salterforth Beck
Wanless Beck
Kelbrook Beck
Lancashire Gill
New Cut
MOSS HOUSES RD.
STONE TROUGH BROW
OLD STONE TROUGH LANE
SALTERFORTH LANE
MUCKY LANE
HILL TOP LANE
COOLHAM LANE
HARDEN RD.
DOTCLIFFE RD.
VICARAGE RD.
CHURCH LA.
MAIN ST.
WATERLOO RD.
QUERNMORE DR.
YELLOW HALL
BARNWOOD RD.
BAWHEAD RD.
STONEY BANK RD.
NEW ROAD
SCHOOL LA.
VICTORIA RD.
WATER ST.
RED LION ST.
ALDER ST.
MILL BROW RD.
GAYLANDS LANE
GLEN COTTAGES
KIRKSTALL DR.
RAINHALL RD.
RAINHALL CRESCENT
CONWAY CRES.
ST. MARY'S AV.
BIRTWISTLE CT.
PARK AV.
HAY VW. ST.
VIEW EARBY
SANDHILLS CL.
HAYFIELDS
CRAGG RW.
PARK VW. T.
JAMES ST.
HARRY ST.
SANDHOLME VILLAS
WARWICK DR.
KENILWORTH DRIVE
TYSELEY GRO.
MOSELEY AV.
PARK SIDE
HOLME CL.
SOUGH LA.
Prop.

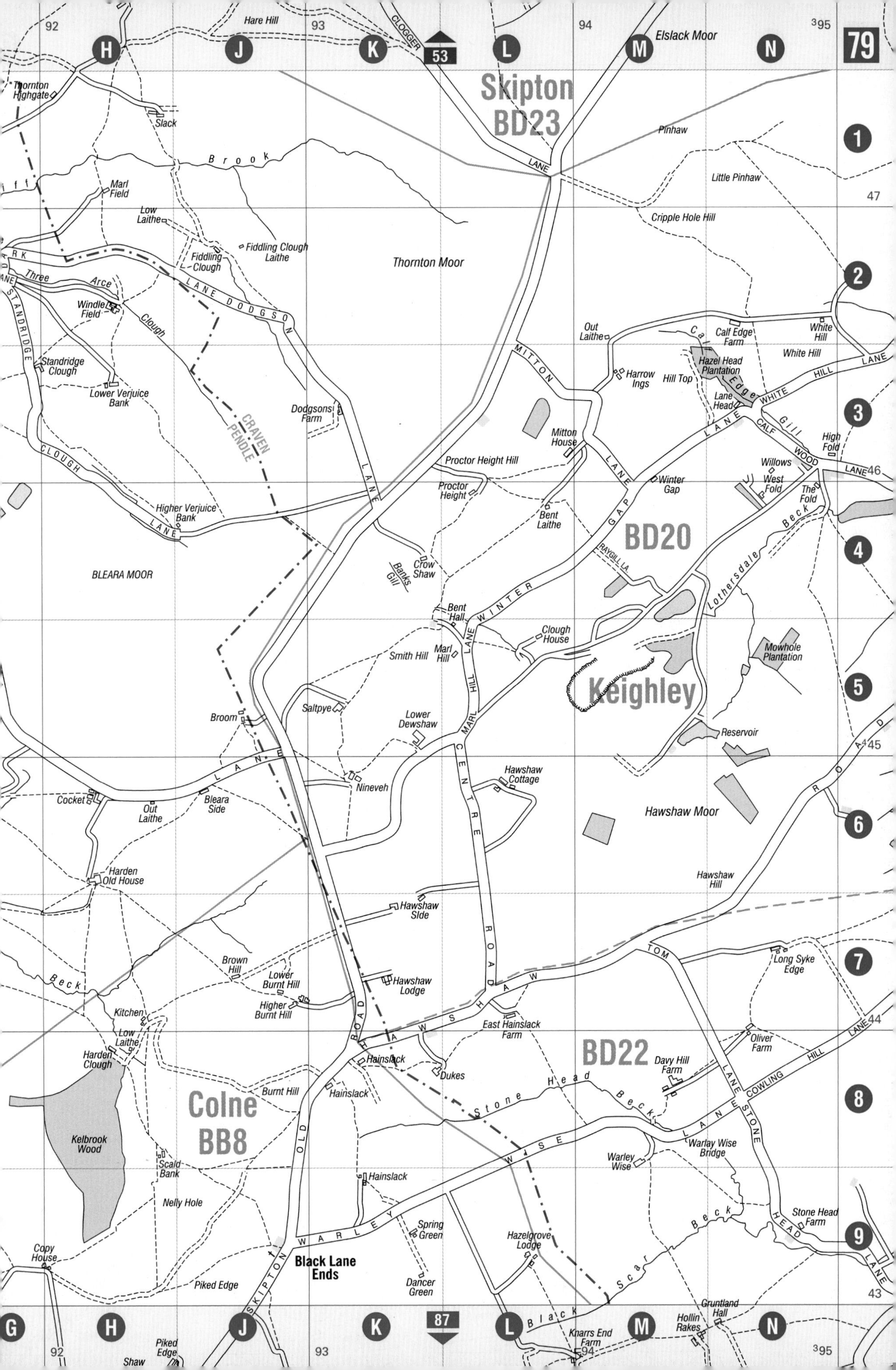
Skipton
BD23
BD20
BD22
Keighley
Colne
BB8
Hare Hill
Elslack Moor
Thornton Highgate
Slack
Pinhaw
Little Pinhaw
Cripple Hole Hill
Marl Field
Low Laithe
Fiddling Clough
Fiddling Clough Laithe
Thornton Moor
Windle Field
Standridge Clough
Lower Verjuice Bank
Higher Verjuice Bank
Dodgsons Farm
CRAVEN
PENDLE
Out Laithe
Calf Edge Farm
White Hill
Hazel Head Plantation
Harrow Ings
Hill Top
Lane Head
High Fold
Mitton House
Proctor Height Hill
Proctor Height
Willows
West Fold
The Fold
Winter Gap
Bent Laithe
BLEARA MOOR
Crow Shaw
Banks Gill
Bent Hall
Clough House
Marl Hill
Smith Hill
Mowhole Plantation
Saltpye
Broom
Lower Dewshaw
Reservoir
Nineveh
Hawshaw Cottage
Cocket
Out Laithe
Bleara Side
Hawshaw Moor
Harden Old House
Hawshaw Hill
Hawshaw Side
Brown Hill
Lower Burnt Hill
Higher Burnt Hill
Hawshaw Lodge
Long Syke Edge
Kitchen
Low Laithe
Harden Clough
East Hainslack Farm
Oliver Farm
Hainslack
Dukes
Davy Hill Farm
Burnt Hill
Kelbrook Wood
Warley Wise
Warlay Wise Bridge
Scald Bank
Nelly Hole
Spring Green
Stone Head Farm
Hazelgrove Lodge
Copy House
Black Lane Ends
Piked Edge
Dancer Green
Gruntland Hall
Hollin Rakes
Knarrs End Farm
Shaw
Piked Edge
LANE DODGSON
THREE ARCE LANE
Clough
STANDRIDGE
CLOUGH LANE
Brook
MITTON LANE
GAP LANE
WINTER HILL
WHITE HILL LANE
CALF WOOD LANE
Calf Edge
Gill
Beck
Lothersdale Beck
RAYGILL LA.
MARL HILL LANE
CENTRE ROAD
TOM SHAW
HAWSHAW ROAD
OLD ROAD
WARLEY WISE LANE
SKIPTON ROAD
Stone Head Beck
Scar Beck
COWLING HILL LANE
STONE LANE
HEAD LANE
Black
CLOGGER LANE
92
93
94
395
47
46
45
44
43
53
87
G
H
J
K
L
M
N
1
2
3
4
5
6
7
8
9

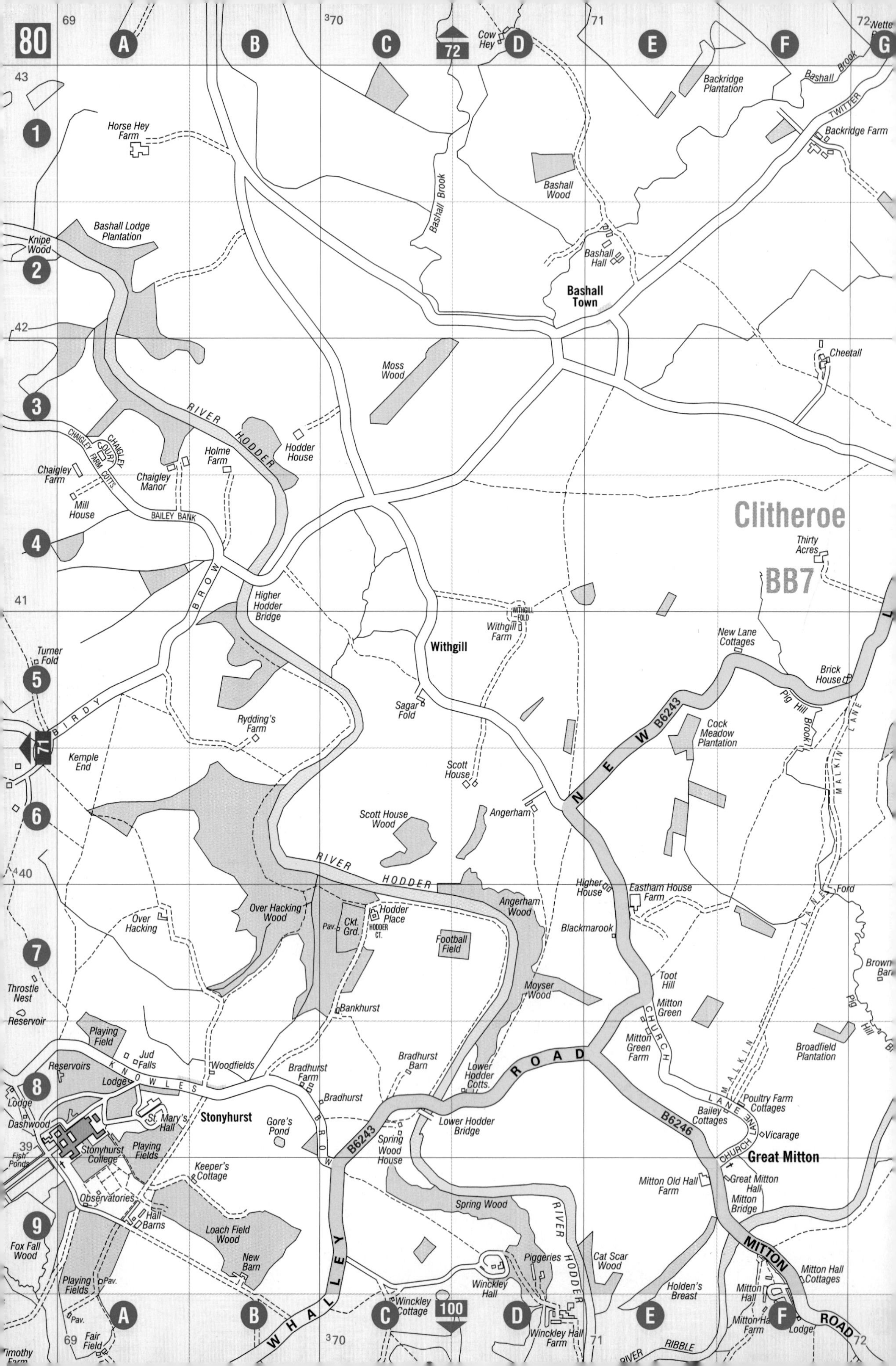

Cow Hey
72
Backridge Plantation
Bashall Brook
Twitter
Backridge Farm
Horse Hey Farm
Bashall Wood
Bashall Lodge Plantation
Knipe Wood
Bashall Hall
Bashall Town
Cheetall
Moss Wood
River Hodder
Hodder House
Holme Farm
Chaigley Court
Chaigley Farm Cotts
Chaigley Farm
Chaigley Manor
Mill House
Bailey Bank
Clitheroe
Thirty Acres
BB7
Brow
Higher Hodder Bridge
Withgill Fold
Withgill Farm
Withgill
New Lane Cottages
Brick House
Turner Fold
Birdy
Rydding's Farm
Sagar Fold
Pig Hill Brook
New B6243
Cock Meadow Plantation
71
Kemple End
Scott House
Malkin Lane
Angerham
Scott House Wood
River Hodder
Higher House
Eastham House Farm
Ford
Over Hacking Wood
Hodder Place
Angerham Wood
Pav.
Ckt. Grd.
Hodder Ct.
Football Field
Over Hacking
Blackmarook
Throstle Nest
Reservoir
Moyser Wood
Toot Hill
Mitton Green
Bankhurst
Playing Field
Mitton Green Farm
Broadfield Plantation
Pig Hill
Jud Falls
Reservoirs
Woodfields
Bradhurst Barn
Bradhurst Farm
Lower Hodder Cotts.
Road
Church
Knowles
Lodge
Bradhurst
Malkin
Poultry Farm Cottages
Dashwood
St. Mary's Hall
Stonyhurst
Gore's Pond
B6243
Spring Wood House
Lower Hodder Bridge
Bailey Cottages
Lane
Church Lane
B6246
Vicarage
Great Mitton
Fish Ponds
Stonyhurst College
Playing Fields
Keeper's Cottage
Mitton Old Hall Farm
Great Mitton Hall
Observatories
Hall Barns
Mitton Bridge
Spring Wood
Fox Fall Wood
Loach Field Wood
River Hodder
Mitton
New Barn
Piggeries
Cat Scar Wood
Mitton Hall Cottages
Playing Fields
Pav.
Winckley Hall
Holden's Breast
Mitton Hall
Whalley
Winckley Cottage
100
Mitton Hall Farm
Lodge
Road
Fair Field
Winckley Hall Farm
River Ribble
Timothy Farm

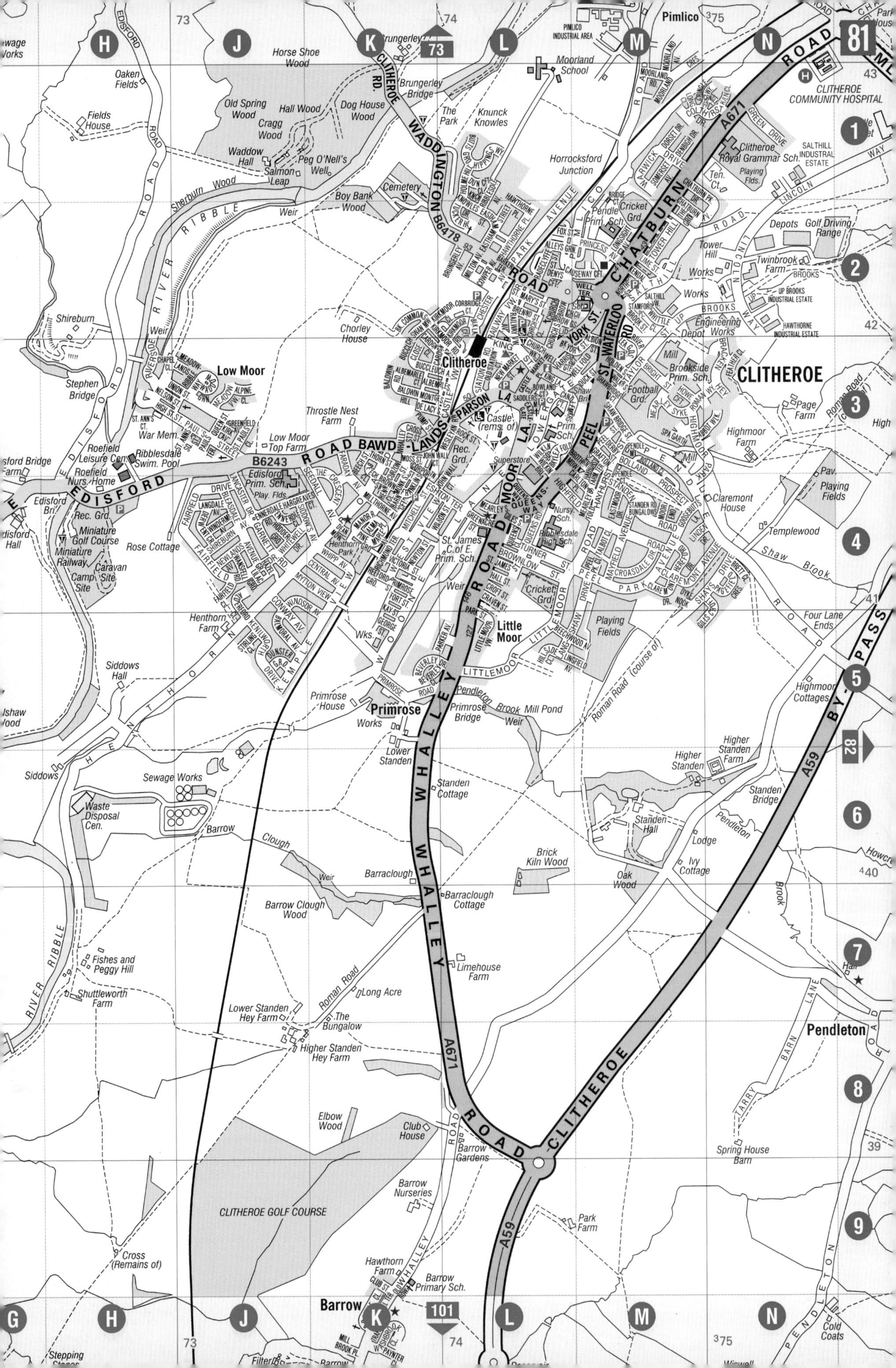

81
73
74
375
H
J
K
L
M
N
G
1
2
3
4
5
6
7
8
9
43
42
41
40
39
Pimlico
PIMLICO INDUSTRIAL AREA
Moorland School
Brungerley
Horse Shoe Wood
Oaken Fields
Fields House
Old Spring Wood
Hall Wood
Cragg Wood
Dog House Wood
Brungerley Bridge
The Park
Knunck Knowles
Waddow Hall
Salmon Leap
Peg O'Nell's Well
Sherburn Wood
RIVER RIBBLE
Weir
Boy Bank Wood
Cemetery
WADDINGTON B6478
CLITHEROE RD.
Horrocksford Junction
CLITHEROE COMMUNITY HOSPITAL
Clitheroe Royal Grammar Sch.
SALTHILL INDUSTRIAL ESTATE
Playing Flds.
Ten. Ct.
Depots
Golf Driving Range
Tower Hill
Twinbrook Farm
UP BROOKS INDUSTRIAL ESTATE
HAWTHORNE INDUSTRIAL ESTATE
Works
Engineering Works
Depot
Pendle Prim. Sch.
Cricket Grd.
CHATBURN ROAD
A671
PARK AVENUE
LINCOLN WAY
Shireburn
Stephen Bridge
Low Moor
Chorley House
Clitheroe
CLITHEROE
Brookside Prim. Sch.
Football Grd.
Mill
Page Farm
Roman Road (course of)
High
Throstle Nest Farm
Low Moor Top Farm
B6243
EDISFORD ROAD
BAWDLANDS
PARSON LA.
Castle (rems. of)
Superstore
War Mem.
Roefield Leisure Cen.
Ribblesdale Swim. Pool
Roefield Nurs. Home
Edisford Prim. Sch.
Play. Flds.
Edisford Bridge Farm
Edisford Bri.
Edisford Hall
Rec. Grd.
Miniature Golf Course
Miniature Railway
Caravan Site
Camp Site
Rose Cottage
Henthorn Park
St. James C. of E. Prim. Sch.
Ribblesdale High Sch.
Nursy. Sch.
Prim. Sch.
Highmoor Farm
Claremont House
Playing Fields
Templewood
Shaw Brook
Four Lane Ends
Cricket Grd.
Playing Fields
Little Moor
LITTLEMOOR
Henthorn Farm
Siddows Hall
Siddows
Ishaw Wood
Wks.
Primrose House
Primrose
Works
Primrose Bridge
Pendleton Brook Mill Pond
Weir
Roman Road (course of)
Highmoor Cottages
BY-PASS
A59
82
Lower Standen
Standen Cottage
Higher Standen
Higher Standen Farm
Standen Bridge
Standen Hall
Pendleton
Lodge
Ivy Cottage
Oak Wood
Brick Kiln Wood
Sewage Works
Waste Disposal Cen.
Barrow Clough
Barraclough
Barraclough Cottage
Barrow Clough Wood
Weir
WHALLEY ROAD
Limehouse Farm
Fishes and Peggy Hill
Shuttleworth Farm
RIVER RIBBLE
Long Acre
Roman Road
Lower Standen Hey Farm
The Bungalow
Higher Standen Hey Farm
Brook
Pendleton
BARN LANE
TARRY
Elbow Wood
Club House
Barrow Gardens
CLITHEROE ROAD
Spring House Barn
Barrow Nurseries
CLITHEROE GOLF COURSE
Park Farm
Cross (Remains of)
Hawthorn Farm
Barrow Primary Sch.
Barrow
101
WHALLEY
PENDLETON
Cold Coats
Stepping Stones

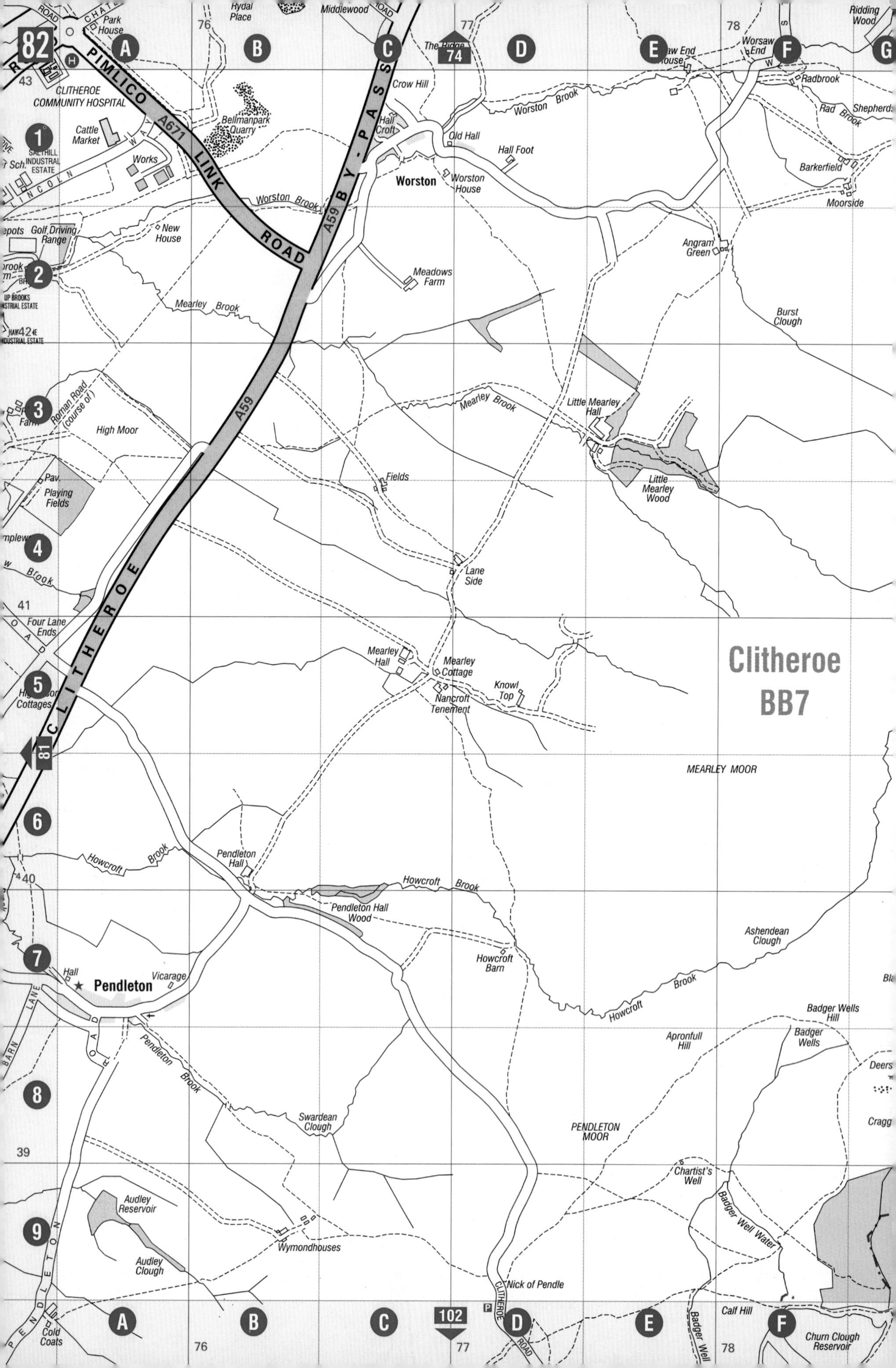
Clitheroe
BB7
Pimlico
A671 Link Road
A59 By-Pass
A59
Clitheroe Road
Clitheroe Community Hospital
Cattle Market
Salthill Industrial Estate
Works
Bellmanpark Quarry
Hydal Place
Middlewood
Park House
The Ridge
Crow Hill
Hall Croft
Old Hall
Hall Foot
Worston
Worston House
Worston Brook
Radbrook
Rad Brook
Barkerfield
Moorside
Worsaw End
Ridding Wood
Angram Green
New House
Golf Driving Range
Meadows Farm
Mearley Brook
Up Brooks Industrial Estate
Burst Clough
Roman Road (course of)
High Moor
Little Mearley Hall
Little Mearley Wood
Playing Fields
Fields
Lane Side
Four Lane Ends
Mearley Hall
Mearley Cottage
Knowl Top
Nancroft Tenement
MEARLEY MOOR
Pendleton Hall
Howcroft Brook
Pendleton Hall Wood
Howcroft Barn
Ashendean Clough
Pendleton
Hall
Vicarage
Pendleton Brook
Badger Wells Hill
Badger Wells
Apronfull Hill
Swardean Clough
PENDLETON MOOR
Chartist's Well
Badger Well Water
Audley Reservoir
Audley Clough
Wymondhouses
Nick of Pendle
Barn Lane
Pendleton Road
Cold Coats
Calf Hill
Churn Clough Reservoir
Badger Well
Cragg
74
81
102
76
77
78
43
42
41
40
39

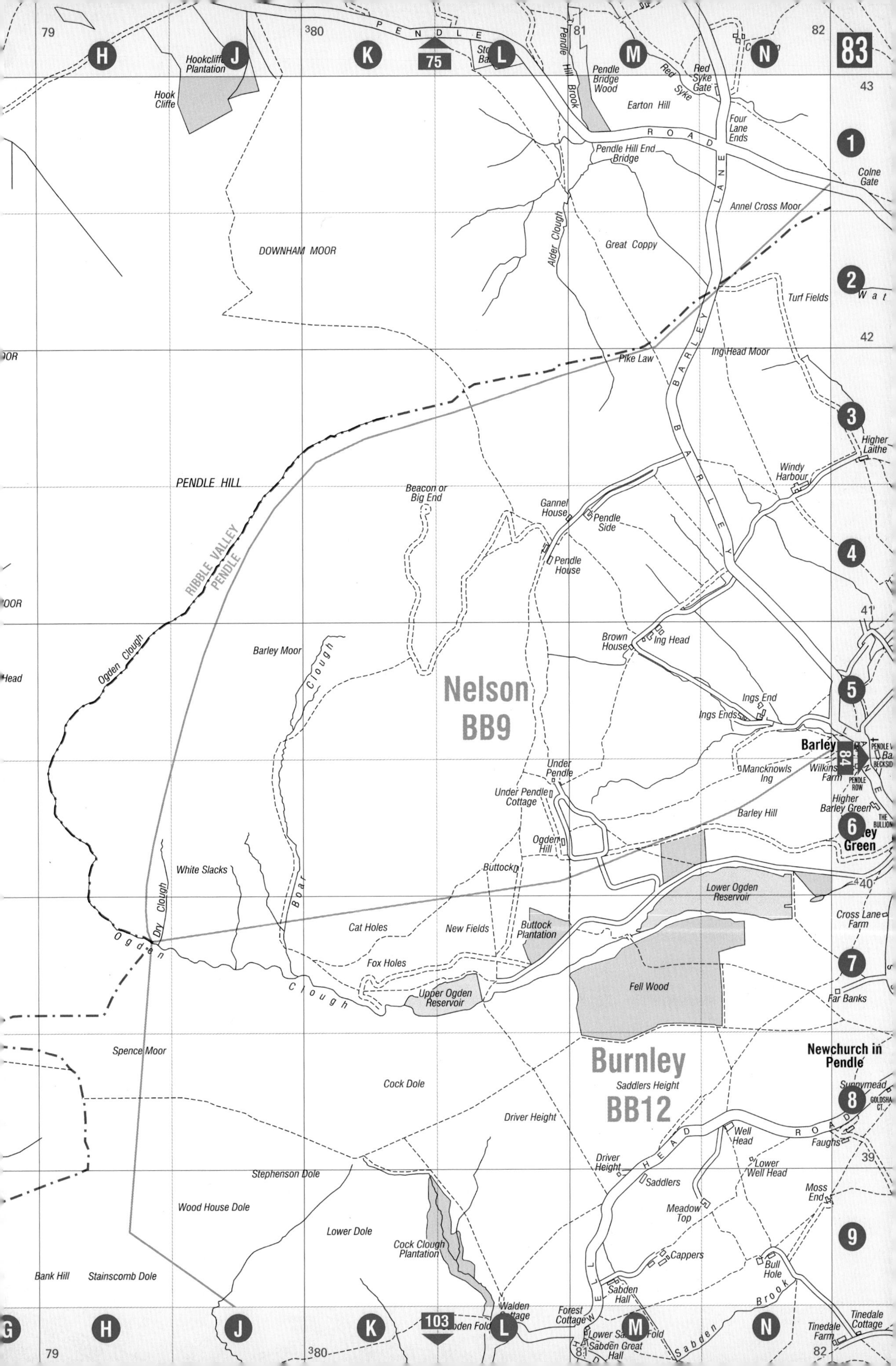
83
75
103
84
PENDLE ROAD
Hookcliffe Plantation
Hook Cliffe
DOWNHAM MOOR
Pendle Bridge Wood
Pendle Hill Brook
Red Syke
Red Syke Gate
Earton Hill
Four Lane Ends
Pendle Hill End Bridge
Colne Gate
Annel Cross Moor
Alder Clough
Great Coppy
Turf Fields
Ing Head Moor
Pike Law
BARLEY LANE
PENDLE HILL
RIBBLE VALLEY
PENDLE
Beacon or Big End
Gannel House
Pendle Side
Pendle House
Higher Laithe
Windy Harbour
Barley Moor
Brown House
Ing Head
Nelson
BB9
Ogden Clough
Ings End
Barley
Under Pendle
Mancknowls Ing
Wilkins Farm
Under Pendle Cottage
Higher Barley Green
Barley Hill
Ogden Hill
White Slacks
Buttock
Dry Clough
Boar Clough
Lower Ogden Reservoir
Cat Holes
New Fields
Buttock Plantation
Cross Lane Farm
Fox Holes
Fell Wood
Upper Ogden Reservoir
Far Banks
Spence Moor
Burnley
BB12
Newchurch in Pendle
Saddlers Height
Cock Dole
Sunnymead
Driver Height
HEAD ROAD
Well Head
Faughs
Stephenson Dole
Lower Well Head
Saddlers
Moss End
Wood House Dole
Meadow Top
Lower Dole
Cock Clough Plantation
Cappers
Bull Hole
Bank Hill
Stainscomb Dole
Sabden Hall
Sabden Brook
Walden Cottage
Forest Cottage
Lower Sabden Fold
Sabden Great Hall
Tinedale Farm
Tinedale Cottage

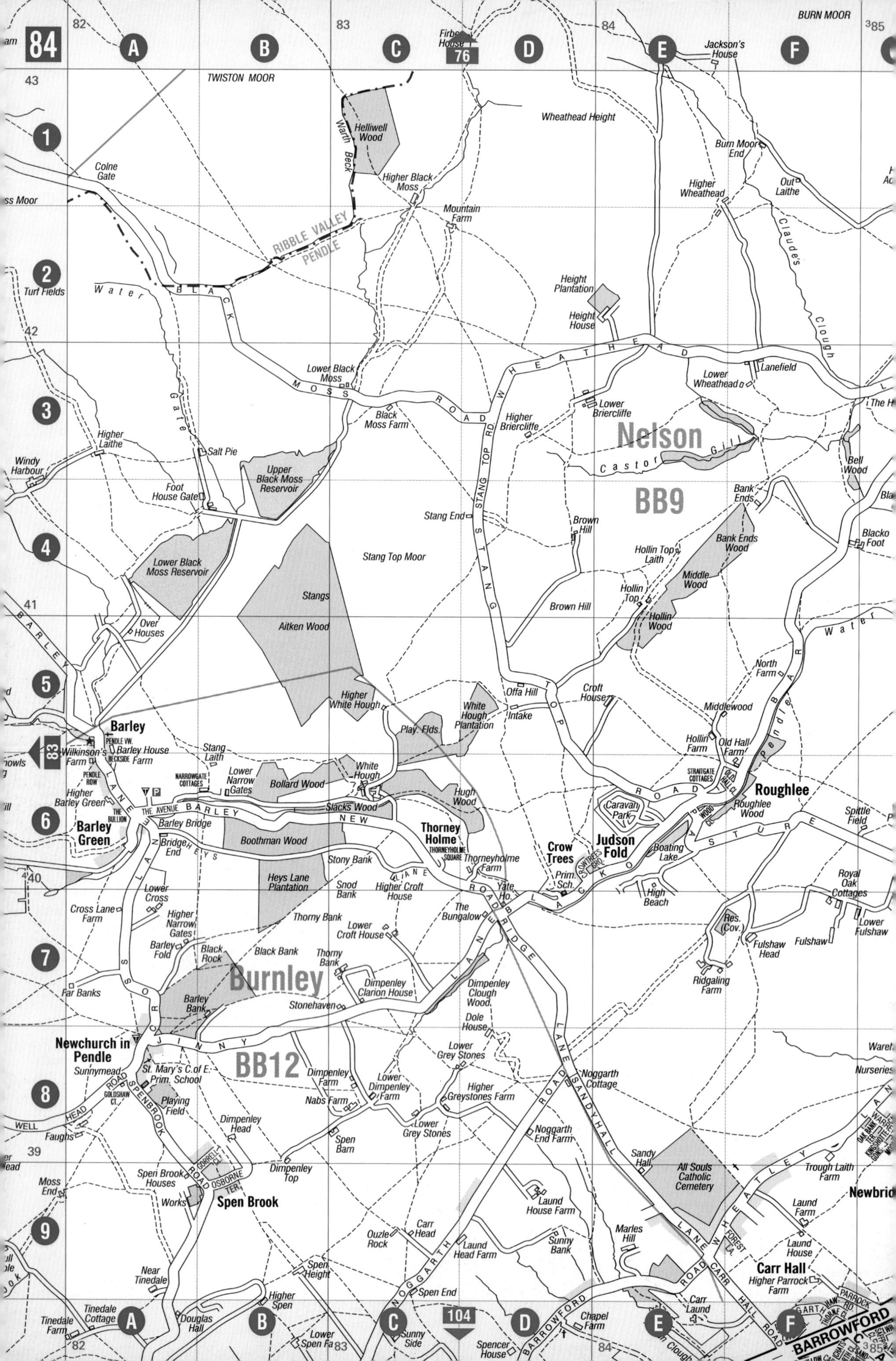

BURN MOOR
TWISTON MOOR
Firber House
76
Jackson's House
Helliwell Wood
Warth Beck
Wheathead Height
Burn Moor End
Colne Gate
Higher Black Moss
Higher Wheathead
Out Laithe
Mountain Farm
RIBBLE VALLEY
PENDLE
Claude's Clough
Turf Fields
Water
BLACK MOSS ROAD
Height Plantation
Height House
WHEATHEAD
Lanefield
Lower Black Moss
Lower Wheathead
Black Moss Farm
Higher Briercliffe
Lower Briercliffe
Gate
Higher Laithe
Salt Pie
Nelson
Castor Gill
Bell Wood
Windy Harbour
Upper Black Moss Reservoir
Foot House Gate
BB9
Bank Ends
Stang End
STANG TOP RD
Brown Hill
Bank Ends Wood
Blacko Foot
Lower Black Moss Reservoir
Stang Top Moor
Hollin Top Laith
Middle Wood
Stangs
Hollin Top
Hollin Wood
Brown Hill
BARLEY
Over Houses
Aitken Wood
Water
North Farm
Higher White Hough
Offa Hill
Croft House
White Hough Plantation
Intake
Middlewood
Barley
PENDLE VW.
Barley House Farm
BECKSIDE
Wilkinson's Farm
Stang Laith
Play. Flds.
Hollin Farm
Old Hall Farm
83
PENDLE ROW
Higher Barley Green
NARROWGATE COTTAGES
Lower Narrow Gates
Bollard Wood
White Hough
Hugh Wood
STRAITGATE COTTAGES
OLD HALL CL.
Roughlee
Roughlee Wood
THE BULLION
THE AVENUE BARLEY NEW ROAD
Slacks Wood
Caravan Park
Barley Green
Barley Bridge
Thorney Holme
THORNEYHOLME SQUARE
Thorneyholme Farm
Crow Trees
Judson Fold
Boating Lake
Spittle Field
PASTURE
Bridge End
Boothman Wood
HEYS LANE
Stony Bank
CROWTREES GRO.
Prim. Sch.
Lower Cross
Heys Lane Plantation
Snod Bank
Higher Croft House
Yate Ho.
BLACKO
High Beach
Royal Oak Cottages
Cross Lane Farm
Thorny Bank
The Bungalow
Higher Narrow Gates
Lower Croft House
Res. (Cov.)
Lower Fulshaw
Barley Fold
Black Rock
Black Bank
Thorny Bank
Fulshaw Head
Fulshaw
Burnley
Dimpenley Clarion House
Dimpenley Clough Wood
Ridgaling Farm
Far Banks
SOR
Barley Bank
Stonehaven
BRIDGE LANE
Dole House
Newchurch in Pendle
JINNY LANE
Lower Grey Stones
Sunnymead
St. Mary's C.of E. Prim. School
BB12
Dimpenley Farm
Lower Dimpenley Farm
Noggarth Cottage
Higher Greystones Farm
Nurseries
GOLDSHAW CT.
Playing Field
Nabs Farm
SPENBROOK
WELL HEAD ROAD
Faughs
Dimpenley Head
Lower Grey Stones
Spen Barn
Noggarth End Farm
ROAD
SANDYHALL
39
GORRELL CL.
Sandy Hall
All Souls Catholic Cemetery
Trough Laith Farm
WHEATLEY
Moss End
Spen Brook Houses
ROAD
OSBORNE TER.
Dimpenley Top
Laund House Farm
Laund Farm
Newbridge
Works
Spen Brook
Carr Head
Marles Hill
FOREST LA.
LANE
Ozzle Rock
Laund Head Farm
Sunny Bank
Laund House
Carr Hall
Spen Height
Near Tinedale
Higher Parrock Farm
NOGGARTH
Higher Spen
Spen End
CARR HALL ROAD
Carr Laund
PARROCK RD
Tinedale Cottage
Tinedale Farm
Douglas Hall
104
BARROWFORD
Chapel Farm
Lower Spen Fa
Sunny Side
Spencer House
BARROWFORD
A
B
C
D
E
F
1
2
3
4
5
6
7
8
9
82
83
84
85
43
42
41
40
39

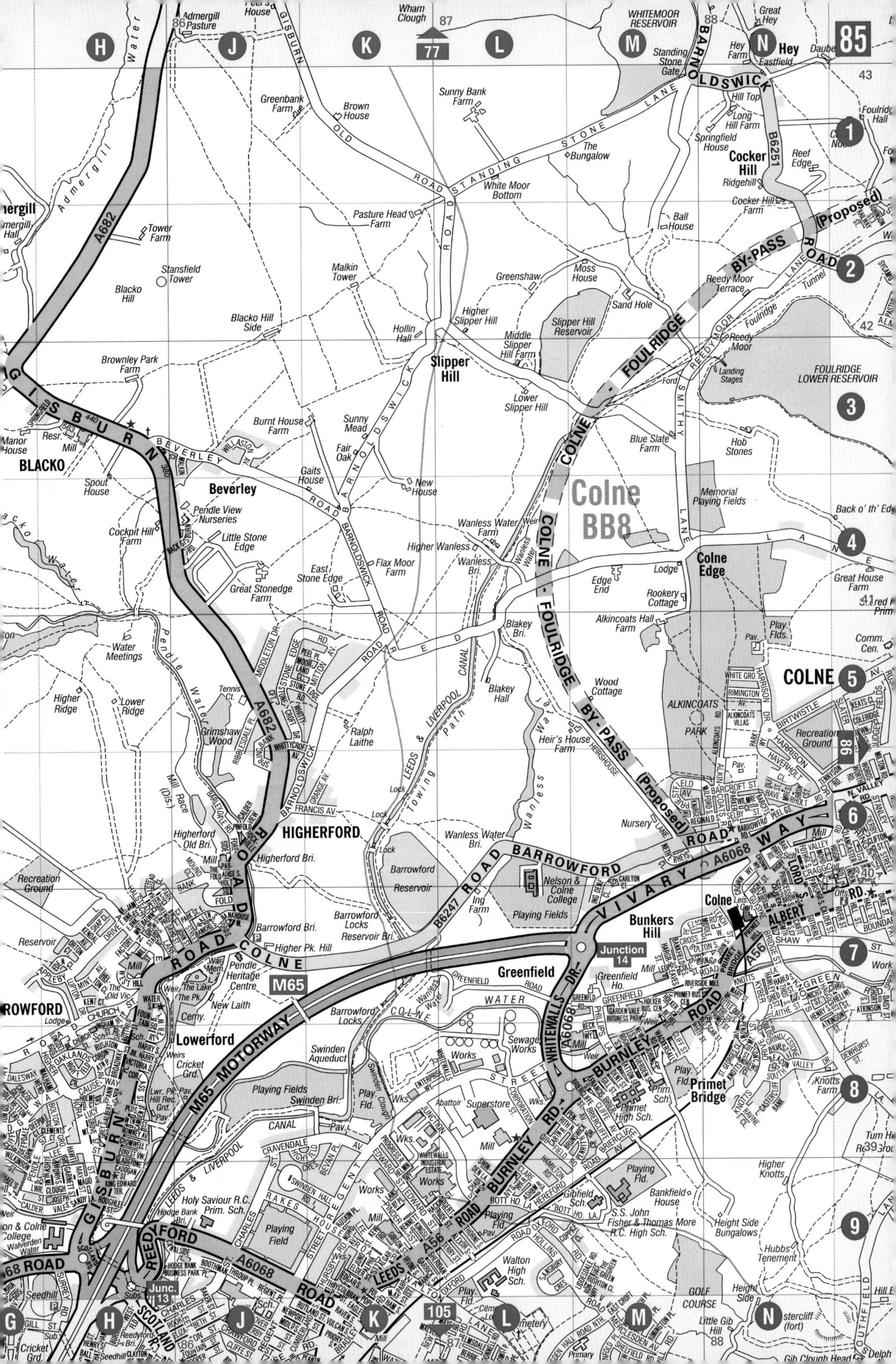

H
J
K
L
M
N
77
87
88
86
Wham Clough
Admergill Pasture
Peel's House
Whitemoor Reservoir
Great Hey
Hey
Hey Farm
Eastfield
Standing Stone Gate
Barnoldswick
B6251
Hill Top
Long Hill Farm
Springfield House
Foulridge Hall
Cocker Hill
Reef Edge
Ridgehill
Cocker Hill Farm
Greenbank Farm
Brown House
Old Road
Sunny Bank Farm
Standing Stone Lane
The Bungalow
White Moor Bottom
Pasture Head Farm
Admergill
A682
Tower Farm
Stansfield Tower
Blacko Hill
Malkin Tower
Ball House
Greenshaw
Moss House
Sand Hole
Reedy Moor Terrace
By-Pass (Proposed)
Road
Tunnel
Foulridge
Reedy Moor
Blacko Hill Side
Hollin Hall
Higher Slipper Hill
Middle Slipper Hill Farm
Slipper Hill Reservoir
Brownley Park Farm
Slipper Hill
Landing Stages
Foulridge Lower Reservoir
Colne - Foulridge By-Pass
Smithy Lane
Lower Slipper Hill
Gisburn
Blacko
Resr.
Mill
Manor House
Spout House
Beverley Road
Beverley
Burnt House Farm
Sunny Mead
Fair Oak
Gaits House
New House
Barnoldswick Road
Blue Slate Farm
Hob Stones
Colne BB8
Memorial Playing Fields
Back o' th' Edge
Pendle View Nurseries
Cockpit Hill Farm
Little Stone Edge
Great Stonedge Farm
East Stone Edge
Flax Moor Farm
Higher Wanless
Wanless Water Farm
Wanless Bri.
Weir
Edge End
Lodge
Colne Edge
Great House Farm
Rookery Cottage
Alkincoats Hall Farm
Play Flds.
Pav.
Comm. Cen.
Water Meetings
Pendle Water
Ed Road
Blakey Bri.
Blakey Hall
Leeds & Liverpool Canal
Towing Path
Wood Cottage
COLNE
Higher Ridge
Lower Ridge
Tennis Ct.
Grimshaw Wood
Middleton Dr.
Stone Edge
Ralph Laithe
Heir's House Farm
Alkincoats Park
Recreation Ground
86
Mill Race (Dis.)
Higherford Old Bri.
Higherford
Higherford Bri.
Lock
Barrowford Reservoir
Wanless Water
Wanless Water Bri.
Barrowford Road
Nurseries
Nelson & Colne College
Playing Fields
Vivary Way
A6068
Recreation Ground
Reservoir
Barrowford Bri.
Barrowford Locks
Reservoir Bri.
Higher Pk. Hill
B6247
Ing Farm
Bunkers Hill
Colne
Albert Rd.
A56
Primet Bridge
Junction 14
Pendle Heritage Centre
Colne Road
M65
Greenfield
Greenfield Road
Rowford
The Old Vic
New Laith
Barrowford Locks
Water Street
Colne Water
Whitewalls Dr.
Cemy.
Lowerford
M65 Motorway
Swinden Aqueduct
Works
Sewage Works
Burnley Road
Knotts Farm
Cricket Grd.
Playing Fields
Swinden Bri.
Play. Fld.
Swinden Clough
Abattoir
Superstore
Corporation Street
Primet High Sch.
Prim. Sch.
Turn Hill
Higher Knotts
Bankfield House
Holy Saviour R.C. Prim. Sch.
Hodge Bank
Reedyford
Playing Field
Whitewalls Industrial Estate
Mill
Gibfield Sch.
S.S. John Fisher & Thomas More R.C. High Sch.
Height Side Bungalows
Hubbs Tenement
Nelson & Colne College
Walverden Water
A6068 Road
Junc. 13
Leeds Road
Walton High Sch.
Golf Course
Height Side
Seedhill
Scotland Rd.
Cricket Grd.
105
Cemetery
Little Gib Hill
Stercliff (fort)
Gib Clough Head
Primary
G
H
J
K
L
M
N
1
2
3
4
5
6
7
8
9
43
42
41
40
39
86
87
88

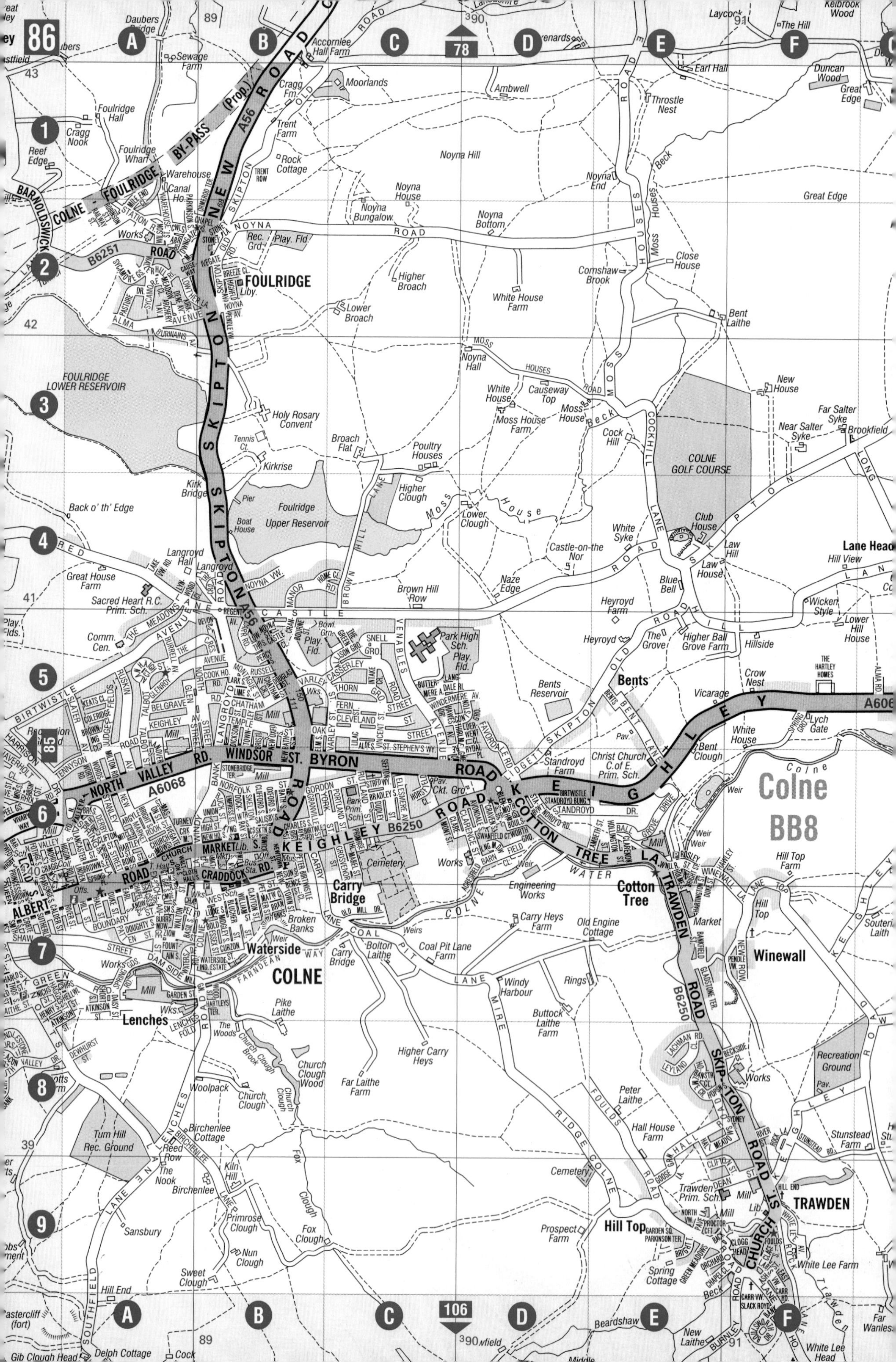
78
106
85
A
B
C
D
E
F
1
2
3
4
5
6
7
8
9
43
42
41
40
39
89
90
91
Daubers Bridge
Sewage Farm
Accornlee Hall Farm
Laycock
The Hill
Kelbrook Wood
Earl Hall
Duncan Wood
Great Edge
Moorlands
Cragg Fm.
Ambwell
Throstle Nest
Foulridge Hall
Cragg Nook
Reef Edge
Foulridge Wharf
Trent Farm
Rock Cottage
Noyna Hill
Warehouse
Canal Ho.
Noyna End
Great Edge
Noyna House
Noyna Bungalow
Noyna Bottom
NOYNA ROAD
Rec. Grd.
Play. Fld.
Close House
Cornshaw Brook
FOULRIDGE
Liby.
Higher Broach
White House Farm
Lower Broach
Bent Laithe
Noyna Hall
FOULRIDGE LOWER RESERVOIR
White House
Causeway Top
Moss House
New House
Far Salter Syke
Near Salter Syke
Brookfield
Holy Rosary Convent
Moss House Farm
Cock Hill
COLNE GOLF COURSE
Broach Flat
Poultry Houses
Kirkrise
Kirk Bridge
Higher Clough
Lower Clough
Foulridge Upper Reservoir
Boat House
Back o' th' Edge
White Syke
Club House
Law Hill
Lane Head
Castle-on-the Nor
Hill View
Langroyd Hall
Great House Farm
Naze Edge
Law House
Blue Bell
Sacred Heart R.C. Prim. Sch.
Brown Hill Row
Heyroyd Farm
Wicken Style
Lower Hill House
Comm. Cen.
Park High Sch.
Heyroyd
The Grove
Higher Ball Grove Farm
Hillside
Bents
Crow Nest
THE HARTLEY HOMES
Bents Reservoir
Vicarage
A6068
Lych Gate
White House
Bent Clough
Christ Church C.of E. Prim. Sch.
Standroyd Farm
Colne
BB8
Weir
Hill Top Farm
NORTH VALLEY RD.
WINDSOR ST.
BYRON ROAD
KEIGHLEY
SKIPTON NEW ROAD
A56
COLNE - FOULRIDGE BY-PASS (Prop.)
BARNOLDSWICK ROAD
B6251
B6250
MARKET
CRADDOCK RD.
ALBERT ROAD
COTTON TREE LA.
Cotton Tree
Cemetery
Carry Bridge
Works
Engineering Works
Carry Heys Farm
Old Engine Cottage
Hill Top
Market
Winewall
Souterin Laith
Broken Banks
Waterside
Carry Bridge
Bolton Laithe
Coal Pit Lane Farm
Windy Harbour
Rings
COLNE
Lenches
Pike Laithe
Buttock Laithe Farm
TRAWDEN ROAD
SKIPTON ROAD
Recreation Ground
The Woods
Church Clough Wood
Higher Carry Heys
Far Laithe Farm
Woolpack
Church Clough
Peter Laithe
Hall House Farm
Stunstead Farm
Tum Hill Rec. Ground
Birchenlee Cottage
Reed Row
The Nook
Birchenlee
Kiln Hill
Cemetery
COLNE ROAD
Trawden Prim. Sch.
TRAWDEN
Sansbury
Primrose Clough
Fox Clough
Prospect Farm
Hill Top
Nun Clough
White Lee Farm
Sweet Clough
Spring Cottage
Hill End
Beardshaw
New Laithe
Far Wanless
Delph Cottage
Gib Clough Head
White Lee Head
Castercliff (fort)

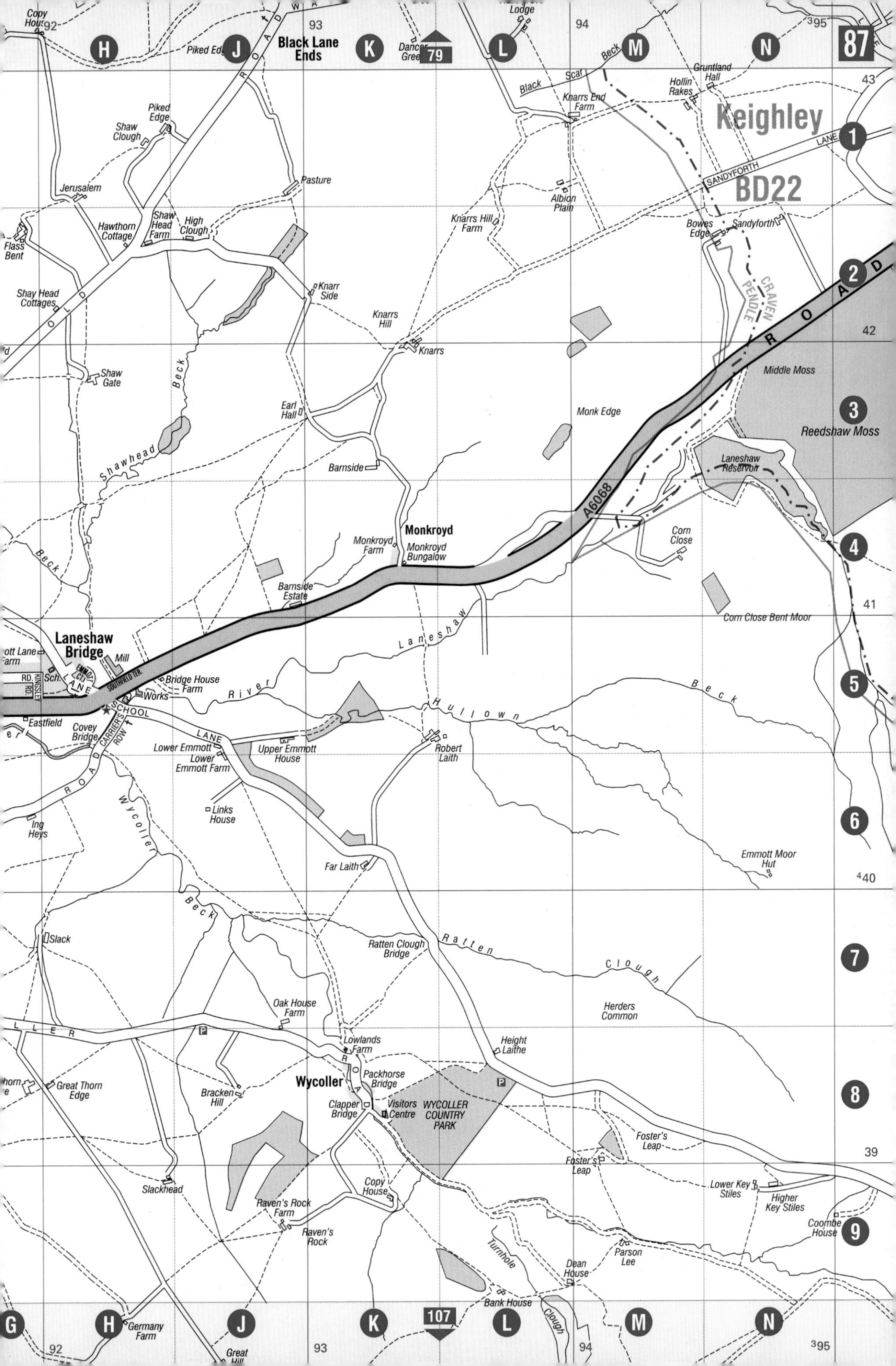
Black Lane Ends
Keighley
BD22
Laneshaw Bridge
Monkroyd
Wycoller
WYCOLLER COUNTRY PARK
Middle Moss
Reedshaw Moss
Laneshaw Reservoir
Monk Edge
Corn Close Bent Moor
Emmott Moor Hut
Herders Common
Piked Edge
Shaw Clough
Jerusalem
Hawthorn Cottage
Shaw Head Farm
High Clough
Flass Bent
Shay Head Cottages
Shaw Gate
Pasture
Knarr Side
Knarrs Hill
Knarrs
Earl Hall
Barnside
Monkroyd Farm
Monkroyd Bungalow
Barnside Estate
Knarrs Hill Farm
Knarrs End Farm
Albion Plain
Hollin Rakes
Gruntland Hall
Bowes Edge
Sandyforth
Corn Close
A6068
Bridge House Farm
Works
Mill
Eastfield
Covey Bridge
Lower Emmott
Lower Emmott Farm
Upper Emmott House
Robert Laith
Links House
Ing Heys
Far Laith
Slack
Ratten Clough Bridge
Oak House Farm
Lowlands Farm
Packhorse Bridge
Height Laithe
Great Thorn Edge
Bracken Hill
Clapper Bridge
Visitors Centre
Foster's Leap
Lower Key Stiles
Higher Key Stiles
Coombe House
Slackhead
Copy House
Raven's Rock Farm
Raven's Rock
Turnhole
Dean House
Parson Lee
Bank House
Germany Farm
Great Hill
79
107

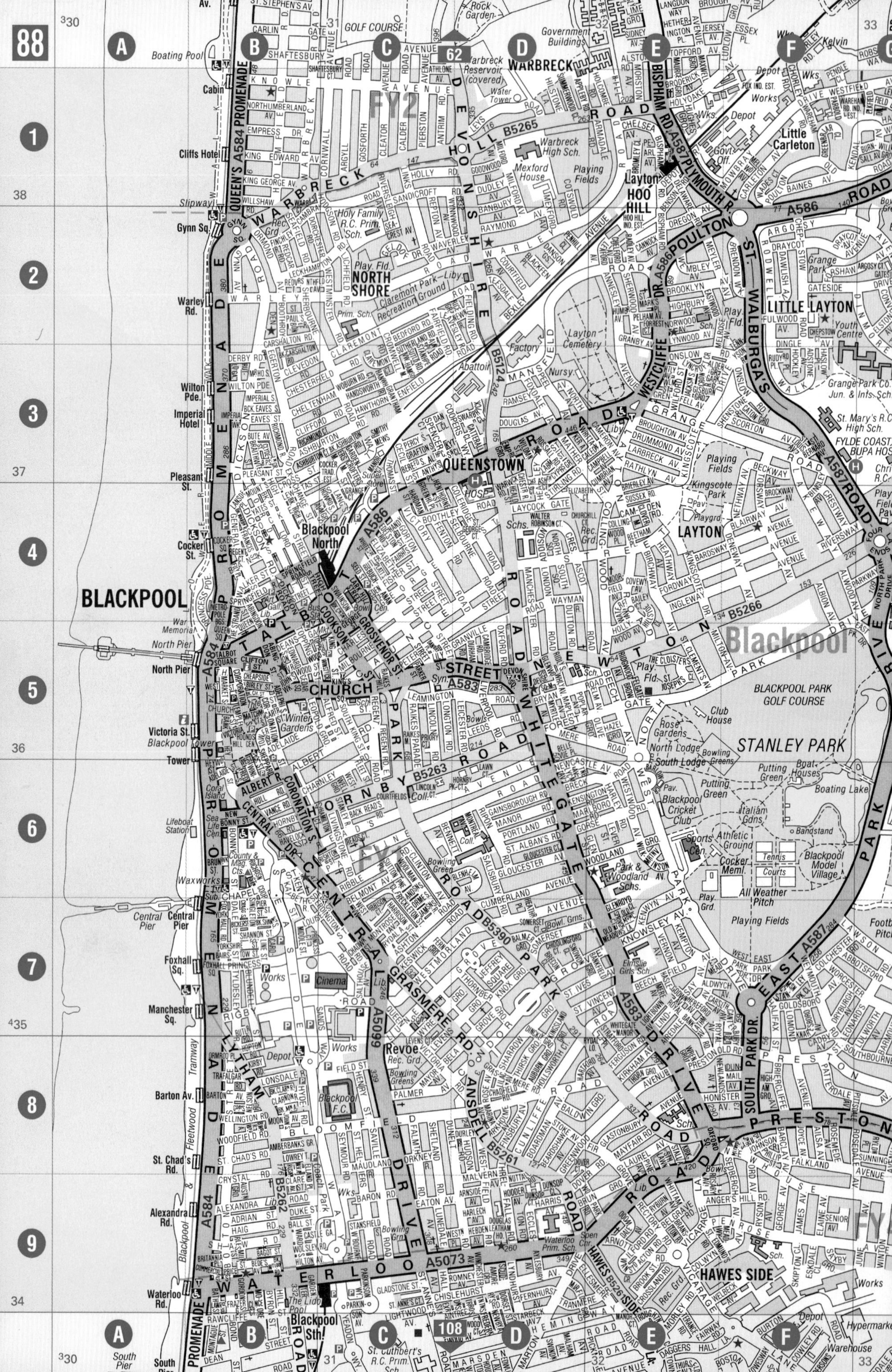

62
108
A
B
C
D
E
F
1
2
3
4
5
6
7
8
9
330
31
32
33
38
37
36
435
34
FY2
FY1
BLACKPOOL
Blackpool
NORTH SHORE
WARBRECK
Government Buildings
Warbreck Reservoir (covered)
Water Tower
Warbreck High Sch.
Mexford House
Playing Fields
Layton HOO HILL
Little Carleton
LITTLE LAYTON
Grange Park Co. Jun. & Infs. Sch.
St. Mary's R.C. High Sch.
FYLDE COAST BUPA HOS
Holy Family R.C. Prim. Sch.
Claremont Park
Recreation Ground
Layton Cemetery
Abattoir
Factory
QUEENSTOWN
HOSP.
Blackpool North
LAYTON
Kingscote Park
Playing Fields
Blackpool Park Golf Course
Club House
STANLEY PARK
Rose Gardens
North Lodge
South Lodge
Bowling Greens
Putting Green
Boat Houses
Boating Lake
Blackpool Cricket Club
Italian Gdns.
Bandstand
Athletic Ground
Sports Cen.
Cocker Meml.
Tennis Courts
Blackpool Model Village
All Weather Pitch
Play. Grd.
Playing Fields
Park & Woodland Schs.
Elmslie Girls Sch.
Boating Pool
Cabin
Cliffs Hotel
Slipway
Gynn Sq.
Warley Rd.
Wilton Pde.
Imperial Hotel
Pleasant St.
Cocker St.
War Memorial
North Pier
Victoria St.
Blackpool Tower
Tower
Coral Island
Lifeboat Station
Sea Life Cen.
County & Mag. Cts.
Waxworks
Central Pier
Foxhall Sq.
Manchester Sq.
Barton Av.
St. Chad's Rd.
Alexandra Rd.
Waterloo Rd.
South Pier
Tramway
Fleetwood & Blackpool
Winter Gardens
Cinema
Works
Depot
Revoe Rec. Grd.
Blackpool F.C.
Coach Park
The Lido Pool
Blackpool Sth.
St. Cuthbert's R.C. Prim. Sch.
Waterloo Prim. Sch.
Spen Cnr.
HAWES SIDE
Hypermarket
Warehouse
QUEEN'S PROMENADE
PROMENADE
A584
A586
A587
A583
A5099
A5073
B5265
B5124
B5266
B5263
B5390
B5261
B5262
DEVONSHIRE ROAD
WARBRECK HILL
POULTON ROAD
ST. WALBURGA'S ROAD
WESTCLIFFE DR.
NEWTON DRIVE
CHURCH STREET
TALBOT ROAD
WHITEGATE DRIVE
HORNBY ROAD
PARK ROAD
CENTRAL DR.
GRASMERE RD.
ANSDELL
LYTHAM ROAD
WATERLOO ROAD
PRESTON NEW ROAD
EAST PARK DR.
SOUTH PARK DR.
NORTH PARK DRIVE
FOUR LANE ENDS

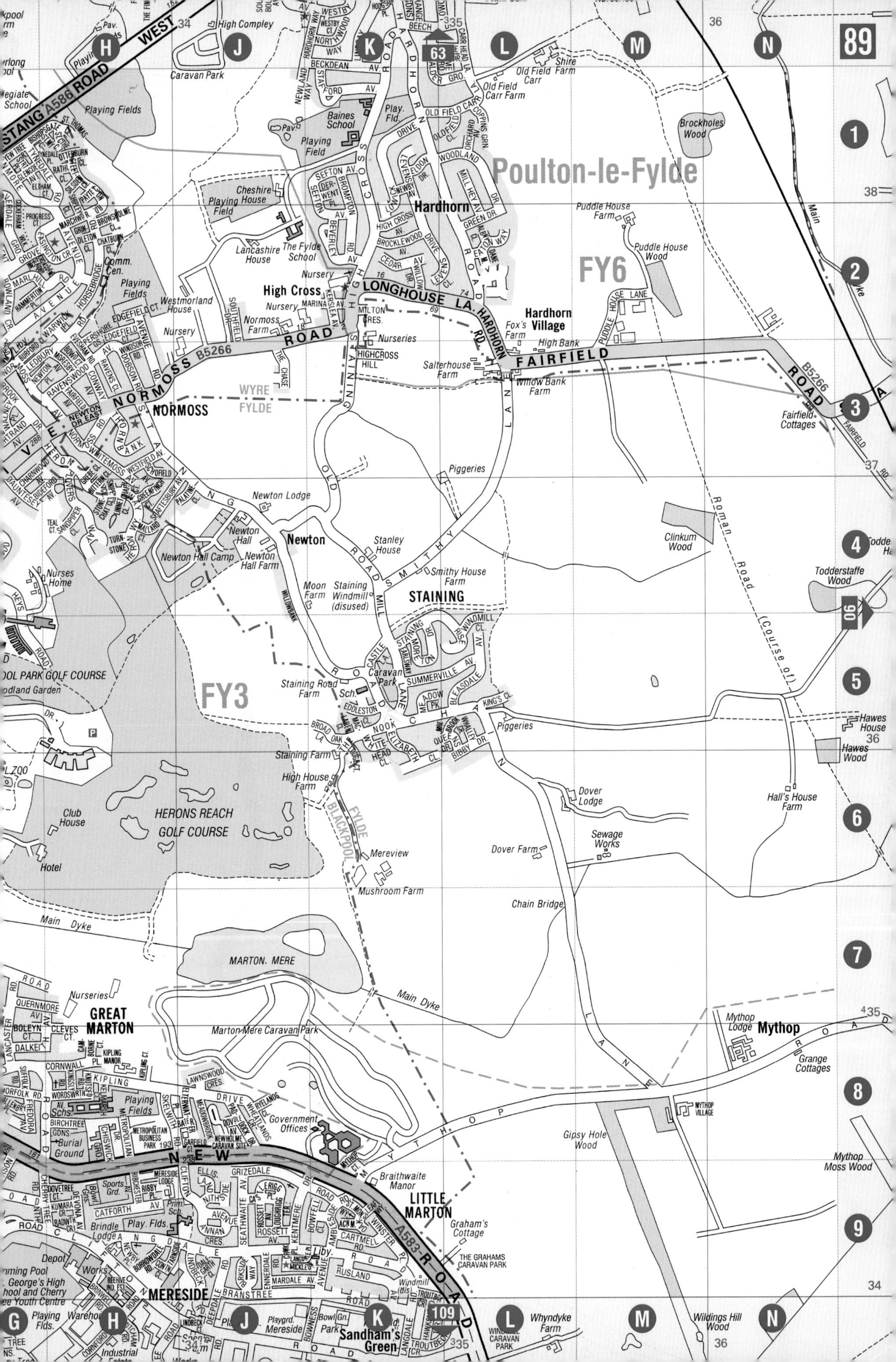89
Poulton-le-Fylde
Hardhorn
FY6
High Cross
Hardhorn Village
NORMOSS
Newton
STAINING
FY3
GREAT MARTON
LITTLE MARTON
MERESIDE
Mythop
Sandham's Green
NORMOSS ROAD B5266
LONGHOUSE LA.
FAIRFIELD ROAD B5266
STAINING ROAD
SMITHY LANE
MYTHOP ROAD
NEW ROAD A583
POULTON ROAD WEST A586
Baines School
Cheshire House
Lancashire House
The Fylde School
Brockholes Wood
Puddle House Farm
Puddle House Wood
Clinkum Wood
Todderstaffe Wood
Roman Road (Course of)
Staining Windmill (disused)
Newton Hall Camp
HERONS REACH GOLF COURSE
MARTON MERE
Marton Mere Caravan Park
Main Dyke
Government Offices
Hawes House
Hawes Wood
Hall's House Farm
Dover Lodge
Dover Farm
Sewage Works
Chain Bridge
Gipsy Hole Wood
Mythop Moss Wood
Wildings Hill Wood
Whyndyke Farm
Graham's Cottage
THE GRAHAMS CARAVAN PARK
Braithwaite Manor
Mereview
Mushroom Farm
High House Farm
Staining Farm
WYRE
FYLDE
BLACKPOOL
63
90
109

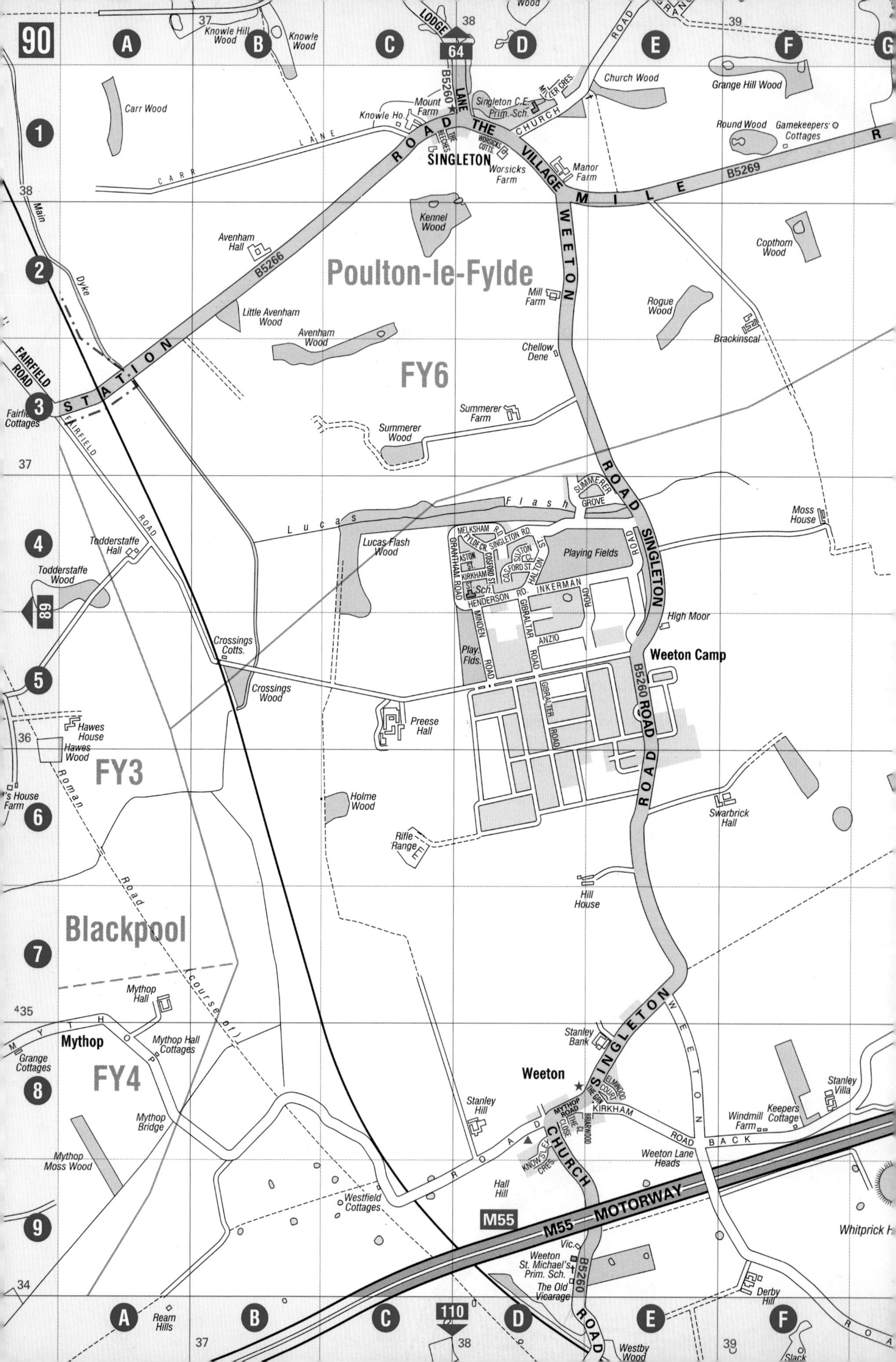

Knowle Hill Wood
Knowle Wood
64
B5260
LODGE
LANE
Carr Wood
Mount Farm
Knowle Ho.
Singleton C.E. Prim. Sch.
Church Wood
Grange Hill Wood
Round Wood
Gamekeepers' Cottages
CARR LANE
ROAD
THE VILLAGE
CHURCH
MILLER CRES.
THE BEECHES
WORSICKS COTTS.
SINGLETON
Worsicks Farm
Manor Farm
MILE
B5269
Main
Dyke
Kennel Wood
Avenham Hall
B5266
Poulton-le-Fylde
WEETON
Mill Farm
Copthorn Wood
Rogue Wood
Little Avenham Wood
Avenham Wood
Brackinscal
Chellow Dene
FAIRFIELD ROAD
STATION
FY6
Fairfield Cottages
FAIRFIELD
Summerer Farm
Summerer Wood
ROAD
SUMMERER GROVE
Lucas Flash
Moss House
Todderstaffe Hall
Lucas Flash Wood
MELKSHAM RD.
FYLDE CR.
SINGLETON RD.
GRANTHAM ROAD
ASTON ST.
COSFORD ST.
SUTTON CL.
FORD ST.
HALTON ST.
KIRKHAM ST.
Sch.
Playing Fields
SINGLETON
Todderstaffe Wood
89
HENDERSON RD.
INKERMAN
MINDEN
GIBRALTAR
ANZIO
High Moor
Crossings Cotts.
Play. Flds.
Weeton Camp
Crossings Wood
B5260 ROAD
Preese Hall
Hawes House
Hawes Wood
FY3
Roman
's House Farm
Holme Wood
Swarbrick Hall
Rifle Range
Road
Hill House
Blackpool
(course of)
Mythop Hall
Mythop
MYTHOP
Mythop Hall Cottages
Grange Cottages
Stanley Bank
Weeton
FY4
ELMWOOD COURT
THE GRN.
MYTHOP ROAD
THE CL.
THE CLOSE
BRIARWOOD
KIRKHAM
Stanley Villa
Keepers Cottage
Windmill Farm
Stanley Hill
Mythop Bridge
BACK
Mythop Moss Wood
KNOWSLEY CRES.
CHURCH
Weeton Lane Heads
Hall Hill
MOTORWAY
Westfield Cottages
M55
Whitprick H
Vic.
Weeton St. Michael's Prim. Sch.
The Old Vicarage
Derby Hill
Ream Hills
110
Westby Wood
Slack
A
B
C
D
E
F
G
1
2
3
4
5
6
7
8
9
34
35
36
37
38
39

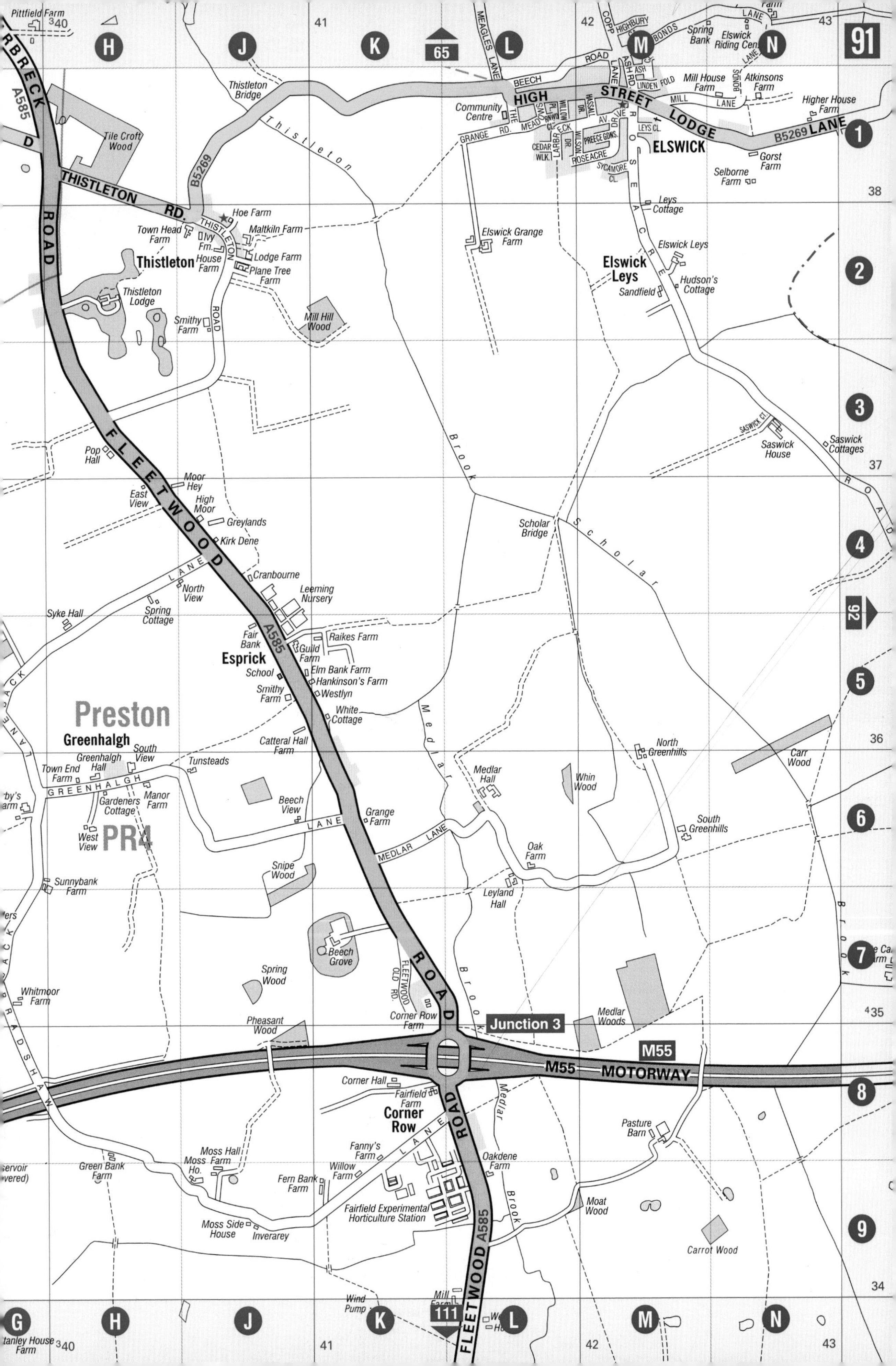
65
111
92
Pittfield Farm
Thistleton Bridge
Thistleton
Tile Croft Wood
THISTLETON RD.
B5269
Hoe Farm
Town Head Farm
Ivy Fm.
Maltkiln Farm
Lodge Farm
House Farm
Plane Tree Farm
Thistleton Lodge
Smithy Farm
Mill Hill Wood
BEECH ROAD
HIGH STREET
LODGE LANE
B5269 LANE
MEAGLES LANE
COPP
HIGHBURY
BONDS LANE
Spring Bank
Elswick Riding Cen.
Mill House Farm
Atkinsons Farm
MILL LANE
Higher House Farm
Community Centre
GRANGE RD.
LINDEN FOLD
LEYS CL.
PREECE GDNS.
ROSEACRE
SYCAMORE CL.
CEDAR WLK.
ELSWICK
Gorst Farm
Selborne Farm
Leys Cottage
Elswick Grange Farm
Elswick Leys
Hudson's Cottage
Sandfield
Brook
Saswick House
Saswick Cottages
SASWICK CT.
ROAD
Scholar Bridge
Scholar
Pop Hall
Moor Hey
East View
High Moor
Greylands
Kirk Dene
FLEETWOOD ROAD
A585
Cranbourne
Leeming Nursery
North View
Spring Cottage
Syke Hall
LANE
Fair Bank
Raikes Farm
Guild Farm
Esprick
School
Elm Bank Farm
Hankinson's Farm
Westlyn
Smithy Farm
White Cottage
Preston
Greenhalgh
Catteral Hall Farm
Greenhalgh Hall
South View
Town End Farm
Tunsteads
GREENHALGH LANE
Gardeners Cottage
Manor Farm
West View
PR4
Beech View
Grange Farm
MEDLAR LANE
Medlar
Medlar Hall
Whin Wood
North Greenhills
Carr Wood
South Greenhills
Oak Farm
Leyland Hall
Snipe Wood
Sunnybank Farm
Beech Grove
OLD RD.
FLEETWOOD
Spring Wood
Whitmoor Farm
Pheasant Wood
Corner Row Farm
Junction 3
Medlar Woods
M55
M55 MOTORWAY
Corner Hall
Fairfield Farm
Corner Row
Pasture Barn
BRADSHAW
Moss Hall
Moss Farm
Moss Ho.
Green Bank Farm
Fanny's Farm
Willow Farm
Fern Bank Farm
Oakdene Farm
Moat Wood
Fairfield Experimental Horticulture Station
Moss Side House
Inverarey
Carrot Wood
Wind Pump
Mill Farm
Stanley House Farm
G
H
J
K
L
M
N
1
2
3
4
5
6
7
8
9
340
41
42
43
38
37
36
435
34

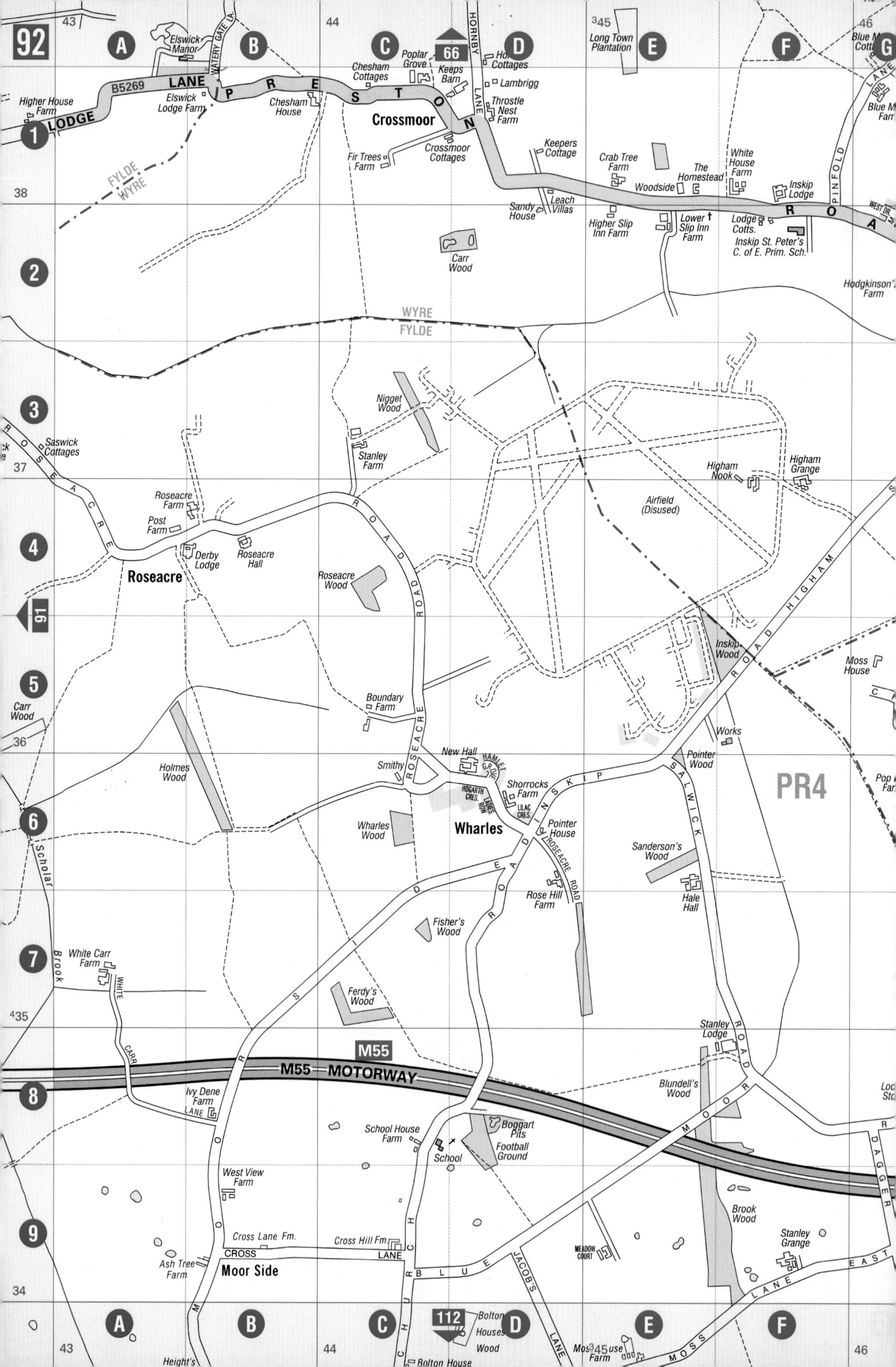

Elswick Manor
Higher House Farm
LODGE LANE
B5269
Elswick Lodge Farm
WATERY GATE LA.
PRESTON ROAD
Chesham Cottages
Chesham House
Poplar Grove
66
Keeps Barn
HORNBY LANE
Hornby Cottages
Lambrigg
Throstle Nest Farm
Crossmoor
Crossmoor Cottages
Fir Trees Farm
Long Town Plantation
Keepers Cottage
Crab Tree Farm
The Homestead
White House Farm
Woodside
Inskip Lodge
PINFOLD LANE
Blue Moor Cottages
Blue Moor Farm
WEST DR.
Sandy House
Leach Villas
Higher Slip Inn Farm
Lower Slip Inn Farm
Lodge Cotts.
Inskip St. Peter's C. of E. Prim. Sch.
Carr Wood
Hodgkinson's Farm
FYLDE
WYRE
Nigget Wood
Stanley Farm
Saswick Cottages
ROSEACRE
Roseacre Farm
Post Farm
Derby Lodge
Roseacre Hall
Roseacre
Roseacre Wood
ROSEACRE ROAD
Higham Nook
Higham Grange
Airfield (Disused)
HIGHAM ROAD
Inskip Wood
Moss House
91
Carr Wood
Boundary Farm
Works
Holmes Wood
Smithy
New Hall
HAMLET GROVE
HOGARTH CRES.
LAKES ROW
LILAC CRES.
Shorrocks Farm
INSKIP ROAD
Pointer Wood
SALWICK ROAD
PR4
Wharles Wood
Wharles
Pointer House
Sanderson's Wood
Rose Hill Farm
Hale Hall
Scholar Brook
Fisher's Wood
White Carr Farm
WHITE CARR LANE
Ferdy's Wood
Stanley Lodge
M55
M55 MOTORWAY
Ivy Dene Farm
Blundell's Wood
MOOR ROAD
School House Farm
School
Boggart Pits
Football Ground
DAGGER ROAD
West View Farm
Brook Wood
MEADOW COURT
Stanley Grange
Cross Lane Fm.
Cross Hill Fm.
CROSS LANE
Ash Tree Farm
Moor Side
BLUE MOOR LANE
JACOB'S LANE
CHURCH ROAD
EAST LANE
MOSS LANE
112
Bolton Houses
Wood
Moss House Farm
Bolton House
Height's
43
44
345
46
38
37
36
435
34
A
B
C
D
E
F
G
1
2
3
4
5
6
7
8
9

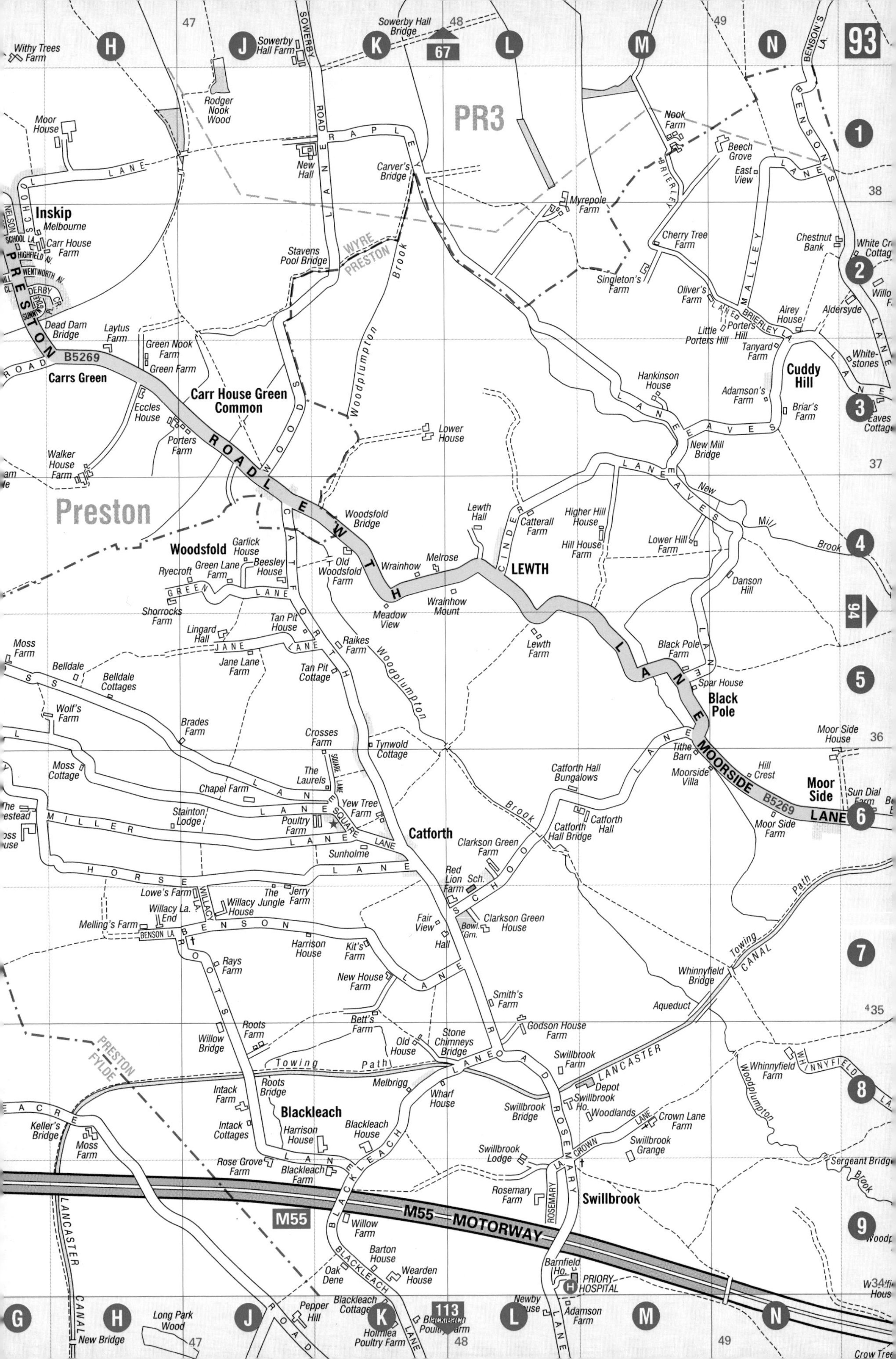
PR3
Withy Trees Farm
Sowerby Hall Farm
Sowerby Hall Bridge
67
Rodger Nook Wood
Moor House
Nook Farm
Beech Grove
East View
Inskip
Melbourne
Carr House Farm
New Hall
Carver's Bridge
Myrepole Farm
Cherry Tree Farm
Chestnut Bank
Stavens Pool Bridge
WYRE
PRESTON
Singleton's Farm
Oliver's Farm
Airey House
Aldersyde
Dead Dam Bridge
Laytus Farm
Green Nook Farm
Green Farm
Little Porters Hill
Porters Hill
Tanyard Farm
White-stones
Cuddy Hill
B5269
Carrs Green
Carr House Green Common
Hankinson House
Adamson's Farm
Briar's Farm
Eccles House
Porters Farm
Lower House
New Mill Bridge
Walker House Farm
Preston
Woodsfold Bridge
Lewth Hall
Catterall Farm
Higher Hill House
Hill House Farm
Lower Hill Farm
Woodsfold
Garlick House
Ryecroft
Green Lane Farm
Beesley House
Old Woodsfold Farm
Wrainhow
Melrose
LEWTH
Danson Hill
Shorrocks Farm
Meadow View
Wrainhow Mount
Lingard Hall
Tan Pit House
Raikes Farm
Lewth Farm
Moss Farm
Belldale
Belldale Cottages
Jane Lane Farm
Tan Pit Cottage
Black Pole Farm
Spar House
Black Pole
Wolf's Farm
Brades Farm
Crosses Farm
Tynwold Cottage
Tithe Barn
Moor Side House
Moss Cottage
The Laurels
Catforth Hall Bungalows
Moorside Villa
Hill Crest
Moor Side
Chapel Farm
Yew Tree Farm
Stainton Lodge
Poultry Farm
Catforth
Catforth Hall
Catforth Hall Bridge
Moor Side Farm
MOORSIDE LANE
Clarkson Green Farm
Sunholme
Red Lion Farm
Sch.
Lowe's Farm
Willacy House
The Jungle
Jerry Farm
Willacy La. End
Melling's Farm
Fair View
Hall
Bowl. Grn.
Clarkson Green House
Harrison House
Kit's Farm
Rays Farm
New House Farm
Whinnyfield Bridge
Towing Path
CANAL
Aqueduct
Smith's Farm
Bett's Farm
Roots Farm
Godson House Farm
Willow Bridge
Old House
Stone Chimneys Bridge
Swillbrook Farm
Whinnyfield Farm
PRESTON
FYLDE
Melbrigg
Depot
Roots Bridge
Wharf House
Swillbrook Ho.
Intack Farm
Blackleach
Swillbrook Bridge
Woodlands
Crown Lane Farm
Keller's Bridge
Moss Farm
Intack Cottages
Harrison House
Blackleach House
Swillbrook Grange
Swillbrook Lodge
Sergeant Bridge
Rose Grove Farm
Blackleach Farm
Rosemary Farm
Swillbrook
M55
M55 MOTORWAY
Willow Farm
Barton House
Wearden House
Oak Dene
Barnfield Ho.
PRIORY HOSPITAL
Blackleach Cottage
Pepper Hill
Newby House
Adamson Farm
Long Park Wood
New Bridge
Holmlea Poultry Farm
Blackleach Poultry Farm
113
Crow Trees

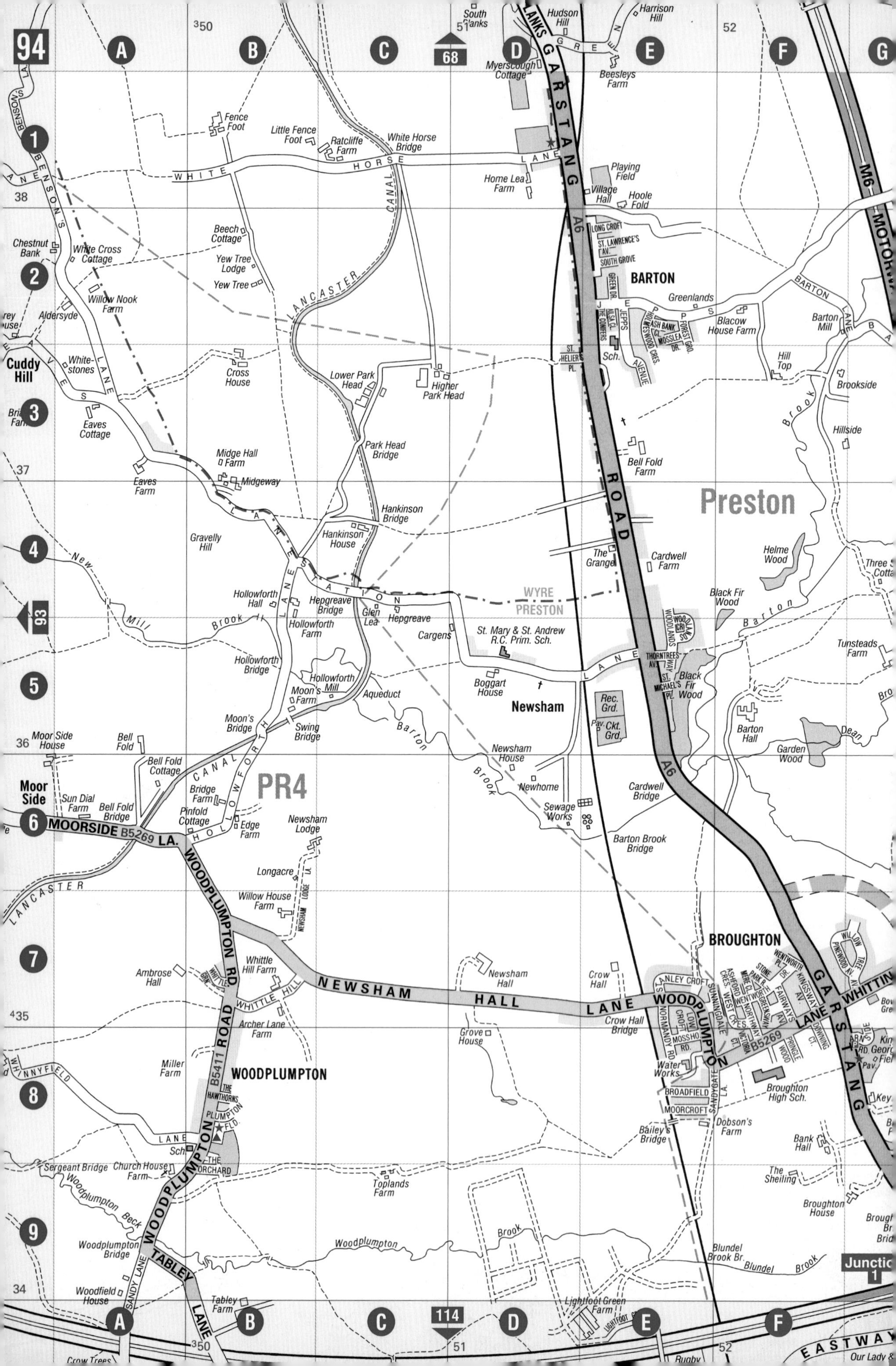
BARTON
Preston
Newsham
PR4
BROUGHTON
WOODPLUMPTON
Cuddy Hill
Moor Side
GARSTANG ROAD
A6
NEWSHAM HALL LANE
WOODPLUMPTON RD
B5411 ROAD
MOORSIDE B5269 LA.
WHITE HORSE LANE
LANCASTER CANAL
WYRE
PRESTON
M6 MOTORWAY
68
93
114
Junction 1

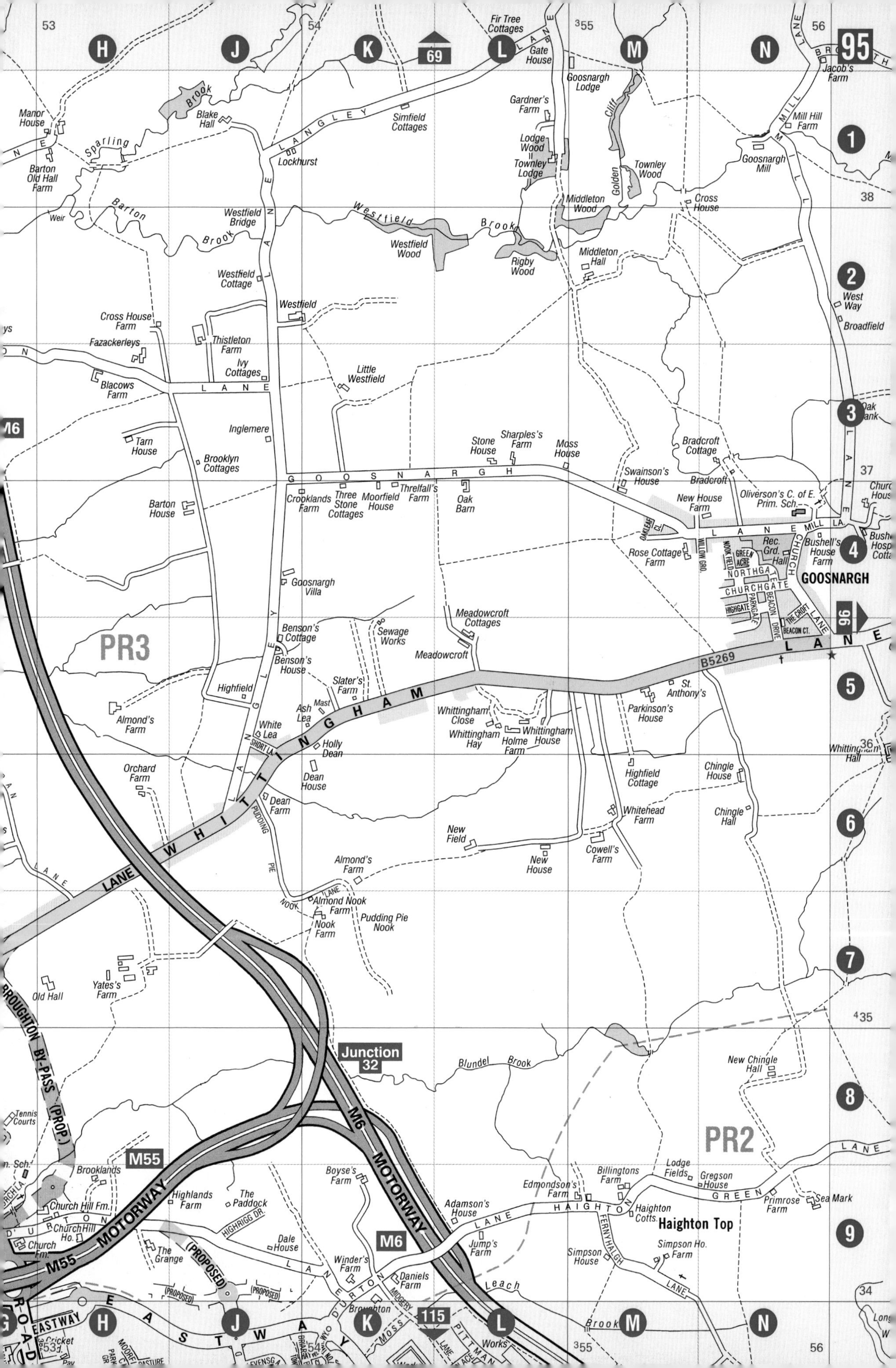

69
Fir Tree Cottages
Gate House
Goosnargh Lodge
Jacob's Farm
Mill Hill Farm
Manor House
Blake Hall
Simfield Cottages
Gardner's Farm
Barton Old Hall Farm
Sparling
Lockhurst
Lodge Wood
Townley Lodge
Townley Wood
Goosnargh Mill
Westfield Bridge
Westfield Wood
Rigby Wood
Middleton Wood
Cross House
Middleton Hall
Westfield Cottage
Westfield
West Way
Broadfield
Cross House Farm
Fazackerleys
Thistleton Farm
Ivy Cottages
Little Westfield
Blacows Farm
Oak Bank
Inglemere
Tarn House
Brooklyn Cottages
Stone House
Sharples's Farm
Moss House
Bradcroft Cottage
Swainson's House
Bradcroft
GOOSNARGH LANE
Crooklands Farm
Three Stone Cottages
Moorfield House
Threlfall's Farm
Oak Barn
New House Farm
Oliverson's C. of E. Prim. Sch.
Barton House
Rose Cottage Farm
Rec. Grd.
Hall
Bushell's House Farm
GOOSNARGH
Goosnargh Villa
Meadowcroft Cottages
PR3
Benson's Cottage
Sewage Works
Meadowcroft
96
B5269
Benson's House
Slater's Farm
St. Anthony's
Highfield
Parkinson's House
Almond's Farm
Ash Lea
Whittingham Close
Whittingham Hay
Holme Farm
Whittingham House
White Lea
Holly Dean
Whittingham Hall
Orchard Farm
Dean House
Highfield Cottage
Chingle House
Dean Farm
Whitehead Farm
Chingle Hall
New Field
New House
Cowell's Farm
Almond's Farm
Almond Nook Farm
Pudding Pie Nook
Nook Farm
Old Hall
Yates's Farm
BROUGHTON BY-PASS (PROP.)
Junction 32
Blundel Brook
New Chingle Hall
M6 MOTORWAY
PR2
Tennis Courts
M55
Brooklands
Boyse's Farm
Lodge Fields
Billingtons Farm
Gregson House
Highlands Farm
The Paddock
Edmondson's Farm
Haighton Cotts.
Haighton Top
Primrose Farm
Sea Mark
Church Hill Fm.
Church Hill Ho.
Adamson's House
HAIGHTON GREEN LANE
Church Fm.
M55 MOTORWAY
Dale House
Jump's Farm
Simpson House
Simpson Ho. Farm
The Grange
Winder's Farm
Daniels Farm
Leach Brook
EASTWAY
Broughton
115
Works

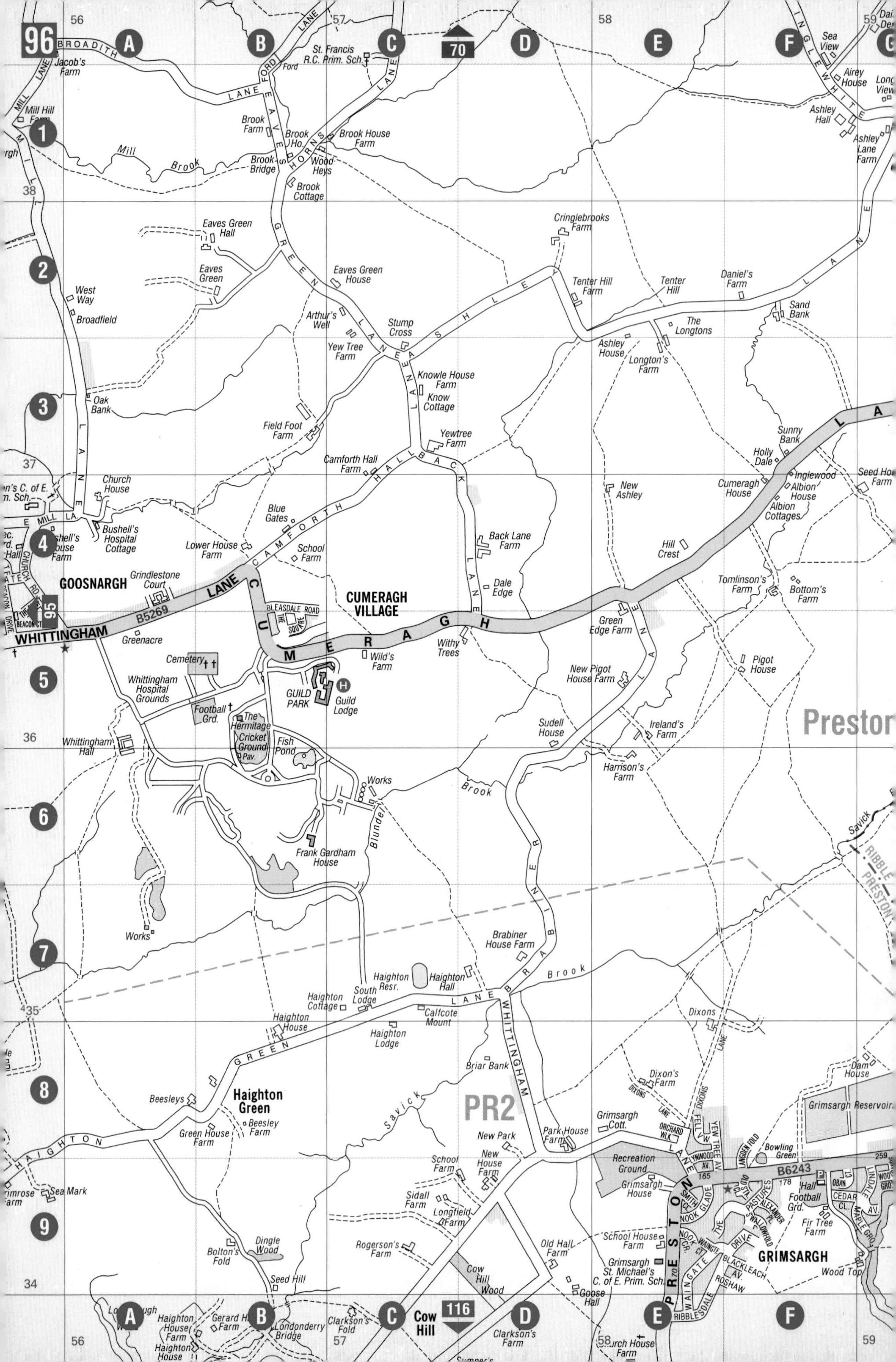
56
57
58
59
70
116
A
B
C
D
E
F
G
1
2
3
4
5
6
7
8
9
38
37
36
35
34
BROADITH
LANE
FORD
Ford
LANE
Jacob's Farm
MILL LANE
Mill Hill Farm
St. Francis R.C. Prim. Sch.
Sea View
Airey House
Long View
INGLEWHITE
Ashley Hall
Ashley Lane Farm
Brook Farm
Brook Ho.
Brook House Farm
Mill
Brook
Brook Bridge
HORNS
Wood Heys
Brook Cottage
EAVES
GREEN
Eaves Green Hall
Eaves Green
Cringlebrooks Farm
Eaves Green House
Tenter Hill Farm
Tenter Hill
Daniel's Farm
West Way
Broadfield
Arthur's Well
Stump Cross
SHLEY
Sand Bank
The Longtons
Ashley House
Longton's Farm
Yew Tree Farm
Knowle House Farm
Know Cottage
Oak Bank
Field Foot Farm
Yewtree Farm
Sunny Bank
Holly Dale
Seed House Farm
Camforth Hall Farm
HALL
BACK
Church House
Inglewood
Albion House
Albion Cottages
Cumeragh House
New Ashley
Blue Gates
CAMFORTH
Bushell's Hospital Cottage
Bushell's House Farm
Back Lane Farm
Lower House Farm
School Farm
Hill Crest
MILL
CHURCH RD.
GOOSNARGH
Grindlestone Court
LANE
Dale Edge
Tomlinson's Farm
Bottom's Farm
CUMERAGH VILLAGE
BLEASDALE ROAD
THE SQUARE
95
B5269
WHITTINGHAM
Greenacre
CUMERAGH
Withy Trees
Green Edge Farm
Wild's Farm
Pigot House
Cemetery
Whittingham Hospital Grounds
GUILD PARK
Guild Lodge
New Pigot House Farm
Football Grd.
The Hermitage
Cricket Ground
Pav.
Sudell House
Ireland's Farm
Preston
Whittingham Hall
Fish Pond
Harrison's Farm
Works
Brook
Blundel
Savick
RIBBLE
PRESTON
Frank Gardham House
Works
Brabiner House Farm
BRABINER
Brook
Haighton Resr.
Haighton Hall
South Lodge
Haighton Cottage
GREEN
LANE
Calfcote Mount
Dixons
Haighton House
Haighton Lodge
Dam House
Briar Bank
WHITTINGHAM
Dixon's Farm
DIXONS
Beesleys
Haighton Green
Savick
PR2
Grimsargh Reservoir
Green House Farm
Beesley Farm
Grimsargh Cott.
ORCHARD WLK.
FELL VW.
YEW TREE AV.
Bowling Green
HAIGHTON
Park House Farm
New Park
Recreation Ground
LYNWOOD AV.
LANGDEN FOLD
B6243
School Farm
New House Farm
Grimsargh House
Sea Mark
Primrose Farm
Hall
Football Grd.
OBAN
CEDAR CL.
Sidall Farm
Longfield Farm
SMITH CL.
NOOK GLADE
PASTURES
ALEXANDER PL.
SWALLOWFOLD
THE DRIVE
Fir Tree Farm
Dingle Wood
Bolton's Fold
Rogerson's Farm
Old Hall Farm
School House Farm
NOOK CR.
WAINGATE
BLACKLEACH AV.
GRIMSARGH
Cow Hill Wood
Grimsargh St. Michael's C. of E. Prim. Sch.
ROSHAW
Wood Top
Seed Hill
Goose Hall
PRESTON
RIBBLESDALE
Haighton House Farm
Gerard Hall Farm
Londonderry Bridge
Clarkson's Fold
Cow Hill
Clarkson's Farm
Church House Farm
Haighton House

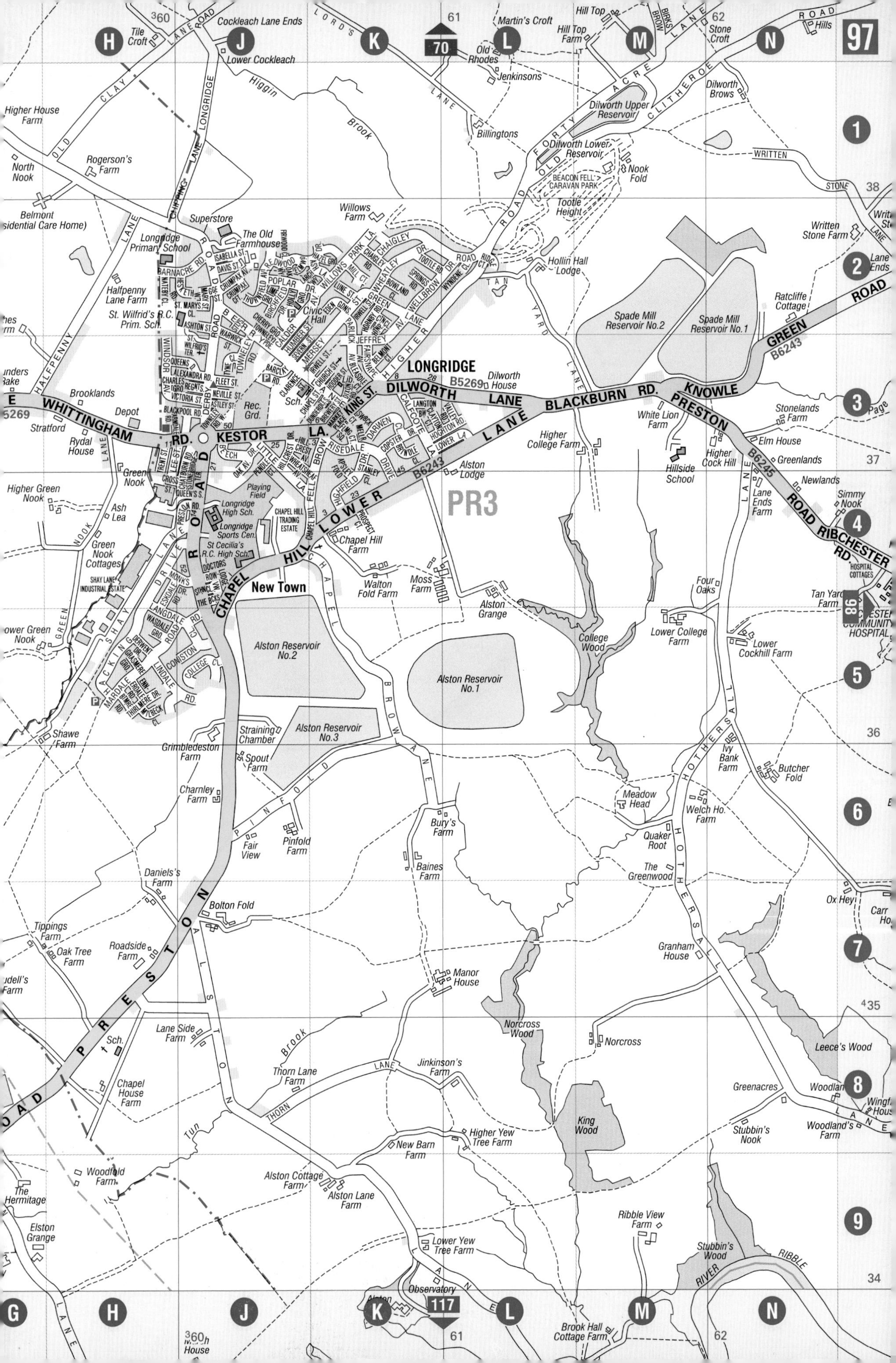
LONGRIDGE
PR3
New Town
Tile Croft
Cockleach Lane Ends
Lower Cockleach
Martin's Croft
Old Rhodes
Jenkinsons
Hill Top
Hill Top Farm
Stone Croft
Hills
Higher House Farm
North Nook
Rogerson's Farm
Billingtons
Dilworth Upper Reservoir
Dilworth Lower Reservoir
Dilworth Brows
Nook Fold
Beacon Fell Caravan Park
Tootle Height
Belmont (Residential Care Home)
Superstore
Longridge Primary School
The Old Farmhouse
Willows Farm
Written Stone Farm
Hollin Hall Lodge
Lane Ends
Ratcliffe Cottage
Halfpenny Lane Farm
St. Wilfrid's R.C. Prim. Sch.
Civic Hall
Spade Mill Reservoir No.2
Spade Mill Reservoir No.1
Dilworth House
Brooklands
Depot
Rec. Grd.
Sch.
Lib.
White Lion Farm
Stonelands Farm
Stratford
Rydal House
Higher College Farm
Elm House
Higher Cock Hill
Greenlands
Hillside School
Alston Lodge
Newlands
Green Nook
Higher Green Nook
Playing Field
Longridge High Sch.
Longridge Sports Cen.
St Cecilia's R.C. High Sch.
Chapel Hill Trading Estate
Chapel Hill Farm
Lane Ends Farm
Simmy Nook
Ash Lea
Green Nook Cottages
Shay Lane Industrial Estate
Walton Fold Farm
Moss Farm
Alston Grange
Four Oaks
Tan Yard Farm
Hospital Cottages
Community Hospital
Lower Green Nook
Alston Reservoir No.2
Alston Reservoir No.1
College Wood
Lower College Farm
Lower Cockhill Farm
Shawe Farm
Straining Chamber
Alston Reservoir No.3
Grimbledeston Farm
Spout Farm
Ivy Bank Farm
Butcher Fold
Charnley Farm
Meadow Head
Welch Ho. Farm
Bury's Farm
Fair View
Pinfold Farm
Quaker Root
Baines Farm
The Greenwood
Daniels's Farm
Bolton Fold
Ox Hey
Carr Ho.
Tippings Farm
Oak Tree Farm
Roadside Farm
Granham House
Manor House
Norcross Wood
Norcross
Lane Side Farm
Leece's Wood
Jinkinson's Farm
Thorn Lane Farm
Chapel House Farm
Greenacres
Woodland
Wingfield House
Higher Yew Tree Farm
King Wood
Stubbin's Nook
Woodland's Farm
New Barn Farm
Woodfold Farm
The Hermitage
Alston Cottage Farm
Alston Lane Farm
Ribble View Farm
Elston Grange
Lower Yew Tree Farm
Stubbin's Wood
River Ribble
Observatory
Alston
Brook Hall Cottage Farm
Marsh House
Whittingham Rd.
Kestor La.
King St.
Dilworth Lane
Blackburn Rd.
Knowle Green Road
Preston Road
Ribchester Rd.
Lower Lane
Chapel Hill
Higher Road
Forty Acre Road
Clitheroe Road
Written Stone Lane
Chipping Lane
Longridge Road
Old Clay Lane
Halfpenny Lane
Tan Yard Lane
Shay Lane
Hothersall Lane
Alston Lane
Thorn Lane
Pinfold Lane
Brow Lane
Chapel Lane
B5269
B6243
B6245
Higgin Brook
Tun Brook
60
61
62
38
37
36
35
34
70
117
96
H
J
K
L
M
N
G
1
2
3
4
5
6
7
8
9

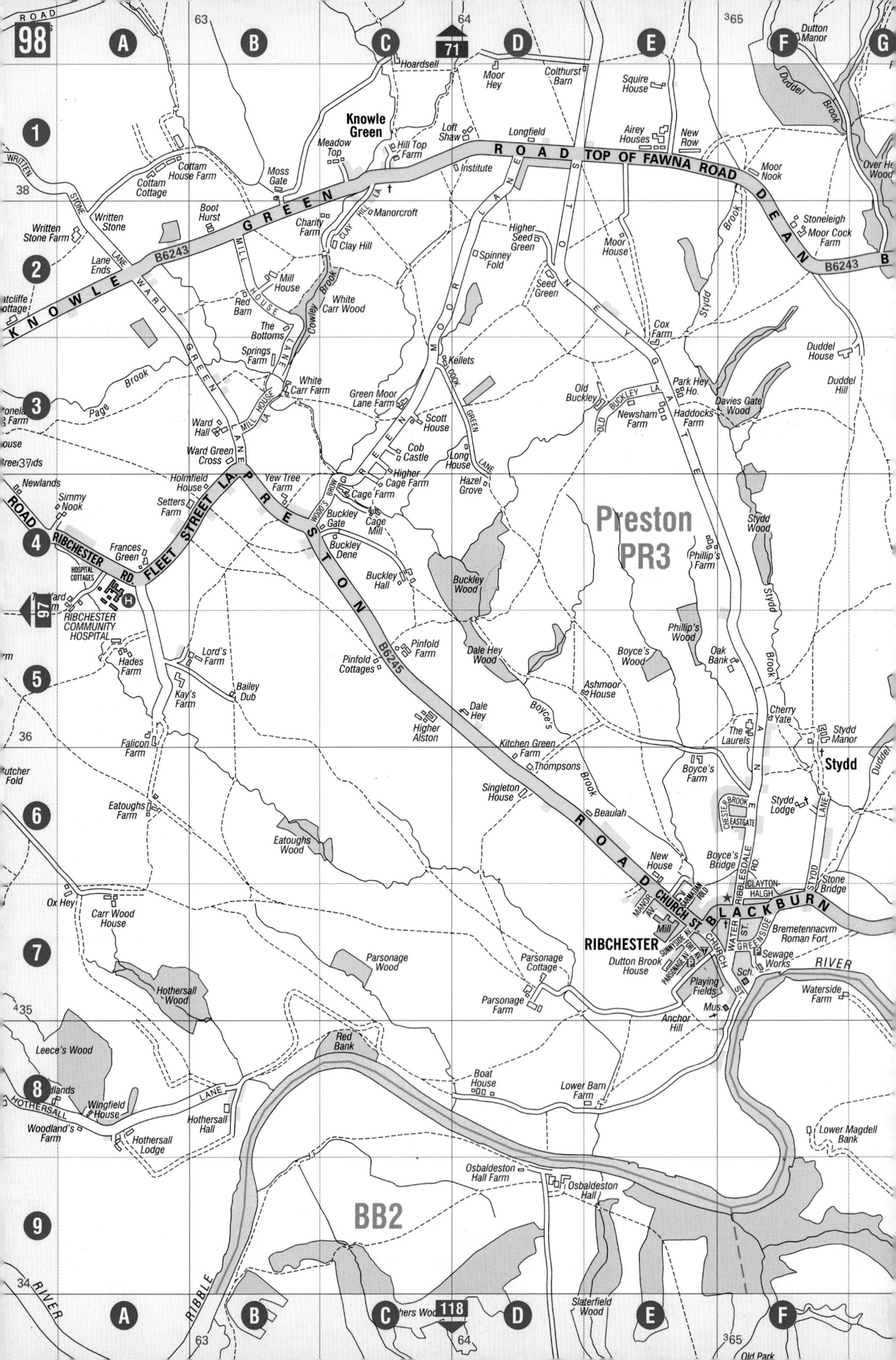
98
A
B
C
D
E
F
G
63
64
365
71
97
118
1
2
3
4
5
6
7
8
9
38
37
36
435
34
Hoardsell
Moor Hey
Colthurst Barn
Squire House
Dutton Manor
Duddel Brook
Knowle Green
Meadow Top
Hill Top Farm
Loft Shaw
Longfield
Airey Houses
New Row
Over Hey Wood
WRITTEN STONE LANE
Cottam House Farm
Cottam Cottage
Moss Gate
Institute
ROAD TOP OF FAWNA ROAD
Moor Nook
DEAN
B6243
Written Stone
Written Stone Farm
Boot Hurst
KNOWLE GREEN ROAD
Charity Farm
CLAY HILL LA.
Manorcroft
Clay Hill
Higher Seed Green
Moor House
Brook
Stoneleigh
Moor Cock Farm
Lane Ends
MILL HOUSE LANE
Mill House
Cowley Brook
White Carr Wood
Spinney Fold
Seed Green
STONEYGATE LANE
Stydd
Red Barn
The Bottoms
WARD GREEN LANE
Cox Farm
Duddel House
Ratcliffe Cottage
Springs Farm
Kellets
COOK GREEN LANE
MOOR LANE
Page Brook
White Carr Farm
Green Moor Lane Farm
Old Buckley
OLD BUCKLEY LA.
Park Hey Ho.
Duddel Hill
Davies Gate Wood
Scott House
Newsham Farm
Haddocks Farm
Ward Hall
Cob Castle
Long House
Ward Green Cross
Holmfield House
Yew Tree Farm
Higher Cage Farm
Hazel Grove
Newlands
Simmy Nook
Setters Farm
Cage Farm
WOOD'S BROW
Buckley Gate
Cage Mill
Preston
PR3
ROAD
RIBCHESTER RD.
FLEET STREET LA.
PRESTON ROAD
Frances Green
Buckley Dene
Stydd Wood
HOSPITAL COTTAGES
Buckley Hall
Buckley Wood
Phillip's Farm
RIBCHESTER COMMUNITY HOSPITAL
Lord's Farm
Pinfold Farm
Phillip's Wood
Hades Farm
Pinfold Cottages
B6245
Dale Hey Wood
Boyce's Wood
Oak Bank
Stydd Brook
Bailey Dub
Kay's Farm
Ashmoor House
Dale Hey
Higher Alston
Boyce's Brook
Cherry Yate
The Laurels
Stydd Manor
Falicon Farm
Kitchen Green Farm
Thompsons
Boyce's Farm
Stydd
Singleton House
CHESTER BROOK
EASTGATE
Stydd Lodge
STYDD LANE
Eatoughs Farm
Beaulah
Eatoughs Wood
New House
Boyce's Bridge
RIBBLESDALE RD.
CLAYTON-HALGH
Stone Bridge
Ox Hey
Carr Wood House
MANOR AV.
CHURCH ST
GARMATUM FOLD
BLACKBURN
Mill
WATER ST.
GREENSIDE
Bremetennacvm Roman Fort
RIBCHESTER
SUNNYSIDE AV.
FORT AV.
PARSONAGE AV.
CHURCH ST.
Sewage Works
RIVER
Parsonage Wood
Parsonage Cottage
Dutton Brook House
Sch.
Hothersall Wood
Parsonage Farm
Playing Fields
Waterside Farm
Mus.
Anchor Hill
Leece's Wood
Red Bank
Boat House
Lower Barn Farm
Wingfield House
HOTHERSALL LANE
Hothersall Hall
Woodland's Farm
Hothersall Lodge
Lower Magdell Bank
Osbaldeston Hall Farm
Osbaldeston Hall
BB2
RIVER RIBBLE
Slaterfield Wood
Old Park

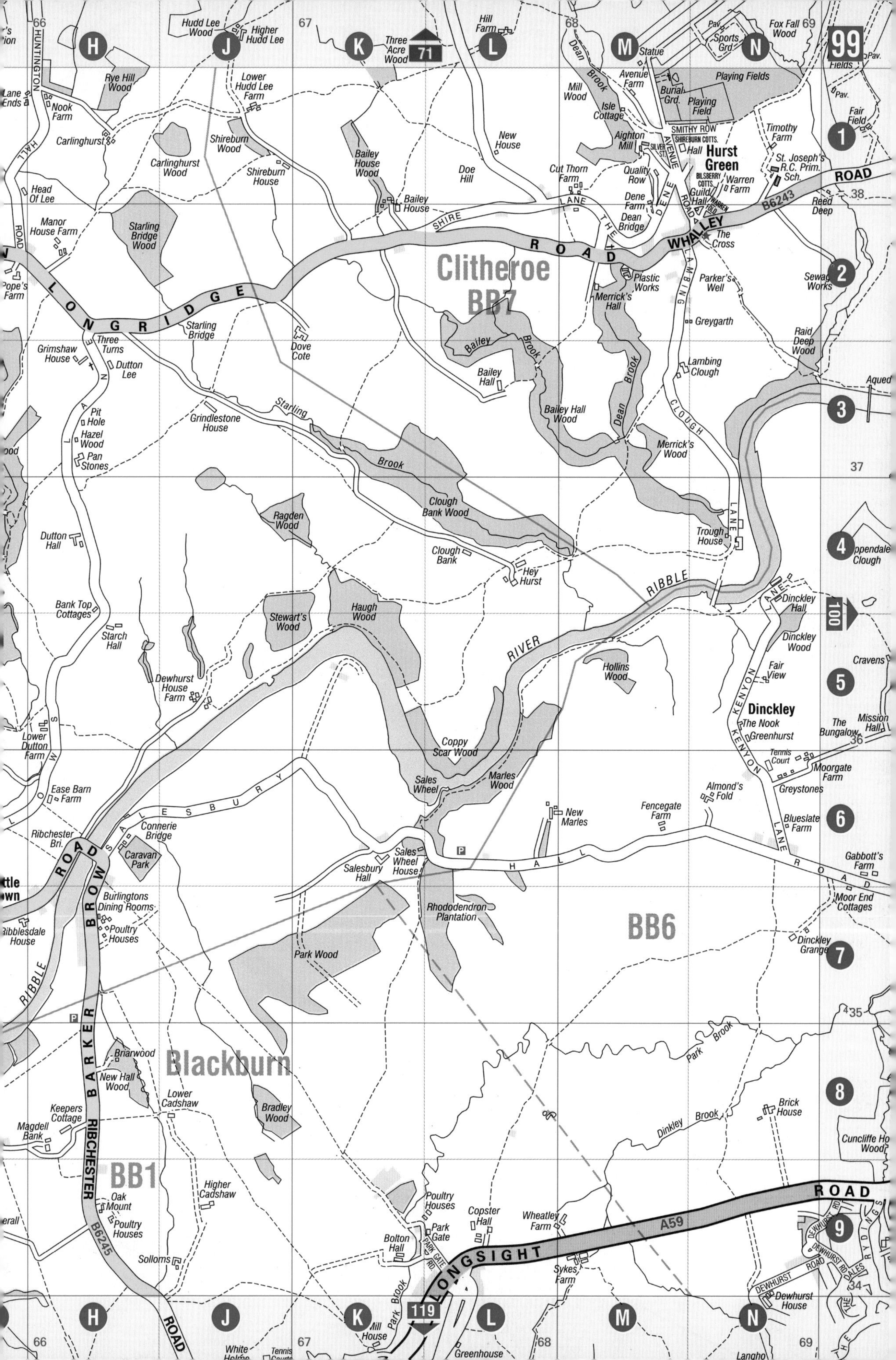

Clitheroe
BB7
BB6
Blackburn
BB1
Hurst Green
Dinckley
LONGRIDGE ROAD
WHALLEY ROAD
B6243
SHIRE LANE
RIVER RIBBLE
SALESBURY HALL ROAD
RIBCHESTER ROAD
BARKER BROW
B6245
LONGSIGHT ROAD
A59
KENYON LANE
LAMBING CLOUGH LANE
HUNTINGTON HALL ROAD
LOW LANE
Hudd Lee Wood
Higher Hudd Lee
Three Acre Wood
71
Hill Farm
Fox Fall Wood
Sports Grd
Statue
Playing Fields
Lower Hudd Lee Farm
Rye Hill Wood
Lane Ends
Nook Farm
Carlinghurst
Carlinghurst Wood
Shireburn Wood
Shireburn House
Bailey House Wood
Bailey House
New House
Doe Hill
Mill Wood
Dean Brook
Avenue Farm
Burial Grd.
Playing Field
Isle Cottage
Aighton Mill
SMITHY ROW
SHIREBURN COTTS.
Hall
Timothy Farm
Fair Field
St. Joseph's R.C. Prim. Sch.
Cut Thorn Farm
Quality Row
BILSBERRY COTTS.
Guild Hall
Warren Farm
WARREN FOLD
Dene Farm
Dean Bridge
The Cross
Reed Deep
Head Of Lee
Manor House Farm
Starling Bridge Wood
Pope's Farm
Plastic Works
Merrick's Hall
Parker's Well
Sewage Works
Greygarth
Starling Bridge
Three Turns
Dutton Lee
Grimshaw House
Dove Cote
Bailey Brook
Bailey Hall
Lambing Clough
Raid Deep Wood
Aqueduct
Pit Hole
Hazel Wood
Pan Stones
Grindlestone House
Starling Brook
Bailey Hall Wood
Merrick's Wood
Ragden Wood
Clough Bank Wood
Clough Bank
Hey Hurst
Trough House
Dutton Hall
Appendale Clough
Bank Top Cottages
Starch Hall
Stewart's Wood
Haugh Wood
Dinckley Hall
100
Dinckley Wood
Hollins Wood
Fair View
Cravens
Dewhurst House Farm
The Nook
Greenhurst
The Bungalow
Mission Hall
Lower Dutton Farm
Coppy Scar Wood
Tennis Court
Moorgate Farm
Greystones
Ease Barn Farm
Sales Wheel
Marles Wood
Almond's Fold
New Marles
Fencegate Farm
Blueslate Farm
Ribchester Bri.
Connerie Bridge
Caravan Park
Salesbury Hall
Sales Wheel House
Gabbott's Farm
Moor End Cottages
Burlingtons Dining Rooms
Poultry Houses
Ribblesdale House
Rhododendron Plantation
Park Wood
Dinckley Grange
Briarwood
New Hall Wood
Lower Cadshaw
Park Brook
Bradley Wood
Keepers Cottage
Magdell Bank
Dinkley Brook
Brick House
Cuncliffe Wood
Higher Cadshaw
Oak Mount
Poultry Houses
Copster Hall
Wheatley Farm
Park Gate
PARK GATE RD.
Bolton Hall
Solloms
Sykes Farm
DEWHURST RD
DEWHURST ROAD
RYDINGS
THE DALES
Dewhurst House
119
Mill House
White Holme
Greenhouse
Langho
66
67
68
69
H
J
K
L
M
N
1
2
3
4
5
6
7
8
9
34
35
36
37
38

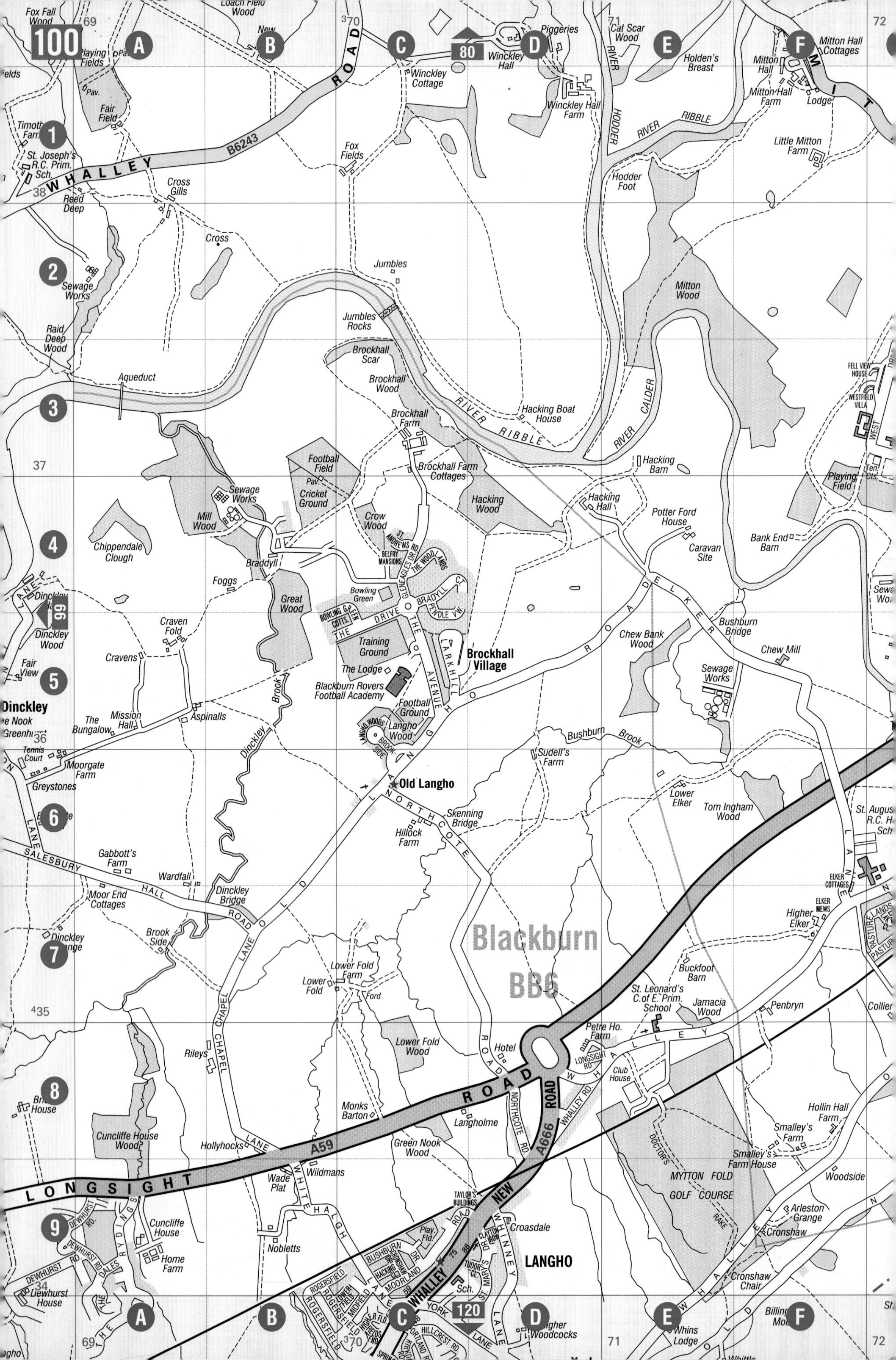
WHALLEY ROAD
B6243
LONGSIGHT ROAD
A59
NEW ROAD
A666
Blackburn
BB6
Brockhall Village
Old Langho
LANGHO
Dinckley
RIVER RIBBLE
RIVER CALDER
RIVER HODDER
Fox Fall Wood
Playing Fields
Fair Field
Timothy Farm
St. Joseph's R.C. Prim. Sch.
Reed Deep
Cross Gills
Cross
Sewage Works
Raid Deep Wood
Aqueduct
Loach Field Wood
Winckley Cottage
Winckley Hall
Piggeries
Winckley Hall Farm
Cat Scar Wood
Holden's Breast
Mitton Hall
Mitton Hall Cottages
Mitton Hall Farm
Lodge
Little Mitton Farm
Fox Fields
Hodder Foot
Jumbles
Jumbles Rocks
Mitton Wood
Brockhall Scar
Brockhall Wood
Brockhall Farm
Hacking Boat House
Brockhall Farm Cottages
Hacking Barn
Football Field
Cricket Ground
Hacking Wood
Hacking Hall
Potter Ford House
Caravan Site
Mill Wood
Chippendale Clough
Braddyll
Crow Wood
Belfry Mansions
Bowling Green
Bowling Green Cotts
The Drive
Training Ground
The Lodge
Blackburn Rovers Football Academy
Football Ground
Langho Wood
Larkhill
Foggs
Great Wood
Craven Fold
Cravens
Mission Hall
The Bungalow
Aspinalls
Dinckley Brook
Fair View
Tennis Court
Moorgate Farm
Greystones
Salesbury Hall Road
Gabbott's Farm
Wardfall
Moor End Cottages
Dinckley Bridge
Brook Side
Chew Bank Wood
Bushburn Bridge
Chew Mill
Sewage Works
Bushburn Brook
Sudell's Farm
Lower Elker
Tom Ingham Wood
Skenning Bridge
Hillock Farm
Northcote Road
Elker Lane
Elker Cottages
Higher Elker
Elker Mews
Bank End Barn
Playing Field
Fell View House
Westfield Villa
Lower Fold Farm
Lower Fold
Ford
Lower Fold Wood
Chapel Lane
Rileys
Hotel
Buckfoot Barn
St. Leonard's C.of E. Prim. School
Jamacia Wood
Penbryn
Petre Ho. Farm
Club House
Longsight Rd.
Whalley Rd.
Monks Barton
Langholme
Green Nook Wood
Hollyhocks
Cuncliffe House Wood
Cuncliffe House
Home Farm
Wade Plat
Wildmans
Whitehalgh Lane
Nobletts
Taylor's Buildings
Play. Fld.
Croasdale
Bushburn Dr.
Moorland
Rogersfield
Midfield
York Lane
Sch.
St. Mary's Dr.
Higher Woodcocks
Whinney Lane
Mytton Fold Golf Course
Doctors Rake
Hollin Hall Farm
Smalley's Farm
Smalley's Farm House
Woodside
Arleston Grange
Cronshaw
Cronshaw Chair
Whins Lodge
Dewhurst Rd.
Dewhurst House
Dales
Rydings
Pasture Lane
Dinckley Lane
80
99
120
A B C D E F
1 2 3 4 5 6 7 8 9
69 370 71 72
38 37 36 435 34

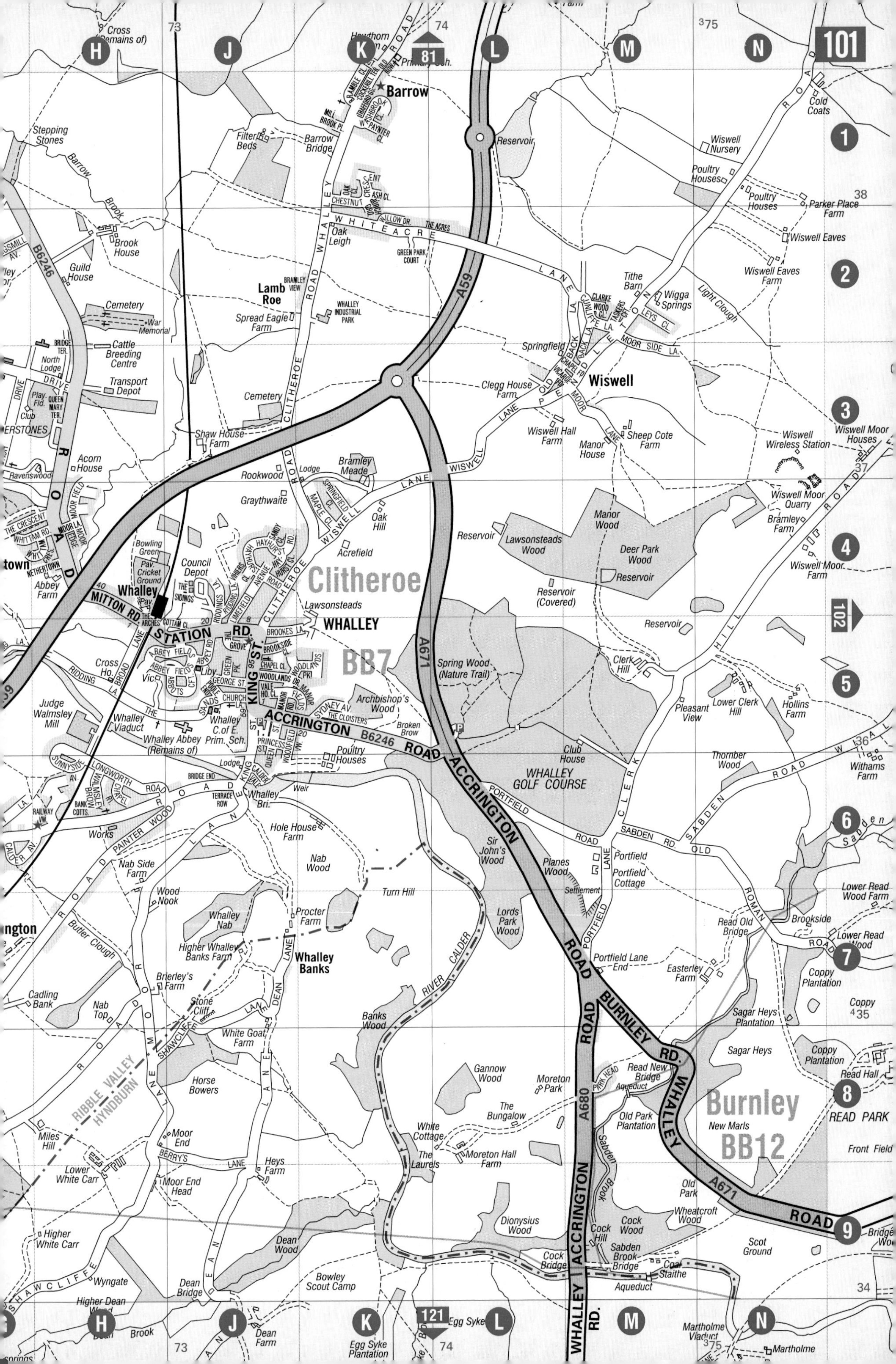

81
121
102
Barrow
Lamb Roe
Whalley
Clitheroe
WHALLEY
BB7
Wiswell
Whalley Banks
Burnley
BB12
New Marls
READ PARK
A59
A671
A680
B6246
ACCRINGTON ROAD
BURNLEY RD.
WHALLEY ROAD
STATION RD.
KING ST.
MITTON RD.
WHITEACRE LANE
CLITHEROE ROAD
WHALLEY GOLF COURSE
Spring Wood (Nature Trail)
Archbishop's Wood
Whalley Abbey (Remains of)
Whalley Viaduct
Whalley Nab
Nab Wood
Turn Hill
Lords Park Wood
Sir John's Wood
Planes Wood
Manor Wood
Deer Park Wood
Lawsonsteads Wood
Reservoir
Reservoir (Covered)
Wiswell Moor Quarry
Wiswell Moor Houses
Wiswell Eaves
Parker Place Farm
Cold Coats
Wiswell Nursery
Poultry Houses
Pleasant View
Lower Clerk Hill
Clerk Hill
Hollins Farm
Withams Farm
Thornber Wood
Portfield
Portfield Cottage
Read Old Bridge
Brookside
Lower Read Wood Farm
Copy Plantation
Sagar Heys Plantation
Sagar Heys
Read Hall
Front Field
Gannow Wood
Moreton Park
The Bungalow
Moreton Hall Farm
White Cottage
The Laurels
Banks Wood
Dionysius Wood
Cock Wood
Cock Hill
Cock Bridge
Sabden Brook Bridge
Coal Staithe
Aqueduct
Old Park Plantation
Old Park
Wheatcroft Wood
Scot Ground
Martholme Viaduct
Martholme
Egg Syke
Egg Syke Plantation
Bowley Scout Camp
Dean Wood
Dean Bridge
Dean Farm
Higher Dean
Wyngate
Higher White Carr
Lower White Carr
Miles Hill
Moor End
Moor End Head
Heys Farm
Horse Bowers
White Goat Farm
Stone Cliff
Brierley's Farm
Higher Whalley Banks Farm
Procter Farm
Hole House Farm
Nab Side Farm
Wood Nook
Butler Clough
Cadling Bank
Nab Top
RIBBLE VALLEY
HYNDBURN
RIVER CALDER
Judge Walmsley Mill
Cross Ho.
Cemetery
Cattle Breeding Centre
Transport Depot
Guild House
Brook House
Stepping Stones
Barrow Brook
Filter Beds
Barrow Bridge
Spread Eagle Farm
Shaw House Farm
Acorn House
Rookwood
Graythwaite
Bramley Meade
Oak Hill
Acrefield
Lawsonsteads
Council Depot
Clegg House Farm
Wiswell Hall Farm
Manor House
Sheep Cote Farm
Springfield
Tithe Barn
Wigga Springs
Light Clough
Wiswell Wireless Station
Bramley Farm
Wiswell Moor Farm
Club House
Broken Brow
Easterley Farm
Portfield Lane End
Settlement
Read New Bridge

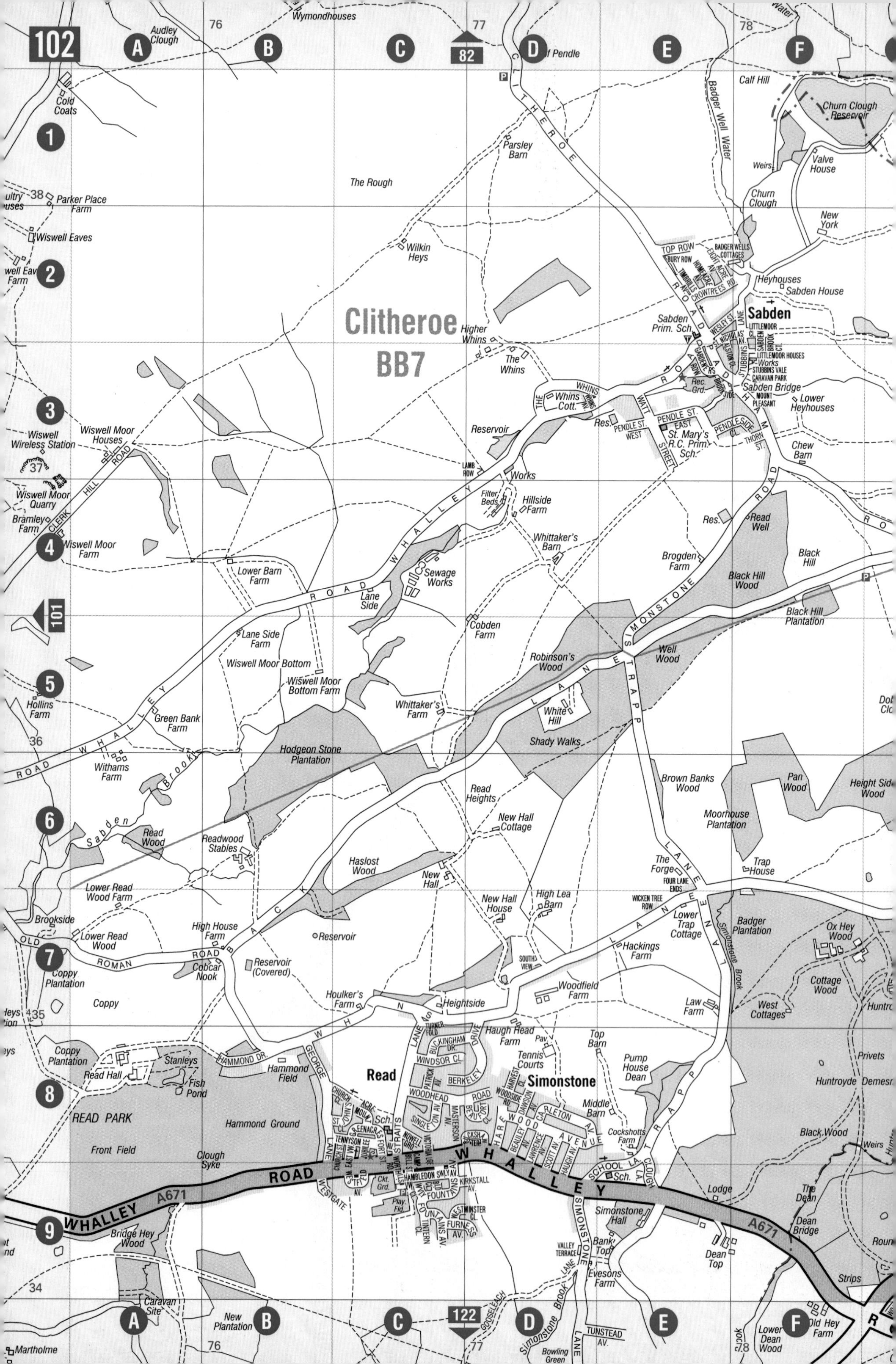

Clitheroe
BB7
Sabden
Read
Simonstone
Wymondhouses
Audley Clough
Cold Coats
Parker Place Farm
Wiswell Eaves
Wiswell Moor Houses
Wiswell Wireless Station
Wiswell Moor Quarry
Bramley Farm
Wiswell Moor Farm
Calf Hill
Churn Clough Reservoir
Badger Well Water
Valve House
Weirs
Churn Clough
New York
Parsley Barn
The Rough
Wilkin Heys
Higher Whins
The Whins
Whins Cott.
Heyhouses
Sabden House
Sabden Prim. Sch.
Sabden Bridge
Lower Heyhouses
St. Mary's R.C. Prim. Sch.
Chew Barn
Reservoir
Works
Filter Beds
Hillside Farm
Whittaker's Barn
Read Well
Brogden Farm
Black Hill
Black Hill Wood
Black Hill Plantation
Sewage Works
Lane Side
Lower Barn Farm
Cobden Farm
Lane Side Farm
Wiswell Moor Bottom
Wiswell Moor Bottom Farm
Robinson's Wood
Well Wood
Whittaker's Farm
White Hill
Shady Walks
Hollins Farm
Green Bank Farm
Hodgeon Stone Plantation
Withams Farm
Brown Banks Wood
Pan Wood
Height Side Wood
Read Heights
New Hall Cottage
Moorhouse Plantation
Read Wood
Readwood Stables
Sabden Brook
Haslost Wood
New Hall
Trap House
The Forge
Four Lane Ends
Lower Read Wood Farm
New Hall House
High Lea Barn
Wicken Tree Row
Brookside
Lower Read Wood
High House Farm
Reservoir
Lower Trap Cottage
Badger Plantation
Ox Hey Wood
Old Roman Road
Cobcar Nook
Reservoir (Covered)
Hackings Farm
Copy Plantation
Coppy
Houlker's Farm
Heightside
Woodfield Farm
Law Farm
West Cottages
Cottage Wood
Haugh Head Farm
Top Barn
Coppy Plantation
Stanleys
Read Hall
Fish Pond
Hammond Field
Tennis Courts
Pump House Dean
Privets
Huntroyde Demesne
READ PARK
Hammond Ground
Middle Barn
Front Field
Clough Syke
Cockshotts Farm
Black Wood
Whalley Road A671
Simonstone Hall
Lodge
The Dean
Dean Bridge
Bridge Hey Wood
Bank Top
Dean Top
Evesons Farm
Strips
Caravan Site
New Plantation
Old Hey Farm
Lower Dean Wood
Martholme
Bowling Green
Simonstone Brook
Tunstead Av.
Simonstone Lane
Trapp Lane
Clerk Hill Road
Whalley Road
Padiham Road
Pendle St. West
Pendle St. East
Watt Street
Thorn St.
Back Lane
Whins Lane
Hammond Dr.
George Lane
Straits
Westgate
School La.
Clough La.
Gooseleach
Top Row
Badger Wells Cottages
Crowtrees Rd.
Wesley St.
Littlemoor Cl.
Littlemoor Houses
Stubbins Vale Caravan Park
Mount Pleasant
Rec. Grd.
Pendleside Cl.
Lamb Row
South View
Turner Fold
Buckingham Dr.
Windsor Cl.
Berkeley Drive
Patrick Av.
Woodhead Road
Harwood Av.
Beaufort Cl.
Dawson Av.
Carleton Av.
Hare Wood Avenue
Singleton Av.
Masterson Av.
Tennyson Av.
Church St.
Fountains Av.
Furness Av.
Kirkstall Av.
Westminster Cl.
Tintern Cl.
Hambledon
Cktl. Grd.
Play. Fld.
Sch.
Res.
Valley Terrace
82
101
122
A B C D E F
1 2 3 4 5 6 7 8 9
76 77 78
34 35 36 37 38

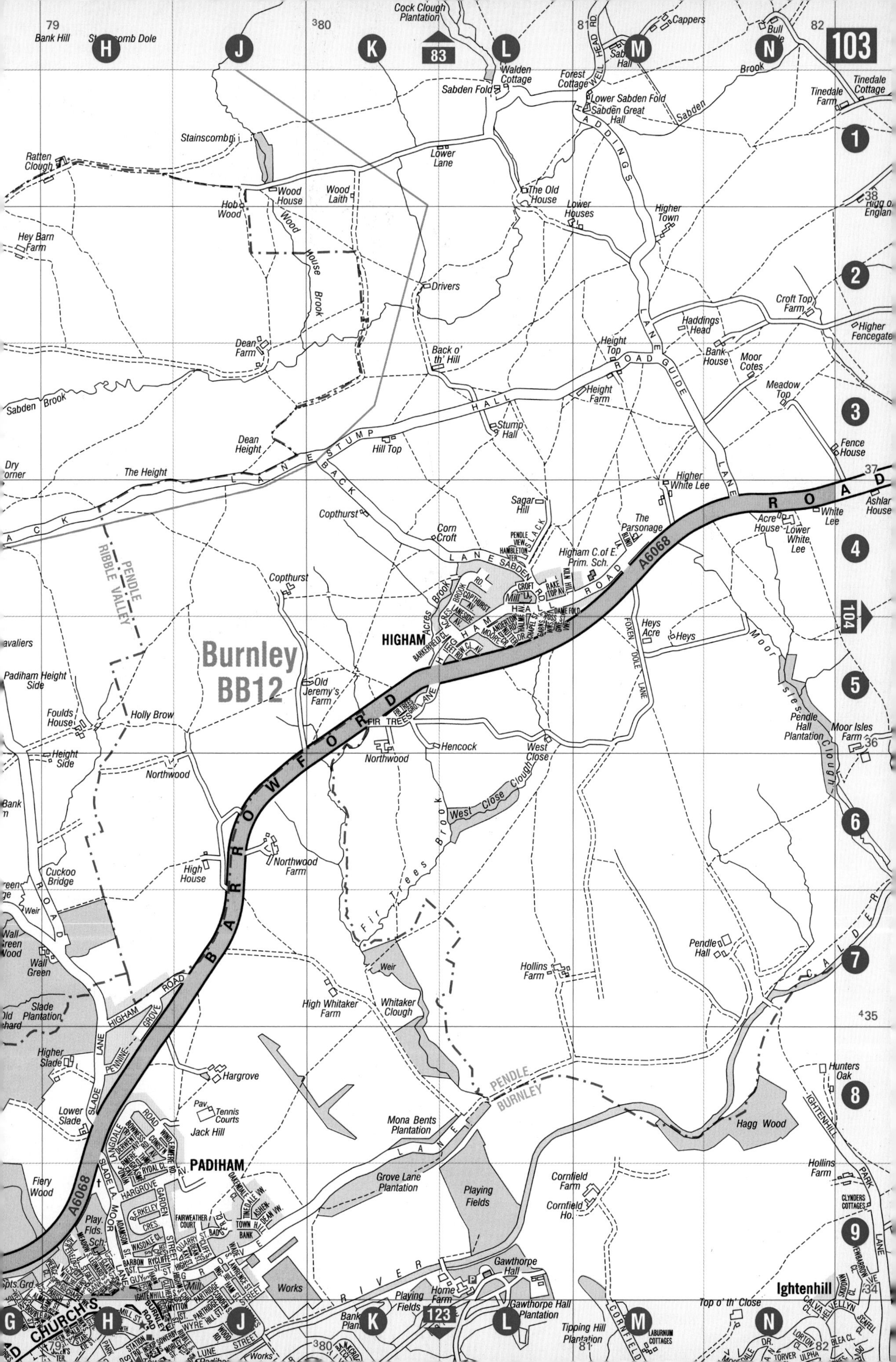
Burnley
BB12
HIGHAM
PADIHAM
Ightenhill
Cock Clough Plantation
Walden Cottage
Sabden Fold
Forest Cottage
Lower Sabden Fold
Sabden Great Hall
Cappers
Bull Hole
Tinedale Farm
Tinedale Cottage
Stainscomb
Ratten Clough
Lower Lane
Wood House
Wood Laith
Hob Wood
The Old House
Lower Houses
Higher Town
Hey Barn Farm
Drivers
Croft Top Farm
Higher Fencegate
Haddings Head
Bank House
Moor Cotes
Dean Farm
Back o' th' Hill
Height Top
Height Farm
Meadow Top
Sabden Brook
Stump Hall
Fence House
Dean Height
Hill Top
The Height
Dry Corner
Higher White Lee
White Lee
Ashlar House
Sagar Hill
Copthurst
Corn Croft
The Parsonage
Acre House
Lower White Lee
Higham C.of E. Prim. Sch.
Heys Acre
Heys
Cavaliers
Padiham Height Side
Old Jeremy's Farm
Foulds House
Holly Brow
Hencock
West Close
Northwood
Pendle Hall Plantation
Moor Isles Farm
Height Side
West Close Clough
Cuckoo Bridge
High House
Northwood Farm
Fir Trees Brook
Weir
Wall Green Wood
Wall Green
Pendle Hall
Hollins Farm
Slade Plantation
High Whitaker Farm
Whitaker Clough
Higher Slade
Hargrove
Hunters Oak
Pav.
Tennis Courts
Lower Slade
Jack Hill
Mona Bents Plantation
Hagg Wood
Fiery Wood
Grove Lane Plantation
Playing Fields
Cornfield Farm
Cornfield Ho.
Hollins Farm
CLYNDERS COTTAGES
Play. Flds.
Sch.
Works
Gawthorpe Hall
Home Farm
Playing Fields
Gawthorpe Hall Plantation
Tipping Hill Plantation
Top o' th' Close
LABURNUM COTTAGES
BARROWFORD ROAD
A6068
STUMP HALL ROAD
BACK LANE
HADDINGS LANE
GUIDE LANE
HIGHAM HALL ROAD
SABDEN LANE
FOXEN DOLE LANE
FIR TREES LANE
HIGHAM ROAD
SLADE LANE
PENNINE GROVE
GROVE LANE
IGHTENHILL PARK LANE
RIVER CALDER
Moor Isles Clough
PENDLE
RIBBLE VALLEY
BURNLEY
CHURCH ST.
MILL ST.
BURNLEY ROAD
WYRE HILL ST.
GUY ST.
BARBON ST.
RYCLIFFE ST.
WASDALE CL.
BERKELEY CRES.
HARGROVE AV.
RYDAL CL.
FAIRWEATHER COURT
TOWN BANK
ADAMSON ST.
QUARRY ST.
PARTRIDGE
CORNFIELD
HELVELLYN
LORTON CL.
TORVER
ULPHA
SCAFELL
HIGHAM
Mill
CROFT
RAKE TOP AV.
KILN HILL
DAME FOLD
PENDLE VIEW
HAMBLETON TER.
COPTHURST AV.
LANESIDE AV.
ACRES BROOK
BARKERFIELD CL.
Acres Brook
H
J
K
L
M
N
G
1
2
3
4
5
6
7
8
9
79
380
81
82
38
37
36
435
34
83
104
123

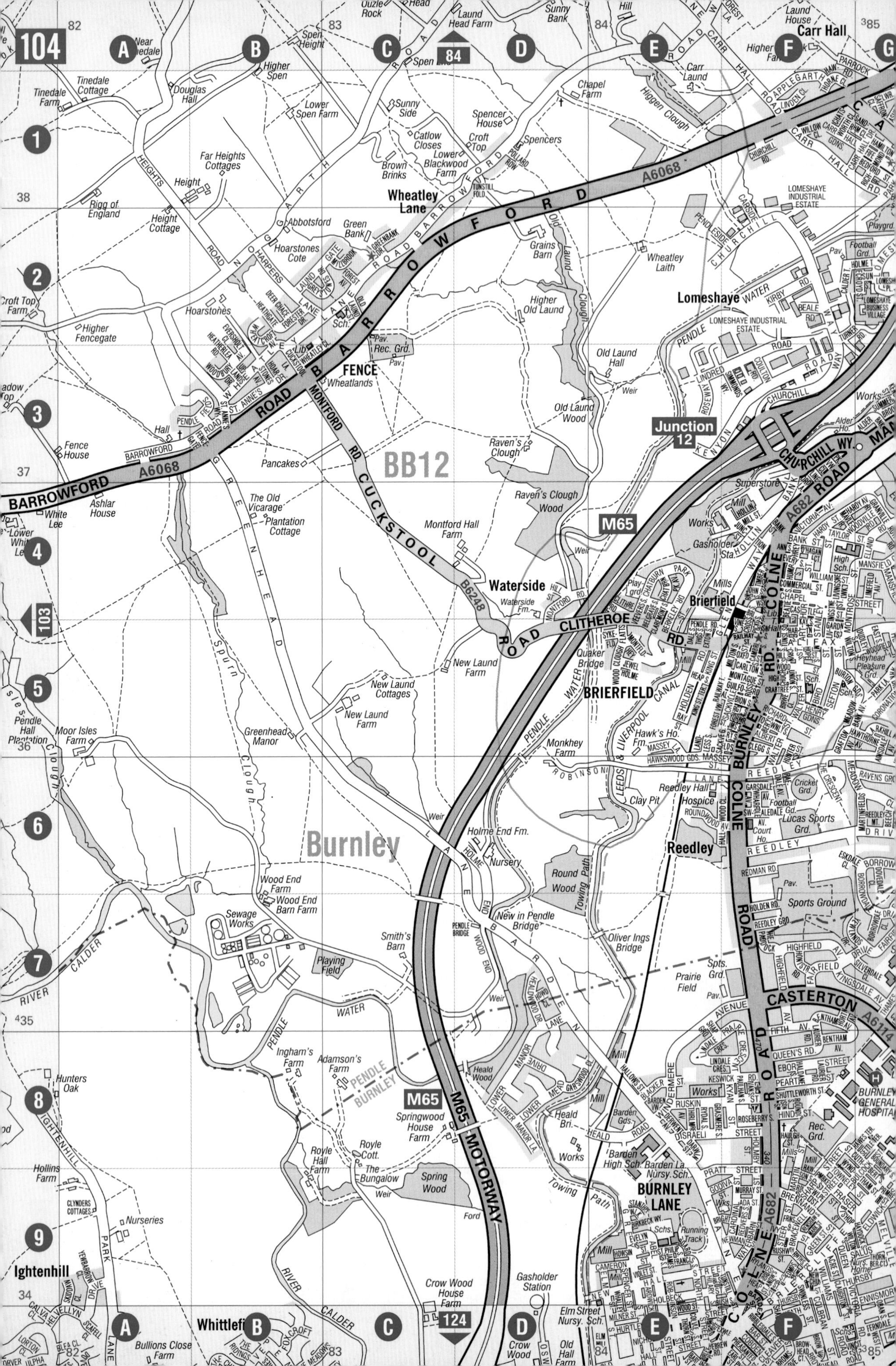
BB12
Burnley
Wheatley Lane
FENCE
Lomeshaye
Brierfield
BRIERFIELD
Reedley
BURNLEY LANE
Ightenhill
Junction 12
M65
A6068
BARROWFORD ROAD
MONTFORD RD.
CUCKSTOOL
B6248
CLITHEROE RD
COLNE ROAD
BURNLEY RD.
CASTERTON
A682
A6114
M65 MOTORWAY
RIVER CALDER
PENDLE WATER
LEEDS & LIVERPOOL CANAL
Higher Spen
Douglas Hall
Tinedale Cottage
Tinedale Farm
Lower Spen Farm
Sunny Side
Catlow Closes
Brown Brinks
Far Heights Cottages
Height
Rigg of England
Height Cottage
Abbotsford
Green Bank
Hoarstones Cote
Hoarstones
Higher Fencegate
Chapel Farm
Spencer House
Croft Top
Lower Blackwood Farm
Spencers
Carr Laund
Higgen Clough
Grains Barn
Higher Old Laund
Old Laund Hall
Old Laund Wood
Wheatley Laith
LOMESHAYE INDUSTRIAL ESTATE
Rec. Grd.
Wheatlands
Pancakes
Raven's Clough
Raven's Clough Wood
Fence House
Ashlar House
White Lee
The Old Vicarage
Plantation Cottage
Montford Hall Farm
Waterside
New Laund Farm
New Laund Cottages
Greenhead Manor
Moor Isles Farm
Pendle Hall Plantation
Monkhey Farm
Quaker Bridge
Hawk's Ho. Fm.
Reedley Hall
Hospice
Clay Pit
Holme End Fm.
Nursery
Round Wood
Towing Path
Wood End Farm
Wood End Barn Farm
Sewage Works
New in Pendle Bridge
Smith's Barn
Playing Field
Oliver Ings Bridge
Prairie Field
Sports Ground
Lucas Sports Grd.
Cricket Grd.
Ingham's Farm
Adamson's Farm
Hunters Oak
Heald Wood
Springwood House Farm
Royle Hall Farm
Royle Cott.
The Bungalow
Spring Wood
Hollins Farm
CLYNDERS COTTAGES
Nurseries
Crow Wood House Farm
Gasholder Station
Elm Street Nursy. Sch.
Bullions Close Farm
Whittlefield
BURNLEY GENERAL HOSPITAL
Barden High Sch.
Running Track
Superstore
Gasholder Sta.
Mills
Works
Carr Hall
Laund House
Sunny Bank
Spen Height
Laund Head Farm
84
124
103

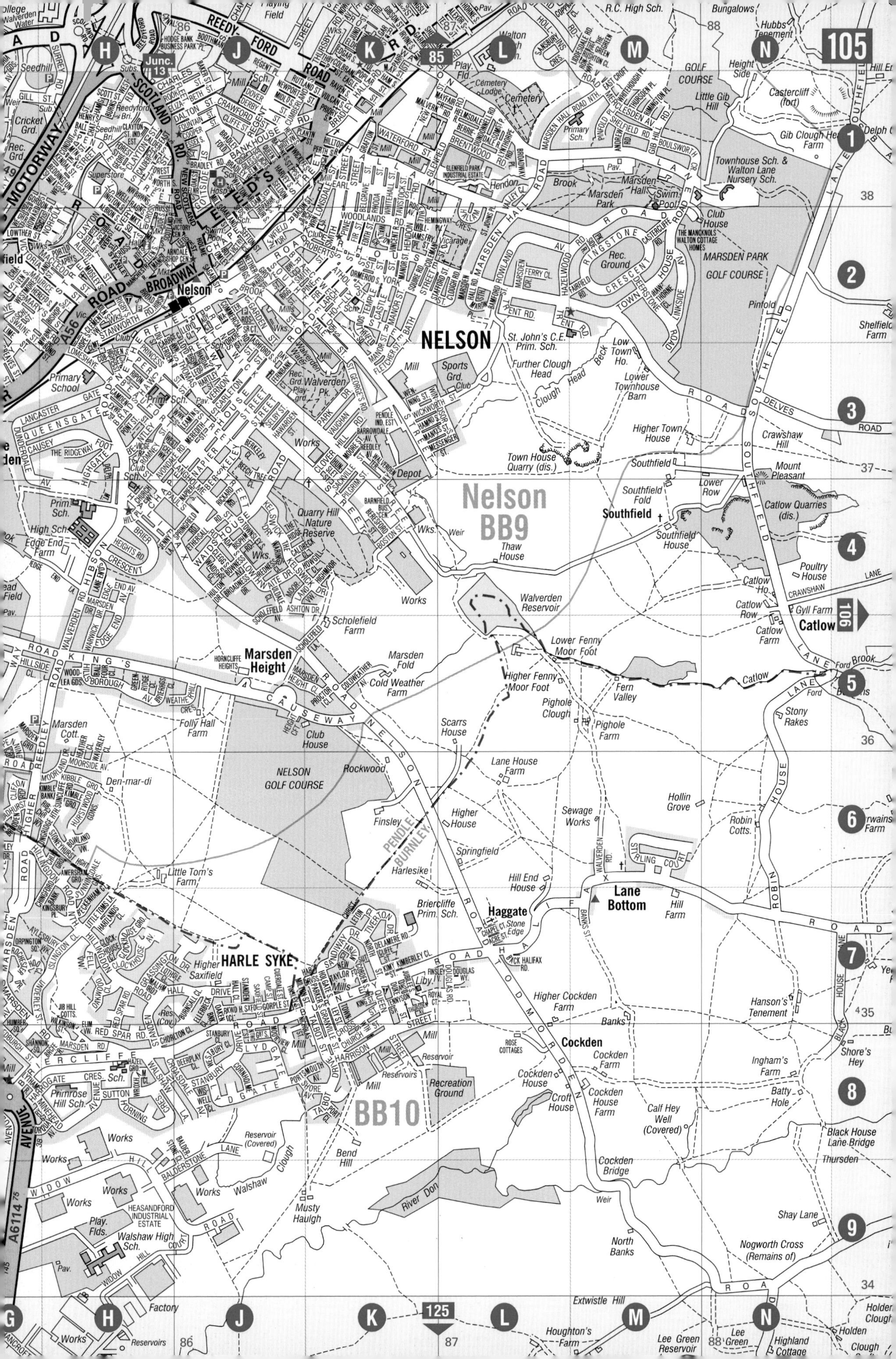
105
85
125
106
H
J
K
L
M
N
G
1
2
3
4
5
6
7
8
9
86
87
88
38
37
36
35
34
NELSON
Nelson
BB9
BB10
Nelson
Marsden Height
HARLE SYKE
Haggate
Lane Bottom
Cockden
Catlow
Southfield
MOTORWAY
Junc. 13
A56
A6114
SCOTLAND RD.
LEEDS RD.
BROADWAY
REEDYFORD ROAD
R.C. High Sch.
Bungalows
Hubbs Tenement
Height Side
Castercliff (fort)
Little Gib Hill
GOLF COURSE
Gib Clough Head Farm
Townhouse Sch. & Walton Lane Nursery Sch.
Marsden Hall
Swim. Pool
Club House
Marsden Park
MARSDEN PARK GOLF COURSE
Pinfold
Shelfield Farm
Rec. Ground
Cemetery
Cemetery Lodge
Primary Sch.
Hendon
Brook
St. John's C.E. Prim. Sch.
Further Clough Head
Clough Head Beck
Low Town Ho.
Lower Townhouse Barn
Higher Town House
Crawshaw Hill
Mount Pleasant
Town House Quarry (dis.)
Southfield Fold
Lower Row
Catlow Quarries (dis.)
Southfield House
Poultry House
Catlow Ho.
Catlow Row
Catlow Farm
Gyll Farm
Thaw House
Walverden Reservoir
Lower Fenny Moor Foot
Higher Fenny Moor Foot
Fern Valley
Pighole Clough
Pighole Farm
Stony Rakes
Scholefield Farm
Marsden Fold
Cold Weather Farm
Folly Hall Farm
Club House
NELSON GOLF COURSE
Rockwood
Scarrs House
Lane House Farm
Finsley
Higher House
Sewage Works
Hollin Grove
Robin Cotts.
Springfield
Harlesike
Hill End House
Stone Edge
Hill Farm
Briercliffe Prim. Sch.
Little Tom's Farm
Den-mar-di
Marsden Cott.
Higher Saxifield
Higher Cockden Farm
Banks
Hanson's Tenement
Shore's Hey
Ingham's Farm
Batty Hole
Cockden Farm
Cockden House
Croft House
Cockden House Farm
Calf Hey Well (Covered)
Black House Lane Bridge
Thursden
Cockden Bridge
Weir
Recreation Ground
Reservoir
Reservoirs
Mill
Reservoir (Covered)
Bend Hill
Walshaw Clough
Musty Haugh
River Don
Shay Lane
North Banks
Nogworth Cross (Remains of)
Extwistle Hill
Houghton's Farm
Lee Green Reservoir
Lee Green
Highland Cottage
Holden Clough
Primrose Hill Sch.
HEASANDFORD INDUSTRIAL ESTATE
Walshaw High Sch.
Play. Flds.
Works
Factory
Reservoirs
Quarry Hill Nature Reserve
Walverden Pk.
Sports Grd.
Depot
Primary School
High Sch.
Edge End Farm
Prim. Sch.
Cricket Grd.
Rec. Grd.
Seedhill
Superstore
PENDLE
BURNLEY
DELVES ROAD
SOUTHFIELD LANE
CRAWSHAW LANE
HALIFAX ROAD
TODMORDEN ROAD
NELSON ROAD
CAUSEWAY
KING'S CAUSEWAY
ROBIN HOUSE LANE
BLACK HOUSE LANE
WIDOW HILL
BALDERSTONE LANE
HARROGATE CRES.
MARSDEN HALL ROAD
RINGSTONE CRESCENT
TOWN HOUSE ROAD
WALVERDEN RD.
STIRLING COURT

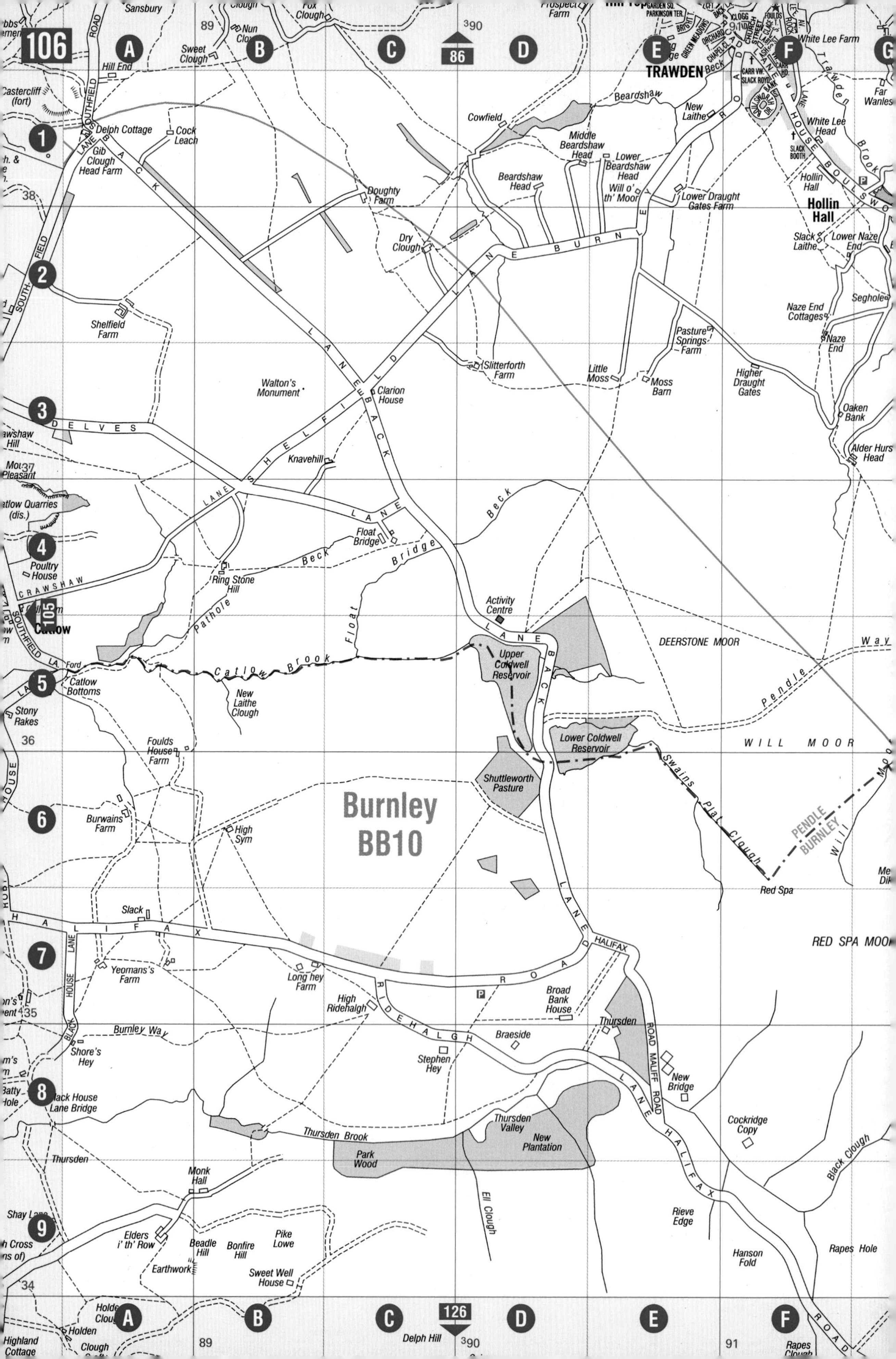

106
A
B
C
D
E
F
G
86
126
105
89
390
91
38
37
36
35
34
1
2
3
4
5
6
7
8
9
Sansbury
Nun Clough
Fox Clough
Prospect Farm
Sweet Clough
Hill End
Castercliff (fort)
SOUTHFIELD ROAD
Delph Cottage
Cock Leach
Gib Clough Head Farm
TRAWDEN
White Lee Farm
Far Wanless
White Lee Head
Beardshaw
New Laithe
Cowfield
Middle Beardshaw Head
Lower Beardshaw Head
Beardshaw Head
Will o' th' Moor
Lower Draught Gates Farm
Hollin Hall
Slack Laithe
Lower Naze End
Doughty Farm
Dry Clough
BURNLEY LANE
SHELFIELD LANE
BACK LANE
Shelfield Farm
Segholes
Naze End Cottages
Naze End
Pasture Springs Farm
Slitterforth Farm
Little Moss
Moss Barn
Higher Draught Gates
Walton's Monument
Clarion House
Oaken Bank
Alder Hurst Head
DELVES
Crawshaw Hill
Mount Pleasant
Knavehill
Catlow Quarries (dis.)
Float Bridge
Beck
Poultry House
CRAWSHAW
Ring Stone Hill
Pathole
Float Bridge
Activity Centre
Catlow
DEERSTONE MOOR
Pendle Way
Ford
Catlow Brook
Upper Coldwell Reservoir
Catlow Bottoms
Stony Rakes
New Laithe Clough
Lower Coldwell Reservoir
WILL MOOR
Foulds House Farm
Swains Plat Clough
Shuttleworth Pasture
Burwains Farm
Burnley BB10
High Sym
PENDLE
BURNLEY
Red Spa
Slack
HALIFAX
HALIFAX ROAD
RED SPA MOOR
Yeomans's Farm
Long hey Farm
High Ridehalgh
RIDEHALGH LANE
Broad Bank House
Burnley Way
Thursden
Braeside
Shore's Hey
Stephen Hey
ROAD MALIFF ROAD
New Bridge
Black House Lane Bridge
Thursden Valley
New Plantation
Cockridge Copy
Thursden Brook
Park Wood
Thursden
Black Clough
Monk Hall
Ell Clough
Rieve Edge
Shay Lane
Elders i' th' Row
Beadle Hill
Bonfire Hill
Pike Lowe
Hanson Fold
Rapes Hole
Earthwork
Sweet Well House
Holden Clough
Holden
Highland Cottage
Clough
Delph Hill
Rapes Clough

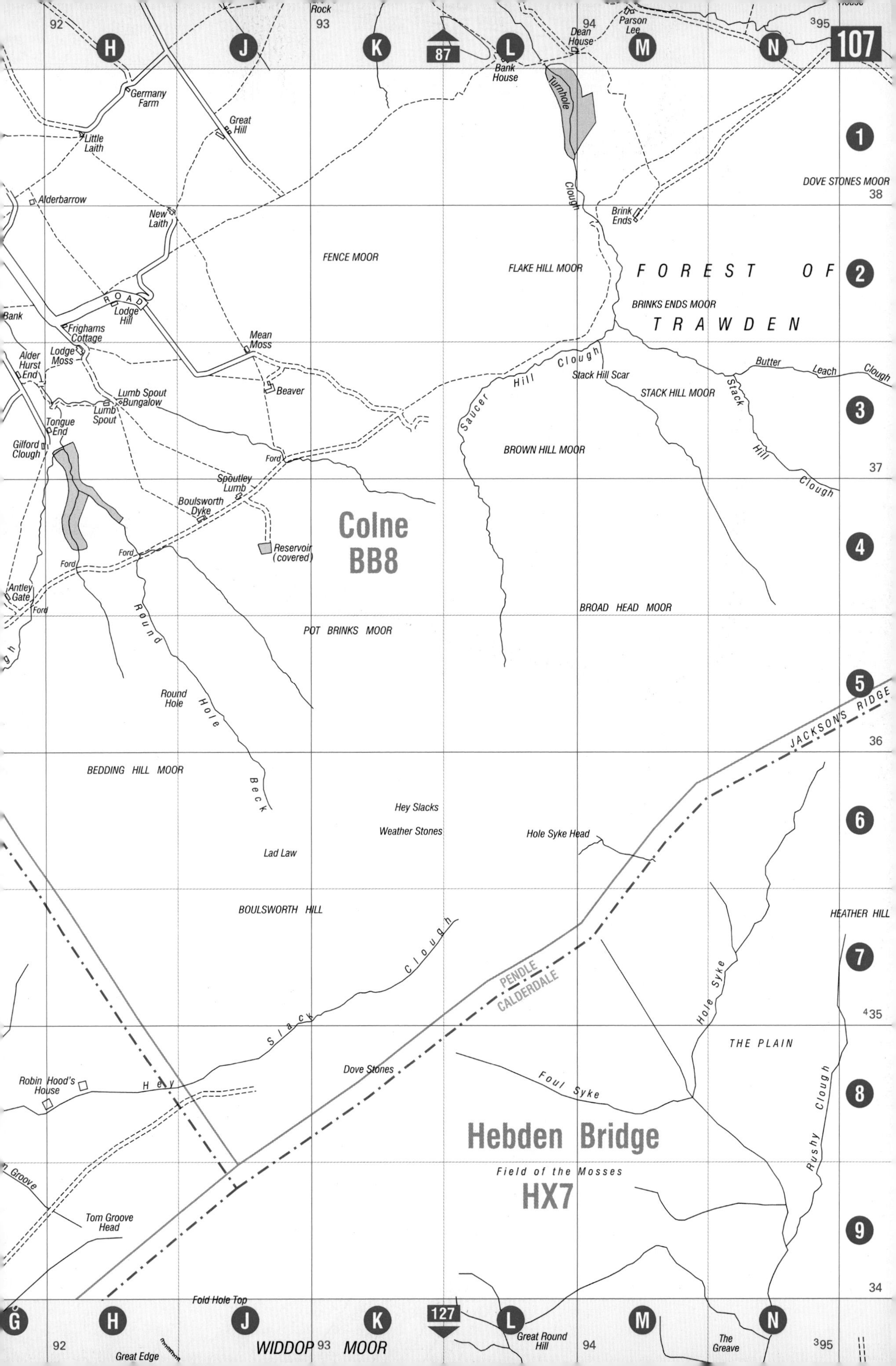

H   **J**   **K**   **87**   **L**   **M**   **N**

92   Rock 93   94   Dean House   Parson Lee   ³95

Bank House

Germany Farm

Little Laith

Great Hill

Alderbarrow

New Laith

Turnhole

1

Brink Ends

DOVE STONES MOOR

38

Bank

ROAD

Lodge Hill

Frighams Cottage

Lodge Moss

FENCE MOOR

Mean Moss

FLAKE HILL MOOR

BRINKS ENDS MOOR

Clough

F O R E S T   O F

T R A W D E N

2

Alder Hurst End

Lumb Spout Bungalow

Lumb Spout

Beaver

Saucer Hill Clough

Stack Hill Scar

Butter Leach Clough

Stack Hill Clough

3

Tongue End

Gilford Clough

Spoutley Lumb

Boulsworth Dyke

Ford

BROWN HILL MOOR

STACK HILL MOOR

37

Antley Gate

Ford

Ford

Ford

Reservoir (covered)

Colne BB8

4

BROAD HEAD MOOR

Round Hole

Round Hole Beck

POT BRINKS MOOR

5

JACKSON'S RIDGE

36

BEDDING HILL MOOR

Hey Slacks

Weather Stones

Lad Law

Hole Syke Head

6

BOULSWORTH HILL

HEATHER HILL

7

Slack Clough

PENDLE
CALDERDALE

Hole Syke

35

THE PLAIN

Robin Hood's House

Hey

Dove Stones

Foul Syke

Rushy Clough

8

Groove

Hebden Bridge

Field of the Mosses

HX7

Tom Groove Head

9

34

G   **H**   **J**   **K**   **127**   **L**   **M**   **N**

92   Great Edge   Fold Hole Top   **WIDDOP** 93 **MOOR**   94   Great Round Hill   The Greave   ³95

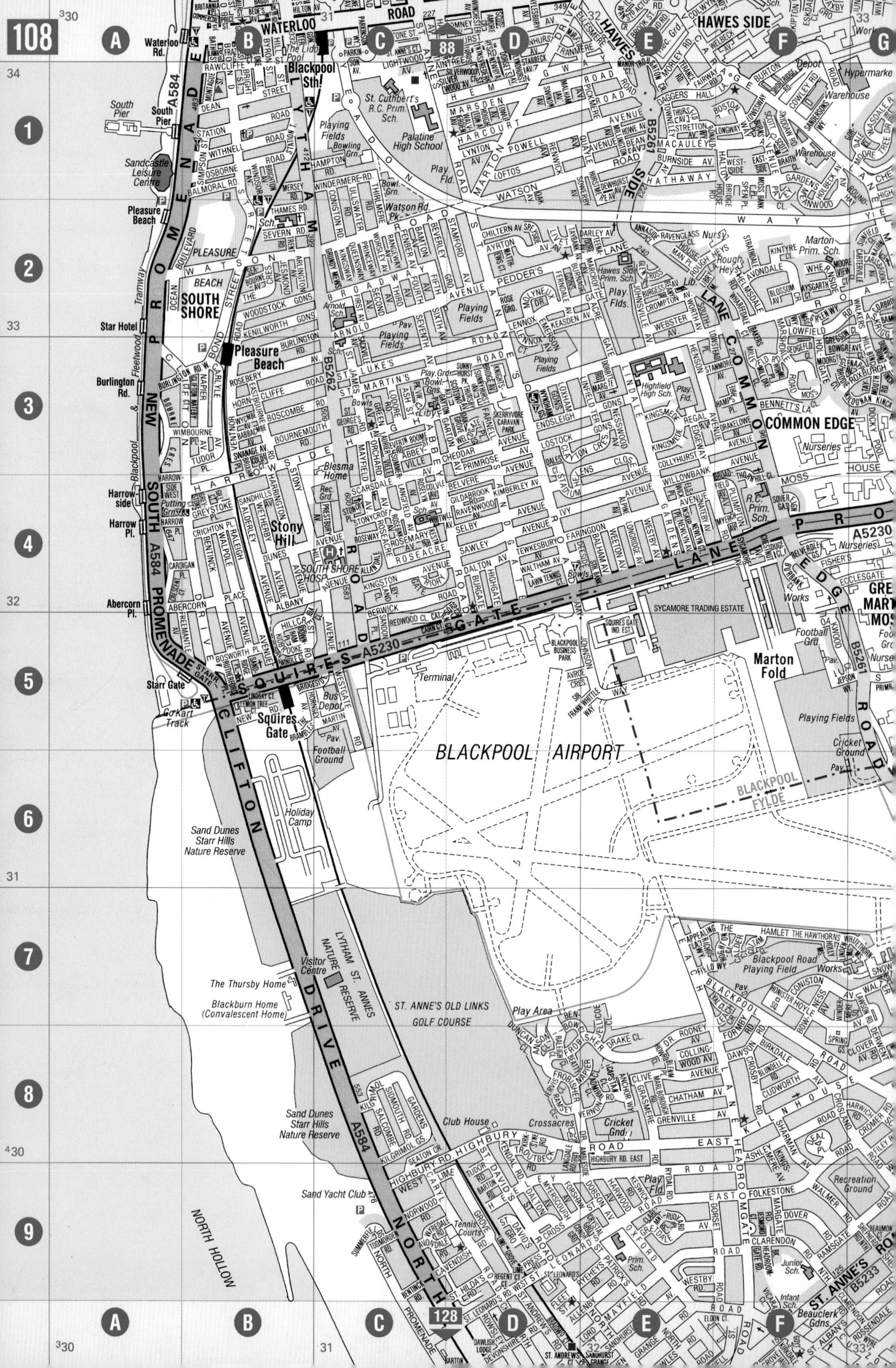

WATERLOO
HAWES SIDE
SOUTH SHORE
Pleasure Beach
Blackpool Sth.
Stony Hill
COMMON EDGE
Marton Fold
BLACKPOOL AIRPORT
Squires Gate
SYCAMORE TRADING ESTATE
BLACKPOOL BUSINESS PARK
South Pier
Sandcastle Leisure Centre
Star Hotel
Burlington Rd.
Harrowside
Harrow Pl.
Abercorn Pl.
Starr Gate
Go Kart Track
Holiday Camp
Football Ground
Terminal
Sand Dunes Starr Hills Nature Reserve
LYTHAM ST. ANNES NATURE RESERVE
Visitor Centre
The Thursby Home
Blackburn Home (Convalescent Home)
ST. ANNE'S OLD LINKS GOLF COURSE
Play Area
Club House
Sand Yacht Club
NORTH HOLLOW
Palatine High School
St. Cuthbert's R.C. Prim. Sch.
Highfield High Sch.
Hawes Side Prim. Sch.
Marton Prim. Sch.
SKERRYVORE CARAVAN PARK
SOUTH SHORE HOSP.
Blesma Home
Blackpool Road Playing Field
Recreation Ground
Cricket Ground
Playing Fields
Hypermarket
Warehouse
Nurseries
BLACKPOOL
FYLDE
NEW SOUTH PROMENADE
CLIFTON DRIVE
NORTH PROMENADE
LYTHAM ROAD
SQUIRES GATE LANE
COMMON EDGE ROAD
HAWES SIDE LANE
A584
A5230
B5262
B5261
B5233

88

128

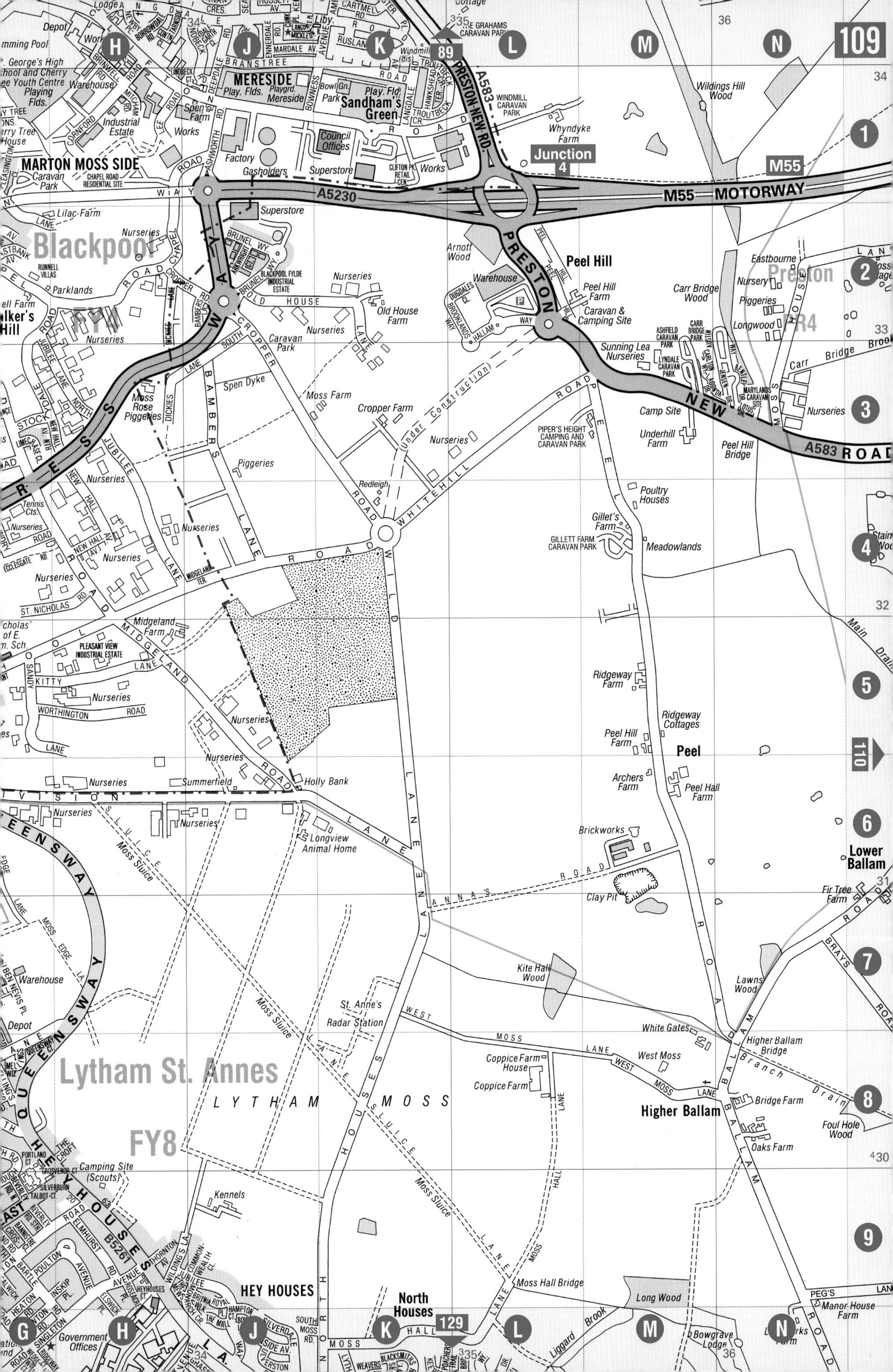

MERESIDE
Sandham's Green
MARTON MOSS SIDE
Blackpool
FY4
Junction 4
M55
M55 MOTORWAY
A5230
A583
PRESTON NEW RD.
Peel Hill
Preston
PR4
Carr Bridge Wood
Wildings Hill Wood
Whyndyke Farm
WINDMILL CARAVAN PARK
Council Offices
Superstore
Gasholders
Factory
Works
Arnott Wood
Warehouse
Peel Hill Farm
Caravan & Camping Site
Sunning Lea Nurseries
Camp Site
Underhill Farm
Peel Hill Bridge
A583 ROAD
PIPER'S HEIGHT CAMPING AND CARAVAN PARK
Poultry Houses
Gillet's Farm
GILLETT FARM CARAVAN PARK
Meadowlands
Ridgeway Farm
Ridgeway Cottages
Peel Hill Farm
Peel
Archers Farm
Peel Hall Farm
Brickworks
Clay Pit
Lower Ballam
Fir Tree Farm
Lawns Wood
Kite Hall Wood
White Gates
Higher Ballam Bridge
West Moss
Higher Ballam
Bridge Farm
Foul Hole Wood
Oaks Farm
Manor House Farm
Long Wood
Moss Hall Bridge
Bowgrave Lodge
North Houses
HEY HOUSES
Lytham St. Annes
FY8
LYTHAM MOSS
St. Anne's Radar Station
Coppice Farm House
Coppice Farm
Kennels
Camping Site (Scouts)
Government Offices
Longview Animal Home
Holly Bank
Summerfield
Nurseries
Moss Sluice
QUEENSWAY
B5261
PLEASANT VIEW INDUSTRIAL ESTATE
Midgeland Farm
Moss Farm
Cropper Farm
Redleigh
Spen Dyke
Piggeries
Moss Rose Piggeries
Caravan Park
Old House Farm
BLACKPOOL FYLDE INDUSTRIAL ESTATE
Parklands
Lilac Farm
89
110
129

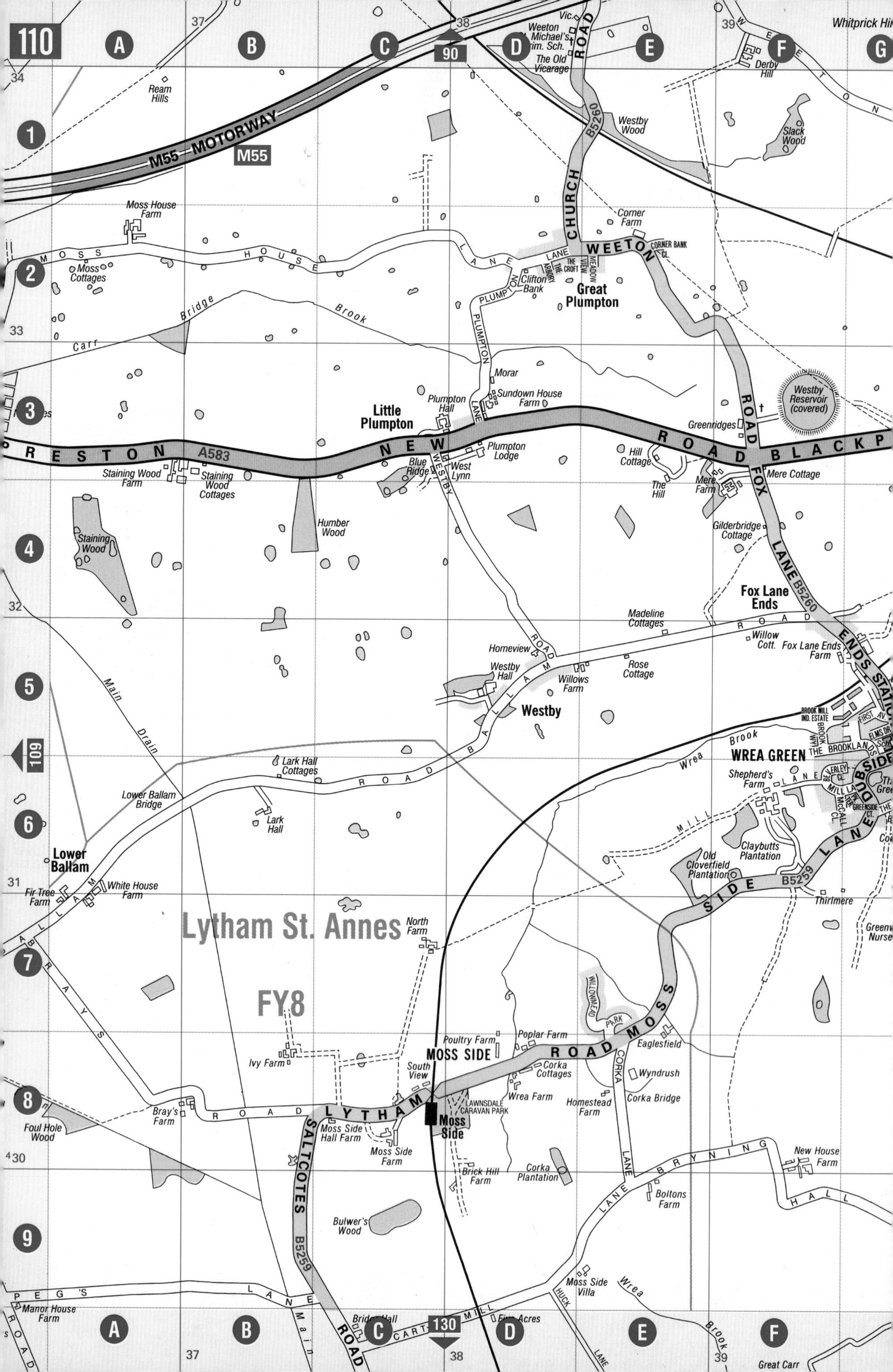
A
B
C
D
E
F
G
1
2
3
4
5
6
7
8
9
34
33
32
31
30
37
38
39
90
109
130
M55 MOTORWAY
M55
Ream Hills
Weeton
St. Michael's Prim. Sch.
Vic.
The Old Vicarage
CHURCH ROAD
B5260
Westby Wood
Whitprick Hill
Derby Hill
WEETON
Slack Wood
Moss House Farm
MOSS HOUSE LANE
Moss Cottages
Carr Bridge Brook
Corner Farm
CORNER BANK CL.
WEETON LANE
THE ARBORY
THE CROFT
MEADOW VIEW
Clifton Bank
PLUMPTON LANE
Great Plumpton
Morar
Sundown House Farm
Plumpton Hall
Little Plumpton
Westby Reservoir (covered)
Greenridges
PRESTON NEW ROAD
A583
BLACKPOOL ROAD
Staining Wood Farm
Staining Wood Cottages
Blue Ridge
WESTBY ROAD
West Lynn
Plumpton Lodge
Hill Cottage
The Hill
Mere Farm
Mere Cottage
FOX LANE
Humber Wood
Staining Wood
Gilderbridge Cottage
Fox Lane Ends
Madeline Cottages
Willow Cott.
Fox Lane Ends Farm
ENDS ROAD
Homeview
Westby Hall
Willows Farm
Rose Cottage
BALLAM ROAD
Westby
Main Drain
Lark Hall Cottages
BROOK MILL IND. ESTATE
FIRST AV.
ELMS DR.
THE BROOKLANDS
BROOK WY.
Wrea Brook
WREA GREEN
Shepherd's Farm
BEVERLEY CL.
MILL LANE
McCALL CL.
GREENSIDE CT.
DUBSIDE
Lower Ballam Bridge
Lark Hall
Lower Ballam
Claybutts Plantation
Old Cloverfield Plantation
SIDE LANE
B5259
Thirlmere
Fir Tree Farm
White House Farm
BALLAM
Lytham St. Annes
North Farm
Green Nurse
FY8
BRAYS
WILLOWMEAD PARK
MOSS SIDE
MOSS ROAD
Poultry Farm
Poplar Farm
Eaglesfield
Ivy Farm
South View
Corka Cottages
Wyndrush
Wrea Farm
Homestead Farm
Corka Bridge
CORKA LANE
LAWNSDALE CARAVAN PARK
Bray's Farm
LYTHAM ROAD
Moss Side
Foul Hole Wood
Moss Side Hall Farm
Moss Side Farm
SALTCOTES ROAD
Brick Hill Farm
Corka Plantation
New House Farm
BRYNING HALL LANE
Boltons Farm
Bulwer's Wood
Moss Side Villa
Wrea Brook
PEG'S LANE
Manor House Farm
HUCK LANE
Main
Bridge Hall
CARR MILL
Fir Acres
Great Carr

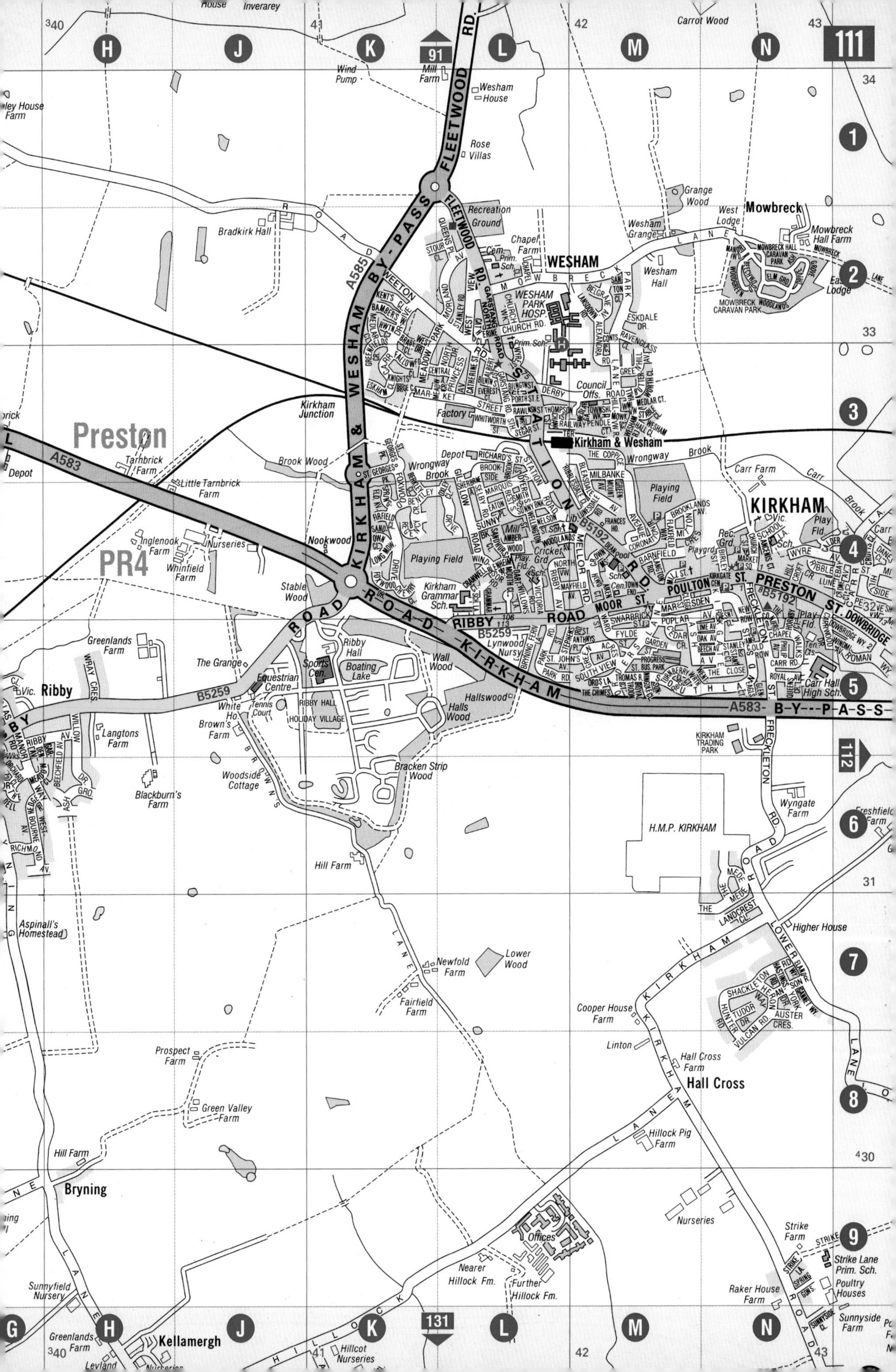

111
H
J
K
L
M
N
91
112
131
340
41
42
43
34
33
31
430
1
2
3
4
5
6
7
8
9
Inverarey
Carrot Wood
Wind Pump
Mill Farm
Wesham House
Rose Villas
FLEETWOOD RD.
Recreation Ground
Grange Wood
West Lodge
Mowbreck
Mowbreck Hall Farm
Wesham Grange
Wesham Hall
Chapel Farm
WESHAM
WESHAM PARK HOSP.
MOWBRECK CARAVAN PARK
East Lodge
Bradkirk Hall
A585
KIRKHAM & WESHAM BY-PASS
Kirkham Junction
Preston
PR4
A583
Tarnbrick Farm
Little Tarnbrick Farm
Depot
Brook Wood
Wrongway Brook
Council Offs.
Factory
Kirkham & Wesham
Wrongway Brook
Carr Farm
Playing Field
KIRKHAM
Inglenook Farm
Nurseries
Whinfield Farm
Nookwood
Playing Field
Stable Wood
Kirkham Grammar Sch.
B5192
PRESTON ST.
POULTON ST.
MOOR ST.
RIBBY ROAD
B5259
Lynwood Nursy
Carr Hall High Sch.
DOWBRIDGE
Greenlands Farm
The Grange
Ribby
Ribby Hall
Sports Cen.
Boating Lake
Wall Wood
Hallswood
Halls Wood
Equestrian Centre
RIBBY HALL HOLIDAY VILLAGE
White Ho.
Tennis Court
Brown's Farm
Langtons Farm
A583 BY-PASS
KIRKHAM TRADING PARK
Bracken Strip Wood
Woodside Cottage
Blackburn's Farm
Wyngate Farm
Freshfield Farm
H.M.P. KIRKHAM
Hill Farm
Aspinall's Homestead
Higher House
Newfold Farm
Lower Wood
Fairfield Farm
Cooper House Farm
Linton
Prospect Farm
Hall Cross Farm
Hall Cross
Green Valley Farm
Hillock Pig Farm
Hill Farm
Bryning
Nurseries
Offices
Strike Farm
Strike Lane Prim. Sch.
Poultry Houses
Nearer Hillock Fm.
Further Hillock Fm.
Raker House Farm
Sunnyfield Nursery
Sunnyside Farm
Greenlands Farm
Kellamergh
Hillcot Nurseries

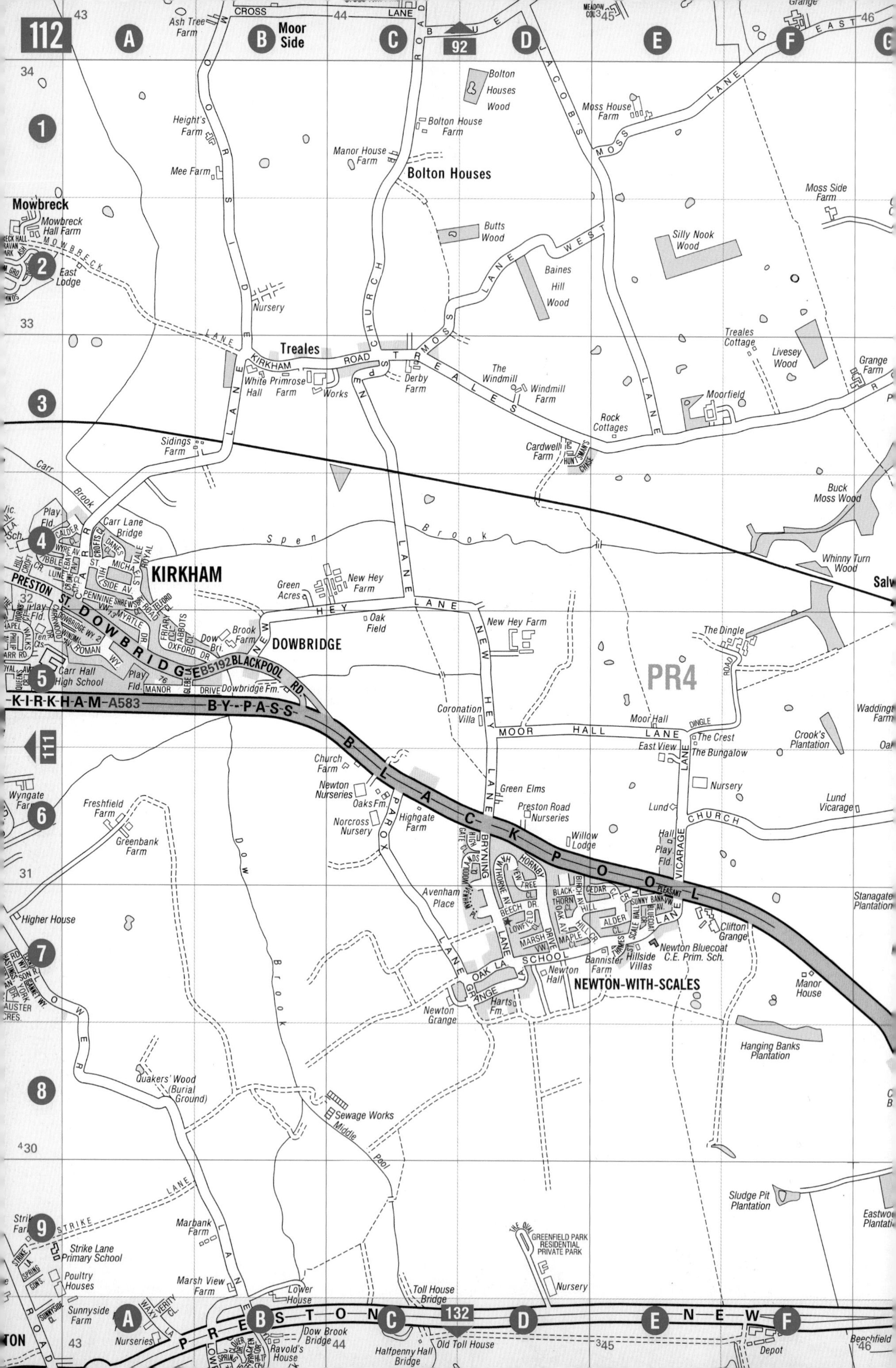
Moor Side
Bolton Houses
Treales
Mowbreck
KIRKHAM
DOWBRIDGE
NEWTON-WITH-SCALES
PR4
Ash Tree Farm
Height's Farm
Mee Farm
Mowbreck Hall Farm
East Lodge
Nursery
Bolton Houses Wood
Bolton House Farm
Manor House Farm
Butts Wood
Baines Hill Wood
Moss House Farm
Silly Nook Wood
Moss Side Farm
Treales Cottage
Livesey Wood
Grange Farm
Moorfield
Rock Cottages
Cardwell Farm
The Windmill
Windmill Farm
White Hall
Primrose Farm
Works
Derby Farm
Sidings Farm
Carr Brook
Carr Lane Bridge
Spen Brook
Buck Moss Wood
Whinny Turn Wood
Green Acres
New Hey Farm
Oak Field
Brook Farm
Dow Bri.
Carr Hall High School
Dowbridge Fm.
The Dingle
Coronation Villa
Moor Hall
The Crest
The Bungalow
East View
Nursery
Crook's Plantation
Church Farm
Newton Nurseries
Oaks Fm.
Norcross Nursery
Highgate Farm
Green Elms
Preston Road Nurseries
Willow Lodge
Lund
Lund Vicarage
Freshfield Farm
Greenbank Farm
Wyngate Farm
Higher House
Avenham Place
Stanagate Plantation
Clifton Grange
Newton Bluecoat C.E. Prim. Sch.
Hillside Villas
Bannister Farm
Newton Hall
Harts Fm.
Newton Grange
Manor House
Hanging Banks Plantation
Quakers' Wood (Burial Ground)
Sewage Works
Middle Pool
Dow Brook
Sludge Pit Plantation
Greenfield Park Residential Private Park
Nursery
Marbank Farm
Strike Lane Primary School
Poultry Houses
Marsh View Farm
Lower House
Toll House Bridge
Sunnyside Farm
Nurseries
Dow Brook Bridge
Ravold's House
Halfpenny Hall Bridge
Old Toll House
Depot
Beechfield
CROSS LANE
MOOR SIDE LANE
CHURCH ROAD
JACOB'S LANE
MOSS LANE EAST
MOSS LANE WEST
KIRKHAM ROAD
TREALES ROAD
SPEN LANE
HEY LANE
NEW HEY LANE
MOOR HALL LANE
DINGLE ROAD
CHURCH LANE
VICARAGE LANE
BRYNING LANE
PAROX LANE
GRANGE LANE
OAK LA.
SCHOOL LANE
KIRKHAM A583 BY-PASS
BLACKPOOL RD. B5192
BLACKPOOL ROAD
PRESTON NEW ROAD
DOWBRIDGE
PRESTON ST.
STRIKE LANE
BOWER LANE
MARSH LANE
92
111
132
43 44 45 46
34 33 32 31 30

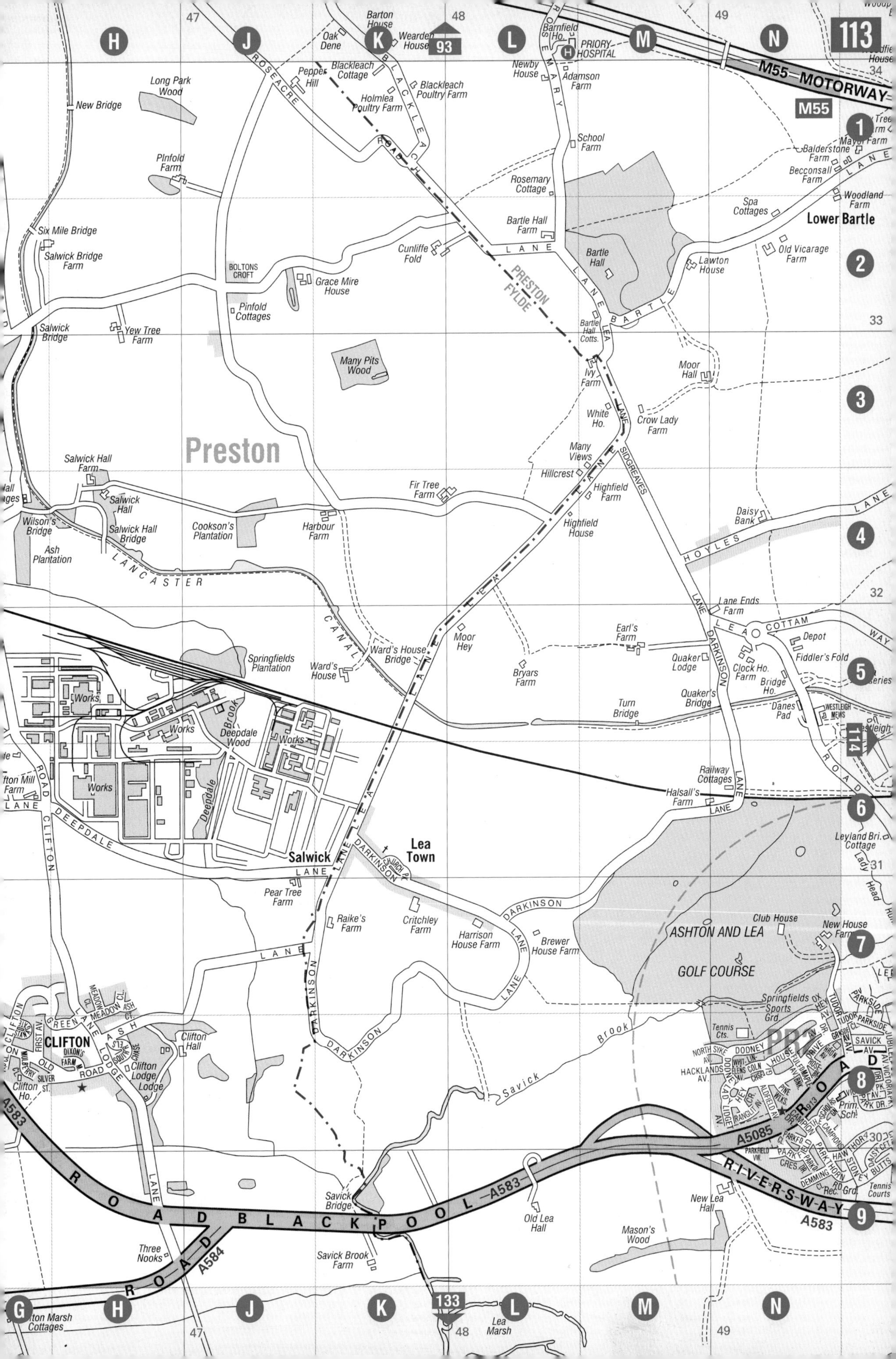

Preston
Salwick
Lea Town
Lower Bartle
CLIFTON
M55 MOTORWAY
Long Park Wood
New Bridge
Pinfold Farm
Six Mile Bridge
Salwick Bridge Farm
Salwick Bridge
Yew Tree Farm
Boltons Croft
Pinfold Cottages
Grace Mire House
Many Pits Wood
Cunliffe Fold
Bartle Hall Farm
Rosemary Cottage
School Farm
Adamson Farm
Newby House
Barnfield Ho.
PRIORY HOSPITAL
Barton House
Oak Dene
Wearden House
Blackleach Cottage
Blackleach Poultry Farm
Holmlea Poultry Farm
Pepper Hill
Roseacre Road
Blackleach Lane
Preston Fylde
Bartle Hall
Bartle Hall Cotts.
Lawton House
Old Vicarage Farm
Spa Cottages
Woodland Farm
Becconsall Farm
Balderstone Farm
Mayor Farm
Moor Hall
Ivy Farm
White Ho.
Crow Lady Farm
Many Views
Hillcrest
Highfield Farm
Highfield House
Fir Tree Farm
Harbour Farm
Cookson's Plantation
Salwick Hall Farm
Salwick Hall
Salwick Hall Bridge
Wilson's Bridge
Ash Plantation
Lancaster Canal
Sidgreaves Lane
Daisy Bank
Hoyles Lane
Lane Ends Farm
Cottam Way
Depot
Fiddler's Fold
Clock Ho. Farm
Bridge Ho.
Danes Pad
Westleigh Mews
Earl's Farm
Quaker Lodge
Quaker's Bridge
Turn Bridge
Moor Hey
Bryars Farm
Ward's House Bridge
Ward's House
Springfields Plantation
Works
Deepdale Wood
Deepdale Brook
Railway Cottages
Halsall's Farm
Darkinson Lane
Lea Lane
Clifton Road
Deepdale Lane
Salwick Lane
Leyland Bri. Cottage
Lady Head
Pear Tree Farm
Raike's Farm
Critchley Farm
Harrison House Farm
Brewer House Farm
Church Pk.
Club House
ASHTON AND LEA GOLF COURSE
New House Farm
Springfields Sports Grd.
Tennis Cts.
Clifton Hall
Clifton Lodge
Savick Brook
Savick Bridge
Savick Brook Farm
Old Lea Hall
Mason's Wood
New Lea Hall
Three Nooks
Clifton Ho.
Clifton Marsh Cottages
Lea Marsh
Blackpool Road
A583
A584
A5085
Riversway
PR2
Tennis Courts
Rec. Grd.
Prim. Sch.
Green Lane
Meadow Cl.
Ash Cl.
Lodge Lane
Old Road
First Av.
Silver St.
Dixon's Farm M.
Savick Av.
Tudor Av.
Parkside
Dodney Dr.
Hacklands Av.
North Syke Av.
Parkfield Vw.
Park Cres.
Demming Cl.
Hawthorn Rd.
47
48
49
34
33
32
31
30
1
2
3
4
5
6
7
8
9
H
J
K
L
M
N
G
93
114
133

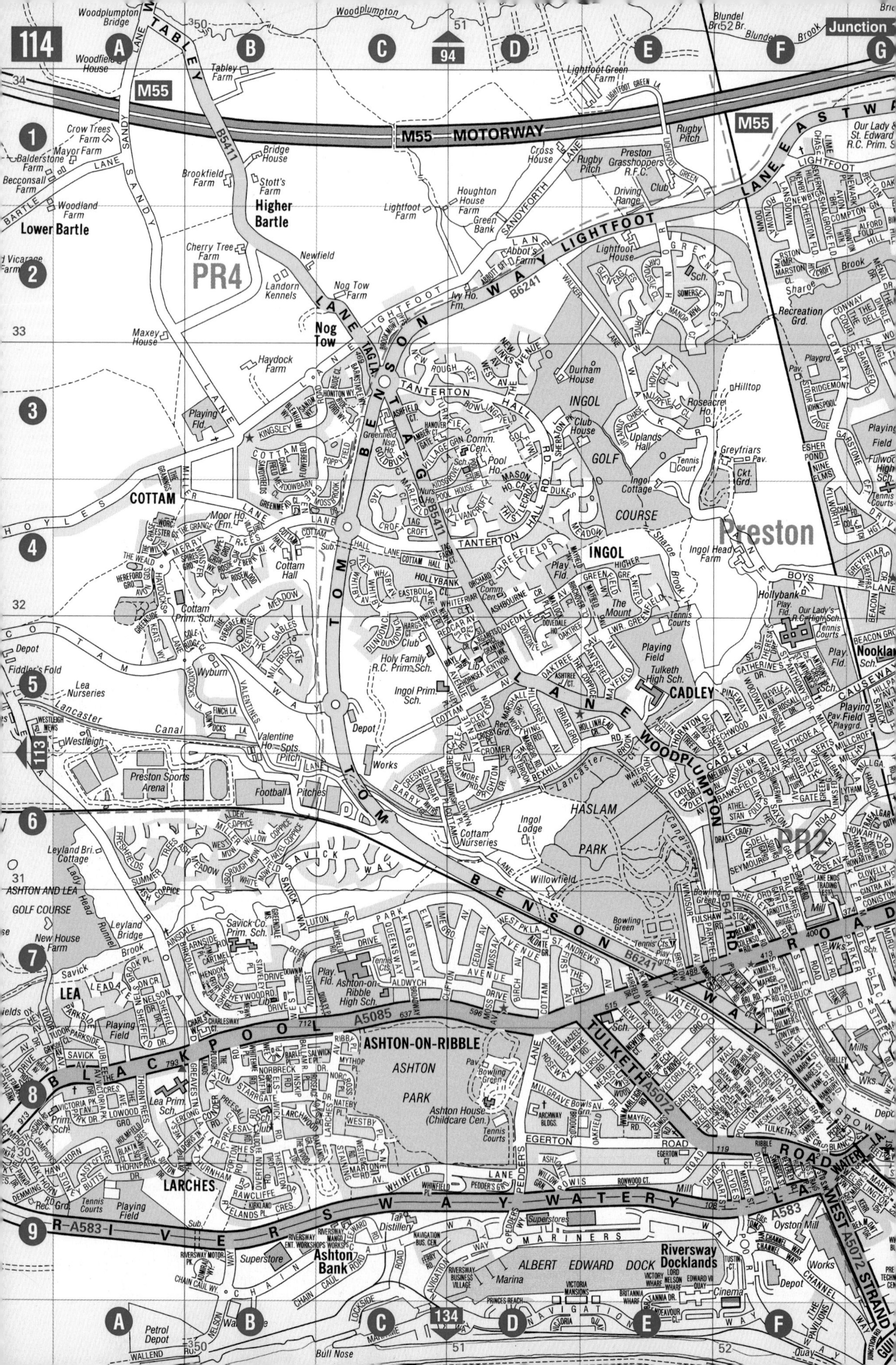
Woodplumpton Bridge
Woodplumpton
94
Junction
M55
M55 MOTORWAY
Lower Bartle
Higher Bartle
PR4
Nog Tow
TABLEY LANE
SANDY LANE
LIGHTFOOT LANE
B5411
B6241
Preston Grasshoppers R.F.C.
Lightfoot House
Cottam
COTTAM
HOYLES LANE
TANTERTON HALL RD
TOM BENSON WAY
INGOL
INGOL GOLF COURSE
Preston
Lancaster Canal
Preston Sports Arena
Football Pitches
Holy Family R.C. Prim. Sch.
Ingol Prim. Sch.
Tulketh High Sch.
CADLEY
WOODPLUMPTON LANE
HASLAM PARK
Ingol Lodge
PR2
Our Lady's R.C. High Sch.
Nooklands
ASHTON AND LEA GOLF COURSE
LEA
Savick Brook
BLACKPOOL ROAD
A5085
ASHTON-ON-RIBBLE
ASHTON PARK
Ashton House (Childcare Cen.)
Ashton-on-Ribble High Sch.
TULKETH A5072
LARCHES
Lea Prim. Sch.
WATERY LANE
RIVERSWAY
A583
Ashton Bank
ALBERT EDWARD DOCK
Riversway Docklands
Marina
Oyston Mill
STRAND ROAD
Petrol Depot
Bull Nose
113
134

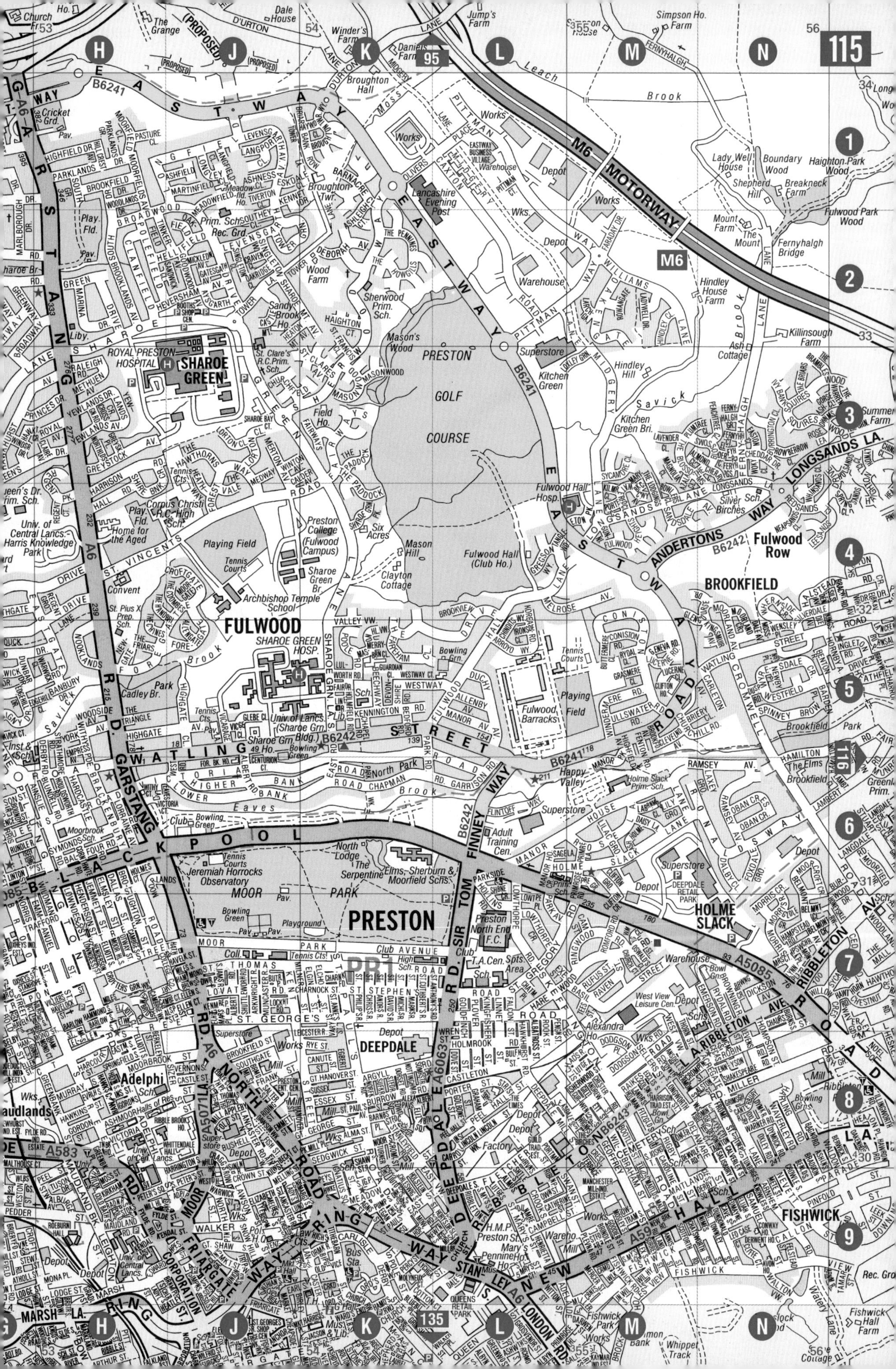
EASTWAY
B6241
M6 MOTORWAY
Leach Brook
Broughton Hall
Lancashire Evening Post
Works
Depot
Warehouse
Superstore
Kitchen Green
Hindley Hill
Savick Brook
Kitchen Green Bri.
Lady Well House
Boundary Wood
Haighton Park Wood
Shepherd Hill
Breakneck Farm
Fulwood Park Wood
Mount Farm
The Mount
Fernyhalgh Bridge
Hindley House Farm
Killinsough Farm
Ash Cottage
Simpson Ho. Farm
Jump's Farm
Winder's Farm
Daniels Farm
Dale House
The Grange
D'URTON LANE
PITTMAN WAY
EASTWAY BUSINESS VILLAGE
ROYAL PRESTON HOSPITAL
SHAROE GREEN
SHAROE GREEN LANE
Mason's Wood
PRESTON GOLF COURSE
Fulwood Hall Hosp.
Fulwood Hall (Club Ho.)
Field Ho.
Six Acres
Mason Hill
Clayton Cottage
Preston College (Fulwood Campus)
Sharoe Green Br.
Archbishop Temple School
Corpus Christi R.C. High Sch.
Home for the Aged
Playing Field
Tennis Courts
Convent
St. Pius X Prep. Sch.
Univ. of Central Lancs. Harris Knowledge Park
Queen's Dr. Prim. Sch.
FULWOOD
SHAROE GREEN HOSP.
Univ. of Lancs. (Sharoe Grn. Bldg.)
Cadley Br.
Park
WATLING STREET
B6242
GARSTANG RD.
A6
Fulwood Barracks
Playing Field
Happy Valley
Holme Slack Prim. Sch.
ANDERTONS WAY
LONGSANDS LA.
Fulwood Row
BROOKFIELD
Silver Birches
Summer Farm
Brookfield Park
The Elms
Greenlands Prim.
116
BLACKPOOL ROAD
A5085
FINNEY WAY
Adult Training Cen.
North Lodge
The Serpentine
Elms, Sherburn & Moorfield Schs.
Jeremiah Horrocks Observatory
MOOR PARK
Bowling Green
Playground
PRESTON
PR1
Preston North End F.C.
T.A.Cen.
Spts Area
SIR TOM FINNEY WAY
DEEPDALE RD.
A6063
DEEPDALE
Deepdale Retail Park
HOLME SLACK
West View Leisure Cen.
RIBBLETON AVE.
RIBBLETON LA.
RIBBLETON
FISHWICK
Rec. Grd.
Fishwick Hall Farm
Whippet Track
Fishwick Park
Adelphi
Maudlands
A583
A5071
NORTH RD.
MOOR LA.
FRIARGATE
CORPORATION ST.
RING WAY
STANLEY
LONDON RD.
NEW HALL LA.
A59
B6243
Bus Sta.
QUEENS RETAIL PARK
H.M.P. Preston
MARSH LA.
135
95
H J K L M N
1 2 3 4 5 6 7 8 9
53 54 55 56
30 31 32 33 34

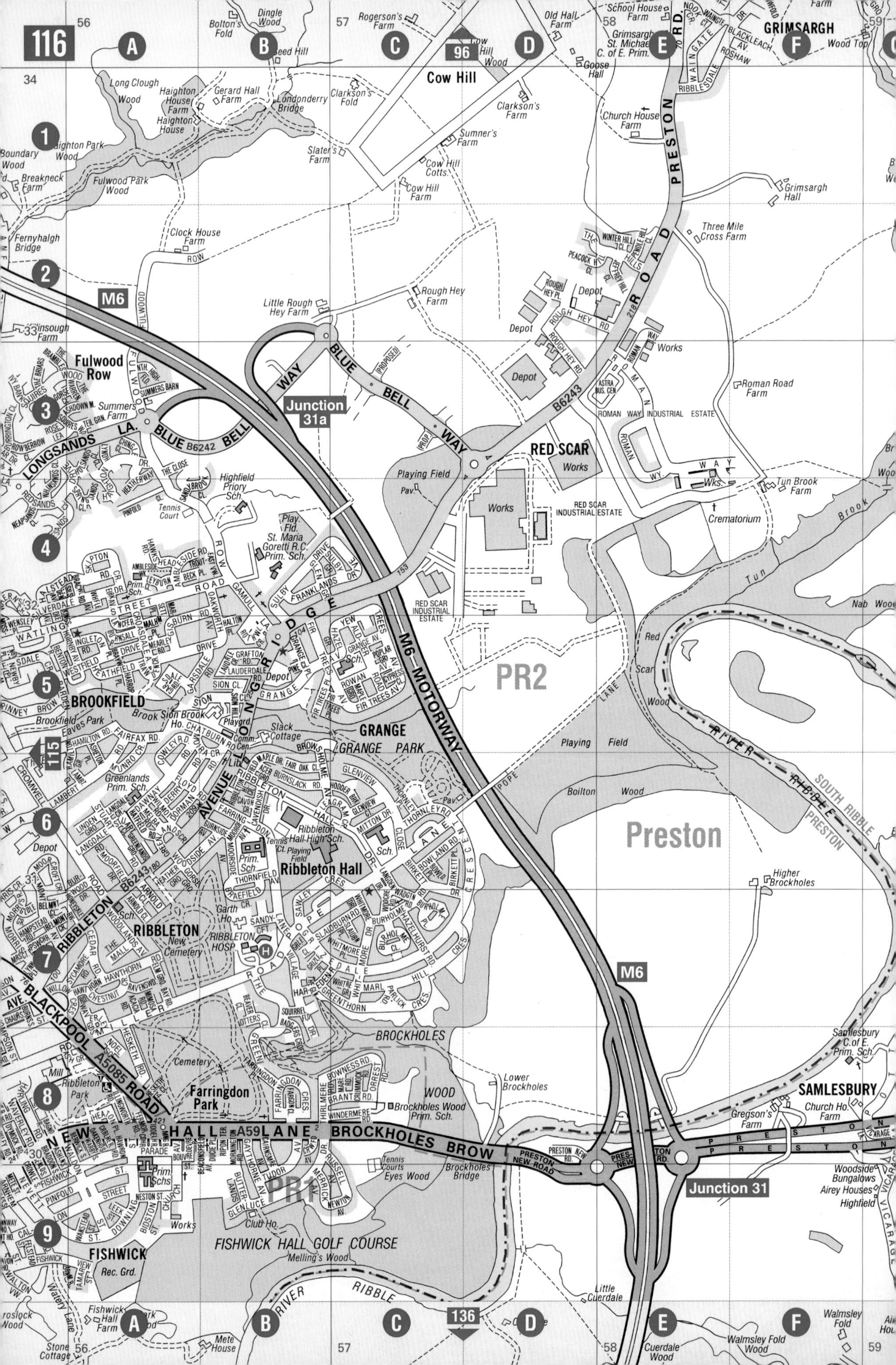

96
115
136
Cow Hill
Grimsargh
Fulwood Row
Brookfield
Grange
Grange Park
Ribbleton
Ribbleton Hall
Farringdon Park
Fishwick
Red Scar
Samlesbury
Brockholes
PR2
PR1
Preston
Junction 31a
Junction 31
M6
M6 MOTORWAY
BLUE BELL WAY
PRESTON ROAD
ROMAN WAY INDUSTRIAL ESTATE
RED SCAR INDUSTRIAL ESTATE
LONGSANDS LA.
RIBBLETON AVENUE
BLACKPOOL ROAD
NEW HALL LANE
BROCKHOLES BROW
PRESTON NEW ROAD
RIVER RIBBLE
SOUTH RIBBLE
PRESTON
FISHWICK HALL GOLF COURSE
Ribbleton Hall High Sch.
Brockholes Wood Prim. Sch.
St. Maria Goretti R.C. Prim. Sch.
Highfield Priory Sch.
Greenlands Prim. Sch.
Ribbleton Hosp.
Crematorium
Cemetery
New Cemetery
Playing Field
Boilton Wood
Red Scar Wood
Higher Brockholes
Lower Brockholes
Melling's Wood
Eyes Wood
Tun Brook
Tun Brook Farm
Three Mile Cross Farm
Grimsargh Hall
Roman Road Farm
Rough Hey Farm
Little Rough Hey Farm
Clock House Farm
Haighton Park Wood
Fulwood Park Wood
Long Clough Wood
Dingle Wood
Little Cuerdale
Cuerdale Wood
Walmsley Fold
Walmsley Fold Wood
Stone Cottage
Mete House

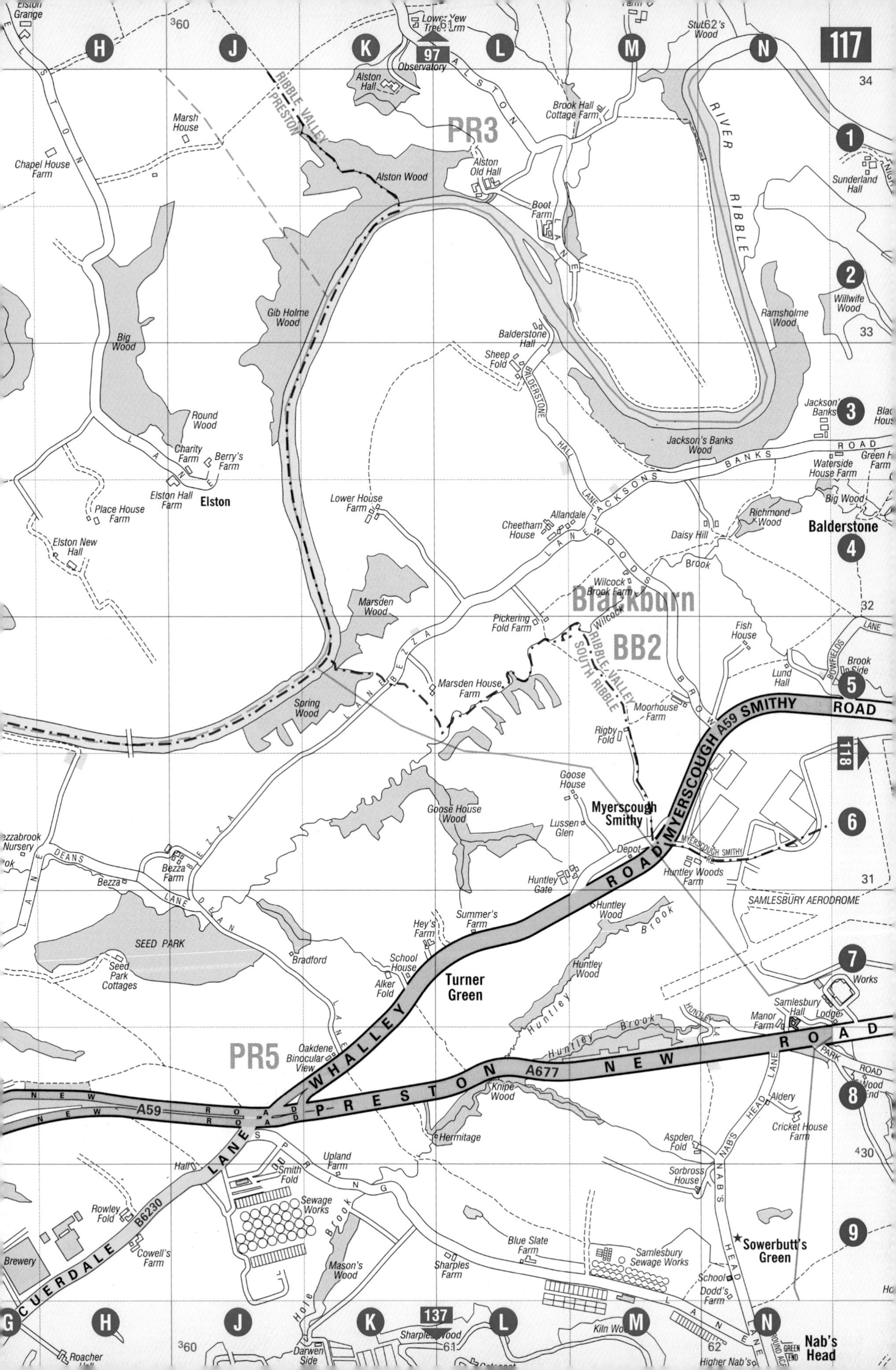
PR3
PR5
Blackburn
BB2
Elston
Balderstone
Myerscough Smithy
Turner Green
Sowerbutt's Green
Nab's Head
RIBBLE VALLEY
PRESTON
SOUTH RIBBLE
RIVER RIBBLE
Alston Hall
Observatory
Lower Yew Tree Farm
Stut's Wood
Brook Hall Cottage Farm
Marsh House
Chapel House Farm
Alston Wood
Alston Old Hall
Boot Farm
Sunderland Hall
Gib Holme Wood
Big Wood
Balderstone Hall
Sheep Fold
Ramsholme Wood
Willwife Wood
Round Wood
Charity Farm
Berry's Farm
Elston Hall Farm
Place House Farm
Elston New Hall
Jackson's Banks Wood
Jackson's Banks
JACKSONS BANKS ROAD
Waterside House Farm
Green Hill Farm
Big Wood
Richmond Wood
Daisy Hill
Lower House Farm
Cheetham House
Allandale
WOODS LANE
Wilcock Brook Farm
Brook
Marsden Wood
Pickering Fold Farm
Fish House
Lund Hall
Brook Side
BOWFIELDS LANE
Marsden House Farm
Spring Wood
Moorhouse Farm
Rigby Fold
A59 SMITHY ROAD
Goose House
Goose House Wood
Lussen Glen
Depot
MYERSCOUGH ROAD
MYERSCOUGH SMITHY RD.
Huntley Woods Farm
SAMLESBURY AERODROME
Bezzabrook Nursery
DEANS LANE
Bezza Farm
Bezza
BEZZA LANE
DEAN LANE
Huntley Gate
Huntley Wood
Summer's Farm
Hey's Farm
SEED PARK
Seed Park Cottages
Bradford
School House
Alker Fold
Huntley Wood
Huntley Brook
Works
Samlesbury Hall
Lodge
Manor Farm
WHALLEY ROAD
Oakdene Binocular View
A677 PRESTON NEW ROAD
A59 NEW ROAD
Knipe Wood
Aldery
Cricket House Farm
Wood End
PARK ROAD
Hermitage
LANE
Aspden Fold
NAB'S HEAD LANE
Hall
Smith Fold
Upland Farm
SPRING LANE
Sorbross House
Sewage Works
Rowley Fold
CUERDALE LANE B6230
Brewery
Cowell's Farm
Blue Slate Farm
Samlesbury Sewage Works
Mason's Wood
Sharples Farm
School
Dodd's Farm
Hole
Darwen Side
Sharples Wood
Kiln Wood
Roacher Hall
Higher Nab's
GREEN END
ROUND ACRE
Elston Grange
97
118
137
H
J
K
L
M
N
G
1
2
3
4
5
6
7
8
9
34
33
32
31
430
360
61
62

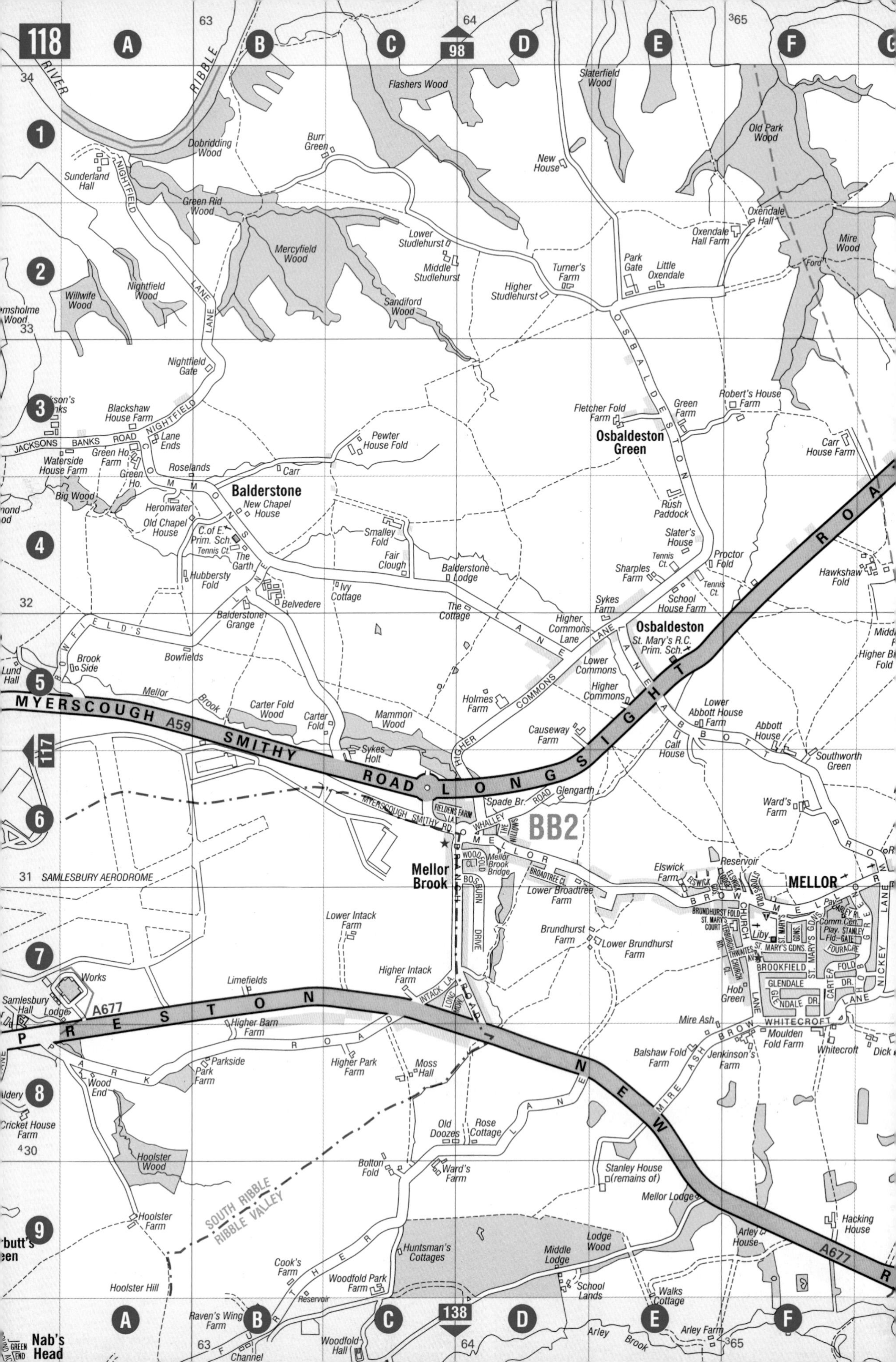
118
A
B
C
D
E
F
G
63
64
365
98
34
33
32
31
430
1
2
3
4
5
6
7
8
9
RIVER RIBBLE
Flashers Wood
Slaterfield Wood
Old Park Wood
Dobridding Wood
Burr Green
Sunderland Hall
NIGHTFIELD LANE
New House
Green Rid Wood
Oxendale Hall
Oxendale Hall Farm
Mire Wood
Lower Studlehurst
Mercyfield Wood
Middle Studlehurst
Ford
Turner's Farm
Park Gate
Little Oxendale
Willwife Wood
Nightfield Wood
Sandiford Wood
Higher Studlehurst
msholme Wood
Nightfield Gate
OSBALDESTON LANE
kson's nks
Blackshaw House Farm
Fletcher Fold Farm
Green Farm
Robert's House Farm
JACKSONS BANKS ROAD
Lane Ends
Pewter House Fold
Osbaldeston Green
Carr House Farm
Waterside House Farm
Green Ho. Farm
Green Ho.
Roselands
Carr
Big Wood
MOONS
Balderstone
New Chapel House
Rush Paddock
nond od
Heronwater
Old Chapel House
C.of E. Prim. Sch.
Tennis Ct.
The Garth
Smalley Fold
Slater's House
Fair Clough
Balderstone Lodge
Tennis Ct.
Sharples Farm
Proctor Fold
Hawkshaw Fold
Hubbersty Fold
Ivy Cottage
Belvedere
Tennis Ct.
School House Farm
Sykes Farm
The Cottage
BALDERSTONE LANE
Balderstone Grange
BOWFIELDS LANE
Higher Commons Lane
Osbaldeston
St. Mary's R.C. Prim. Sch.
Midd
Higher B Fold
Lund Hall
Brook Side
Bowfields
Lower Commons
Higher Commons
Mellor Brook
Carter Fold Wood
Carter Fold
Mammon Wood
Holmes Farm
HIGHER COMMONS LANE
Lower Abbott House Farm
Abbott House
MYERSCOUGH A59 SMITHY ROAD
LONGSIGHT ROAD
Causeway Farm
Calf House
ABBOTT BROOK
Southworth Green
117
Sykes Holt
Spade Br.
Glengarth
WHALLEY ROAD
FIELDENS FARM LA.
MYERSCOUGH SMITHY RD.
THE SMITHY
BB2
Ward's Farm
WOOD CL.
GOLD
Mellor Brook Bridge
MELLOR LANE
BROADTREE CL.
Reservoir
31 SAMLESBURY AERODROME
Mellor Brook
BOSBURN DRIVE
Lower Broadtree Farm
Elswick Farm
ELSWICK
ELSWICK LODGE
STONES FOLD
MELLOR
CHURCH LANE
BRUNDHURST FOLD
ST. MARY'S COURT
TERBURGH RD.
Liby.
Comm.Cen.
Play. Fld.
STANLEY GATE
FOURACRE
Lower Intack Farm
Brundhurst Farm
Lower Brundhurst Farm
THWAITES AV.
ST. MARY'S GDNS.
BROOKFIELD
CARTER FOLD
Works
Limefields
Higher Intack Farm
GLENDALE
NICKEY LANE
Samlesbury Hall
Lodge
INTACK LA.
LONG ROW
HOB GREEN
Hob Green
Mire Ash
WHITECROFT LANE
A677
PRESTON NEW ROAD
Higher Barn Farm
Moulden Fold Farm
Whitecroft
Dick
Parkside
Park Farm
PARK ROAD
Higher Park Farm
Moss Hall
Balshaw Fold Farm
Jenkinson's Farm
MIRE ASH BROW
Wood End
Aldery
Cricket House Farm
Old Doozes
Rose Cottage
Hoolster Wood
Bolton Fold
Ward's Farm
Stanley House (remains of)
Mellor Lodge
Hoolster Farm
SOUTH RIBBLE
RIBBLE VALLEY
Hacking House
rbutt's een
Arley House
Huntsman's Cottages
Middle Lodge
Lodge Wood
Cook's Farm
Hoolster Hill
Woodfold Park Farm
School Lands
Walks Cottage
Reservoir
Raven's Wing Farm
138
Arley
Arley Farm
Brook
FURTHERGATE
Woodfold Hall
Channel
GREEN END
Nab's Head

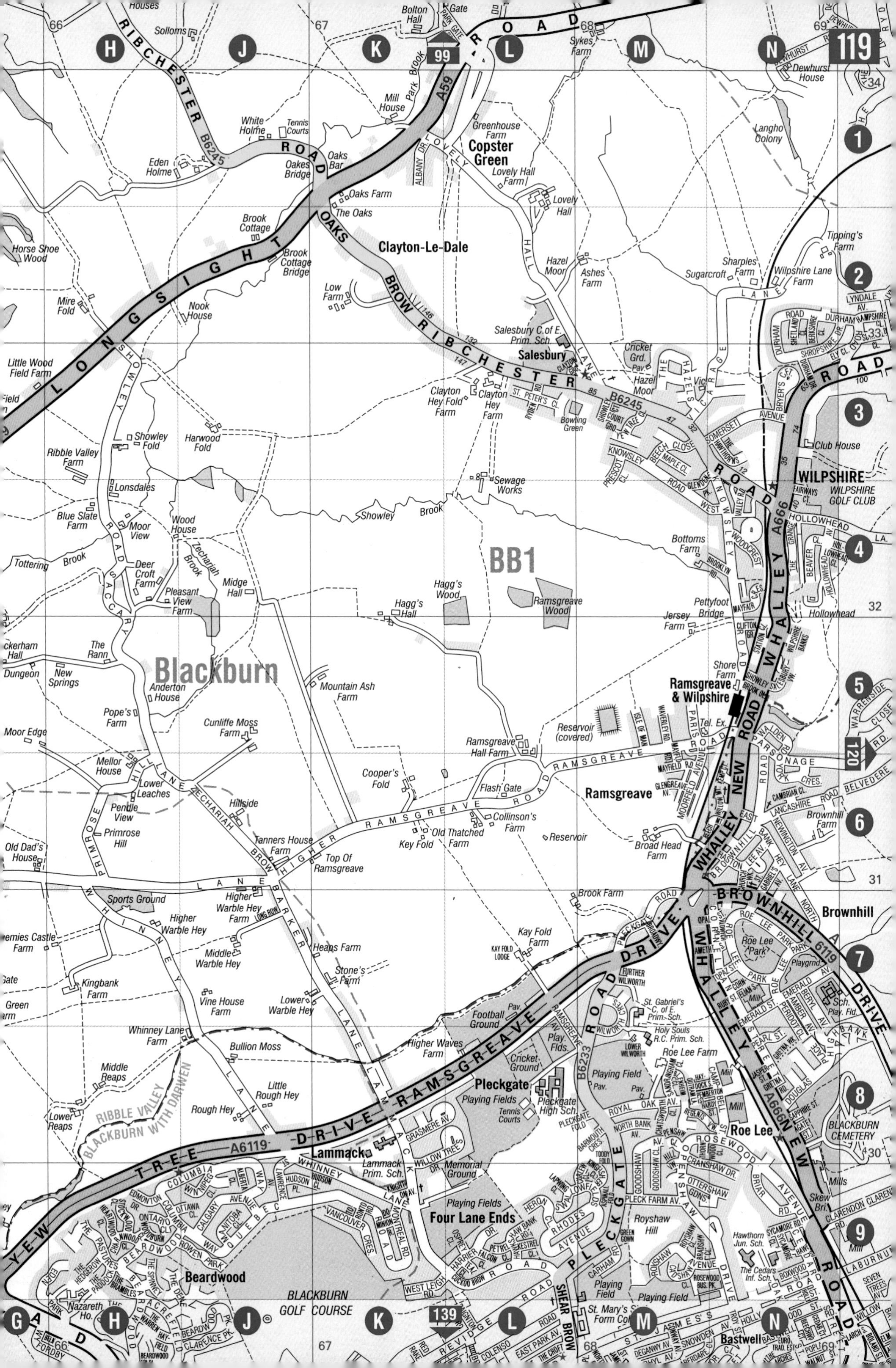

119
Bolton Hall
Solloms
RIBCHESTER ROAD
B6245
White Holme
Tennis Courts
Eden Holme
Oaks Bridge
Oaks Bar
Mill House
Park Brook
A59
99
Sykes Farm
Dewhurst House
Langho Colony
Greenhouse Farm
Copster Green
Lovely Hall Farm
Lovely Hall
ALBANY DR.
Oaks Farm
The Oaks
OAKS BROW
Clayton-Le-Dale
Brook Cottage
Brook Cottage Bridge
Horse Shoe Wood
LONGSIGHT ROAD
Mire Fold
Nook House
Low Farm
Hazel Moor
Ashes Farm
Sugarcroft
Sharples Farm
Tipping's Farm
Wilpshire Lane Farm
Salesbury C.of E. Prim. Sch.
Salesbury
Cricket Grd.
Little Wood Field Farm
RIBCHESTER
Clayton Hey Fold Farm
Clayton Hey Farm
ST. PETER'S CL.
Bowling Green
ROAD
Club House
WILPSHIRE
WILPSHIRE GOLF CLUB
Showley Fold
Harwood Fold
Ribble Valley Farm
Sewage Works
Lonsdales
Showley Brook
Blue Slate Farm
Moor View
Wood House
Bottoms Farm
HOLLOWHEAD
Tottering Brook
Deer Croft Farm
Zechariah Brook
BB1
Hagg's Wood
Ramsgreave Wood
Pleasant View Farm
Midge Hall
Hagg's Hall
Pettyfoot Bridge
Jersey Farm
Hollowhead
The Rann
Dungeon
New Springs
Blackburn
Mountain Ash Farm
Anderton House
Shore Farm
Ramsgreave & Wilpshire
WHALLEY NEW ROAD
A666
Pope's Farm
Cunliffe Moss Farm
Reservoir (covered)
Moor Edge
Ramsgreave Hall Farm
120
Mellor House
Lower Leaches
Cooper's Fold
Flash Gate
RAMSGREAVE ROAD
Ramsgreave
Pendle View
Hillside
Primrose Hill
Collinson's Farm
Old Thatched Farm
Key Fold
Reservoir
Broad Head Farm
Brownhill Farm
Old Dad's House
Tanners House Farm
Top Of Ramsgreave
HIGHER RAMSGREAVE ROAD
ZECHARIAH BROW
Sports Ground
Higher Warble Hey Farm
Brook Farm
BROWNHILL DRIVE
Brownhill
Higher Warble Hey
Kay Fold Farm
Roe Lee Park
Heaps Farm
Middle Warble Hey
Stone's Farm
Kingbank Farm
Vine House Farm
Lower Warble Hey
Further Wilworth
St. Gabriel's C. of E. Prim. Sch.
Holy Souls R.C. Prim. Sch.
Football Ground
Whinney Lane Farm
Bullion Moss
Higher Waves Farm
Cricket Ground
Roe Lee Farm
Middle Reaps
Playing Field
Little Rough Hey
Pleckgate
Playing Fields
Pleckgate High Sch.
Rough Hey
Tennis Courts
Roe Lee
BLACKBURN CEMETERY
Lower Reaps
RIBBLE VALLEY
BLACKBURN WITH DARWEN
YEW TREE DRIVE
RAMSGREAVE DRIVE
A6119
Lammack
Lammack Prim. Sch.
Memorial Ground
B6233
PLECKGATE ROAD
Mills
Skew Bri.
Playing Fields
Four Lane Ends
Royshaw Hill
Hawthorn Jun. Sch.
The Cedars Inf. Sch.
Beardwood
Playing Field
BLACKBURN GOLF COURSE
Nazareth Ho.
St. Mary's Form Co.
139
SHEAR BROW
Bastwell
G H J K L M N
66 67 68 69
1 2 3 4 5 6 7 8 9
30 31 32 33 34

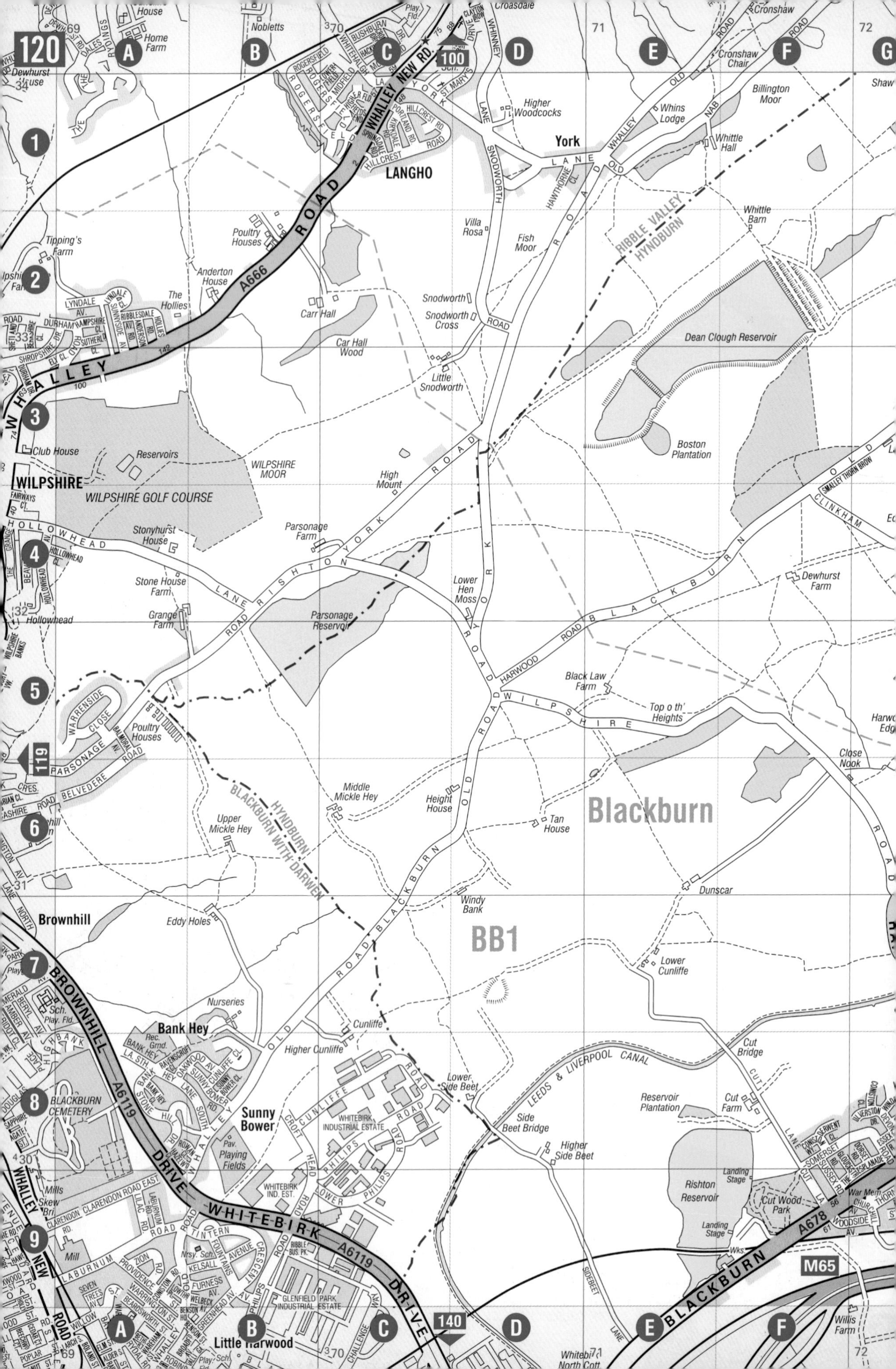
A
B
C
D
E
F
G
1
2
3
4
5
6
7
8
9
100
119
140
69
370
71
72
34
33
32
31
30
Home Farm
Nobletts
Cronshaw
Cronshaw Chair
Dewhurst House
Billington Moor
Shaw
Whins Lodge
Whittle Hall
Higher Woodcocks
York
LANGHO
Tipping's Farm
Poultry Houses
Anderton House
The Hollies
Villa Rosa
Fish Moor
RIBBLE VALLEY
HYNDBURN
Whittle Barn
Snodworth
Snodworth Cross
Carr Hall
Car Hall Wood
Little Snodworth
Dean Clough Reservoir
Club House
Reservoirs
WILPSHIRE
WILPSHIRE MOOR
WILPSHIRE GOLF COURSE
High Mount
Boston Plantation
Stonyhurst House
Parsonage Farm
Stone House Farm
Grange Farm
Hollowhead
Parsonage Reservoir
Lower Hen Moss
Dewhurst Farm
Black Law Farm
Top o th' Heights
Poultry Houses
Close Nook
Middle Mickle Hey
Height House
Tan House
Blackburn
Upper Mickle Hey
BLACKBURN WITH DARWEN
HYNDBURN
Dunscar
Windy Bank
Brownhill
Eddy Holes
BB1
Lower Cunliffe
Nurseries
Bank Hey
Cunliffe
Higher Cunliffe
Cut Bridge
LEEDS & LIVERPOOL CANAL
Lower Side Beet
BLACKBURN CEMETERY
Sunny Bower
WHITEBIRK INDUSTRIAL ESTATE
Side Beet Bridge
Higher Side Beet
Reservoir Plantation
Cut Farm
Pav. Playing Fields
WHITEBIRK IND. EST.
Rishton Reservoir
Cut Wood Park
Mills
Skew Bri.
Mill
GLENFIELD PARK INDUSTRIAL ESTATE
M65
Willis Farm
Little Harwood
A666
A6119
A678
WHALLEY NEW RD.
WHALLEY ROAD
YORK LANE
SNODWORTH ROAD
OLD WHALLEY ROAD
YORK ROAD
HOLLOWHEAD LANE
RISHTON ROAD
HARWOOD ROAD
BLACKBURN ROAD
OLD BLACKBURN ROAD
WILPSHIRE ROAD
BROWNHILL DRIVE
WHITEBIRK DRIVE
CLARENDON ROAD EAST
PARSONAGE ROAD
BELVEDERE ROAD
WARRENSIDE CLOSE
CUNLIFFE ROAD
PHILIPS ROAD
SIDEBEET LANE
CUT LANE
LABURNUM RD.

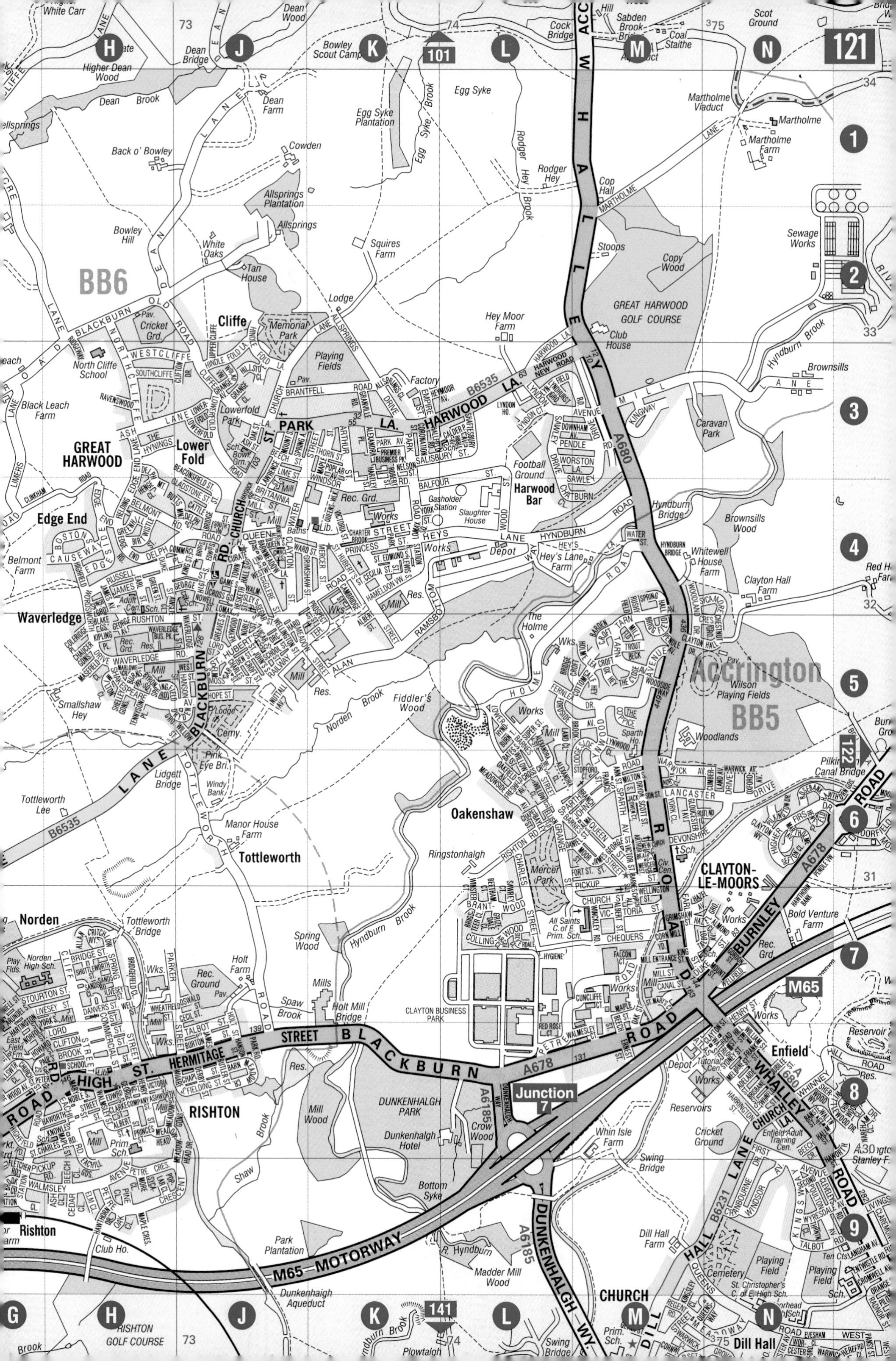

101
Dean Wood
Dean Bridge
Higher Dean Wood
Dean Brook
Dean Farm
Bowley Scout Camp
Cock Bridge
Sabden Brook
Coal Staithe
Scot Ground
Egg Syke
Egg Syke Plantation
Egg Syke Brook
Martholme Viaduct
Martholme
Martholme Farm
Back o' Bowley
Cowden
Rodger Hey Brook
Rodger Hey
Cop Hall
Allsprings Plantation
Allsprings
Bowley Hill
White Oaks
Squires Farm
Stoops
Copy Wood
Sewage Works
BB6
Tan House
Lodge
GREAT HARWOOD GOLF COURSE
Hey Moor Farm
Club House
Cliffe
Cricket Grd.
Memorial Park
Playing Fields
North Cliffe School
Black Leach Farm
Hyndburn Brook
Brownsills
Factory
HARWOOD LA.
B6535
Lowerfold Park
ST. PARK
GREAT HARWOOD
Lower Fold
Caravan Park
Football Ground
Harwood Bar
Edge End
Rec. Grd.
Works
Gasholder Station
Slaughter House
Hyndburn Bridge
Brownsills Wood
Belmont Farm
Baths
Lib.
HEYS LANE
Works
Depot
Hey's Lane Farm
Whitewell House Farm
Clayton Hall Farm
Waverledge
Res.
Mill
The Holme
A680
Accrington
Wilson Playing Fields
BB5
Smallshaw Hey
Fiddler's Wood
Norden Brook
Cemy.
Pink Eye Bri.
Woodlands
122
Pilkington Canal Bridge
Lidgett Bridge
Windy Bank
Tottleworth Lee
Oakenshaw
Manor House Farm
Tottleworth
Ringstonhalgh
Mercer Park
CLAYTON-LE-MOORS
A678
Bold Venture Farm
Norden
Tottleworth Bridge
Norden High Sch.
Spring Wood
Hyndburn Brook
All Saints C. of E. Prim. Sch.
Holt Farm
Rec. Ground
Mills
Spaw Brook
Holt Mill Bridge
CLAYTON BUSINESS PARK
M65
Reservoir
Enfield
BLACKBURN ROAD
ST. HERMITAGE STREET
HIGH ST.
RISHTON
DUNKENHALGH PARK
Junction 7
Dunkenhalgh Hotel
Mill Wood
Crow Wood
Whin Isle Farm
Reservoirs
Cricket Ground
Swing Bridge
Bottom Syke
A6185
Rishton
Club Ho.
Park Plantation
M65 MOTORWAY
R. Hyndburn
Madder Mill Wood
Dill Hall Farm
Cemetery
Playing Field
St. Christopher's C. of E. High Sch.
Dunkenhaigh Aqueduct
141
RISHTON GOLF COURSE
Plowtalgh
CHURCH
Dill Hall
DUNKENHALGH WY.

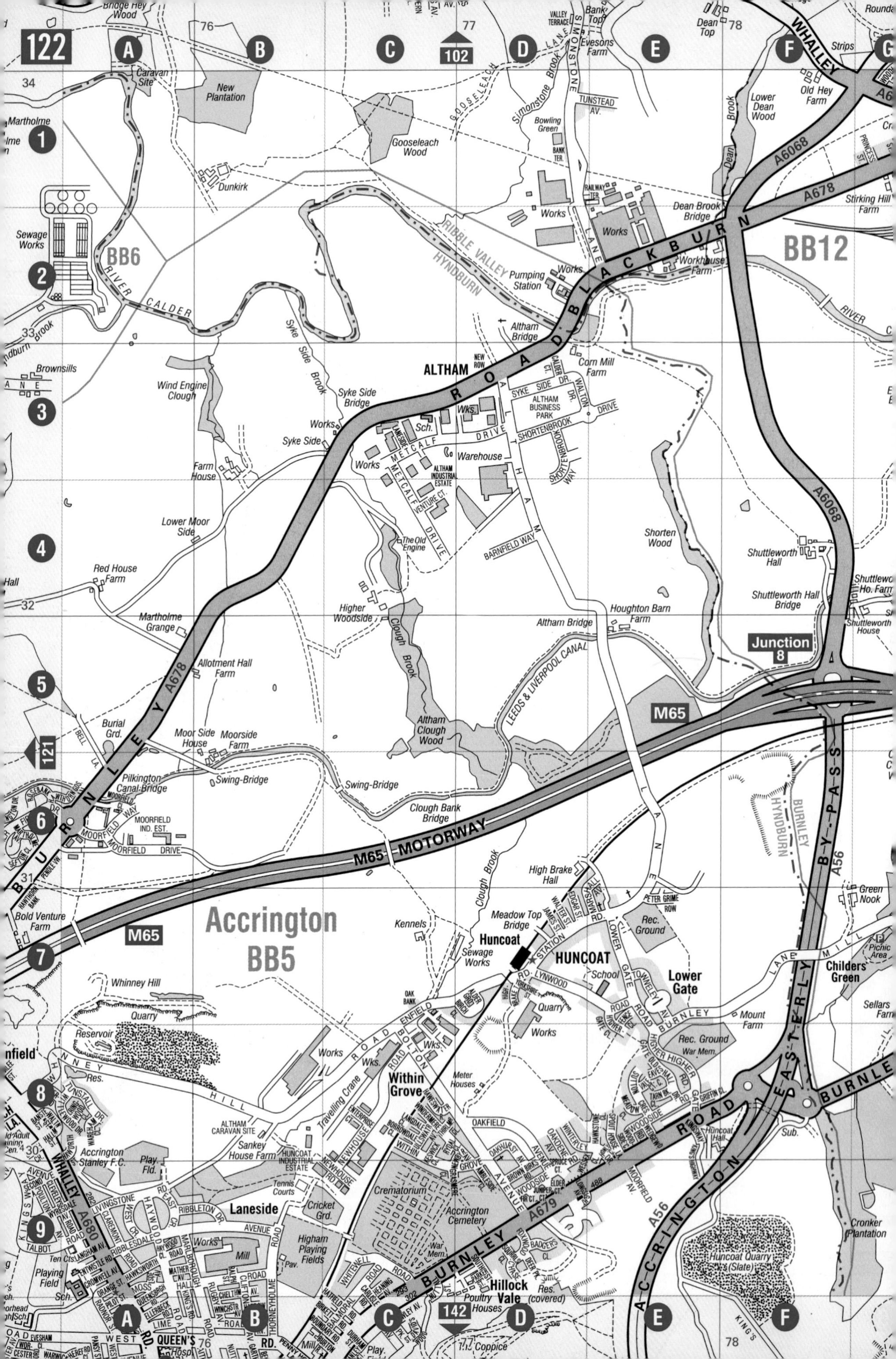

A
B
C
D
E
F
G
1
2
3
4
5
6
7
8
9
102
121
142
Bridge Hey Wood
Caravan Site
New Plantation
Gooseleach Wood
Dunkirk
Martholme
Sewage Works
BB6
RIVER CALDER
Brownsills
Wind Engine Clough
Syke Side Brook
Syke Side Bridge
Syke Side
Works
Farm House
Lower Moor Side
Red House Farm
Martholme Grange
Allotment Hall Farm
Burial Grd.
Moor Side House
Moorside Farm
Swing-Bridge
Pilkington Canal-Bridge
MOORFIELD IND. EST.
MOORFIELD DRIVE
MOORFIELD WAY
Bold Venture Farm
M65
Accrington BB5
Whinney Hill
Quarry
Reservoir
WHINNEY HILL
Accrington Stanley F.C.
Play. Fld.
ALTHAM CARAVAN SITE
Sankey House Farm
HUNCOAT INDUSTRIAL ESTATE
Tennis Courts
Cricket Grd.
Laneside
LIVINGSTONE
RIBBLETON DR.
Higham Playing Fields
Mill
Playing Field
WHALLEY
A680
QUEEN'S
Hosp.
Play.
Coppice
Travelling Crane
Wks.
Within Grove
ENFIELD ROAD
OAK BANK
BOLTON
Crematorium
Accrington Cemetery
War Mem.
BURNLEY ROAD
A679
Poultry Houses
Hillock Vale
Res. (covered)
Meter Houses
OAKFIELD
WOODSIDE
Kennels
Sewage Works
Huncoat
HUNCOAT
STATION
Meadow Top Bridge
High Brake Hall
School
Quarry
Works
Rec. Ground
Lower Gate
LOWER GATE
PETER GRIME ROW
Rec. Ground
War Mem.
Mount Farm
Huncoat Hall
ACCRINGTON ROAD
A56
EASTERLY BY-PASS
Huncoat Quarry (Slate)
Cronker Plantation
Childers Green
Sellars Farm
Green Nook
Picnic Area
LANE MILL
HYNDBURN
BURNLEY
Sub.
BURNLEY
KINGS
Clough Brook
Clough Bank Bridge
Altham Clough Wood
M65 MOTORWAY
LEEDS & LIVERPOOL CANAL
Houghton Barn Farm
Altham Bridge
Junction 8
Shorten Wood
Shuttleworth Hall
Shuttleworth Hall Bridge
Shuttleworth House
A6068
BB12
RIVER CALDER
Dean Brook Bridge
Workhouse Farm
Lower Dean Wood
Old Hey Farm
Strips
Stirking Hill Farm
A678
WHALLEY
Dean Top
ALTHAM
BURNLEY ROAD
BLACKBURN ROAD
A678
ALTHAM LANE
Higher Woodside
The Old Engine
ALTHAM INDUSTRIAL ESTATE
METCALF DRIVE
VENTURE CT.
Warehouse
Sch.
Wks.
BARNFIELD WAY
ALTHAM BUSINESS PARK
SHORTENBROOK DRIVE
SHORTENBROOK WAY
SYKE SIDE DR.
WALTON CT.
Corn Mill Farm
Altham Bridge
RIBBLE VALLEY
HYNDBURN
Pumping Station
Works
RAILWAY TER.
BANK TER.
Bowling Green
Simonstone Brook
SIMONSTONE LANE
TUNSTEAD AV.
GOOSELEACH LANE
VALLEY TERRACE
Bank Top
Evesons Farm
Dean Brook

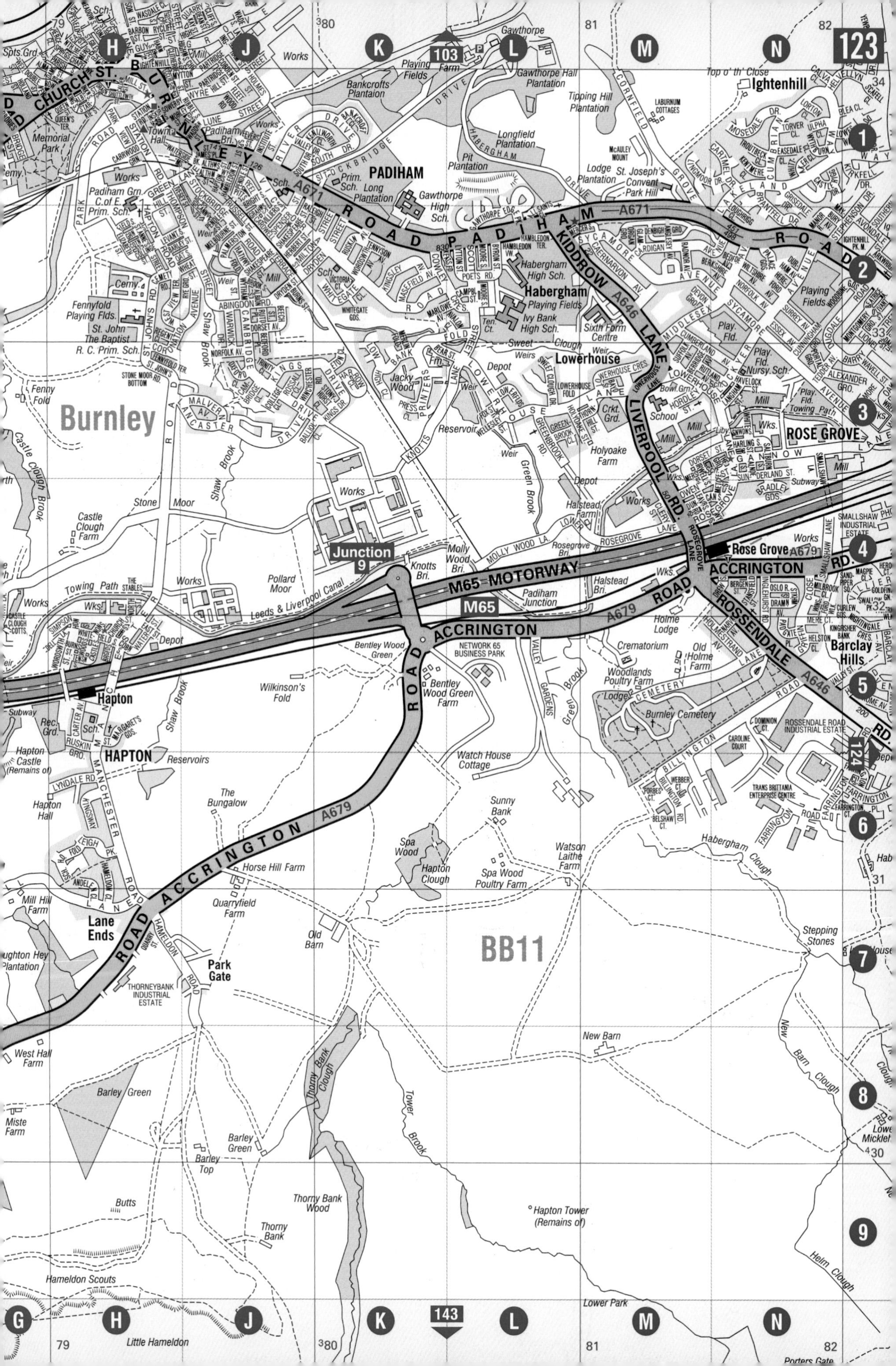

123
103
143
124
Burnley
PADIHAM
ROSE GROVE
HAPTON
BB11
Ightenhill
Habergham
Lowerhouse
Barclay Hills
Lane Ends
Park Gate
M65 MOTORWAY
M65
Junction 9
A671
A646
A679
PADIHAM ROAD
ACCRINGTON ROAD
ROSSENDALE ROAD
LIVERPOOL RD.
KIDDROW LANE
CHURCH ST.
Leeds & Liverpool Canal
Gawthorpe Hall Plantation
Gawthorpe High Sch.
Habergham High Sch.
Ivy Bank High Sch.
Sixth Form Centre
Burnley Cemetery
Crematorium
Rose Grove
Hapton
Memorial Park
Fennyfold Playing Flds.
St. John The Baptist R. C. Prim. Sch.
Padiham Grn. C.of E. Prim. Sch.
Castle Clough Farm
Pollard Moor
Stone Moor
Reservoir
Reservoirs
Hapton Castle (Remains of)
Hapton Hall
Horse Hill Farm
Quarryfield Farm
THORNEYBANK INDUSTRIAL ESTATE
West Hall Farm
Barley Green
Barley Top
Thorny Bank Wood
Thorny Bank
Hameldon Scouts
Little Hameldon
Hapton Tower (Remains of)
New Barn
Spa Wood
Hapton Clough
Spa Wood Poultry Farm
Watson Laithe Farm
Sunny Bank
Watch House Cottage
Bentley Wood Green Farm
NETWORK 65 BUSINESS PARK
Wilkinson's Fold
Holme Lodge
Old Holme Farm
Woodlands Poultry Farm
ROSSENDALE ROAD INDUSTRIAL ESTATE
TRANS BRITTANIA ENTERPRISE CENTRE
SMALLSHAW INDUSTRIAL ESTATE
Habergham Clough
New Barn Clough
Helm Clough
Stepping Stones
Lower Park
Tower Brook
Green Brook
Shaw Brook
Castle Clough Brook
Tipping Hill Plantation
Longfield Plantation
Pit Plantation
Lodge Plantation
Bankcrofts Plantaion
St. Joseph's Convent
Holyoake Farm
Halstead Farm
Jacky Wood
Fenny Fold
Mill Hill Farm
Miste Farm
Butts
G H J K L M N
1 2 3 4 5 6 7 8 9
79 380 81 82

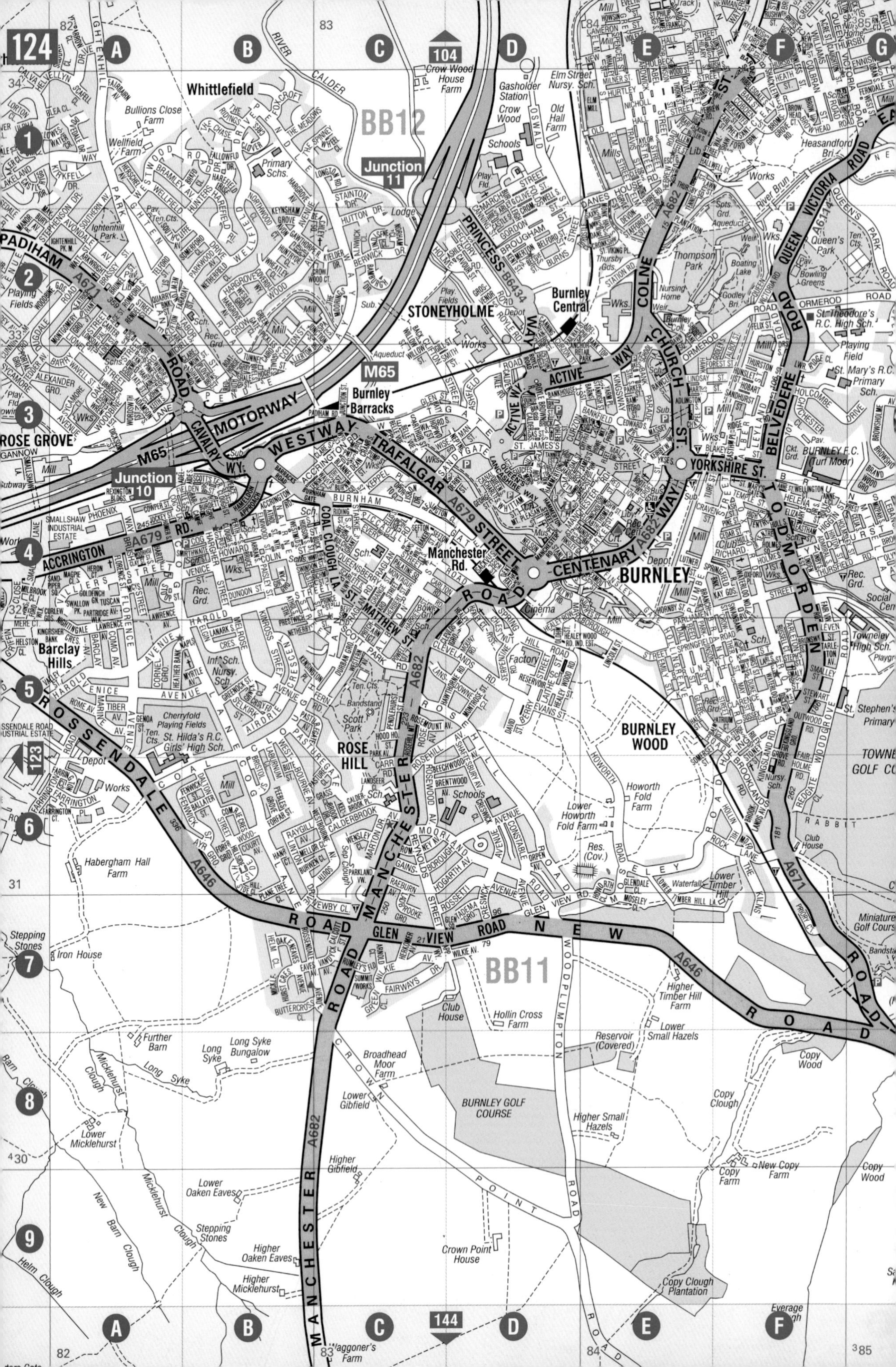
104
144
123
BB12
BB11
Whittlefield
Bullions Close Farm
Wellfield Farm
Crow Wood House Farm
Gasholder Station
Crow Wood
Elm Street Nursy. Sch.
Old Hall Farm
Junction 11
Primary Schs.
STONEYHOLME
Burnley Central
Burnley Barracks
Junction 10
M65
MOTORWAY
WESTWAY
TRAFALGAR
A679 STREET
PADIHAM
A671
ROAD
CAVALRY WY.
ROSE GROVE
GANNOW
SMALLSHAW INDUSTRIAL ESTATE
PHOENIX
ACCRINGTON
A679
RD.
Barclay Hills
Playing Fields
Cherryfold Playing Fields
St. Hilda's R.C. Girls' High Sch.
ROSSENDALE
A646
COAL CLOUGH LA.
Manchester Rd.
CENTENARY
A682
WAY
BURNLEY
ACTIVE WAY
COLNE
CHURCH
YORKSHIRE ST.
Thompson Park
Queen's Park
Heasandford Bri.
QUEEN VICTORIA ROAD
BELVEDERE ROAD
St. Theodore's R.C. High Sch.
St. Mary's R.C. Primary Sch.
BURNLEY F.C. (Turf Moor)
TODMORDEN
Towneley High Sch.
St. Stephen's Primary
Scott Park
ROSE HILL
BURNLEY WOOD
Howorth Fold Farm
Lower Howorth Fold Farm
MANCHESTER
GLEN VIEW ROAD
NEW ROAD
Habergham Hall Farm
Stepping Stones
Iron House
Higher Timber Hill Farm
Lower Small Hazels
Hollin Cross Farm
Club House
Reservoir (Covered)
Copy Wood
Further Barn
Long Syke Bungalow
Long Syke
Broadhead Moor Farm
Lower Gibfield
BURNLEY GOLF COURSE
Higher Small Hazels
Copy Clough
Lower Micklehurst
Higher Gibfield
Copy Farm
New Copy Farm
Lower Oaken Eaves
Stepping Stones
Higher Oaken Eaves
Crown Point House
WOODPLUMPTON ROAD
CROWN POINT ROAD
Higher Micklehurst
Copy Clough Plantation
Waggoner's Farm
Everage Clough
Micklehurst Clough
New Barn Clough
Helm Clough
Miniature Golf Course
TOWNELEY GOLF CO

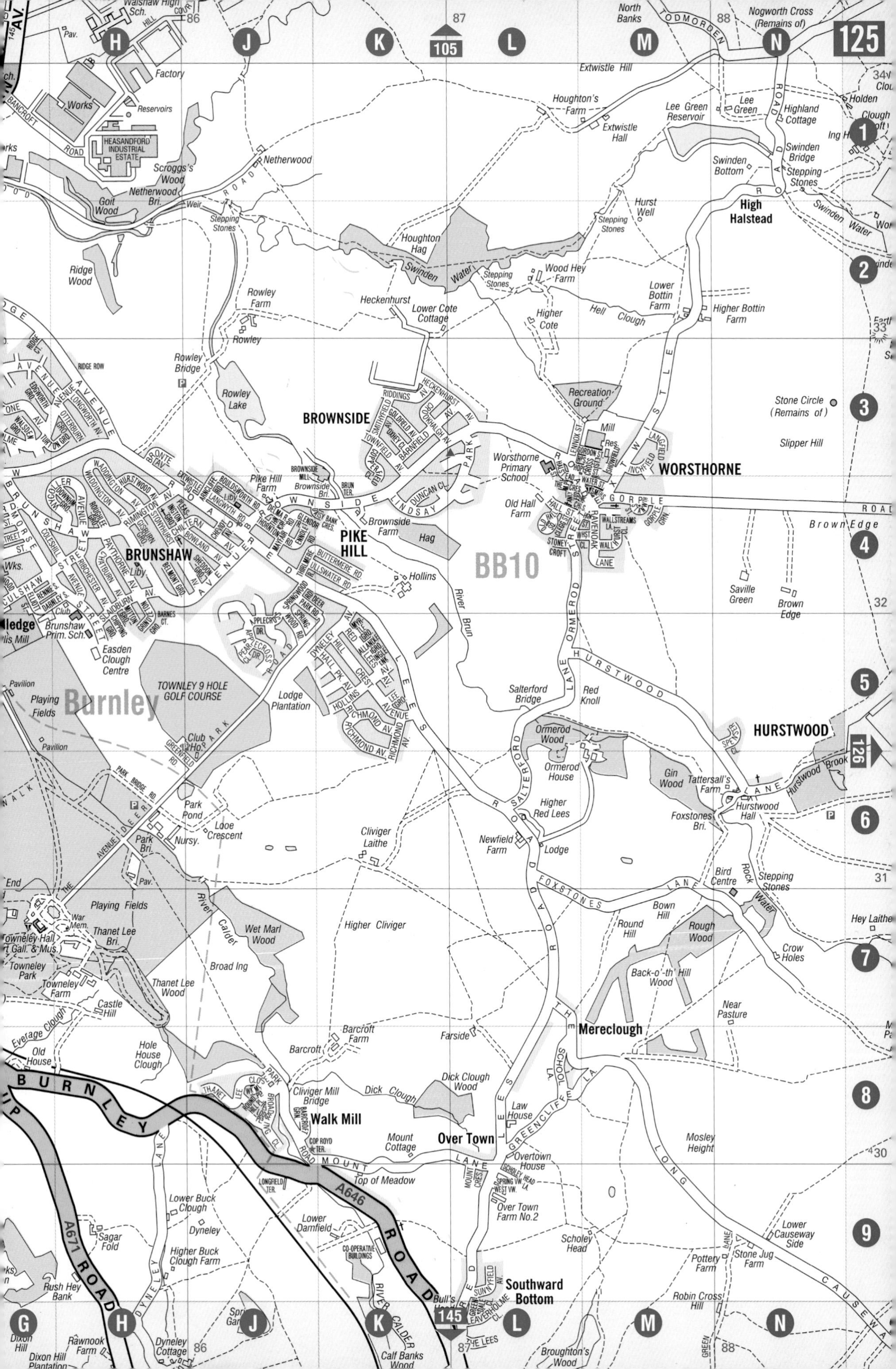
105
145
126
H
J
K
L
M
N
G
1
2
3
4
5
6
7
8
9
86
87
88
34
33
32
31
30
Burnley
BRUNSHAW
BROWNSIDE
PIKE HILL
WORSTHORNE
HURSTWOOD
BB10
Walk Mill
Over Town
Mereclough
Southward Bottom
High Halstead
Heasandford Industrial Estate
Works
Factory
Reservoirs
Scroggs's Wood
Netherwood
Netherwood Bri.
Goit Wood
Weir
Stepping Stones
Ridge Wood
Rowley Farm
Rowley
Rowley Bridge
Rowley Lake
Houghton Hag
Swinden Water
Heckenhurst
Lower Cote Cottage
Wood Hey Farm
Higher Cote
Hell Clough
Lower Bottin Farm
Higher Bottin Farm
Extwistle Hill
Houghton's Farm
Extwistle Hall
Lee Green Reservoir
Lee Green
Highland Cottage
Swinden Bottom
Swinden Bridge
Hurst Well
North Banks
Nogworth Cross (Remains of)
Todmorden Road
Holden
Stone Circle (Remains of)
Slipper Hill
Recreation Ground
Worsthorne Primary School
Old Hall Farm
Brown Edge
Saville Green
Brownside Farm
Hag
Hollins
River Brun
Salterford Bridge
Red Knoll
Hurstwood Lane
Ormerod Wood
Ormerod House
Higher Red Lees
Newfield Farm
Lodge
Gin Wood
Tattersall's Farm
Hurstwood Hall
Hurstwood Brook
Foxstones Bri.
Foxstones Lane
Bird Centre
Stepping Stones
Rock Water
Hey Laithe
Bown Hill
Round Hill
Rough Wood
Crow Holes
Back-o'-th' Hill Wood
Near Pasture
Cliviger Laithe
Higher Cliviger
Townley 9 Hole Golf Course
Lodge Plantation
Brunshaw Prim. Sch.
Easden Clough Centre
Playing Fields
Pavilion
Park Pond
Looe Crescent
Park Bri.
Nursy.
War Mem.
Towneley Hall Art Gall. & Mus.
Towneley Park
Towneley Farm
Thanet Lee Bri.
Thanet Lee Wood
Wet Marl Wood
River Calder
Broad Ing
Castle Hill
Everage Clough
Old House
Hole House Clough
Barcroft
Barcroft Farm
Farside
Dick Clough Wood
Dick Clough
Cliviger Mill Bridge
Mount Cottage
Law House
Overtown House
Top of Meadow
Over Town Farm No.2
Mosley Height
Long Causeway
Lower Causeway Side
Stone Jug Farm
Pottery Farm
Scholey Head
Robin Cross Hill
Lower Buck Clough
Dyneley
Higher Buck Clough Farm
Sagar Fold
Rush Hey Bank
Lower Damfield
Co-operative Buildings
Bull's
Dyneley Cottage
Dixon Hill
Dixon Hill Plantation
Rawnook Farm
Calf Banks Wood
Broughton's Wood
Burnley Road
A646
A671 Road
Ormerod Lane
Salterford Road
Red Lees Road
Gorple Road
Extwistle Street
Brownside Road
Park Road
Mount Lane
Greencliffe La.
School La.
The Lees
Dyneley Lane
Avenue Parade
Brunshaw Avenue
Brunshaw Road
Park Avenue

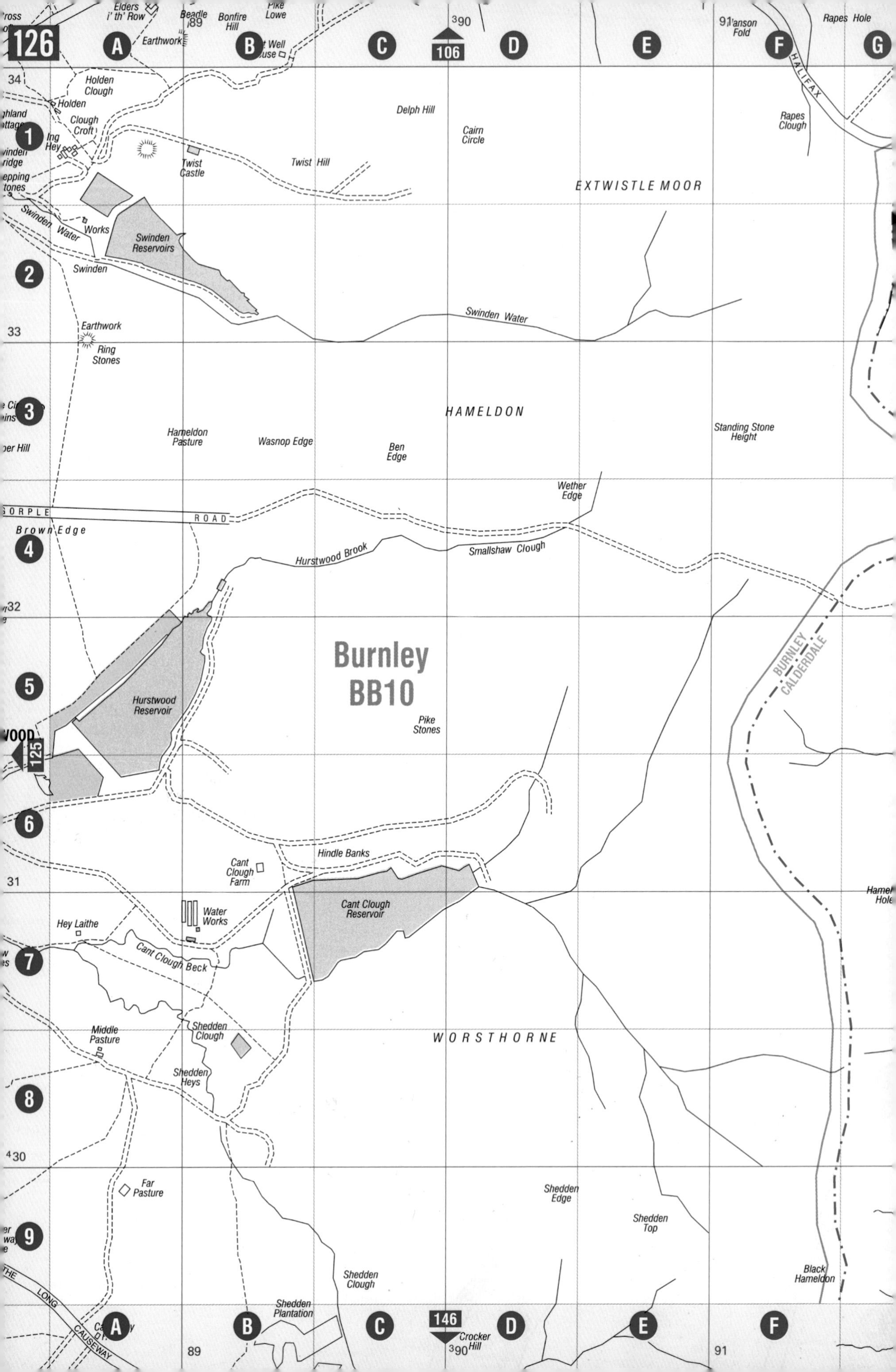

126

A   B   C   106   D   E   F   G

Cross
Elders i' th' Row
Earthwork
Beadle
89
Bonfire Hill
Pike Lowe
91
anson Fold
Rapes Hole

ghland
ttage
Holden Clough
Holden
Clough Croft
Delph Hill
Cairn Circle
Rapes Clough

1

winden
ridge
epping tones
Ing Hey
Twist Castle
Twist Hill
EXTWISTLE MOOR

Swinden Water
Works
Swinden Reservoirs

2

Swinden

33

Earthwork
Ring Stones
Swinden Water

e Ci
ins
HAMELDON
Standing Stone Height

3

er Hill
Hameldon Pasture
Wasnop Edge
Ben Edge

GORPLE
ROAD
Wether Edge

Brown Edge
Hurstwood Brook
Smallshaw Clough

4

32

5

Hurstwood Reservoir
Burnley
BB10

Pike Stones

BURNLEY
CALDERDALE

WOOD
125

6

Hindle Banks
Hamel
Hole

31

Cant Clough Farm
Cant Clough Reservoir

Hey Laithe
Water Works

7

Cant Clough Beck

Middle Pasture
Shedden Clough
WORSTHORNE

Shedden Heys

8

30

Far Pasture

Shedden Edge

Shedden Top

9

er
wa
e
Shedden Clough
Black Hameldon

THE
LONG
CAUSEWAY

A   B   C   146   D   E   F

89
Shedden Plantation
Crocker Hill
390
91

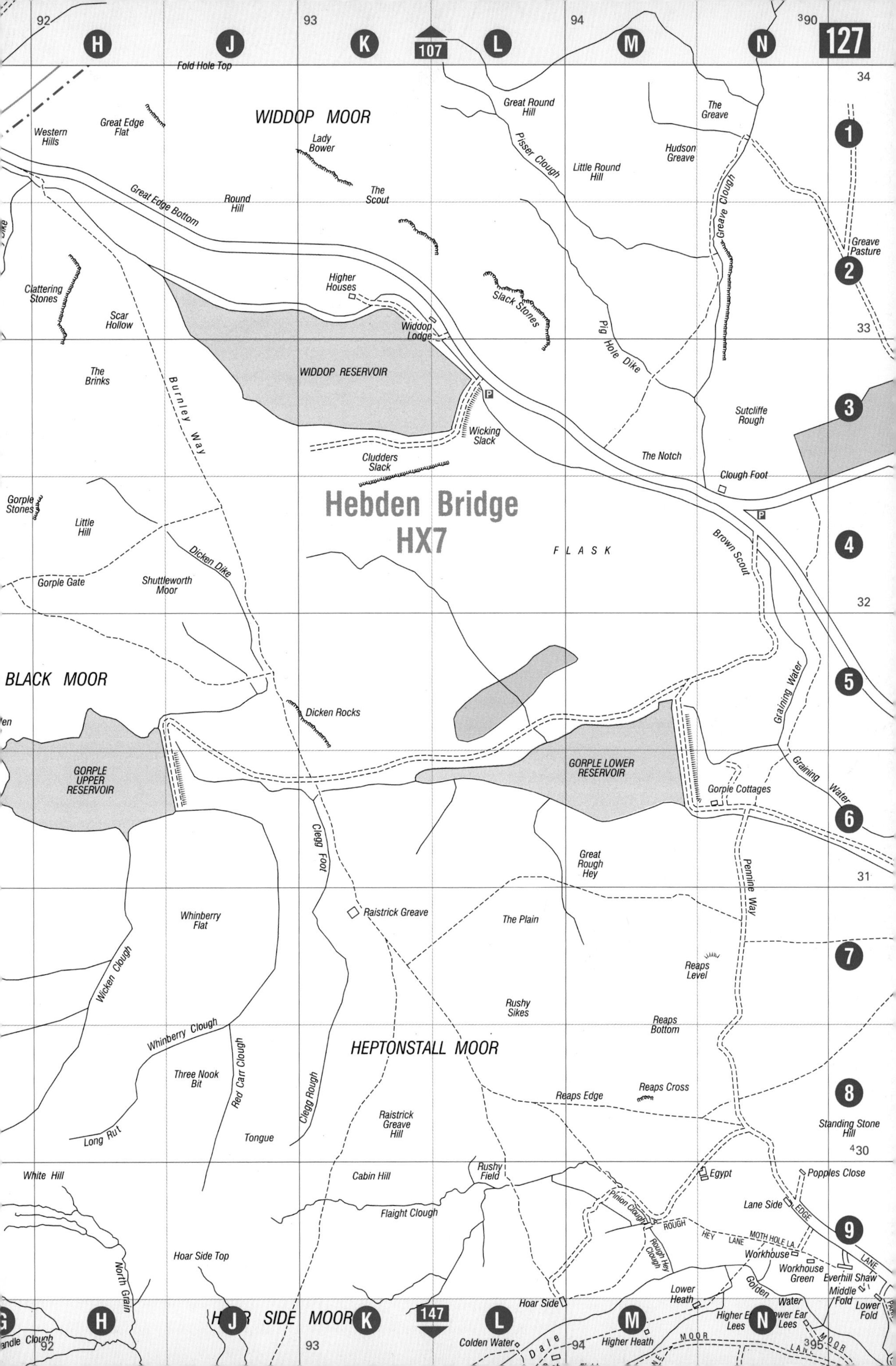

WIDDOP MOOR

Fold Hole Top

Great Round Hill

The Greave

1

Great Edge Flat

Western Hills

Lady Bower

Little Round Hill

Hudson Greave

Greave Pasture

2

Round Hill

The Scout

Great Edge Bottom

33

Clattering Stones

Slack Stones

Sutcliffe Rough

3

Scar Hollow

Higher Houses

Pisser Clough

The Brinks

Widdop Lodge

Pig Hole Dike

The Notch

Clough Foot

WIDDOP RESERVOIR

P

Burnley Way

Wicking Slack

Brown Scout

4

Gorple Stones

Cludders Slack

P

Hebden Bridge
HX7

F L A S K

32

Little Hill

Dicken Dike

Graining Water

5

Gorple Gate

Shuttleworth Moor

Graining Water

BLACK MOOR

Dicken Rocks

GORPLE LOWER RESERVOIR

Gorple Cottages

6

GORPLE UPPER RESERVOIR

Clegg Foot

Pennine Way

31

Whinberry Flat

Raistrick Greave

The Plain

Great Rough Hey

Wicken Clough

Reaps Level

7

Whinberry Clough

Red Carr Clough

Clegg Rough

Rushy Sikes

Reaps Bottom

Three Nook Bit

HEPTONSTALL MOOR

Long Rut

Tongue

Raistrick Greave Hill

Reaps Edge

Reaps Cross

Standing Stone Hill

8

⁴30

White Hill

Cabin Hill

Rushy Field

Egypt

Popples Close

Lane Side

EDGE

Flaight Clough

Pinion Clough

Hoar Side Top

ROUGH   HEY   LANE

MOTH HOLE LA.

9

North Grain

Rough Hey Clough

Workhouse

Workhouse Green

Everhill Shaw Middle Fold   Lower Fold

Golden Water

...andle Clough   92   **HOAR SIDE MOOR**   93   Hoar Side   Colden Water   94   Higher Heath   Higher Ear Lees   Lower Ear Lees   Lower Heath   395...

Dale

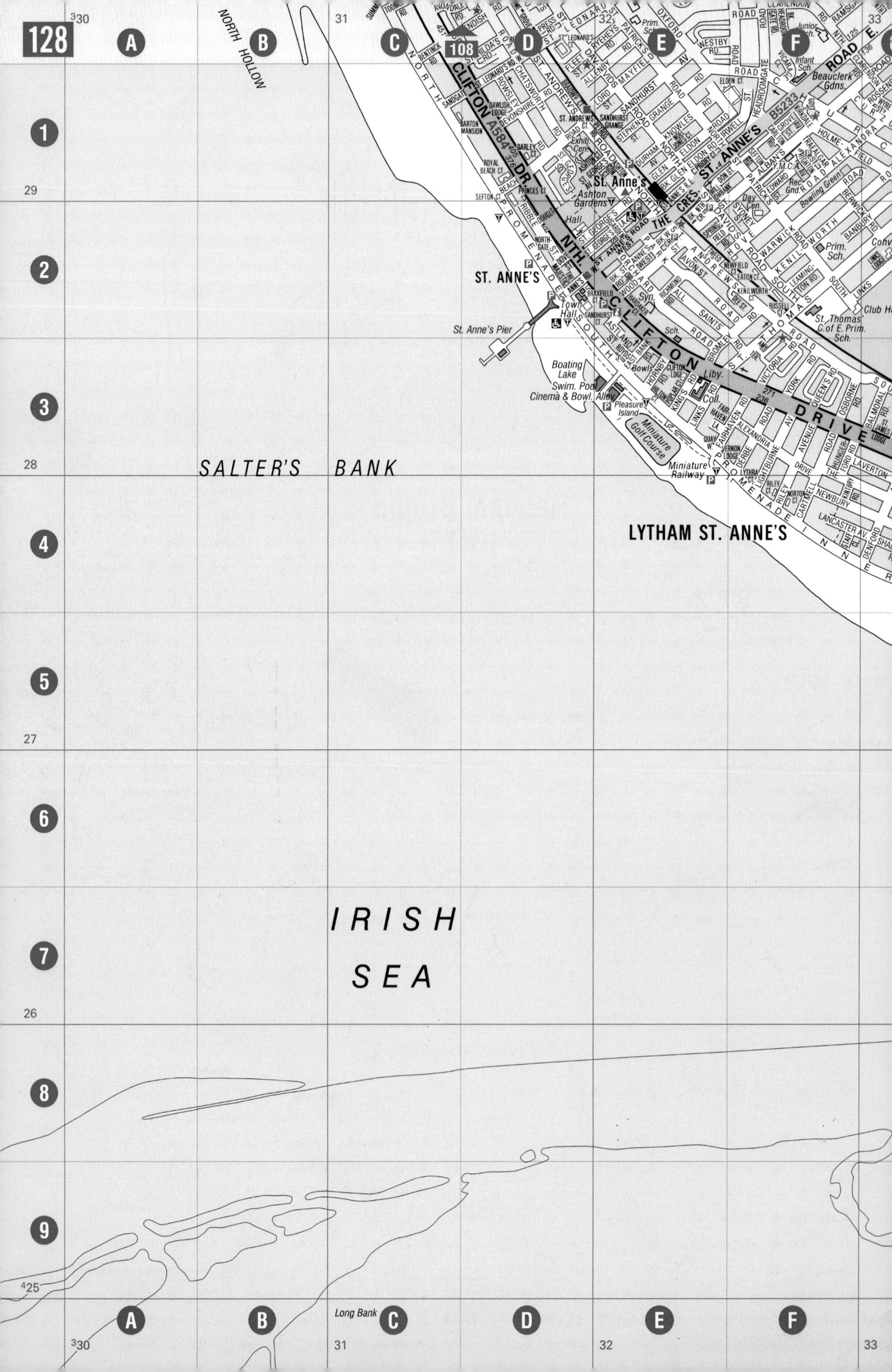

A B C D E F

NORTH HOLLOW

108

ST. ANNE'S

St. Anne's Pier

Boating
Lake
Swim. Pool
Cinema & Bowl.
Pleasure
Island

Miniature
Golf Course

Miniature
Railway

SALTER'S BANK

LYTHAM ST. ANNE'S

IRISH

SEA

Long Bank

A B C D E F

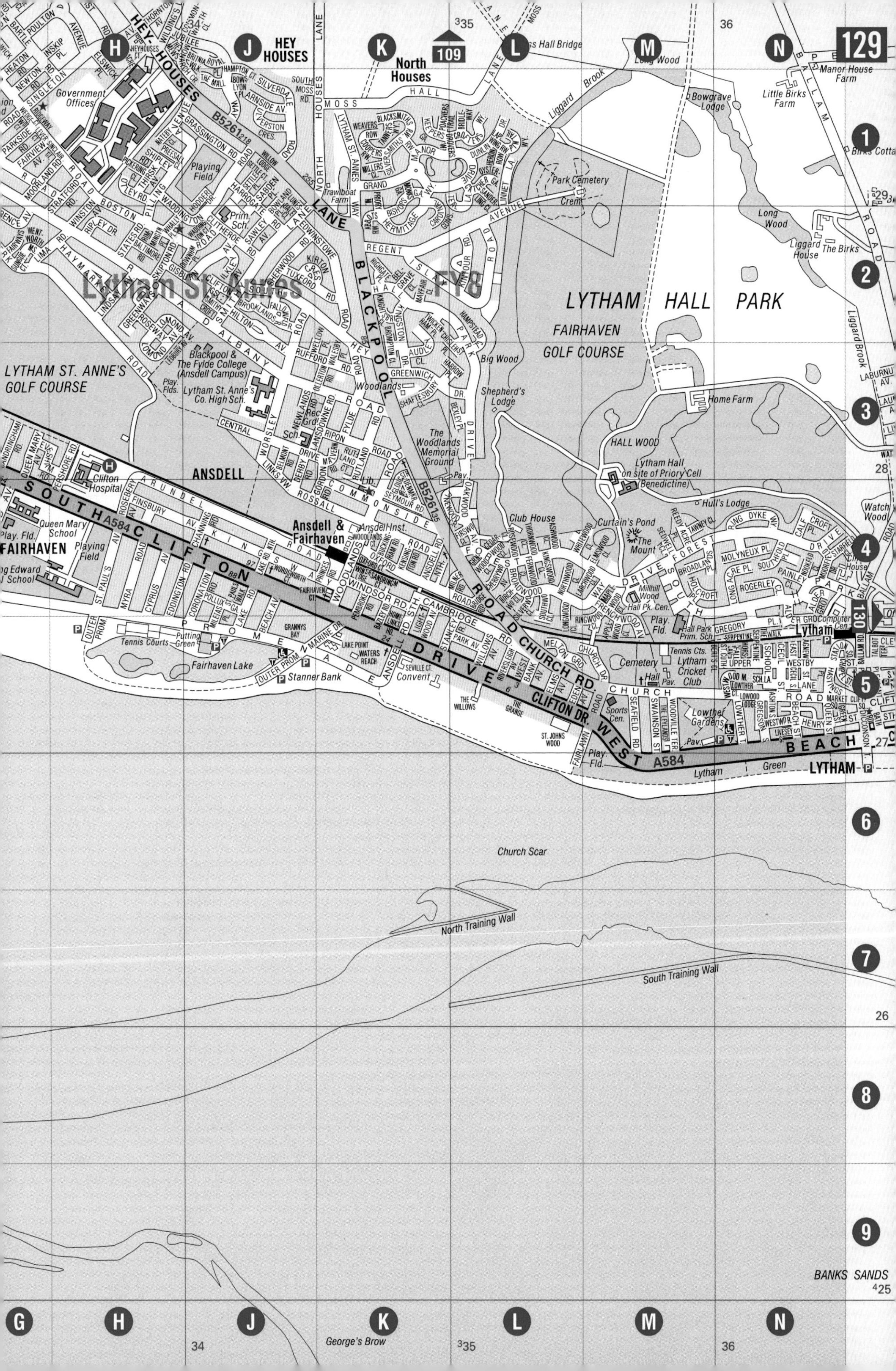

H
J
K
L
M
N
G
1
2
3
4
5
6
7
8
9
34
³35
36
28
27
26
⁴25
109
130
HEY HOUSES
HEY-HOUSES
North Houses
Lytham St. Annes
FY8
LYTHAM HALL PARK
FAIRHAVEN GOLF COURSE
LYTHAM ST. ANNE'S GOLF COURSE
Government Offices
Playing Field
Prim. Sch.
Trawlboat Farm
Park Cemetery
Crem.
Long Wood
Liggard House
The Birks
Bowgrave Lodge
Little Birks Farm
Manor House Farm
Liggard Brook
Home Farm
HALL WOOD
Lytham Hall on site of Priory Cell (Benedictine)
Hull's Lodge
Big Wood
Shepherd's Lodge
The Woodlands Memorial Ground
Blackpool & The Fylde College (Ansdell Campus)
Lytham St. Anne's Co. High Sch.
Woodlands
ANSDELL
Ansdell & Fairhaven
Ansdell Inst.
Clifton Hospital
Queen Mary School
Playing Field
FAIRHAVEN
King Edward School
Tennis Courts
Putting Green
Fairhaven Lake
Stanner Bank
Convent
THE WILLOWS
THE GRANGE
ST. JOHNS WOOD
Club House
Curtain's Pond
The Mount
Millhill Wood
Hall Pk. Cen.
Play. Fld.
Hall Park Prim. Sch.
Tennis Cts.
Lytham Cricket Club
Cemetery
Hall
Pav.
Sports Cen.
Lowther Gardens
Lytham
LYTHAM
Lytham Green
SOUTH CLIFTON
A584
DRIVE
CLIFTON DR. WEST
CHURCH RD.
BLACKPOOL ROAD
B5261
LANE
PROMENADE
BEACH
Church Scar
North Training Wall
South Training Wall
BANKS SANDS
George's Brow

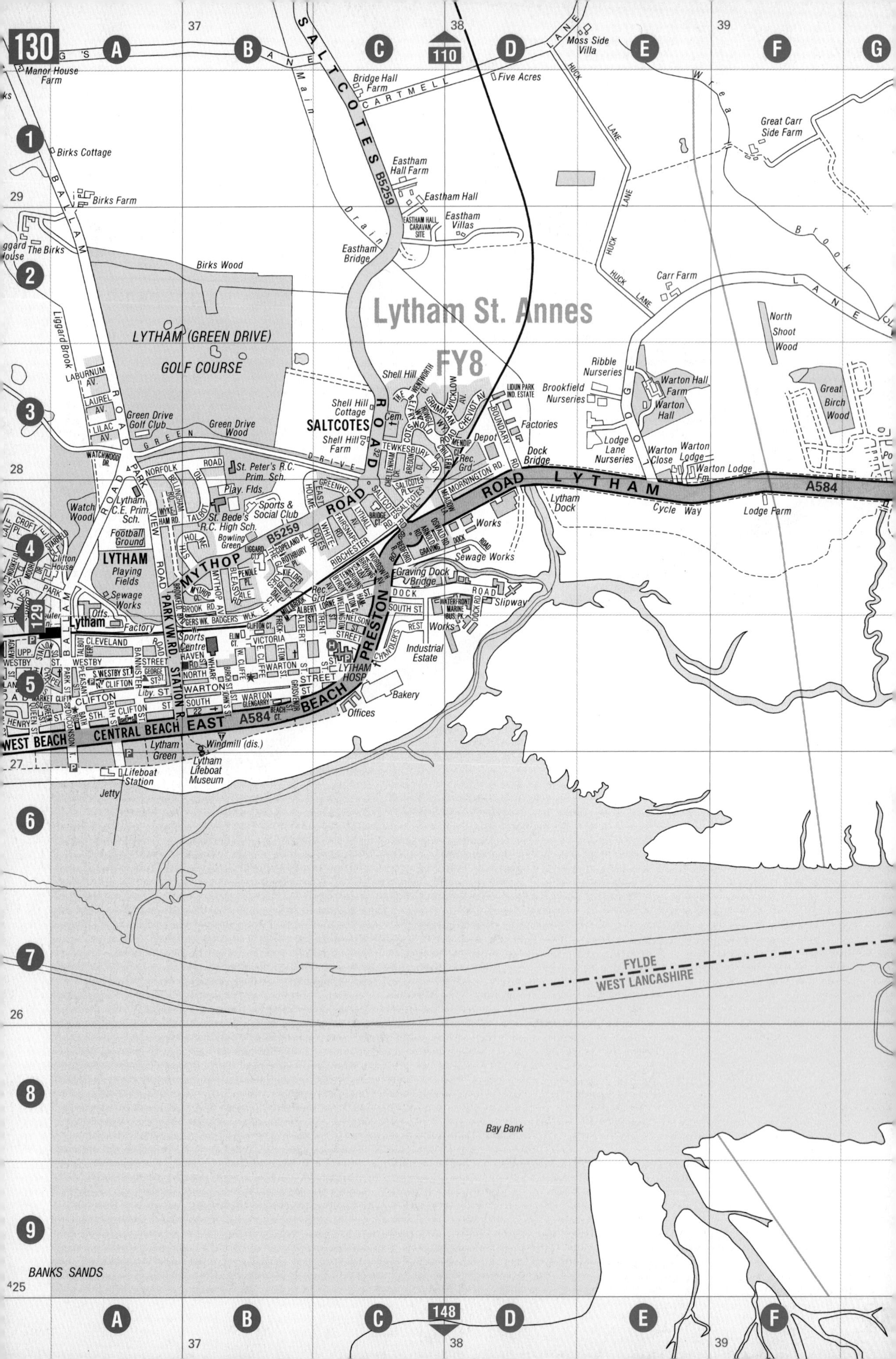

Lytham St. Annes
FY8
LYTHAM (GREEN DRIVE)
GOLF COURSE
SALTCOTES
LYTHAM
Lytham
Manor House Farm
Birks Cottage
Birks Farm
The Birks
Birks Wood
Bridge Hall Farm
Eastham Hall Farm
Eastham Hall
Eastham Villas
Eastham Bridge
Five Acres
Moss Side Villa
Great Carr Side Farm
Carr Farm
North Shoot Wood
Great Birch Wood
Ribble Nurseries
Brookfield Nurseries
Warton Hall Farm
Warton Hall
Lodge Lane Nurseries
Warton Close
Warton Lodge
Lodge Farm
Lytham Dock
Dock Bridge
Graving Dock Bridge
Sewage Works
Industrial Estate
Bakery
Lytham Hosp.
Windmill (dis.)
Lytham Green
Lytham Lifeboat Museum
Lifeboat Station
Jetty
SALTCOTES ROAD
B5259
MYTHOP ROAD
LYTHAM ROAD
A584
PRESTON ROAD
CENTRAL BEACH EAST
WEST BEACH
BALLAM ROAD
GREEN DRIVE
FYLDE
WEST LANCASHIRE
Bay Bank
BANKS SANDS
110
129
148

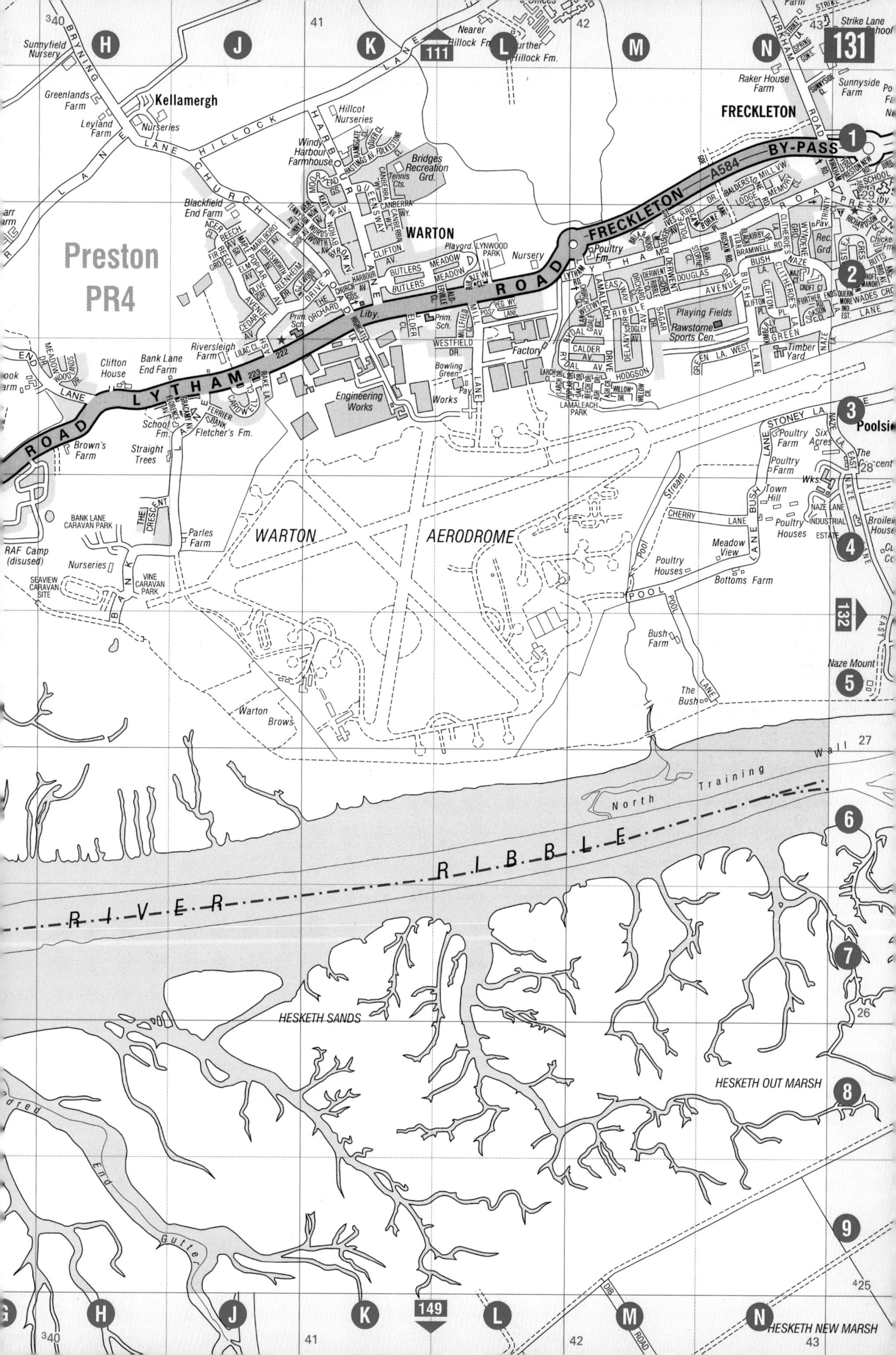
Preston PR4
Kellamergh
WARTON
FRECKLETON
Poolside
Sunnyfield Nursery
Greenlands Farm
Leyland Farm
Nurseries
Hillcot Nurseries
Windy Harbour Farmhouse
Bridges Recreation Grd.
Blackfield End Farm
Raker House Farm
Sunnyside Farm
FRECKLETON BY-PASS
A584
FRECKLETON ROAD
LYTHAM ROAD
HILLOCK LANE
CHURCH LANE
BRYNING LANE
HARBOUR LANE
QUEENSWAY
KIRKHAM ROAD
Nearer Hillock Fm.
Further Hillock Fm.
Poultry Fm.
Nursery
Playing Fields
Rawstorne Sports Cen.
Timber Yard
Factory
Engineering Works
Works
Bowling Green
Riversleigh Farm
Bank Lane End Farm
Clifton House
Brown's Farm
Straight Trees
School Fm.
Fletcher's Fm.
BANK LANE CARAVAN PARK
Parles Farm
RAF Camp (disused)
Nurseries
SEAVIEW CARAVAN SITE
VINE CARAVAN PARK
WARTON AERODROME
Warton Brows
Poultry Farm
Six Acres
Town Hill
Poultry Houses
NAZE LANE INDUSTRIAL ESTATE
Meadow View
Bottoms Farm
Bush Farm
The Bush
Naze Mount
CHERRY LANE
POOL LANE
STONEY LANE
North Training Wall
RIVER RIBBLE
HESKETH SANDS
HESKETH OUT MARSH
HESKETH NEW MARSH
End Gutter
DIB ROAD
LAMALEACH PARK
111
132
149

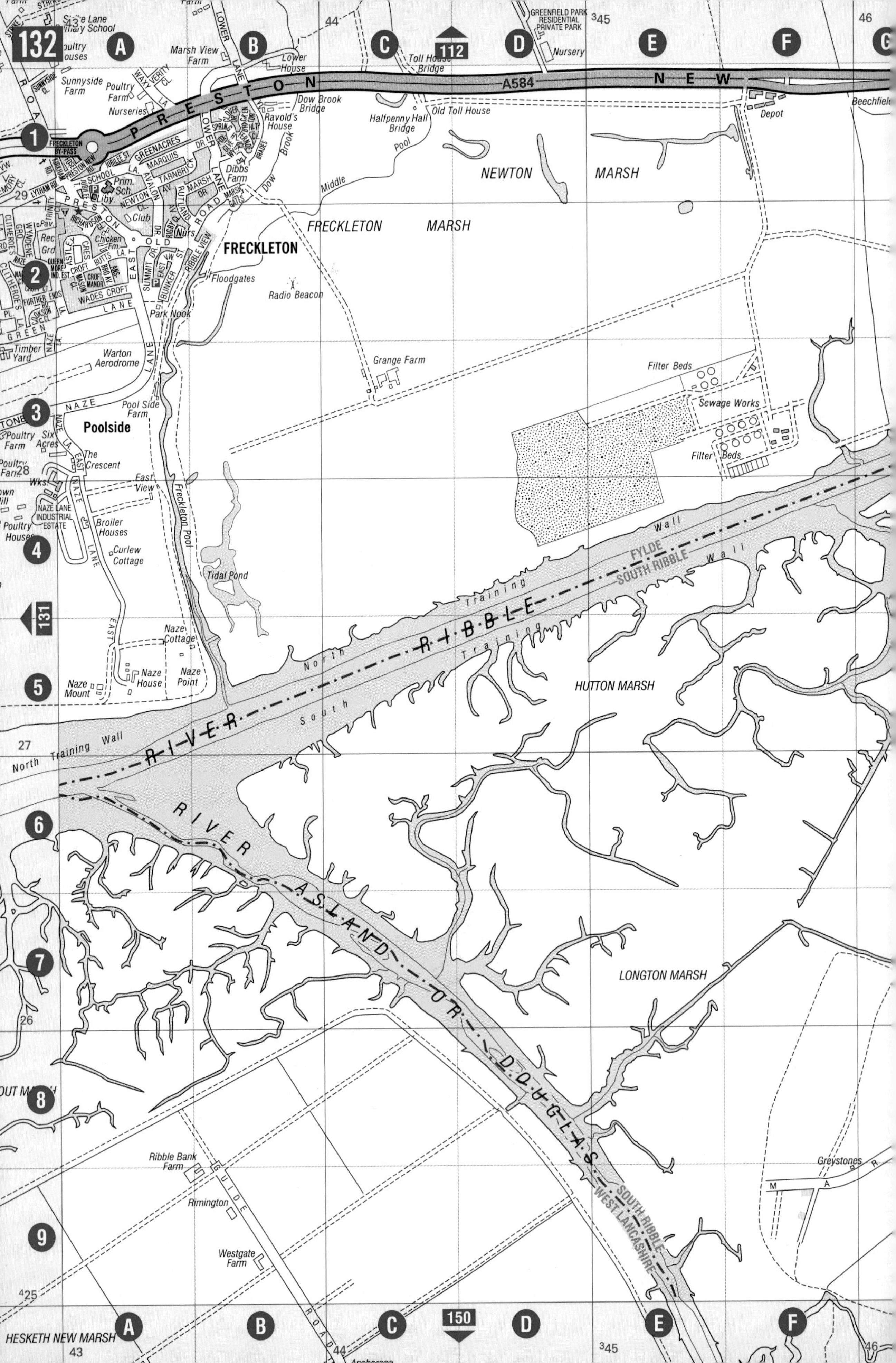

FRECKLETON
Poolside
FRECKLETON MARSH
NEWTON MARSH
HUTTON MARSH
LONGTON MARSH
RIVER RIBBLE
RIVER ASLAND OR DOUGLAS
FYLDE
SOUTH RIBBLE
WEST LANCASHIRE
PRESTON NEW ROAD
A584
Warton Aerodrome
Radio Beacon
Floodgates
Park Nook
Grange Farm
Filter Beds
Sewage Works
Tidal Pond
Freckleton Pool
Naze Cottage
Naze House
Naze Point
Naze Mount
Curlew Cottage
Broiler Houses
NAZE LANE INDUSTRIAL ESTATE
Pool Side Farm
The Crescent
East View
Six Acres
Timber Yard
Poultry Farm
Poultry Houses
Dibbs Farm
Ravold's House
Dow Brook Bridge
Halfpenny Hall Bridge
Old Toll House
Toll House Bridge
Lower House
Marsh View Farm
Sunnyside Farm
Nurseries
Depot
Nursery
GREENFIELD PARK RESIDENTIAL PRIVATE PARK
Beechfield
Greystones
Ribble Bank Farm
Rimington
Westgate Farm
GUIDE ROAD
North Training Wall
South Training Wall
HESKETH NEW MARSH
OUT MARSH
Middle Pool
Dow Brook
Prim. Sch.
Liby.
Club
Rec. Grd.
Chicken Fm.
Wks.
NAZE LANE
EAST LANE
LOWER LANE
OLD ROAD
WADES CROFT
GREENACRES
112
131
150

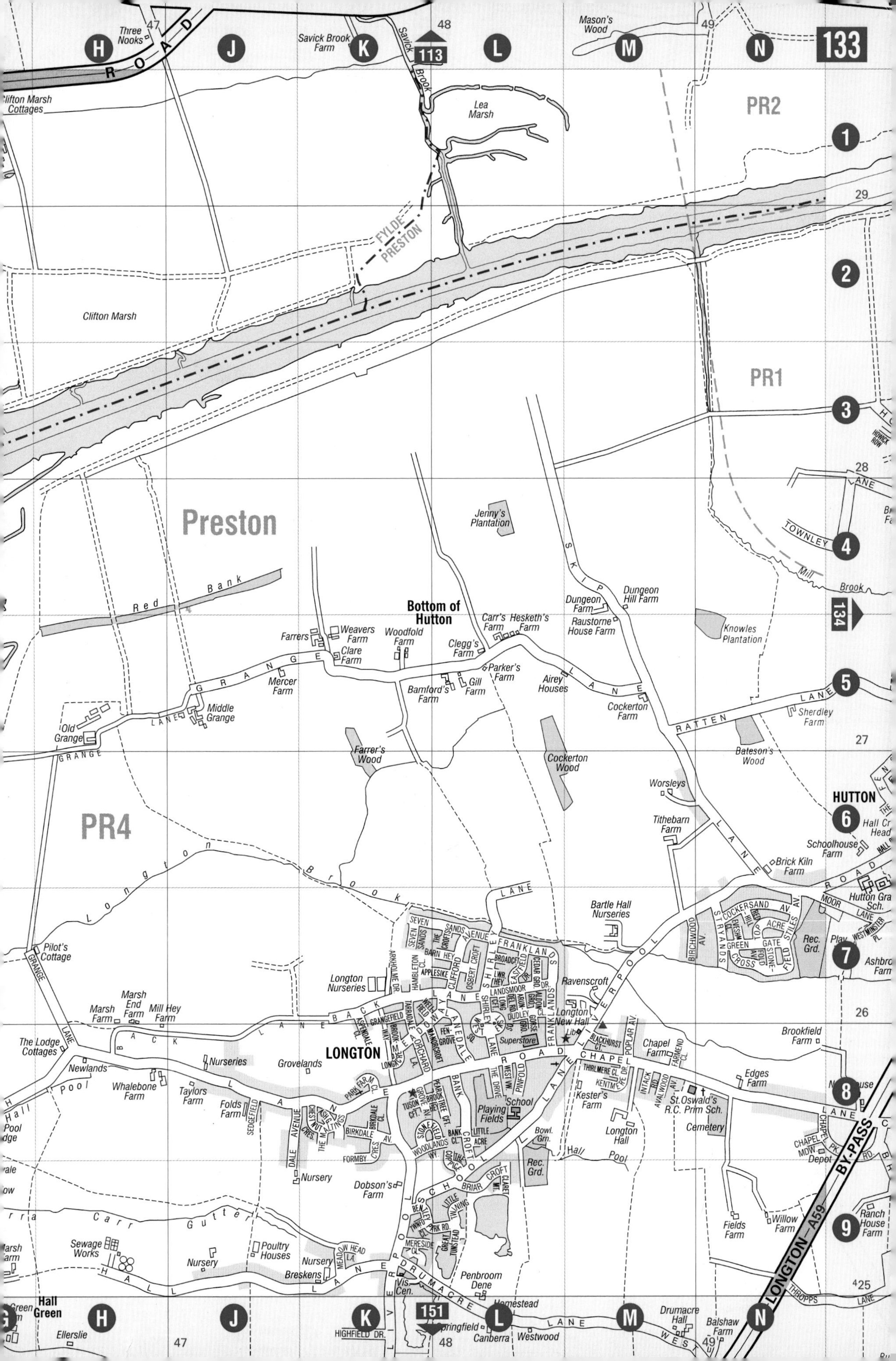

Three Nooks
Savick Brook Farm
Savick Brook
Mason's Wood
Clifton Marsh Cottages
ROAD
Lea Marsh
PR2
FYLDE
PRESTON
Clifton Marsh
PR1
Preston
Jenny's Plantation
Red Bank
Bottom of Hutton
Farrers
Weavers Farm
Woodfold Farm
Clare Farm
Carr's Farm
Hesketh's Farm
Clegg's Farm
Dungeon Farm
Dungeon Hill Farm
Raustorne House Farm
Knowles Plantation
Mercer Farm
Parker's Farm
Bamford's Farm
Gill Farm
Airey Houses
Cockerton Farm
GRANGE LANE
RATTEN LANE
Sherdley Farm
Middle Grange
Old Grange
Farrer's Wood
Cockerton Wood
Bateson's Wood
Worsleys
HUTTON
PR4
Tithebarn Farm
Longton Brook
Schoolhouse Farm
Brick Kiln Farm
Hutton Gra Sch.
Bartle Hall Nurseries
Pilot's Cottage
Longton Nurseries
Ravenscroft
Rec. Grd.
Marsh Farm
Marsh End Farm
Mill Hey Farm
Longton New Hall
Brookfield Farm
The Lodge Cottages
LONGTON
Chapel Farm
Newlands
Nurseries
Grovelands
Edges Farm
Whalebone Farm
Taylors Farm
Folds Farm
Kester's Farm
St.Oswald's R.C. Prim Sch.
Playing Fields
School
Longton Hall
Cemetery
Depot
Hall Pool
Nursery
Dobson's Farm
Rec. Grd.
Carr Gutter
Sewage Works
Poultry Houses
Nursery
Fields Farm
Willow Farm
Ranch House Farm
Breskens
Penbroom Dene
LONGTON - A59 - BY-PASS
HALL LANE
Vis. Cen.
DRUMACRE LANE
Homestead
Drumacre Hall
Balshaw Farm
Hall Green
Ellerslie
Springfield
Canberra
Westwood
HIGHFIELD DR.

113
134
151

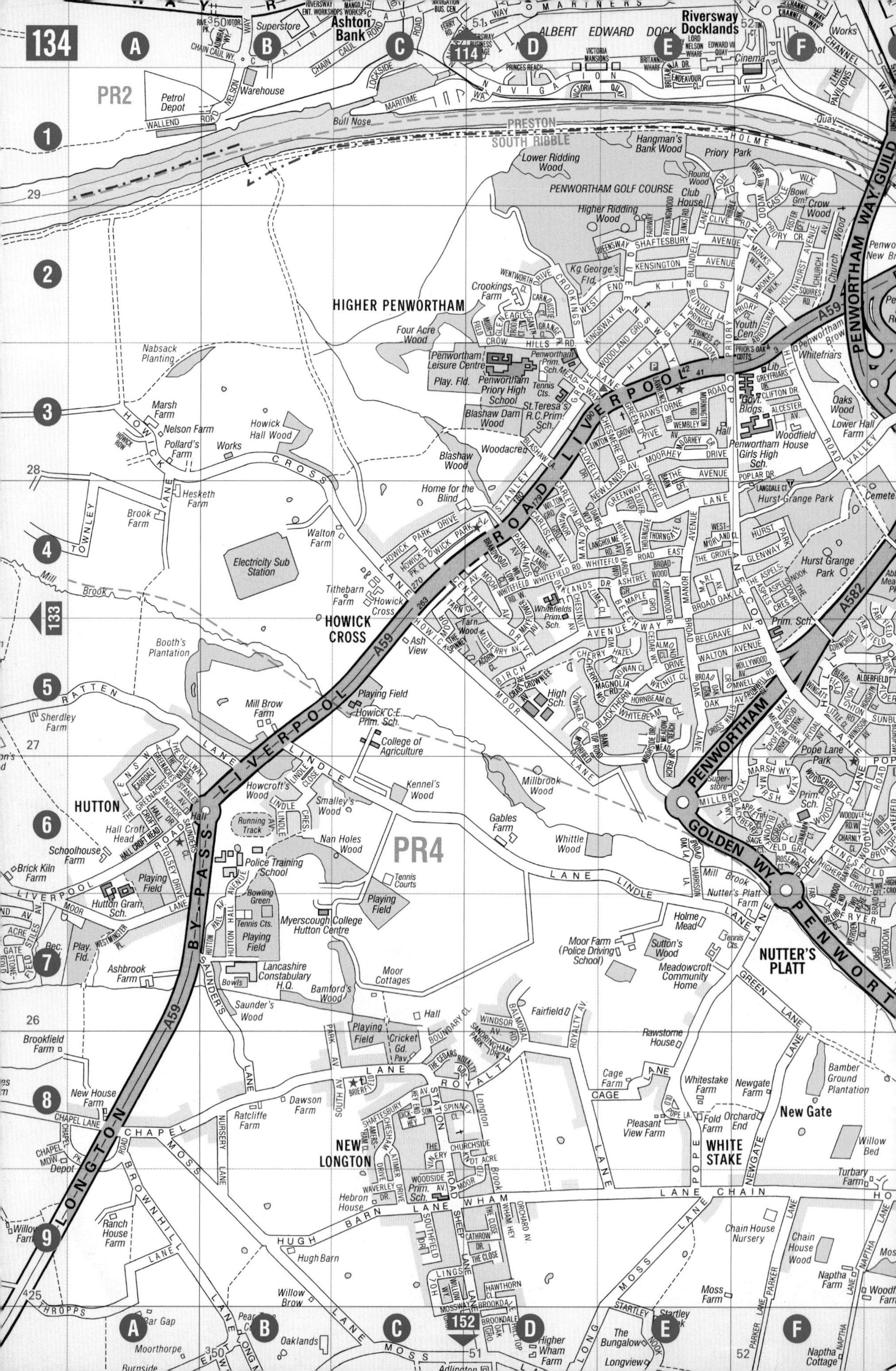

PR2
Petrol Depot
Warehouse
Superstore
Ashton Bank
ALBERT EDWARD DOCK
Riversway Docklands
Cinema
Bull Nose
PRESTON
SOUTH RIBBLE
Hangman's Bank Wood
Priory Park
Lower Ridding Wood
PENWORTHAM GOLF COURSE
Club House
Higher Ridding Wood
Kg. George's Fld.
HIGHER PENWORTHAM
Crookings Farm
Four Acre Wood
Nabsack Planting
Penwortham Leisure Centre
Play. Fld.
Penwortham Priory High School
Blashaw Dam Wood
St.Teresa's R.C.Prim. Sch.
Govt. Bldgs.
Penwortham House Girls High Sch.
Woodfield
Oaks Wood
Lower Hall Farm
Marsh Farm
Nelson Farm
Pollard's Farm
Howick Hall Wood
Works
Blashaw Wood
Woodacre
Home for the Blind
Hesketh Farm
Brook Farm
Walton Farm
Electricity Sub Station
Mill Brook
Tithebarn Farm
Howick Cross
HOWICK CROSS
Ash View
Whitefields Prim. Sch.
High Sch.
Hurst Grange Park
Booth's Plantation
Sherdley Farm
Mill Brow Farm
Playing Field
Howick C.E. Prim. Sch.
College of Agriculture
Kennel's Wood
Millbrook Wood
HUTTON
Howcroft's Wood
Smalley's Wood
Running Track
Nan Holes Wood
PR4
Gables Farm
Whittle Wood
Hall Croft Head
Schoolhouse Farm
Brick Kiln Farm
Hutton Gram. Sch.
Police Training School
Bowling Green
Tennis Courts
Myerscough College Hutton Centre
Holme Mead
Nutter's Platt Farm
NUTTER'S PLATT
Moor Farm (Police Driving School)
Sutton's Wood
Meadowcroft Community Home
Ashbrook Farm
Lancashire Constabulary H.Q.
Moor Cottages
Saunder's Wood
Bamford's Wood
Fairfield
Rawstorne House
Brookfield Farm
Cricket Gd.
New House Farm
Dawson Farm
Ratcliffe Farm
Whitestake Farm
Newgate Farm
Bamber Ground Plantation
New Gate
Pleasant View Farm
Fold Farm
Orchard End
WHITE STAKE
Willow Bed
NEW LONGTON
Hebron House
Prim. Sch.
Depot
Ranch House Farm
Hugh Barn
Chain House Nursery
Chain House Wood
Naptha Farm
Moss Farm
Willow Brow
Bar Gap
Oaklands
Moorthorpe
Higher Wham Farm
The Bungalow
Longview
Startley Nook
Naptha Cottage
A59
A582
LIVERPOOL ROAD
LIVERPOOL BY-PASS
LONGTON BY-PASS
PENWORTHAM WAY
GOLDEN WY.
114
133
152

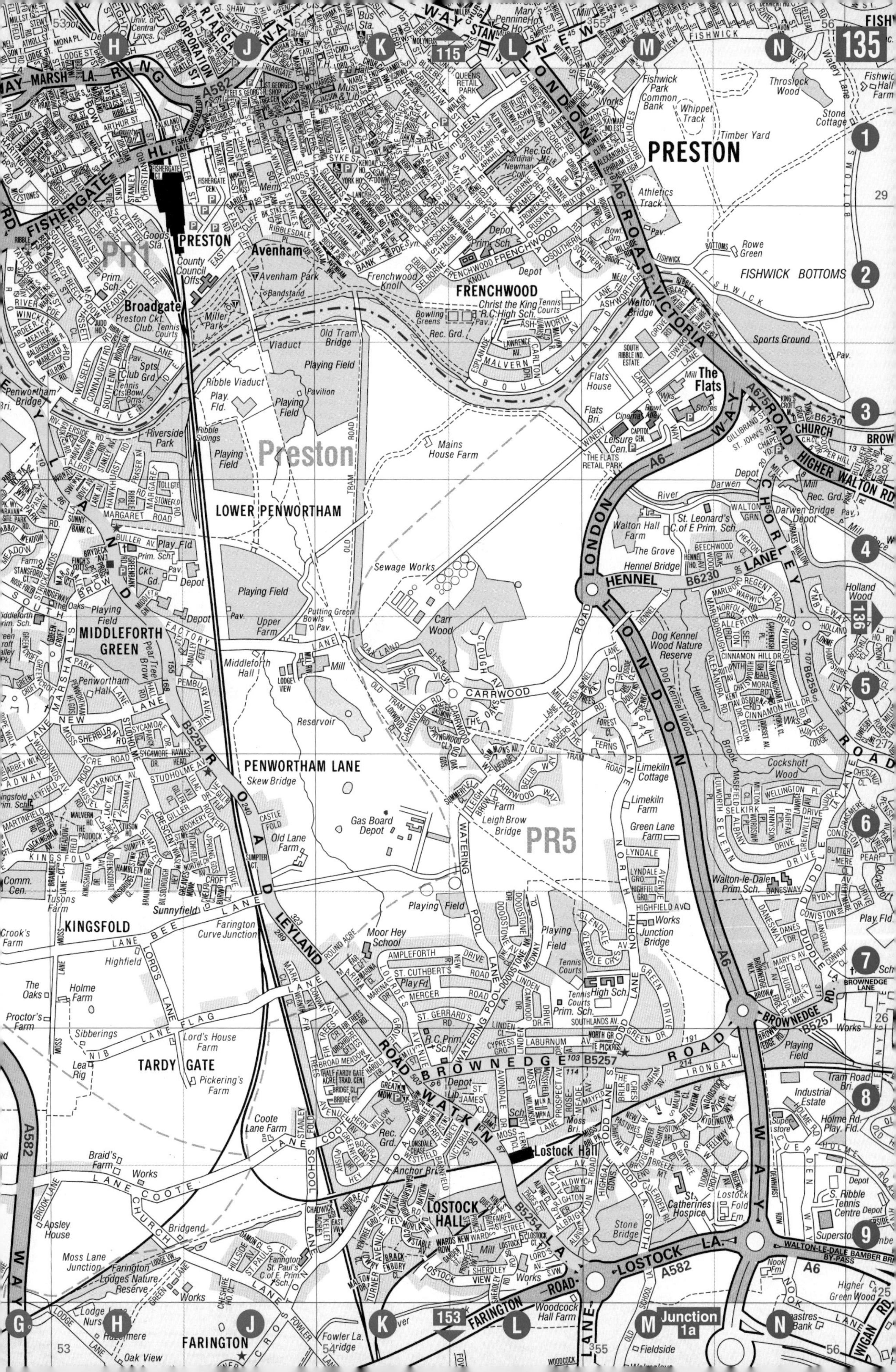
PRESTON
Preston
PR1
PR5
FRENCHWOOD
LOWER PENWORTHAM
MIDDLEFORTH GREEN
PENWORTHAM LANE
KINGSFOLD
TARDY GATE
LOSTOCK HALL
FARINGTON
FISHWICK BOTTOMS
Broadgate
Avenham
Avenham Park
Miller Park
Fishergate
Fishwick Park
Athletics Track
Sports Ground
The Flats
Walton Bridge
Penwortham Bridge
Ribble Viaduct
Old Tram Bridge
Riverside Park
Playing Field
Sewage Works
Carr Wood
Reservoir
Gas Board Depot
Dog Kennel Wood Nature Reserve
Cockshott Wood
Walton-le-Dale Prim. Sch.
Moor Hey School
Lostock Hall
St. Catherines Hospice
Industrial Estate
Farington Lodges Nature Reserve
Farington Curve Junction
Junction 1a
A6
A582
A675
B5254
B5257
B6230
B6258
LONDON ROAD
LEYLAND ROAD
HENNEL LANE
CHORLEY ROAD
BROWNEDGE ROAD
WATKIN LANE
LOSTOCK LA.
FARINGTON ROAD
COOTE LANE
CHURCH LANE
FLAG LANE
BEE LANE
WALTON-LE-DALE BAMBER BRIDGE BY-PASS
115
136
153
1
2
3
4
5
6
7
8
9

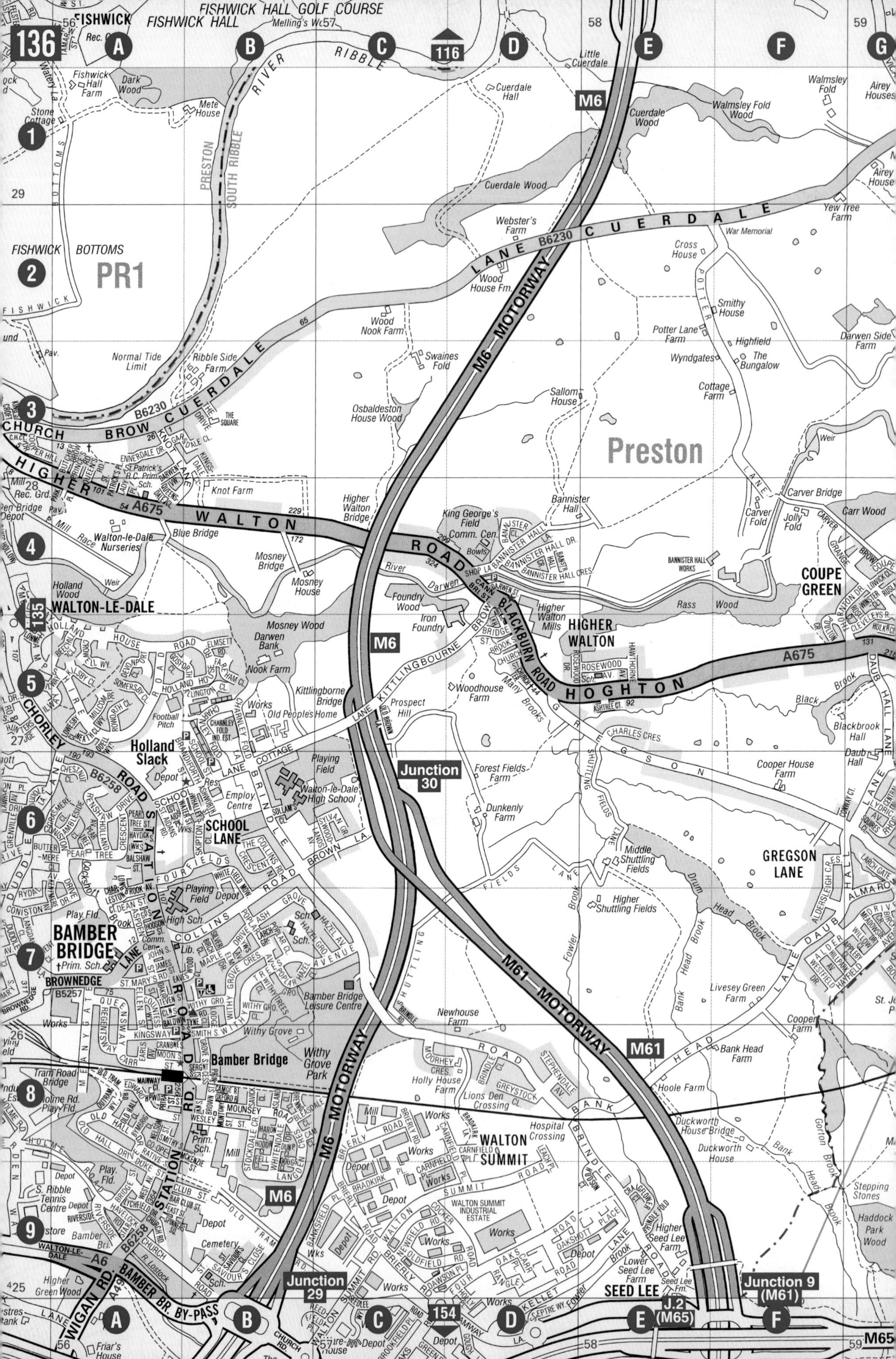

136
A
B
C
D
E
F
G
1
2
3
4
5
6
7
8
9
56
57
58
59
29
28
27
26
425
116
135
154
FISHWICK
FISHWICK HALL
FISHWICK HALL GOLF COURSE
Melling's Wd
Rec. Gd.
Fishwick Hall Farm
Dark Wood
Stone Cottage
Mete House
RIVER RIBBLE
PRESTON
SOUTH RIBBLE
Little Cuerdale
Cuerdale Hall
M6
Cuerdale Wood
Walmsley Fold Wood
Walmsley Fold
Airey Houses
Airey House
Yew Tree Farm
FISHWICK BOTTOMS
BOTTOMS
PR1
CUERDALE LANE B6230
War Memorial
Webster's Farm
Wood House Fm.
Cross House
POTTER LANE
Smithy House
Potter Lane Farm
Highfield
Wyndgates
The Bungalow
Cottage Farm
Darwen Side Farm
Wood Nook Farm
Swaines Fold
M6 MOTORWAY
Normal Tide Limit
Ribble Side Farm
Pav.
Osbaldeston House Wood
Sallom House
Preston
Weir
CHURCH BROW CUERDALE
B6230
THE SQUARE
KNOT LANE
ENNERDALE DR.
St. Patrick's R.C. Prim. Sch.
Knot Farm
HIGHER WALTON ROAD
A675
Mill
Rec. Grd.
Bridge Depot
Mill Race
Walton-le-Dale Nurseries
Blue Bridge
Higher Walton Bridge
Bannister Hall
King George's Field Comm. Cen.
Bowls
BANNISTER HALL DR.
BANNISTER HALL CRES.
BANNISTER HALL WORKS
Carver Bridge
Carver Fold
Jolly Fold
Carr Wood
Mosney Bridge
Mosney House
River Darwen
Holland Wood
WALTON-LE-DALE
Foundry Wood
Iron Foundry
Rass Wood
COUPE GREEN
Mosney Wood
Darwen Bank
Nook Farm
BLACKBURN ROAD
Higher Walton Mills
HIGHER WALTON
ROSEWOOD
HOGHTON
A675
HOLLAND HOUSE ROAD
KITTLINGBOURNE
Kittlingborne Bridge
Old People's Home
Prospect Hill
Woodhouse Farm
Many Brooks
GREGSON LANE
CHARLES CRES.
ASHTREE CT.
Black Brook
Blackbrook Hall
Daub Hall
DAUB HALL LANE
CHORLEY ROAD
Works
Football Pitch
CHARNLEY FOLD IND. EST.
COTTAGE LANE
Playing Field
Walton-le-Dale High School
Holland Slack
Depot
Res.
Employ. Centre
Junction 30
Forest Fields Farm
Dunkenly Farm
Cooper House Farm
B6258
STATION ROAD
SCHOOL LANE
BROWN LA.
SHUTTLING FIELDS LANE
Middle Shuttling Fields
Higher Shuttling Fields
GREGSON LANE
FOURFIELDS
Cockshott
Playing Field
Depot
High Sch.
Sch.
Drum Head Brook
Fowler Brook
Bank Head Brook
ALMA ROW
DAUB LANE
BAMBER BRIDGE
BROWNEDGE
Prim. Sch.
B5257
Comm. Cen.
Lib.
Bamber Bridge Leisure Centre
Withy Grove
Withy Grove Park
M61 MOTORWAY
M61
Livesey Green Farm
Cooper Farm
St. J
Newhouse Farm
QUEENSWAY
KINGSWAY
Bamber Bridge
Tram Road Bridge
Holme Rd. Play. Fld.
MOORHEY CRES.
Holly House Farm
Lions Den Crossing
GREYSTOCK CL.
BANK HEAD LANE
Bank Head Farm
Hoole Farm
Duckworth House Bridge
Duckworth House
Gorton Brook
Hospital Crossing
WALTON SUMMIT
SUMMIT ROAD
WALTON SUMMIT INDUSTRIAL ESTATE
Mill
Works
Depot
Prim. Sch.
Play. Fld.
S. Ribble Tennis Centre
Depot
M6
Stepping Stones
Haddock Park Wood
Cemetery
Higher Seed Lee Farm
Lower Seed Lee Farm
Seed Lee Fm.
SEED LEE
Junction 29
Junction 9 (M61)
J.2 (M65)
M65
A6
A49
WALTON-LE-DALE
B6258
R. Lostock
BAMBER BR. BY-PASS
WIGAN RD.
Higher Green Wood
Friar's House
KELLET LA.
Depot

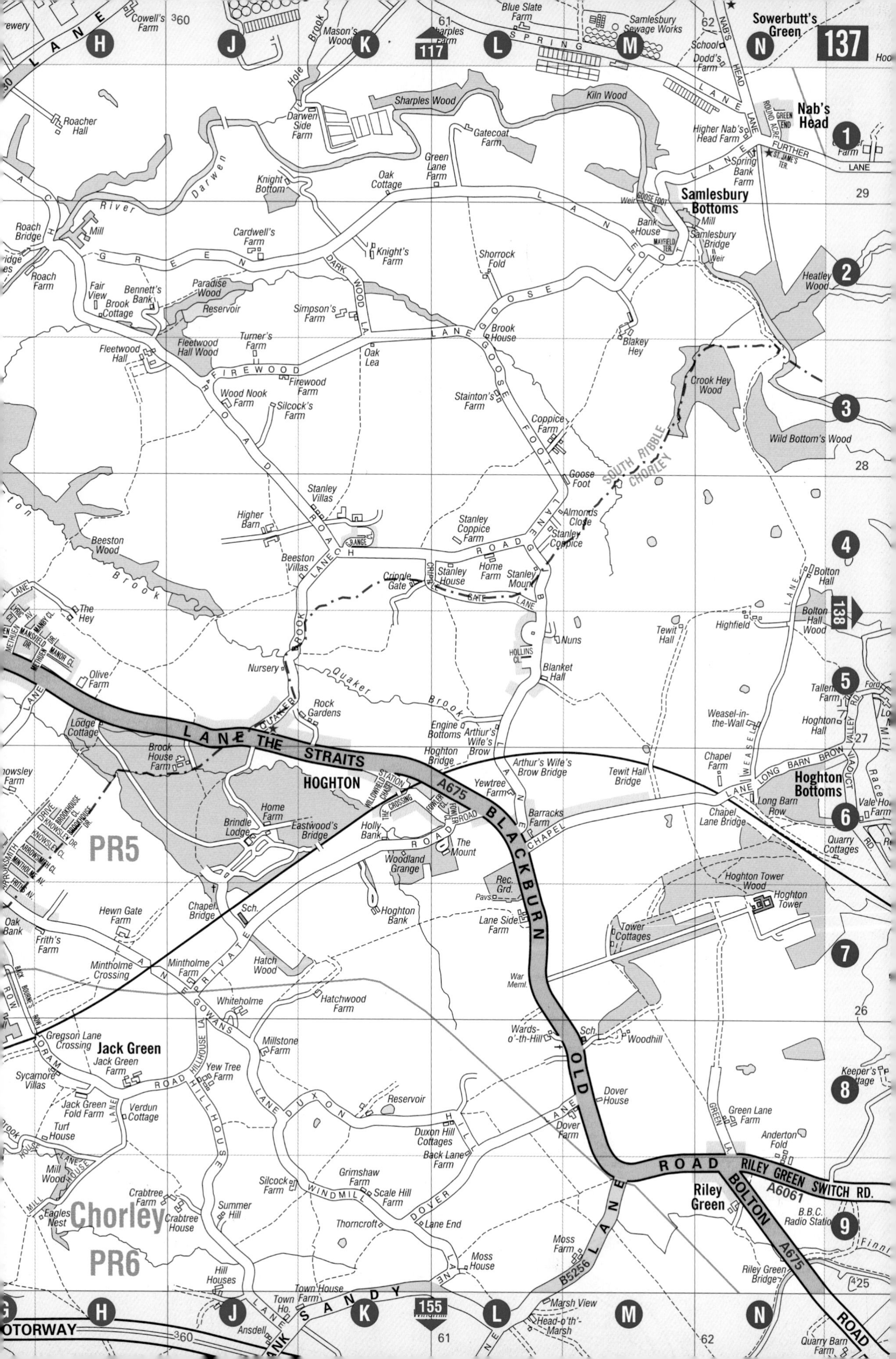
Sowerbutt's Green
Nab's Head
Samlesbury Bottoms
Samlesbury Sewage Works
Blue Slate Farm
Sharples Farm
Sharples Wood
Kiln Wood
Mason's Wood
Darwen Side Farm
Roacher Hall
Cowell's Farm
Gatecoat Farm
Green Lane Farm
Oak Cottage
Knight Bottom
River Darwen
Roach Bridge
Roach Farm
Mill
Cardwell's Farm
Knight's Farm
Shorrock Fold
Bank House
Samlesbury Bridge
Heatley Wood
Higher Nab's Head Farm
Spring Bank Farm
Paradise Wood
Reservoir
Fair View
Brook Cottage
Bennett's Bank
Simpson's Farm
Brook House
Blakey Hey
Fleetwood Hall
Fleetwood Hall Wood
Turner's Farm
Oak Lea
Firewood Farm
Crook Hey Wood
Wood Nook Farm
Silcock's Farm
Stainton's Farm
Coppice Farm
Wild Bottom's Wood
Goose Foot
SOUTH RIBBLE
CHORLEY
Stanley Villas
Higher Barn
Almonds Close
Stanley Coppice
Stanley Coppice Farm
Beeston Wood
Beeston Villas
Home Farm
Stanley House
Stanley Mount
Cripple Gate
Bolton Hall
Bolton Hall Wood
The Hey
Highfield
Tewit Hall
Nuns
Olive Farm
Nursery
Quaker Brook
Blanket Hall
Tallent Farm
Hoghton Hall
Rock Gardens
Weasel-in-the-Wall
Lodge Cottage
Engine Bottoms
Arthur's Wife's Brow
Hoghton Bridge
Arthur's Wife's Brow Bridge
Tewit Hall Bridge
Chapel Farm
Hoghton Bottoms
Long Barn Row
Brook House Farm
LANE THE STRAITS
HOGHTON
A675 BLACKBURN
Yewtree Farm
Barracks Farm
Chapel Lane Bridge
Vale House Farm
Quarry Cottages
Knowsley Farm
Home Farm
Brindle Lodge
Eastwood's Bridge
Holly Bank
The Mount
Woodland Grange
PR5
Rec. Grd.
Pavs
Hoghton Tower Wood
Hoghton Tower
Hoghton Bank
Lane Side Farm
Tower Cottages
Hewn Gate Farm
Chapel Bridge
Sch.
Oak Bank
Frith's Farm
Mintholme Crossing
Mintholme Farm
Hatch Wood
War Meml.
Hatchwood Farm
Whiteholme
Gregson Lane Crossing
Jack Green
Jack Green Farm
Millstone Farm
Wards-o'-th-Hill
Woodhill
Sycamore Villas
Yew Tree Farm
Keeper's Cottage
Jack Green Fold Farm
Verdun Cottage
Reservoir
Dover House
Turf House
Duxon Hill Cottages
Dover Farm
Green Lane Farm
Anderton Fold
Mill Wood
Back Lane Farm
Grimshaw Farm
Silcock Farm
Scale Hill Farm
Crabtree Farm
Crabtree House
Eagles Nest
Chorley
PR6
Summer Hill
Thorncroft
Lane End
Riley Green
RILEY GREEN SWITCH RD.
A6061
BOLTON ROAD A675
B.B.C. Radio Station
Moss Farm
Moss House
B5256 LANE
Riley Green Bridge
Hill Houses
Town House Farm
Town Ho.
SANDY
Marsh View
Head-o'th'-Marsh
Ansdell
Quarry Barn Farm
MOTORWAY
117
138
155
H J K L M N
1 2 3 4 5 6 7 8 9
360 61 62
29 28 27 26 25

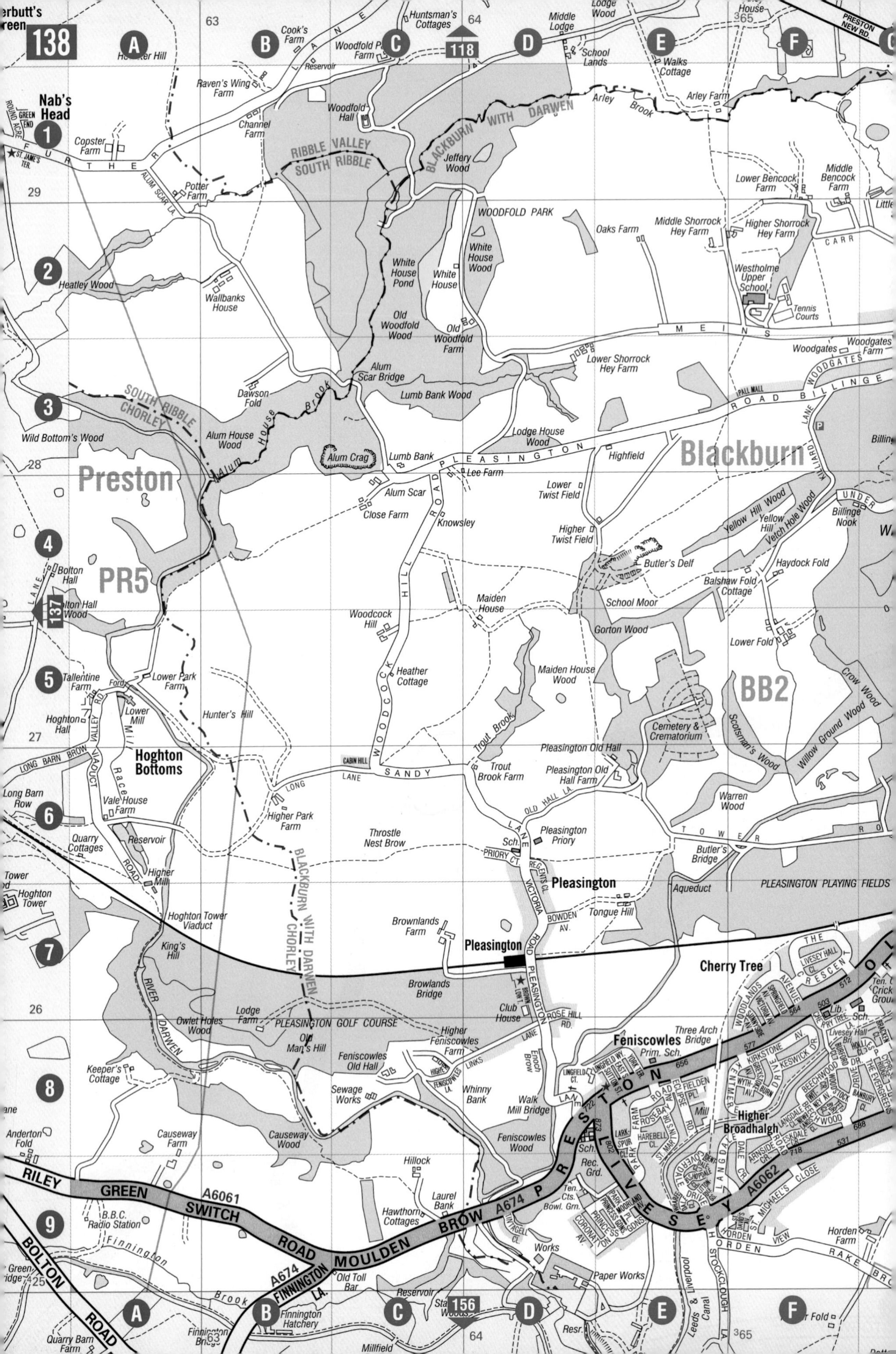
Preston
PR5
Blackburn
BB2
Nab's Head
Hoghton Bottoms
Pleasington
Cherry Tree
Feniscowles
Higher Broadhalgh
Heatley Wood
Wallbanks House
Copster Farm
Potter Farm
Channel Farm
Raven's Wing Farm
Cook's Farm
Woodfold Park Farm
Woodfold Hall
Huntsman's Cottages
Middle Lodge
Lodge Wood
School Lands
Walks Cottage
Arley Farm
Arley Brook
RIBBLE VALLEY
SOUTH RIBBLE
BLACKBURN WITH DARWEN
SOUTH RIBBLE
CHORLEY
BLACKBURN WITH DARWEN
CHORLEY
Jeffery Wood
WOODFOLD PARK
White House Pond
White House
White House Wood
Old Woodfold Wood
Old Woodfold Farm
Alum Scar Bridge
Lumb Bank Wood
Dawson Fold
Alum House Wood
Alum House Brook
Wild Bottom's Wood
Alum Crag
Lumb Bank
Alum Scar
Close Farm
Lee Farm
Knowsley
Lodge House Wood
PLEASINGTON ROAD
Highfield
Lower Twist Field
Higher Twist Field
Butler's Delf
Oaks Farm
Middle Shorrock Hey Farm
Higher Shorrock Hey Farm
Lower Bencock Farm
Middle Bencock Farm
Westholme Upper School
Tennis Courts
MEINS
Lower Shorrock Hey Farm
Woodgates
Woodgates Farm
WOODGATES
BILLINGE
PALL MALL
KILLIARD LANE
Yellow Hill Wood
Yellow Hill
Vetch Hole Wood
Billinge Nook
Haydock Fold
Balshaw Fold Cottage
School Moor
Gorton Wood
Lower Fold
Crow Wood
Willow Ground Wood
Scotsman's Wood
Cemetery & Crematorium
Warren Wood
Bolton Hall
Bolton Hall Wood
Woodcock Hill
WOODCOCK HILL ROAD
Maiden House
Maiden House Wood
Heather Cottage
Trout Brook
Trout Brook Farm
Pleasington Old Hall
Pleasington Old Hall Farm
Tallentine Farm
Ford
Lower Park Farm
Lower Mill
Hoghton Hall
Hunter's Hill
LONG BARN BROW
VALLEY RD
VIADUCT ROAD
Race Mill
Long Barn Row
Vale House Farm
Reservoir
Quarry Cottages
Higher Mill
Tower
Hoghton Tower
Hoghton Tower Viaduct
King's Hill
CABIN HILL
SANDY LANE
LONG LANE
Higher Park Farm
Throstle Nest Brow
OLD HALL LA.
Pleasington Priory
Sch.
PRIORY CT.
REGENTS CL.
VICTORIA ROAD
TOWER ROAD
Butler's Bridge
Aqueduct
PLEASINGTON PLAYING FIELDS
Brownlands Farm
BOWDEN AV.
Tongue Hill
Pleasington
PLEASINGTON LANE
Browlands Bridge
RIVER DARWEN
Lodge Farm
Owlet Holes Wood
PLEASINGTON GOLF COURSE
Old Man's Hill
Club House
ROSE HILL RD.
Higher Feniscowles Farm
Feniscowles Old Hall
LINKS
Whinny Bank
Enoch Brow
Walk Mill Bridge
Three Arch Bridge
Feniscowles Prim. Sch.
Keeper's Cottage
Sewage Works
Causeway Wood
Feniscowles Wood
Causeway Farm
Anderton Fold
Hillock
Laurel Bank
Hawthorn Cottages
RILEY GREEN SWITCH ROAD
A6061
MOULDEN BROW
A674
PRESTON
LIVESEY
A6062
B.B.C. Radio Station
Finnington Brook
BOLTON ROAD
FINNINGTON LA.
Old Toll Bar
Reservoir
Works
Paper Works
Finnington Hatchery
Finnington Bridge
Quarry Barn Farm
Millfield
Resr.
Leeds & Liverpool Canal
STOCKCLOUGH LA.
HORDEN VIEW
HORDEN RAKE
ST. MICHAEL'S CLOSE
Horden Farm
THE LIVESEY HALL CRESCENT
WOODLANDS AVENUE
KIRKSTONE AV.
KESWICK DR.
BEECHWOOD DR.
LANGDALE
Rec. Grd.
Ten. Cts. Bowl. Grn.
CORONATION AV.
PRINCESS GDNS.
INTACK CL.
Lib.
Sch.
Mill
FIELDEN PL.
ROSEBAY AV.
HAREBELL CL.
ECLIPSE RD.
Little
Billinge
PRESTON NEW RD.
ROUND ACRE
GREEN END
ST. JAMES TER.
FURTHER LANE
ALUM SCAR LA.
Reservoir
CARR
UNDER
118
137
156
63
64
365
29
28
27
26
425

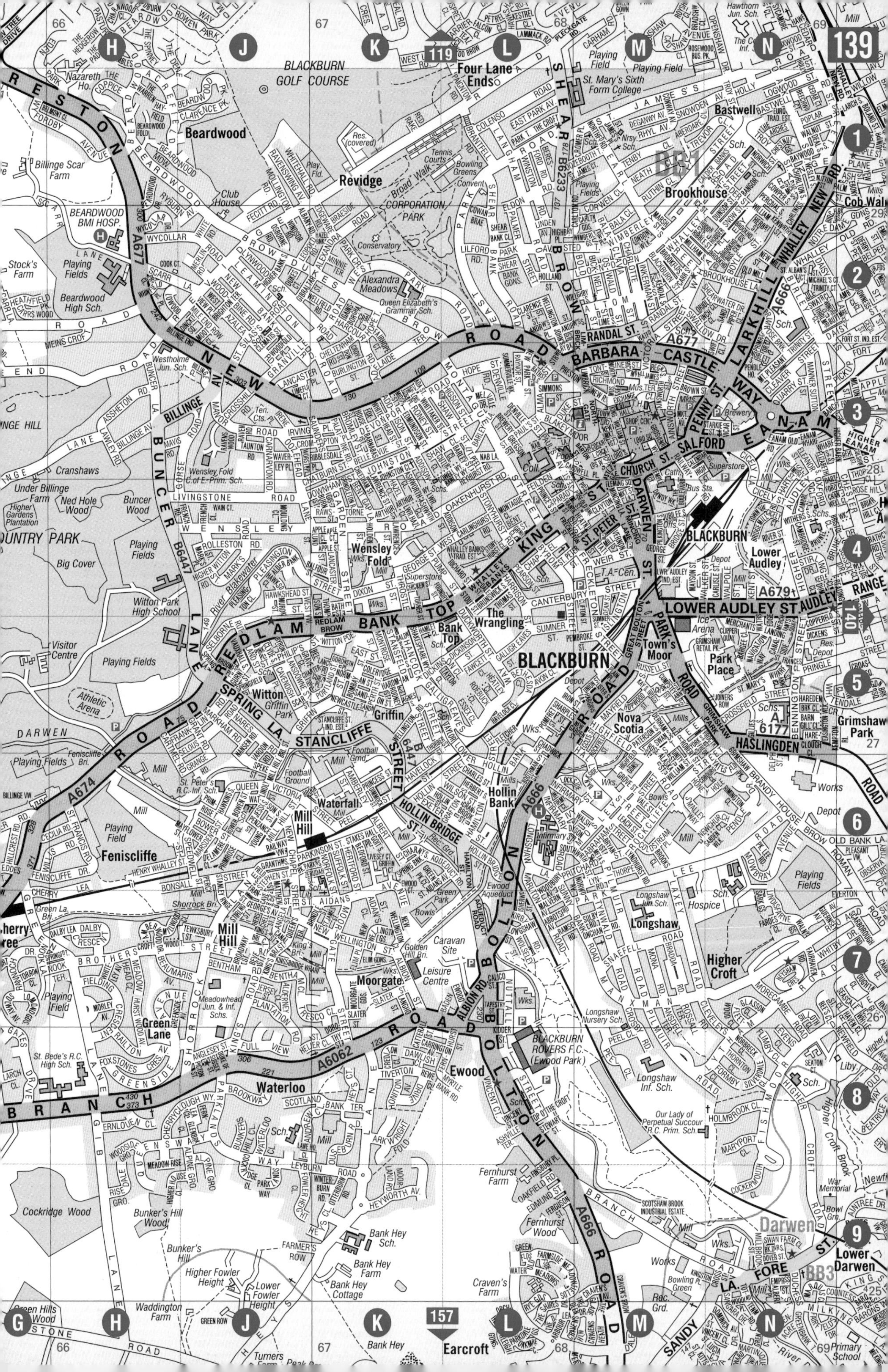
H
J
K
L
M
N
119
BLACKBURN GOLF COURSE
Four Lane Ends
St. Mary's Sixth Form College
Playing Field
Nazareth Ho.
Beardwood
Billinge Scar Farm
Revidge
Club House
CORPORATION PARK
Conservatory
Alexandra Meadows
Queen Elizabeth's Grammar Sch.
BEARDWOOD BMI HOSP.
Stock's Farm
Playing Fields
Beardwood High Sch.
Bastwell
BB1
Brookhouse
Cob Wall
PRESTON NEW ROAD
A677
BRANCH ROAD
A666
WHALLEY NEW RD.
LARKHILL
BARBARA CASTLE WAY
RANDAL ST.
SHEAR BROW
B6233
Westholme Jun. Sch.
BILLINGE
BUNCER LANE
B6447
Cranshaws
Under Billinge Farm
Ned Hole Wood
Buncer Wood
Higher Gardens Plantation
COUNTRY PARK
Big Cover
Playing Fields
Witton Park High School
Visitor Centre
Athletic Arena
Wensley Fold
Wensley Fold C.of E. Prim. Sch.
LIVINGSTONE ROAD
WENSLEY ROAD
KING ST
DARWEN ST.
ST. PETER ST
CHURCH ST.
SALFORD
EANAM
HIGHER EANAM
Superstore
Bus Sta.
BLACKBURN
Lower Audley
LOWER AUDLEY ST.
A679
140
The Wrangling
Bank Top
BANK TOP
REDLAM
WHALLEY BANKS
BLACKBURN
Town's Moor
Ice Arena
Park Place
Witton
Griffin Park
Griffin
STANCLIFFE
SPRING LA.
A674
DARWEN
Playing Fields
Feniscliffe Bri.
Football Ground
Waterfall
Mill Hill
Nova Scotia
Hollin Bank
HOLLIN BRIDGE
HASLINGDEN ROAD
A6177
Grimshaw Park
Works
Depot
Playing Field
Feniscliffe
Playing Fields
Hospice
Longshaw
Longshaw Jun. Sch.
Higher Croft
Mill Hill
Cherry Tree
Playing Field
Green Lane
Meadowhead Jun. & Inf. Schs.
Moorgate
Leisure Centre
Caravan Site
Ewood Aqueduct
BOLTON ROAD
BLACKBURN ROVERS F.C. (Ewood Park)
Longshaw Nursery Sch.
Longshaw Inf. Sch.
St. Bede's R.C. High Sch.
Waterloo
Ewood
A6062
Our Lady of Perpetual Succour R.C. Prim. Sch.
Cockridge Wood
Bunker's Hill Wood
Bunker's Hill
Higher Fowler Height
Lower Fowler Height
Bank Hey Sch.
Bank Hey Farm
Bank Hey Cottage
Fernhurst Farm
Fernhurst Wood
Craven's Farm
SCOTSHAW BROOK INDUSTRIAL ESTATE
Darwen
Lower Darwen
BB3
War Memorial
Waddington Farm
Green Hills Wood
G
H
J
K
157
L
M
N
Earcroft
Bank Hey
Turners
66
67
68
69
1
2
3
4
5
6
7
8
9

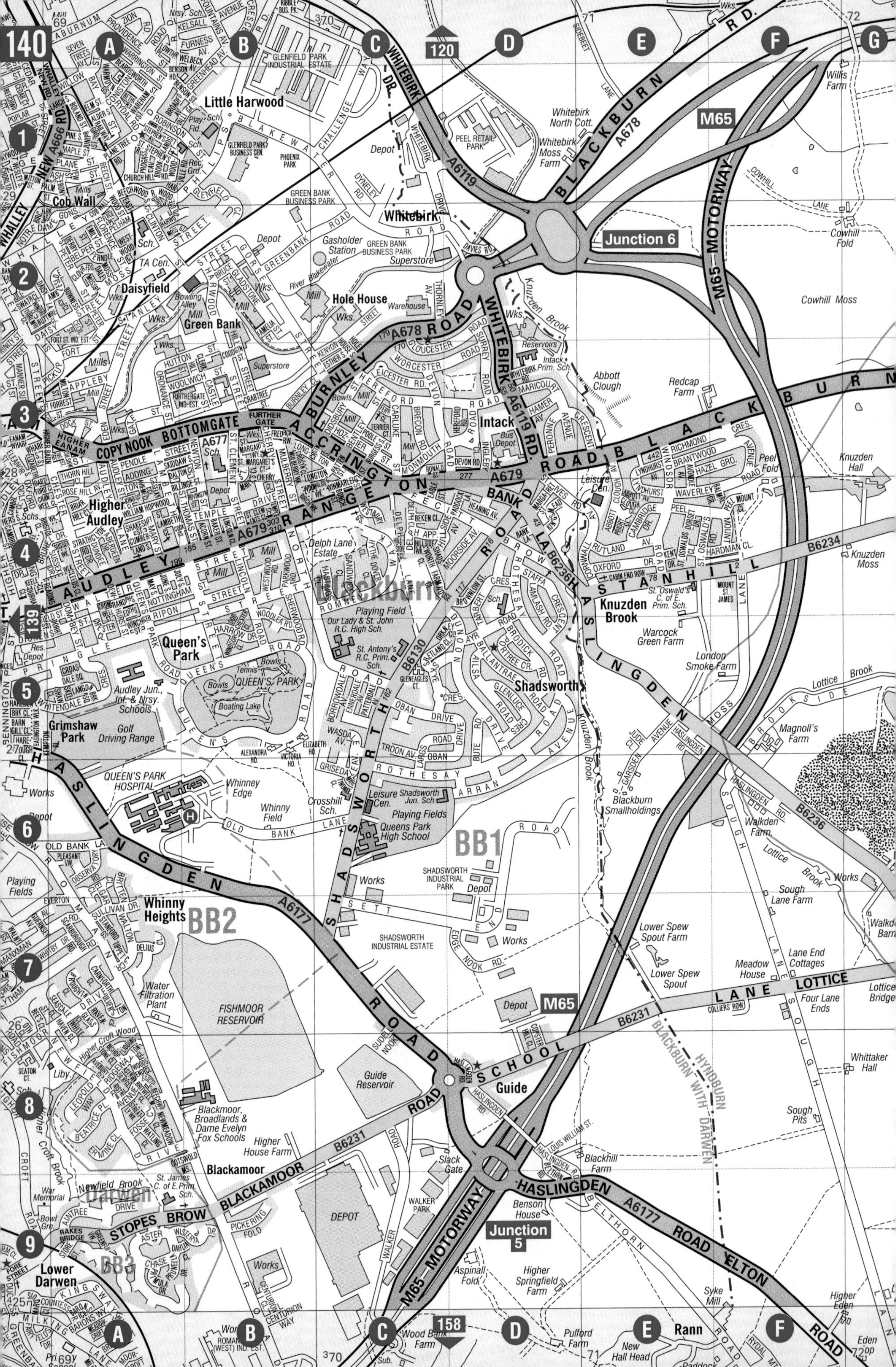
A
B
C
D
E
F
G
120
1
2
3
4
5
6
7
8
9
139
158
370
71
72
Little Harwood
GLENFIELD PARK INDUSTRIAL ESTATE
RIBBLE BUS. PK.
GLENFIELD PARK BUSINESS CEN.
PHOENIX PARK
GREEN BANK BUSINESS PARK
PEEL RETAIL PARK
Whitebirk North Cott.
Whitebirk Moss Farm
Willis Farm
M65
BLACKBURN RD.
A678
A6119
WHITEBIRK DR.
Depot
Whitebirk
Cob Wall
Daisyfield
TA Cen.
Gasholder Station
Superstore
River Blakewater
Hole House
Warehouse
Green Bank
Bowling Alley
Mill
Wks.
Junction 6
Cowhill Fold
Cowhill Moss
M65 MOTORWAY
Knuzden Brook
Reservoirs
Intack Prim. Sch.
Abbott Clough
Redcap Farm
BURNLEY ROAD
WHITEBIRK RD.
A6119
Intack
Bus Depot
FURTHERGATE IND. EST.
COPY NOOK
BOTTOMGATE
FURTHER GATE
HIGHER EANAM
A677
ACCRINGTON ROAD
BLACKBURN ROAD
A679
Leisure Cen.
Peel Fold
Knuzden Hall
Higher Audley
AUDLEY RANGE
AUDLEY STREET
Delph Lane Estate
Blackburn
BANK LA.
B6236
STANHILL
B6234
Knuzden Moss
Knuzden Brook
St. Oswald's C. of E. Prim. Sch.
Warcock Green Farm
London Smoke Farm
Playing Field
Our Lady & St. John R.C. High Sch.
St. Antony's R.C. Prim. Sch.
Queen's Park
QUEEN'S PARK
Tennis
Bowls
Boating Lake
Audley Jun. Inf. & Nrsy. Schools
Grimshaw Park
Golf Driving Range
SHADSWORTH ROAD
B6130
Shadsworth
HASLINGDEN RD.
Lottice Brook
Magnoll's Farm
B6236
QUEEN'S PARK HOSPITAL
Whinney Edge
Whinny Field
Crosshill Sch.
Leisure Cen.
Shadsworth Jun. Sch.
Playing Fields
Queens Park High School
BB1
Blackburn Smallholdings
Walkden Farm
Works
OLD BANK LANE
Playing Fields
HASLINGDEN ROAD
A6177
Whinny Heights
BB2
SHADSWORTH INDUSTRIAL PARK
SHADSWORTH INDUSTRIAL ESTATE
Sough Lane Farm
Lower Spew Spout Farm
Lower Spew Spout
Meadow House
Lane End Cottages
Water Filtration Plant
FISHMOOR RESERVOIR
Depot
LOTTICE LANE
SCHOOL LANE
B6231
Four Lane Ends
Lottice Bridge
BLACKBURN WITH DARWEN
HYNDBURN
Guide Reservoir
Guide
Whittaker Hall
Sough Pits
Liby.
Higher Croft Wood
Blackmoor, Broadlands & Dame Evelyn Fox Schools
Higher House Farm
Blackamoor
BLACKAMOOR ROAD
Slack Gate
Blackhill Farm
St. James C. of E. Prim. Sch.
Newfield Brook
Darwen
War Memorial
STOPES BROW
DEPOT
WALKER PARK
Benson House
Junction 5
HASLINGDEN ROAD
A6177
M65 MOTORWAY
BB3
Lower Darwen
Works
Aspinall Fold
Higher Springfield Farm
Syke Mill
ELTON ROAD
Higher Eden
ROMAN (WEST) IND. EST.
CENTURION WAY
Wood Bank Farm
Pulford Farm
New Hall Head
Rann
Eden Top

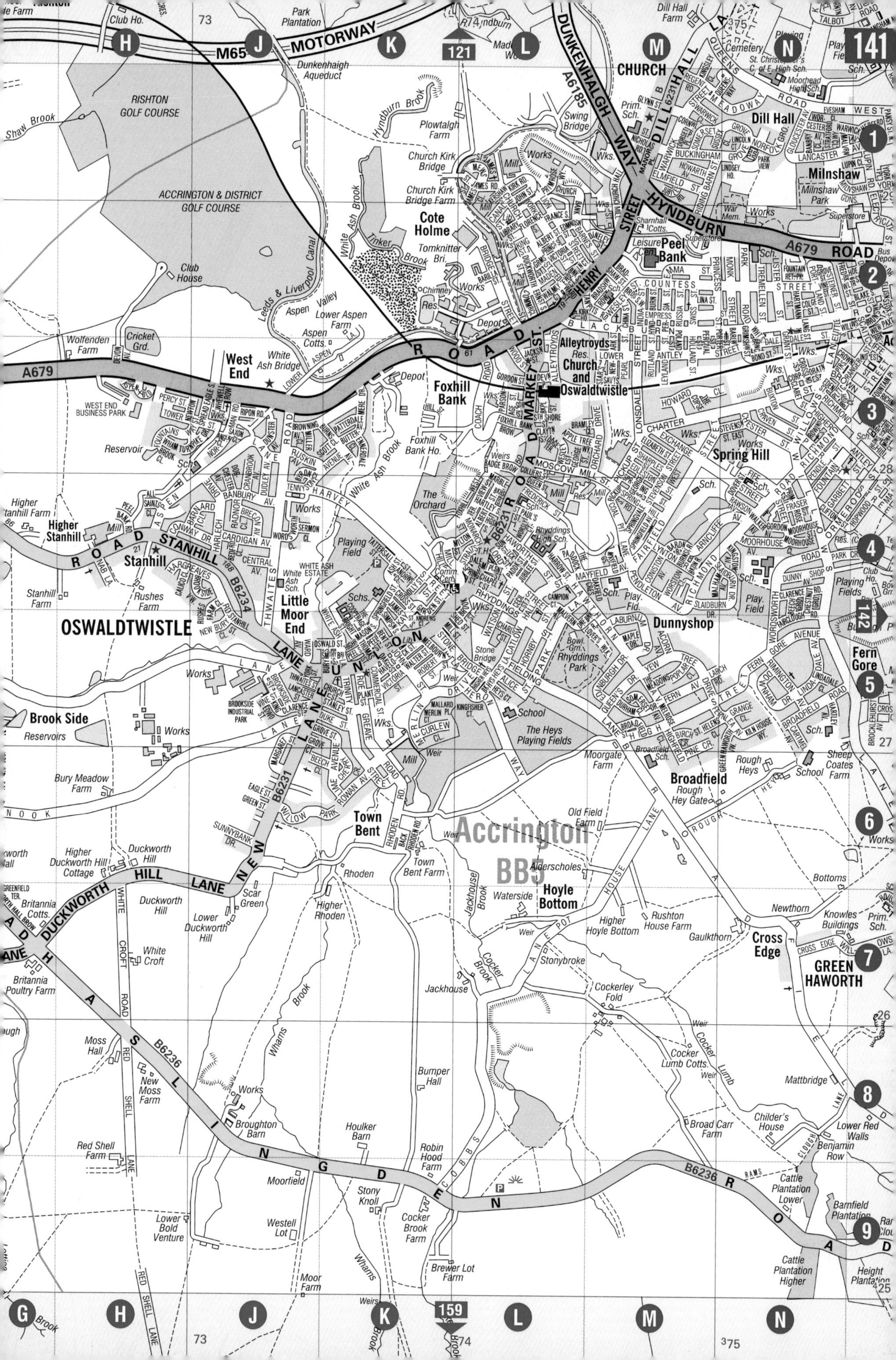

M65 MOTORWAY
Club Ho.
Park Plantation
Dunkenhaigh Aqueduct
Hyndburn
121
Dill Hall Farm
CHURCH
DUNKENHALGH WAY
A6185
Swing Bridge
Cemetery
St. Christopher's C. of E. High Sch.
Dill Hall
Milnshaw
Milnshaw Park
HYNDBURN ROAD
A679
RISHTON GOLF COURSE
Shaw Brook
ACCRINGTON & DISTRICT GOLF COURSE
Club House
Hyndburn Brook
Plowtalgh Farm
Church Kirk Bridge
Church Kirk Bridge Farm
Cote Holme
White Ash Brook
Tinker Brook
Tomknitter Bri.
Leeds & Liverpool Canal
Aspen Valley
Lower Aspen Farm
Aspen Cotts.
Peel Bank
Leisure Cen.
Superstore
War Mem.
Wolfenden Farm
Cricket Grd.
West End
White Ash Bridge
A679
ROAD
HENRY STREET
Foxhill Bank
Alleytroyds
Res.
Church and Oswaldtwistle
WEST END BUSINESS PARK
Reservoir
Foxhill Bank Ho.
The Orchard
Spring Hill
Higher Stanhill Farm
Higher Stanhill
STANHILL ROAD
Stanhill
B6234
Stanhill Farm
Rushes Farm
OSWALDTWISTLE
Playing Field
WHITE ASH ESTATE
White Ash Sch.
Little Moor End
Comm. Cen.
Rhyddings High Sch.
Dunnyshop
Play. Fld.
Bowl. Grn.
Rhyddings Park
Fern Gore
142
Brook Side
Reservoirs
Works
BROOKSIDE INDUSTRIAL PARK
UNION ROAD
B6231
Stone Bridge
The Heys Playing Fields
School
Moorgate Farm
Broadfield
Broadfield Sch.
Rough Heys
Rough Hey Gate
Sheep Coates Farm
Bury Meadow Farm
NOOK LANE
Town Bent
Accrington BB5
Old Field Farm
Weir
Higher Duckworth Hill Cottage
Duckworth Hill
DUCKWORTH HILL LANE
Rhoden
Town Bent Farm
Alderscholes
Hoyle Bottom
Waterside
Bottoms
Britannia Cotts.
Duckworth Hill
Lower Duckworth Hill
Scar Green
Higher Rhoden
Jackhouse Brook
Higher Hoyle Bottom
Rushton House Farm
Gaulkthorn
Cross Edge
Newthorn
Knowles Buildings
Prim. Sch.
GREEN HAWORTH
White Croft
WHITE CROFT ROAD
Stonybroke
Britannia Poultry Farm
Cocker Brook
Jackhouse
Cockerley Fold
Moss Hall
B6236
HASLINGDEN ROAD
New Moss Farm
Whams Brook
Bumper Hall
Cocker Lumb Cotts.
Cocker Lumb
Mattbridge
Works
Broughton Barn
Houlker Barn
Broad Carr Farm
Childer's House
Lower Red Walls
Red Shell Farm
RED SHELL LANE
Robin Hood Farm
Benjamin Row
Moorfield
Stony Knoll
Cattle Plantation Lower
Barnfield Plantation
Lower Bold Venture
Westell Lot
Cocker Brook Farm
Cattle Plantation Higher
Height Plantation
Brewer Lot Farm
Moor Farm
Whams
159
G H J K L M N
1 2 3 4 5 6 7 8 9
73 74 75
25 26 27 28

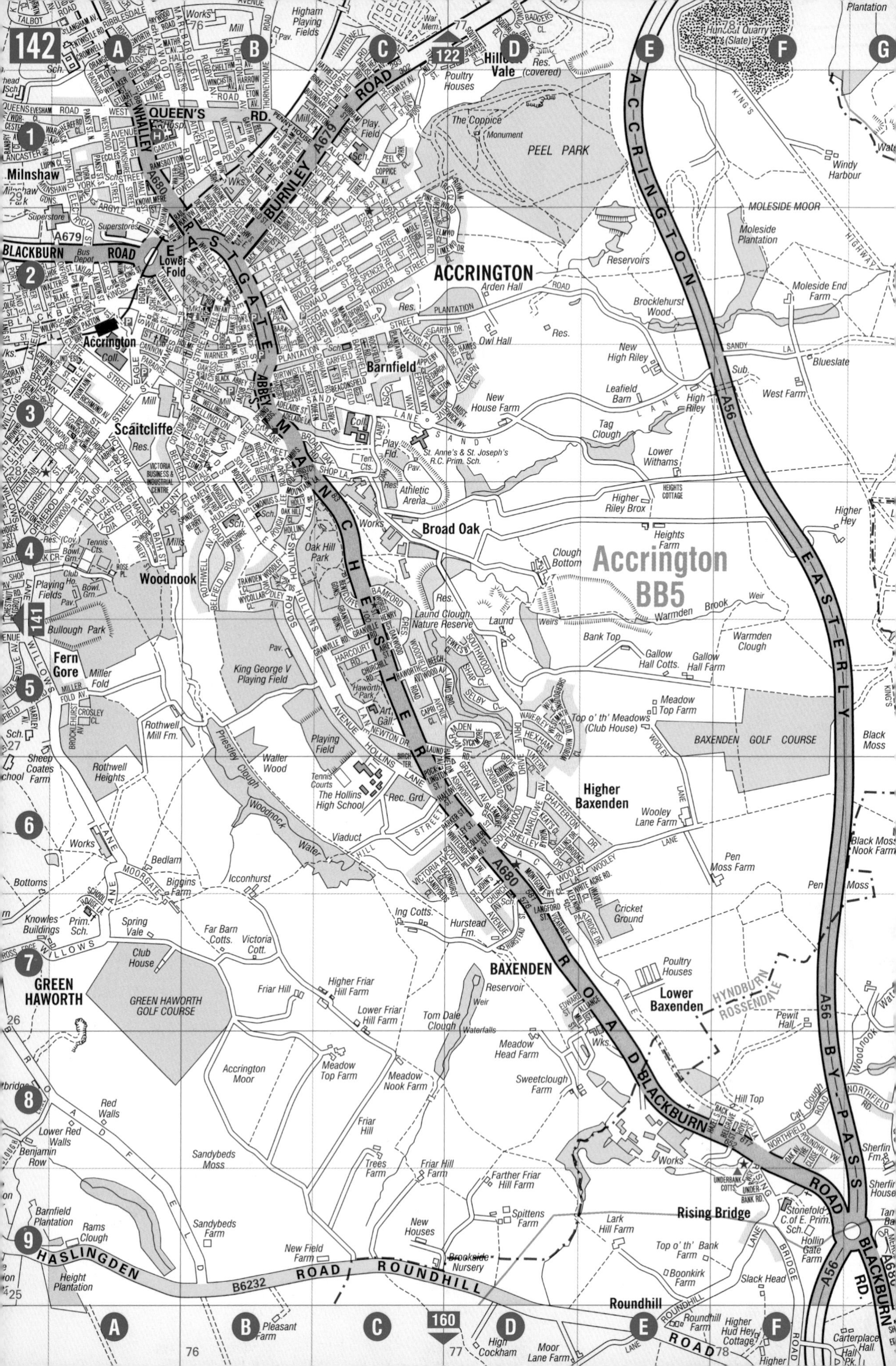

142
122
141
160
Accrington
BB5
ACCRINGTON
Milnshaw
Scaitcliffe
Woodnook
Fern Gore
Barnfield
Broad Oak
Higher Baxenden
BAXENDEN
Lower Baxenden
Rising Bridge
Roundhill
GREEN HAWORTH
Hillock Vale
Lower Fold
QUEEN'S RD.
BLACKBURN ROAD
EASTGATE
MANCHESTER ROAD
WHALLEY
BURNLEY ROAD
ABBEY ST.
A679
A680
A56
B6232
ACCRINGTON EASTERLY BY-PASS
BLACKBURN RD.
HASLINGDEN ROAD
ROUNDHILL ROAD
WILLOWS LANE
PLANTATION ST.
SANDY LANE
MOORGATE
WOOLEY LANE
Peel Park
The Coppice
Monument
Higham Playing Fields
Huncoat Quarry (Slate)
Poultry Houses
Res. (covered)
War Mem.
Windy Harbour
MOLESIDE MOOR
Moleside Plantation
Moleside End Farm
Reservoirs
Brocklehurst Wood
Arden Hall
Owl Hall
New High Riley
Leafield Barn
High Riley
Blueslate
West Farm
New House Farm
Tag Clough
Lower Withams
Higher Riley Brox
Heights Cottage
Heights Farm
Clough Bottom
Higher Hey
Warmden Brook
Weir
Weirs
Laund
Laund Clough Nature Reserve
Bank Top
Gallow Hall Cotts.
Gallow Hall Farm
Warmden Clough
Meadow Top Farm
Top o' th' Meadows (Club House)
BAXENDEN GOLF COURSE
Black Moss
Wooley Lane Farm
Black Moss Nook Farm
Pen Moss Farm
Pen Moss
Cricket Ground
Poultry Houses
HYNDBURN
ROSSENDALE
Pewit Hall
Hill Top
Sherfin Fm.
Sherfin House
Stonefold C.of E. Prim. Sch.
Hollin Gate Farm
Top o' th' Bank Farm
Boonkirk Farm
Slack Head
Roundhill Farm
Higher Hud Hey Cottage
Carterplace Hall
Accrington Coll.
Superstore
Superstores
Bus Depot
Hosp.
Tennis Cts.
Bowl. Grn.
Playing Fields
Club Ho.
Bullough Park
Miller Fold
Rothwell Mill Fm.
Rothwell Heights
Sheep Coates Farm
King George V Playing Field
Pav.
Oak Hill Park
Haworth Park
Art Gall.
Playing Field
The Hollins High School
Rec. Grd.
Tennis Courts
Waller Wood
Priestley Clough
Woodnock Water
Viaduct
Icconhurst
Biggins Farm
Bedlam
Works
Bottoms
Knowles Buildings
Prim. Sch.
Spring Vale
Far Barn Cotts.
Victoria Cott.
Club House
GREEN HAWORTH GOLF COURSE
Friar Hill
Higher Friar Hill Farm
Lower Friar Hill Farm
Ing Cotts.
Hurstead Fm.
Reservoir
Tom Dale Clough
Waterfalls
Meadow Head Farm
Sweetclough Farm
Meadow Top Farm
Meadow Nook Farm
Accrington Moor
Red Walls
Lower Red Walls
Benjamin Row
Sandybeds Moss
Friar Hill
Trees Farm
Friar Hill Farm
Farther Friar Hill Farm
Spittens Farm
Lark Hill Farm
New Houses
Brookside Nursery
Sandybeds Farm
New Field Farm
Barnfield Plantation
Rams Clough
Height Plantation
Pleasant Farm
High Cockham
Moor Lane Farm
St. Anne's & St. Joseph's R.C. Prim. Sch.
Athletic Arena
Play. Fld.
Ten. Cts.
VICTORIA BUSINESS & INDUSTRIAL CENTRE
Mill
Mills
Works
Wks.
Res.
Sch.
Plantation
A B C D E F G
1 2 3 4 5 6 7 8 9
76 77 78
25 26 27 28 29

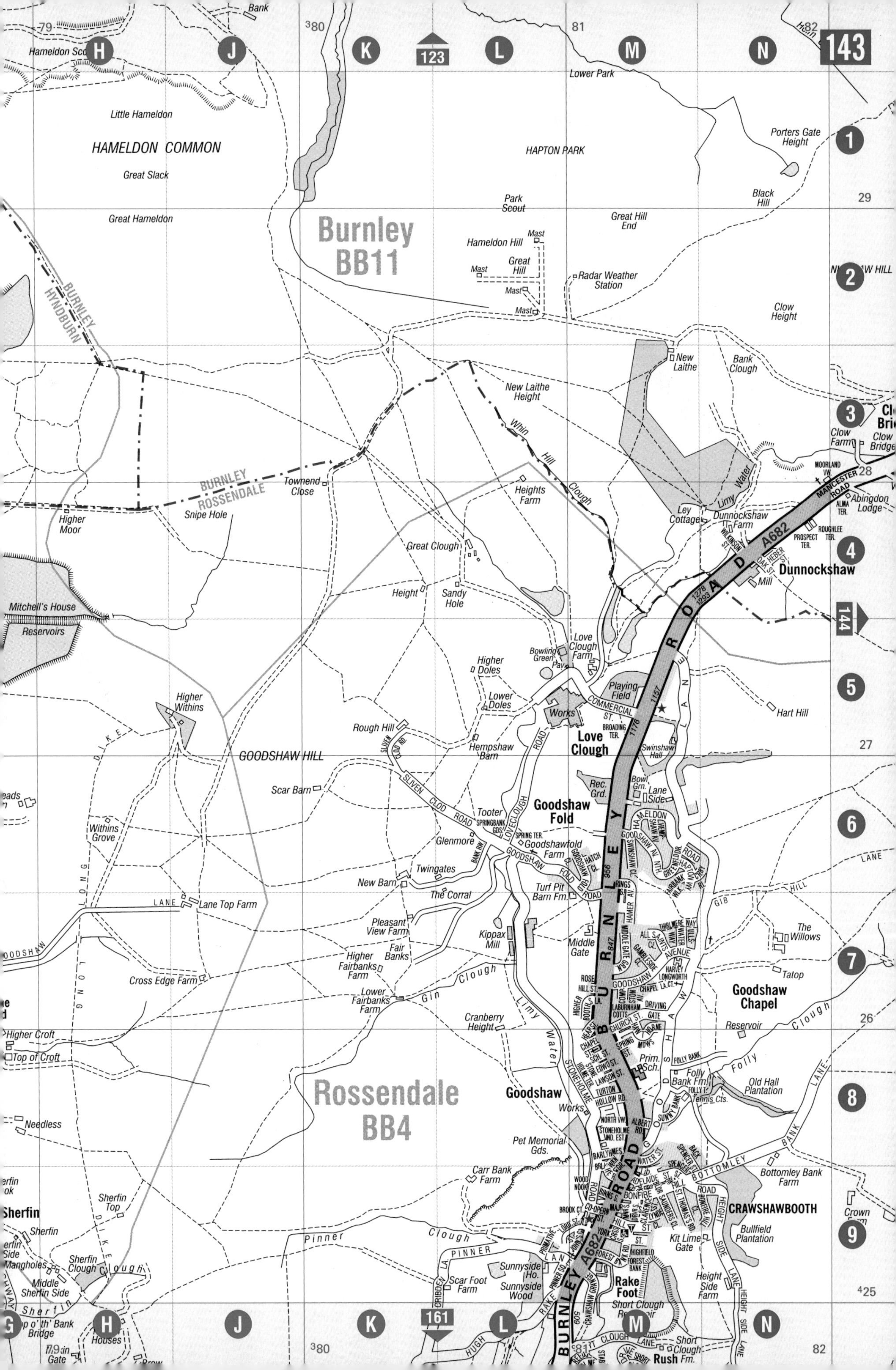

143
123
144
161
H
J
K
L
M
N
1
2
3
4
5
6
7
8
9
29
28
27
26
425
380
81
82
Bank
Hameldon Scar
Lower Park
Porters Gate Height
Little Hameldon
HAMELDON COMMON
HAPTON PARK
Great Slack
Black Hill
Great Hameldon
Park Scout
Burnley BB11
Great Hill End
Hameldon Hill
Mast
Great Hill
Radar Weather Station
Clow Height
BURNLEY
HYNDBURN
New Laithe
Bank Clough
New Laithe Height
Whin Hill Clough
Clow Farm
Clow Bridge
BURNLEY
ROSSENDALE
Townend Close
Limy Water
MOORLAND VW.
MANCHESTER ROAD
Abingdon Lodge
Higher Moor
Snipe Hole
Heights Farm
Ley Cottage
Dunnockshaw Farm
ROUGHLEE TER.
PROSPECT TER.
ALMA TER.
A682
Great Clough
Dunnockshaw
Mill
Height
Sandy Hole
Mitchell's House
Reservoirs
Love Clough Farm
Bowling Green
Pav.
Higher Doles
Lower Doles
Playing Field
COMMERCIAL ST.
BROADING TER.
Works
Hart Hill
Higher Withins
Rough Hill
Love Clough
Swinshaw Hall
GOODSHAW HILL
Hempshaw Barn
SLIVEN CLOUGH RD.
Scar Barn
Rec. Grd.
Bowl. Grn.
Lane Side
Goodshaw Fold
Tooter
SLIVEN CLOD ROAD
SPRINGBANK GDS.
LOVECLOUGH
SPRING TER.
HAMELDON
Withins Grove
Glenmore
Goodshawfold Farm
BURNLEY ROAD
Twingates
New Barn
The Corral
Turf Pit Barn Fm.
Lane Top Farm
LANE
Pleasant View Farm
The Willows
Kippax Mill
Middle Gate
ALL SAINTS CL.
AVENUE
Higher Fairbanks Farm
Fair Banks
Tatop
GOODSHAW
Cross Edge Farm
Gin Clough
Goodshaw Chapel
Lower Fairbanks Farm
Limy Water
Cranberry Height
Reservoir
Higher Croft
Top of Croft
Prim. Sch.
Folly
Folly Bank Fm.
Old Hall Plantation
Rossendale BB4
Goodshaw
Tennis Cts.
Works
Needless
STONEHOLME IND. EST.
Pet Memorial Gds.
BOTTOMLEY BANK
Carr Bank Farm
Bottomley Bank Farm
Sherfin Top
CRAWSHAWBOOTH
Crown Farm
Sherfin
Bullfield Plantation
Pinner Clough
Kit Lime Gate
PINNER
Sunnyside Ho.
Sunnyside Wood
Sherfin Clough
Middle Sherfin Side
Scar Foot Farm
Height Side Farm
Rake Foot
Short Clough Reservoir
Short Clough
Rush Fm.
Houses
HEIGHT SIDE LANE

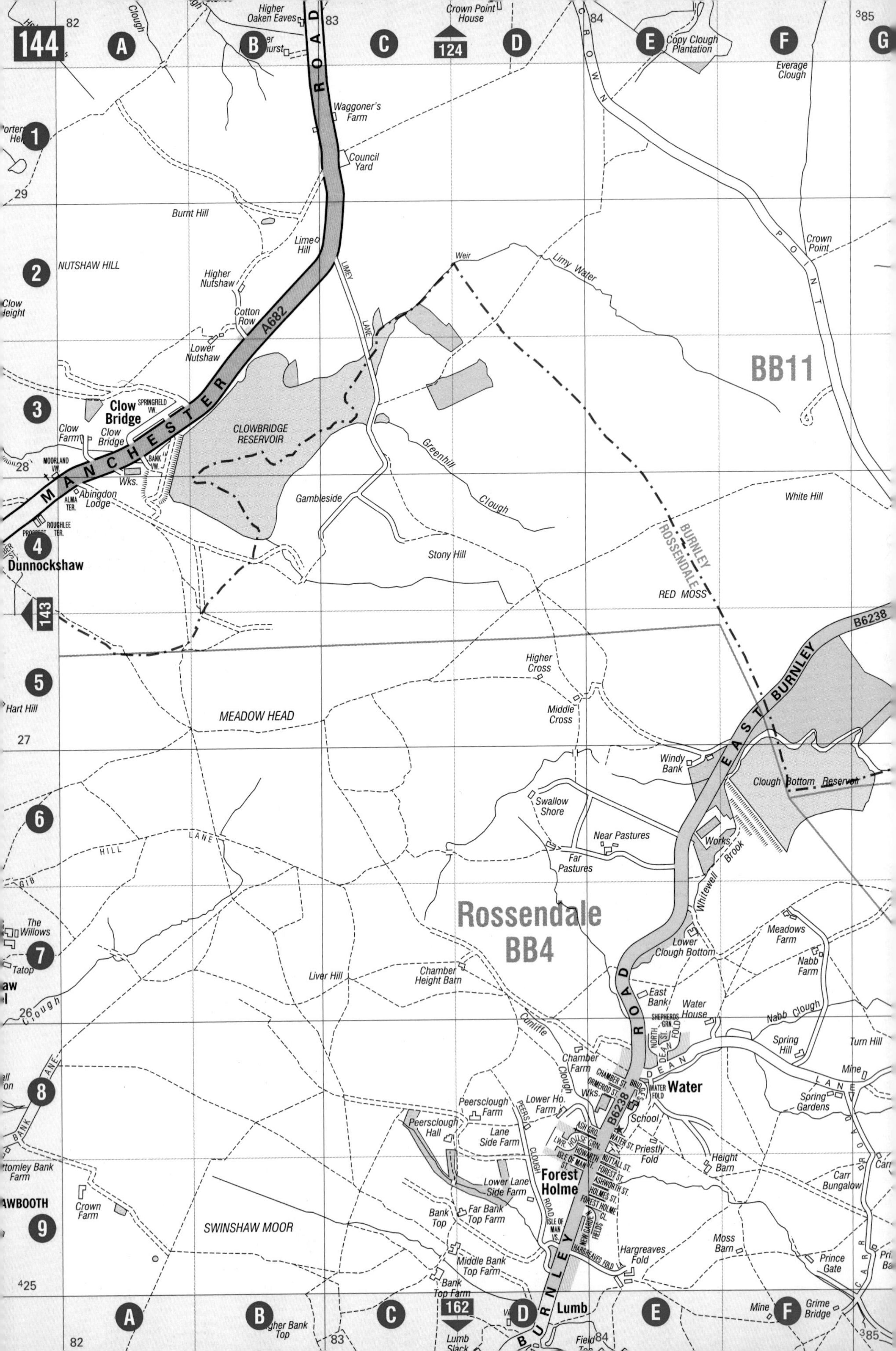

Higher Oaken Eaves
Crown Point House
124
Copy Clough Plantation
Everage Clough
Waggoner's Farm
Council Yard
Burnt Hill
Lime Hill
NUTSHAW HILL
Higher Nutshaw
Cotton Row
Lower Nutshaw
A682
MANCHESTER ROAD
Weir
Limy Water
LIMEY LANE
Crown Point
CROWN POINT
BB11
Clow Bridge
Clow Farm
CLOWBRIDGE RESERVOIR
Greenhill Clough
Wks.
Abingdon Lodge
Gambleside
White Hill
Dunnockshaw
Stony Hill
BURNLEY
ROSSENDALE
RED MOSS
143
B6238
EAST BURNLEY
Higher Cross
Hart Hill
MEADOW HEAD
Middle Cross
Windy Bank
Clough Bottom Reservoir
Swallow Shore
Near Pastures
Far Pastures
Works
Whitewell Brook
HILL LANE
Rossendale
BB4
The Willows
Meadows Farm
Lower Clough Bottom
Tatop
Nabb Farm
Liver Hill
Chamber Height Barn
East Bank
Water House
Nabb Clough
Cunliffe Clough
Spring Hill
Turn Hill
Chamber Farm
Water
Mine
Peersclough Farm
Lower Ho. Farm
School
Spring Gardens
Peersclough Hall
Lane Side Farm
Priestly Fold
Height Barn
Forest Holme
Lower Lane Side Farm
Carr Bungalow
Crown Farm
Bank Top
Far Bank Top Farm
SWINSHAW MOOR
Moss Barn
Middle Bank Top Farm
Hargreaves Fold
Prince Gate
Bank Top Farm
162
Lumb
Grime Bridge
BURNLEY ROAD

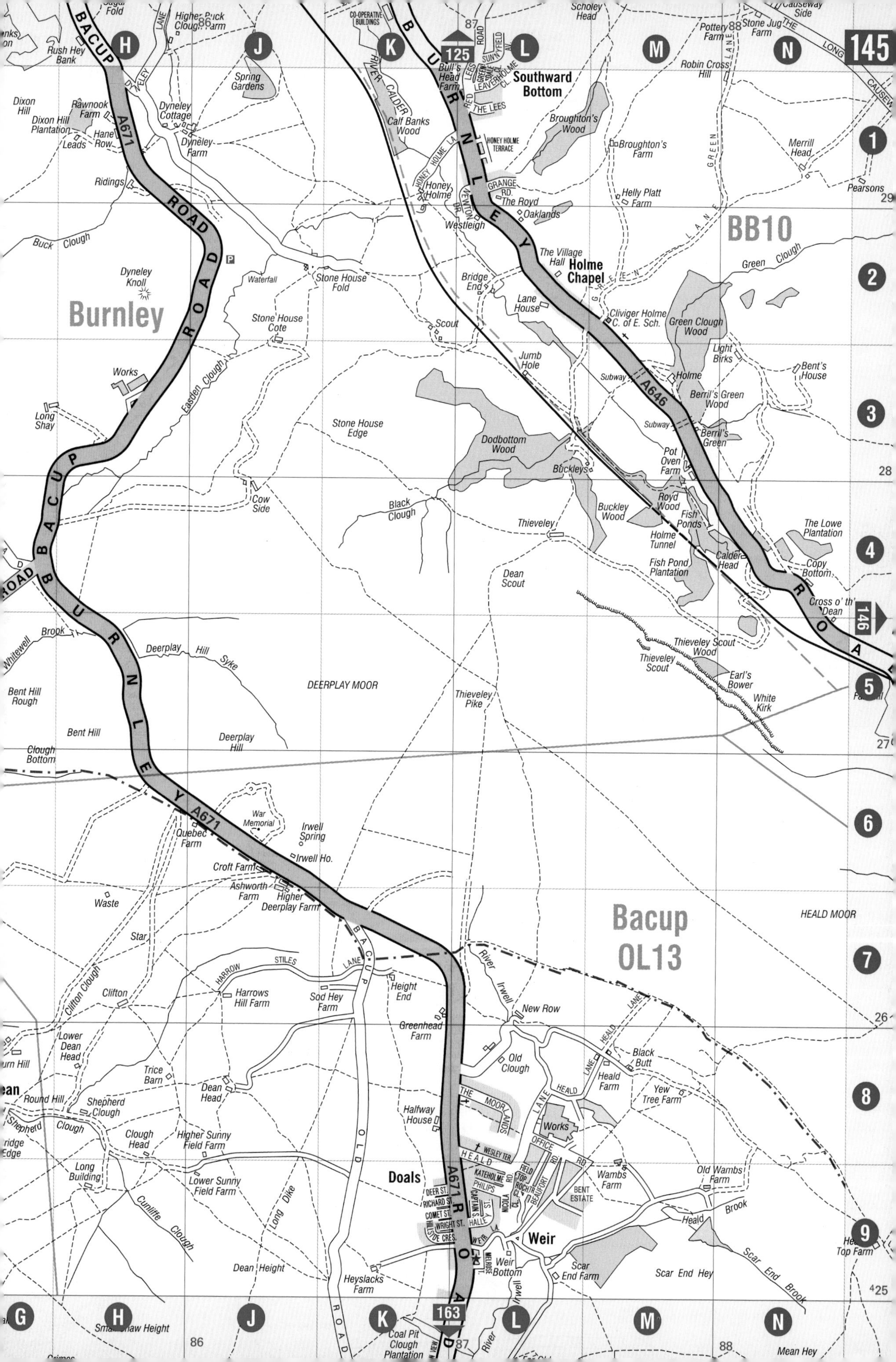

Burnley
BB10
Bacup
OL13
Southward Bottom
Holme Chapel
Doals
Weir
DEERPLAY MOOR
HEALD MOOR
BACUP ROAD
BURNLEY ROAD
A671
A646
Rush Hey Bank
Higher Buck Clough Farm
Spring Gardens
Dixon Hill
Rawnook Farm
Dixon Hill Plantation
Hane Row
Leads
Dyneley Cottage
Dyneley Farm
Ridings
Buck Clough
Dyneley Knoll
Waterfall
Stone House Fold
Stone House Cote
Works
Long Shay
Easden Clough
Stone House Edge
Cow Side
Calf Banks Wood
Honey Holme
Bull's Head Farm
The Lees
Honey Holme Terrace
Grange Rd.
The Royd
Oaklands
Westleigh
Broughton's Wood
Broughton's Farm
Helly Platt Farm
Robin Cross Hill
Pottery Farm
Stone Jug Farm
Merrill Head
Pearsons
Green Clough
The Village Hall
Bridge End
Lane House
Scout
Cliviger Holme C. of E. Sch.
Green Clough Wood
Light Birks
Bent's House
Jumb Hole
Subway
Holme
Berril's Green Wood
Berril's Green
Dodbottom Wood
Pot Oven Farm
Buckleys
Black Clough
Buckley Wood
Royd Wood
Fish Ponds
Holme Tunnel
Thieveley
Calder Head
Fish Pond Plantation
The Lowe Plantation
Copy Bottom
Cross o' th' Dean
Dean Scout
Thieveley Scout Wood
Thieveley Scout
Earl's Bower
White Kirk
Thieveley Pike
Whitewell Brook
Deerplay Hill Syke
Bent Hill Rough
Bent Hill
Deerplay Hill
Clough Bottom
War Memorial
Quebec Farm
Irwell Spring
Irwell Ho.
Croft Farm
Ashworth Farm
Higher Deerplay Farm
Waste
Star
Harrow Stiles Lane
Harrows Hill Farm
Sod Hey Farm
Height End
Clifton Clough
Clifton
Greenhead Farm
New Row
River Irwell
Lower Dean Head
Old Clough
Black Butt
Heald Farm
Trice Barn
Dean Head
Heald Lane
Yew Tree Farm
Round Hill
Shepherd Clough
Halfway House
The Moorlands
Works
Clough Head
Higher Sunny Field Farm
Long Building
Lower Sunny Field Farm
Wesley Ter.
Bent Estate
Wambs Farm
Old Wambs Farm
Cunliffe Clough
Long Dike
Heald Brook
Deer St.
Richard St.
Comet St.
Wright St.
Hillside Cres.
Philips
Captain's
Nicola Cl.
Kateholme Rd.
Field Top
Rochtr. Rd.
Beaufort Rd.
Halley St.
Melrose
Weir Bottom
Scar End Farm
Scar End Hey
Scar End Brook
Dean Height
Heyslacks Farm
Smallshaw Height
Coal Pit Clough Plantation
Mean Hey
Heald Top Farm
Co-operative Buildings
Scholey Head
Causeway Side
The Long Causeway
125
146
163
G H J K L M N
1 2 3 4 5 6 7 8 9
86 87 88
29 28 27 26 425

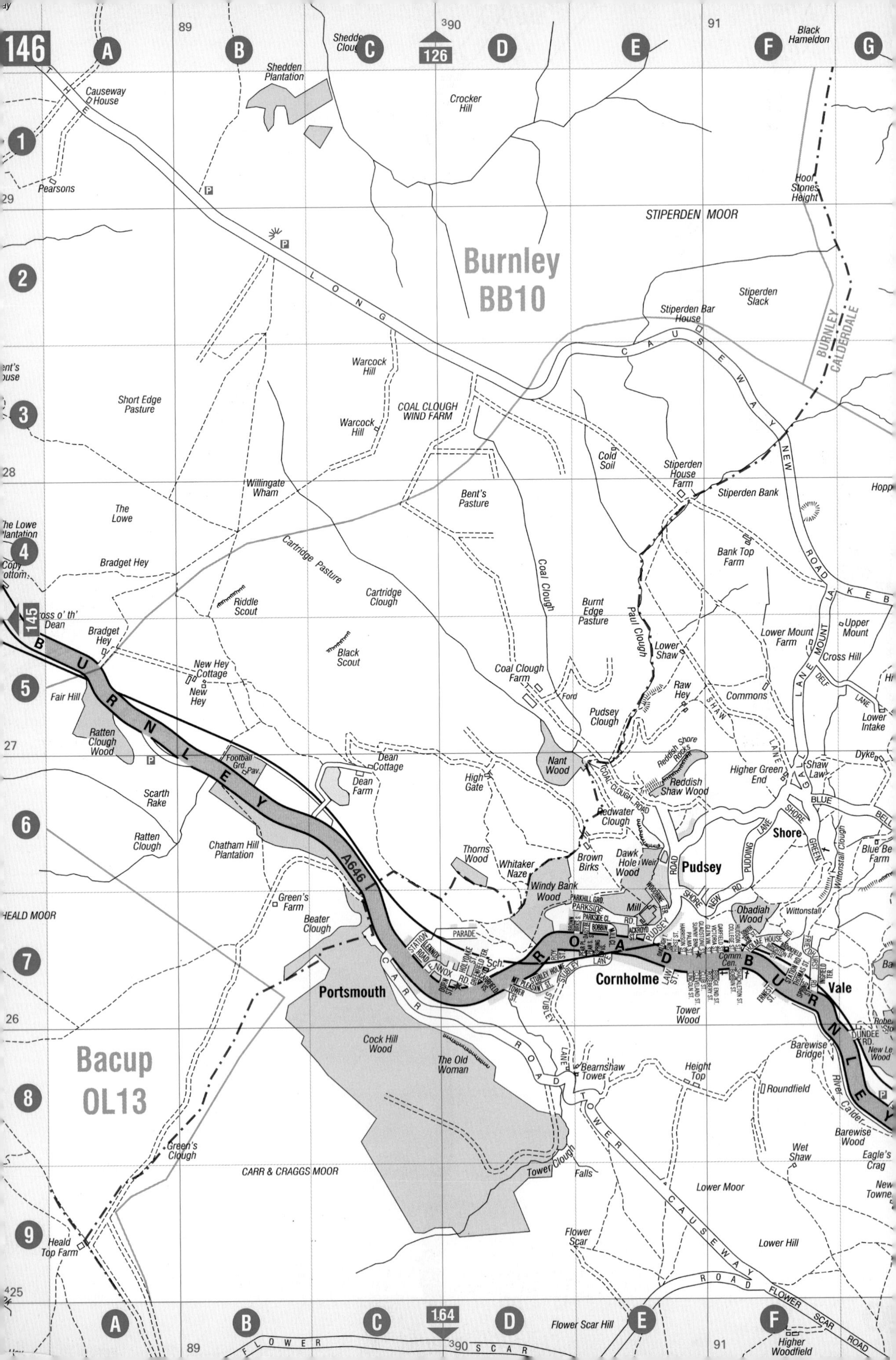

Causeway House
Pearsons
Shedden Plantation
Shedden Clough
Crocker Hill
126
Black Hameldon
LONG CAUSEWAY
Burnley BB10
STIPERDEN MOOR
Hoof Stones Height
Stiperden Bar House
Stiperden Slack
BURNLEY
CALDERDALE
Warcock Hill
COAL CLOUGH WIND FARM
Short Edge Pasture
Cold Soil
Stiperden House Farm
Stiperden Bank
Willingate Wham
Bent's Pasture
The Lowe
Bank Top Farm
Bradget Hey
Cartridge Pasture
Coal Clough
Burnt Edge Pasture
Paul Clough
Riddle Scout
Cartridge Clough
Black Scout
145
Cross o' th' Dean
Bradget Hey
New Hey Cottage
New Hey
Coal Clough Farm
Lower Shaw
Raw Hey
Commons
Lower Mount Farm
Upper Mount
Cross Hill
Fair Hill
Ratten Clough Wood
Pudsey Clough
Ford
Lower Intake
Football Grd.
Pav.
Dean Cottage
Dean Farm
High Gate
Nant Wood
Reddish Shore Rocks
Reddish Shaw Wood
Higher Green End
Shaw Law
Dyke
Scarth Rake
Redwater Clough
Shore
Ratten Clough
Chatham Hill Plantation
Thorns Wood
Whitaker Naze
Brown Birks
Dawk Hole Wood
Weir
Pudsey
Blue Bell Farm
Windy Bank Wood
Mill
Obadiah Wood
Wittonstall
Wittonstall Clough
HEALD MOOR
Green's Farm
Beater Clough
PARADE
Sch.
Comm. Cen.
BURNLEY ROAD
A646
Cornholme
Vale
Portsmouth
Tower Wood
CARR ROAD
Cock Hill Wood
The Old Woman
Barewise Bridge
DUNDEE RD.
Bacup OL13
Bearnshaw Tower
Height Top
Roundfield
River Calder
Barewise Wood
Green's Clough
CARR & CRAGGS MOOR
Tower Clough
Falls
Lower Moor
Wet Shaw
Eagle's Crag
TOWER CAUSEWAY
Flower Scar
Lower Hill
Heald Top Farm
FLOWER SCAR ROAD
Flower Scar Hill
164
Higher Woodfield
89
90
91
29
28
27
26
425

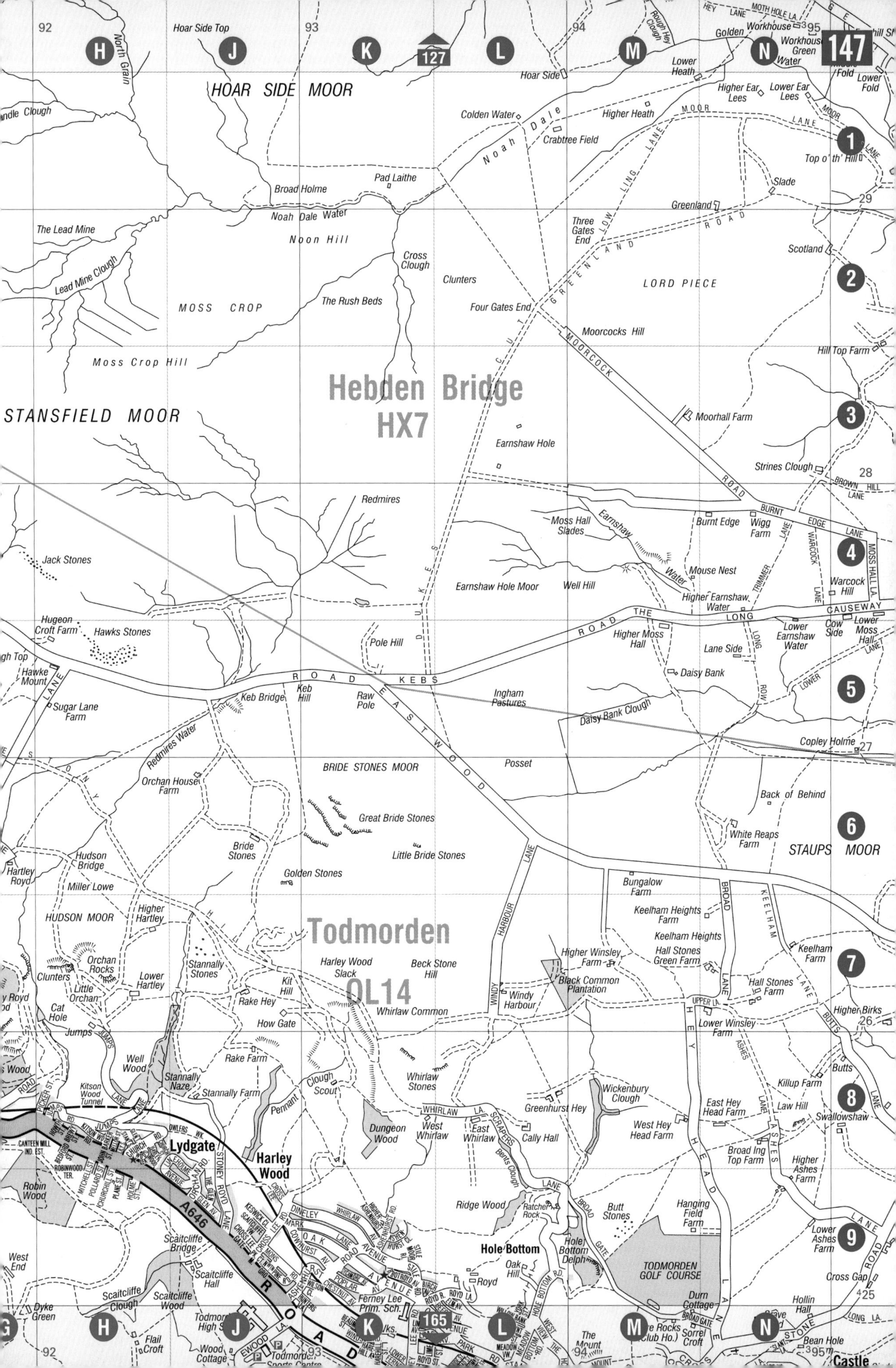

147
127
165
HOAR SIDE MOOR
Hebden Bridge
HX7
Todmorden
OL14
STANSFIELD MOOR
MOSS CROP
Moss Crop Hill
Noon Hill
LORD PIECE
BRIDE STONES MOOR
HUDSON MOOR
STAUPS MOOR
Great Bride Stones
Little Bride Stones
Golden Stones
Whirlaw Common
Earnshaw Hole Moor
Four Gates End
Moorcocks Hill
Redmires
Jack Stones
Hawks Stones
Keb Bridge
Lydgate
Harley Wood
Hole Bottom
TODMORDEN GOLF COURSE
THE LONG CAUSEWAY
KEBS ROAD
EASTWOOD ROAD
MOORCOCK ROAD
A646

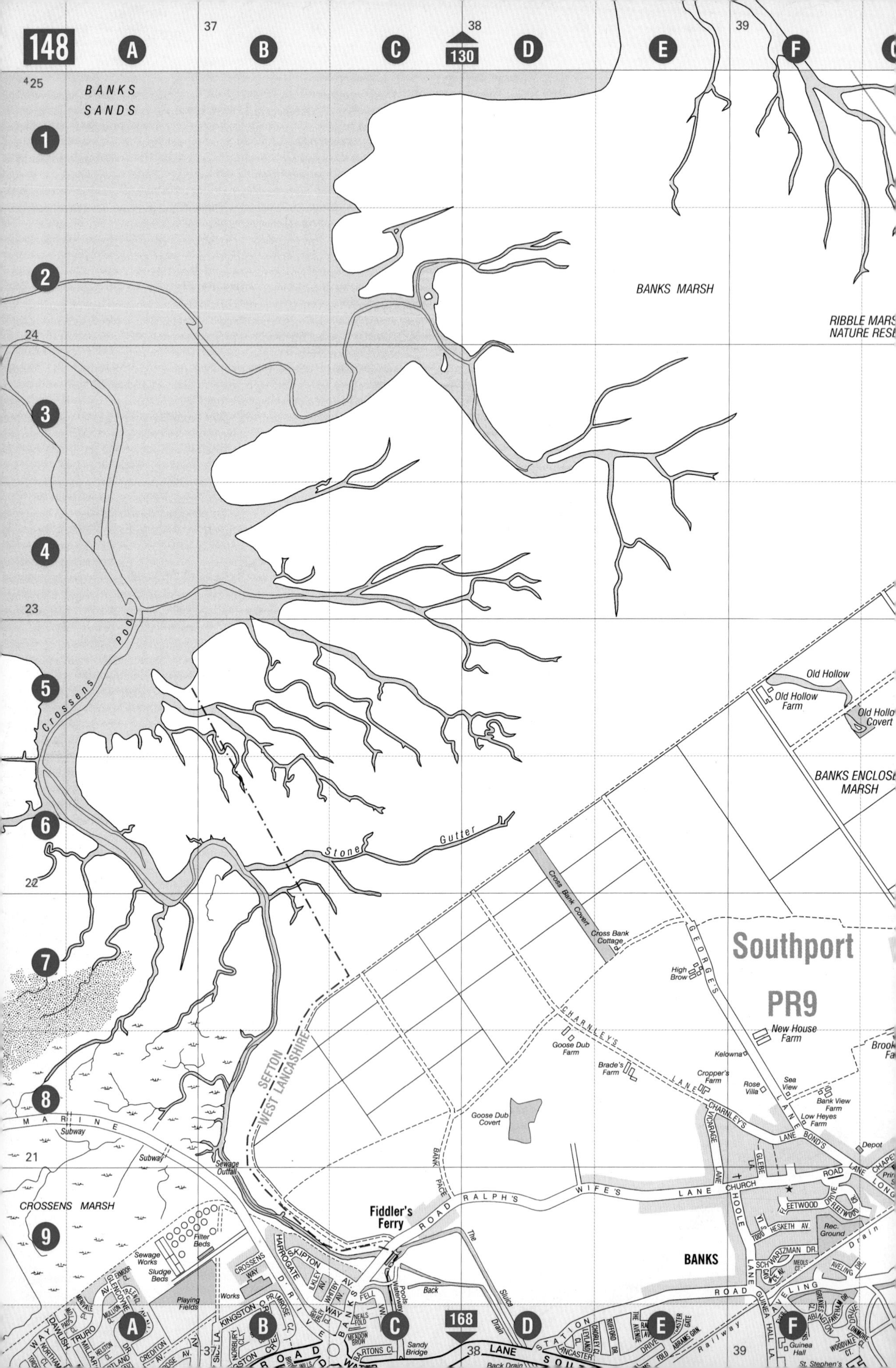

A 37 B 38 ⬆️ 130 C D E 39 F

⁴25

BANKS
SANDS

1

2

BANKS MARSH

RIBBLE MARS
NATURE RESE

24

3

4

23

Crossens Pool

Old Hollow

Old Hollow
Farm

Old Hollo
Covert

5

BANKS ENCLOS
MARSH

6

22

Stone Gutter

Cross Bank Covert

Cross Bank
Cottage

Southport

High
Brow

GEORGES LANE

7

PR9

CHARNLEYS LANE

Goose Dub
Farm

New House
Farm

Kelowna

Brade's
Farm

Cropper's
Farm

Sea
View

Brook

Rose
Villa

Bank View
Farm

Low Heyes
Farm

SEFTON
WEST LANCASHIRE

Goose Dub
Covert

CHARNLEYS PASSAGE

CHARNLEYS

Bank View
Farm

Low Heyes
Farm

Depot

8

MARINE

Subway

BANK PACE ROAD

GLEBE LANE

BOND'S LANE

HOOLE LANE

CHURCH ROAD

CHAPEL LANE

LONG

21

Subway

Sewage
Outfall

RALPH'S LANE

WIFE'S LANE

FLEETWOOD DRIVE

Rec.
Ground

AVELING

Drain

9

CROSSENS MARSH

Sewage
Works

Sludge
Beds

Filter
Beds

Playing
Fields

CROSSENS WAY

HARROGATE DRIVE

SKIPTON

KINGSTON CRES

LACEY

NEALS FOLD

MEADOW BROW

BANKS ROAD

FELL VW

Back

**Fiddler's
Ferry**

Pools
Waterway

The
Sluice

BANKS

HESKETH AV.

SCHWARTZMAN DR.

MEOLS CT.

GUINEA HALL LA

AVELING

GLENMORE AV.
CHEDDONE RD
MILLTOWN RD.
NORTHAM
HELSTON
MILL LA.
MONTVALE
DAWLISH
TRURO
CREDITON AV.
PENROSE AV.
WAY

NORBURY CL.
KINGSTON CRES.
BOSTON CRE

BARTONS CL.

Sandy
Bridge

Works

A B C D ⬆️ 168 E 39 F

38 LANCASTER LANE SOUTH

Back Drain

STATION RD.

CHORLEY CL.
RUFFORD DR.
THE AVENUE
DRIVE
TARN

ABINGDON
FOLD
WOODVALE
Guinea
Hall

St. Stephen's

Railway

Drain

ROAD

Prin

CT.
RINGTON

Depot

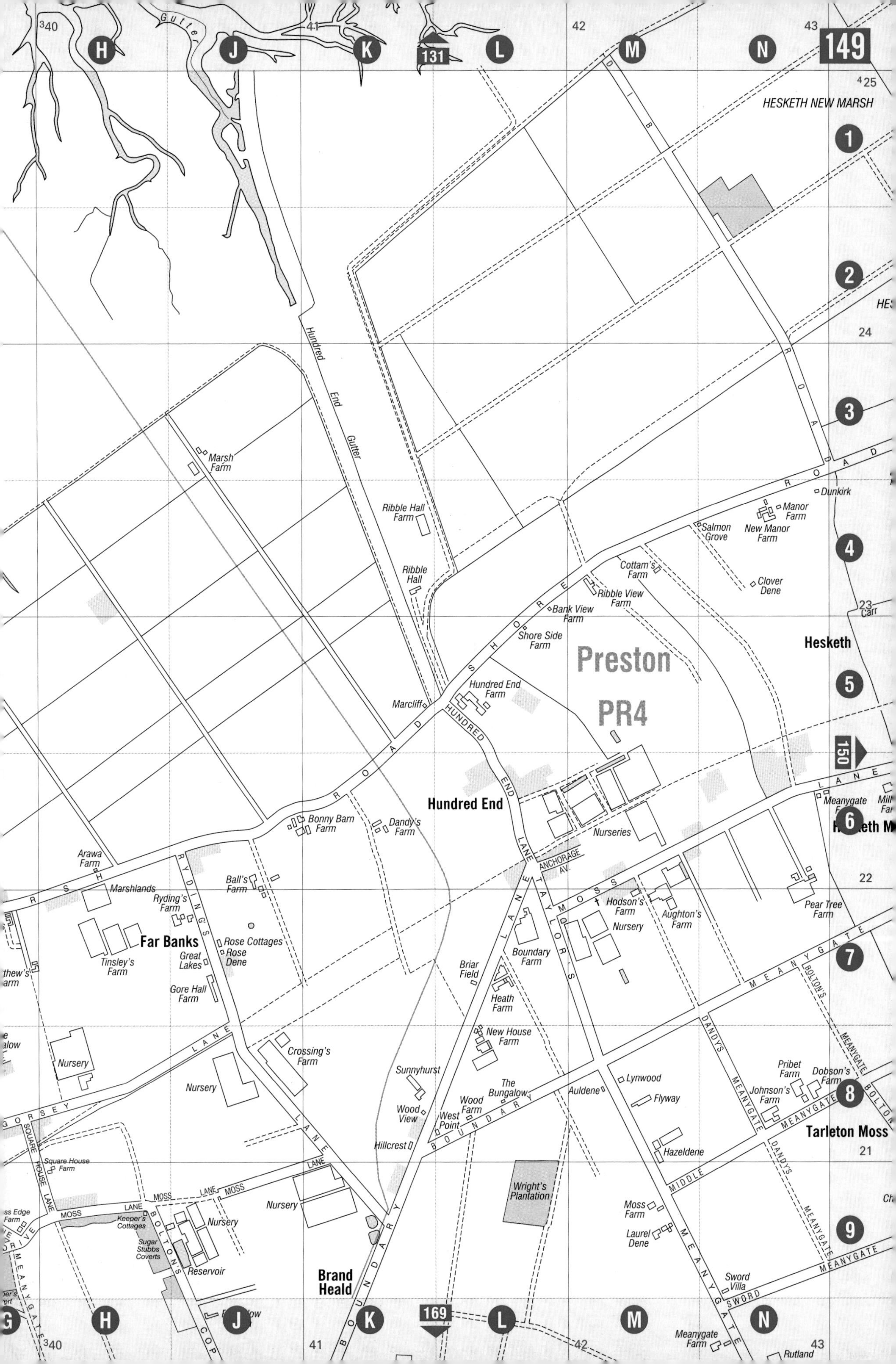

HESKETH NEW MARSH

HE

Marsh Farm

Ribble Hall Farm

Ribble Hall

Dunkirk

Manor Farm

Salmon Grove

New Manor Farm

Clover Dene

Carr

Cottam's Farm

Ribble View Farm

Bank View Farm

Shore Side Farm

Hesketh

Marcliff

Hundred End Farm

Preston PR4

150

Meanygate

Mill Far

Hesketh M

Hundred End

Nurseries

Pear Tree Farm

ANCHORAGE AV.

Bonny Barn Farm

Dandy's Farm

Hodson's Farm

Aughton's Farm

Arawa Farm

Marshlands

Ryding's Farm

Ball's Farm

Nursery

Far Banks

Tinsley's Farm

Great Lakes

Rose Cottages

Rose Dene

Boundary Farm

Gore Hall Farm

Briar Field

Heath Farm

Nursery

Crossing's Farm

New House Farm

Sunnyhurst

Lynwood

Pribet Farm

Dobson's Farm

Johnson's Farm

Flyway

Nursery

Wood View

West Point

The Bungalow

Wood Farm

Auldene

Hazeldene

Tarleton Moss

Hillcrest

Square House Farm

Wright's Plantation

Moss Farm

ss Edge Farm

alow

Nursery

Keeper's Cottages

Nursery

Laurel Dene

Brand Heald

169

Sugar Stubbs Coverts

Reservoir

Sword Villa

Meanygate Farm

Rutland

Ch

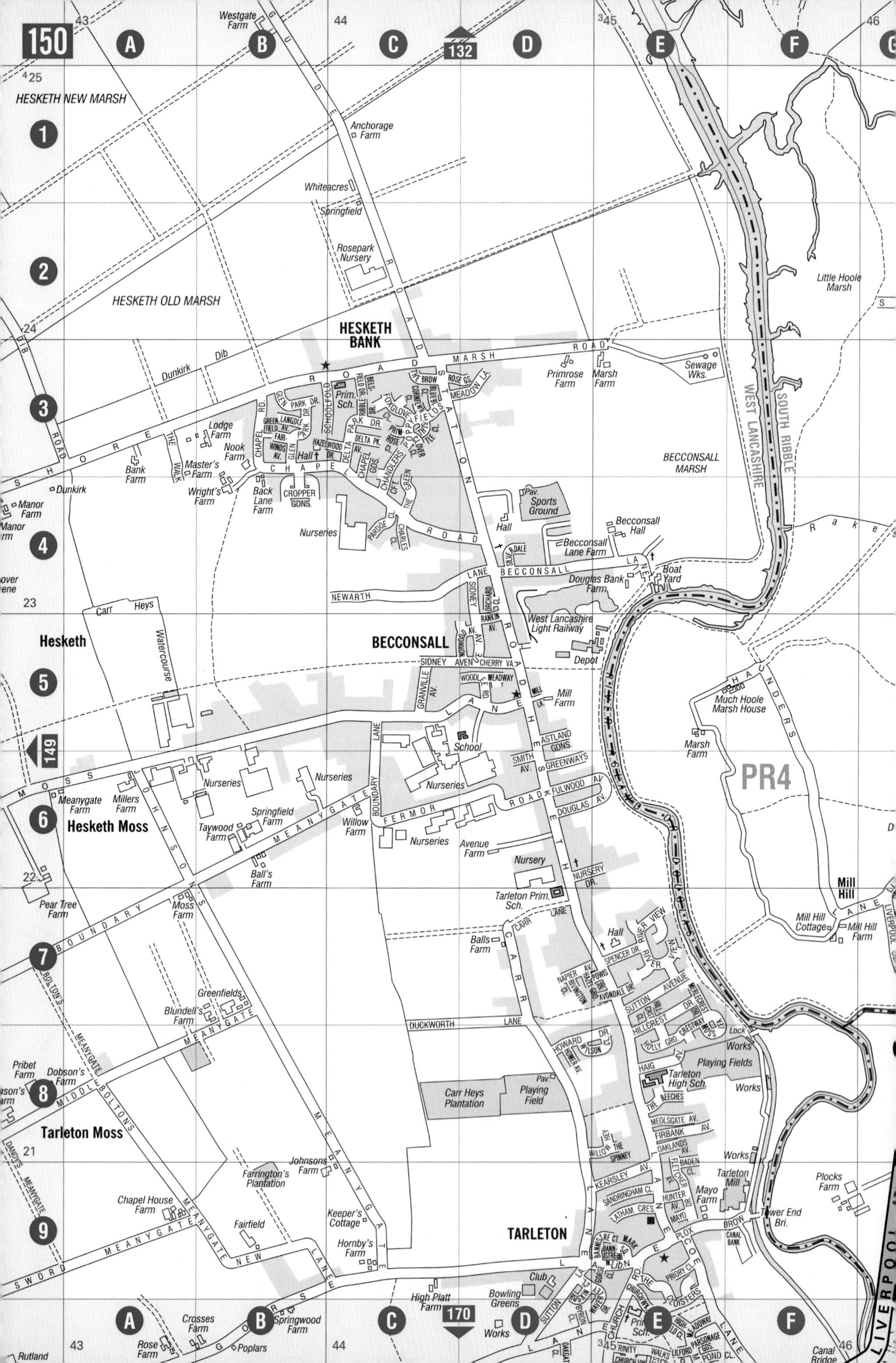
A
B
C
D
E
F
132
149
170
43
44
345
46
425
24
23
22
21
HESKETH NEW MARSH
HESKETH OLD MARSH
Westgate Farm
Anchorage Farm
Whiteacres
Springfield
Rosepark Nursery
HESKETH BANK
Dunkirk
Dib
MARSH ROAD
SHORE ROAD
CHAPEL LANE
STATION ROAD
GUIDE ROAD
DIB ROAD
Lodge Farm
Nook Farm
Master's Farm
Bank Farm
Wright's Farm
Back Lane Farm
Manor Farm
Prim. Sch.
Hall
Nurseries
Primrose Farm
Marsh Farm
Sewage Wks.
BECCONSALL MARSH
WEST LANCASHIRE
SOUTH RIBBLE
Little Hoole Marsh
Sports Ground
Pav.
Becconsall Hall
Becconsall Lane Farm
BECCONSALL LANE
Douglas Bank Farm
Boat Yard
NEWARTH
West Lancashire Light Railway
Depot
Carr Heys
Watercourse
Hesketh
BECCONSALL
SIDNEY AVENUE
CHERRY VA.
GRANVILLE AV.
Mill Farm
School
ASTLAND GDNS.
GREENWAYS
SMITH AV.
FULWOOD AV.
DOUGLAS AV.
FERMOR ROAD
Much Hoole Marsh House
Marsh Farm
PR4
MOSS LANE
Meanygate Farm
Millers Farm
Hesketh Moss
Springfield Farm
Taywood Farm
Willow Farm
Avenue Farm
Ball's Farm
MEANYGATE
BOUNDARY LANE
JOHNSONS
Pear Tree Farm
Moss Farm
Nursery
Tarleton Prim. Sch.
NURSERY DR.
CARR LANE
Balls Farm
Hall
RIVER VIEW
SPENCER DR.
Mill Hill
Mill Hill Cottage
Mill Hill Farm
DUCKWORTH LANE
Greenfields
Blundell's Farm
HOWARD DR.
Lock
Works
Playing Fields
HAIG AV.
Tarleton High Sch.
Pribet Farm
Dobson's Farm
Carr Heys Plantation
Playing Field
Tarleton Moss
MIDDLE MEANYGATE
BOLTON'S MEANYGATE
DANDY'S MEANYGATE
MEOLSGATE AV.
FIRBANK AV.
OAKLANDS AV.
Johnsons Farm
Farrington's Plantation
KEARSLEY AV.
SANDRINGHAM CL.
LATHAM CRES.
Tarleton Mill
Mayo Farm
Plocks Farm
Tower End Bri.
Chapel House Farm
Keeper's Cottage
Fairfield
TARLETON
Hornby's Farm
PLOX BROW
CANAL BANK
SWORD MEANYGATE
NEW LANE
Club
Bowling Greens
High Platt Farm
Crosses Farm
Springwood Farm
Rose Farm
Poplars
Works
SUTTON
CHURCH RD.
Prim. Sch.
Rutland
Canal Bridge
LIVERPOOL

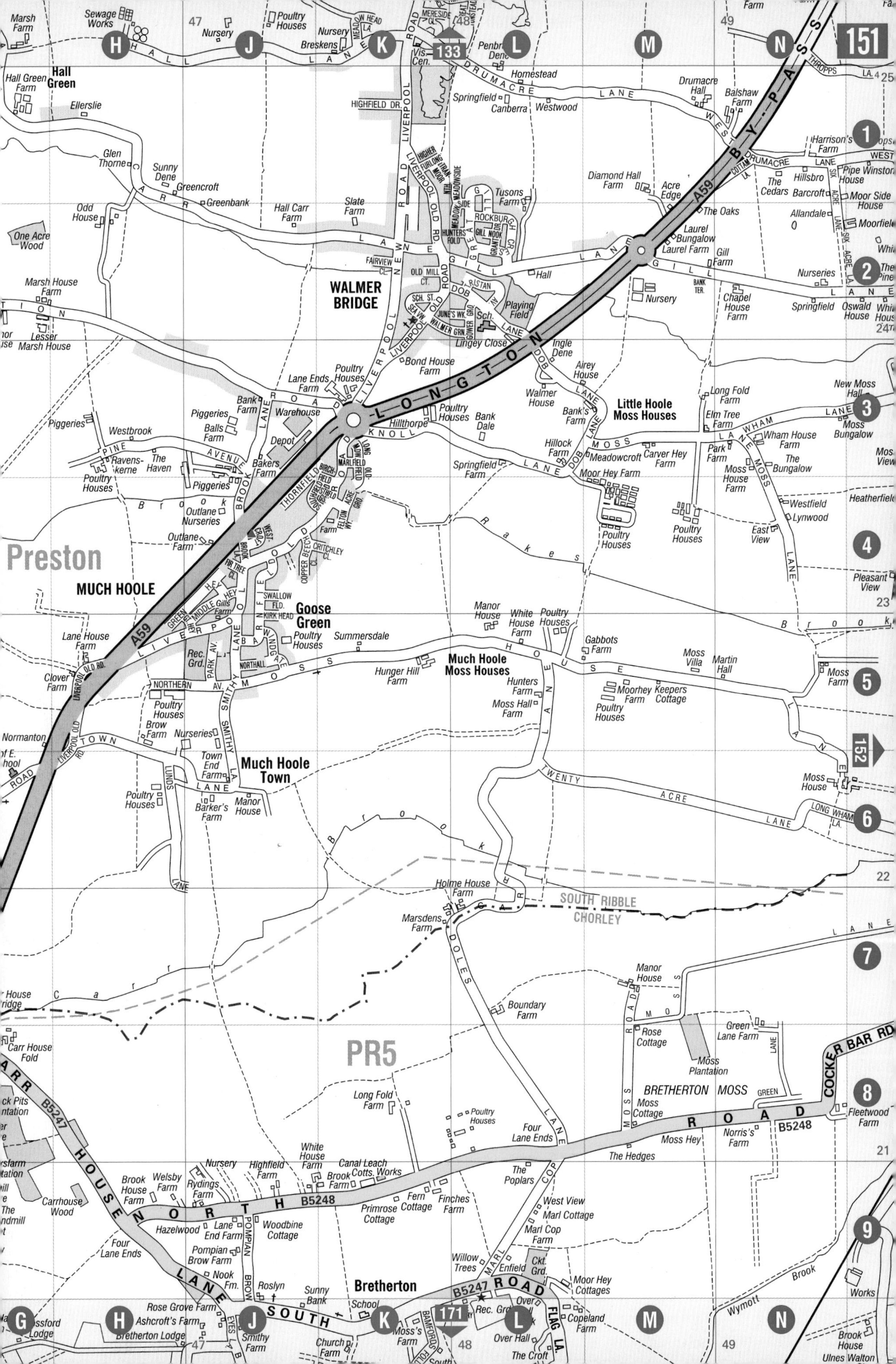

H **J** **K** **133** **L** **M** **N**

Marsh Farm
Sewage Works
47 Nursery
Poultry Houses
Nursery Breskens
HEAD
MERESIDE
48
Farm
49

1
Harrison's Farm
WEST
Pipe Winstor House

Hall Green Farm
Ellerslie
HIGHFIELD DR.
Springfield
Canberra
Westwood
LANE
Drumacre Hall
Balshaw Farm
DRUMACRE
The Cedars
Hillsbro Barcroft
Allandale

Hall Green
Glen Thorne
Sunny Dene
Greencroft
Greenbank
Diamond Hall Farm
Acre Edge
The Oaks
Moor Side House
Moorfield

One Acre Wood
Odd House
Hall Carr Farm
Slate Farm
Tusons Farm
ROCKBURGH GILL NOOK
Hunters Fold
Laurel Bungalow
Laurel Farm
Gill Farm
Nurseries
The Pine

2
24m

Marsh House Farm
FAIRVIEW
OLD MILL CT.
SCH. ST.
R.STAN
Hall
Playing Field
Nursery
BANK TER.
Chapel House Farm
Springfield
Oswald House
Whit Hous

Lesser Marsh House
WALMER BRIDGE
JUNE'S WK.
WALMER GRN.
Sch.
Lingey Close
Ingle Dene
Airey House
Long Fold Farm
Elm Tree Farm
New Moss Hall
Moss Bungalow
Moss View

Preston
Bond House Farm
Walmer House
Bank's Farm
Little Hoole Moss Houses
Park Farm
Wham House Farm
The Bungalow

Piggeries
Westbrook
Piggeries
Balls Farm
Bank Farm
Warehouse
Depot
Hillthorpe
Poultry Houses
Bank Dale
Hillock Farm
Meadowcroft
Carver Hey Farm
Moss House Farm
Westfield
Lynwood
Heatherfiel

Ravens-kerne
The Haven
Piggeries
Bakers Farm
Springfield Farm
Moor Hey Farm
Poultry Houses
East View

3

Poultry Houses
Outlane Nurseries
Outlane Farm
BIRCH
COPPER BEECH
CRITCHLEY CL.
Poultry Houses

4
Pleasant View
23

MUCH HOOLE
SWALLOW FLD.
KIRK HEAD
Goose Green
Poultry Houses
Summersdale
Manor House
White House Farm
Poultry Houses
Gabbots Farm
Moss Villa
Martin Hall
Moss Farm

Clover Farm
NORTHALL
Hunger Hill Farm
Much Hoole Moss Houses
Hunters Farm
Moss Hall Farm
Moorhey Farm
Keepers Cottage
Poultry Houses
Moss Farm

5

Normanton
of E. hool
NORTHERN
Poultry Houses
Brow Farm
Nurseries

152

Town End Farm
Much Hoole Town
Barker's Farm
Manor House
TWENTY ACRE LANE
LONG WHAM LA.
Moss House
Moss House

6

PR5
Holme House Farm
Marsdens Farm
SOUTH RIBBLE
CHORLEY
22

House ridge
Manor House
7

Carr House Fold
Long Fold Farm
Rose Cottage
Green Lane Farm
8

Black Pits antation
Moss Plantation
BRETHERTON MOSS
Moss Cottage
Fleetwood Farm
B5248
21

Carrhouse Wood
Brook House Farm
Welsby Farm
Rydings
Nursery
Highfield Farm
Canal Leach Cotts. Works
White House Farm
Brook House Farm
Fern Cottage
Finches Farm
Four Lane Ends
The Poplars
West View
Marl Cottage
Moss Hey
Norris's Farm
The Hedges

Four Lane Ends
Hazelwood
Lane End Farm
Woodbine Cottage
Primrose Cottage
B5248
Marl Cop Farm

9
Works

ssford Lodge
Rose Grove Farm
Ashcroft's Farm
Bretherton Lodge
Smithy Farm
Roslyn
Sunny Bank
Bretherton
School
Moss's Farm
171
Over Hall
The Croft
Willow Trees
Enfield
Ckt. Grd.
Rec. Grd.
Moor Hey Cottages
Copeland Farm
Brook House
Ulnes Walton

G **H** **J** **K** **L** **M** **N**
47 48 49

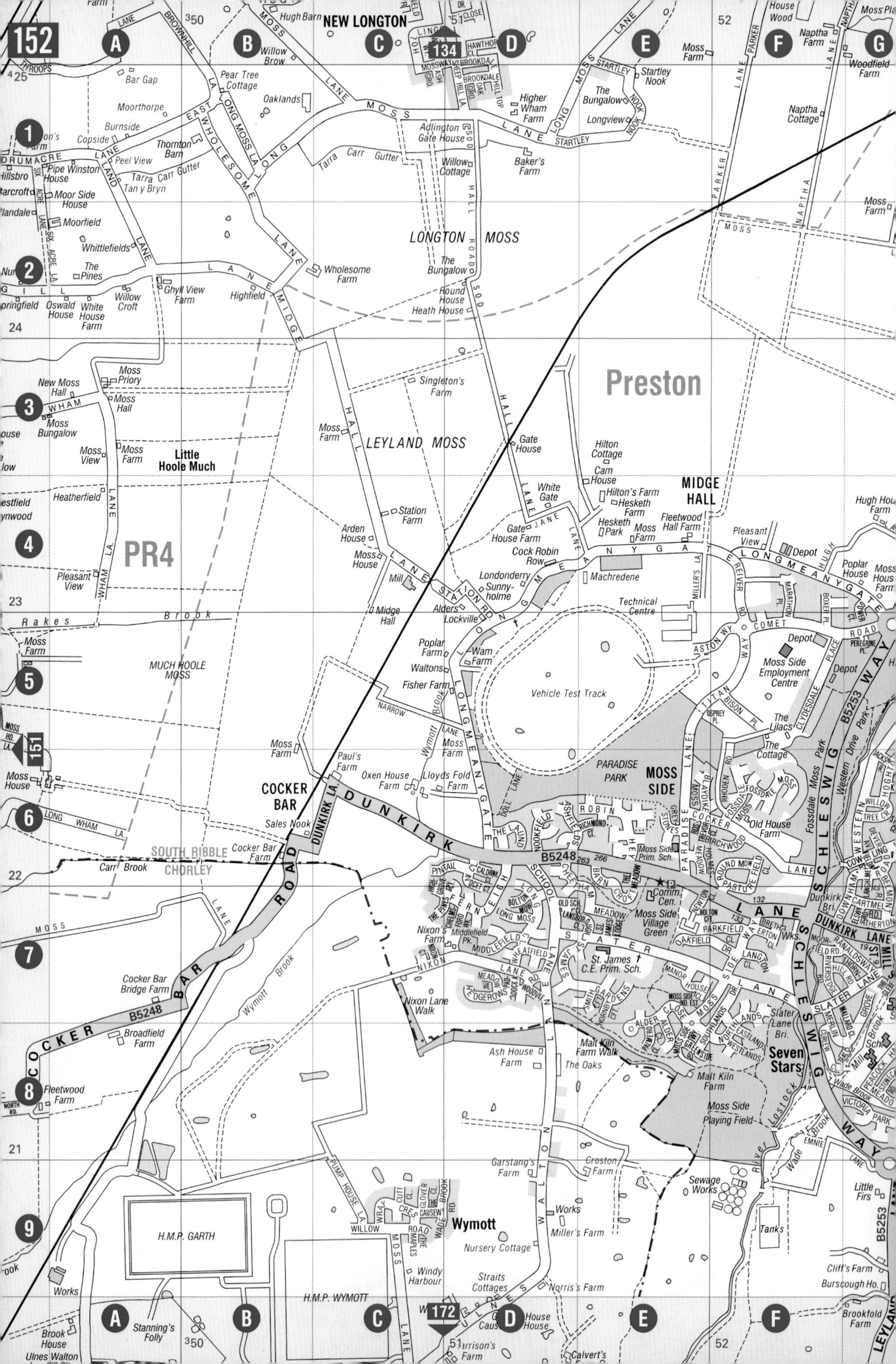
152
A
B
C
D
E
F
G
1
2
3
4
5
6
7
8
9
25
24
23
22
21
350
51
52
134
151
172
NEW LONGTON
Hugh Barn
Willow Brow
Bar Gap
Pear Tree Cottage
Moorthorpe
Oaklands
Burnside
Copside
Thornton Barn
Peel View
Pipe Winston House
Tarra Carr Gutter
Tan y Bryn
Moor Side House
Moorfield
Whittlefields
The Pines
Ghyll View Farm
Highfield
Willow Croft
Oswald House
White House Farm
Wholesome Farm
Adlington Gate House
Willow Cottage
Higher Wham Farm
Baker's Farm
LONGTON MOSS
The Bungalow
Round House
Heath House
Startley Nook
The Bungalow
Longview
Moss Farm
Naptha Farm
Woodfield Farm
Naptha Cottage
House Wood
Moss Farm
Preston
Moss Priory
New Moss Hall
Moss Hall
Moss Bungalow
Moss View
Moss Farm
Little Hoole Much
Heatherfield
PR4
Pleasant View
Singleton's Farm
Moss Farm
LEYLAND MOSS
Gate House
Station Farm
Arden House
Moss House
Mill
Midge Hall
Hilton Cottage
Cam House
White Gate
Hilton's Farm
Hesketh Farm
Hesketh Park
Moss Farm
Fleetwood Hall Farm
MIDGE HALL
Gate House Farm
Cock Robin Row
Machredene
Londonderry
Sunnyholme
Alders
Lockville
Technical Centre
Pleasant View
Depot
Poplar House
Hugh House Farm
Rakes Brook
Moss Farm
MUCH HOOLE MOSS
Poplar Farm
Waltons
Wam Farm
Fisher Farm
Vehicle Test Track
Depot
Moss Side Employment Centre
Depot
Moss Farm
Paul's Farm
Oxen House Farm
Moss Farm
Lloyds Fold Farm
PARADISE PARK
MOSS SIDE
The Lilacs
The Cottage
Old House Farm
COCKER BAR
Sales Nook
DUNKIRK
B5248
Moss Side Prim. Sch.
Comm. Cen.
Moss Side Village Green
St. James C.E. Prim. Sch.
SOUTH RIBBLE
CHORLEY
Cocker Bar Farm
Carr Brook
Nixon Farm
Middlefield Pk.
Dunkirk Bri.
Wks.
Cocker Bar Bridge Farm
Broadfield Farm
Fleetwood Farm
Nixon Lane Walk
Wymott Brook
Slater Lane Bri.
Malt Kiln Farm Walk
Ash House Farm
The Oaks
Seven Stars
Malt Kiln Farm
Moss Side Playing Field
Garstang's Farm
Croston Farm
Sewage Works
Little Firs
Tanks
H.M.P. GARTH
Wymott
Works
Miller's Farm
Nursery Cottage
Windy Harbour
Straits Cottages
Norris's Farm
Works
H.M.P. WYMOTT
Brook House
Stanning's Folly
Cliff's Farm
Burscough Ho.
Brookfold Farm
LEYLAND
Calvert's
B5253

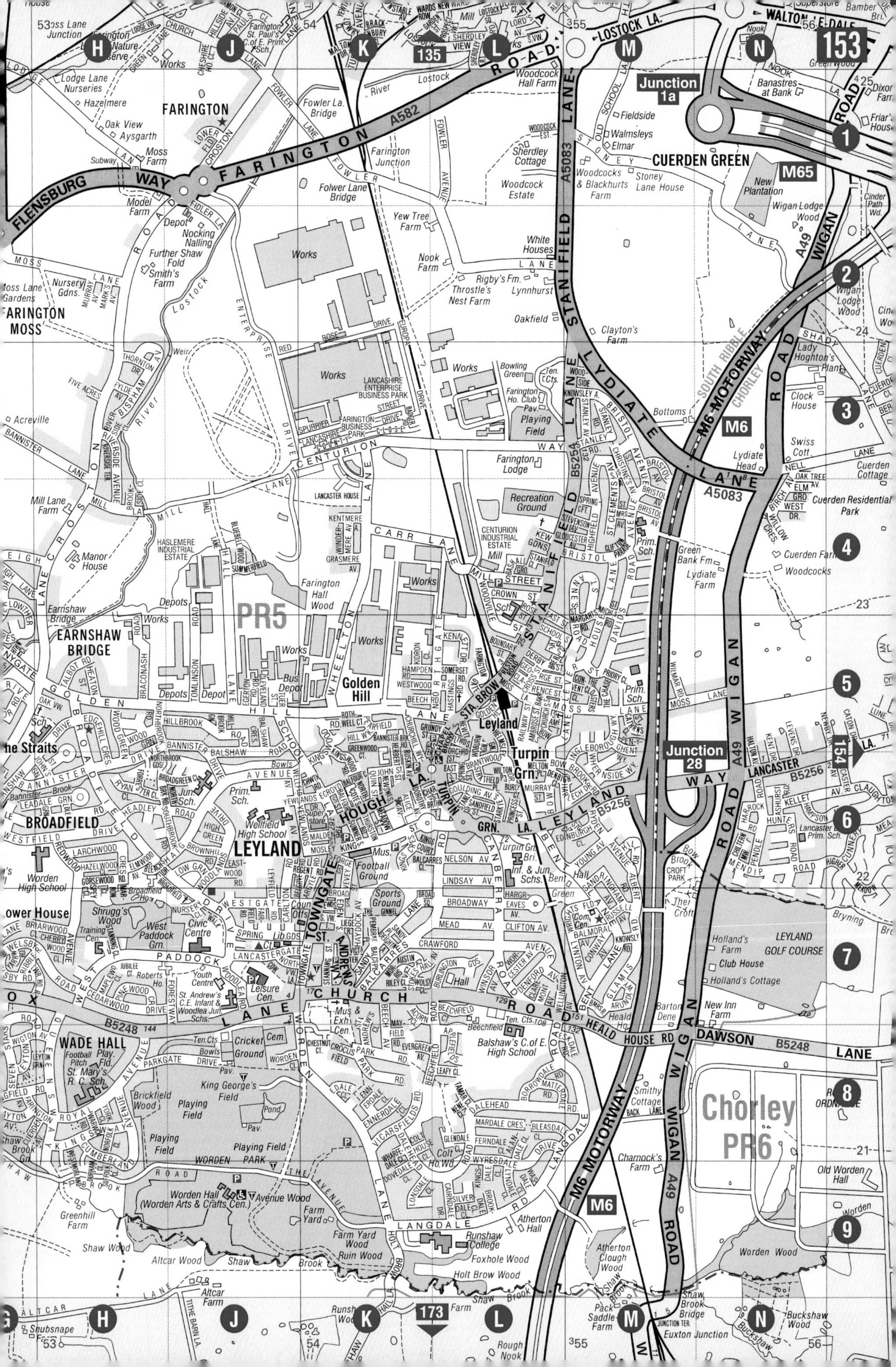

135
153
154
173
H
J
K
L
M
N
1
2
3
4
5
6
7
8
9
53
54
355
56
25
24
23
22
21
FARINGTON
Lodge Lane Nurseries
Hazelmere
Oak View
Aysgarth
Moss Farm
FLENSBURG WAY
FARINGTON WAY
A582
Model Farm
Depot
Nocking Nalling
Further Shaw Fold
Smith's Farm
Nursery Gdns.
Moss Lane Gardens
FARINGTON MOSS
Fowler La. Bridge
Farington Junction
Folwer Lane Bridge
Yew Tree Farm
Nook Farm
Rigby's Fm.
Throstle's Nest Farm
Lynnhurst
Oakfield
White Houses
Woodcock Hall Farm
Sherdley Cottage
Woodcock Estate
Woodcocks & Blackhurts Farm
Stoney Lane House
CUERDEN GREEN
Fieldside
Walmsleys
Elmar
Junction 1a
Banastres at Bank
New Plantation
M65
Wigan Lodge Wood
WALTON-LE-DALE
LOSTOCK LA.
Clayton's Farm
Lady Hoghton's Plant.
Clock House
Swiss Cott.
Lydiate Head
Bottoms
SOUTH RIBBLE
CHORLEY
M6 MOTORWAY
M6
A5083
A49
WIGAN ROAD
STANIFIELD LANE
LYDIATE LANE
B5254
Cuerden Cottage
Cuerden Residential Park
Cuerden Farm
Woodcocks
Green Bank Fm.
Lydiate Farm
Works
LANCASHIRE ENTERPRISE BUSINESS PARK
CENTURION WAY
Farington Lodge
Recreation Ground
CENTURION INDUSTRIAL ESTATE
Bowling Green
Farington Ho. Club Pav.
Playing Field
Acreville
Mill Lane Farm
Manor House
HASLEMERE INDUSTRIAL ESTATE
Farington Hall Wood
PR5
Earnshaw Bridge
EARNSHAW BRIDGE
Depots
Bus Depot
Golden Hill
GOLDEN HILL LANE
Leyland
Turpin Grn.
Junction 28
LANCASTER WAY
B5256
LEYLAND LA.
The Straits
BROADFIELD
Worden High School
Wellfield High School
LEYLAND
Prim. Sch.
Jun. Sch.
Mus.
Football Ground
Sports Ground
TOWNGATE
Coun. Offs.
Civic Centre
West Paddock Grn.
Shrugg's Wood
Lower House
Leisure Cen.
Youth Centre
St. Andrew's C.E. Infant & Woodlea Jun. Schs.
CHURCH ROAD
B5248
DAWSON LANE
Turpin Grn. Bri.
Inf. & Jun. Schs.
Bow Brook
Croft Park
The Croft
LEYLAND GOLF COURSE
Holland's Farm
Club House
Holland's Cottage
Bryning Brook
Lancaster Prim. Sch.
Barton Dene
New Inn Farm
Heald House
WADE HALL
Football Pitch
Play. Fld.
St. Mary's R. C. Sch.
Cricket Ground
Cem.
Beechfield
Balshaw's C.of E. High School
King George's Field
Brickfield Wood
Playing Field
Pond
WORDEN PARK
Worden Hall (Worden Arts & Crafts Cen.)
Avenue Wood
Farm Yard
Farm Yard Wood
Ruin Wood
Greenhill Farm
Shaw Wood
Altcar Wood
Shaw Brook
Runshaw College
Foxhole Wood
Holt Brow Wood
Atherton Hall
Colt Ho. Wd.
Smithy Cottage
Charnock's Farm
Chorley PR6
Old Worden Hall
Worden Wood
Atherton Clough Wood
Pack Saddle Farm
Shaw Brook Bridge
Euxton Junction
Buckshaw Wood
Altcar Farm
Snubsnape Fm.
Rough Nook

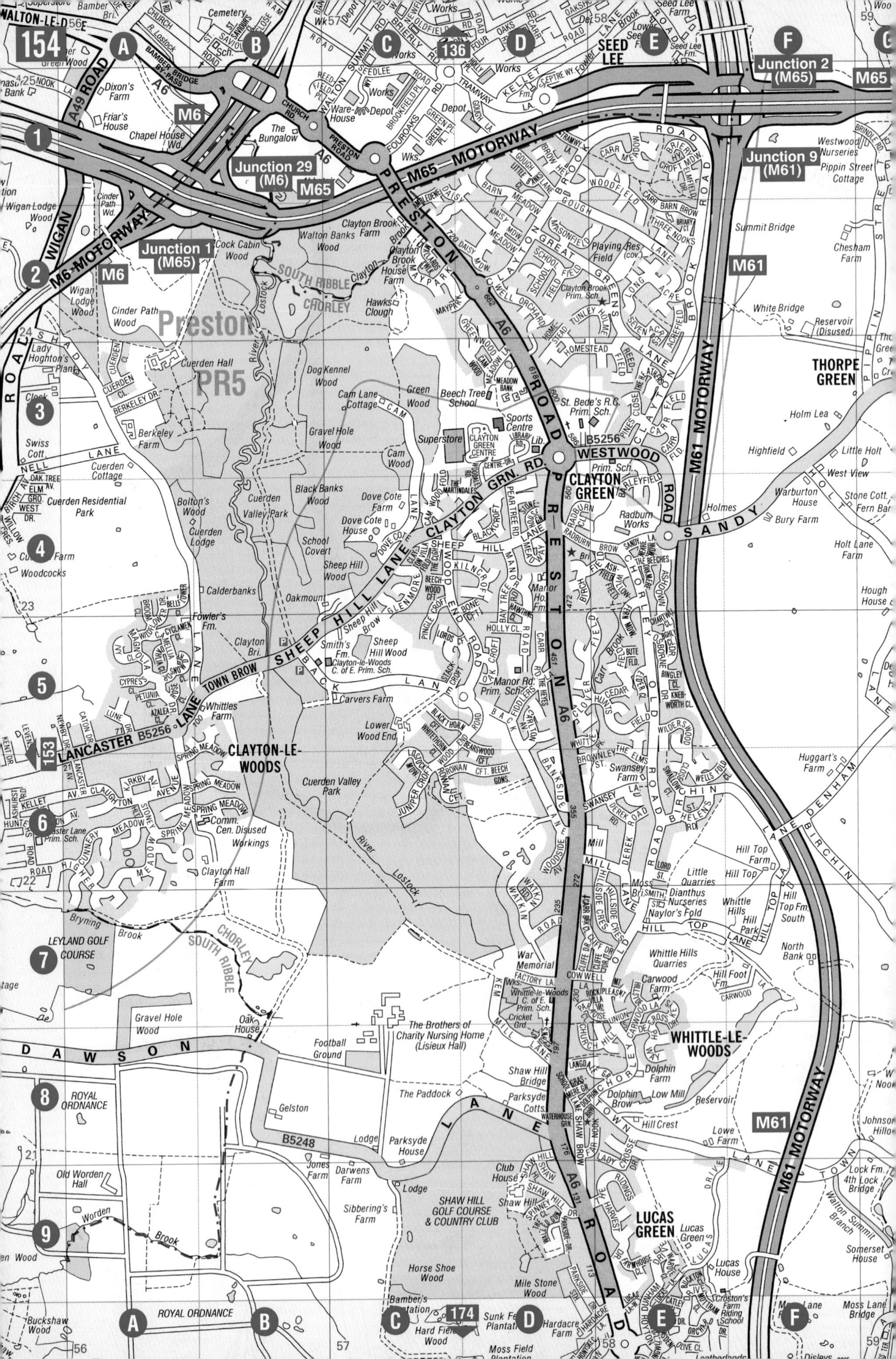
154
WALTON-LE-DALE
Bamber Bri.
Cemetery
St. Saviours Sch.
A
B
C
D
E
F
136
SEED LEE
Seed Lee Farm
Junction 2 (M65)
M65
BAMBER BRIDGE BY-PASS
A6
Dixon's Farm
Friar's House
Chapel House Wd.
M6
A49 ROAD
WIGAN ROAD
Walton Summit Rd.
Seedlee Road
Works
Ware-House
Depot
Brookfield Pl.
Fouroaks Road
Tramway
Kellet La.
Centre Wy.
The Bungalow
Church Rd.
Preston Road
Junction 29 (M6)
M65
M65 MOTORWAY
Junction 9 (M61)
Westwood Nurseries
Pippin Street Cottage
Wigan Lodge Wood
Cinder Path Wd.
M6 MOTORWAY
Junction 1 (M65)
Cock Cabin Wood
Clayton Brook Farm
Walton Banks Wood
Clayton Brook House Farm
SOUTH RIBBLE
CHORLEY
Hawks Clough
Woodfield
Gough Lane
Playing Field
Res. (cov.)
Clayton Brook Prim. Sch.
Great Greens Lane
Summit Bridge
Chesham Farm
M61
White Bridge
Reservoir (Disused)
Wigan Lodge Wood
Cinder Path Wood
Preston
PR5
Lady Hoghton's Plant.
Cuerden Hall
Cuerden Cl.
Berkeley Dr.
Berkeley Farm
Dog Kennel Wood
Cam Lane Cottage
Green Wood
Beech Tree School
Homestead
St. Bede's R.C. Prim. Sch.
Sports Centre
Superstore
Clayton Green Centre
Lib.
THORPE GREEN
Holm Lea
M61 MOTORWAY
Gravel Hole Wood
Cam Wood
B5256
WESTWOOD
Prim. Sch.
CLAYTON GREEN
Westwood Road
Swiss Cott.
Nell Lane
Cuerden Cottage
Cuerden Residential Park
Bolton's Wood
Cuerden Valley Park
Black Banks Wood
Dove Cote Farm
Dove Cote House
CLAYTON GRN. RD.
Radburn Works
Holmes
SANDY LANE
Highfield
Little Holt
West View
Warburton House
Bury Farm
Stone Cott.
Holt Lane Farm
Cuerden Lodge
School Covert
Sheep Hill Wood
SHEEP HILL LANE
Oakmount
Calderbanks
Fowler's Fm.
Clayton Bri.
Sheep Hill Brow
Smith's Fm.
Sheep Hill Wood
Clayton-le-Woods C. of E. Prim. Sch.
Manor Rd. Prim. Sch.
Back Lane
Carvers Farm
Lower Wood End
TOWN BROW
Whittles Farm
LANCASTER LANE
B5256
153
CLAYTON-LE-WOODS
Spring Meadow
Cuerden Valley Park
Swansey Farm
Swansey La.
Hough House
Huggart's Farm
Denham Lane
Birchin Lane
Claughton Av.
Lancaster Lane Prim. Sch.
Comm. Cen.
Disused Workings
River Lostock
Mill
Mill Lane
Derek Road
Little Quarries
Hill Top Farm
Hill Top
Hill Top Fm. South
Whittle Hills
Hill Park
Clayton Hall Farm
Dianthus Nurseries
Naylor's Fold
Hill Top Lane
Bryning Brook
LEYLAND GOLF COURSE
Watkin Road
War Memorial
Whittle Hills Quarries
Carwood Farm
Hill Foot Fm.
North Bank
Factory La.
Whittle-le-Woods C. of E. Prim. Sch.
Cricket Grd.
Gravel Hole Wood
Oak House
The Brothers of Charity Nursing Home (Lisieux Hall)
Football Ground
WHITTLE-LE-WOODS
DAWSON LANE
ROYAL ORDNANCE
Gelston
Shaw Hill Bridge
The Paddock
Parksyde Cotts.
Dolphin Farm
Dolphin Brow
Low Mill
Reservoir
Hill Crest
M61
Lodge
Parksyde House
B5248
Lowe Farm
Jones Farm
Darwens Farm
Club House
Shaw Hill
Lodge
Old Worden Hall
Sibbering's Farm
SHAW HILL GOLF COURSE & COUNTRY CLUB
Town Lane
Lock Fm.
4th Lock Bridge
Walton Summit Branch
Somerset House
Worden Brook
LUCAS GREEN
Lucas Green
Lucas House
Horse Shoe Wood
Mile Stone Wood
Bamber's Plantation
174
Hard Field Wood
Sunk Fe... Plantation
Hardacre Farm
Croston's Farm Riding School
Moss Lane Bridge
Bucksham Wood
ROYAL ORDNANCE
Moss Field Plantation
A6
PRESTON ROAD
56
57
58
59
1
2
3
4
5
6
7
8
9
21
22
23
24
25

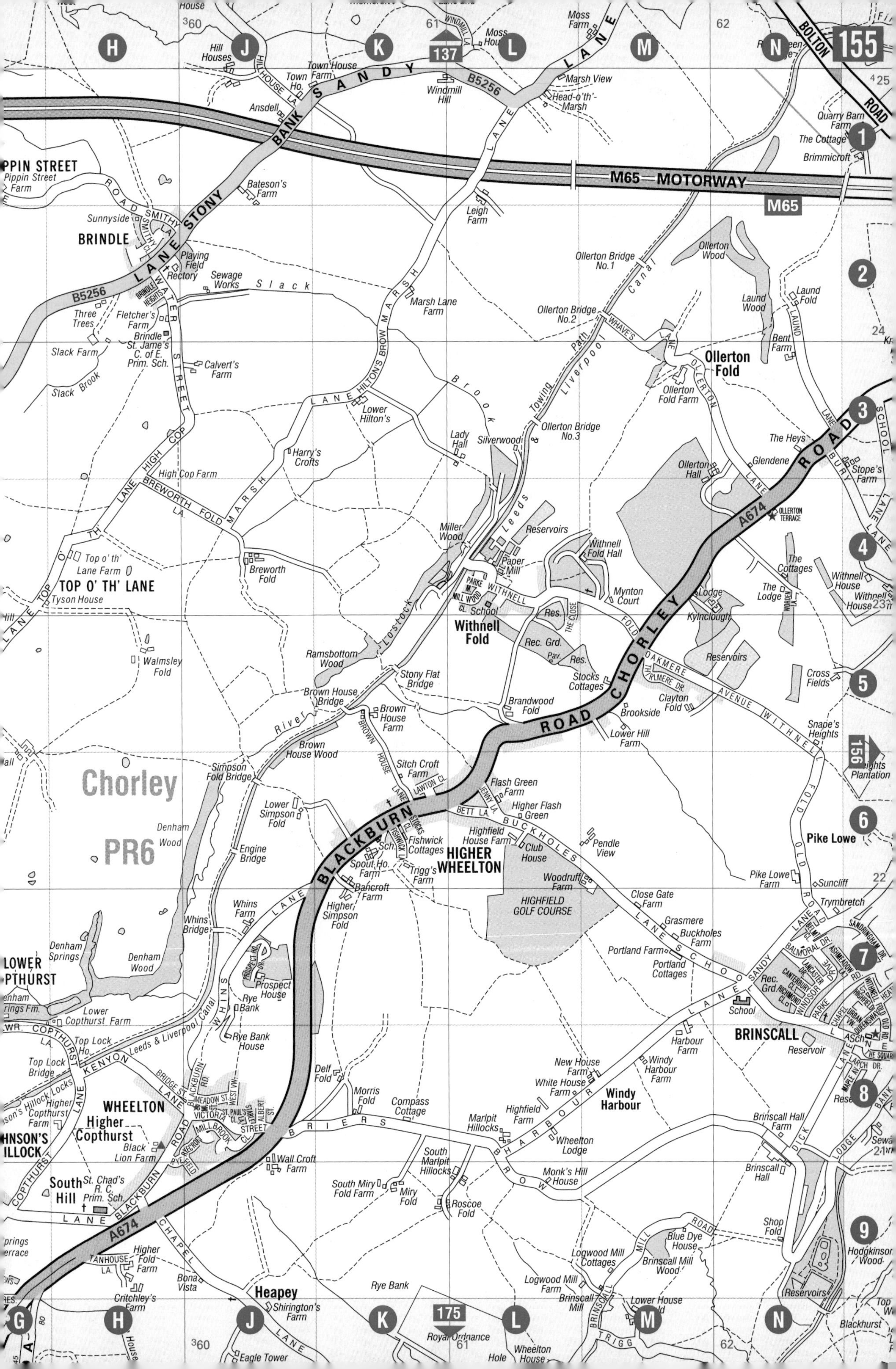
137
M65 MOTORWAY
M65
B5256
SANDY LANE
BANK
STONY LANE
BOLTON ROAD
Hill Houses
HILLHOUSE LA.
Town House Farm
Town Ho.
Windmill Hill
WINDMILL LA.
Moss House
Moss Farm
Marsh View
Head-o'th'-Marsh
Ansdell
Quarry Barn Farm
The Cottage
Brimmicroft
PIPPIN STREET
Pippin Street Farm
Bateson's Farm
Leigh Farm
Sunnyside
SMITHY ROAD
BRINDLE
Playing Field
Rectory
Sewage Works
Slack
WATER STREET
BRINDLE HEIGHTS
Three Trees
Fletcher's Farm
Brindle St. James's C. of E. Prim. Sch.
Slack Farm
Slack Brook
Calvert's Farm
Marsh Lane Farm
HILTON'S BROW
MARSH LANE
Ollerton Bridge No.1
Ollerton Bridge No.2
Ollerton Bridge No.3
Ollerton Wood
Laund Wood
Laund Fold
LAUND LANE
Bent Farm
WHAVE'S LANE
Ollerton Fold
Ollerton Fold Farm
OLLERTON LANE
Towing Path
Leeds & Liverpool Canal
Brook
Lower Hilton's
Lady Hall
Silverwood
Harry's Crofts
HIGH COP LANE
High Cop Farm
BREWORTH FOLD LA.
Breworth Fold
Top o' th' Lane Farm
TOP O' TH' LANE
Tyson House
Miller Wood
Reservoirs
Paper Mill
Withnell Fold Hall
PARKE M.
MILL WOOD CL.
WITHNELL FOLD
School
Withnell Fold
Res.
THE CLOSE
Mynton Court
Rec. Grd.
Pav.
Stocks Cottages
Ollerton Hall
Glendene
The Heys
SCHOOL LANE
BURY LANE
Stope's Farm
OLLERTON TERRACE
A674
CHORLEY ROAD
The Cottages
The Lodge
Lodge
Kylnclough
WOODSIDE
Withnell House
Reservoirs
Cross Fields
Lostock
Ramsbottom Wood
Walmsley Fold
Stony Flat Bridge
Brown House Bridge
Brown House Farm
BROWN HOUSE LANE
River
Brown House Wood
Brandwood Fold
OAKMERE AVENUE
THIRLMERE DR.
Clayton Fold
Brookside
Lower Hill Farm
Snape's Heights
156
Heights Plantation
Chorley
PR6
Simpson Fold Bridge
Sitch Croft Farm
LAWTON CL.
Flash Green Farm
JENNY LA.
Higher Flash Green
BETT LA.
BUCKHOLES LANE
Pendle View
Denham Wood
Lower Simpson Fold
Engine Bridge
BLACKBURN ROAD
STOCKS CL.
FISHWICK LA.
Sch.
Fishwick Cottages
Highfield House Farm
Club House
HIGHER WHEELTON
Spout Ho. Farm
Trigg's Farm
Bancroft Farm
Woodruff Farm
HIGHFIELD GOLF COURSE
OLD FOLD ROAD
Pike Lowe
Pike Lowe Farm
Suncliff
Trymbretch
Close Gate Farm
Higher Simpson Fold
Whins Farm
Whins Bridge
WHINS LANE
Denham Springs
Denham Wood
LOWER COPTHURST
PROSPECT HO. DR.
Prospect House
Rye Bank
Rye Bank House
Grasmere
Buckholes Farm
Portland Farm
Portland Cottages
SCHOOL LANE
SANDY LANE
Rec. Grd.
School
BRINSCALL
Reservoir
Harbour Farm
Lower Copthurst Farm
COPTHURST LA.
Top Lock Ho.
Top Lock Bridge
Leeds & Liverpool Canal
KENYON LANE
Higher Copthurst Farm
WHEELTON
Higher Copthurst
Black Lion Farm
BRIDGE ST.
MEADOW ST.
VICTORIA STREET
ST. PAUL'S CL.
MILLBROOK CL.
ALBERT ST.
Delf Fold
Morris Fold
Compass Cottage
BRIERS BROW
Marlpit Hillocks
Highfield Farm
New House Farm
White House Farm
Windy Harbour Farm
Windy Harbour
HARBOUR LANE
Wheelton Lodge
Brinscall Hall Farm
Brinscall Hall
DICK LODGE LANE
Wall Croft Farm
South Marlpit Hillocks
Monk's Hill House
JOHNSON'S HILLOCK
COPTHURST LANE
South Hill
St. Chad's R.C. Prim. Sch.
BLACKBURN LANE
South Miry Fold Farm
Miry Fold
Roscoe Fold
MILL ROAD
Blue Dye House
Shop Fold
Hodgkinson's Wood
Logwood Mill Cottages
Brinscall Mill Wood
Logwood Mill Farm
Brinscall Mill
Lower House Fold
BRINSCALL
TRIGG
Reservoirs
Higher Fold Farm
TANHOUSE LA.
CHAPEL LANE
Bona Vista
Critchley's Farm
Heapey
Shirington's Farm
Rye Bank
175
Royal Ordnance
Hole
Wheelton House
Eagle Tower
Blackhurst
G
H
J
K
L
M
N
1
2
3
4
5
6
7
8
9
360
61
62
425
24
23
22
21
80

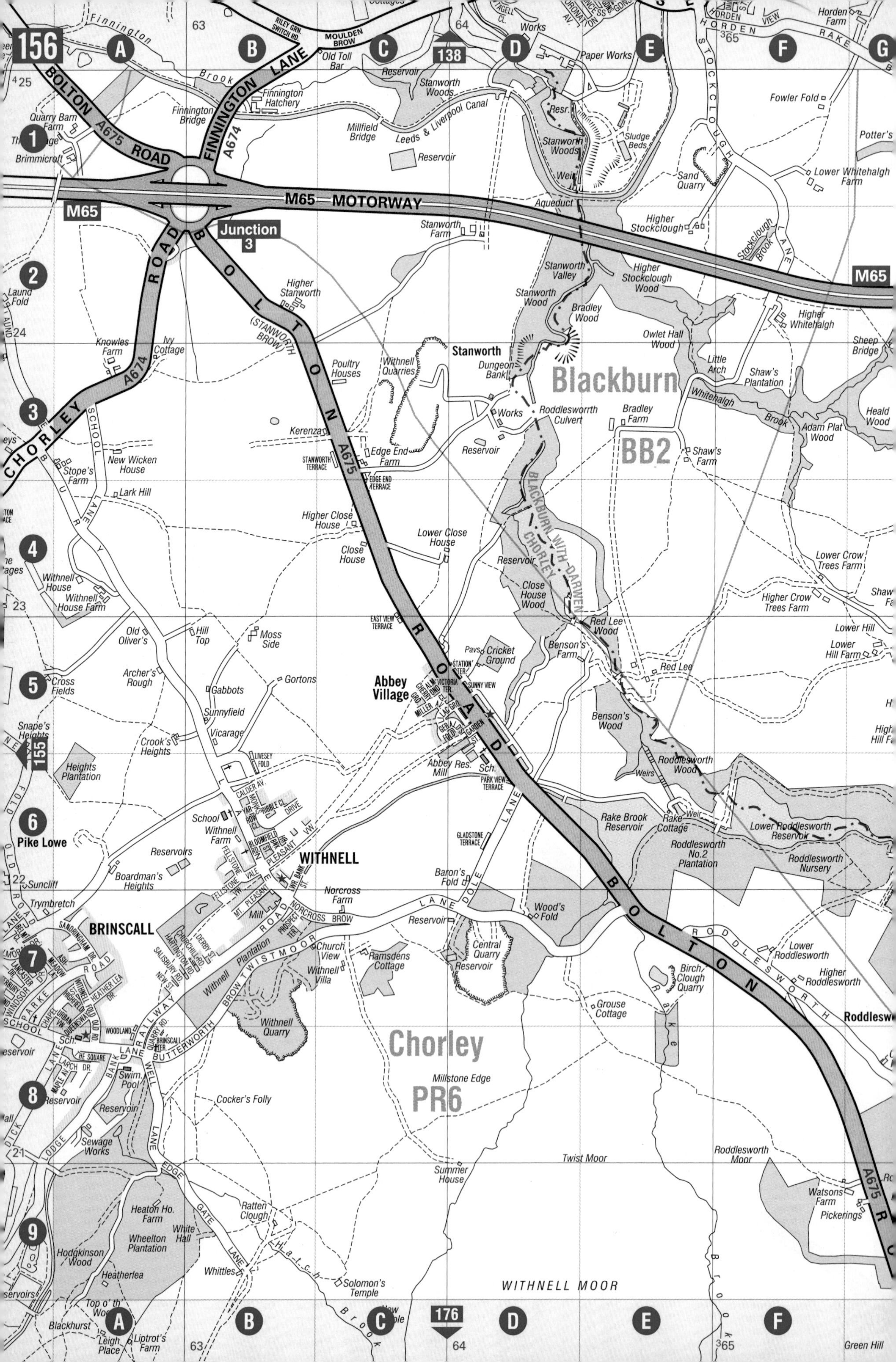

156
A
B
C
D
E
F
G
63
64
365
138
176
155
1
2
3
4
5
6
7
8
9
425
24
23
22
21
Finnington
Brook
RILEY GRN. SWITCH RD.
MOULDEN BROW
Old Toll Bar
Works
Paper Works
Horden Farm
HORDEN VIEW
HORDEN RAKE
STOCKCLOUGH LANE
BOLTON A675 ROAD
FINNINGTON LANE A674
Finnington Hatchery
Finnington Bridge
Quarry Barn Farm
Brimmicroft
Reservoir
Stanworth Woods
Leeds & Liverpool Canal
Millfield Bridge
Resr.
Sludge Beds
Stanworth Woods
Weir
Fowler Fold
Potter's
Sand Quarry
Lower Whitehalgh Farm
M65
M65 MOTORWAY
Junction 3
Aqueduct
Higher Stockclough
Stanworth Farm
Stockclough Brook
Laund Fold
CHORLEY A674 ROAD
BOLTON ROAD A675
Higher Stanworth
(STANWORTH BROW)
Stanworth Valley
Higher Stockclough Wood
Stanworth Wood
Bradley Wood
Higher Whitehalgh
Owlet Hall Wood
Sheep Bridge
Knowles Farm
Ivy Cottage
Poultry Houses
Withnell Quarries
Stanworth
Dungeon Bank
Blackburn
Little Arch
Shaw's Plantation
Whitehalgh Brook
Heald Wood
SCHOOL LANE
Kerenza
Works
Roddlesworrth Culvert
Bradley Farm
Adam Plat Wood
Edge End Farm
Reservoir
BB2
Shaw's Farm
New Wicken House
Stope's Farm
STANWORTH TERRACE
EDGE END TERRACE
BLACKBURN WITH DARWEN
CHORLEY
Lark Hill
Higher Close House
Lower Close House
Close House
Reservoir
Lower Crow Trees Farm
Withnell House
Withnell House Farm
Close House Wood
Higher Crow Trees Farm
Shaw Fa
EAST VIEW TERRACE
Red Lee Wood
Lower Hill
Old Oliver's
Hill Top
Moss Side
Pavs
Cricket Ground
Benson's Farm
Lower Hill Farm
Archer's Rough
Gortons
STATION TER.
SUNNY VIEW
Red Lee
Cross Fields
Gabbots
Abbey Village
VICTORIA TER.
Benson's Wood
Sunnyfield
Snape's Heights
Crook's Heights
Vicarage
Higher Hill Fa
LIVESEY FOLD
Heights Plantation
Abbey Res.
Abbey Mill
Sch.
PARK VIEW TERRACE
Roddlesworth Wood
Weirs
CALDER AV.
RIBBLE CL.
DRIVE
Rake Cottage
Weir
Rake Brook Reservoir
Lower Roddlesworth Reservoir
School
Withnell Farm
Pike Lowe
GLADSTONE TERRACE
DOLE LANE
Roddlesworth No.2 Plantation
Roddlesworth Nursery
Reservoirs
PLEASANT VW.
WITHNELL
Boardman's Heights
Suncliff
FELLSTONE VALE
BLOOMFIELD RD.
Baron's Fold
Trymbretch
MT. PLEASANT
Mill
Norcross Farm
NORCROSS BROW
Wood's Fold
BRINSCALL
SANDRINGHAM DR.
CHURCHILL RD.
DERBY ST.
HARTINGTON RD.
PROSPECT TER.
Church View
Ramsdens Cottage
Reservoir
Central Quarry
Reservoir
Lower Roddlesworth
RODDLESWORTH
Higher Roddlesworth
Birch Clough Quarry
MEADOW
ROAD
SALISBURY RD.
NEW ST.
Withnell Plantation
TWISTMOOR BROW
Withnell Villa
Grouse Cottage
Rake
Roddlesworth
LANCASTER DR.
WINDSOR DR.
PARKE
HEATHER LEA DR.
SCHOOL
Withnell Quarry
WOODLAND
RAILWAY
QUARRY RD.
BRINSCALL TER.
BUTTERWORTH
Chorley
Reservoir
THE SQUARE
LARCH DR.
MAPLE AV.
Swim. Pool
BANK
WELL LANE
Millstone Edge
Reservoir
Reservoir
PR6
Cocker's Folly
Sewage Works
LODGE
EDGE GATE LANE
Twist Moor
Summer House
Roddlesworth Moor
A675
Heaton Ho. Farm
Ratten Clough
Watsons Farm
Pickerings
Wheelton Plantation
White Hall
Hodgkinson Wood
Heatherlea
Hatch Brook
Whittles
Solomon's Temple
WITHNELL MOOR
Brook
Top o' th' Wood
Blackhurst
Leigh Place
Liptrot's Farm
Green Hill

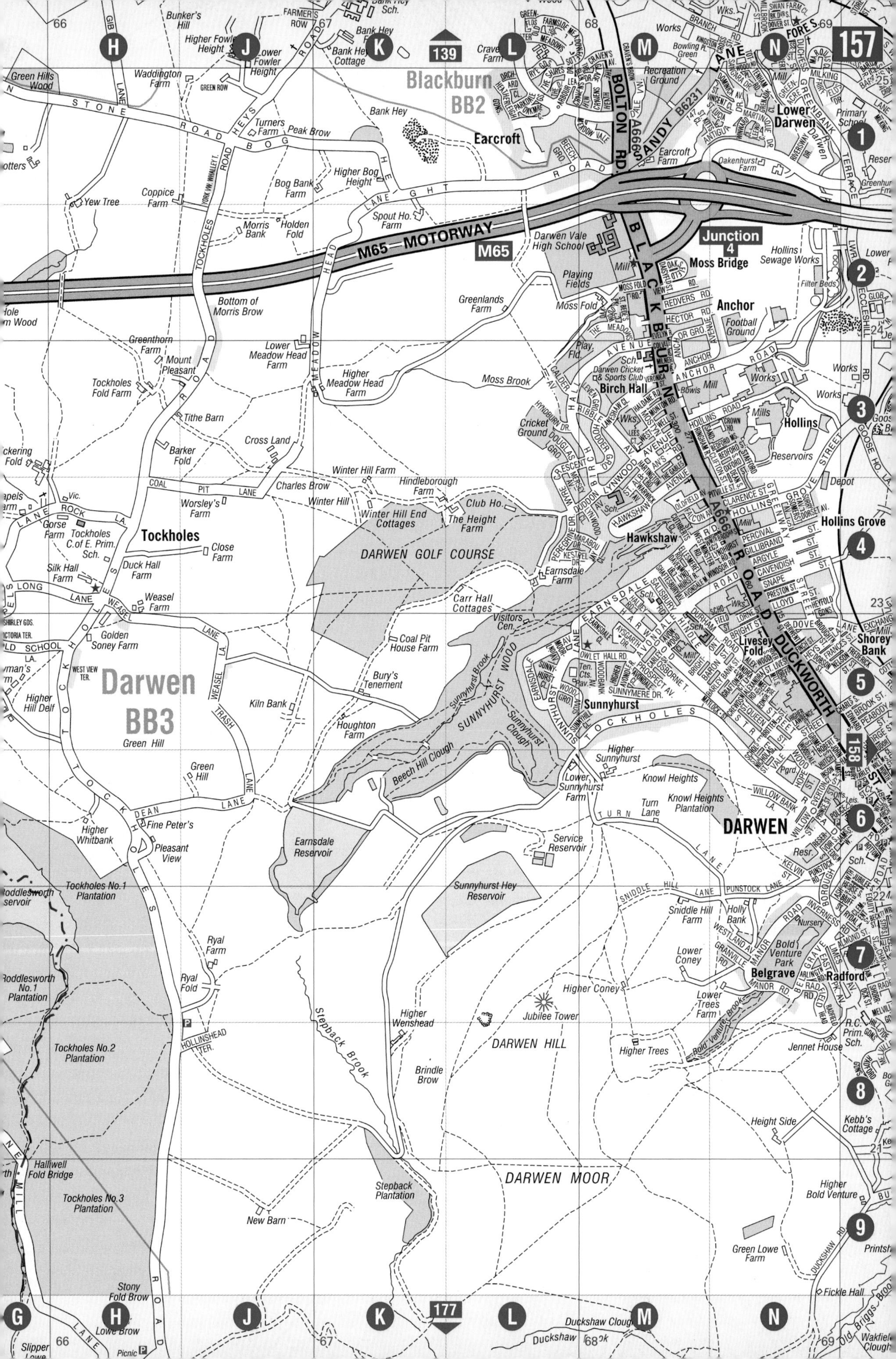
157
139
177
158
Blackburn
BB2
Darwen
BB3
DARWEN
Earcroft
Lower Darwen
Tockholes
Moss Bridge
Anchor
Birch Hall
Hollins
Hollins Grove
Hawkshaw
Sunnyhurst
Livesey Fold
Shorey Bank
Belgrave
Radford
Junction 4
M65 MOTORWAY
M65
A666
B6231
BOLTON RD
BLACKBURN ROAD
DUCKWORTH ST.
SANDY LANE
STONE ROAD
BOG HEIGHT ROAD
TOCKHOLES ROAD
MEADOW HEAD
COAL PIT LANE
ROCK LA.
LONG LANE
WEASEL LANE
TRASH LANE
DEAN LANE
TOCKHOLES RD
TURN LANE
SNIDDLE HILL LANE
PUNSTOCK LANE
HOLLINS ROAD
ANCHOR ROAD
EARNSDALE ROAD
GREENWAY
GOOSE HO. LA.
ECCLESHILL RD.
DUCKSHAW RD
WILLOW BANK LA.
Green Hills Wood
Bunker's Hill
Higher Fowler Height
Lower Fowler Height
Waddington Farm
Turners Farm
Peak Brow
Bank Hey
Bank Hey Cottage
Yew Tree
Coppice Farm
Morris Bank
Holden Fold
Bog Bank Farm
Higher Bog Height
Spout Ho. Farm
Darwen Vale High School
Playing Fields
Moss Fold
Greenlands Farm
Bottom of Morris Brow
Greenthorn Farm
Mount Pleasant
Lower Meadow Head Farm
Higher Meadow Head Farm
Moss Brook
Tockholes Fold Farm
Tithe Barn
Barker Fold
Cross Land
Winter Hill Farm
Hindleborough Farm
Charles Brow
Winter Hill
Winter Hill End Cottages
Club Ho.
The Height Farm
Worsley's Farm
Gorse Farm
Tockholes C.of E. Prim. Sch.
Close Farm
Duck Hall Farm
Silk Hall Farm
Weasel Farm
DARWEN GOLF COURSE
Earnsdale Farm
Carr Hall Cottages
Visitors Cen.
Coal Pit House Farm
Golden Soney Farm
Bury's Tenement
Kiln Bank
Houghton Farm
Higher Hill Delf
Green Hill
Beech Hill Clough
SUNNYHURST WOOD
Sunnyhurst Brook
Sunnyhurst Clough
Higher Sunnyhurst
Lower Sunnyhurst Farm
Knowl Heights
Knowl Heights Plantation
Turn Lane
Fine Peter's
Pleasant View
Higher Whitbank
Earnsdale Reservoir
Service Reservoir
Sunnyhurst Hey Reservoir
Tockholes No.1 Plantation
Roddlesworth No.1 Plantation
Tockholes No.2 Plantation
Tockholes No.3 Plantation
Ryal Farm
Ryal Fold
Sniddle Hill Farm
Holly Bank
Lower Coney
Higher Coney
Bold Venture Park
Nursery
Lower Trees Farm
Jubilee Tower
Higher Wenshead
Stepback Brook
Brindle Brow
DARWEN HILL
Higher Trees
Jennet House
Height Side
Kebb's Cottage
DARWEN MOOR
Higher Bold Venture
Halliwell Fold Bridge
Stepback Plantation
New Barn
Green Lowe Farm
Stony Fold Brow
Lowe Brow
Duckshaw Clough
Fickle Hall
Old Briggs Brook
Recreation Ground
Football Ground
Cricket Ground
Hollins Sewage Works
Reservoirs
Depot
Filter Beds
Darwen Cricket & Sports Club
G H J K L M N
1 2 3 4 5 6 7 8 9
66 67 68 69
21 22 23 24 25

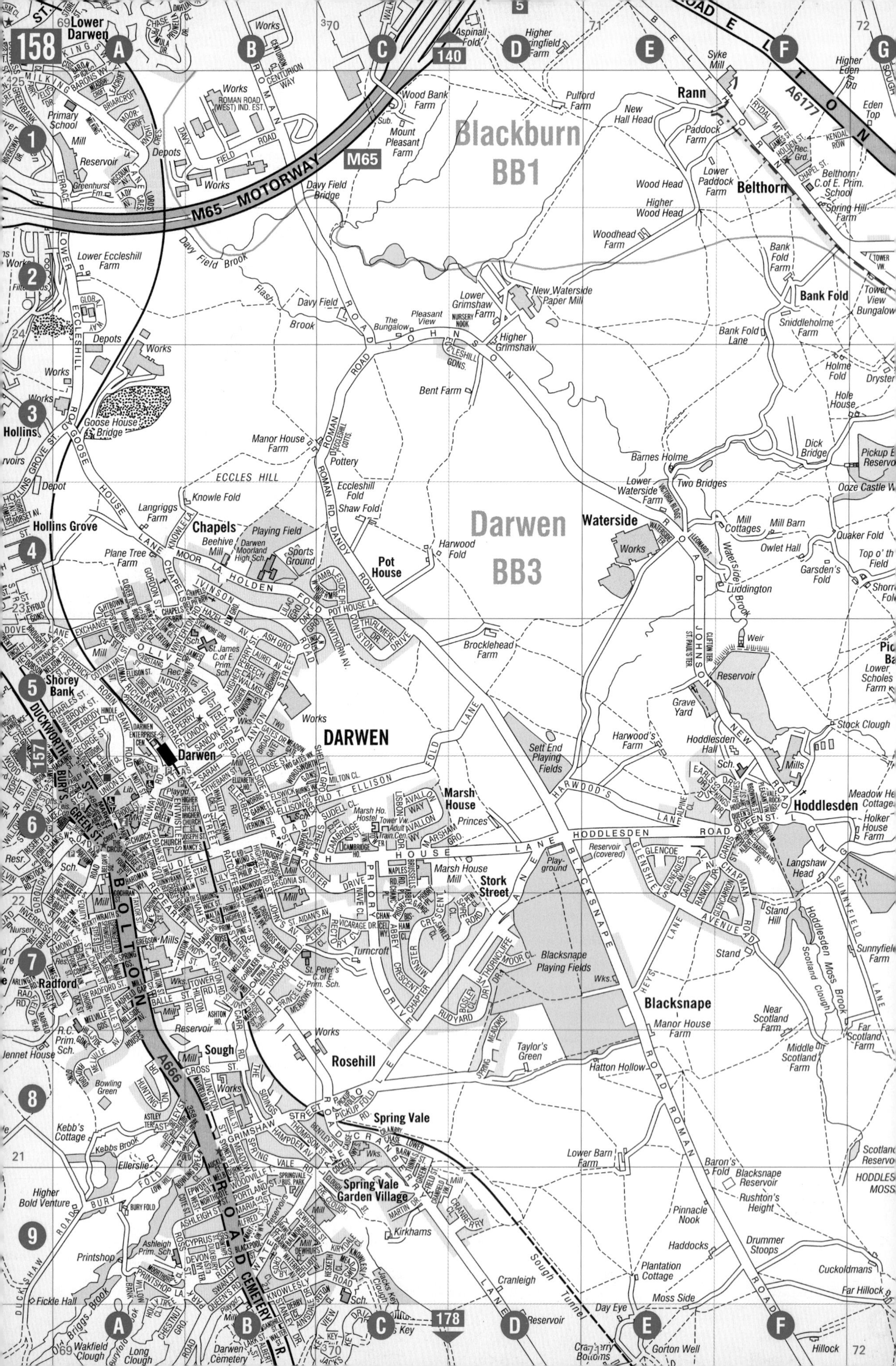

158
Lower Darwen
Works
Aspinall Fold
140
Higher Wingfield Farm
Syke Mill
Higher Eden
Eden Top
Rann
A6177
BELTHORN ROAD
Primary School
Mill
Reservoir
Depots
ROMAN ROAD (WEST) IND. EST.
Wood Bank Farm
Mount Pleasant Farm
M65
M65 MOTORWAY
Pulford Farm
New Hall Head
Paddock Farm
Lower Paddock Farm
Belthorn
Belthorn C.of E. Prim. School
Spring Hill Farm
Blackburn
BB1
Davy Field Bridge
Wood Head
Higher Wood Head
Woodhead Farm
Bank Fold Farm
Bank Fold
Tower View Bungalow
Lower Eccleshill Farm
Davy Field Brook
Flash Brook
Davy Field
The Bungalow
Pleasant View
Lower Grimshaw Farm
New Waterside Paper Mill
Higher Grimshaw
Sniddleholme Farm
Bank Fold Lane
Holme Fold
Depots
Works
ECCLESHILL
JOHNSON ROAD
Bent Farm
Hole House
Hollins
Goose House Bridge
GOOSE HOUSE LANE
Manor House Farm
Pottery
Barnes Holme
Dick Bridge
Pickup Bank Reservoir
Depot
ECCLES HILL
Lower Waterside Farm
Two Bridges
Ooze Castle
Knowle Fold
Eccleshill Fold
Shaw Fold
Langriggs Farm
Chapels
Playing Field
Darwen
BB3
Waterside
Mill Cottages
Mill Barn
Quaker Fold
Hollins Grove
Beehive Mill
Darwen Moorland High Sch.
Sports Ground
Harwood Fold
Owlet Hall
Top o' th' Field
Plane Tree Farm
Pot House
Garsden's Fold
Luddington
Waterside Brook
Weir
Brocklehead Farm
Reservoir
Lower Scholes Farm
Shorey Bank
St. James C.of E. Prim. Sch.
Grave Yard
DUCKWORTH STREET
Works
DARWEN
Harwood's Farm
Hoddlesden Hall
Stock Clough
157
Darwen
Sett End Playing Fields
Mills
Meadow Head Cottages
Marsh House
Hoddlesden
Marsh Ho. Hostel
Tower Vw. Adult Train. Cen.
Princes
HODDLESDEN ROAD
Holker House Farm
Reservoir (covered)
Play-ground
Langshaw Head
Marsh House Mill
Stork Street
Stand Hill
BOLTON
Hoddlesden Moss Brook
Sunnyfield Farm
Mill
Turncroft
Stand
Radford
St. Peter's C.of E. Prim. Sch.
Blacksnape Playing Fields
Scotland Clough
Wks.
Blacksnape
Manor House Farm
Near Scotland Farm
Far Scotland Farm
R.C. Prim. Sch.
Reservoir
Jennet House
Sough
A666
Taylor's Green
Middle Scotland Farm
Rosehill
Hatton Hollow
Bowling Green
Works
Spring Vale
Kebb's Cottage
Kebbs Brook
Ellerslie
Lower Barn Farm
Baron's Fold
Blacksnape Reservoir
Scotland Reservoir
Higher Bold Venture
Spring Vale Garden Village
Rushton's Height
Kirkhams
Pinnacle Nook
Printshop
Ashleigh Prim. Sch.
Haddocks
Drummer Stoops
Plantation Cottage
Cuckoldmans
Cranleigh
Sough Tunnel
Moss Side
Far Hillock
Fickle Hall
Briggs Brook
Sch.
178
Day Eye
Reservoir
Wakefield Clough
Long Clough
Darwen Cemetery
Cranberry Bottoms
Gorton Well
Hillock
BOLTON ROAD
CEMETERY R.
BLACKSNAPE ROAD
ROMAN ROAD
HODDLESDEN MOSS

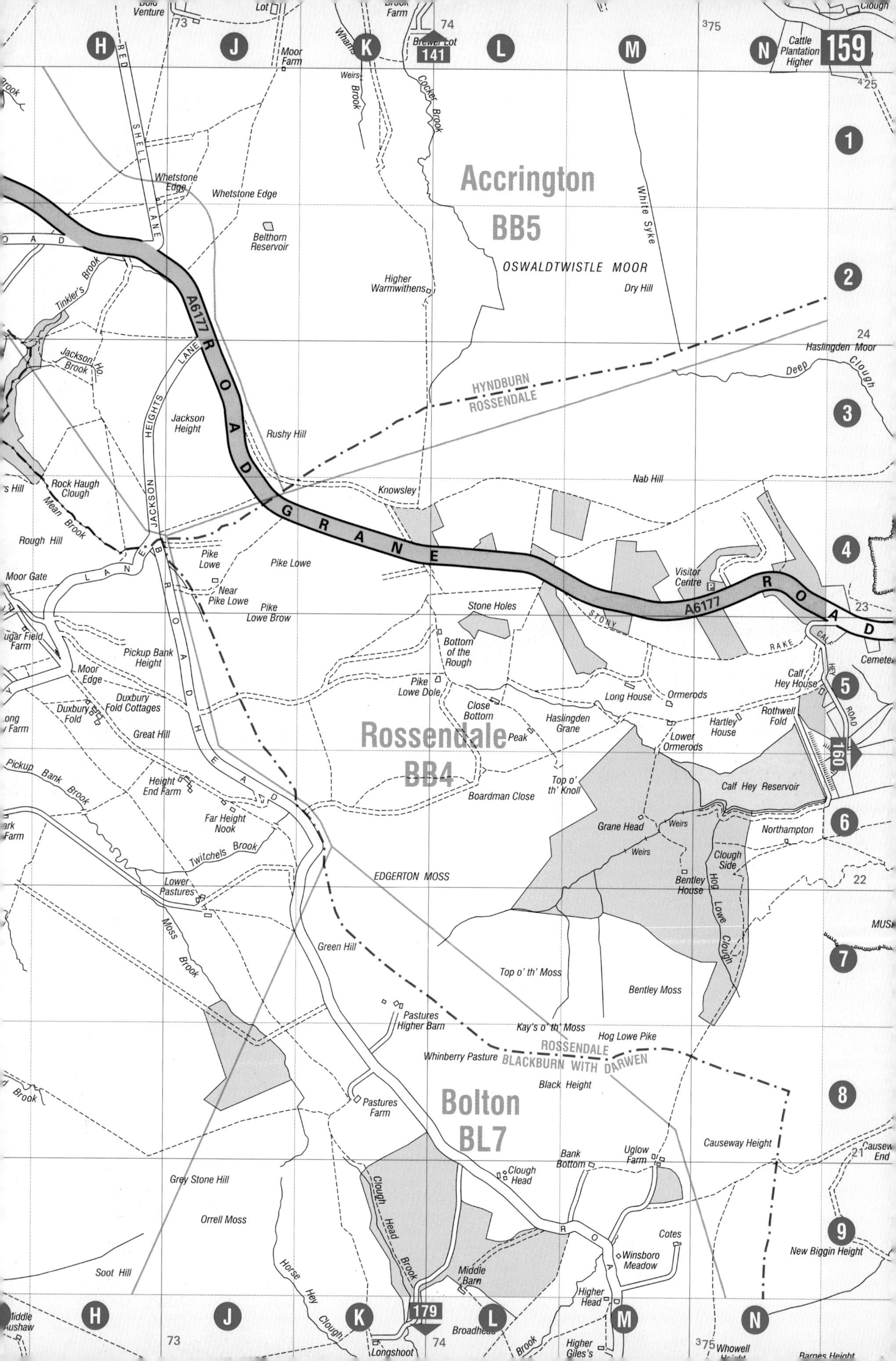

159
141
160
179
Accrington
BB5
Rossendale
BB4
Bolton
BL7
OSWALDTWISTLE MOOR
GRANE ROAD
A6177
HYNDBURN
ROSSENDALE
BLACKBURN WITH DARWEN
Whetstone Edge
Belthorn Reservoir
Higher Warmwithens
Dry Hill
White Syke
Haslingden Moor
Deep Clough
Rushy Hill
Jackson Height
Tinkler's Brook
Jackson Ho.
Rock Haugh Clough
Mean Brook
Rough Hill
Moor Gate
Knowsley
Nab Hill
Pike Lowe
Near Pike Lowe
Pike Lowe Brow
Stone Holes
Visitor Centre
Bottom of the Rough
Pike Lowe Dole
Close Bottom
Haslingden Grane
Peak
Long House
Ormerods
Lower Ormerods
Hartley House
Rothwell Fold
Calf Hey House
Calf Hey Reservoir
Top o' th' Knoll
Boardman Close
Grane Head
Weirs
Northampton
Clough Side
Bentley House
Hog Lowe Clough
EDGERTON MOSS
Green Hill
Top o' th' Moss
Bentley Moss
Kay's o' th' Moss
Hog Lowe Pike
Pastures Higher Barn
Whinberry Pasture
Black Height
Pastures Farm
Causeway Height
Bank Bottom
Uglow Farm
Clough Head
Grey Stone Hill
Orrell Moss
Soot Hill
Cotes
Winsboro Meadow
Middle Barn
Higher Head
New Biggin Height
Broadhead
Higher Giles's
Longshoot
Whowell
Barnes Height
Moor Edge
Pickup Bank Height
Duxbury Fold Cottages
Duxbury Fold
Great Hill
Pickup Bank Brook
Height End Farm
Far Height Nook
Twitchels Brook
Lower Pastures
Moss Brook
Clough Head Brook
Horse Hey Clough
Brewer Lot
Moor Farm
Cocker Brook
Cattle Plantation Higher
Cemetery
Causeway End
Red Shell Lane
Jackson Heights Lane
Broad Head Road
Stony Rake
Calf Hey Road

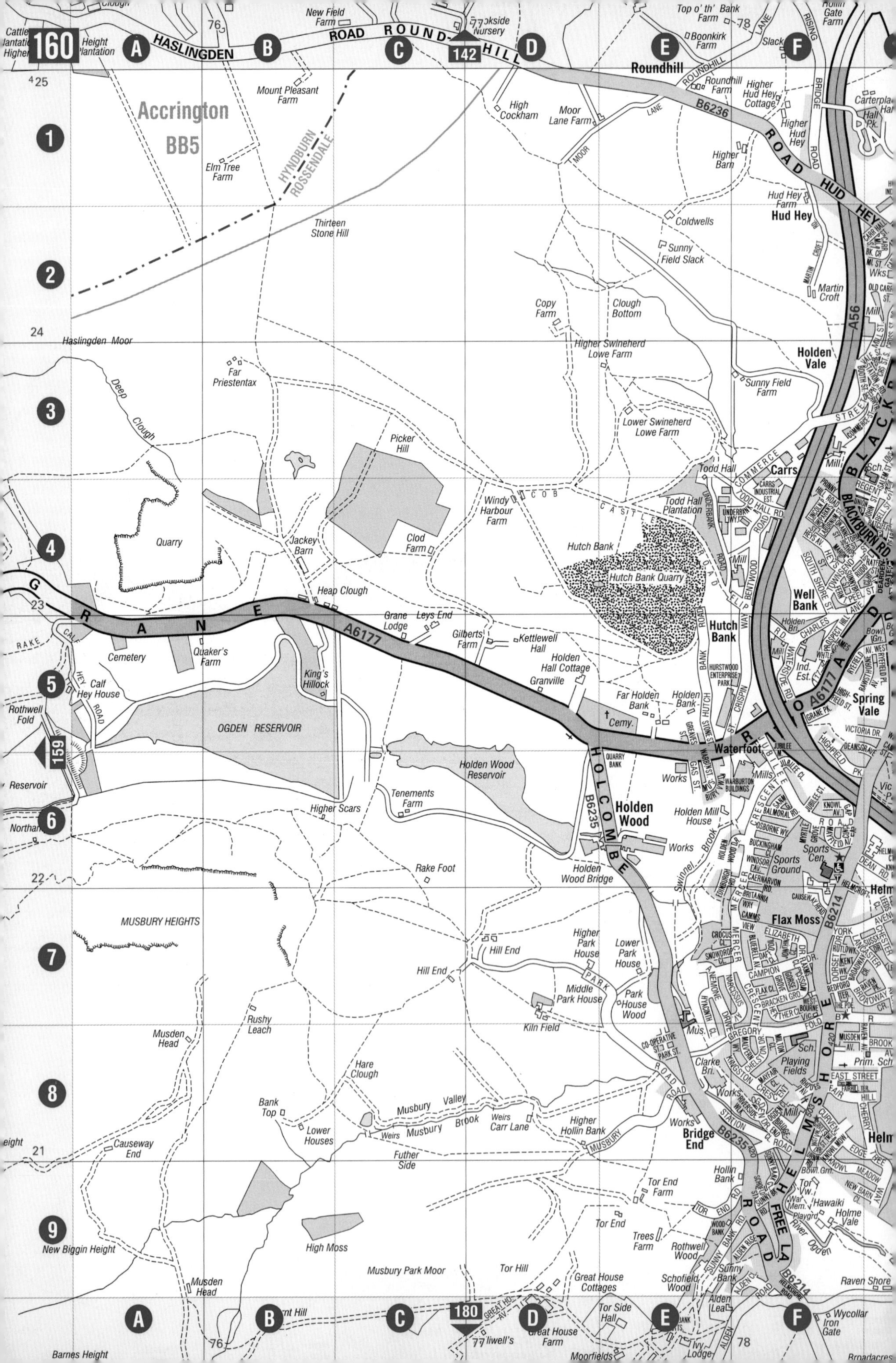
HASLINGDEN ROAD
ROUNDHILL
142
New Field Farm
Brookside Nursery
Top o' th' Bank Farm
Boonkirk Farm
Slack
Higher Gate Farm
Roundhill
Height Plantation
Accrington BB5
Mount Pleasant Farm
High Cockham
Moor Lane Farm
Roundhill Farm
Higher Hud Hey Cottage
B6236
HUD HEY ROAD
Carterplace Hall
Higher Hud Hey
Higher Barn
Hud Hey Farm
Hud Hey
Elm Tree Farm
HYNDBURN
ROSSENDALE
Thirteen Stone Hill
Coldwells
Sunny Field Slack
Martin Croft
A56
Copy Farm
Clough Bottom
Haslingden Moor
Higher Swineherd Lowe Farm
Holden Vale
Far Priestentax
Sunny Field Farm
Deep Clough
Lower Swineherd Lowe Farm
Picker Hill
Todd Hall
Carrs
Carrs Industrial Est.
Windy Harbour Farm
COB CASTLE
Todd Hall Plantation
BLACKBURN RD
Quarry
Jackey Barn
Clod Farm
Hutch Bank
Hutch Bank Quarry
Well Bank
Heap Clough
GRANE
Grane Lodge
Leys End
A6177
Gilberts Farm
Kettlewell Hall
Holden Hall Cottage
Hutch Bank
Cemetery
Quaker's Farm
Calf Hey House
King's Hillock
Granville
Far Holden Bank
Holden Bank
Cemy.
Ind. Est.
Spring Vale
Rothwell Fold
OGDEN RESERVOIR
159
Holden Wood Reservoir
Waterfoot
Works
Mills
Reservoir
Tenements Farm
Higher Scars
HOLCOMBE
B6235
Holden Wood
Holden Mill House
Rake Foot
Holden Wood Bridge
Swinnel Brook
Sports Cen.
Sports Ground
Flax Moss
B6214
MUSBURY HEIGHTS
Higher Park House
Lower Park House
Hill End
Middle Park House
Park House Wood
Kiln Field
Rushy Leach
Musden Head
Mus.
Playing Fields
Hare Clough
Clarke Bri.
Bank Top
Lower Houses
Musbury Valley
Musbury Brook
Weirs
Carr Lane
Higher Hollin Bank
Bridge End
Causeway End
Futher Side
Hollin Bank
Tor End Farm
Tor End
Hawaiki
Holme Vale
River Ogden
New Biggin Height
High Moss
Trees Farm
Rothwell Wood
Musbury Park Moor
Tor Hill
Great House Cottages
Schofield Wood
Sunny Bank
Raven Shore
Musden Head
Alden Lea
Tor Side Hall
180
Great House Farm
Wycollar Iron Gate
Ivy Lodge
Moorfields
Barnes Height
HELMSHORE ROAD
FREE LA
A B C D E F
1 2 3 4 5 6 7 8 9
76 77 78
25 24 23 22 21

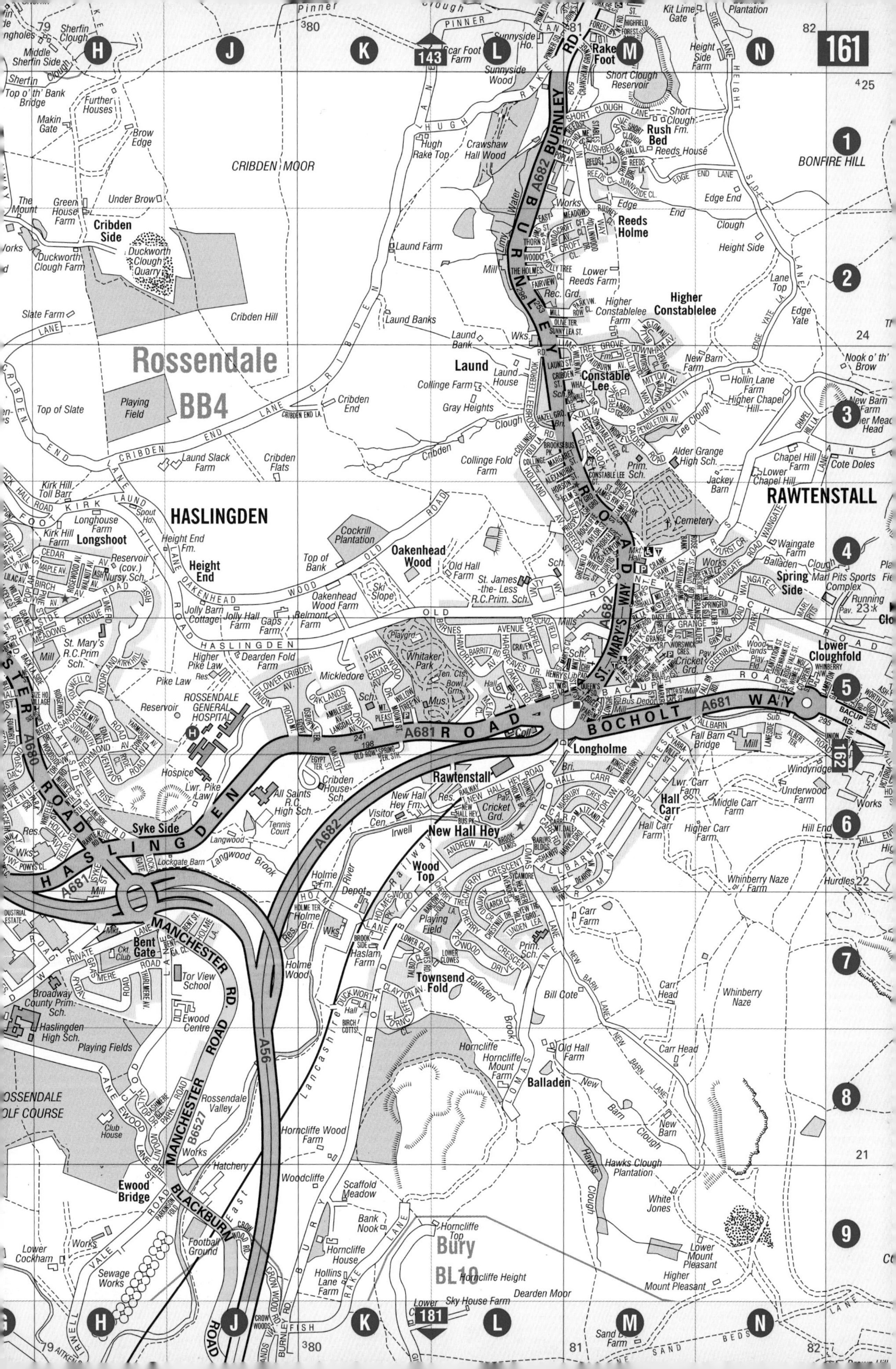
Rossendale
BB4
HASLINGDEN
RAWTENSTALL
Bury
BL10
CRIBDEN MOOR
Cribden Hill
Cribden Side
Duckworth Clough Quarry
Top of Slate
Playing Field
Laund
Constable Lee
Reeds Holme
Rush Bed
Rake Foot
Short Clough Reservoir
Higher Constablelee
BONFIRE HILL
Edge End
Height Side
Lane Top
Edge Yate
Nook o' th' Brow
Hollin Lane Farm
Higher Chapel Hill
Chapel Hill Farm
Cote Doles
Cemetery
Alder Grange High Sch.
Waingate Farm
Spring Side
Marl Pits Sports Complex
Lower Cloughfold
Longholme
Rawtenstall
New Hall Hey
Wood Top
Hall Carr
Fall Barn Bridge
Lower Carr Farm
Middle Carr Farm
Higher Carr Farm
Whinberry Naze Farm
Whinberry Naze
Carr Farm
Carr Head
Bill Cote
Balladen
Townsend Fold
Horncliffe
Horncliffe Mount Farm
Horncliffe Wood Farm
Woodcliffe
Scaffold Meadow
Bank Nook
Horncliffe House
Hollins Lane Farm
Horncliffe Top
Horncliffe Height
Dearden Moor
Sky House Farm
Hawks Clough Plantation
White Jones
Lower Mount Pleasant
Higher Mount Pleasant
New Barn
Oakenhead Wood
Cockrill Plantation
Top of Bank
Ski Slope
Oakenhead Wood Farm
Whitaker Park
Mickledore
ROSSENDALE GENERAL HOSPITAL
Hospice
Lwr. Pike Law
Higher Pike Law
Pike Law
Reservoir
St. Mary's R.C.Prim Sch.
Height End
Longshoot
Kirk Hill Toll Barr
Syke Side
Bent Gate
Tor View School
Broadway County Prim. Sch.
Haslingden High Sch.
Playing Fields
ROSSENDALE GOLF COURSE
Ewood Bridge
Rossendale Valley
Football Ground
Sewage Works
Lower Cockham
BURNLEY ROAD
A682
A681
A680
A56
B6527
BOCHOLT WAY
BACUP ROAD
MANCHESTER RD.
BLACKBURN ROAD
ST. MARY'S WAY
HASLINGDEN ROAD
143
162
181
H
J
K
L
M
N
1
2
3
4
5
6
7
8
9

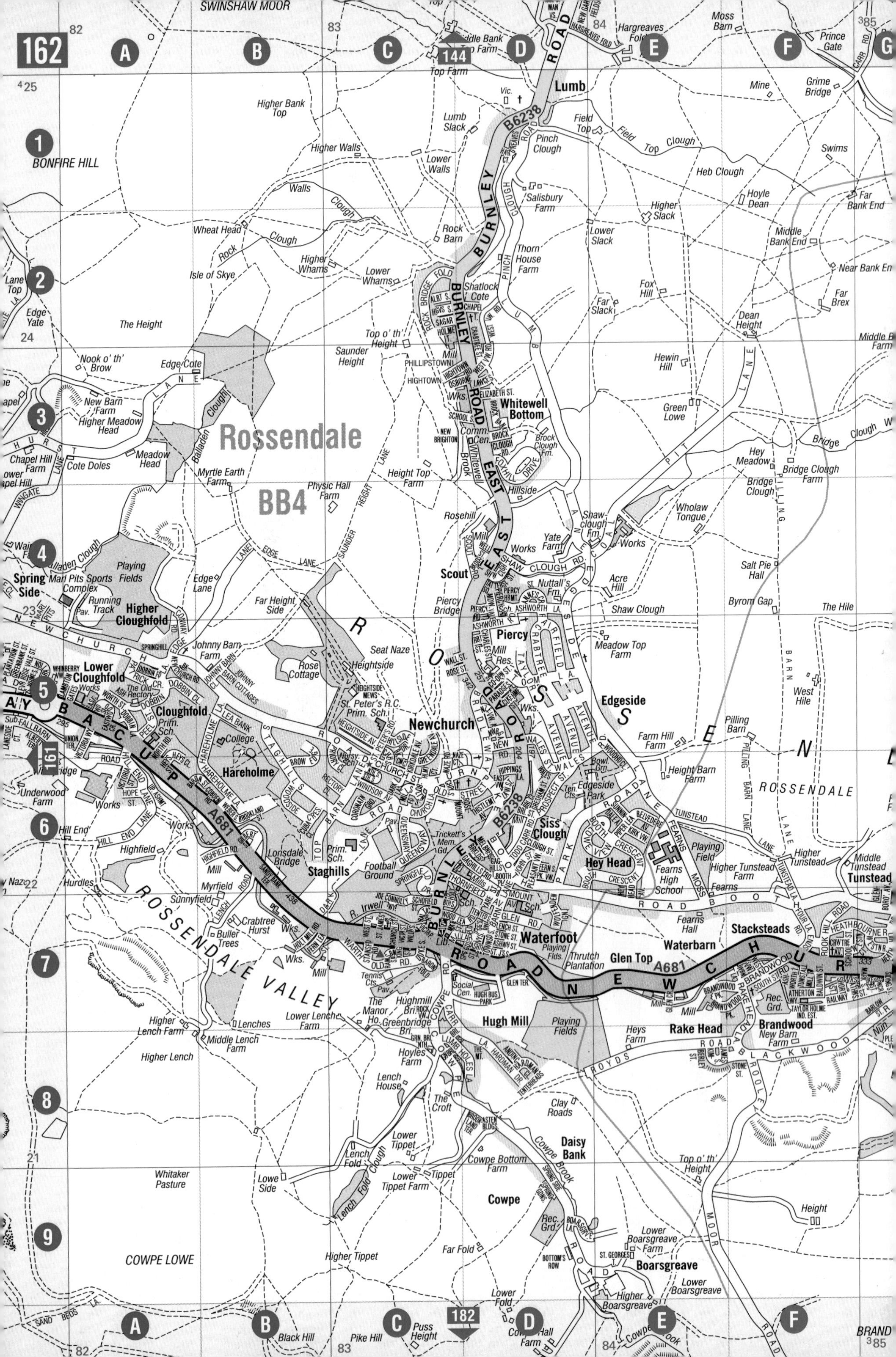
SWINSHAW MOOR
144
Middle Bank Top Farm
Top Farm
Hargreaves Fold
Moss Barn
Prince Gate
Lumb
Vic.
B6238
BURNLEY ROAD
Higher Bank Top
Lumb Slack
Field Top
Field Top Clough
Pinch Clough
Mine
Grime Bridge
BONFIRE HILL
Higher Walls
Lower Walls
Heb Clough
Swims
Walls
Salisbury Farm
Hoyle Dean
Far Bank End
Higher Slack
Wheat Head
Rock Clough
Rock Barn
Lower Slack
Middle Bank End
Isle of Skye
Higher Whams
Lower Whams
Thorn House Farm
Near Bank End
Lane Top
Edge Yate
The Height
Shatlock Cote
Fox Hill
Far Slack
Far Brex
Top o' th' Height
Saunder Height
Dean Height
Middle Bank Farm
Nook o' th' Brow
Edge Cote
PHILLIPSTOWN
HIGHTOWN
Hewin Hill
New Barn Farm
Higher Meadow Head
Rossendale
Whitewell Bottom
Green Lowe
Chapel Hill Farm
Meadow Head
Cote Doles
NEW BRIGHTON
Comm. Cen.
Brock Clough Fm.
Bridge Clough
Hey Meadow
Bridge Clough Farm
Myrtle Earth Farm
Height Top Farm
BB4
Physic Hall Farm
Hillside
Bridge Clough
Wholaw Tongue
Rosehill
Shawclough Fm.
Works
Playing Fields
Edge Lane
Yate Farm
SHAW CLOUGH RD.
Salt Pie Hall
Spring Side
Marl Pits Sports Complex
Running Track
Higher Cloughfold
Scout
Nuttall's Fm.
Acre Hill
Far Height Side
Piercy Bridge
Byrom Gap
Shaw Clough
The Hile
NEWCHURCH
Johnny Barn Farm
Piercy
Meadow Top Farm
Seat Naze
Lower Cloughfold
Rose Cottage
Heightside
St. Peter's R.C. Prim. Sch.
Edgeside
West Hile
Cloughfold
Newchurch
Prim. Sch.
College
Farm Hill Farm
Pilling Barn
Hareholme
Height Barn Farm
ROSSENDALE
Underwood Farm
Edgeside Park
Hill End
Siss Clough
Playing Field
Higher Tunstead
Middle Tunstead
Highfield
Lonsdale Bridge
Prim. Sch.
Trickett's Mem. Gd.
Hey Head
Higher Tunstead Farm
Tunstead
Mill
Staghills
Football Ground
Fearns High School
Fearns
Hurdles
Myrfield
Sunnyfield
Fearns Hall
Stacksteads
Crabtree Hurst
Waterfoot
Waterbarn
Buller Trees
ROSSENDALE VALLEY
Thrutch Plantation
Glen Top
A681
NEWCHURCH ROAD
Tennis Cts.
Social Cen.
Rec. Grd.
Lower Lench Farm
The Manor Ho.
Hughmill Bri.
Greenbridge Bri.
Hugh Mill
Playing Fields
Heys Farm
Rake Head
Brandwood
New Barn Farm
Higher Lench Farm
Lenches
Middle Lench Farm
Higher Lench
Hoyles Farm
ROYDS
BLACKWOOD ROAD
Lench House
The Croft
Clay Roads
Lower Tippet
Daisy Bank
Cowpe Bottom Farm
Cowpe Brook
Top o' th' Height
Lench Fold
Lowe Side
Whitaker Pasture
Lower Tippet Farm
Tippet
Lench Fold Clough
Cowpe
Height
Rec. Grd.
Lower Boarsgreave Farm
COWPE LOWE
Higher Tippet
Far Fold
Boarsgreave
Lower Boarsgreave
Higher Boarsgreave
Lower Fold
182
SAND BEDS LA.
Black Hill
Pike Hill
Puss Height
Cowpe Hall Farm
Cowpe Brook
MOOR
BRAND

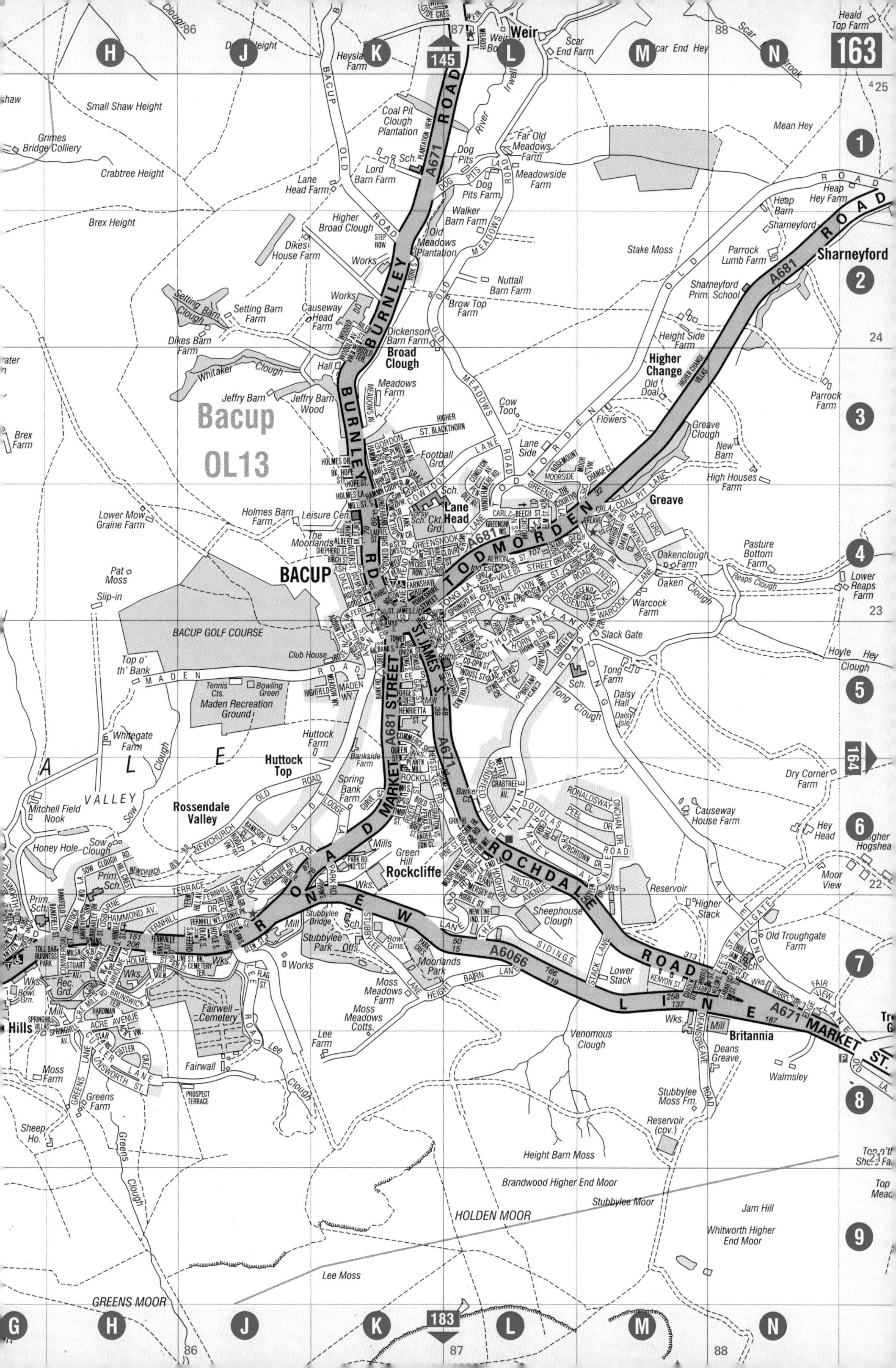
Bacup
OL13
BACUP
Weir
Scar End Farm
Scar End Hey
Heald Top Farm
Heyslack Farm
Small Shaw Height
Grimes Bridge Colliery
Crabtree Height
Brex Height
Coal Pit Clough Plantation
Lord Barn Farm
Lane Head Farm
Higher Broad Clough
Dikes House Farm
Far Old Meadows Farm
Meadowside Farm
Dog Pits Farm
Walker Barn Farm
Old Meadows Plantation
Nuttall Barn Farm
Brow Top Farm
Mean Hey
Heap Hey Farm
Heap Barn
Sharneyford
Stake Moss
Parrock Lumb Farm
Sharneyford Prim. School
Height Side Farm
Higher Change
Old Doal
Parrock Farm
Setting Barn Clough
Setting Barn Farm
Causeway Head Farm
Dikes Barn Farm
Dickenson Barn Farm
Broad Clough
Whitaker Clough
Jeffry Barn
Jeffry Barn Wood
Meadows Farm
Cow Toot
Flowers
Greave Clough
New Barn
Brex Farm
Football Grd.
Lane Side
High Houses Farm
Greave
Lower Mow Graine Farm
Holmes Barn Farm
Leisure Cen.
Lane Head
The Moorlands
Pasture Bottom Farm
Oakenclough Farm
Oaken Clough
Lower Reaps Farm
Reaps Clough
Pat Moss
Slip-in
Warcock Farm
BACUP GOLF COURSE
Slack Gate
Hoyle Hey Clough
Top o' th' Bank
Club House
MADEN ROAD
Tennis Cts.
Bowling Green
Maden Recreation Ground
Tong Farm
Daisy Hall
Daisy Isle
Tong Clough
Whitegate Farm
Huttock Farm
Huttock Top
Bankside Farm
Dry Corner Farm
VALLEY
Rossendale Valley
Spring Bank Farm
Causeway House Farm
Mitchell Field Nook
Honey Hole
Sow Clough
Hey Head
Higher Hogshead
Green Hill
Rockcliffe
Reservoir
Moor View
Higher Stack
Prim. Sch.
Stubbylee Bridge
Stubbylee Park
Sheephouse Clough
Old Troughgate Farm
Moorlands Park
Lower Stack
Rec. Grd.
Fairwell Cemetery
Moss Meadows Farm
Moss Meadows Cotts.
Lee Farm
Venomous Clough
Britannia
Deans Greave
Walmsley
Fairwall
PROSPECT TERRACE
Moss Farm
Greens Farm
Lee Clough
Stubbylee Moss Fm.
Reservoir (cov.)
Sheep Ho.
Greens Clough
Height Barn Moss
Brandwood Higher End Moor
Stubbylee Moor
Jam Hill
HOLDEN MOOR
Whitworth Higher End Moor
Lee Moss
GREENS MOOR
A671
A681
A6066
BURNLEY ROAD
TODMORDEN ROAD
ROCHDALE ROAD
MARKET STREET
NEW LINE
ST. JAMES ST.
OLD ROAD
MEADOWS LANE
LEE ROAD
145
164
183
H
J
K
L
M
N
G
1
2
3
4
5
6
7
8
9
86
87
88
425
24
23
22

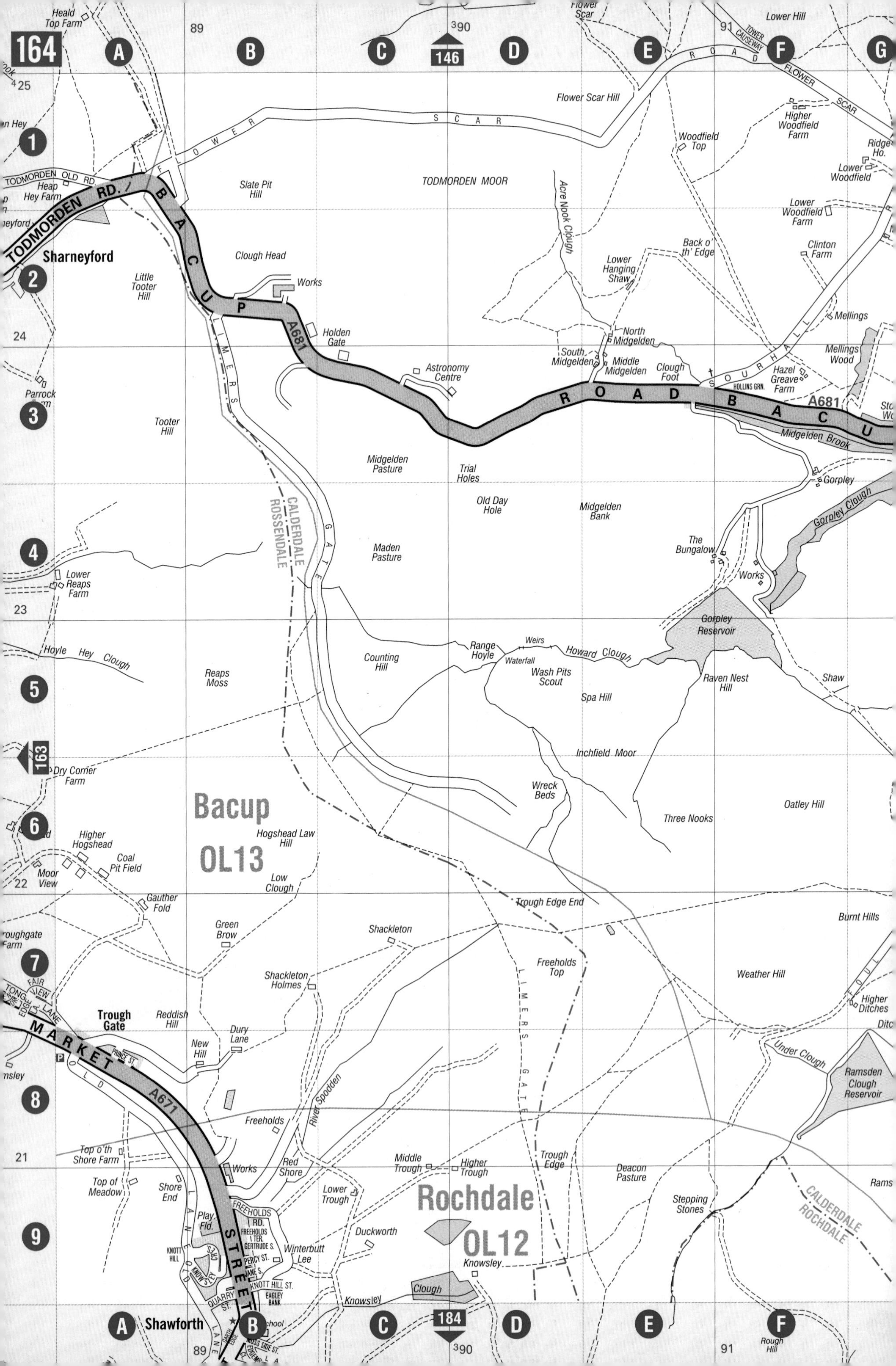

164
A
B
C
D
E
F
G
1
2
3
4
5
6
7
8
9
89
390
91
146
184
163
Heald Top Farm
Flower Scar
Lower Hill
TOWER CAUSEWAY
FLOWER SCAR ROAD
Flower Scar Hill
Higher Woodfield Farm
Woodfield Top
Ridge Ho.
Lower Woodfield
Lower Woodfield Farm
TODMORDEN OLD RD.
Heap Hey Farm
TODMORDEN RD.
Sharneyford
BACUP ROAD
A681
Slate Pit Hill
TODMORDEN MOOR
Acre Nook Clough
Clough Head
Back o' th' Edge
Clinton Farm
Lower Hanging Shaw
Little Tooter Hill
Works
Holden Gate
Mellings
North Midgelden
South Midgelden
Middle Midgelden
Clough Foot
Astronomy Centre
SOURHALL
HOLLINS GRN.
Mellings Wood
Hazel Greave Farm
Parrock Farm
Tooter Hill
Midgelden Brook
Gorpley
Gorpley Clough
LIMERS GATE
Midgelden Pasture
Trial Holes
Old Day Hole
Midgelden Bank
CALDERDALE
ROSSENDALE
Maden Pasture
The Bungalow
Lower Reaps Farm
Gorpley Reservoir
Counting Hill
Range Hoyle
Weirs
Waterfall
Howard Clough
Hoyle Hey Clough
Reaps Moss
Wash Pits Scout
Spa Hill
Raven Nest Hill
Shaw
Inchfield Moor
Dry Corner Farm
Wreck Beds
Oatley Hill
Bacup
OL13
Three Nooks
Hogshead Law Hill
Higher Hogshead
Coal Pit Field
Moor View
Low Clough
Gauther Fold
Trough Edge End
Burnt Hills
Green Brow
Shackleton
Freeholds Top
Shackleton Holmes
Weather Hill
TOUL
Higher Ditches
FAIR VIEW
TONGE EDGE LA.
LANE
Trough Gate
Reddish Hill
MARKET STREET
A671
PRINCE ST.
Dury Lane
New Hill
Under Clough
Ramsden Clough Reservoir
OLD LANE
River Spodden
Freeholds
Top o'th Shore Farm
Red Shore
Middle Trough
Higher Trough
Trough Edge
Deacon Pasture
Rams
Top of Meadow
Shore End
Lower Trough
Rochdale
Stepping Stones
CALDERDALE
ROCHDALE
FREEHOLDS RD.
Play. Fld.
FREEHOLDS TER.
GERTRUDE S.
Duckworth
OL12
KNOTT HILL
KNOWSLEY
PERCY ST.
JANE S.
Winterbutt Lee
Knowsley
KNOTT HILL ST.
QUARRY ST.
EAGLEY BANK
Clough
Knowsley
Shawforth
School
MOSS SIDE ST.
Rough Hill

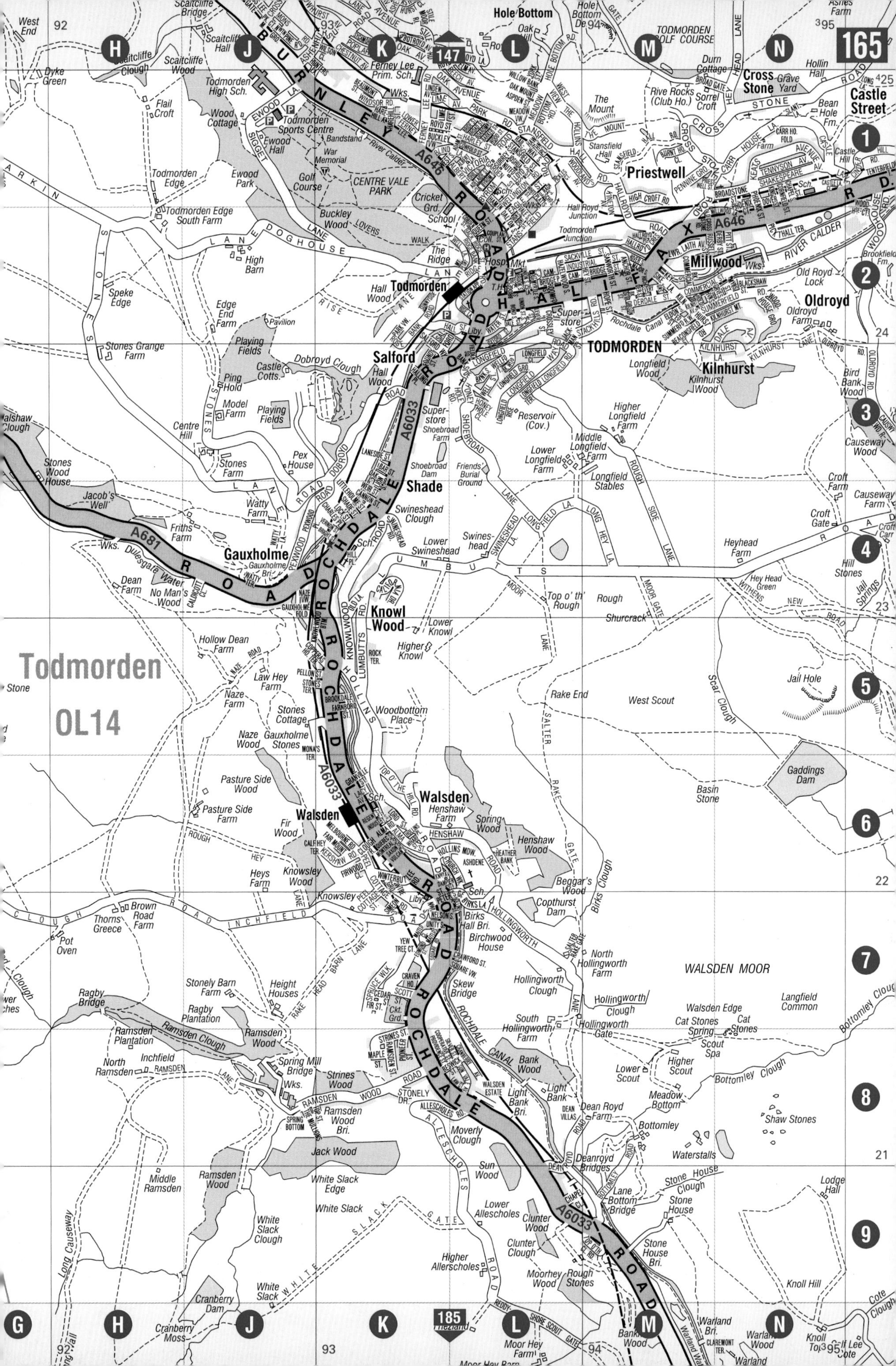

Todmorden
OL14
TODMORDEN
Todmorden
Salford
Shade
Gauxholme
Knowl Wood
Walsden
Priestwell
Millwood
Oldroyd
Kilnhurst
Castle Street
Cross Stone
TODMORDEN GOLF COURSE
CENTRE VALE PARK
WALSDEN MOOR
Hole Bottom
West End
Dyke Green
Todmorden High Sch.
Todmorden Sports Centre
Ewood Hall
Ewood Park
Todmorden Edge
Todmorden Edge South Farm
Speke Edge
Stones Grange Farm
Playing Fields
Castle Cotts.
Dobroyd Clough
Model Farm
Centre Hill
Stones Wood House
Jacob's Well
Friths Farm
Dean Farm
No Man's Wood
Hollow Dean Farm
Law Hey Farm
Naze Farm
Naze Wood
Gauxholme Stones
Stones Cottage
Pasture Side Wood
Pasture Side Farm
Fir Wood
Heys Farm
Knowsley Wood
Thorns Greece
Brown Road Farm
Pot Oven
Stonely Barn Farm
Height Houses
Ragby Bridge
Ragby Plantation
Ramsden Plantation
Ramsden Clough
Ramsden Wood
North Ramsden
Inchfield
Spring Mill Bridge
Strines Wood
Ramsden Wood Bri.
Jack Wood
Middle Ramsden
White Slack Edge
White Slack
White Slack Clough
Cranberry Dam
Cranberry Moss
Long Causeway
Higher Allerscholes
Lower Allescholes
Clunter Wood
Clunter Clough
Moorhey Wood
Rough Stones
Moor Hey Farm
Sun Wood
Moverly Clough
Light Bank Bri.
Dean Royd Farm
Deanroyd Bridges
Lane Bottom Bridge
Stone House Clough
Stone House
Stone House Bri.
Warland Bri.
Warland Wood
Knoll Hill
Lodge Hall
Shaw Stones
Waterstalls
Bottomley
Bottomley Clough
Meadow Bottom
Lower Scout
Higher Scout
Scout Spa
Cat Stones
Walsden Edge
Langfield Common
Hollingworth Gate
South Hollingworth Farm
Hollingworth Clough
North Hollingworth Farm
Skew Bridge
Birchwood House
Birks Hall Bri.
Copthurst Dam
Beggar's Wood
Birks Clough
Henshaw Wood
Spring Wood
Henshaw Farm
Basin Stone
Gaddings Dam
West Scout
Rake End
Jail Hole
Scar Clough
Woodbottom Place
Higher Knowl
Lower Knowl
Top o' th' Rough
Rough
Shurcrack
Heyhead Farm
Hey Head Green
Hill Stones
Jail Springs
Croft Gate
Croft Farm
Causeway Farm
Causeway Wood
Bird Bank Wood
Swineshead Clough
Lower Swineshead
Swineshead
Friends' Burial Ground
Shoebroad Dam
Shoebroad Farm
Lower Longfield Farm
Middle Longfield Farm
Longfield Stables
Higher Longfield Farm
Longfield Wood
Kilnhurst Wood
Reservoir (Cov.)
Pex House
Stones Farm
Watty Farm
Ping Hold
Edge End Farm
High Barn
Hall Wood
The Ridge
Buckley Wood
Cricket Grd.
Golf Course
War Memorial
Bandstand
Scaitcliffe Bridge
Scaitcliffe Hall
Scaitcliffe Clough
Scaitcliffe Wood
Flail Croft
Wood Cottage
Ferney Lee Prim. Sch.
The Mount
Stansfield Hall
Hall Royd Junction
Todmorden Junction
Rive Rocks (Club Ho.)
Sorrel Croft
Durn Cottage
Grave Yard
Hollin Hall
Bean Hole Fm.
Castle Hill
Brookfield Fm.
Old Royd Lock
Oldroyd Farm
Rochdale Canal
River Calder
A646
A6033
A681
BURNLEY ROAD
HALIFAX ROAD
ROCHDALE ROAD
DOGHOUSE LANE
LUMBUTTS
CLOUGH ROAD
INCHFIELD
RAMSDEN WOOD ROAD
ALLESCHOLES
WHITE SLACK GATE
SALTER RAKE GATE
ROUGH SIDE LANE
STONES LANE
147
185
92
93
94
95
21
22
23
24
G
H
J
K
L
M
N
1
2
3
4
5
6
7
8
9

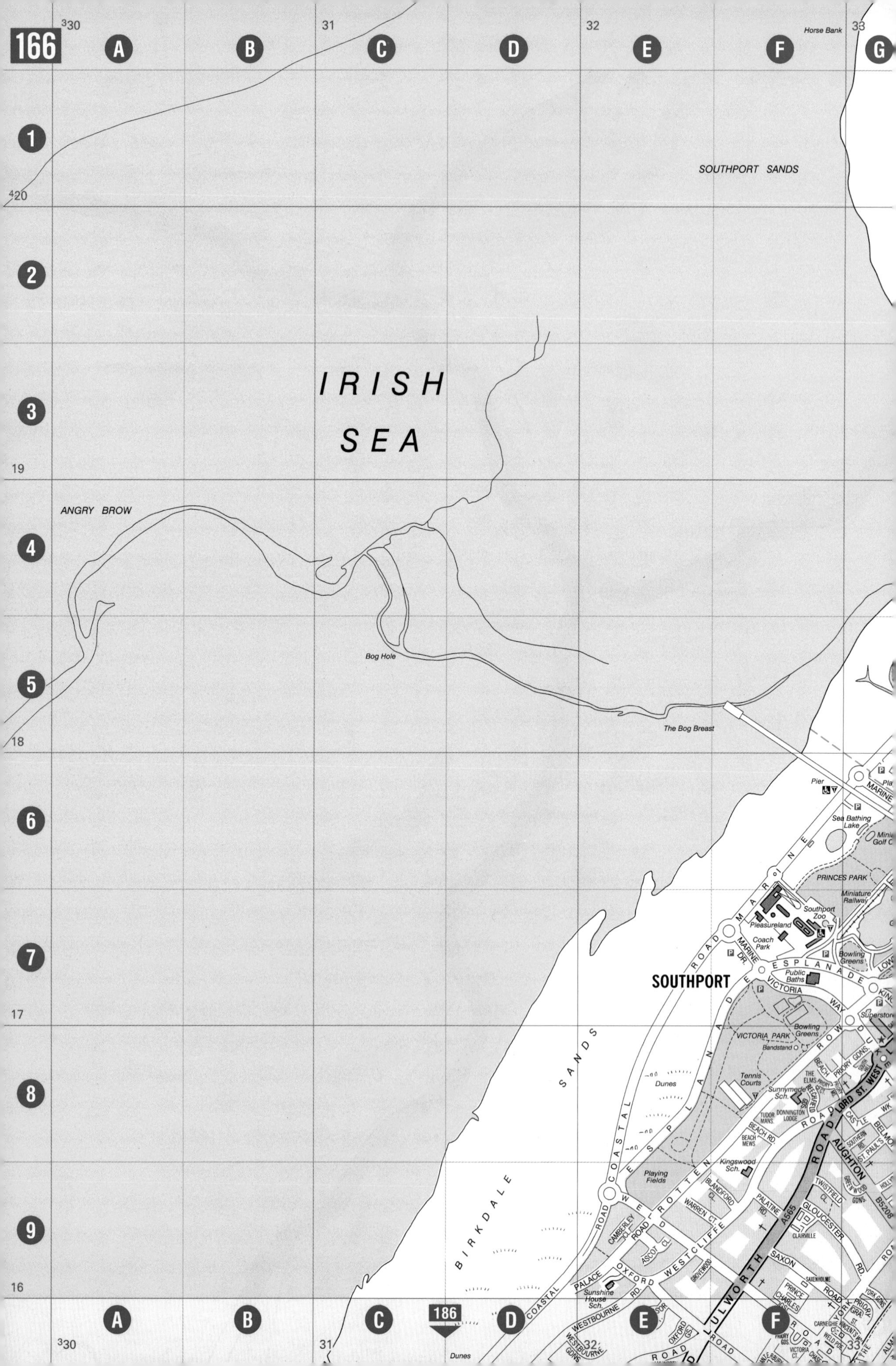

³30 A   31   B   C   D   32   E   F   33   G

Horse Bank

1

⁴20

SOUTHPORT SANDS

2

IRISH

SEA

3

19

ANGRY BROW

4

5

Bog Hole

The Bog Breast

18

Pier

MARINE

6

Sea Bathing
Lake

Mini
Golf C

PRINCES PARK

Miniature
Railway

Southport
Zoo

Pleasureland

Coach
Park

Bowling
Greens

7

ESPLANADE

Public
Baths

Victoria

SOUTHPORT

Superstor

17

Bowling
Greens

VICTORIA PARK

Bandstand

SANDS

Tennis
Courts

ROAD

BEACH

THE
ELMS

PRIORY GDNS.

8

Dunes

Sunnymede
Sch.

ST. WEST

CASTLE

BELM

LORD

TUDOR
MANS.

DONNINGTON
LODGE

ST. PAUL'S

BEACH RD.

Kingswood
Sch.

AUGHTON

BEACH
MEWS

SOUTHERN
CT.

VICTORIA

Playing
Fields

CLAIRVILLE

TWISTFIELD
CL.

BS26

BIRKDALE

COASTAL

WELD

WARREN CTE

BLANDFORD

PALATINE
RD.

A565 GLOUCESTER

RD.

9

CAMBERLEY
RD.

ASCOT
CL.

WESTCLIFFE

ROAD

SAXON

SL

PRINCE
CHARLES

PRIORA

16

PALACE

Sunshine
House
Sch.

OXFORD

RD.

WESTBOURNE

LULWORTH

ROAD

CARNEGHE

FIELD RD.

³30 A   31   B   C   186   D   32   E   F   33
Dunes   WESTBOURNE
                             GDNS   ROAD

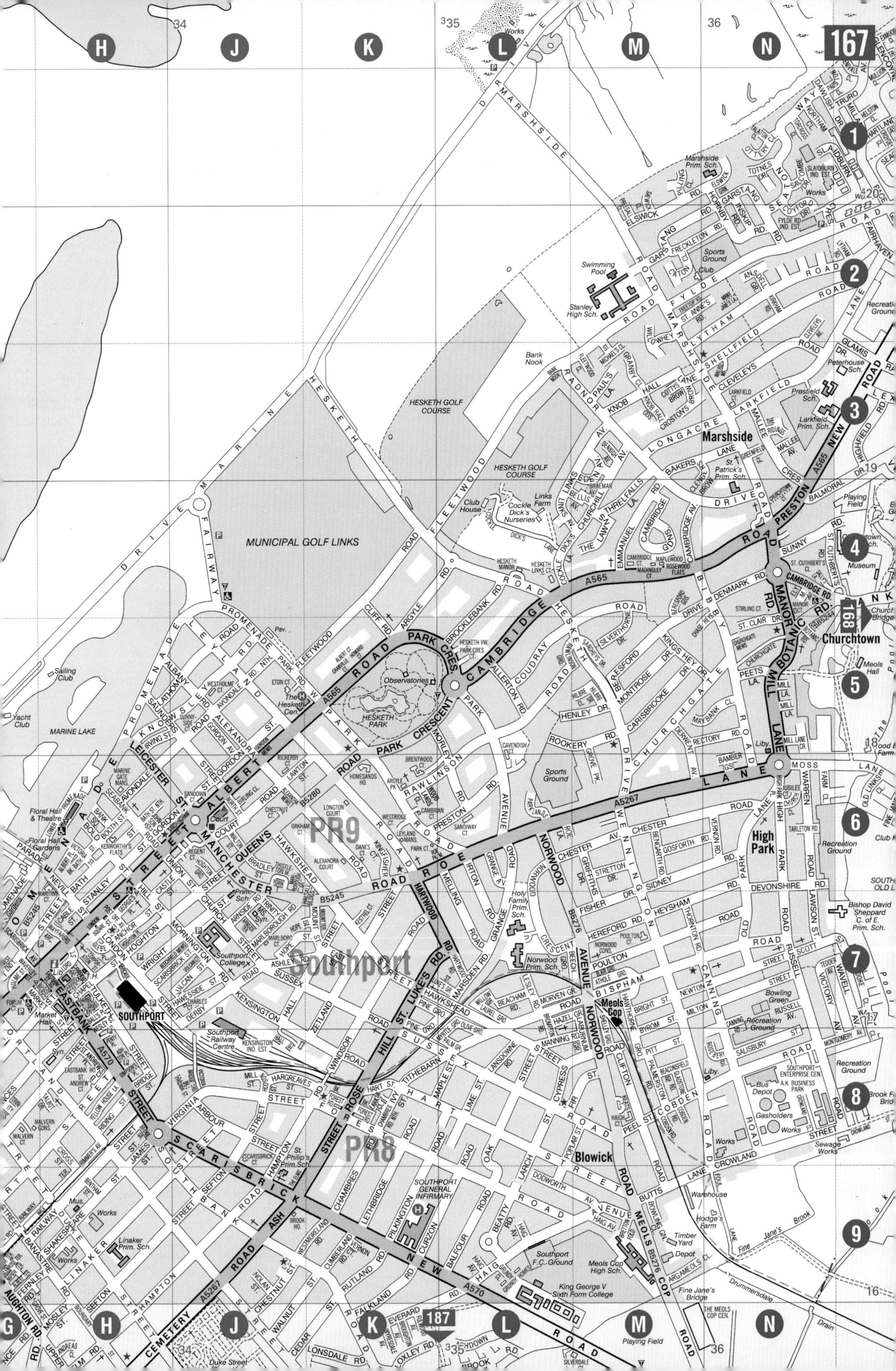

167
H
J
K
L
M
N
1
2
3
4
5
6
7
8
9
34
35
36
MARINE LAKE
Sailing Club
Yacht Club
MUNICIPAL GOLF LINKS
HESKETH GOLF COURSE
MARINE DRIVE
MARSHSIDE ROAD
HESKETH DRIVE
FLEETWOOD ROAD
Marshside
Marshside Prim. Sch.
Swimming Pool
Stanley High Sch.
Bank Nook
Sports Ground
Club
FYLDE ROAD
Prestfield Sch.
Larkfield Prim. Sch.
Peterhouse Sch.
St. Patrick's Prim. Sch.
Club House
Cockle Dick's Nurseries
Links Farm
Museum
Churchtown
168
Meols Hall
Recreation Ground
Playing Field
PRESTON NEW ROAD
A565
CAMBRIDGE ROAD
BOTANIC RD.
MANOR RD.
MILL LANE
ROE LANE
A5267
PARK CRESCENT
HESKETH PARK
Observatories
The Hesketh Cen.
ALBERT ROAD
PROMENADE
LEICESTER ST.
Floral Hall & Theatre
Floral Hall Gardens
Court
PR9
PR8
Southport
SOUTHPORT
Southport College
Southport Railway Centre
Market Hall
LORD STREET
EASTBANK STREET
A570
SCARISBRICK NEW ROAD
CEMETERY ROAD
ASH ROAD
A5267
Holy Family Prim. Sch.
Norwood Prim. Sch.
NORWOOD AVENUE
B5276
Meols Cop
High Park
Bishop David Sheppard C. of E. Prim. Sch.
Bowling Green
Recreation Ground
SOUTHPORT ENTERPRISE CEN.
A.K. BUSINESS PARK
Bus Depot
Gasholders
Works
Sewage Works
Blowick
CROWLAND STREET
MEOLS COP ROAD
Southport F.C. Ground
Meols Cop High Sch.
King George V Sixth Form College
SOUTHPORT GENERAL INFIRMARY
St. Philip's Prim. Sch.
Linaker Prim. Sch.
Mus.
Timber Yard
Depot
Warehouse
Hodge's Farm
Fine Jane's Brook
Fine Jane's Bridge
Drummersdale Drain
THE MEOLS COP CEN.
Playing Field
187
Duke Street
16

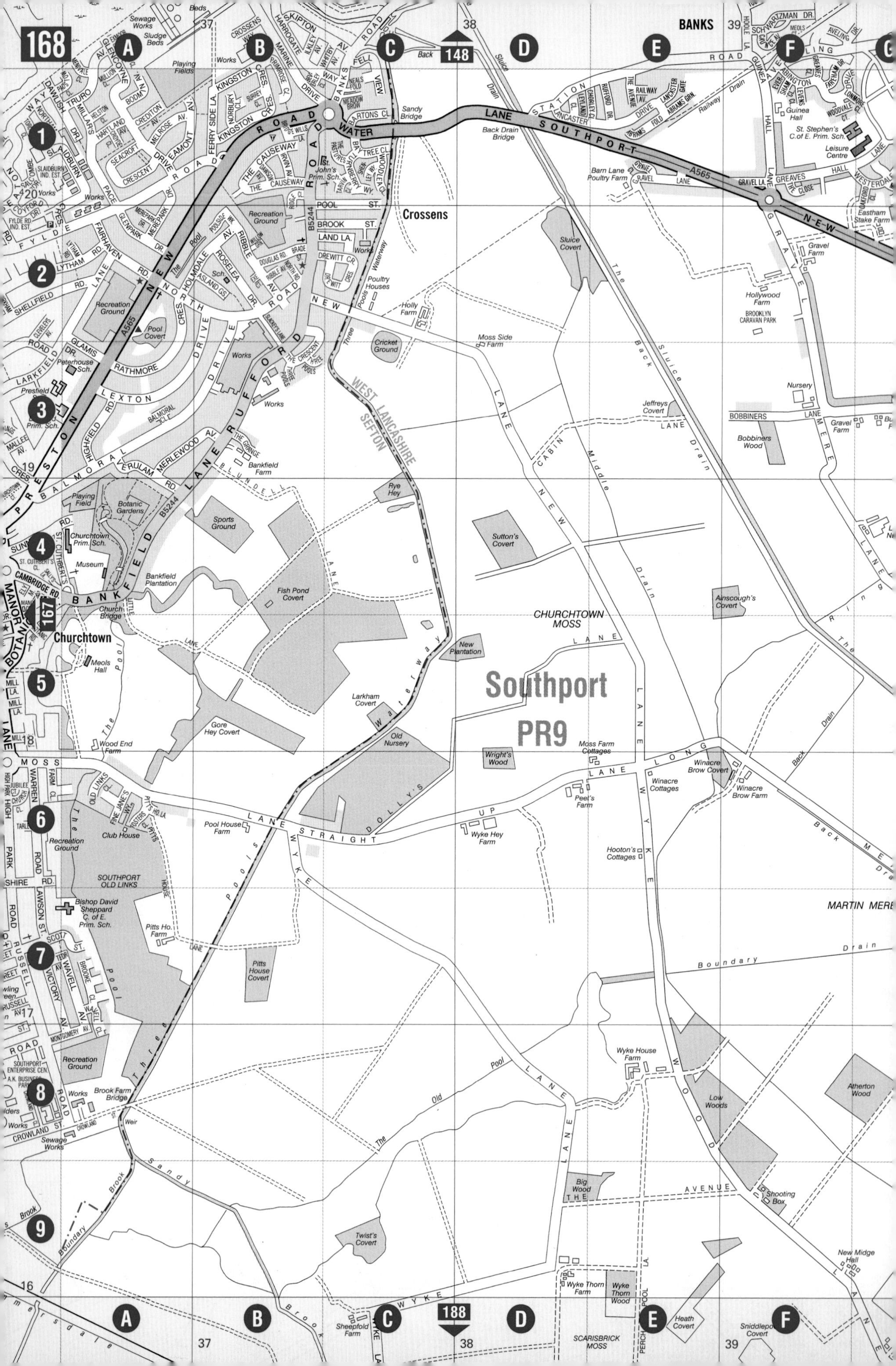
148
BANKS
Crossens
Churchtown
CHURCHTOWN MOSS
Southport
PR9
MARTIN MERE
SCARISBRICK MOSS
SOUTHPORT OLD LINKS
WEST LANCASHIRE
SEFTON
Sewage Works
Sludge Beds
Playing Fields
Sandy Bridge
Back Drain Bridge
Barn Lane Poultry Farm
Guinea Hall
St. Stephen's C.of E. Prim. Sch.
Leisure Centre
Eastham Stake Farm
Gravel Farm
Hollywood Farm
BROOKLYN CARAVAN PARK
Nursery
Bobbiners Wood
Jeffreys Covert
Sluice Covert
St. John's Prim. Sch.
Recreation Ground
Poultry Houses
Holly Farm
Moss Side Farm
Cricket Ground
Pool Covert
Peterhouse Sch.
Prim. Sch.
Bankfield Farm
Rye Hey
Sports Ground
Sutton's Covert
Playing Field
Botanic Gardens
Churchtown Prim. Sch.
Museum
Bankfield Plantation
Fish Pond Covert
Ainscough's Covert
Church Bridge
Meols Hall
New Plantation
Larkham Covert
Gore Hey Covert
Wood End Farm
Old Nursery
Wright's Wood
Moss Farm Cottages
Winacre Brow Covert
Winacre Cottages
Winacre Brow Farm
Peet's Farm
Pool House Farm
Wyke Hey Farm
Hooton's Cottages
Club House
Bishop David Sheppard C. of E. Prim. Sch.
Pitts Ho. Farm
Pitts House Covert
Wyke House Farm
Low Woods
Atherton Wood
SOUTHPORT ENTERPRISE CEN.
A.K. BUSINESS PARK
Brook Farm Bridge
Weir
Sewage Works
Big Wood
Shooting Box
Twist's Covert
New Midge Hall
Wyke Thorn Farm
Wyke Thorn Wood
Heath Covert
Sheepfold Farm
Sniddlepool Covert
A565
B5244
SOUTHPORT NEW ROAD
PRESTON NEW ROAD
WATER LANE
RUFFORD ROAD
BANKFIELD LANE
MOSS LANE
STRAIGHT UP LANE
DOLLY'S LANE
LONG LANE
CABIN LANE
NEW LANE
WYKE LANE
WYKE WOOD LANE
POOL LANE
THE AVENUE
HOOLE LA.
GUINEA HALL LANE
GRAVEL LANE
BOBBINERS LANE
MERE LANE
Three Pools Waterway
The Old Pool
Sandy Brook
Boundary Drain
Back Sluice Drain
Middle Drain
Back Drain
188
167
37
38
39
16
17
18
19
20

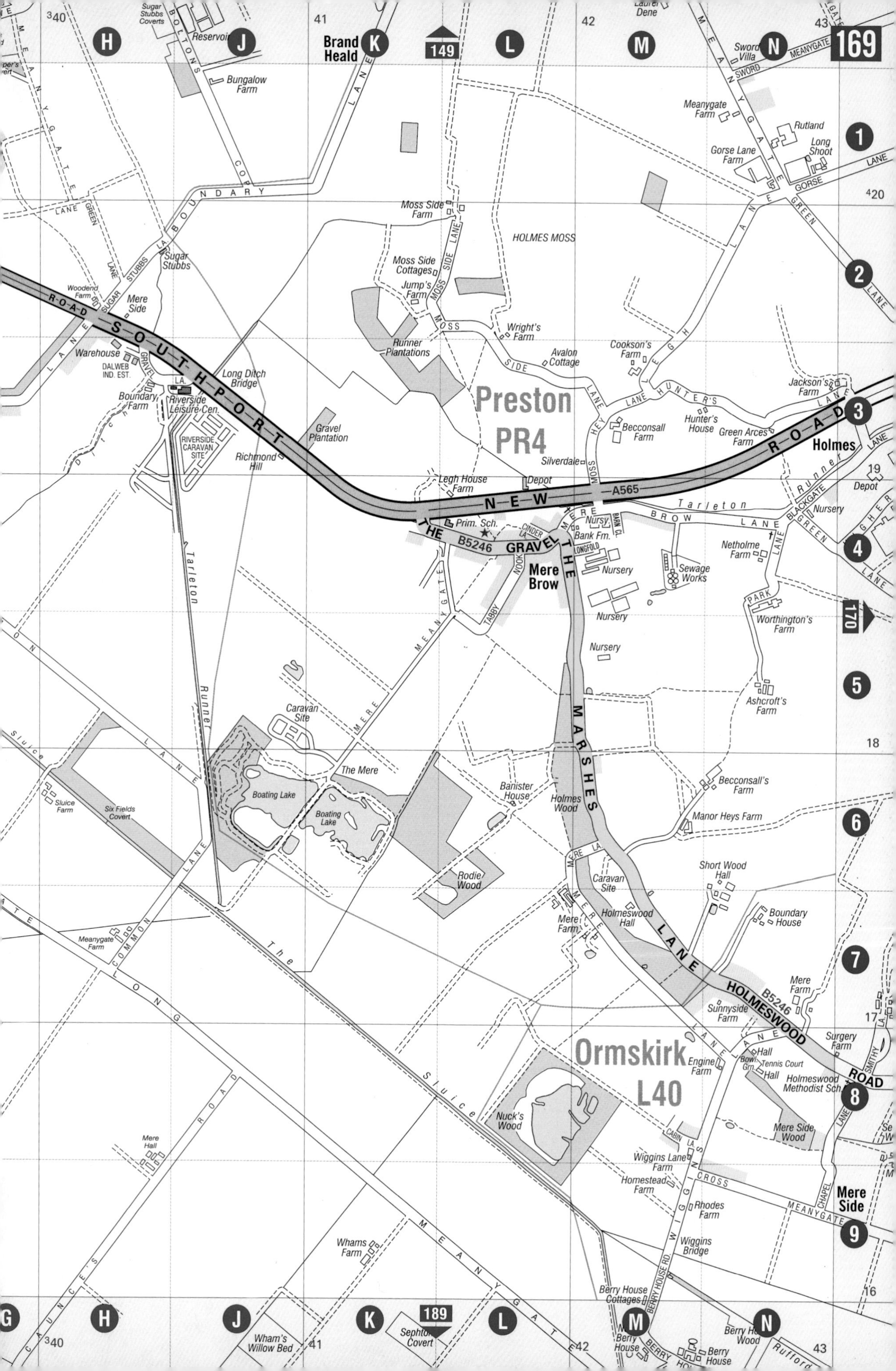
H
J
K
L
M
N
G
1
2
3
4
5
6
7
8
9
340
41
42
43
420
19
18
17
16
149
170
189
Sugar Stubbs Coverts
Reservoir
Brand Heald
Laurel Dene
Sword Villa
MEANYGATE
SWORD
Bungalow Farm
BOLTONS COP
MEANYGATE
Meanygate Farm
Rutland
Long Shoot
Gorse Lane Farm
GORSE LANE
GREEN LANE
BOUNDARY LANE
LANE
GREEN
LANE
Moss Side Farm
HOLMES MOSS
Moss Side Cottages
Jump's Farm
MOSS SIDE LANE
Sugar Stubbs
SUGAR STUBBS LA
Woodend Farm
Mere Side
SOUTHPORT ROAD
Warehouse
DALWEB IND. EST.
GRAVEL LA.
Boundary Farm
Riverside Leisure Cen.
RIVERSIDE CARAVAN SITE
Long Ditch Bridge
Ditch
Richmond Hill
Gravel Plantation
Runner Plantations
Wright's Farm
Avalon Cottage
Cookson's Farm
LEGH LANE
HUNTER'S LANE
Jackson's Farm
Hunter's House
Green Arces Farm
Becconsall Farm
Preston PR4
Silverdale
HEY LANE
MOSS LANE
Holmes
Runner
Depot
Legh House Farm
Depot
NEW ROAD
A565
Tarleton
BROW LANE
BLACKGATE
GREEN LANE
Nursery
Nursy.
BARN CL.
Bank Fm.
LONGFOLD
Prim. Sch.
THE GRAVEL
B5246
CINDER LA
MERE
NOOK
Mere Brow
TABBY
MEANYGATE
Nursery
Sewage Works
Netholme Farm
LANE
PARK
Worthington's Farm
Nursery
Nursery
Tarleton
Runner
Caravan Site
MERE
The Mere
Boating Lake
Boating Lake
THE MARSHES
Banister House
Holmes Wood
Ashcroft's Farm
Becconsall's Farm
Manor Heys Farm
LANE
Sluice
Sluice Farm
Six Fields Covert
COMMON LANE
Rodie Wood
MERE LA
Caravan Site
Mere Farm
MERE LANE
Holmeswood Hall
Short Wood Hall
Boundary House
Meanygate Farm
LONG LANE
The
Sunnyside Farm
Mere Farm
HOLMESWOOD ROAD
B5246
Surgery Farm
SMITHY LA
Ormskirk L40
Engine Farm
Bowl. Grn.
Hall
Tennis Court
Hall
Holmeswood Methodist Sch.
Sluice
ROAD
Nuck's Wood
CABIN LA
Mere Side Wood
LANE
Mere Hall
Wiggins Lane Farm
Homestead Farm
CROSS
WIGGINS
Rhodes Farm
CHAPEL
Mere Side
MEANYGATE
Whams Farm
Wiggins Bridge
MEANYGATE
GAUNCES
Berry House Cottages
BERRY HOUSE RD.
Wham's Willow Bed
Sephton Covert
Berry House
BERRY
Berry House
Berry Ho Wood
Rufford

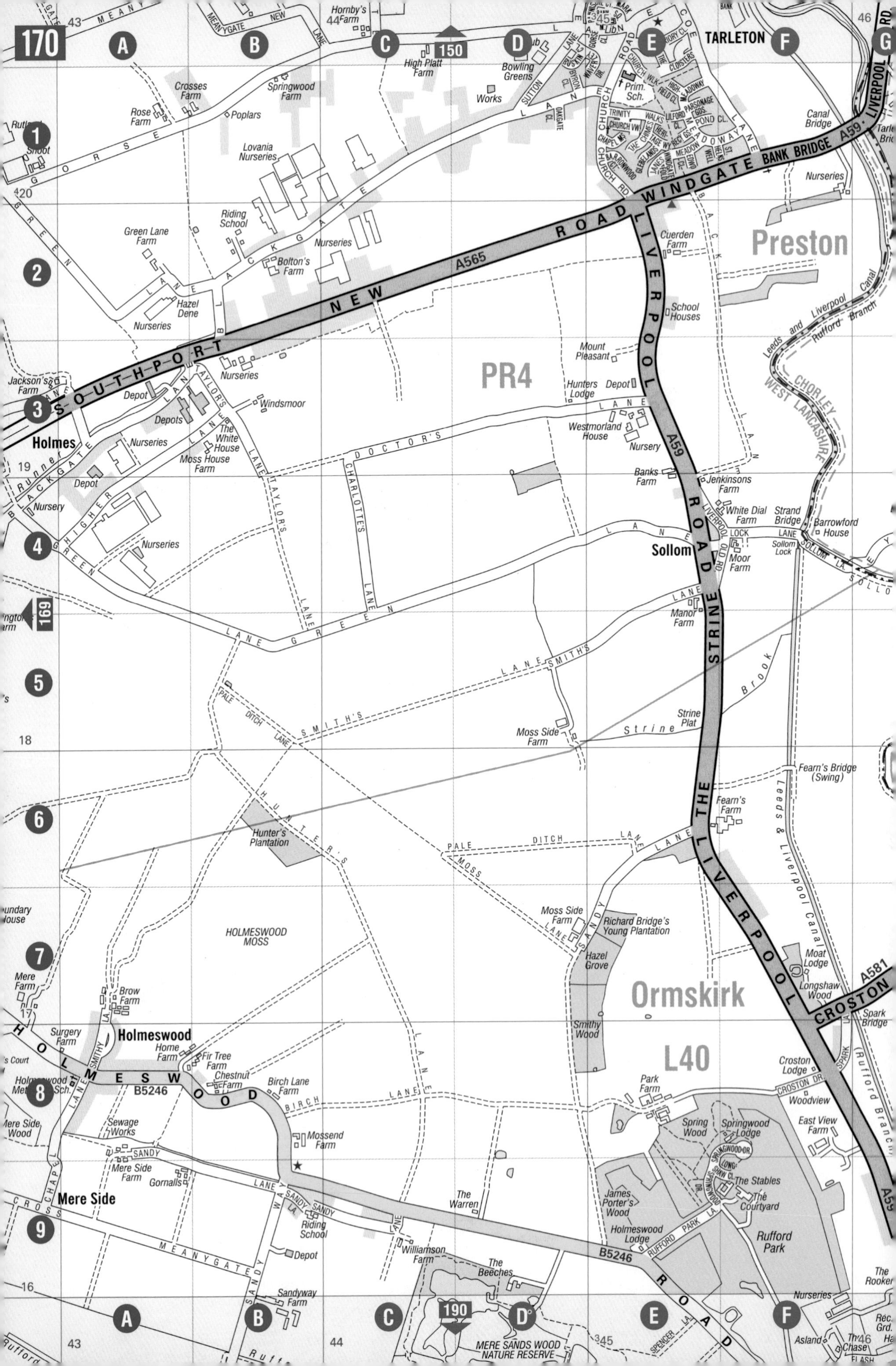

TARLETON
Preston
PR4
Ormskirk
L40
Holmes
Sollom
Holmeswood
Mere Side
SOUTHPORT NEW ROAD
WINDGATE
BANK BRIDGE
A565
A59
LIVERPOOL ROAD
THE STRINE
THE LIVERPOOL
A581
CROSTON
B5246
HOLMESWOOD
RUFFORD PARK LA
DOCTOR'S LANE
CHARLOTTE'S LANE
TAYLOR'S LANE
GREEN LANE
GORSE LANE
BACK GATE
HIGHER LANE
SMITH'S LANE
PALE DITCH LANE
HUNTER'S LANE
MOSS LANE
SANDY LANE
BIRCH LANE
MEANYGATE
CROSS
CHAPEL
SMITHY LA
SPENCER LA
Crosses Farm
Rose Farm
Poplars
Springwood Farm
High Platt Farm
Bowling Greens
Works
Lovania Nurseries
Riding School
Green Lane Farm
Nurseries
Bolton's Farm
Hazel Dene
Jackson's Farm
Depot
Depots
Windsmoor
The White House
Moss House Farm
Nursery
Cuerden Farm
School Houses
Mount Pleasant
Hunters Lodge
Westmorland House
Banks Farm
Jenkinsons Farm
White Dial Farm
Strand Bridge
Barrowford House
Sollom Lock
Moor Farm
Manor Farm
Canal Bridge
Leeds and Liverpool Canal
Rufford Branch
CHORLEY
WEST LANCASHIRE
Moss Side Farm
Strine Plat
Strine Brook
Fearn's Bridge (Swing)
Fearn's Farm
Hunter's Plantation
HOLMESWOOD MOSS
Richard Bridge's Young Plantation
Hazel Grove
Smithy Wood
Moat Lodge
Longshaw Wood
Spark Bridge
Croston Lodge
Woodview
East View Farm
Park Farm
Spring Wood
Springwood Lodge
The Stables
The Courtyard
James Porter's Wood
Holmeswood Lodge
Rufford Park
The Rookery
Nurseries
Asland
The Chase
Mere Farm
Brow Farm
Surgery Farm
Home Farm
Fir Tree Farm
Chestnut Farm
Birch Lane Farm
Sewage Works
Mossend Farm
Mere Side Farm
Gornalls
Riding School
Depot
Sandyway Farm
The Warren
Williamson Farm
The Beeches
MERE SANDS WOOD NATURE RESERVE
Prim. Sch.
Lib
Hornby's Farm
150
169
190

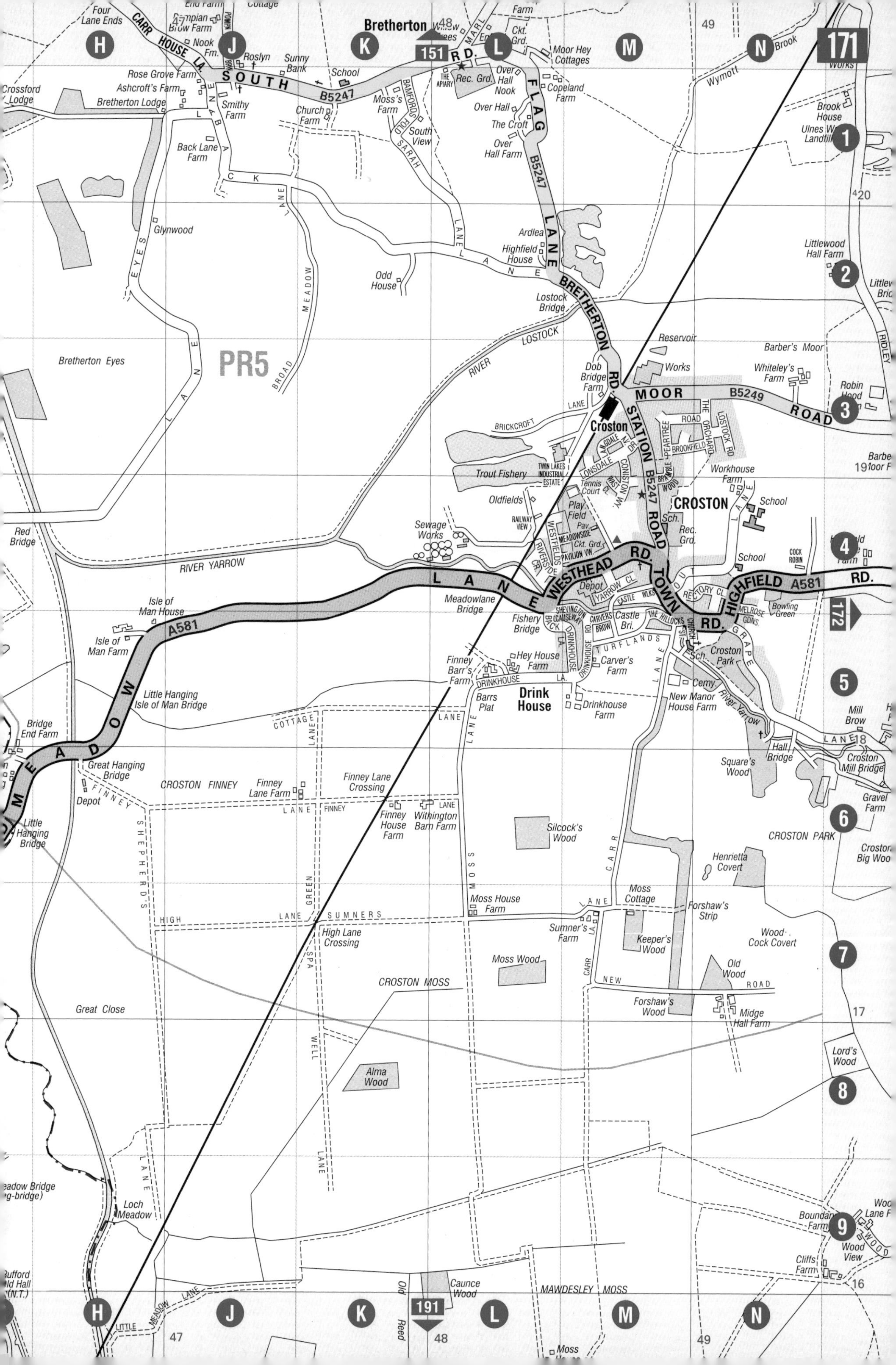
171
Bretherton
151
H
J
K
L
M
N
Four Lane Ends
Grampian Brow Farm
Nook Fm.
CARR HOUSE LA.
Roslyn
Sunny Bank
School
SOUTH RD.
B5247
Rose Grove Farm
Ashcroft's Farm
Crossford Lodge
Bretherton Lodge
Smithy Farm
Church Farm
Moss's Farm
BAMFORDS FOLD
South View
SARAH
THE APIARY
Rec. Grd.
Over Hall Nook
Over Hall
The Croft
Over Hall Farm
FLAG LANE
Ckt. Grd.
Moor Hey Cottages
Copeland Farm
Wymott
Brook
Works
Brook House
Ulnes Walton Landfill
Back Lane Farm
BACK LANE
Glynwood
EYES LANE
MEADOW LANE
Odd House
Ardlea
Highfield House
Lostock Bridge
BRETHERTON RD.
Littlewood Hall Farm
Bretherton Eyes
PR5
BROAD
RIVER LOSTOCK
Reservoir
Works
Barber's Moor
Whiteley's Farm
Robin Hood
Dob Bridge Farm
MOOR ROAD
B5249
BRICKCROFT LANE
Croston
STATION ROAD
LANGDALE AV.
LONSDALE
CONISTON DR.
WASTWATER
PEARTREE
THE ORCHARD
LOSTOCK RD
BROOKFIELD
Trout Fishery
TWIN LAKES INDUSTRIAL ESTATE
Tennis Court
Oldfields
RAILWAY VIEW
Play. Field
Pav.
Workhouse Farm
CROSTON
School
Sch.
Rec. Grd.
Sewage Works
WESTFIELDS
MEADOWSIDE
Ckt. Grd.
PAVILION VW.
RIVERSIDE CR.
WESTHEAD RD.
TOWN RD.
School
COCK ROBIN
Highfield Farm
HIGHFIELD RD.
A581
Red Bridge
RIVER YARROW
Isle of Man House
A581
MEADOW LANE
Meadowlane Bridge
Depot
YARROW CL.
CASTLE WLKS
RECTORY CL.
MELROSE GDNS.
Bowling Green
172
Isle of Man Farm
Fishery Bridge
SHEVINGTON CAUSEWAY
BACK LA.
CARVERS BROW
Castle Bri.
THE HILLOCKS
CHURCH
DRINKHOUSE RD.
TURFLANDS
Hey House Farm
Carver's Farm
Sch.
Croston Park
GRAPE LANE
Finney Barr's Farm
DRINKHOUSE LA.
Drink House
Cemy.
Little Hanging Isle of Man Bridge
Barrs Plat
Drinkhouse Farm
New Manor House Farm
River Yarrow
Bridge End Farm
COTTAGE LANE
Mill Brow
Hall Bridge
Croston Mill Bridge
Great Hanging Bridge
Depot
FINNEY LANE
CROSTON FINNEY
Finney Lane Farm
Finney Lane Crossing
Finney House Farm
Withington Barn Farm
Square's Wood
Gravel Farm
Little Hanging Bridge
SHEPHERD'S LANE
Silcock's Wood
CROSTON PARK
Croston Big Wood
Henrietta Covert
CARR LANE
MOSS LANE
GREEN LANE
Moss Cottage
Forshaw's Strip
HIGH LANE
SUMNERS LANE
Moss House Farm
High Lane Crossing
Sumner's Farm
Keeper's Wood
Wood Cock Covert
SPA
Moss Wood
Old Wood
CROSTON MOSS
NEW ROAD
Great Close
Forshaw's Wood
Midge Hall Farm
WELL LANE
Lord's Wood
Alma Wood
Meadow Bridge (Log-bridge)
Loch Meadow
Boundary Farm
Wood Lane Farm
Wood View
Cliffs Farm
Rufford Old Hall (N.T.)
LITTLE MEADOW LANE
Old Reed
Caunce Wood
MAWDESLEY MOSS
191
Moss
47
48
49
420
419
418
417
416
1
2
3
4
5
6
7
8
9

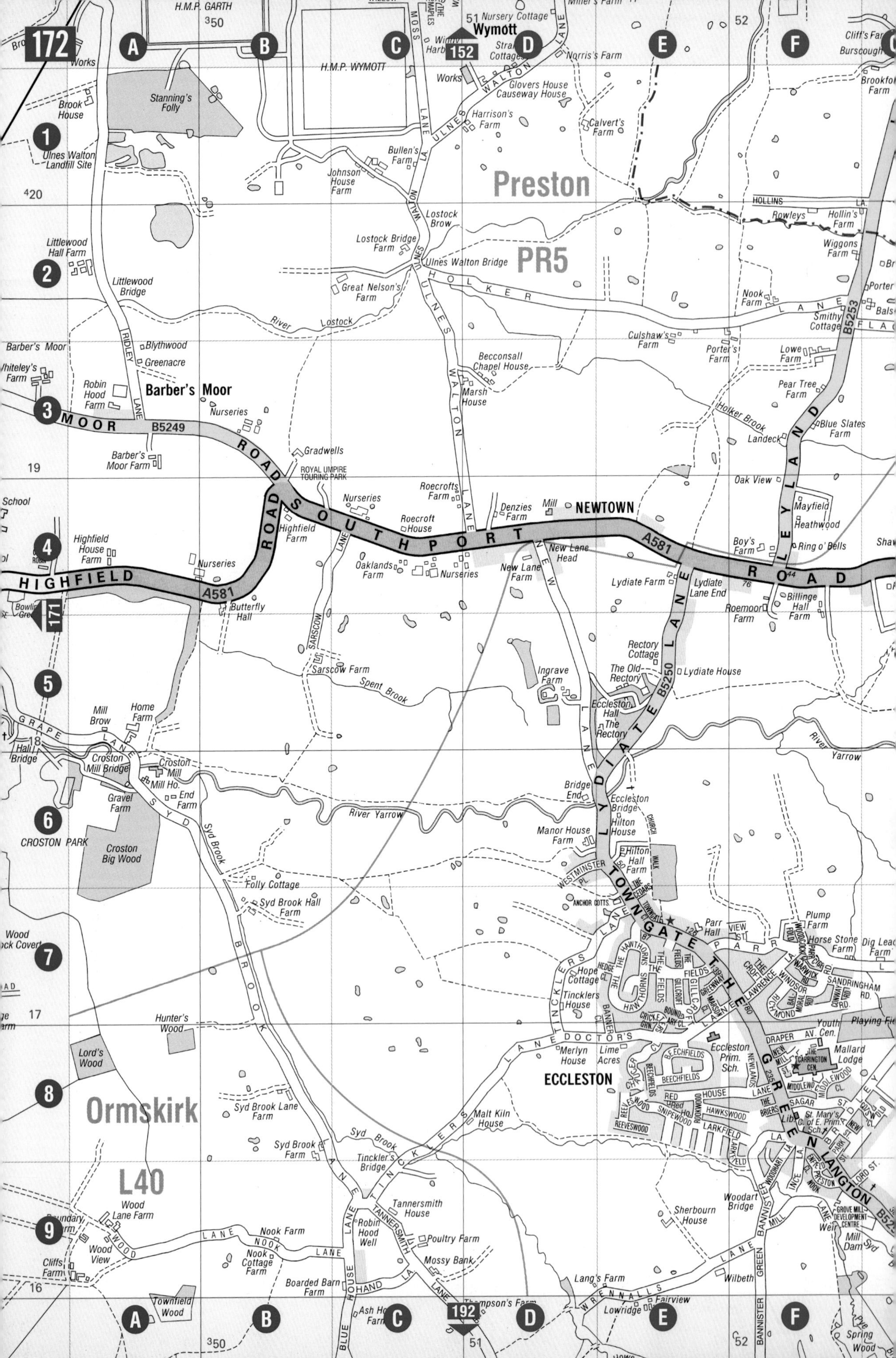
H.M.P. GARTH
Wymott
Ulnes Walton Landfill Site
Stanning's Folly
Brook House
H.M.P. WYMOTT
Preston
PR5
Littlewood Hall Farm
Littlewood Bridge
Ulnes Walton Bridge
Lostock Bridge Farm
Great Nelson's Farm
River Lostock
HOLKER LANE
Barber's Moor
Robin Hood Farm
MOOR ROAD
B5249
Barber's Moor Farm
Gradwells
ROYAL UMPIRE TOURING PARK
SOUTHPORT ROAD
A581
NEWTOWN
HIGHFIELD ROAD
Highfield House Farm
Highfield Farm
Oaklands Farm
Nurseries
Butterfly Hall
LEYLAND ROAD
B5253
Lydiate Farm
LYDIATE LANE
B5250
Sarscow Farm
Spent Brook
Ingrave Farm
Eccleston Hall
River Yarrow
Croston Mill Bridge
CROSTON PARK
Croston Big Wood
Syd Brook
Folly Cottage
Syd Brook Hall Farm
TOWNGATE
THE GREEN
ECCLESTON
Eccleston Prim. Sch.
Hunter's Wood
Lord's Wood
Ormskirk
L40
Syd Brook Lane Farm
Malt Kiln House
Tinckler's Bridge
Tannersmith House
Robin Hood Well
Poultry Farm
Mossy Bank
Nook Cottage Farm
Boarded Barn Farm
WOOD LANE
Wood Lane Farm
Sherbourn House
Woodart Bridge
Lang's Farm
Wilbeth
Lowridge
Fairview
Townfield Wood
Spring Wood
152
171
192

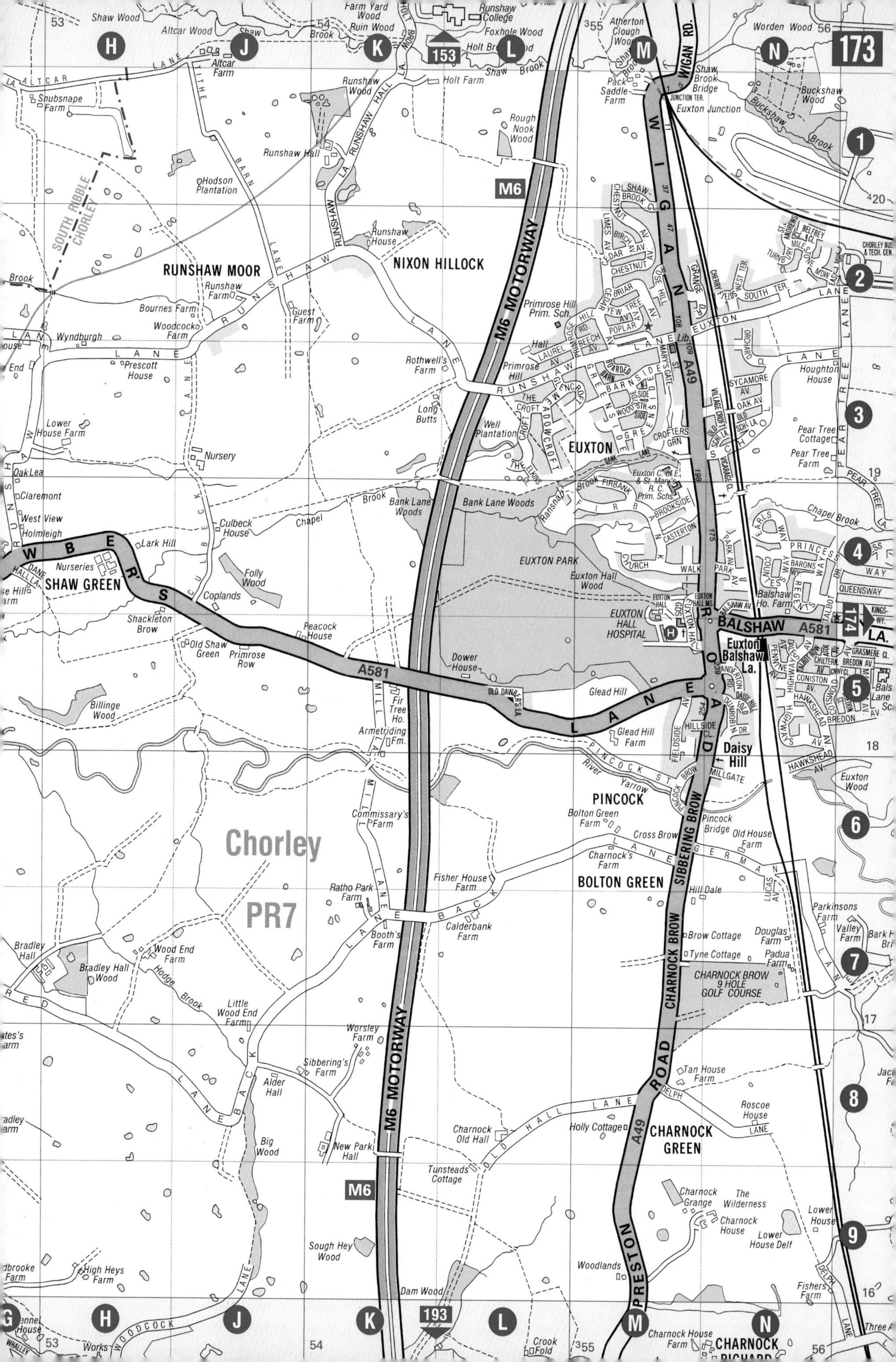

Shaw Wood
Altcar Wood
Farm Yard Wood
Ruin Wood
Shaw Brook
Runshaw College
Foxhole Wood
Holt Brook Wood
153
Atherton Clough Wood
Worden Wood
WIGAN RD.
ALTCAR LANE
Altcar Farm
Shubsnape Farm
Holt Farm
Runshaw Wood
Pack Saddle Farm
Shaw Brook Bridge
Euxton Junction
Buckshaw Wood
Buckshaw Brook
Rough Nook Wood
Runshaw Hall
Hodson Plantation
M6
SOUTH RIBBLE
CHORLEY
RUNSHAW LA.
RUNSHAW HALL LA.
BARN LANE
LITHE
Runshaw House
RUNSHAW MOOR
NIXON HILLOCK
M6 MOTORWAY
EUXTON
CHORLEY BUS. & TECH. CEN.
Runshaw Farm
Bournes Farm
Guest Farm
Woodcock Farm
Wyndburgh
Prescott House
Primrose Hill Prim. Sch.
Rothwell's Farm
Primrose Hill
Houghton House
Lower House Farm
Long Butts
Well Plantation
Pear Tree Cottage
Pear Tree Farm
Nursery
Oak Lea
Claremont
West View
Holmleigh
Chapel Brook
Bank Lane Woods
Culbeck House
Lark Hill
Folly Wood
EUXTON PARK
Euxton Hall Wood
Nurseries
SHAW GREEN
Coplands
Shackleton Brow
Peacock House
EUXTON HALL HOSPITAL
Euxton Balshaw La.
BALSHAW LA.
A581
174
Balshaw Ho. Farm
QUEENSWAY
Old Shaw Green
Primrose Row
Dower House
Glead Hill
Billinge Wood
Fir Tree Ho.
Armetriding Fm.
Glead Hill Farm
Daisy Hill
Euxton Wood
River Yarrow
PINCOCK
Bolton Green Farm
Pincock Bridge
Old House Farm
Chorley
Commissary's Farm
Cross Brow
Charnock's Farm
BOLTON GREEN
SIBBERING BROW
Fisher House Farm
Ratho Park Farm
Hill Dale
PR7
Calderbank Farm
Booth's Farm
Parkinsons Farm
Valley Farm
Brow Cottage
Douglas Farm
Tyne Cottage
Padua Farm
CHARNOCK BROW
CHARNOCK BROW 9 HOLE GOLF COURSE
Bradley Hall
Wood End Farm
Bradley Hall Wood
Hodge Brook
Little Wood End Farm
Worsley Farm
Sibbering's Farm
Alder Hall
Tan House Farm
DELPH LANE
Roscoe House
Big Wood
Charnock Old Hall
OLD HALL LANE
Holly Cottage
CHARNOCK GREEN
New Park Hall
Tunsteads Cottage
A49
PRESTON ROAD
Charnock Grange
The Wilderness
Charnock House
Lower House Delf
Lower House
Sough Hey Wood
Woodlands
High Heys Farm
Dam Wood
Fishers Farm
193
WOODCOCK
Works
Crook Fold
Charnock House Farm
CHARNOCK RICHARD
Three A
53
54
55
56
16
17
18
19
20

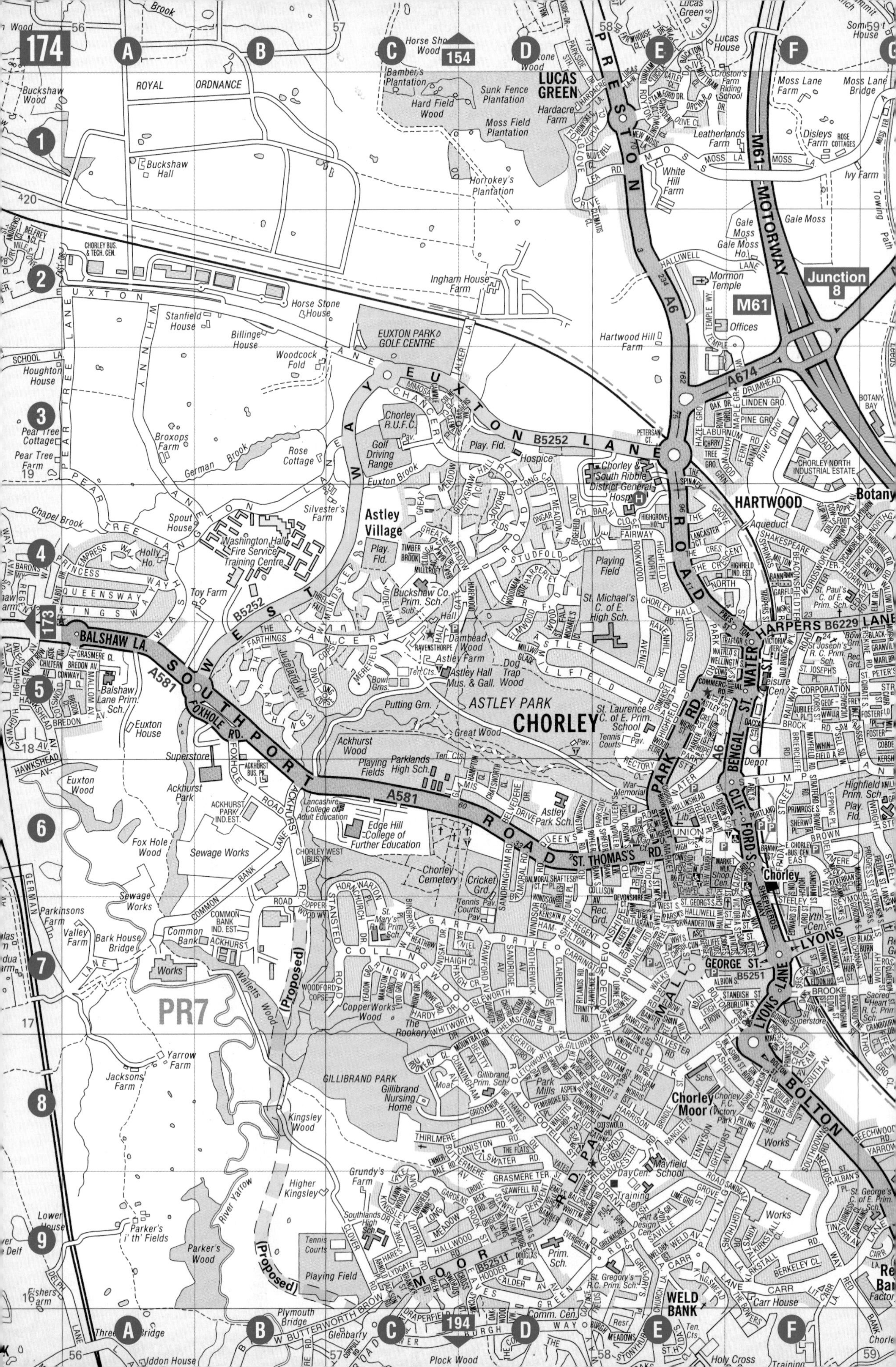

154
173
194
A
B
C
D
E
F
1
2
3
4
5
6
7
8
9
Buckshaw Wood
ROYAL ORDNANCE
Buckshaw Hall
Horse Shoe Wood
Bamber's Plantation
Hard Field Wood
Sunk Fence Plantation
Moss Field Plantation
Horrokey's Plantation
LUCAS GREEN
Hardacre Farm
Lucas House
Croston's Farm Riding School
Leatherlands Farm
White Hill Farm
Moss Lane Farm
Moss Lane Bridge
Disleys Farm
Ivy Farm
Gale Moss
Gale Moss Ho.
Mormon Temple
Junction 8
M61
M61 MOTORWAY
A6
A674
A581
B5252
B6229
B5251
PRESTON ROAD
MOSS LA.
HALLIWELL LANE
Offices
Hartwood Hill Farm
Ingham House Farm
CHORLEY BUS. & TECH. CEN.
Horse Stone House
EUXTON PARK GOLF CENTRE
Stanfield House
Billinge House
Woodcock Fold
EUXTON LANE
SCHOOL LA.
Houghton House
Pear Tree Cottage
Pear Tree Farm
PEAR TREE LANE
Broxops Farm
German Brook
Rose Cottage
Chorley R.U.F.C.
Golf Driving Range
Euxton Brook
Play. Fld.
Hospice
Chorley & South Ribble District General Hosp.
HARTWOOD
CHORLEY NORTH INDUSTRIAL ESTATE
BOTANY BAY
Botany
Aqueduct
Chapel Brook
Spout House
Washington Hall Fire Service Training Centre
Silvester's Farm
Astley Village
Toy Farm
Holly Ho.
PRINCESS WAY
QUEENSWAY
KINGSWAY
BALSHAW LA.
SOUTHPORT ROAD
Balshaw Lane Prim. Sch.
Euxton House
Buckshaw Co. Prim. Sch.
Dambead Wood
Astley Farm
Astley Hall Mus. & Gall.
Dog Trap Wood
ASTLEY PARK
CHORLEY
St. Michael's C. of E. High Sch.
Playing Field
St. Laurence C. of E. Prim. School
HARPERS LANE
St. Paul's C. of E. Prim. Sch.
St. Joseph's R. C. Prim. Sch.
Leisure Cen.
Putting Grn.
Great Wood
Ackhurst Wood
Playing Fields
Parklands High Sch.
Superstore
Ackhurst Park
ACKHURST PARK IND. EST.
Euxton Wood
Fox Hole Wood
Sewage Works
Lancashire College of Adult Education
Edge Hill College of Further Education
Astley Park Sch.
War Memorial
PARK RD.
BENGAL ST.
CLIFFORD ST.
ST. THOMAS'S RD.
Depot
Highfield Prim. Sch.
Chorley
Cricket Grd.
Chorley Cemetery
Rec. Grd.
Parkinsons Farm
Valley Farm
Bark House Bridge
Common Bank
COMMON BANK IND. EST.
Works
PR7
Walletts Wood
(Proposed)
St. Mary's R. C. Prim. Sch.
CopperWorks Wood
The Rookery
GEORGE ST.
LYONS LANE
Superstore
Sacred Heart R. C. Prim.
Yarrow Farm
Jacksons Farm
GILLIBRAND PARK
Gillibrand Nursing Home
Gillibrand Prim. Sch.
Park Mills
Chorley Moor
Chorley F.C. (Victory Park)
BOLTON ROAD
Kingsley Wood
Higher Kingsley
Grundy's Farm
Mayfield School
Training Cen.
Art & Design Cen.
DayCen.
Works
St. George's C. of E. Prim. Sch.
Southlands High Sch.
Tennis Courts
Playing Field
Prim. Sch.
St. Gregory's R.C. Prim. Sch.
WELD BANK
Carr House
Lower House
Parker's i' th' Fields
Parker's Wood
River Yarrow
Plymouth Bridge
Glenbarry
Three Bridge
Iddon House
Plock Wood
Holy Cross
56
57
58
59
16
17
18
19
20

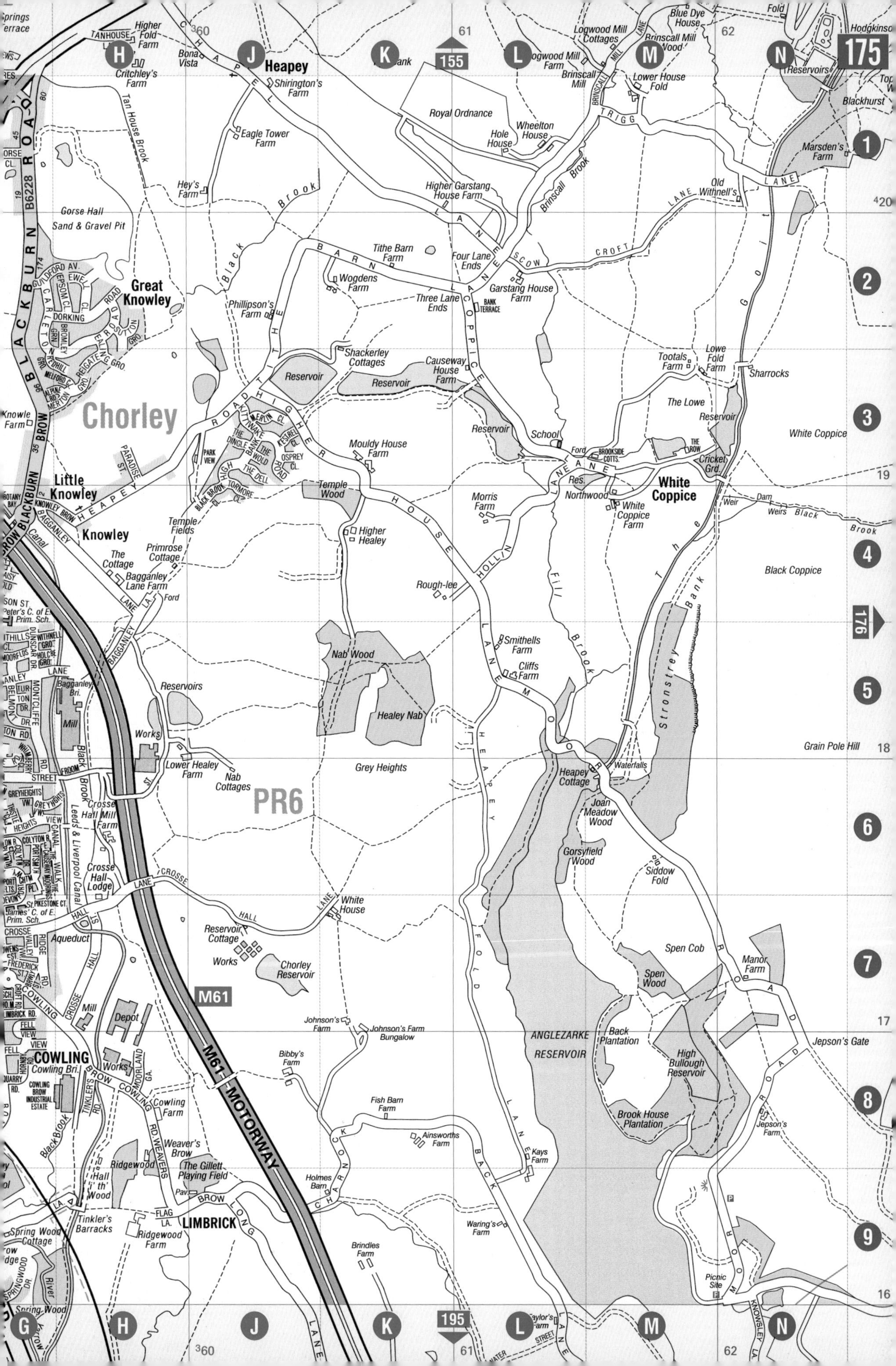

Heapey
Great Knowley
Chorley
Little Knowley
Knowley
White Coppice
PR6
COWLING
LIMBRICK
Royal Ordnance
ANGLEZARKE RESERVOIR
High Bullough Reservoir
Chorley Reservoir
Reservoir
Reservoirs
M61 MOTORWAY
M61
BLACKBURN ROAD B6228
BLACKBURN BROW
Shirington's Farm
Eagle Tower Farm
Hey's Farm
Gorse Hall Sand & Gravel Pit
Tithe Barn Farm
Wogdens Farm
Three Lane Ends
Four Lane Ends
Garstang House Farm
Higher Garstang House Farm
Hole House
Wheelton House
Brinscall Mill
Lower House Fold
Logwood Mill Cottages
Blue Dye House
Brinscall Mill Wood
Marsden's Farm
Blackhurst
Old Withnell's
Tootals Farm
Lowe Fold Farm
Sharrocks
The Lowe
White Coppice
Cricket Grd.
Northwood
White Coppice Farm
Morris Farm
Mouldy House Farm
Temple Wood
Higher Healey
Rough-lee
Smithells Farm
Cliffs Farm
Nab Wood
Healey Nab
Grey Heights
Heapey Cottage
Waterfalls
Joan Meadow Wood
Gorsyfield Wood
Siddow Fold
Spen Cob
Spen Wood
Manor Farm
Back Plantation
Brook House Plantation
Jepson's Gate
Jepson's Farm
Grain Pole Hill
Black Coppice
Stronstrey Bank
Picnic Site
Kays Farm
Waring's Farm
Brindles Farm
Fish Barn Farm
Ainsworths Farm
Holmes Barn
Johnson's Farm
Johnson's Farm Bungalow
Bibby's Farm
White House
Reservoir Cottage
Works
Lower Healey Farm
Nab Cottages
Crosse Hall Mill Farm
Crosse Hall Lodge
Aqueduct
Leeds & Liverpool Canal
Bagganley Bri.
Mill
Depot
Cowling Bri.
Cowling Farm
Weaver's Brow
The Gillett Playing Field
Ridgewood
Ridgewood Farm
Hall i' th' Wood
Tinkler's Barracks
Spring Wood Cottage
Spring Wood
Bagganley Lane Farm
The Cottage
Primrose Cottage
Temple Fields
Phillipson's Farm
Shackerley Cottages
Causeway House Farm
Critchley's Farm
Higher Fold Farm
Bona Vista
Knowle Farm
School
Ford
Weir
Dam
Weirs
Black Brook
Brinscall Brook
Fill Brook
Tan House Brook
The Goit
HEAPEY ROAD
HIGHER HOUSE LANE
TITHE BARN LANE
COPPICE LANE
HOLLIN LANE
MOOR ROAD
HEAPEY FOLD LANE
BACK LANE
CHARNOCK
CROSSE HALL LANE
JEPSON'S GATE ROAD
TRIGG LANE
CROFT LANE
SCOW
KNOWSLEY LA.
LONG LANE
LIMBRICK BROW
COWLING BROW
TINKLER'S RD.
WEAVERS RD.
FLAG LA.
BAGGANLEY LA.
FROOM STREET
CHAPEL LANE
BRINSCALL MILL LANE
BANK TERRACE
BROOKSIDE COTTS.
THE ROW
Res.
Chorley
COWLING BROW INDUSTRIAL ESTATE
St. Peter's C. of E. Prim. Sch.
St. James' C. of E. Prim. Sch.
Taylor's Farm
WATER STREET
Springs Terrace
Hodgkinson
Fold
Fir Bank
Logwood Mill Farm
155
195
176
175
H J K L M N G
1 2 3 4 5 6 7 8 9
360 61 62
420 19 18 17 16

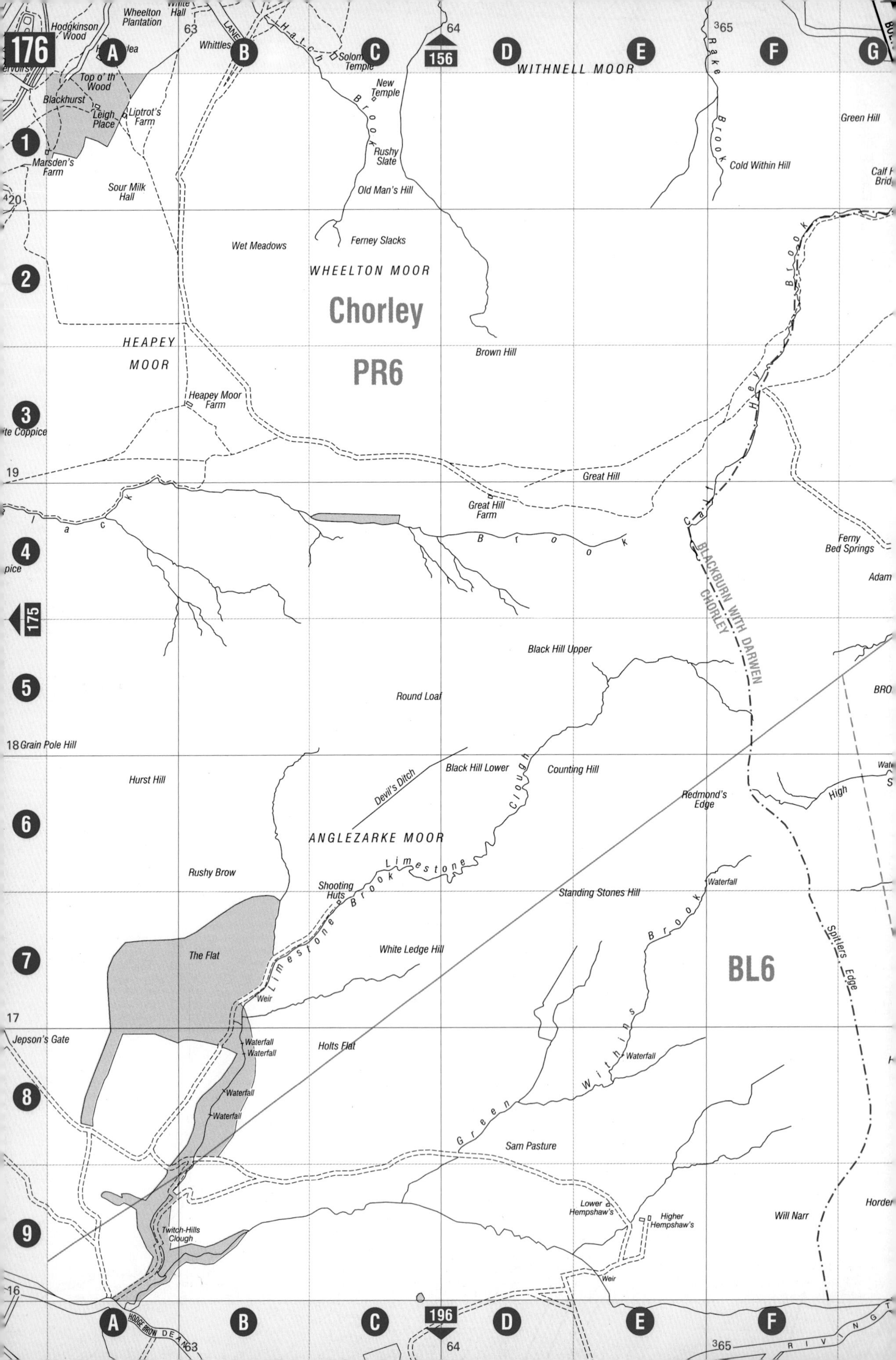

176

A · B · C · **156** · D · E · F · G

1
Hodgkinson Wood
Top o' th' Wood
Blackhurst
Leigh Place
Liptrot's Farm
White Hall
Wheelton Plantation
63
Whittles
Solom Temple
New Temple
365
Green Hill
Cold Within Hill
Calf F Brid

Reservoirs
Marsden's Farm
Sour Milk Hall
420
Rushy Slate
Old Man's Hill

2
Wet Meadows
Ferney Slacks
WHEELTON MOOR
Chorley

PR6
Brown Hill

HEAPEY
MOOR

3
Heapey Moor Farm
te Coppice
19
Great Hill
Great Hill Farm

4
pice
c k
a
l
B r o o k
Ferny Bed Springs
Adam

175

5
Black Hill Upper
Round Loaf
BLACKBURN WITH DARWEN
CHORLEY
BRO

18 Grain Pole Hill
Hurst Hill
Devil's Ditch
Black Hill Lower
Counting Hill
Redmond's Edge
High
Wate S

6
ANGLEZARKE MOOR
Rushy Brow
Shooting Huts
Limestone Brook
Clough
Standing Stones Hill
Waterfall
Spillers Edge

7
The Flat
White Ledge Hill
Green Withins Brook
BL6

17
Weir

Jepson's Gate
Waterfall
Waterfall
Holts Flat
Waterfall

8
Waterfall
Waterfall
Sam Pasture
Waterfall

9
Twitch-Hills Clough
Lower Hempshaw's
Higher Hempshaw's
Will Narr
Horder
Weir

16
HODGE BROW DEAN
63
A · B · C · **196** · D · E · F
64
365
RIVINGT

WITHNELL MOOR

Rake Brook
Brook
Hey Brook

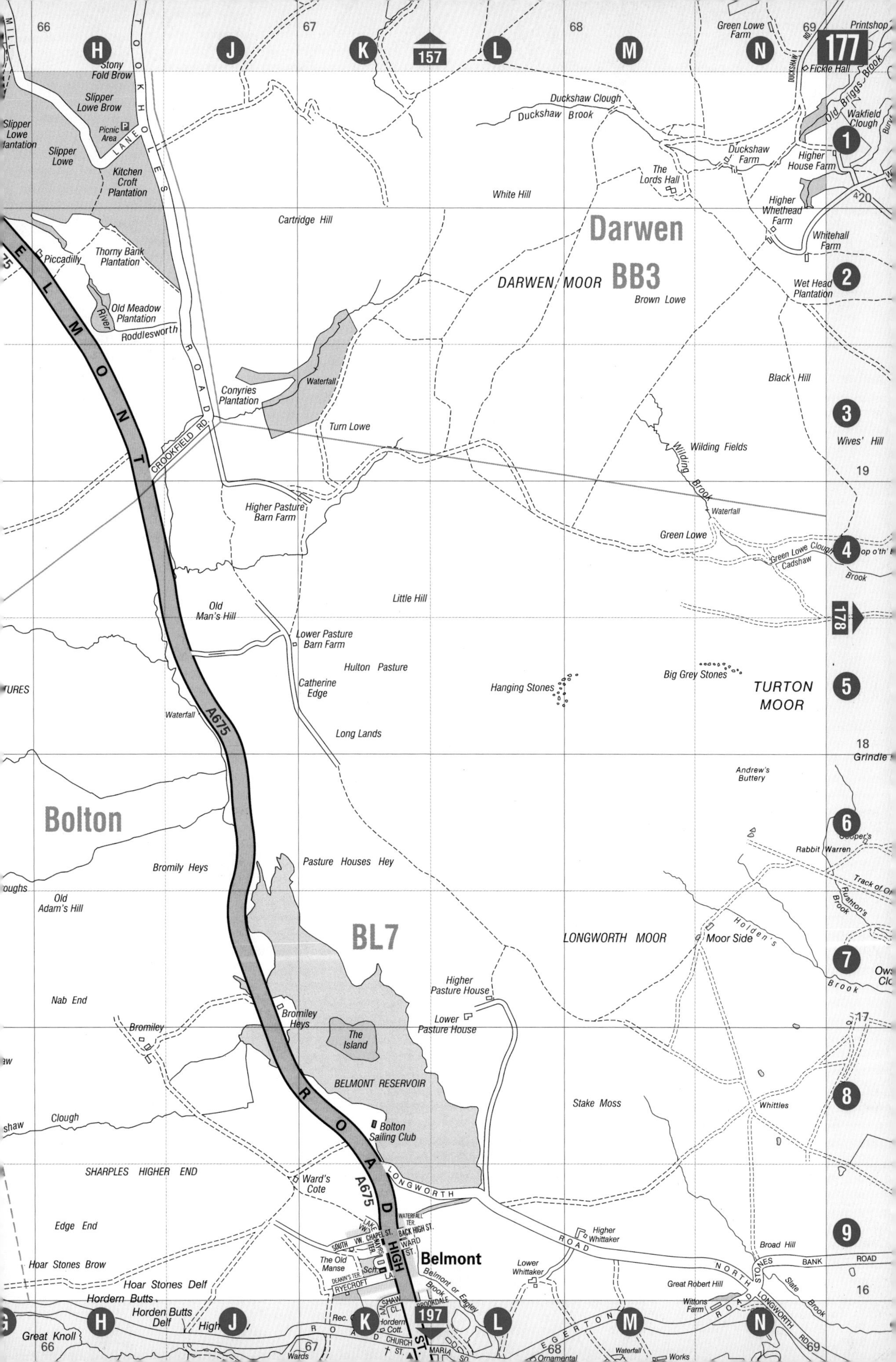

66 67 68 69

H J K L M N

157

177

Printshop

Green Lowe Farm

Fickle Hall

1

Stony Fold Brow

Slipper Lowe Brow

Slipper Lowe Plantation

Slipper Lowe

Picnic Area

Kitchen Croft Plantation

Duckshaw Clough

Duckshaw Brook

Wakfield Clough

Higher House Farm

20

White Hill

The Lords Hall

Higher Whethead Farm

Whitehall Farm

Cartridge Hill

Darwen

BB3

DARWEN MOOR

Brown Lowe

Wet Head Plantation

2

Thorny Bank Plantation

Old Meadow Plantation

Roddlesworth

Black Hill

3

Conyries Plantation

Waterfall

Wives' Hill

19

Turn Lowe

Wilding Fields

Higher Pasture Barn Farm

Waterfall

Green Lowe

4

Green Lowe Clough

Cadshaw

Top o'th'

Brook

Old Man's Hill

Little Hill

Lower Pasture Barn Farm

Hulton Pasture

Catherine Edge

Waterfall

Long Lands

Hanging Stones

Big Grey Stones

TURTON MOOR

5

18

Grindle

Andrew's Buttery

6

Bolton

Bromily Heys

Old Adam's Hill

oughs

Cooper's

Rabbit Warren

Track of Gr

Rishton's

Brook

Pasture Houses Hey

BL7

LONGWORTH MOOR

Moor Side

Holden's

7

17

Ows

Clo

Brook

Nab End

Bromiley

Bromiley Heys

The Island

Higher Pasture House

Lower Pasture House

BELMONT RESERVOIR

Bolton Sailing Club

Stake Moss

Whittles

8

Clough

shaw

Clough

SHARPLES HIGHER END

Ward's Cote

Edge End

Hoar Stones Brow

Hoar Stones Delf

Hordern Butts

Horden Butts Delf

The Old Manse

RYECROFT

Belmont

Belmont or Eagley

Brook

197

Higher Whittaker

Lower Whittaker

Higher Broad Hill

9

Great Robert Hill

Wittons Farm

Slate

16

Great Knoll

G H J K L M N

66 67 68 69

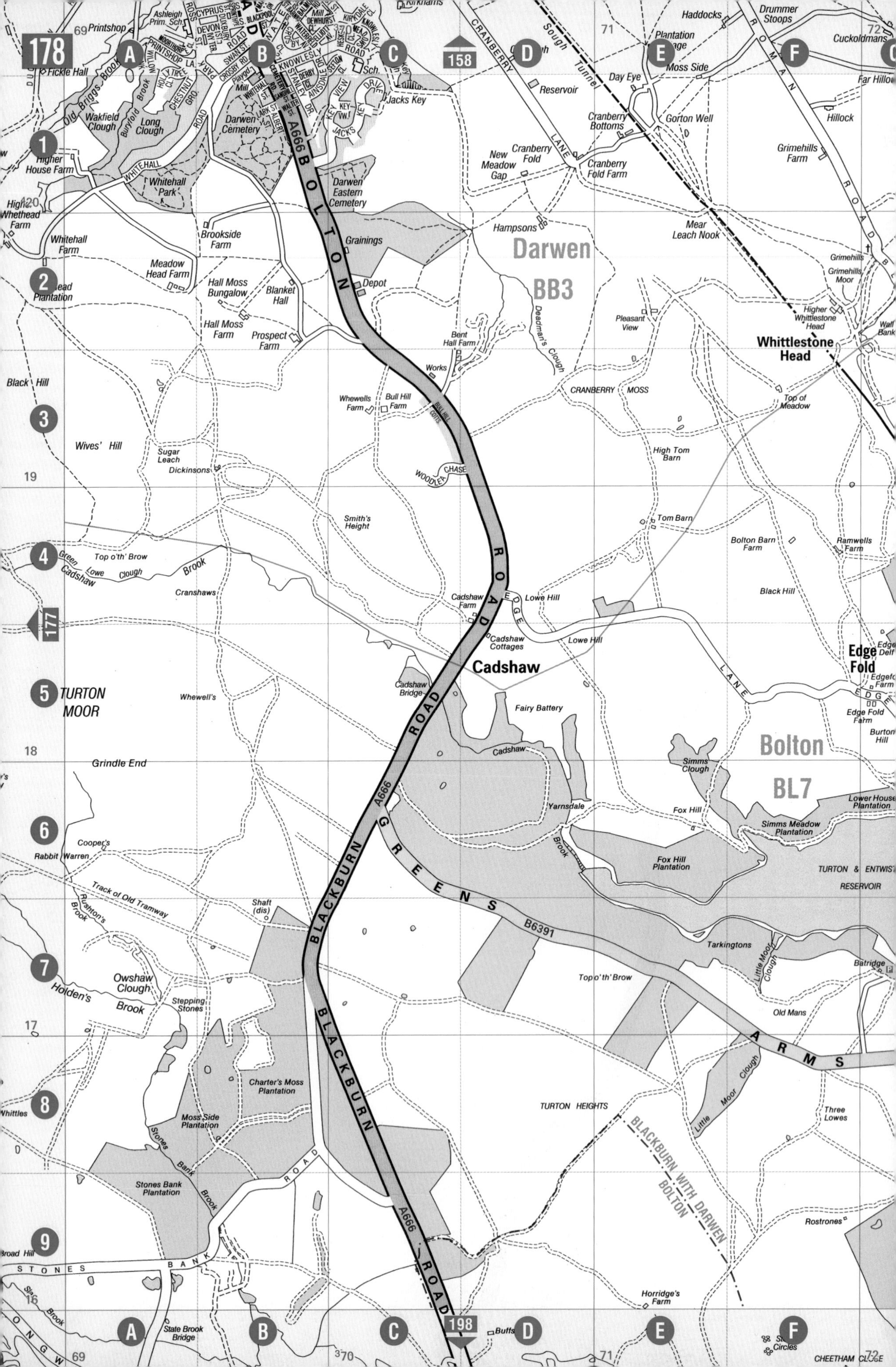

158
177
198
Darwen
BB3
Bolton
BL7
Cadshaw
Whittlestone Head
Edge Fold
TURTON MOOR
BOLTON ROAD
BLACKBURN ROAD
A666
GREENS ARMS
B6391
Darwen Cemetery
Darwen Eastern Cemetery
Whitehall Park
Wakfield Clough
Long Clough
Higher House Farm
Whitehall Farm
Meadow Head Farm
Brookside Farm
Hall Moss Bungalow
Hall Moss Farm
Blanket Hall
Prospect Farm
Grainings
Depot
Works
Bent Hall Farm
Whewells Farm
Bull Hill Farm
Woodlea Chase
Jacks Key
Reservoir
Cranberry Bottoms
Cranberry Fold
Cranberry Fold Farm
New Meadow Gap
Hampsons
Mear Leach Nook
Cranberry Lane
Sough Tunnel
Plantation Cottage
Moss Side
Day Eye
Gorton Well
Haddocks
Drummer Stoops
Cuckoldmans
Far Hillock
Hillock
Grimehills Farm
Grimehills Moor
Higher Whittlestone Head
Roman Road
Pleasant View
Deadman's Clough
Cranberry Moss
Top of Meadow
High Tom Barn
Tom Barn
Bolton Barn Farm
Ramwells Farm
Black Hill
Lowe Hill
Edge Lane
Cadshaw Farm
Cadshaw Cottages
Cadshaw Bridge
Fairy Battery
Simms Clough
Yarnsdale Brook
Fox Hill
Fox Hill Plantation
Simms Meadow Plantation
Lower House Plantation
TURTON & ENTWISTLE RESERVOIR
Tarkingtons
Little Moor Clough
Batridge
Top o'th' Brow
Old Mans
TURTON HEIGHTS
Three Lowes
Rostrones
Horridge's Farm
Buffs
Stone Circles
CHEETHAM CLOSE
BLACKBURN WITH DARWEN
BOLTON
Black Hill
Wives' Hill
Sugar Leach
Dickinsons
Smith's Height
Top o'th' Brow
Green Lowe Clough
Cadshaw Brook
Cranshaws
Whewell's
Grindle End
Cooper's
Rabbit Warren
Track of Old Tramway
Rushton's Brook
Shaft (dis)
Owshaw Clough
Holden's Brook
Stepping Stones
Charter's Moss Plantation
Moss Side Plantation
Stones Bank Plantation
Stones Bank Brook
Stones Bank Road
Broad Hill
State Brook Bridge
Fickle Hall
Printshop
Old Briggs Brook
Ashleigh Prim. Sch.
Knowlesly Road
Crosby Rd.
Swan St.
Sch.
69
70
71
72
16
17
18
19
20

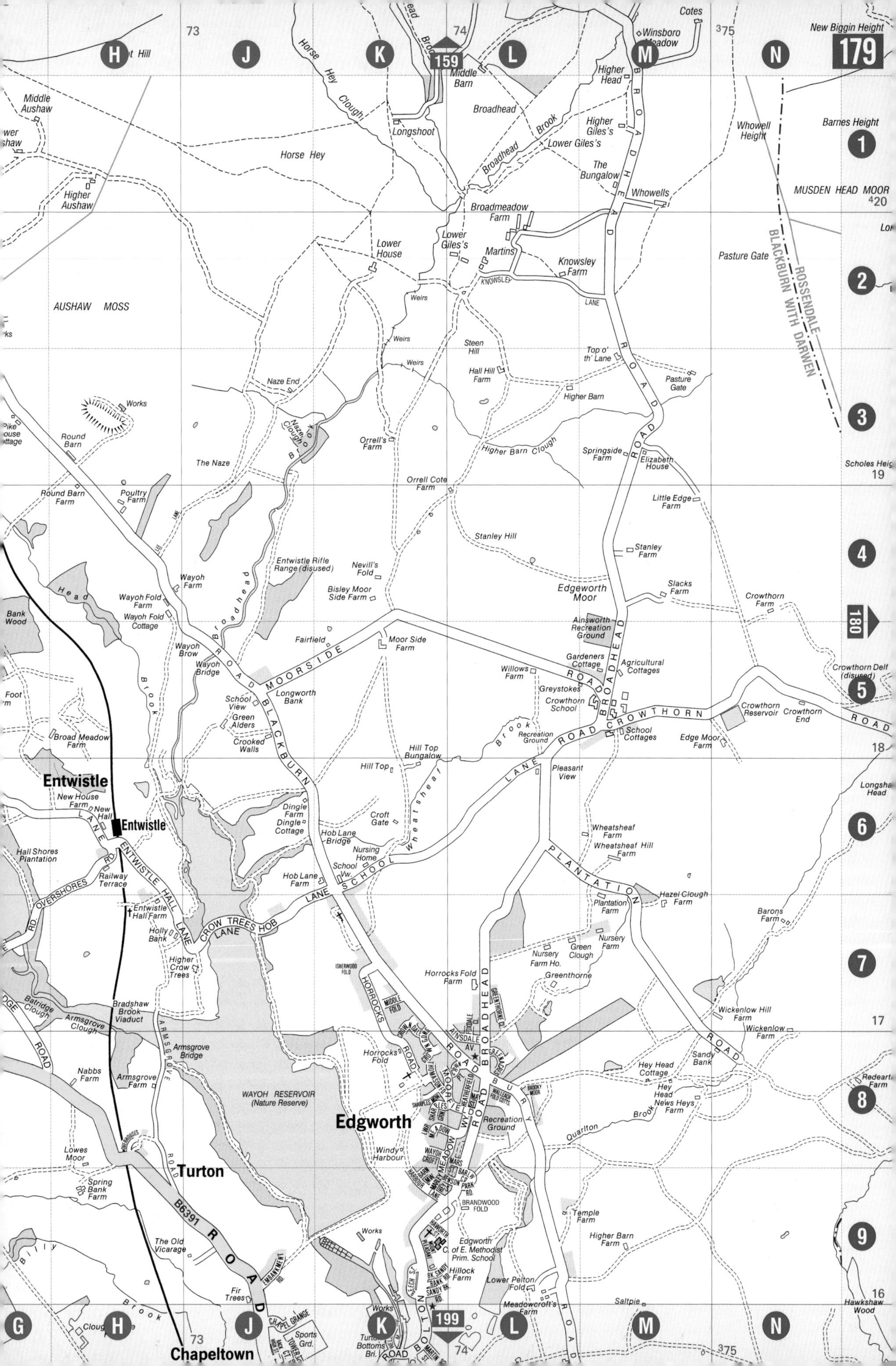
179
New Biggin Height
Cotes
Winsboro Meadow
159
Middle Barn
Broadhead
Higher Head
Higher Giles's
Lower Giles's
The Bungalow
Whowells
Whowell Height
Barnes Height
MUSDEN HEAD MOOR
Horse Hey Clough
Longshoot
Horse Hey
Broadhead Brook
Middle Aushaw
Higher Aushaw
Broadmeadow Farm
Lower House
Lower Giles's
Martins
Knowsley Farm
KNOWSLEY LANE
Pasture Gate
ROSSENDALE
BLACKBURN WITH DARWEN
AUSHAW MOSS
Weirs
Steen Hill
Hall Hill Farm
Top o' th' Lane
Pasture Gate
Higher Barn
Naze End
Works
Round Barn
Naze Clough
Orrell's Farm
Higher Barn Clough
Springside Farm
Elizabeth House
Scholes Height
The Naze
Orrell Cote Farm
Round Barn Farm
Poultry Farm
Little Edge Farm
Stanley Hill
Stanley Farm
Entwistle Rifle Range (disused)
Nevill's Fold
Wayoh Farm
Bisley Moor Side Farm
Slacks Farm
Edgeworth Moor
Crowthorn Farm
Wayoh Fold Farm
Wayoh Fold Cottage
Bank Wood
Head
Broadhead
180
Ainsworth Recreation Ground
Fairfield
Moor Side Farm
Wayoh Brow
Wayoh Bridge
MOORSIDE
Gardeners Cottage
Agricultural Cottages
Willows Farm
Greystokes
Crowthorn Delf (disused)
Longworth Bank
School View
Green Alders
Crooked Walls
Crowthorn School
Crowthorn Reservoir
Crowthorn End
CROWTHORN ROAD
School Cottages
Edge Moor Farm
Broad Meadow Farm
Recreation Ground
Hill Top Bungalow
Hill Top
Pleasant View
Longshaw Head
Entwistle
New House Farm
New Hall
Dingle Farm
Dingle Cottage
Croft Gate
Wheatsheaf
Wheatsheaf Farm
Wheatsheaf Hill Farm
Hall Shores Plantation
OVERSHORES RD
Railway Terrace
ENTWISTLE HALL LANE
Hob Lane Bridge
Nursing Home
School Vw.
Hob Lane Farm
SCHOOL LANE
PLANTATION ROAD
Hazel Clough Farm
Entwistle Hall Farm
Holly Bank
CROW TREES LANE
HOB LANE
Plantation Farm
Nursery Farm
Green Clough
Nursery Farm Ho.
Barons Farm
Higher Crow Trees
ISHERWOOD FOLD
HORROCKS FOLD
MIDDLE FOLD
Horrocks Fold Farm
Greenthorne
Batridge Clough
Bradshaw Brook Viaduct
Armsgrove Clough
ARMSGROVE
Armsgrove Bridge
AINSDALE AV.
BROADHEAD
Wickenlow Hill Farm
Wickenlow Farm
Nabbs Farm
Armsgrove Farm
Horrocks Fold
MOORSIDE ROAD
Hey Head Cottage
Sandy Bank
Redearth Farm
Hey Head
News Heys Farm
WAYOH RESERVOIR (Nature Reserve)
Edgworth
Recreation Ground
Quarlton
Brook
Lowes Moor
Windy Harbour
Turton
Spring Bank Farm
B6391 ROAD
BRANDWOOD FOLD
Temple Farm
Higher Barn Farm
The Old Vicarage
Works
Edgworth C. of E. Methodist Prim. School
Hillock Farm
Lower Pelton Fold
Fir Trees
Meadowcroft's Farm
Saltpie
Hawkshaw Wood
Billy Brook
CHAPEL GRANGE
Sports Grd.
Works
Turton Bottoms Bri.
BOLTON ROAD
199
Chapeltown
H J K L M N G
1 2 3 4 5 6 7 8 9
73 74 375
420 19 18 17 16

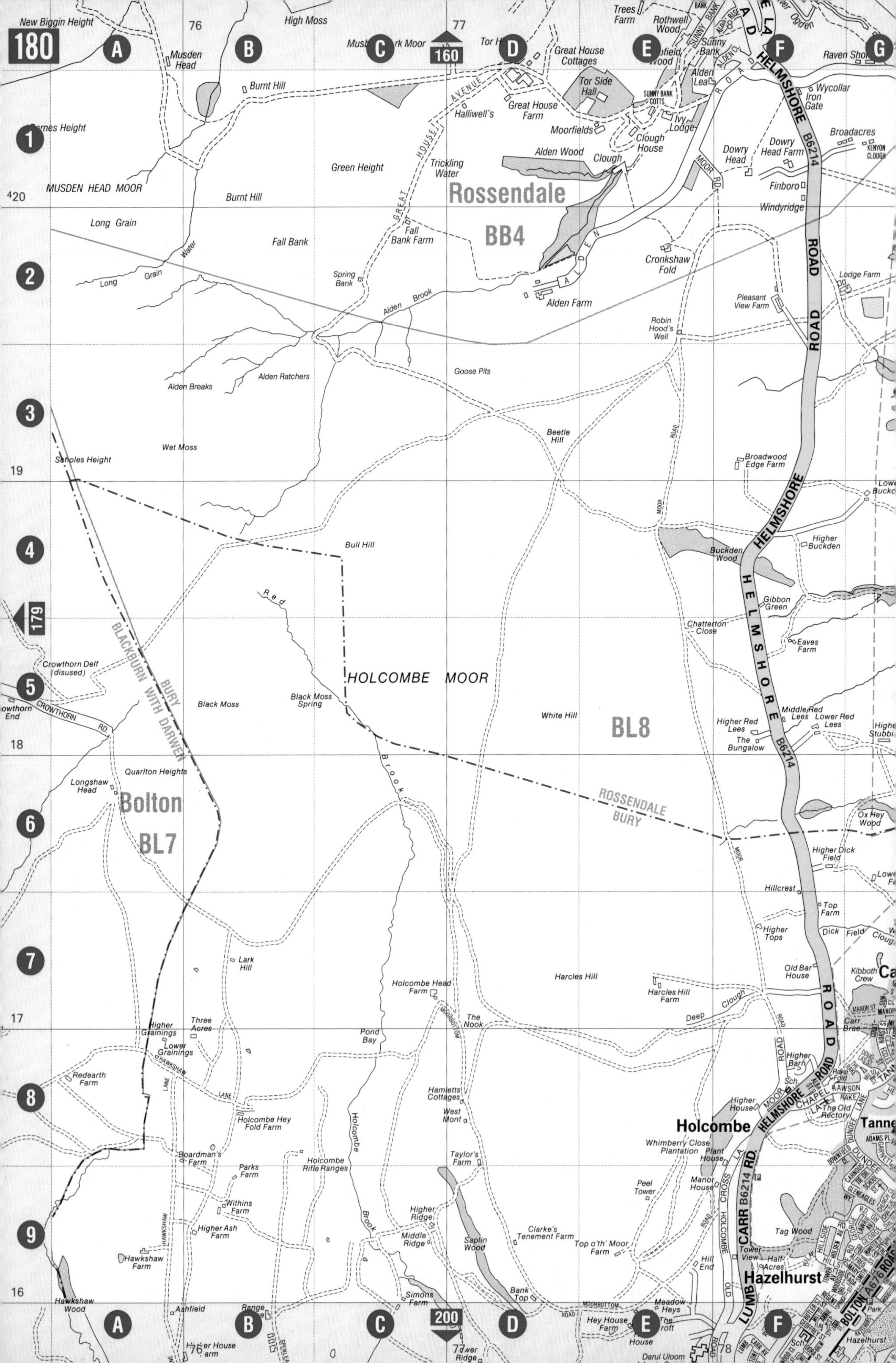

180
New Biggin Height
High Moss
Musden Head
Burnt Hill
Tor Side Hall
Great House Cottages
Great House Farm
Halliwell's
GREAT HOUSE AVENUE
Trees Farm
Rothwell Wood
Sunny Bank
Alden Lea
Ivy Lodge
Clough House
Moorfields
Alden Wood
Clough
Wycollar
Iron Gate
Raven Shore
Broadacres
Dowry Head
Dowry Head Farm
Finboro
Windyridge
160
Barnes Height
MUSDEN HEAD MOOR
Green Height
Trickling Water
Rossendale
BB4
Burnt Hill
Long Grain
Fall Bank
Fall Bank Farm
Long Grain Water
Spring Bank
Alden Brook
Alden Farm
Cronkshaw Fold
Lodge Farm
Pleasant View Farm
Robin Hood's Well
Alden Breaks
Alden Ratchers
Goose Pits
HELMSHORE ROAD
B6214
Wet Moss
Scholes Height
Beetle Hill
Broadwood Edge Farm
Bull Hill
Buckden Wood
Higher Buckden
Gibbon Green
Chatterton Close
Eaves Farm
179
Red Brook
Crowthorn Delf (disused)
CROWTHORN RD
HOLCOMBE MOOR
BLACKBURN WITH DARWEN
BURY
Black Moss
Black Moss Spring
White Hill
BL8
Higher Red Lees
Middle Red Lees
Lower Red Lees
The Bungalow
Quarlton Heights
Longshaw Head
Bolton
BL7
ROSSENDALE
BURY
Ox Hey Wood
Higher Dick Field
Hillcrest
Top Farm
Higher Tops
Dick Field
Lark Hill
Harcles Hill
Harcles Hill Farm
Old Bar House
Kibboth Crew
Holcombe Head Farm
Deep Clough
Higher Grainings
Lower Grainings
Three Acres
The Nook
Pond Bay
Redearth Farm
HAWKSHAW LANE
Holcombe Hey Fold Farm
Hamletts Cottages
West Mont
Higher Barn
Higher House
The Old Rectory
Holcombe
Whimberry Close Plantation
Plant House
Boardman's Farm
Holcombe Rifle Ranges
Parks Farm
Taylor's Farm
Withins Farm
Higher Ash Farm
Peel Tower
Manor House
Higher Ridge
Middle Ridge
Saplin Wood
Clarke's Tenement Farm
Top o'th' Moor Farm
Tag Wood
Tower View
Half Acres
Hawkshaw Farm
Hill End
Hazelhurst
Holcombe Brook
Hawkshaw Wood
Ashfield
Range
Simons Farm
Bank Top
MOORBOTTOM ROAD
Meadow Heys
Hey House Farm
HOLCOMBE OLD ROAD
CARR B6214 RD.
LUMB
BOLTON ROAD A676
200
Darul Uloom
420
19
18
17
16
76
77
78
A
B
C
D
E
F
G
1
2
3
4
5
6
7
8
9

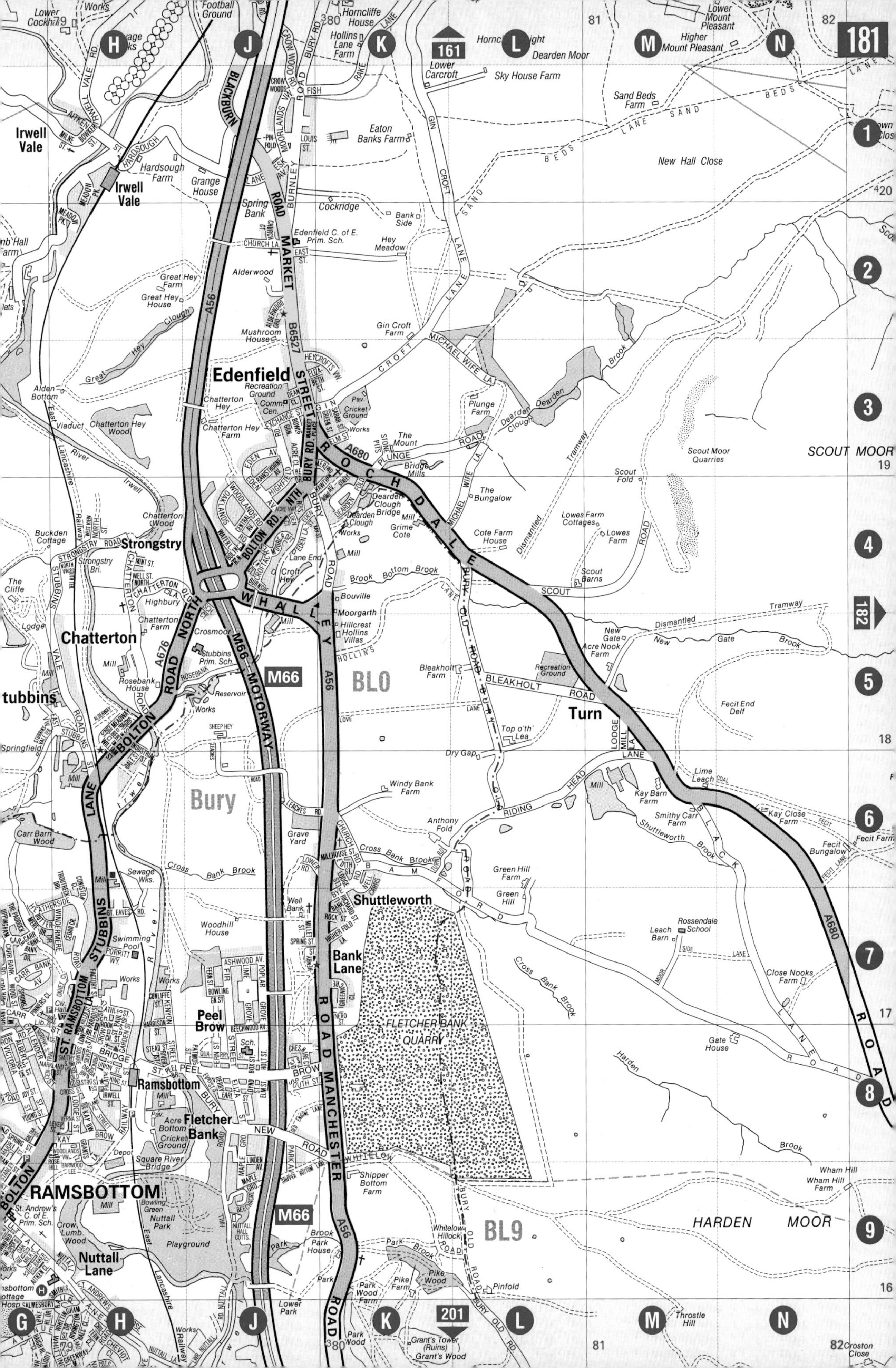

Irwell Vale
Edenfield
Strongstry
Chatterton
Turn
Shuttleworth
Bank Lane
Peel Brow
Fletcher Bank
RAMSBOTTOM
Nuttall Lane
Ramsbottom
BL0
BL9
Bury
M66
A56
A680
A676
B6527
SCOUT MOOR
HARDEN MOOR
FLETCHER BANK QUARRY
Scout Moor Quarries
New Hall Close
Eaton Banks Farm
Sky House Farm
Dearden Moor
Higher Mount Pleasant
Lower Mount Pleasant
Sand Beds Farm
Hardsough Farm
Grange House
Cockridge
Edenfield C. of E. Prim. Sch.
Great Hey Farm
Great Hey House
Mushroom House
Gin Croft Farm
Chatterton Hey
Chatterton Hey Wood
Chatterton Hey Farm
Plunge Farm
The Mount
Bridge Mills
The Bungalow
Cote Farm House
Lowes Farm Cottages
Lowes Farm
Scout Barns
Bleakholt Farm
Recreation Ground
Fecit End Delf
Top o'th' Lea
Dry Gap
Windy Bank Farm
Anthony Fold
Kay Barn Farm
Smithy Carr Farm
Kay Close Farm
Fecit Bungalow
Green Hill Farm
Rossendale School
Leach Barn
Close Nooks Farm
Gate House
Wham Hill Farm
Whitelow Hillock
Pike Wood
Pinfold
Park Wood Farm
Park Fold Farm
Grant's Tower (Ruins)
Grant's Wood
Throstle Hill
Lower Park
Brook Park House
Shipper Bottom Farm
Woodhill House
Stubbins Prim. Sch.
Crosmoor
Rosebank House
Chatterton Farm
Highbury
Buckden Cottage
Carr Barn Wood
Swimming Pool
Square River Bridge
Acre Bottom Cricket Ground
Nuttall Park
Playground
Crow Lumb Wood
St. Andrew's C. of E. Prim. Sch.

161
182
201

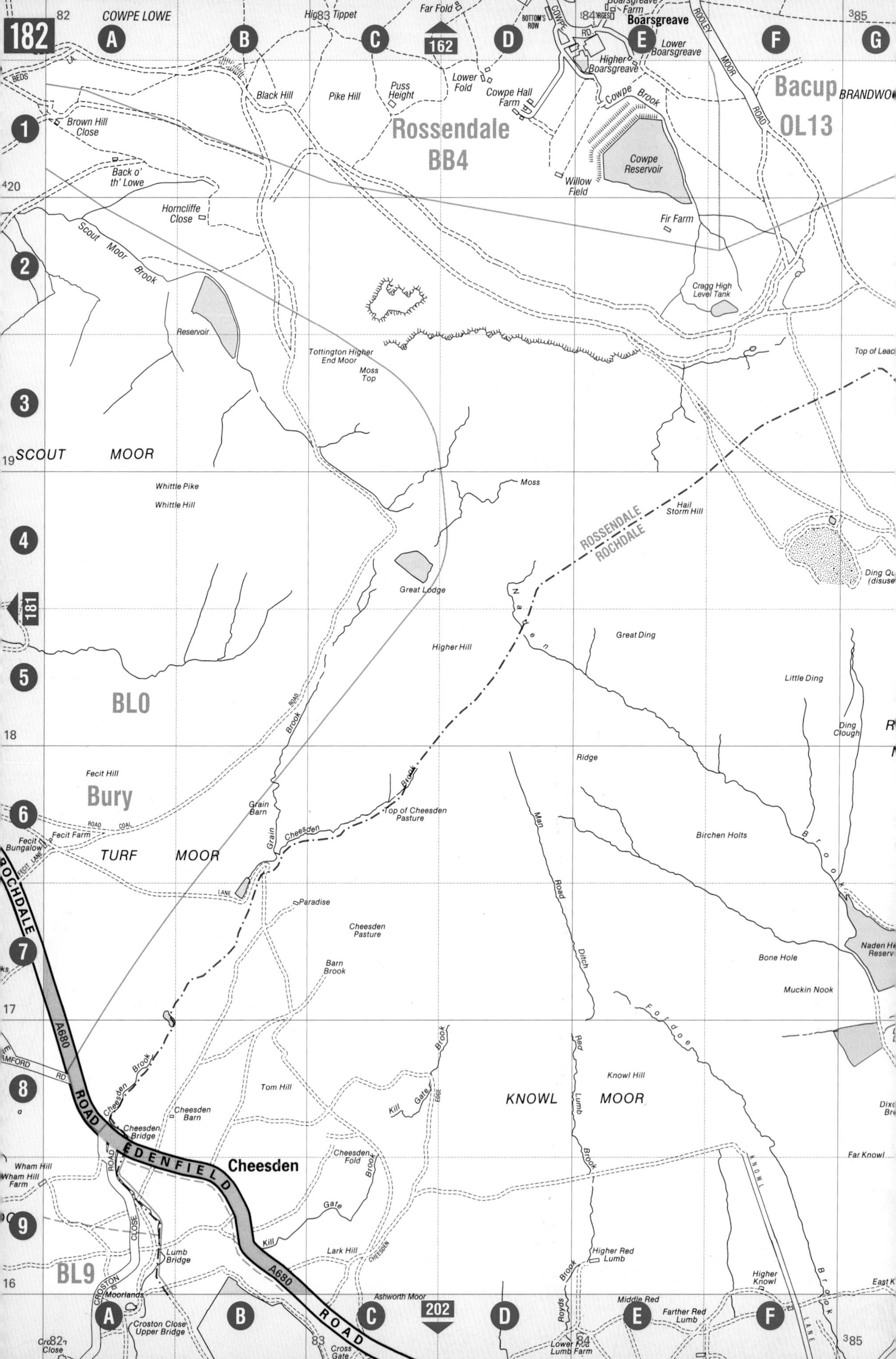

A   B   C   162   D   E   F   G

Rossendale BB4

Bacup OL13 BRANDWO

COWPE LOWE   Hig83 Tippet   Far Fold   Bottom's Row   84 ARGEST   Boarsgreave Farm   ROOLEY   385

82   385

1 Brown Hill Close   Black Hill   Pike Hill   Puss Height   Lower Fold   Lower Fold   Cowpe Hall Farm   Higher Boarsgreave   Boarsgreave   Lower Boarsgreave   Cowpe Brook

420   Back o' th' Lowe   Horncliffe Close   Willow Field   Cowpe Reservoir

2   Scout Moor Brook   Reservoir   Fir Farm   Cragg High Level Tank

Tottington Higher End Moor   Moss Top   Top of Leac

3   SCOUT   MOOR   Moss   ROSSENDALE   Hail Storm Hill

19

Whittle Pike   Whittle Hill   ROCHDALE   Ding Q (disuse

4   Great Lodge   Higher Hill   Great Ding

181   Little Ding

5   BLO   Ding Clough   R

18   Ridge

Fecit Hill   **Bury**   Grain Barn   Top of Cheesden Pasture   Birchen Holts

6   Fecit Farm   ROAD   COAL   Grain   Cheesden   Naden H Reserv

Fecit Bungalow   TURF   MOOR   LANE   Bone Hole   Muckin Nook

ROCHDALE   Paradise   Cheesden Pasture

7   Barn Brook   Ditch   A680   Brook

17

CAMFORD   RD   Cheesden Brook   Tom Hill   Kill Gate   EDGE   Knowl Hill   Dixo Bre

8   Cheesden Barn   KNOWL   MOOR   Far Knowl

Wham Hill   Wham Hill Farm   Cheesden Bridge   EDENFIELD   **Cheesden**   Cheesden Fold   Brook   Lumb Brook   Red Brook

9   BL9   CLOSE   Gate   Lark Hill   Kill   Higher Red Lumb   Higher Knowl

16   Lumb Bridge   CROSTON   Moorlands   Ashworth Moor   202   Middle Red   Farther Red Lumb

A   Croston Close Upper Bridge   B   A680   ROAD   C   D   Royds Brook   E   Lower R Lumb Farm   F

Cro82n Close   83   Cross Gate   385

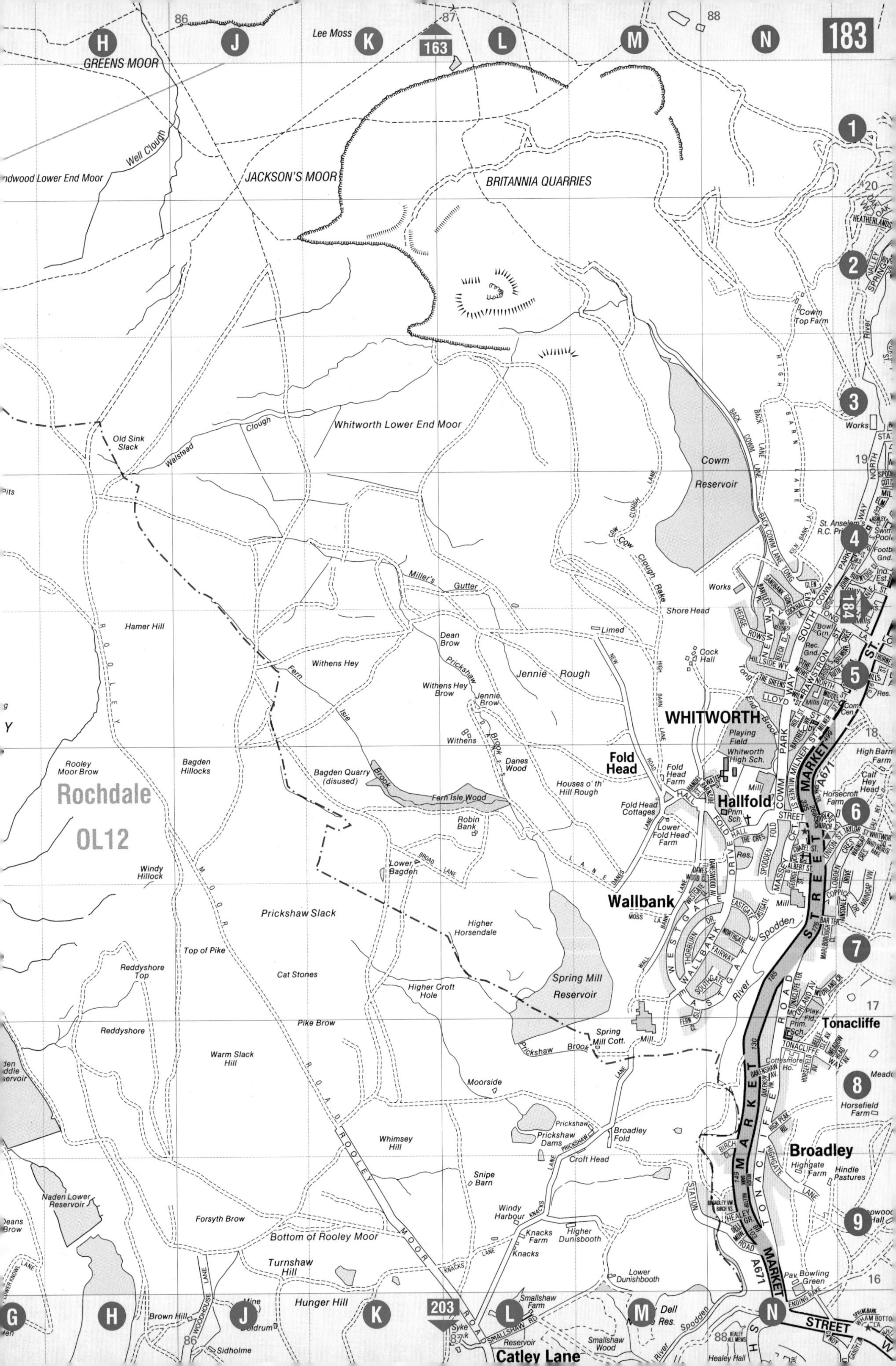

GREENS MOOR
Lee Moss
JACKSON'S MOOR
BRITANNIA QUARRIES
Whitworth Lower End Moor
Cowm Reservoir
Miller's Gutter
Hamer Hill
Withens Hey
Jennie Rough
WHITWORTH
Fold Head
Hallfold
Rochdale OL12
Bagden Hillocks
Rooley Moor Brow
Bagden Quarry (disused)
Fern Isle Wood
Wallbank
Prickshaw Slack
Higher Horsendale
Spring Mill Reservoir
Top of Pike
Reddyshore Top
Cat Stones
Tonacliffe
Reddyshore
Warm Slack Hill
Pike Brow
Moorside
Prickshaw Dams
Broadley Fold
Croft Head
Broadley
Whimsey Hill
Snipe Barn
Naden Lower Reservoir
Forsyth Brow
Windy Harbour
Knacks Farm
Higher Dunisbooth
Bottom of Rooley Moor
Turnshaw Hill
Lower Dunishbooth
Hunger Hill
Brown Hill
Smallshaw Farm
Dell Res.
Smallshaw Wood
Catley Lane
Sidholme
MARKET STREET
A671
ROOLEY MOOR ROAD
163
184
203

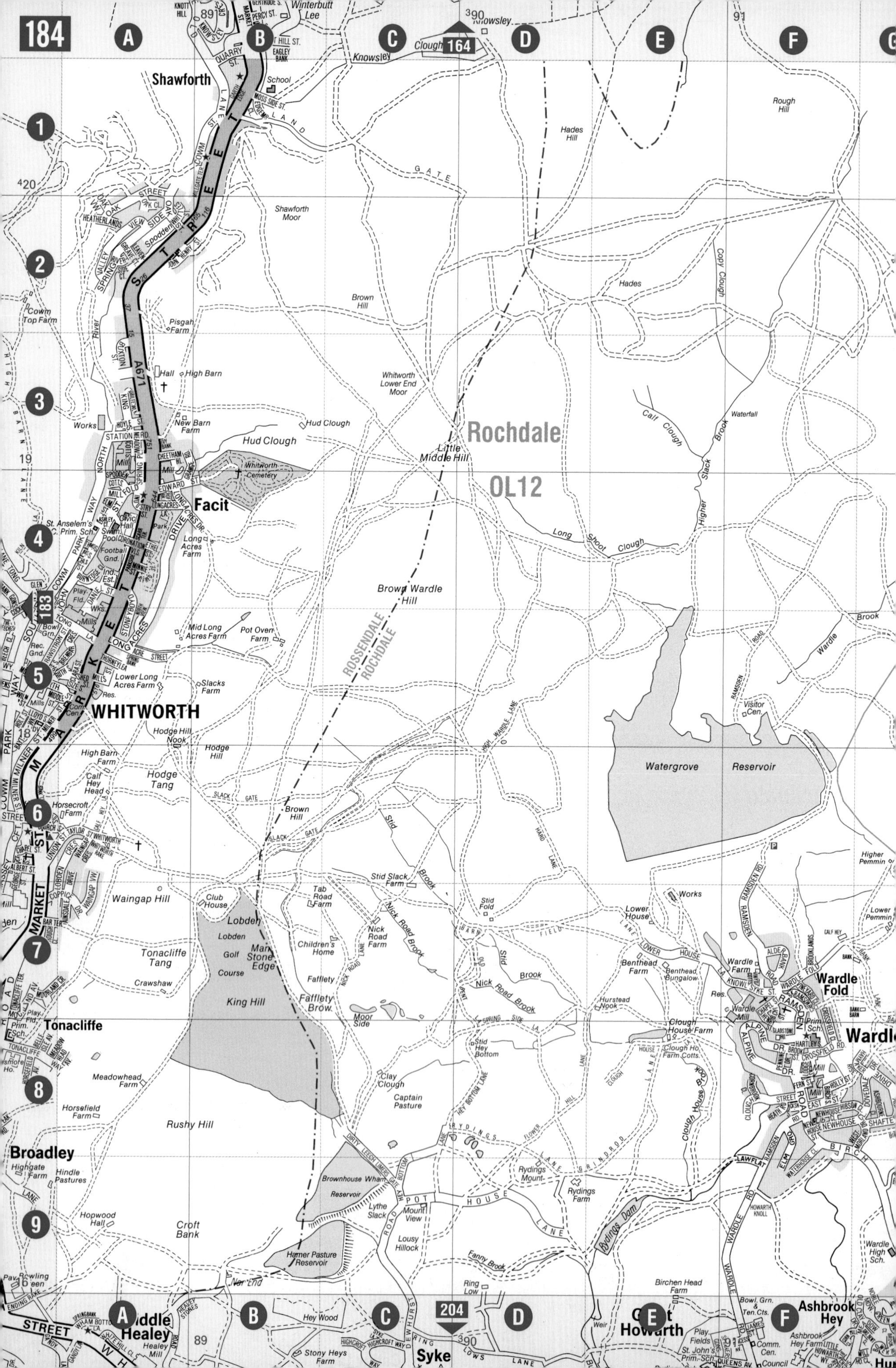
Shawforth
Winterbutt Lee
Knowsley
Clough
164
School
Rough Hill
Hades Hill
Shawforth Moor
Hades
Brown Hill
Cowm Top Farm
Pisgah Farm
High Barn
Whitworth Lower End Moor
A671
Works
New Barn Farm
Hud Clough
Rochdale
Little Middle Hill
Whitworth Cemetery
OL12
Facit
Calf Clough
Waterfall
Slack Brook
Long Shoot Clough
St. Anselem's C. Prim. Sch.
Long Acres Farm
Brown Wardle Hill
183
Mid Long Acres Farm
Pot Oven Farm
ROSSENDALE
ROCHDALE
Lower Long Acres Farm
Slacks Farm
WHITWORTH
Visitor Cen.
Hodge Hill Nook
Hodge Hill
High Barn Farm
Hodge Tang
Calf Hey Head
Watergrove Reservoir
Horsecroft Farm
Brown Hill
Stid Slack Farm
Higher Pemmin
Waingap Hill
Club House
Tab Road Farm
Nick Road Farm
Stid Fold
Lower House
Works
Lower Pemmin
Lobden
Lobden Golf Course
Man Stone Edge
Tonacliffe Tang
Children's Home
Benthead Farm
Benthead Bungalow
Wardle Farm
Wardle Fold
Crawshaw
Fafflety
King Hill
Fafflety Brow
Nick Road Brook
Hurstead Nook
Tonacliffe
Moor Side
Clough House Farm
Wardle
Stid Hey Bottom
Clough Ho. Farm Cotts.
Meadowhead Farm
Clay Clough
Captain Pasture
Horsefield Farm
Rushy Hill
Broadley
Highgate Farm
Hindle Pastures
Brownhouse Wham Reservoir
Rydings Mount
Rydings Farm
Lythe Slack
Mount View
Rydings Dam
Hopwood Hall
Croft Bank
Lousy Hillock
Hamer Pasture Reservoir
Fanny Brook
Wardle High Sch.
Ring Low
Birchen Head Farm
Bowl. Grn. & Ten. Cts.
Ashbrook Hey
Middle Healey
Hey Wood
204
Great Howarth
Syke
Stony Heys Farm
Weir
Play. Fields
St. John's Prim. Sch.
Comm. Cen.
Council
Ashbrook Hey Farm

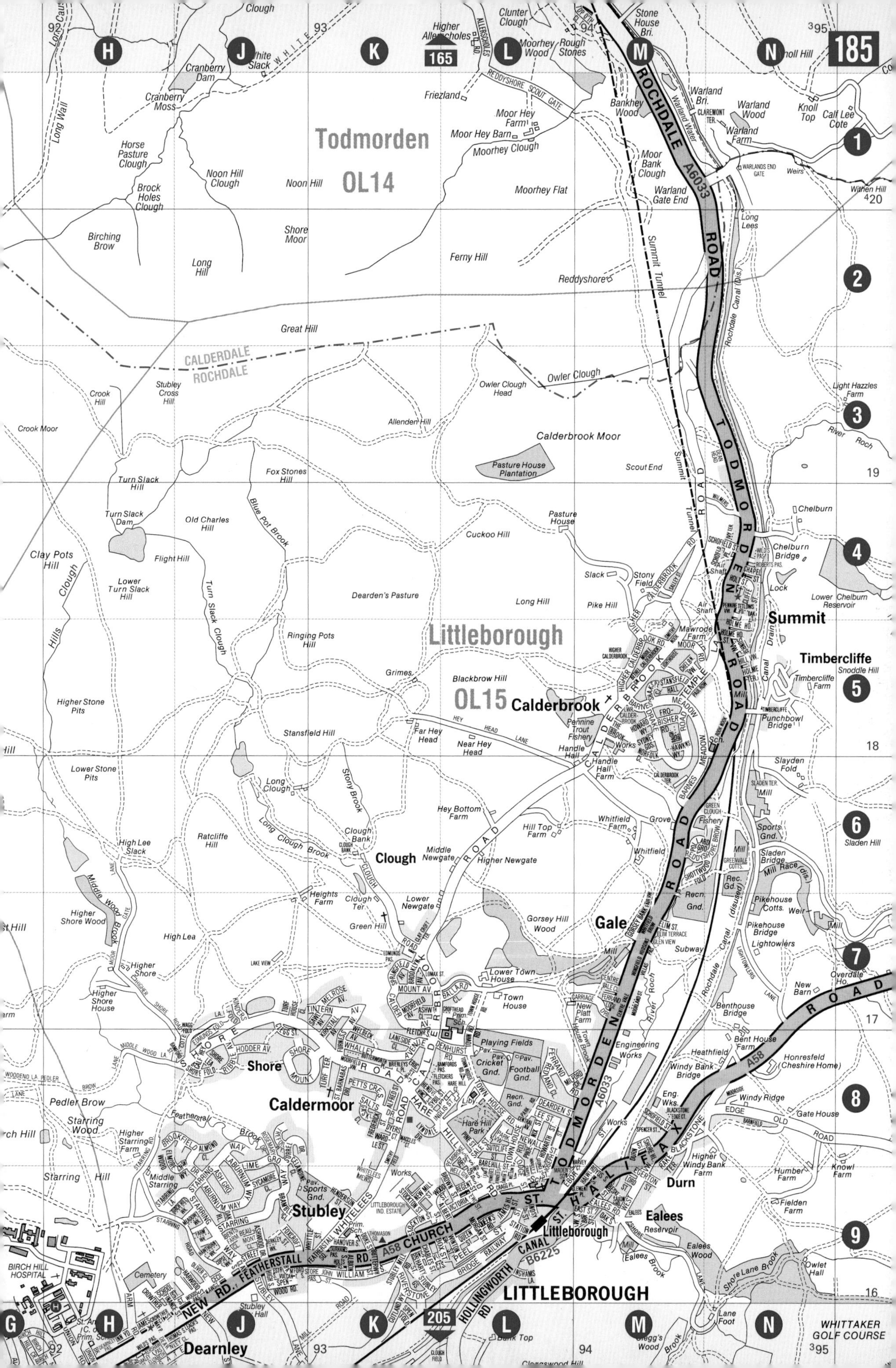
165
Todmorden
OL14
Littleborough
OL15
CALDERDALE
ROCHDALE
ROCHDALE ROAD
A6033
TODMORDEN ROAD
Summit
Timbercliffe
Calderbrook
Clough
Gale
Shore
Caldermoor
Stubley
Durn
Ealees
Littleborough
LITTLEBOROUGH
Dearnley
205
Cranberry Dam
Cranberry Moss
White Slack
Higher Allenscholes
Clunter Clough
Moorhey Wood
Rough Stones
Stone House Bri.
Knoll Hill
Friezland
REDDYSHORE SCOUT GATE
Moor Hey Farm
Moor Hey Barn
Moorhey Clough
Bankhey Wood
Warland Bri.
Warland Wood
Knoll Top
Calf Lee Cote
Warland Farm
Warland Water
Long Wall
Horse Pasture Clough
Noon Hill Clough
Noon Hill
Brock Holes Clough
Moorhey Flat
Moor Bank Clough
Warland Gate End
WARLANDS END GATE
Weirs
Withen Hill
Birching Brow
Shore Moor
Long Hill
Ferny Hill
Summit Tunnel
Reddyshore
Long Lees
Rochdale Canal (dis.)
Great Hill
Owler Clough
Owler Clough Head
Stubley Cross Hill
Crook Hill
Crook Moor
Allenden Hill
Calderbrook Moor
Light Hazzles Farm
River Roch
Pasture House Plantation
Scout End
Turn Slack Hill
Fox Stones Hill
Turn Slack Dam
Old Charles Hill
Blue Pot Brook
Cuckoo Hill
Pasture House
Chelburn
Chelburn Bridge
Lower Chelburn Reservoir
Clay Pots Hill
Flight Hill
Lower Turn Slack Hill
Turn Slack Clough
Dearden's Pasture
Long Hill
Slack
Stony Field
Pike Hill
Air Shaft
Mawrode Farm
Lock
Hills Clough
Ringing Pots Hill
Grimes
Blackbrow Hill
Snoddle Hill
Timbercliffe Farm
Higher Stone Pits
Stansfield Hill
HEY HEAD LANE
Far Hey Head
Near Hey Head
Pennine Trout Fishery
Handle Hall
Handle Hall Farm
Punchbowl Bridge
Lower Stone Pits
Long Clough
Stony Brook
Slayden Fold
Mill
Hey Bottom Farm
Hill Top Farm
Whitfield Farm
Grove
Ratcliffe Hill
Long Clough Brook
Clough Bank
Middle Newgate
Higher Newgate
Whitfield
Sports Gnd.
Sladen Hill
Sladen Bridge
Mill Race (dis.)
High Lee Slack
Middle Wood Brook
Heights Farm
Clough Ter.
Lower Newgate
Gorsey Hill Wood
Rec. Gd.
Recn. Gnd.
Pikehouse Cotts.
Weir
Pikehouse Bridge
Lightowlers
Higher Shore Wood
High Lea
Green Hill
Subway
Rochdale Canal (disused)
Overdale Ho.
Higher Shore
LAKE VIEW
Higher Shore House
Lower Town House
Town House
New Barn
New Platt Farm
Benthouse Bridge
Playing Fields
Cricket Gnd.
Football Gnd.
Engineering Works
Bent House Farm
Heathfield
Windy Bank Bridge
Honresfield (Cheshire Home)
Pedler Brow
Starring Wood
Higher Starring Farm
Hare Hill Park
Eng. Wks.
Windy Ridge
EDGE OLD ROAD
Gate House
A58
Starring Hill
Middle Starring
Higher Windy Bank Farm
Humber Farm
Knowl Farm
Sports Gnd.
LITTLEBOROUGH IND. ESTATE
Fielden Farm
BIRCH HILL HOSPITAL
Cemetery
A58 CHURCH ST.
FEATHERSTALL RD.
NEW RD.
HALIFAX RD.
CANAL ST.
B6225
HOLLINGWORTH RD.
Reservoir
Ealees Wood
Shore Lane Brook
Owlet Hall
Stubley Hall
Bank Top
Lane Foot
Clegg's Wood
WHITTAKER GOLF COURSE
Clegswood Hill

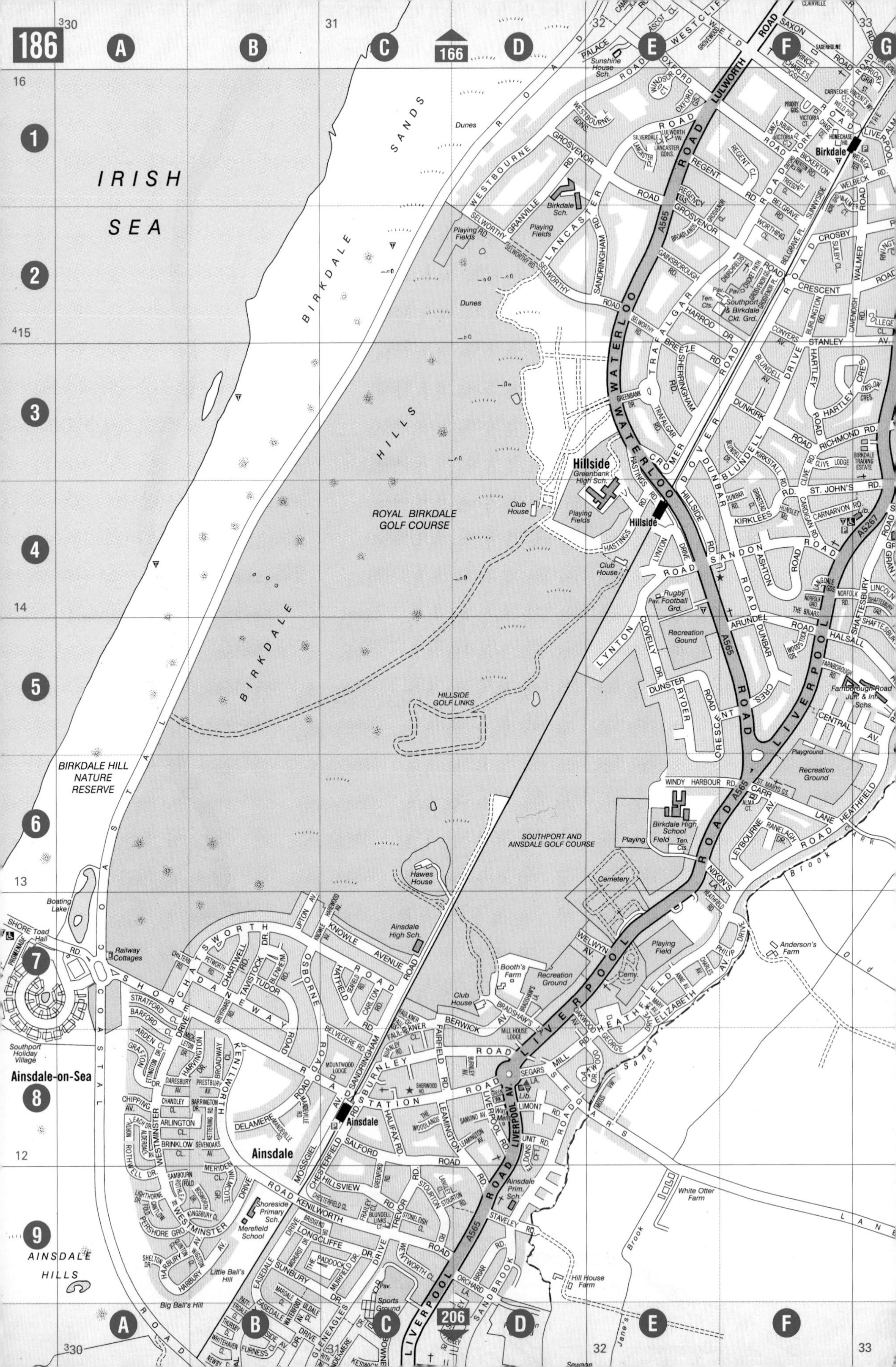

186
166
206
IRISH
SEA
BIRKDALE SANDS
BIRKDALE HILLS
Dunes
ROYAL BIRKDALE GOLF COURSE
HILLSIDE GOLF LINKS
SOUTHPORT AND AINSDALE GOLF COURSE
BIRKDALE HILL NATURE RESERVE
AINSDALE HILLS
Ainsdale-on-Sea
Ainsdale
Hillside
Birkdale
Southport Holiday Village
Boating Lake
Shore Road Hall
Railway Cottages
COASTAL ROAD
SHORE RD.
WATERLOO ROAD
LIVERPOOL ROAD
A565
A5267
LULWORTH ROAD
WESTCLIFFE ROAD
PALACE ROAD
Sunshine House Sch.
OXFORD ROAD
WESTBOURNE ROAD
WESTBOURNE GDNS.
GROSVENOR ROAD
GRANVILLE RD.
LANCASTER RD.
SELWORTHY RD.
SELWORTHY ROAD
Birkdale Sch.
Playing Fields
SANDRINGHAM RD.
REGENT RD.
YORK ROAD
BELGRAVE RD.
WORTHING CL.
GAINSBOROUGH RD.
TRAFALGAR RD.
HARROD DR.
BREEZE RD.
SHERRINGHAM RD.
GREENBANK DR.
CROMER RD.
DOVER RD.
Southport & Birkdale Ckt. Grd.
Ten. Cts.
Pav.
CROSBY ROAD
WALMER ROAD
CRESCENT ROAD
STANLEY AV.
CONYERS AV.
BLUNDELL DRIVE
HARTLEY CRES.
RICHMOND RD.
DUNKIRK ROAD
KIRKSTALL RD.
DUNBAR RD.
CLIVE RD.
CLIVE LODGE
BIRKDALE TRADING ESTATE
ST. JOHN'S RD.
CARNARVON RD.
KIRKLEES
HILLSIDE RD.
HASTINGS RD.
Greenbank High Sch.
Club House
LYNTON DRIVE
LYNTON ROAD
SANDON ROAD
ASHTON ROAD
Rugby Football Grd.
Recreation Gound
CLOVELLY DR.
DUNSTER RD.
RYDER CRESCENT
ARUNDEL ROAD
DUNBAR CRES.
HALSALL RD.
SHAFTESBURY
LINCOLN
NORFOLK RD.
THE BRIARS
Farnborough Road Jun. & Inf. Schs.
CENTRAL AV.
Playground
Recreation Ground
WINDY HARBOUR RD.
CARR LANE
HEATHFIELD ROAD
LEYBOURNE AV.
RANELAGH DR.
Birkdale High School
Playing Field
NIXON'S LA.
Cemetery
Hawes House
Ainsdale High Sch.
KNOWLE AVENUE
UPTON AV.
CHATSWORTH ROAD
DAMFIELD LA.
Playing Field
Booth's Farm
Recreation Ground
Cemy.
WELWYN AV.
PHILIP DRIVE
ELIZABETH AV.
GEORGE DR.
HEATHFIELD RD.
Anderson's Farm
Club House
BRADSHAW'S LA.
BERWICK AV.
MILL HOUSE LODGE
FAIRFIELD RD.
BURNLEY ROAD
STATION ROAD
SEGARS LA.
MILL LA.
Lib.
LIMONT RD.
UNIT RD.
Sandy Brook
SHORE RD.
OSBORNE ROAD
DELAMERE ROAD
KENILWORTH ROAD
WESTMINSTER DRIVE
STRATFORD CL.
BARFORD CL.
ARDEN CL.
CHIPPING AV.
ARLINGTON CL.
BRINKLOW CL.
MERIDEN CL.
WILMCOTE GR.
ROTHWELL DR.
PERSHORE GRO.
HARBURY AV.
SHELTON DR.
Shoreside Primary Sch.
Merefield School
Little Ball's Hill
Big Ball's Hill
MOSSGIEL AV.
CHESTERFIELD RD.
HILLSVIEW RD.
SALFORD ROAD
HALIFAX RD.
LEAMINGTON RD.
THE WOODLANDS
SHERWOOD HO.
MOUNTWOOD LODGE
Ainsdale
TREVOR RD.
STOURTON RD.
STONELEIGH CL.
LONGCLIFFE DR.
SUNBURY DR.
THE PADDOCK
WENTWORTH CL.
Sports Ground
Pav.
GLENEAGLES DR.
EASEDALE DR.
FURNESS AV.
Ainsdale Prim. Sch.
STAVELEY RD.
SANDBROOK RD.
ORCHARD LA.
White Otter Farm
Hill House Farm
Brook
Jane's Brook
SEGARS LANE
Sewage

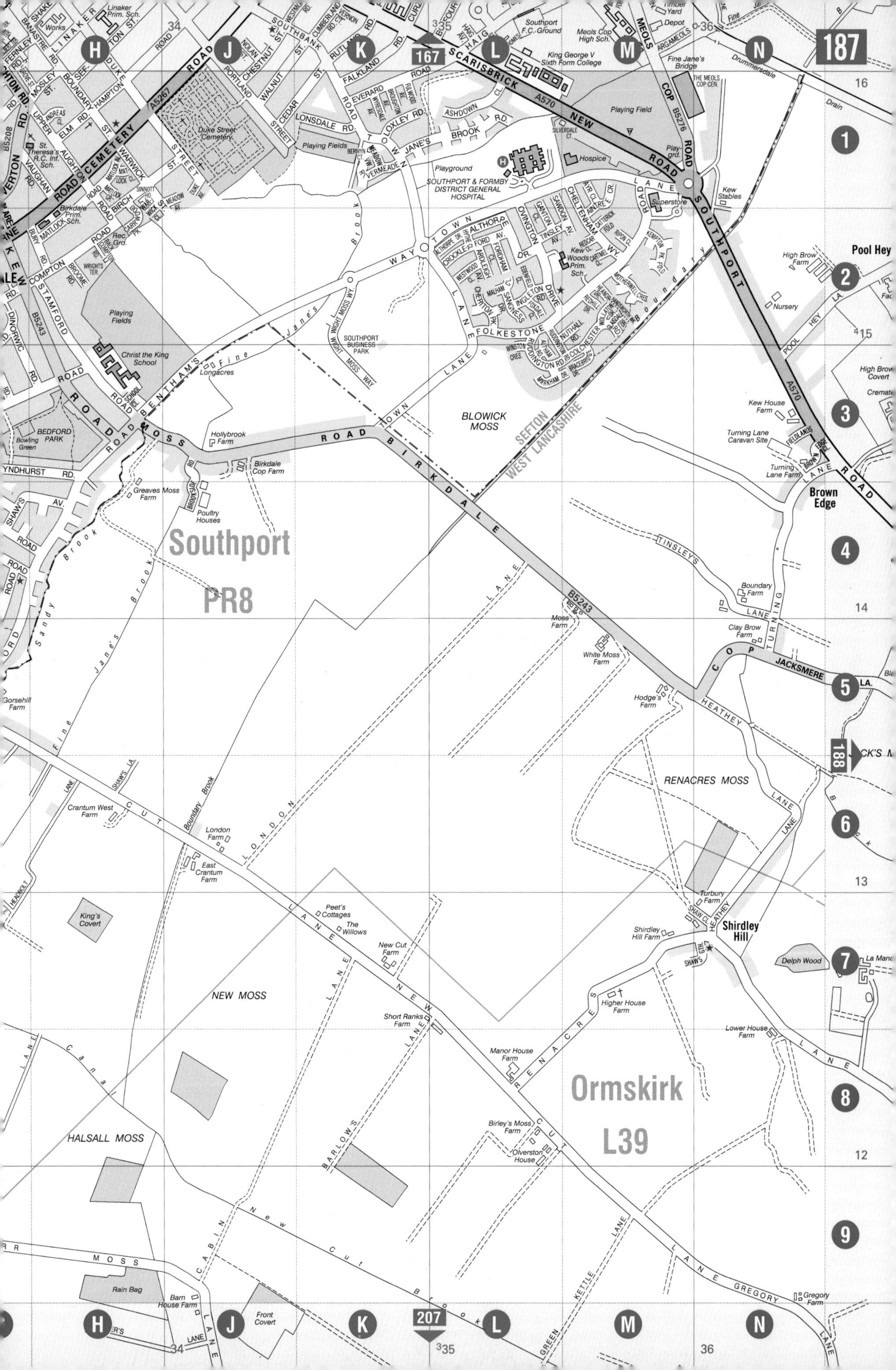

187
167
188
207
H
J
K
L
M
N
1
2
3
4
5
6
7
8
9
16
15
14
13
12
34
335
36
Southport
PR8
Ormskirk
L39
Pool Hey
Brown Edge
Shirdley Hill
BLOWICK MOSS
RENACRES MOSS
NEW MOSS
HALSALL MOSS
SEFTON
WEST LANCASHIRE
SOUTHPORT & FORMBY DISTRICT GENERAL HOSPITAL
SOUTHPORT BUSINESS PARK
Southport F.C. Ground
Meols Cop High Sch.
King George V Sixth Form College
Duke Street Cemetery
Christ the King School
Birkdale Prim. Sch.
St. Theresa's R.C. Inf. Sch.
Linaker Prim. Sch.
Kew Woods Prim. Sch.
Playing Field
Playing Fields
Playground
Hospice
Superstore
Kew Stables
High Brow Farm
Nursery
High Brow Covert
Kew House Farm
Turning Lane Caravan Site
Turning Lane Farm
Boundary Farm
Clay Brow Farm
Moss Farm
White Moss Farm
Hodge's Farm
Longacres
Hollybrook Farm
Birkdale Cop Farm
Greaves Moss Farm
Poultry Houses
BEDFORD PARK
Bowling Green
Gorsehill Farm
Crantum West Farm
London Farm
East Crantum Farm
King's Covert
Peet's Cottages
The Willows
New Cut Farm
Short Ranks Farm
Manor House Farm
Higher House Farm
Shirdley Hill Farm
Turbury Farm
Delph Wood
Lower House Farm
Birley's Moss Farm
Olverston House
Rain Bag
Barn House Farm
Front Covert
Gregory Farm
Fine Jane's Bridge
THE MEOLS COP CEN.
SCARISBRICK NEW ROAD
A570
SOUTHPORT ROAD
MEOLS COP ROAD
B5276
CEMETERY ROAD
A5267
BIRKDALE ROAD
B5243
MOSS ROAD
TOWN LANE
TOWN LANE WAY
FOLKESTONE
INGLETON DRIVE
KEW ROAD LANE
COP JACKSMERE LA.
HEATHEY LANE
TINSLEY'S LANE
TURNING LANE
POOL HEY LA.
LONDON LANE
NEW CUT LANE
RENACRES LANE
GREGORY LANE
KETTLE LANE
GREEN LANE
BARLOW'S LANE
CABIN LANE
SHAW'S LA.
Fine Jane's Brook
Sandy Brook
Boundary Brook
New Cut Brook
Canal
Drain

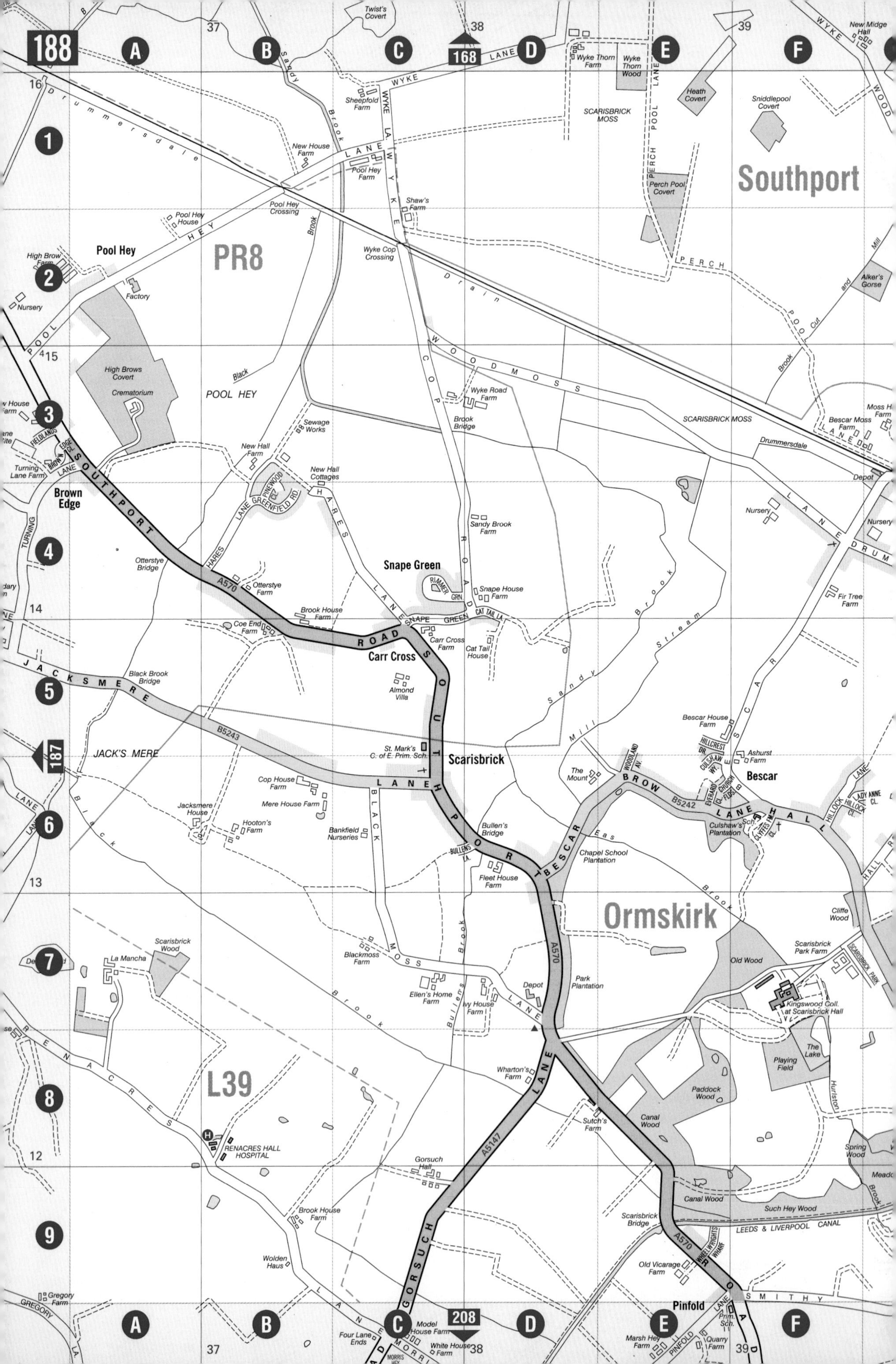
168
208
187
Southport
Ormskirk
PR8
L39
Pool Hey
POOL HEY
Brown Edge
Snape Green
Carr Cross
Scarisbrick
Bescar
Pinfold
JACK'S MERE
SCARISBRICK MOSS
Twist's Covert
Sheepfold Farm
New House Farm
Pool Hey Farm
Pool Hey House
Pool Hey Crossing
High Brow Farm
Factory
Nursery
High Brows Covert
Crematorium
Shaw's Farm
Wyke Cop Crossing
Wyke Thorn Farm
Wyke Thorn Wood
Heath Covert
Sniddlepool Covert
Perch Pool Covert
Alker's Gorse
New Midge Hall
Wyke Road Farm
Brook Bridge
Sewage Works
New Hall Farm
New Hall Cottages
Turning Lane Farm
Sandy Brook Farm
Otterstye Bridge
Otterstye Farm
Snape House Farm
Brook House Farm
Coe End Farm
Carr Cross Farm
Cat Tail House
Almond Villa
Black Brook Bridge
St. Mark's C. of E. Prim. Sch.
Cop House Farm
Mere House Farm
Jacksmere House
Hooton's Farm
Bankfield Nurseries
Bullen's Bridge
Fleet House Farm
The Mount
Chapel School Plantation
Bescar House Farm
Ashurst Farm
Culshaw's Plantation
Bescar Moss Farm
Moss House Farm
Depot
Nursery
Fir Tree Farm
Cliffe Wood
Scarisbrick Park Farm
Old Wood
Kingswood Coll. at Scarisbrick Hall
The Lake
Playing Field
Park Plantation
Blackmoss Farm
Ellen's Home Farm
Ivy House Farm
Wharton's Farm
Sutch's Farm
Paddock Wood
Canal Wood
Spring Wood
Such Hey Wood
Scarisbrick Bridge
LEEDS & LIVERPOOL CANAL
Old Vicarage Farm
Scarisbrick Wood
La Mancha
RENACRES HALL HOSPITAL
Gorsuch Hall
Brook House Farm
Wolden Haus
Gregory Farm
Four Lane Ends
Model House Farm
White House Farm
Marsh Hey Farm
Quarry Farm
Prim. Sch.
Drummersdale
Wyke Lane
Sandy Brook
Wyke Lane
Hey Lane
Pool Lane
Perch Pool Lane
Perch
Pool
Brook
Cut and Mill
Black Brook
Drain
Woodmoss Lane
Wyke Cop Road
Drummersdale Lane
Southport Road
Hares Lane
Pinewood Cl.
Greenfield Rd.
Fieldlands
Brown Edge Cl.
Turning Lane
Rimmer Grn.
Snape Green
Cat Tail La.
Jacksmere Lane
Sandy Brook
Mill Stream
Bescar Lane
Black Moss Lane
Bullens La.
Bescar Brow
Woodland Av.
Hillcrest Dr.
Culshaw Wy.
Everard Cl.
Church Flds.
Clyffes Fm. Cl.
Hall Lane
Hillock Lane
Hillock Cl.
Lady Anne Cl.
Eas Brook
Scarisbrick Park
Hurlston
Moss Lane
Bullens Brook
Renacres Lane
Gorsuch Lane
Wheelwrights Wharf
Smithy Lane
Pinfold Lane
Gregory La.
Morris Hey
A570
A5147
B5243
B5242
A B C D E F
1 2 3 4 5 6 7 8 9
37 38 39
12 13 14 15 16

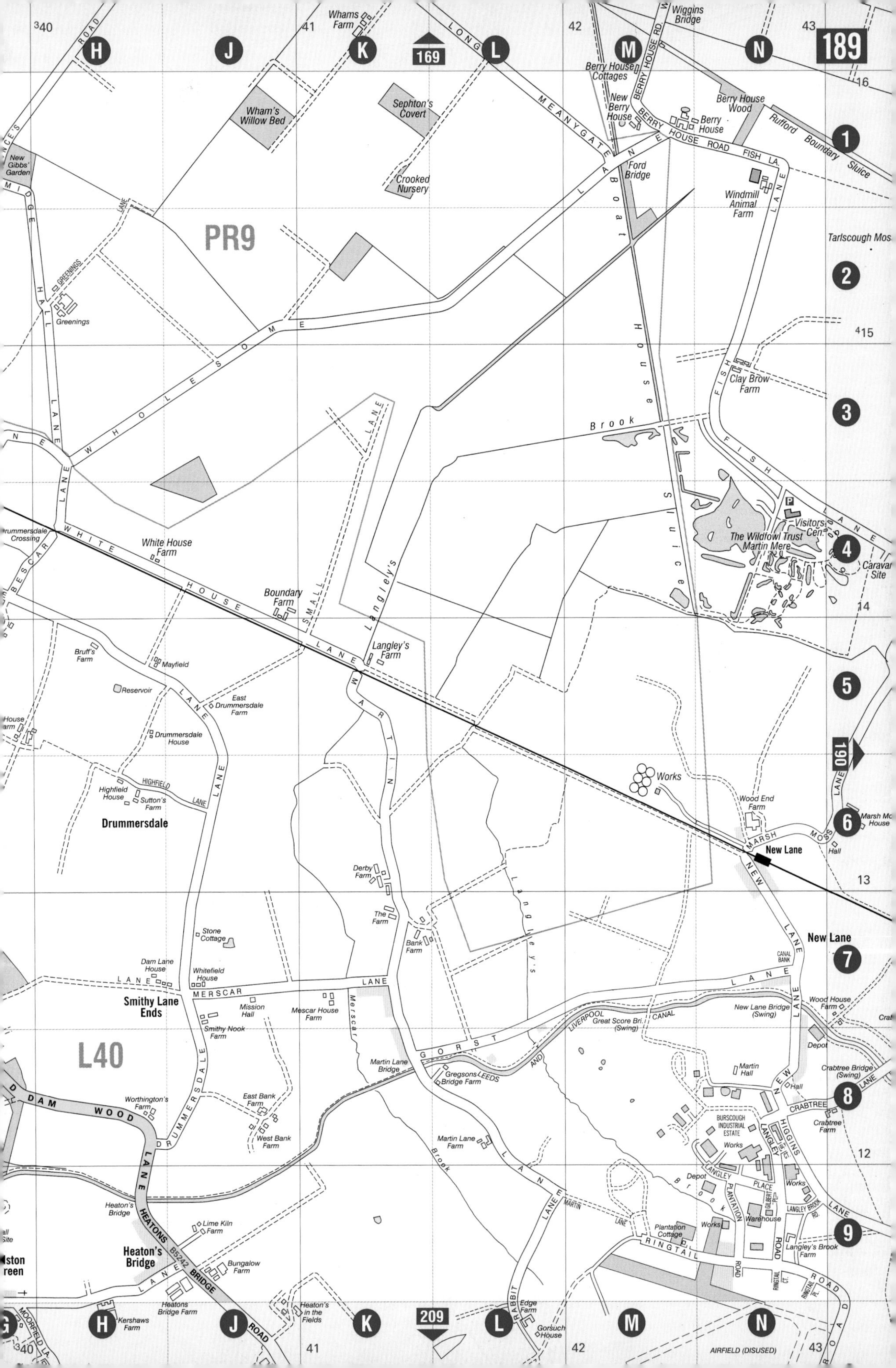

169
Whams Farm
Wiggins Bridge
LONG
MEANYGATE
Berry House Cottages
BERRY HOUSE RD
New Berry House
Berry House
Berry House Wood
BERRY HOUSE ROAD
FISH LA.
Rufford Boundary Sluice
Wham's Willow Bed
Sephton's Covert
Crooked Nursery
New Gibbs' Garden
PR9
Ford Bridge
Boat House Sluice
Windmill Animal Farm
Tarlscough Moss
GREENINGS
Greenings
WHOLESOME LANE
HALL LANE
Clay Brow Farm
FISH LANE
Brook
The Wildfowl Trust Martin Mere
Visitors Cen.
Caravan Site
Drummersdale Crossing
BESCAR
White House Farm
WHITE HOUSE LANE
Boundary Farm
SMALL LANE
Langley's
Langley's Farm
Bruff's Farm
Mayfield
Reservoir
East Drummersdale Farm
Drummersdale House
HIGHFIELD LANE
Highfield House
Sutton's Farm
Drummersdale
MARTIN
Works
Wood End Farm
MARSH MOSS
Marsh Moss House
Hall
New Lane
NEW LANE
Derby Farm
The Farm
Bank Farm
Langley's
Stone Cottage
Dam Lane House
Whitefield House
Smithy Lane Ends
MERSCAR LANE
Mission Hall
Mescar House Farm
Merscar
CANAL BANK
Wood House Farm
New Lane Bridge (Swing)
LIVERPOOL AND LEEDS CANAL
Great Score Bri. (Swing)
Smithy Nook Farm
L40
GORST LANE
Martin Lane Bridge
Gregsons Bridge Farm
Depot
Martin Hall
Crabtree Bridge (Swing)
Hall
CRABTREE LANE
Crabtree Farm
DAM WOOD LANE
Worthington's Farm
DRUMMERSDALE
East Bank Farm
West Bank Farm
BURSCOUGH INDUSTRIAL ESTATE
Works
HIGGINS LANE
Martin Lane Farm
Brook
LANGLEY PLACE
GILBERT PL.
Depot
PLANTATION
Works
LANGLEY BROOK RD.
Warehouse
Heaton's Bridge
HEATONS BRIDGE ROAD
B5242
Lime Kiln Farm
MARTIN LANE
Plantation Cottage
Works
RINGTAIL ROAD
Langley's Brook Farm
RINGTAIL CT.
RINGTAIL PL.
Heaton's Bridge
Bungalow Farm
Heatons Bridge Farm
Heaton's in the Fields
RABBIT LANE
Edge Farm
Gorsuch House
Kershaws Farm
MOORFIELD LA.
AIRFIELD (DISUSED)
209
190

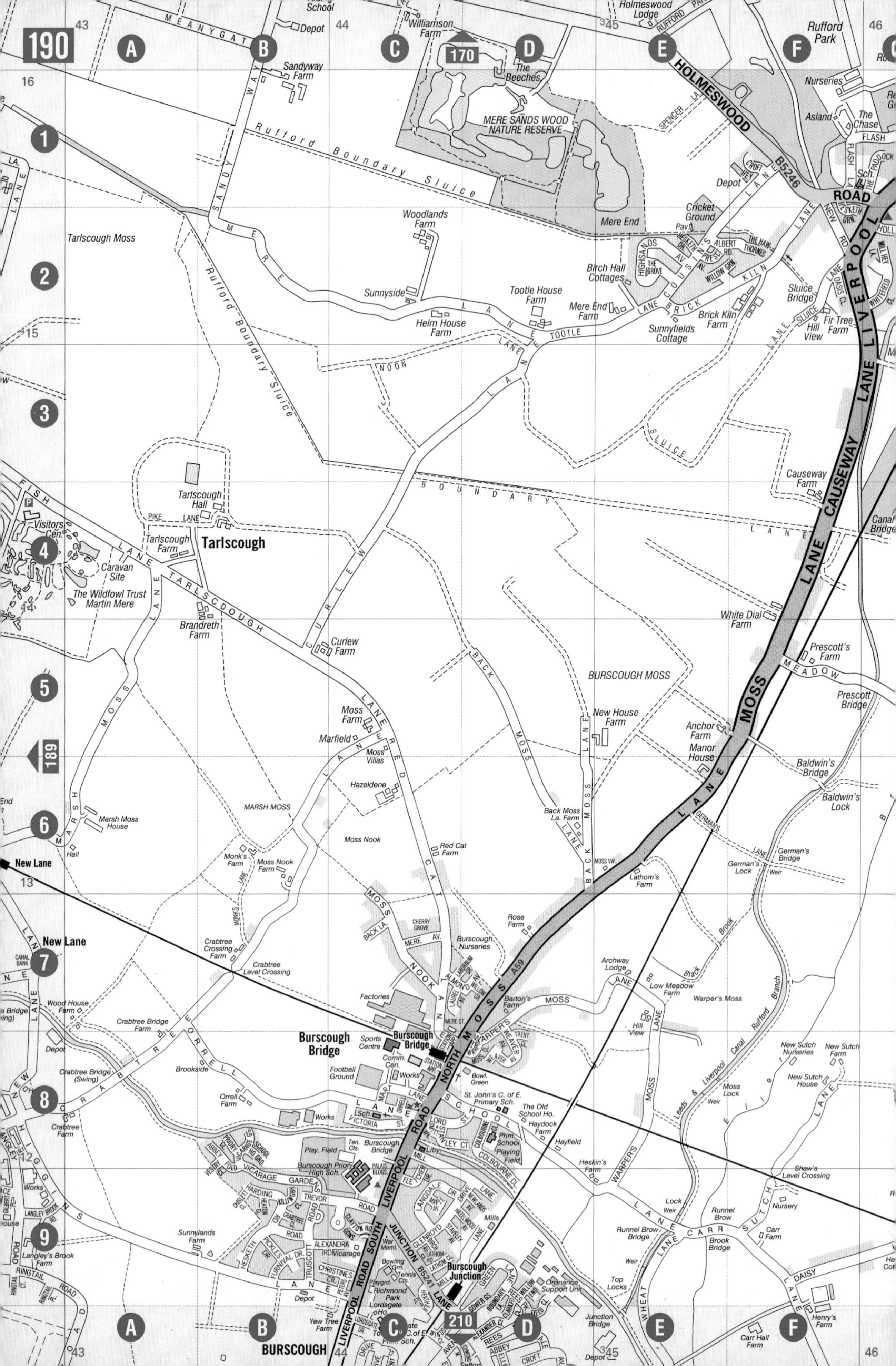

170
189
210
Rufford Park
Holmeswood Lodge
Williamson Farm
Sandyway Farm
The Beeches
MERE SANDS WOOD NATURE RESERVE
HOLMESWOOD ROAD
B5246
Rufford Boundary Sluice
Nurseries
Asland
The Chase
Tarlscough Moss
Woodlands Farm
Sunnyside
Helm House Farm
Tootle House Farm
Mere End
Mere End Farm
Birch Hall Cottages
Cricket Ground
Depot
Brick Kiln Farm
Sunnyfields Cottage
Sluice Bridge
Hill View
Fir Tree Farm
LIVERPOOL ROAD
CAUSEWAY LANE
MOSS LANE
A59
Causeway Farm
Canal Bridge
Tarlscough Hall
Tarlscough Farm
Tarlscough
Visitors Cen.
Caravan Site
The Wildfowl Trust Martin Mere
Brandreth Farm
Curlew Farm
White Dial Farm
Prescott's Farm
Prescott Bridge
BURSCOUGH MOSS
New House Farm
Anchor Farm
Manor House
Baldwin's Bridge
Baldwin's Lock
Moss Farm
Marfield
Moss Villas
Hazeldene
MARSH MOSS
Marsh Moss House
Hall
Moss Nook
Monk's Farm
Moss Nook Farm
Red Cat Farm
Back Moss La. Farm
Lathom's Farm
German's Bridge
German's Lock
New Lane
Rose Farm
Burscough Nurseries
Crabtree Crossing Farm
Crabtree Level Crossing
Archway Lodge
Low Meadow Farm
Warper's Moss
Factories
Barton's Farm
Hill View
Wood House Farm
Crabtree Bridge Farm
Depot
Burscough Bridge
Sports Centre
Comm. Cen.
Football Ground
Works
Bowl. Green
St. John's C. of E. Primary Sch.
The Old School Ho.
Haydock Farm
Hayfield
New Sutch Nurseries
New Sutch Farm
New Sutch House
Moss Lock
Leeds & Liverpool Canal
Rufford Branch
Brookside
Orrell Farm
Crabtree Bridge (Swing)
Crabtree Farm
Play. Field
Burscough Priory High Sch.
Prim. School Playing Field
Heskin's Farm
Shaw's Level Crossing
Nursery
Lock
Runnel Brow Bridge
Runnel Brow
Carr Farm
Brook Bridge
Sunnylands Farm
Langley's Brook Farm
Vicarage
War Meml.
Mills
Burscough Junction
Ordnance Support Unit
Top Locks
Richmond Park
Lordsgate
Depot
Yew Tree Farm
BURSCOUGH
Junction Bridge
Carr Hall Farm
Henry's Farm

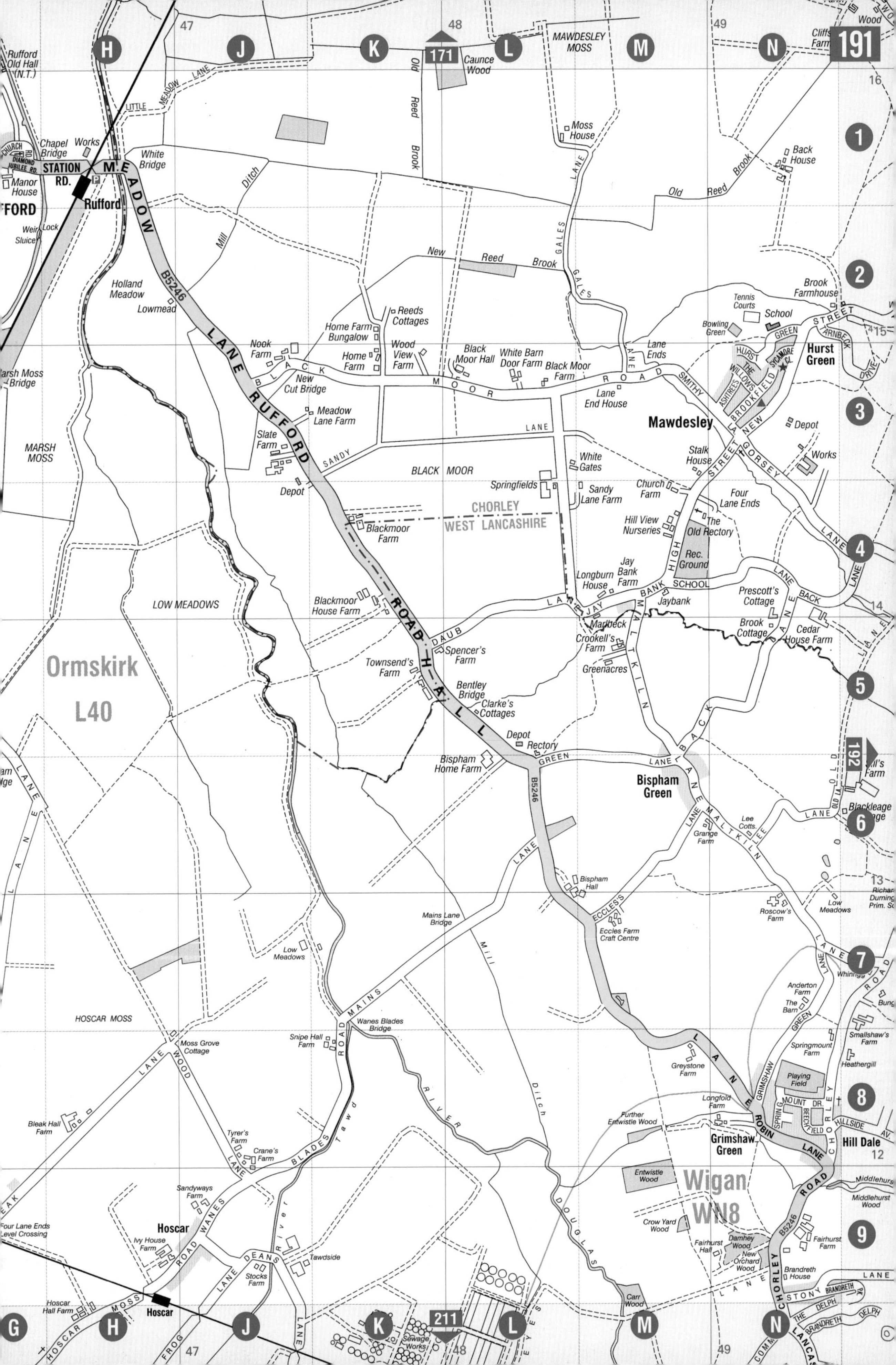

Rufford Old Hall (N.T.)
Chapel Bridge
Works
Station Rd.
Manor House
Rufford
White Bridge
Meadow Lane
Little Meadow Lane
Old Reed Brook
Caunce Wood
171
Mawdesley Moss
Moss House
Cliffs Farm
Back House
Old Reed Brook
New Reed Brook
Holland Meadow
Lowmead
B5246
Rufford Lane
Marsh Moss Bridge
Marsh Moss
Nook Farm
Home Farm Bungalow
Reeds Cottages
Home Farm
Wood View Farm
Black Moor Hall
White Barn Door Farm
Black Moor Farm
Black Moor Road
New Cut Bridge
Meadow Lane Farm
Lane Ends
Lane End House
Gales Lane
Tennis Courts
Bowling Green
School
Brook Farmhouse
Hurst Green
Mawdesley
Smithy Lane
New Street
Depot
Works
Slate Farm
Sandy Lane
Black Moor
White Gates
Springfields
Sandy Lane Farm
Stalk House
Church Farm
Gorsey Lane
Four Lane Ends
Depot
Chorley
West Lancashire
Blackmoor Farm
Hill View Nurseries
The Old Rectory
Rec. Ground
High Street
Longburn House
Jay Bank Farm
School Lane
Back Lane
Prescott's Cottage
Jaybank
Jay Bank Lane
Low Meadows
Blackmoor House Farm
Hall Road
Daub Lane
Madbeck
Crookell's Farm
Brook Cottage
Cedar House Farm
Spencer's Farm
Townsend's Farm
Greenacres
Maltkiln Lane
Ormskirk L40
Bentley Bridge
Clarke's Cottages
Depot
Rectory
Bispham Home Farm
Green Lane
Bispham Green
192
Blackleage
Old Lane
Lee Cotts.
Grange Farm
Bispham Hall
Eccles's Lane
Eccles Farm Craft Centre
Roscow's Farm
Low Meadows
Mains Lane Bridge
Mains Lane
Low Meadows
Mill Ditch
Hoscar Moss
Moss Grove Cottage
Wood Lane
Snipe Hall Farm
Wanes Blades Bridge
Mains Road
River Douglas
Anderton Farm
The Barn
Springmount Farm
Smallshaw's Farm
Heathergill
Greystone Farm
Grimshaw Green Lane
Playing Field
Spring Mount Dr.
Beechfield
Chorley Road
Hillside Av.
Bleak Hall Farm
Tyrer's Farm
Crane's Farm
Blades Lane
River Tawd
Longfold Farm
Further Entwistle Wood
Robin Lane
Grimshaw Green
Hill Dale
Entwistle Wood
Wigan WN8
Middlehurst Wood
Sandyways Farm
Hoscar
Four Lane Ends Level Crossing
Ivy House Farm
Wanes Road
Crow Yard Wood
Fairhurst Hall
Damhey Wood
New Orchard Wood
Fairhurst Farm
Brandreth House
Tawdside
Deans Lane
Stocks Farm
Carr Wood
Stony Lane
Brandreth
The Delph
Hoscar Hall Farm
Hoscar Moss Lane
Hoscar
Frog Lane
Sewage Works
211
Lancaster Lane
Ormskirk
Mill Ditch
G H J K L M N
1 2 3 4 5 6 7 8 9
47 48 49
12 13 14 15 16

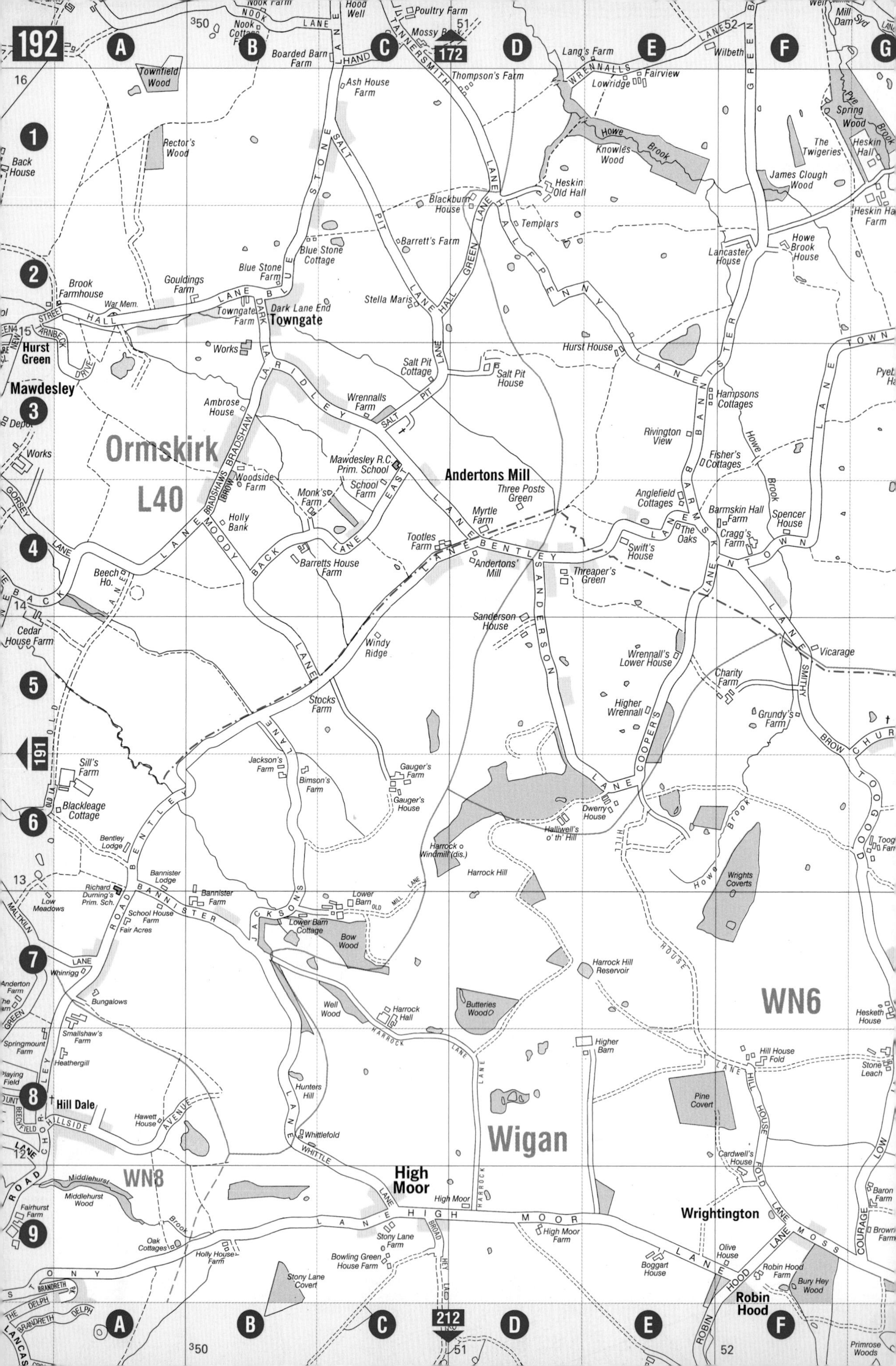

192
A
B
C
D
E
F
G
350
51
52
172
Nook Farm
Nook Cottage
NOOK LANE
Hood Well
Poultry Farm
Mossy Bank
Mill Dam
Boarded Barn Farm
HAND LANE
TANNERSMITH LANE
Lang's Farm
WRENNALLS LANE
Wilbeth
GREEN
16
Townfield Wood
Ash House Farm
Thompson's Farm
Fairview
Lowridge
Pye Spring Wood
Brook
1
Back House
Rector's Wood
Howe Brook
Knowles Wood
The Twigeries
Heskin Hall
STONE
SALT PIT LANE
Heskin Old Hall
James Clough Wood
Blackburn House
Templars
Heskin Hall Farm
HALFPENNY LANE
Barrett's Farm
Howe Brook House
Lancaster House
2
Brook Farmhouse
Blue Stone Cottage
Blue Stone Farm
Gouldings Farm
BLUE STONE LANE
HALL GREEN LANE
War Mem.
Towngate Farm
Dark Lane End
Stella Maris
STREET
HALL
NEW STREET
ARNBECK DRIVE
DARK LANE
Towngate
15
Hurst Green
Works
Salt Pit Cottage
Salt Pit House
Hurst House
BARNISTER LANE
TOWN LANE
Mawdesley
RIDLEY LANE
Ambrose House
Wrennalls Farm
Hampsons Cottages
3
Depot
SALT PIT LANE
Rivington View
Works
Ormskirk
Mawdesley R.C. Prim. School
Fisher's Cottages
Howe Brook
GORSEY LANE
L40
BRADSHAW
BRADSHAWS BROW
Woodside Farm
Monk's Farm
School Farm
EAST LANE
Andertons Mill
Three Posts Green
Anglefield Cottages
Barmskin Hall Farm
Spencer House
Holly Bank
Myrtle Farm
BARMSKIN LANE
The Oaks
Cragg's Farm
4
MOODY LANE
BACK LANE
Tootles Farm
BENTLEY LANE
Swift's House
Beech Ho.
Barretts House Farm
Andertons' Mill
Threaper's Green
BACK LANE
14
Cedar House Farm
SANDERSON LANE
Sanderson House
SMITHY LANE
Vicarage
Windy Ridge
Wrennall's Lower House
Charity Farm
5
Stocks Farm
Higher Wrennall
COOPER'S LANE
Grundy's Farm
BROW
CHURCH
OLD LANE
191
Sill's Farm
Jackson's Farm
Bimson's Farm
Gauger's Farm
Gauger's House
Dwerry House
Halliwell's o' th' Hill
HILL
Blackleage Cottage
OLD LA.
6
Bentley Lodge
BENTLEY ROAD
Harrock Windmill (dis.)
Harrock Hill
Howe Brook
Wrights Coverts
TOOGOOD LANE
Toogood Farm
13
Bannister Lodge
Richard Durning's Prim. Sch.
Low Meadows
Bannister Farm
BANNISTER LANE
Lower Barn
OLD MILL LANE
MALTKILN
School House Farm
Fair Acres
JACKSONS LANE
Lower Barn Cottage
Bow Wood
HOUSE
7
LANE
Whinrigg
Anderton Farm
GREEN
Bungalows
Harrock Hill Reservoir
Well Wood
Harrock Hall
Butteries Wood
WN6
Hesketh House
Smallshaw's Farm
Springmount Farm
HARROCK LANE
Higher Barn
Heathergill
Playing Field
Hill House Fold
Stone Leach
8
Hill Dale
Hunters Hill
HILL HOUSE LANE
HILLSIDE
AVENUE
Hawett House
Pine Covert
Whittlefold
WHITTLE LANE
Wigan
LOW
12
ROAD
Middlehurst
Middlehurst Wood
WN8
High Moor
Cardwell's House
Baron Farm
HARROCK
High Moor
FOLD LANE
Fairhurst Farm
HIGH MOOR LANE
Wrightington
COURAGE
9
Brook
Stony Lane Farm
High Moor Farm
Moss LANE
Brown Farm
Oak Cottages
BROAD HEY
Olive House
Holly House Farm
Bowling Green House Farm
Boggart House
Robin Hood Farm
STONY
BRANDRETH PARK
Stony Lane Covert
Bury Hey Wood
ROBIN HOOD LANE
THE DELPH
BRANDRETH DELPH
Robin Hood
212
LANCASTER
Primrose Woods

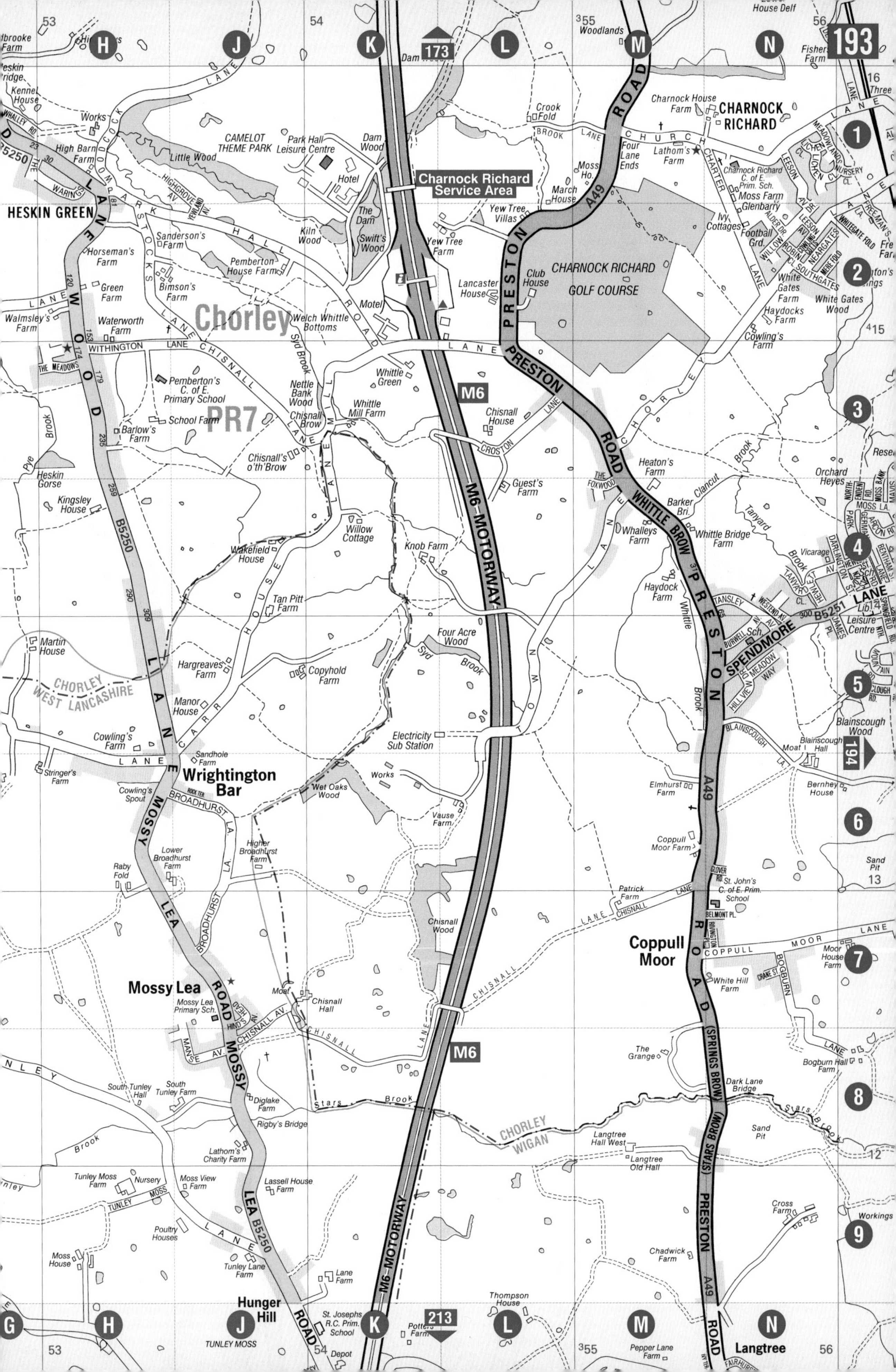
173
Charnock Richard Service Area
CHARNOCK RICHARD
HESKIN GREEN
CAMELOT THEME PARK
Park Hall Leisure Centre
Little Wood
Dam Wood
Hotel
The Dam
Swift's Wood
Kiln Wood
Yew Tree Farm
Yew Tree Villas
Crook Fold
Four Lane Ends
Moss Ho.
March House
Charnock House Farm
Lathom's Farm
Charnock Richard C. of E. Prim. Sch.
Moss Farm
Glenbarry
Ivy Cottages
Football Grd.
CHARNOCK RICHARD GOLF COURSE
Club House
Lancaster House
Motel
Chorley
Welch Whittle Bottoms
PR7
Pemberton's C. of E. Primary School
School Farm
Barlow's Farm
Horseman's Farm
Sanderson's Farm
Pemberton House Farm
Bimson's Farm
Green Farm
Waterworth Farm
Walmsley's Farm
High Barn Farm
Kennel House
Works
Whittle Green
Nettle Bank Wood
Chisnall Brow
Whittle Mill Farm
Chisnall House
Chisnall's o'th'Brow
Guest's Farm
Heaton's Farm
Barker Bri.
Whittle Bridge Farm
Whalleys Farm
Haydock Farm
White Gates Farm
White Gates Wood
Haydocks Farm
Cowling's Farm
Orchard Heyes
Vicarage
SPENDMORE
Leisure Centre
Blainscough Wood
Blainscough Hall
Moat
194
Heskin Gorse
Kingsley House
Willow Cottage
Wakefield House
Knob Farm
Tan Pitt Farm
Four Acre Wood
Martin House
Hargreaves Farm
Copyhold Farm
Manor House
CHORLEY
WEST LANCASHIRE
Cowling's Farm
Stringer's Farm
Electricity Sub Station
Sandhole Farm
Wrightington Bar
Cowling's Spout
Works
Wet Oaks Wood
Vause Farm
Elmhurst Farm
Bernhey House
Lower Broadhurst Farm
Higher Broadhurst Farm
Raby Fold
Coppull Moor Farm
Sand Pit
St. John's C. of E. Prim. School
Patrick Farm
Chisnall Wood
Coppull Moor
Moor House Farm
Mossy Lea
Mossy Lea Primary Sch.
Moat
Chisnall Hall
White Hill Farm
The Grange
Bogburn Hall Farm
Dark Lane Bridge
South Tunley Hall
South Tunley Farm
Diglake Farm
Rigby's Bridge
Lathom's Charity Farm
CHORLEY
WIGAN
Langtree Hall West
Langtree Old Hall
Sand Pit
Tunley Moss Farm
Nursery
Moss View Farm
Lassell House Farm
Poultry Houses
Cross Farm
Workings
Moss House
Tunley Lane Farm
Lane Farm
Chadwick Farm
Hunger Hill
Thompson House
St. Josephs R.C. Prim. School
Potters Farm
213
Depot
TUNLEY MOSS
Pepper Lane Farm
Langtree
M6-MOTORWAY
M6
A49
B5250
B5251
PRESTON ROAD
WHITTLE BROW
WOOD LANE
MOSSY LEA ROAD
CHURCH LANE
CHORLEY LANE
CHISNALL LANE
COPPULL MOOR LANE
WITHINGTON LANE
CARR HOUSE LANE
BROADHURST LA.
TUNLEY MOSS
H J K L M N G
1 2 3 4 5 6 7 8 9
53 54 55 56
16 15 13 12

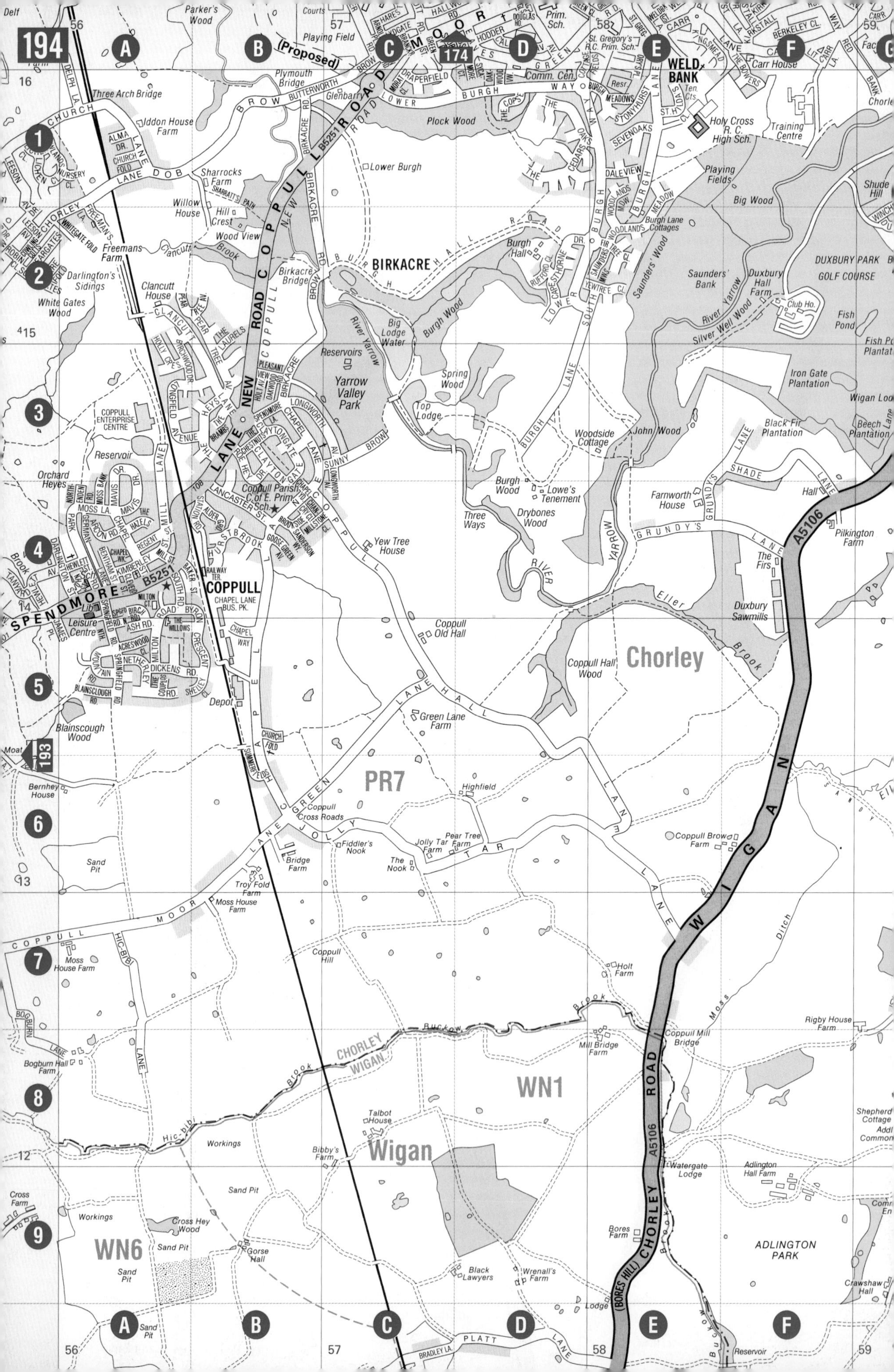

Coppull
Birkacre
Weld Bank
Chorley
PR7
WN1
WN6
Wigan
Yarrow Valley Park
Duxbury Park Golf Course
Adlington Park
Spendmore B5251
Coppull Moor
Coppull New Road B5251
Wigan Lane A5106
Chorley Road A5106
Plock Wood
Big Wood
Burgh Wood
Saunders' Wood
Coppull Old Hall
Coppull Hall Wood
Green Lane Farm
Highfield
Jolly Tar Lane
Coppull Cross Roads
Talbot House
Bibby's Farm
Black Lawyers
Wrenall's Farm
Bores Farm
Watergate Lodge
Adlington Hall Farm
Mill Bridge Farm
Coppull Mill Bridge
Rigby House Farm
Holt Farm
Coppull Hill
Moss House Farm
Bogburn Hall Farm
Cross Hey Wood
Gorse Hall
Blainscough Wood
Bernhey House
Freemans Farm
Darlington's Sidings
White Gates Wood
Clancutt House
Coppull Enterprise Centre
Orchard Heyes
Three Arch Bridge
Iddon House Farm
Sharrocks Farm
Willow House
Lower Burgh
Burgh Hall
Holy Cross R.C. High Sch.
Duxbury Hall Farm
Farnworth House
Pilkington Farm
Duxbury Sawmills
Iron Gate Plantation
Black Fir Plantation
Yew Tree House
Troy Fold Farm
Moss House Farm
Bridge Farm
Fiddler's Nook
The Nook
Jolly Tar Farm
Pear Tree Farm
Coppull Brow Farm

174
193

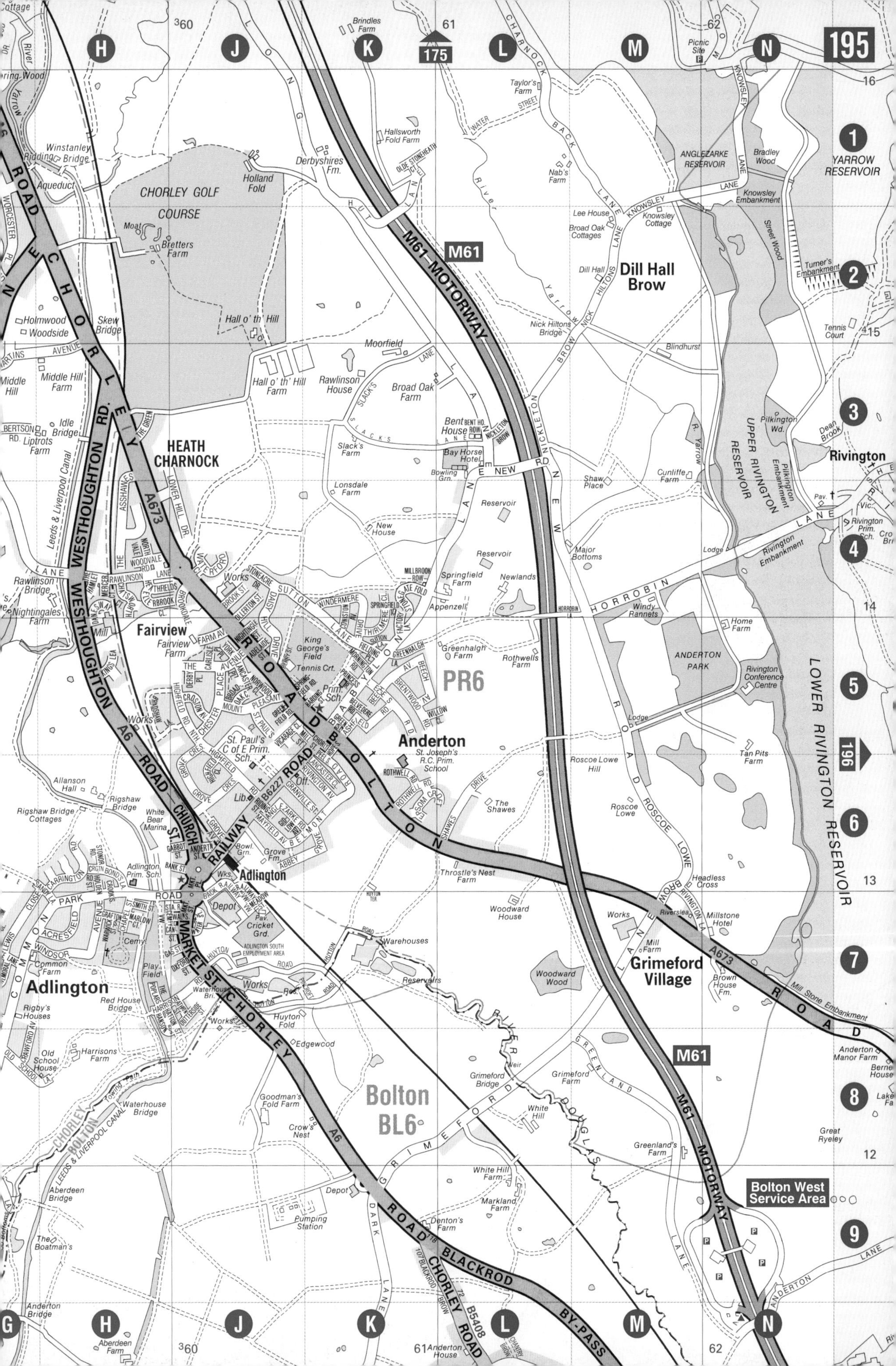

195
175
196
H
J
K
L
M
N
G
1
2
3
4
5
6
7
8
9
360
61
62
16
15
14
13
12
YARROW RESERVOIR
ANGLEZARKE RESERVOIR
UPPER RIVINGTON RESERVOIR
LOWER RIVINGTON RESERVOIR
Rivington
Dill Hall Brow
HEATH CHARNOCK
Fairview
Anderton
Adlington
Grimeford Village
PR6
Bolton BL6
CHORLEY GOLF COURSE
Holland Fold
Derbyshires Fm.
Brindles Farm
Hallsworth Fold Farm
Taylor's Farm
Nab's Farm
Lee House
Broad Oak Cottages
Knowsley Cottage
Knowsley Embankment
Bradley Wood
Turner's Embankment
Tennis Court
Dill Hall
Nick Hiltons Bridge
Blindhurst
Pilkington Wd.
Dean Brook
Pilkington Embankment
Rivington Embankment
Rivington Prim. Sch.
Cunliffe Farm
Shaw Place
Major Bottoms
Windy Rannets
Home Farm
ANDERTON PARK
Rivington Conference Centre
Tan Pits Farm
Roscoe Lowe Hill
Roscoe Lowe
The Shawes
Headless Cross
Millstone Hotel
Riverslea
Mill Farm
Brown House Fm.
Mill Stone Embankment
Anderton Manor Farm
Woodward Wood
Woodward House
Throstle's Nest Farm
Grimeford Bridge
Grimeford Farm
White Hill
White Hill Farm
Greenland's Farm
Great Ryeley
Bolton West Service Area
Markland Farm
Denton's Farm
Pumping Station
Crow's Nest
Goodman's Fold Farm
Edgewood
Huyton Fold
Warehouses
Reservoirs
Winstanley Bridge
Ridding
Aqueduct
Moat
Bretters Farm
Holmwood
Woodside
Skew Bridge
Hall o' th' Hill
Hall o' th' Hill Farm
Moorfield
Rawlinson House
Broad Oak Farm
Slack's Farm
Bent House
Bay Horse Hotel
Lonsdale Farm
New House
Reservoir
Springfield Farm
Appenzell
Newlands
Greenhalgh Farm
Rothwells Farm
Middle Hill
Middle Hill Farm
Idle Bridge
Liptrots Farm
Rawlinson Bridge
Nightingales Farm
Fairview Farm
King George's Field
Tennis Crt.
St. Paul's C of E Prim. Sch.
St. Joseph's R.C. Prim. School
Allanson Hall
Rigshaw Bridge
Rigshaw Bridge Cottages
White Bear Marina
Adlington Prim. Sch.
Depot
Pav. Cricket Grd.
ADLINGTON SOUTH EMPLOYMENT AREA
Common Farm
Red House Bridge
Rigby's Houses
Harrisons Farm
Old School House
Waterhouse Bridge
Aberdeen Bridge
The Boatman's
Anderton Bridge
Aberdeen Farm
Anderton House
Leeds & Liverpool Canal
M61 MOTORWAY
M61
A673
A6
B6227
B5408
CHORLEY ROAD
BOLTON ROAD
WESTHOUGHTON RD.
WESTHOUGHTON ROAD
CHURCH ST.
MARKET ST.
RAILWAY ROAD
BLACKROD BY-PASS
HORROBIN LANE
NEW RD
NICKLETON BROW
NEW ROAD
ROSCOE LOWE BROW
KNOWSLEY LANE
HILTONS LANE
CHARNOCK BACK LANE
WATER STREET
SUTTON LANE
SLACK'S LANE
GRIMEFORD LANE
GREENLAND LANE
DARK LANE
ANDERTON LANE
LONG HUT LANE
River Yarrow
River Douglas

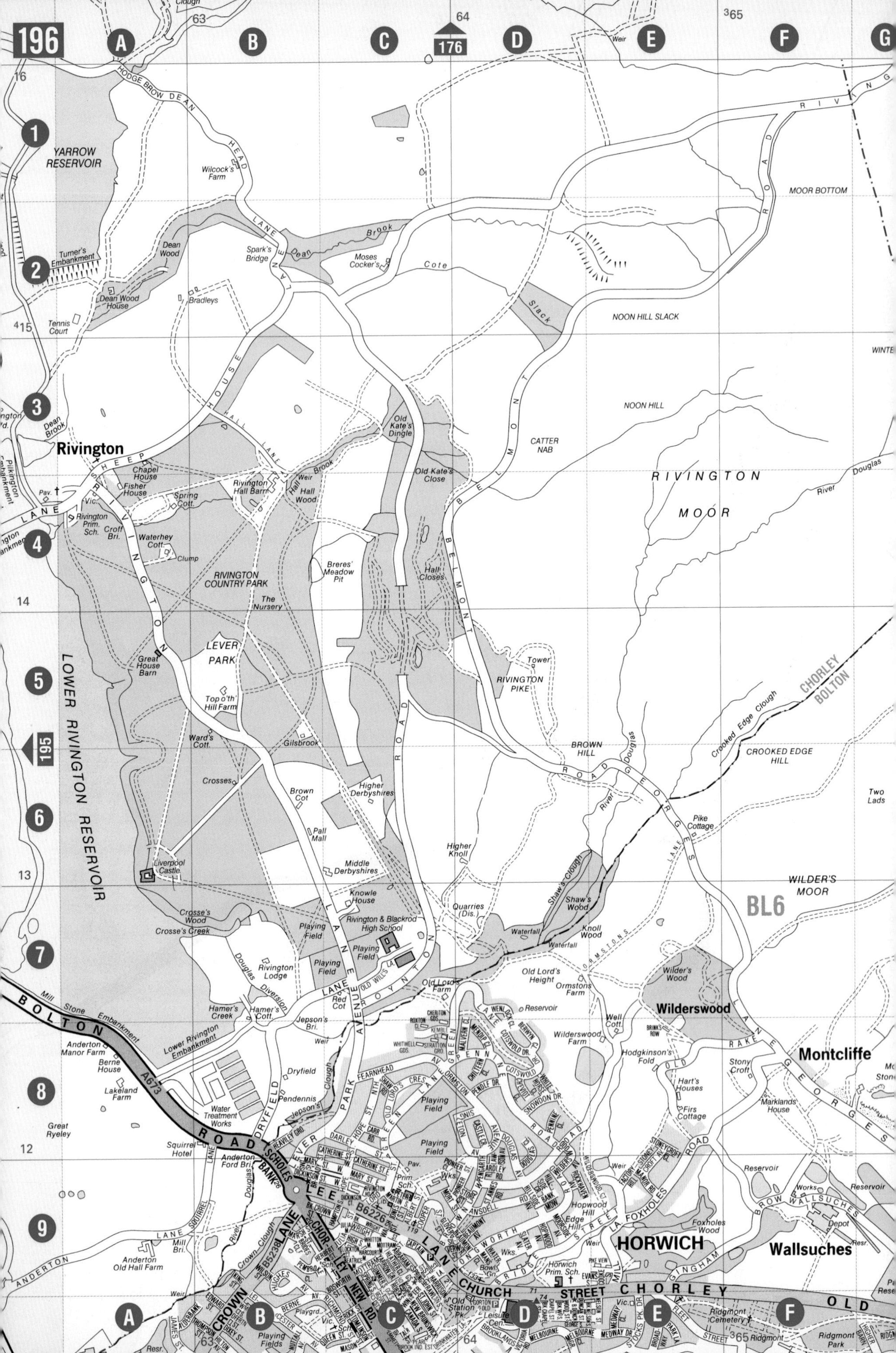
176
195
BL6
YARROW RESERVOIR
HODGE BROW
DEAN HEAD LANE
Wilcock's Farm
Turner's Embankment
Dean Wood
Spark's Bridge
Dean Brook
Moses Cocker's
Cote
Dean Wood House
Bradleys
Tennis Court
Slack
NOON HILL SLACK
MOOR BOTTOM
RIVINGTON ROAD
HOUSE HALL LANE
Old Kate's Dingle
NOON HILL
CATTER NAB
Dean Brook
Rivington
SHEEP LANE
Chapel House
Fisher House
Pav.
Vic.
Rivington Prim. Sch.
Croff Bri.
Spring Cott.
Rivington Hall Barn
Weir
Hall Brook
Hall Wood
Old Kate's Close
BELMONT ROAD
RIVINGTON MOOR
River Douglas
Waterhey Cott.
Clump
RIVINGTON COUNTRY PARK
The Nursery
Breres' Meadow Pit
Hall Closes
RIVINGTON LANE
LEVER PARK
Great House Barn
Top o'th' Hill Farm
Tower
RIVINGTON PIKE
CHORLEY
BOLTON
Crooked Edge Clough
CROOKED EDGE HILL
LOWER RIVINGTON RESERVOIR
Ward's Cott.
Gilsbrook
ROAD
BROWN HILL
Douglas
GEORGE'S LANE
Crosses
Brown Cot
Higher Derbyshires
River
Two Lads
Pike Cottage
Pall Mall
Higher Knoll
Liverpool Castle
Middle Derbyshires
Shaw's Clough
Shaw's Wood
WILDER'S MOOR
Knowle House
Quarries (Dis.)
Crosse's Wood
Crosse's Creek
Playing Field
Rivington & Blackrod High School
Waterfall
Knoll Wood
Douglas Diversion
Rivington Lodge
ORMSTONS LANE
Old Lord's Height
Ormstons Farm
Wilder's Wood
Wilderswood
Mill Stone Embankment
BOLTON ROAD
A673
Hamer's Creek
Hamer's Cott.
Red Cot
Old Lord's Farm
Reservoir
Well Cott.
Jepson's Bri.
Lower Rivington Embankment
Anderton Manor Farm
Berne House
Weir
Wilderswood Farm
Hodgkinson's Fold
RAKE LANE
Montcliffe
Stony Croft
Dryfield
Jepson's Clough
DRYFIELD LANE
Pendennis
Lakeland Farm
Water Treatment Works
Great Ryeley
Hart's Houses
Firs Cottage
Markland's House
Playing Field
Squirrel Hotel
Anderton Ford Bri.
SCHOLES BANK
LEE LANE
B6226
Pav.
Prim. Sch.
Wks.
Hopwood Hill
Edge Hill
FOXHOLES ROAD
Reservoir
Works
Depot
Resr.
WALLSUCHES
Wallsuches
SQUIRREL LANE
ANDERTON LANE
Mill Bri.
Anderton Old Hall Farm
Crown Clough
B5238
CHORLEY NEW RD.
CHURCH STREET
CHORLEY OLD ROAD
HORWICH
Foxholes Wood
Horwich Prim. Sch.
GINGHAM BROW
Old Station Pk.
Leisure Cen.
Ridgmont Cemetery
Ridgmont Park
CROWN LANE
Playing Fields
Playgrd.
Resr.
Weir
MELBOURNE RD.
BROOKLANDS
FLEET STREET
63
64
365
16
415
14
13
12

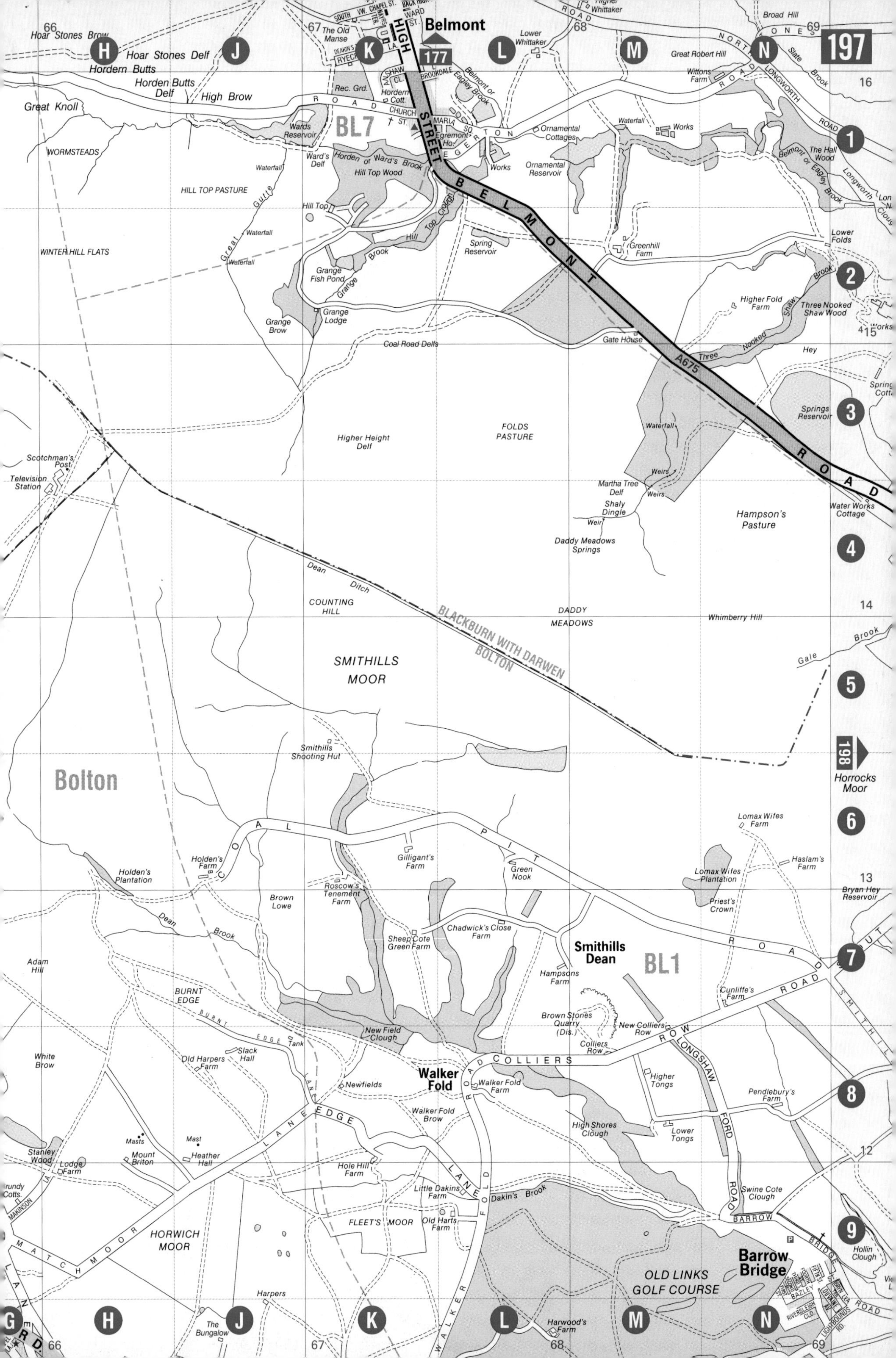

197
Belmont
177
BL7
BL1
Bolton
198
Horrocks Moor
Hoar Stones Brow
Hoar Stones Delf
Hordern Butts
Horden Butts Delf
High Brow
Great Knoll
Wards Reservoir
Ward's Delf
WORMSTEADS
HILL TOP PASTURE
WINTER HILL FLATS
Hill Top Wood
Hill Top
Grange Fish Pond
Grange Lodge
Grange Brow
Coal Road Delfs
The Old Manse
Rec. Grd.
Hordern Cott.
Egremont Ho.
Works
Ornamental Cottages
Ornamental Reservoir
Lower Whittaker
Higher Whittaker
Great Robert Hill
Wittons Farm
Broad Hill
The Hall Wood
Lower Folds
Spring Reservoir
Greenhill Farm
Higher Fold Farm
Three Nooked Shaw Wood
Gate House
A675
BELMONT ROAD
Springs Reservoir
FOLDS PASTURE
Higher Height Delf
Scotchman's Post
Television Station
Martha Tree Delf
Shaly Dingle
Daddy Meadows Springs
Water Works Cottage
Hampson's Pasture
COUNTING HILL
DADDY MEADOWS
Whimberry Hill
BLACKBURN WITH DARWEN
BOLTON
SMITHILLS MOOR
Smithills Shooting Hut
COAL PIT ROAD
Gilligant's Farm
Green Nook
Holden's Farm
Holden's Plantation
Roscow's Tenement Farm
Brown Lowe
Lomax Wifes Farm
Haslam's Farm
Lomax Wifes Plantation
Priest's Crown
Bryan Hey Reservoir
Chadwick's Close Farm
Sheep Cote Green Farm
Smithills Dean
Hampsons Farm
Adam Hill
BURNT EDGE
Brown Stones Quarry (Dis.)
New Colliers Row
Cunliffe's Farm
New Field Clough
COLLIERS ROW ROAD
Walker Fold
Walker Fold Farm
Slack Hall
Old Harpers Farm
White Brow
Newfields
Walker Fold Brow
High Shores Clough
Higher Tongs
Lower Tongs
LONGSHAW FORD ROAD
Pendlebury's Farm
Stanley Wood
Lodge Farm
Mount Briton
Heather Hall
Hole Hill Farm
Little Dakins Farm
Dakin's Brook
Swine Cote Clough
BARROW BRIDGE ROAD
FLEET'S MOOR
Old Harts Farm
HORWICH MOOR
MATCHMOOR LANE
Barrow Bridge
OLD LINKS GOLF COURSE
Hollin Clough
Harpers
The Bungalow
Harwood's Farm
66
67
68
69
16
15
14
13
12

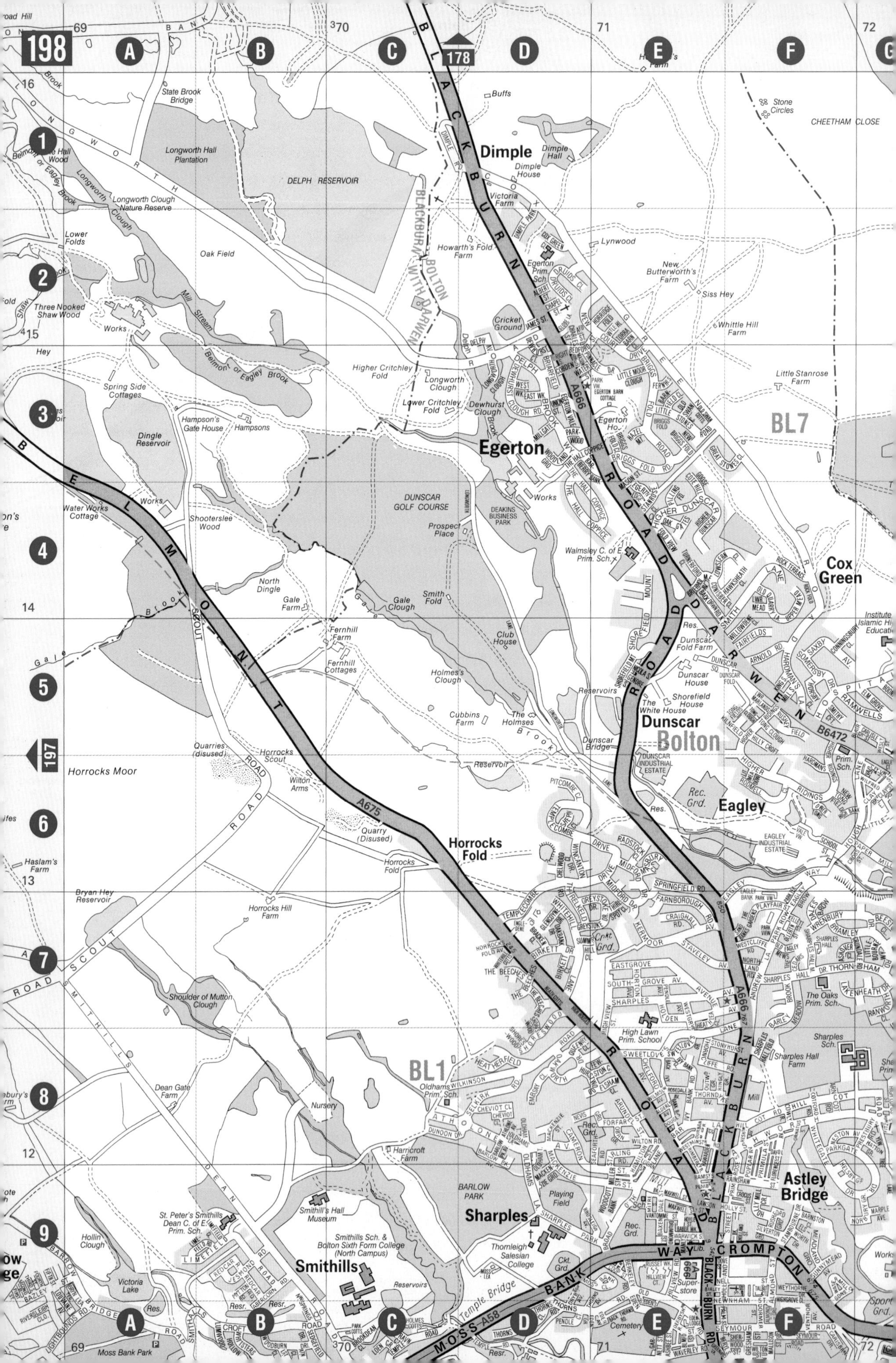

198
178
197
A
B
C
D
E
F
G
1
2
3
4
5
6
7
8
9
69
370
71
72
16
15
14
13
12
Dimple
Egerton
Dunscar
Bolton
Eagley
Cox Green
Horrocks Fold
Sharples
Smithills
Astley Bridge
BL7
BL1
DELPH RESERVOIR
Longworth Hall Plantation
Longworth Clough Nature Reserve
Oak Field
State Brook Bridge
Belmont or Eagley Brook
Three Nooked Shaw Wood
Works
Spring Side Cottages
Dingle Reservoir
Hampson's Gate House
Hampsons
Water Works Cottage
Shooterslee Wood
North Dingle
Gale Farm
Fernhill Farm
Fernhill Cottages
Horrocks Moor
Quarries (disused)
Horrocks Scout
Wilton Arms
Quarry (Disused)
Horrocks Fold
Bryan Hey Reservoir
Horrocks Hill Farm
Shoulder of Mutton Clough
Dean Gate Farm
Nursery
Harricroft Farm
Hollin Clough
Victoria Lake
Moss Bank Park
St. Peter's Smithills Dean C. of E. Prim. Sch.
Smithill's Hall Museum
Smithills Sch. & Bolton Sixth Form College (North Campus)
Reservoirs
Temple Bridge
Thornleigh Salesian College
Playing Field
BARLOW PARK
Oldhams Prim. Sch.
High Lawn Prim. School
Cemetery
Super-store
Sharples Hall Farm
Sharples Sch.
The Oaks Prim. Sch.
Mill
DUNSCAR GOLF COURSE
DEAKINS BUSINESS PARK
Prospect Place
Gale Clough
Smith Fold
Club House
Holmes's Clough
Cubbins Farm
The Holmses
Reservoirs
Dunscar Bridge
DUNSCAR INDUSTRIAL ESTATE
Rec. Grd.
EAGLEY INDUSTRIAL ESTATE
Walmsley C. of E. Prim. Sch.
Dunscar Fold Farm
Dunscar House
Shorefield House
The White House
Higher Critchley Fold
Longworth Clough
Lower Critchley Fold
Dewhurst Clough
Cricket Ground
Egerton Prim. Sch.
Egerton Ho.
Howarth's Fold Farm
Victoria Farm
Dimple House
Dimple Hall
Buffs
Lynwood
New Butterworth's Farm
Siss Hey
Whittle Hill Farm
Little Stanrose Farm
Stone Circles
CHEETHAM CLOSE
BLACKBURN WITH DARWEN
BOLTON
BLACKBURN ROAD
DARWEN ROAD
BELMONT ROAD
LONGWORTH ROAD
SCOUT ROAD
SMITHILLS DEAN ROAD
CROMPTON WAY
MOSS BANK WAY
A666
A675
A58
B6472

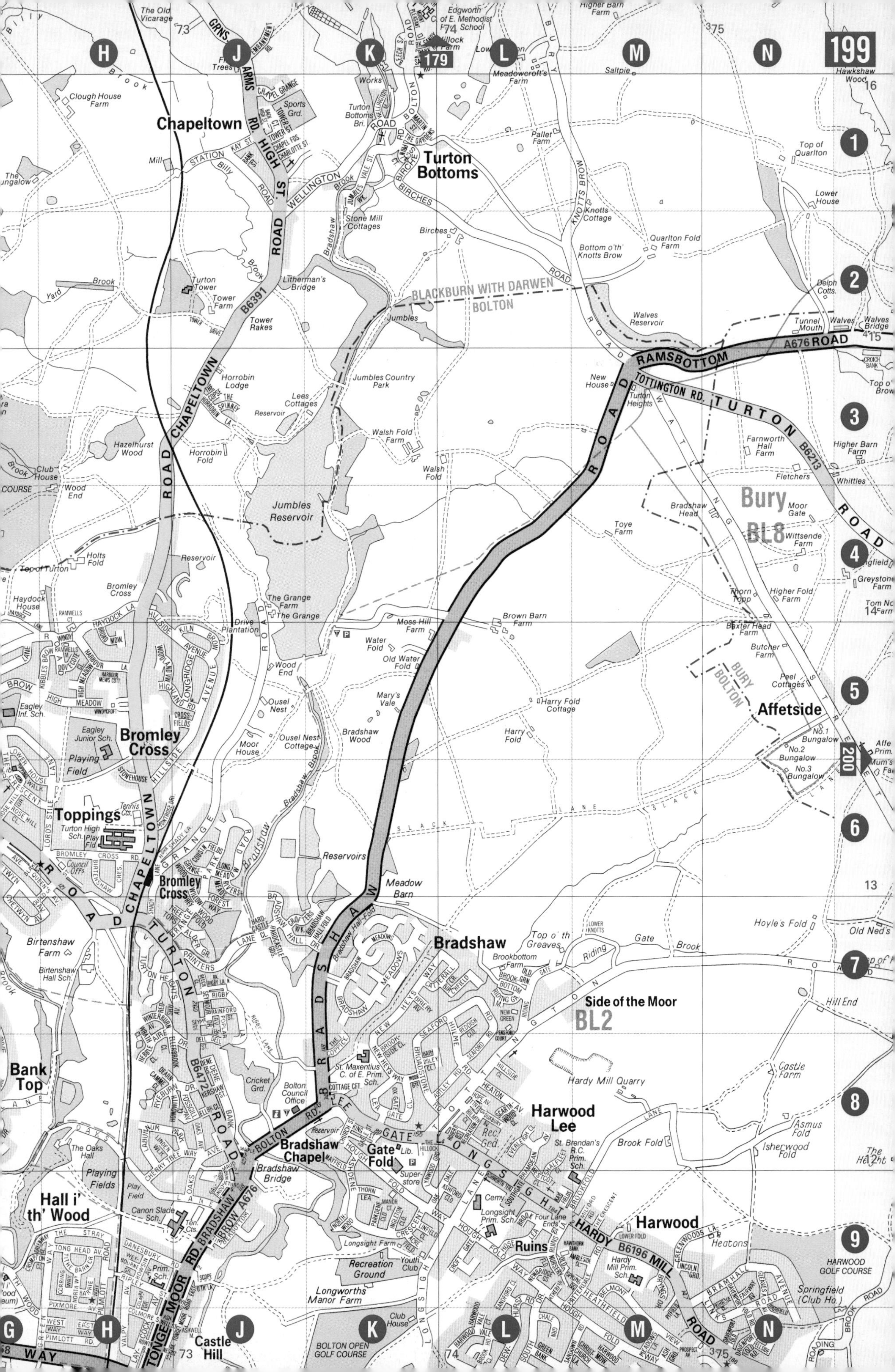

199
H
J
K
L
M
N
1
2
3
4
5
6
7
8
9
Chapeltown
Turton Bottoms
Clough House Farm
Sports Grd.
Turton Tower
Tower Farm
Tower Rakes
Litherman's Bridge
Stone Mill Cottages
Birches
Knotts Cottage
Bottom o'th' Knotts Brow
Quarlton Fold Farm
Pallet Farm
Meadowcroft's Farm
Saltpie
Hawkshaw Wood
Top of Quarlton
Lower House
Delph Cotts.
Walves Reservoir
Walves Bridge
Tunnel Mouth
BLACKBURN WITH DARWEN
BOLTON
Jumbles
Jumbles Country Park
Lees Cottages
Horrobin Lodge
Horrobin Fold
Hazelhurst Wood
Club House
Wood End
Jumbles Reservoir
Walsh Fold Farm
Walsh Fold
New House
Turton Heights
RAMSBOTTOM
A676 ROAD
TOTTINGTON RD.
TURTON
B6213
ROAD
Farnworth Hall Farm
Higher Barn Farm
Fletchers
Whittles
Bury
BL8
Moor Gate
Bradshaw Head
Toye Farm
Wittsende Farm
Greystone Farm
Higher Fold Farm
Thorn Topp
Baxter Head Farm
Butcher Farm
Peel Cottages
BURY
BOLTON
Affetside
No.1 Bungalow
No.2 Bungalow
No.3 Bungalow
200
Holts Fold
Top of Turton
Reservoir
Bromley Cross
Haydock House
The Grange Farm
The Grange
Drive Plantation
Moss Hill Farm
Brown Barn Farm
Water Fold
Old Water Fold
Wood End
Mary's Vale
Ousel Nest
Ousel Nest Cottage
Moor House
Bradshaw Wood
Harry Fold Cottage
Harry Fold
Eagley Inf. Sch.
Eagley Junior Sch.
Playing Field
Bromley Cross
Toppings
Turton High Sch.
Reservoirs
SLACK LANE
Meadow Barn
CHAPELTOWN ROAD
B6391
HIGH ST.
TURTON ROAD
B6472
BRADSHAW
Bradshaw
Top o' th' Greaves
Lower Knotts
Riding Gate Brook
Hoyle's Fold
Old Ned's
Brookbottom Farm
Side of the Moor
BL2
Hill End
Castle Farm
Hardy Mill Quarry
Birtenshaw Farm
Birtenshaw Hall Sch.
Bank Top
Cricket Grd.
Bolton Council Office
St. Maxentius C. of E. Prim. Sch.
Harwood Lee
St. Brendan's R.C. Prim. Sch.
Brook Fold
Asmus Fold
Isherwood Fold
The Oaks Hall
Playing Fields
Play Field
Bradshaw Chapel
Gate Fold
Super-store
Bradshaw Bridge
Canon Slade Sch.
Longsight Prim. Sch.
Four Lane Ends
Cemy.
Rec. Grd.
Hall i' th' Wood
Ruins
Harwood
HARDY MILL ROAD
B6196
Hardy Mill Prim. Sch.
Heatons
HARWOOD GOLF COURSE
Springfield (Club Ho.)
Longsight Farm
Youth Club
Recreation Ground
Longworths Manor Farm
Club House
BOLTON OPEN GOLF COURSE
TONGE MOOR RD.
A676
Castle Hill
LONGSIGHT
G

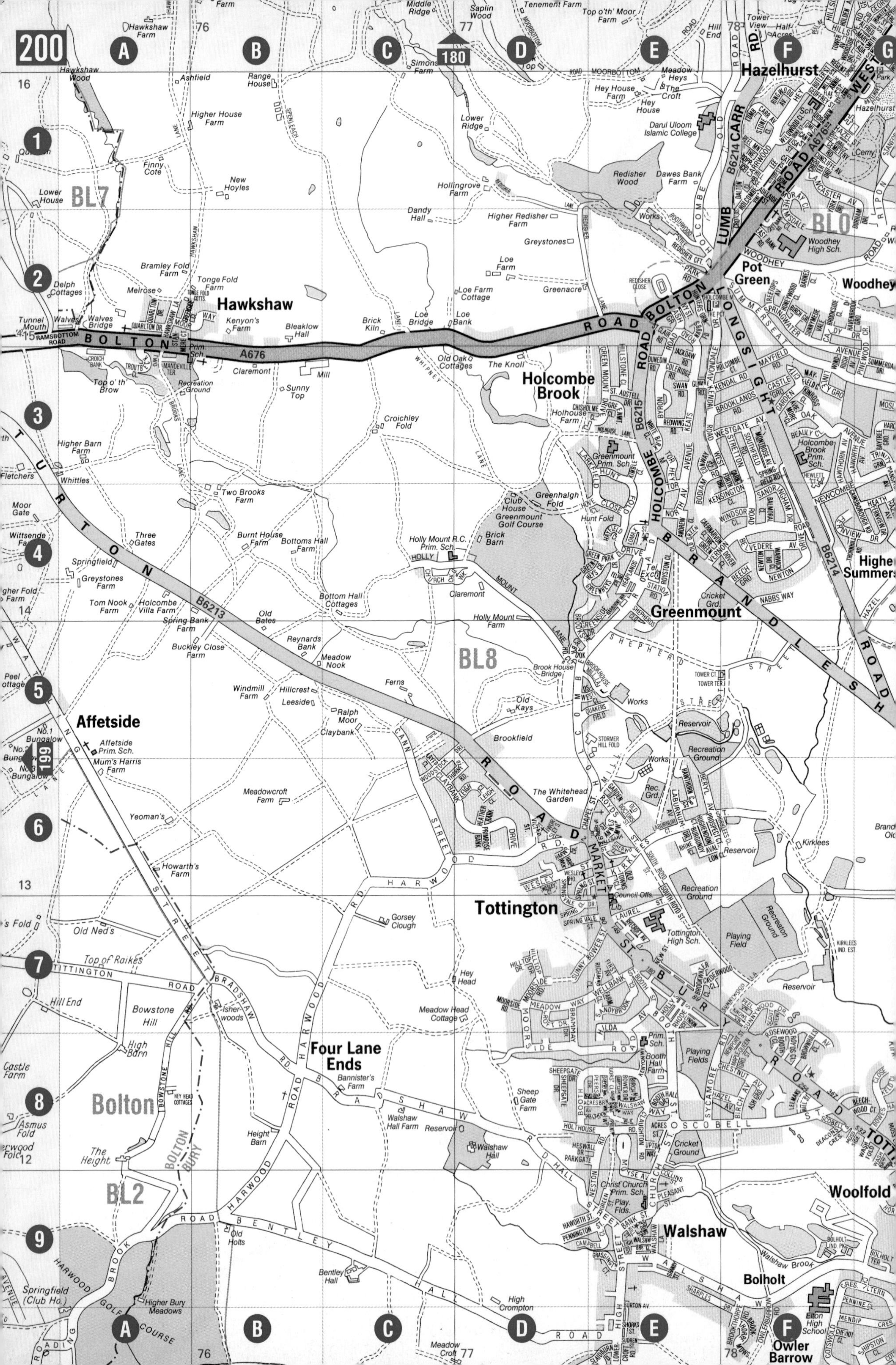

180
199
Hawkshaw
Holcombe Brook
Greenmount
Tottington
Affetside
Four Lane Ends
Walshaw
Woolfold
Bolholt
Owler Barrow
Hazelhurst
Pot Green
Woodhey
Bolton
BL7
BL8
BL0
BL2
TURTON ROAD
BOLTON ROAD
HOLCOMBE ROAD
LONGSIGHT ROAD
BRANDLESHOLME ROAD
BURY ROAD
WATLING STREET
HARWOOD ROAD
TITTINGTON ROAD
BENTLEY HALL ROAD
BRADSHAW ROAD
HARWOOD GOLF COURSE
A676
B6213
B6214
B6215
Hawkshaw Wood
Hawkshaw Farm
Higher House Farm
Redisher Wood
Darul Uloom Islamic College
Greenmount Golf Course
Holly Mount R.C. Prim. Sch.
Greenmount Prim. Sch.
Holcombe Brook Prim. Sch.
Woodhey High Sch.
Tottington High Sch.
Elton High School
Walshaw Hall
Bentley Hall
Recreation Ground
Playing Fields
Cricket Grd.
Reservoir
Kirklees Ind. Est.

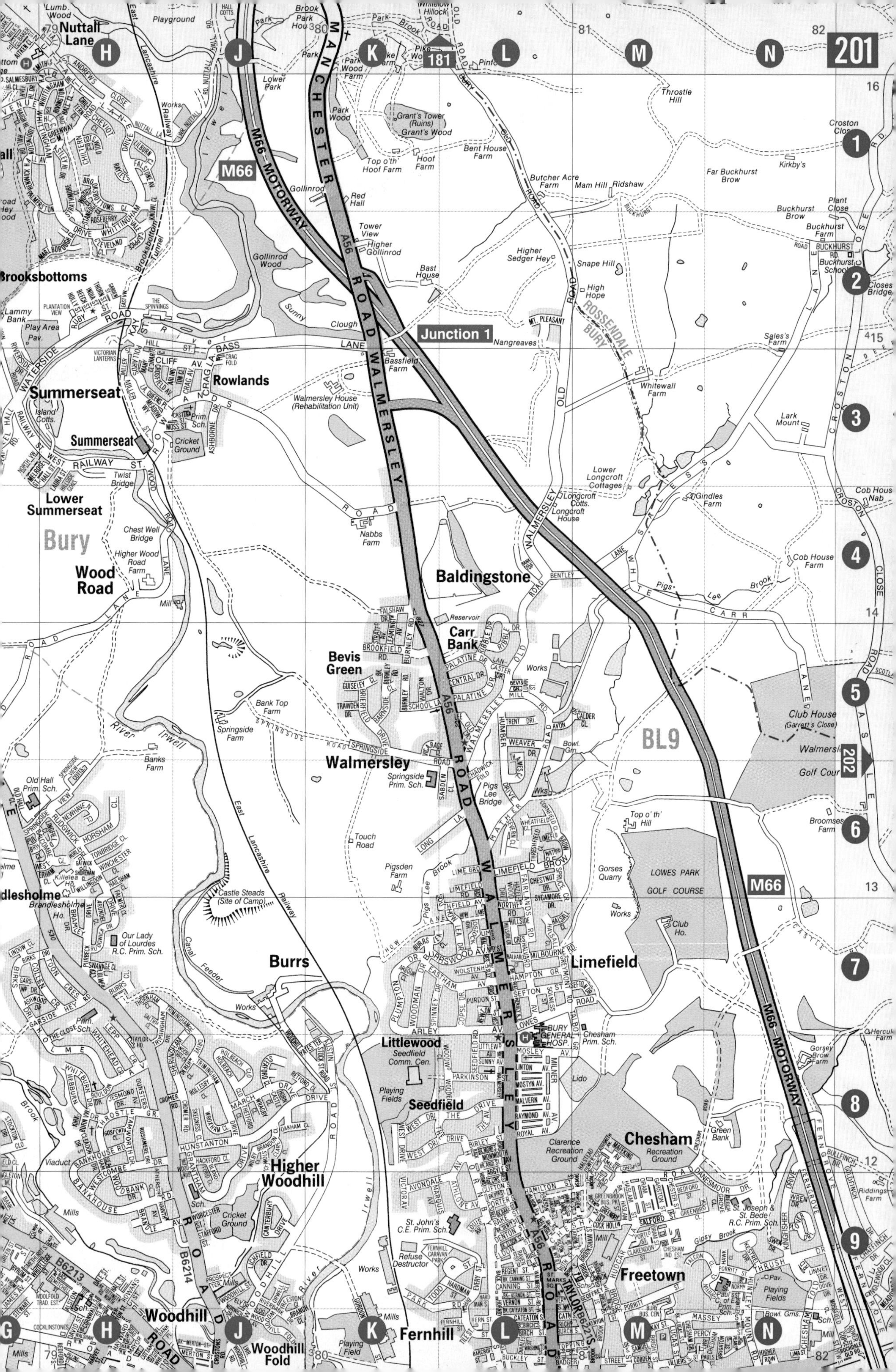
Nuttall Lane
Brooksbottoms
Summerseat
Rowlands
Lower Summerseat
Bury
Wood Road
Brandlesholme
Burrs
Baldingstone
Carr Bank
Bevis Green
Walmersley
Limefield
Littlewood
Seedfield
Higher Woodhill
Chesham
Freetown
Woodhill
Woodhill Fold
Fernhill
BL9
Junction 1
M66
M66 MOTORWAY
MANCHESTER ROAD
WALMERSLEY ROAD
A56
B6214
B6213
Grant's Tower (Ruins)
Grant's Wood
Gollinrod Wood
Walmersley House (Rehabilitation Unit)
Castle Steads (Site of Camp)
LOWES PARK GOLF COURSE
Walmersley Golf Course
Bury General Hosp.
River Irwell
East Lancashire Railway
181
202
H J K L M N
1 2 3 4 5 6 7 8 9
79 380 81 82
16 15 14 13 12

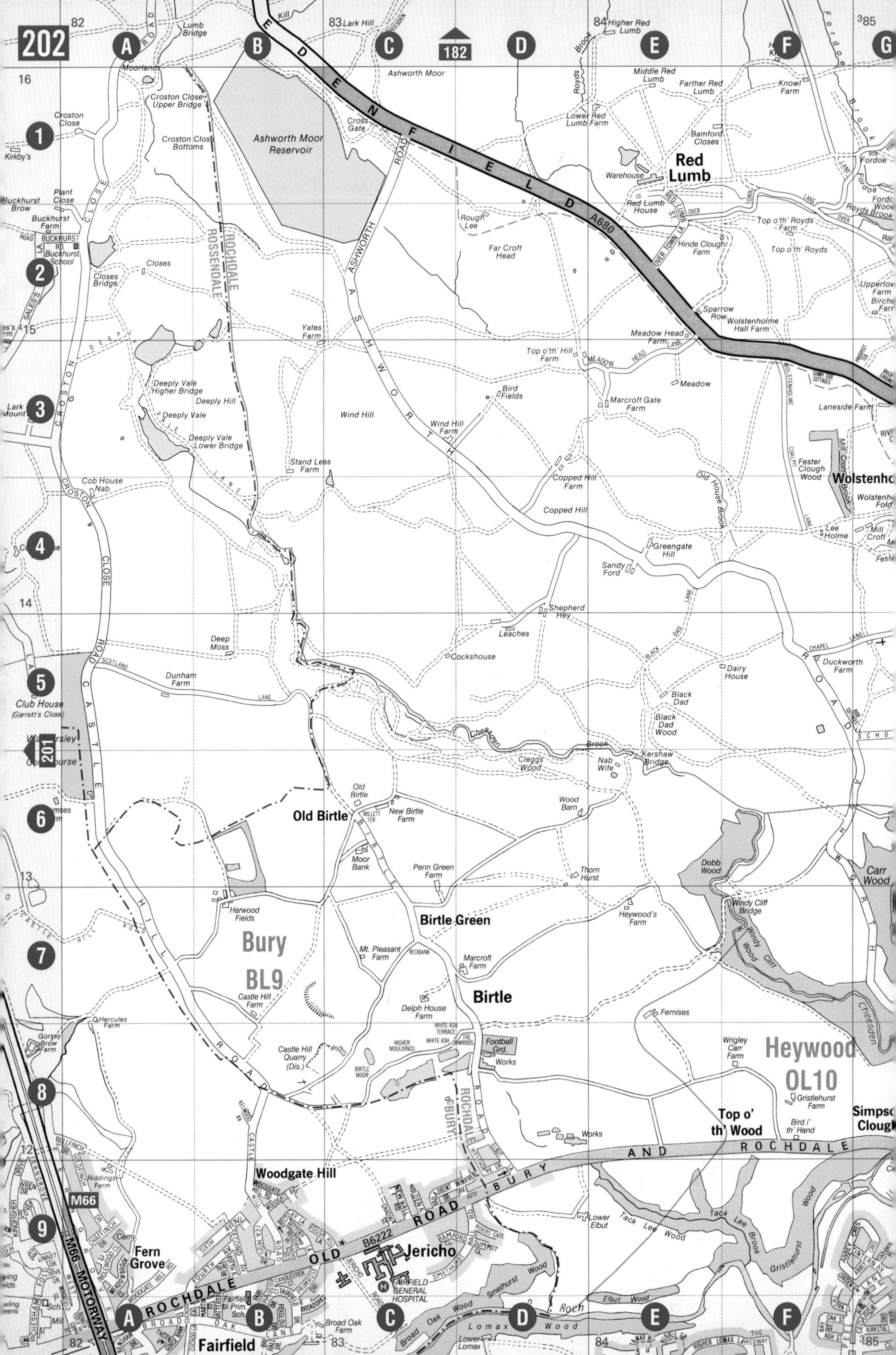
Ashworth Moor Reservoir
Ashworth Moor
Red Lumb
Lark Hill
Higher Red Lumb
Middle Red Lumb
Farther Red Lumb
Lower Red Lumb Farm
Knowl Farm
Bamford Closes
Fordoe
Warehouse
Red Lumb House
Top o'th' Royds Farm
Top o'th' Royds
Hinde Clough Farm
Royds Brook
Rough Lee
Far Croft Head
Sparrow Row
Wolstenholme Hall Farm
Meadow Head Farm
Top o'th' Hill Farm
Meadow
Marcroft Gate Farm
Bird Fields
Laneside Farm
Wind Hill
Wind Hill Farm
Stand Lees Farm
Copped Hill Farm
Copped Hill
Fester Clough Wood
Wolstenholme Fold
Lee Holme
Mill Croft
Greengate Hill
Sandy Ford
Shepherd Hey
Leaches
Cockshouse
Dairy House
Duckworth Farm
Black Dad
Black Dad Wood
Cheesden Brook
Kershaw Bridge
Cleggs Wood
Nab Wife
Wood Barn
Moorlands
Lumb Bridge
Croston Close Upper Bridge
Croston Close Bottoms
Croston Close
Kirkby's
Plant Close
Buckhurst Brow
Buckhurst Farm
Buckhurst School
Closes
Closes Bridge
Yates Farm
Cross Gate
Deeply Vale Higher Bridge
Deeply Hill
Deeply Vale
Deeply Vale Lower Bridge
Lark Mount
Cob House Nab
Deep Moss
Dunham Farm
Club House (Garrett's Close)
Walmersley Golf Course
Old Birtle
New Birtle Farm
Moor Bank
Penn Green Farm
Thorn Hurst
Dobb Wood
Carr Wood
Windy Cliff Bridge
Windy Cliff Wood
Harwood Fields
Birtle Green
Heywood's Farm
Mt. Pleasant Farm
Marcroft Farm
Bury BL9
Castle Hill Farm
Delph House Farm
Birtle
Fernises
Hercules Farm
Gorsey Brow Farm
Castle Hill Quarry (Dis.)
Higher Mouldings
Birtle Moor
Football Grd.
Works
Wrigley Carr Farm
Heywood OL10
Gristlehurst Farm
Top o' th' Wood
Bird i' th' Hand
Riddings Farm
Woodgate Hill
Lower Elbut
Tack Lee Wood
Tack Lee Brook
Gristlehurst Wood
Jericho
Fairfield General Hospital
Fern Grove
Smethurst Wood
Broad Oak Wood
Elbut Wood
Lomax Wood
Broad Oak Farm
Lower Lomax
Fairfield
Fairfield Prim. Sch.
River Roch
EDENFIELD ROAD A680
ASHWORTH ROAD
ROCHDALE ROAD
CROSTON CLOSE ROAD
CASTLE HILL ROAD
SCOTLAND LANE
BLACK DAD LANE
CHAPEL LANE
OVER TOWN LA
MEADOW HEAD LANE
BURY AND ROCHDALE OLD ROAD B6222
BROAD OAK LANE
M66 MOTORWAY
ROCHDALE BURY
ROSSENDALE
182
201

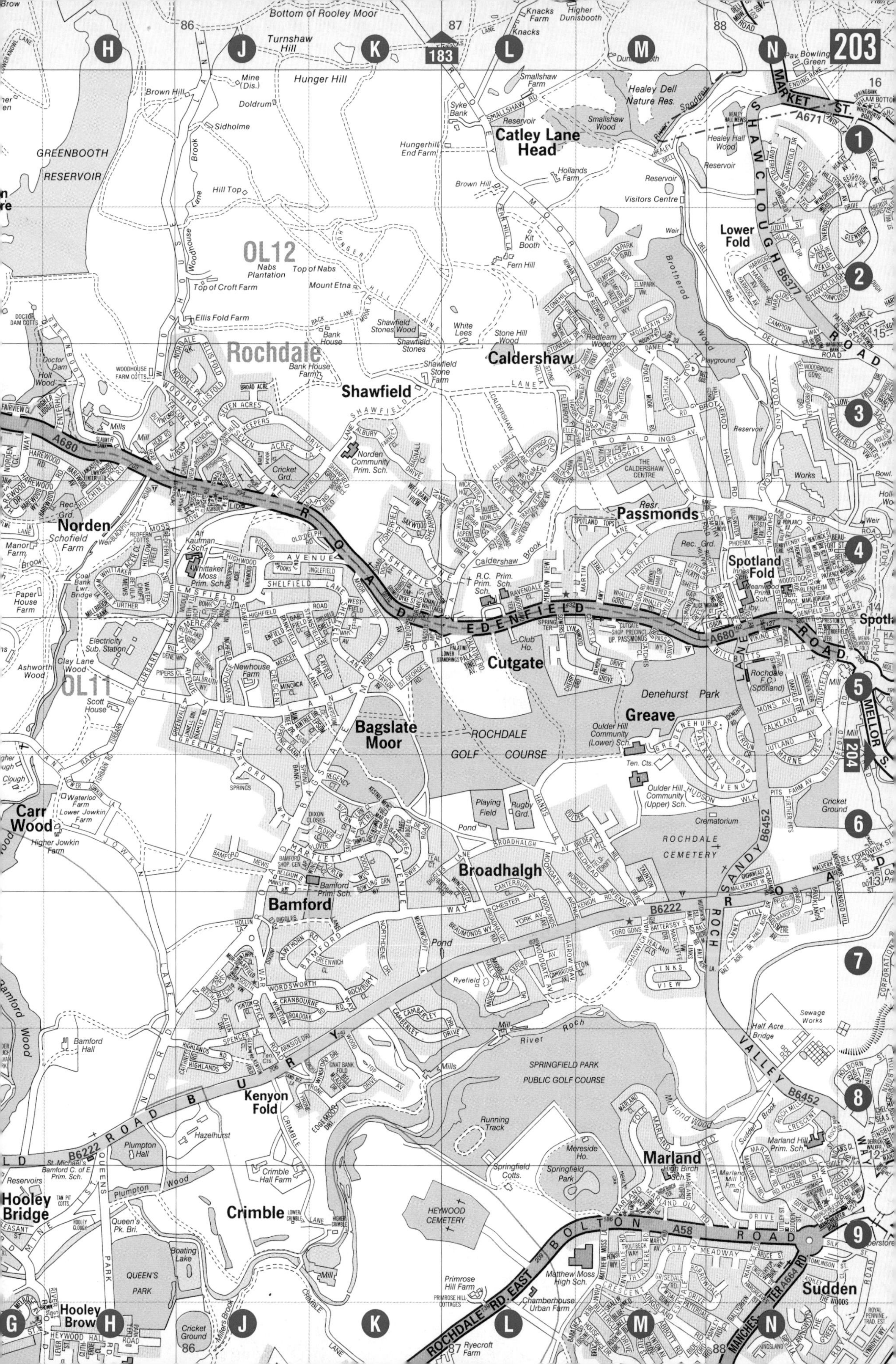
Bottom of Rooley Moor
183
Turnshaw Hill
Hunger Hill
Knacks Farm
Higher Dunisbooth
Healey Dell Nature Res.
Smallshaw Wood
Catley Lane Head
GREENBOOTH RESERVOIR
OL12
Nabs Plantation
Top of Nabs
Mount Etna
Top of Croft Farm
Ellis Fold Farm
Rochdale
Shawfield
Caldershaw
Lower Fold
Norden
Schofield Farm
Passmonds
Spotland Fold
Cutgate
Greave
Denehurst Park
Bagslate Moor
ROCHDALE GOLF COURSE
OL11
Carr Wood
Broadhalgh
Bamford
ROCHDALE CEMETERY
Crematorium
Kenyon Fold
SPRINGFIELD PARK PUBLIC GOLF COURSE
Marland
Crimble
Hooley Bridge
Hooley Brow
QUEEN'S PARK
HEYWOOD CEMETERY
Sudden
A680
A671
A58
B6222
B6377
B6452
204
Bamford Wood
Running Track
River Roch

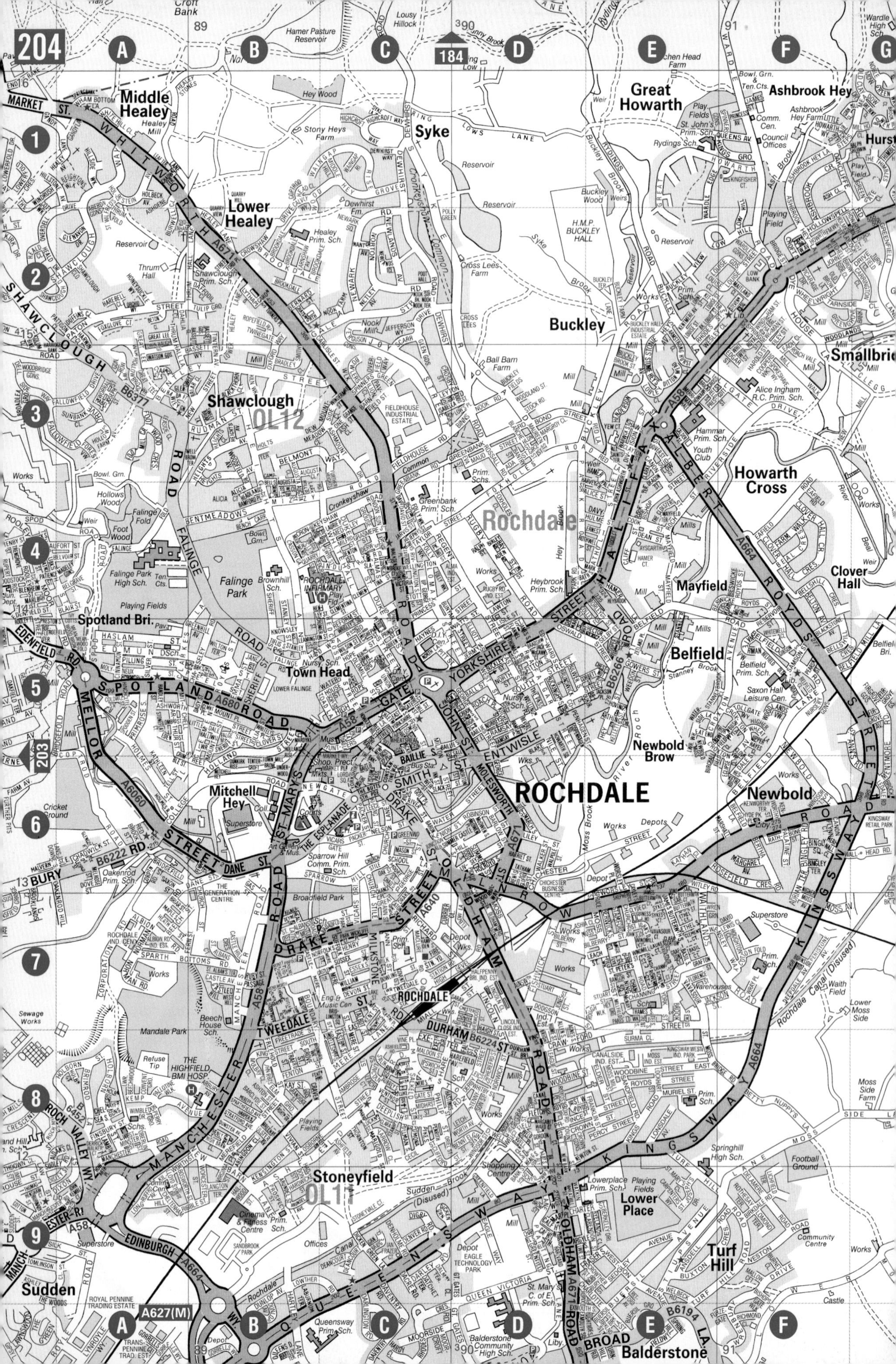
A
B
C
D
E
F
G
184
203
1
2
3
4
5
6
7
8
9
89
390
91
Middle Healey
Lower Healey
Syke
Great Howarth
Ashbrook Hey
Hurst
Shawclough
OL12
Buckley
Smallbridge
Howarth Cross
Clover Hall
Mayfield
Belfield
Newbold Brow
Newbold
Rochdale
ROCHDALE
Spotland Bri.
Town Head
Mitchell Hey
Falinge Park
Stoneyfield
OL11
Lower Place
Turf Hill
Balderstone
Sudden
H.M.P. BUCKLEY HALL
Hey Wood
Stony Heys Farm
Hamer Pasture Reservoir
Lousy Hillock
Croft Bank
Reservoir
Thrum Hall
Cross Lees Farm
Ball Barn Farm
Fieldhouse Industrial Estate
Buckley Hill Industrial Estate
Falinge Park High Sch.
Playing Fields
Rochdale Infirmary
Greenbank Prim. Sch.
Heybrook Prim. Sch.
Hammar Prim. Sch.
Alice Ingham R.C. Prim. Sch.
Saxon Hall Leisure Cen.
Broadfield Park
Mandale Park
Sewage Works
The Highfield BMI Hosp.
Cinema & Fitness Centre
Queensway Prim. Sch.
Balderstone Community High Sch.
St. Mary's C. of E. Prim. Sch.
Springhill High Sch.
Football Ground
Community Centre
Eagle Technology Park
Royal Pennine Trading Estate
Rochdale Canal (Disused)
Kingsway Retail Park
Lower Moss Side
Moss Side Farm
Waith Field
Castle
WHITWORTH ROAD
A671
SHAWCLOUGH ROAD
B6377
SPOTLAND ROAD
A680
MELLOR ST.
A6060
BURY RD.
B6222
MANCHESTER ROAD
A58
ST. MARY'S GATE
YORKSHIRE STREET
HALIFAX ROAD
ALBERT ROYDS STREET
A664
KINGSWAY
QUEENSWAY
A627(M)
EDINBURGH WAY
OLDHAM ROAD
A671
DRAKE STREET
A640
DURHAM ST.
B6224
MILKSTONE RD.
ROCH VALLEY WY.
ENTWISLE RD.
MOLESWORTH ST.
BROAD LANE
B6194
ROCHDALE

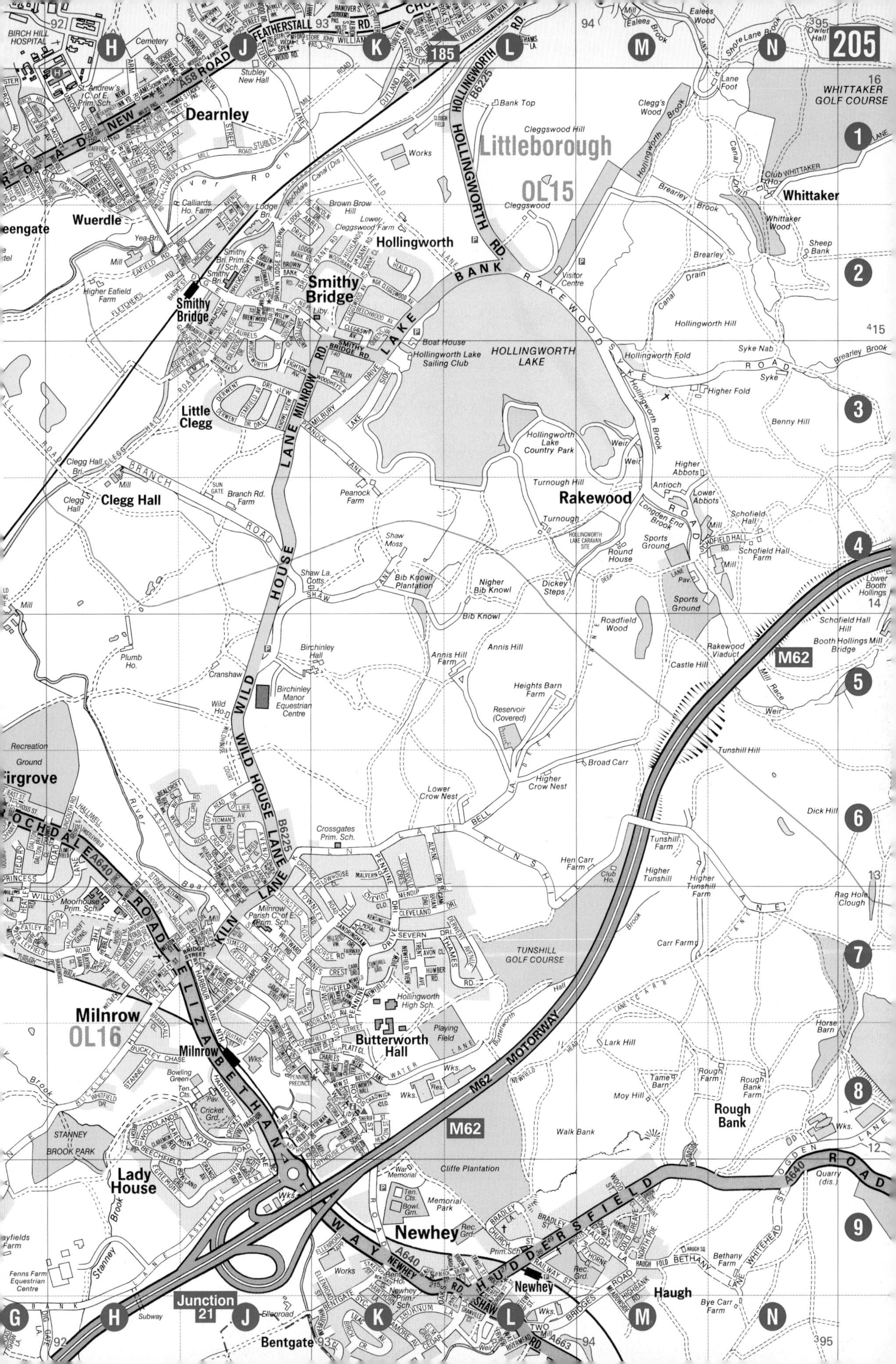

Dearnley
Littleborough
OL15
Whittaker
WHITTAKER GOLF COURSE
Wuerdle
Hollingworth
Smithy Bridge
HOLLINGWORTH LAKE
Hollingworth Lake Country Park
Little Clegg
Clegg Hall
Rakewood
Firgrove
Milnrow
OL16
Butterworth Hall
TUNSHILL GOLF COURSE
M62
Rough Bank
Lady House
STANNEY BROOK PARK
Newhey
Haugh
Bentgate
Junction 21
Cliffe Plantation
Birchinley Manor Equestrian Centre
Hollingworth High Sch.
Crossgates Prim. Sch.
WILD HOUSE LANE
KILN LANE
ELIZABETHAN WAY
HUDDERSFIELD ROAD
OGDEN ROAD
ROCHDALE ROAD
NEW ROAD
A58
A640
A663
B6225
185

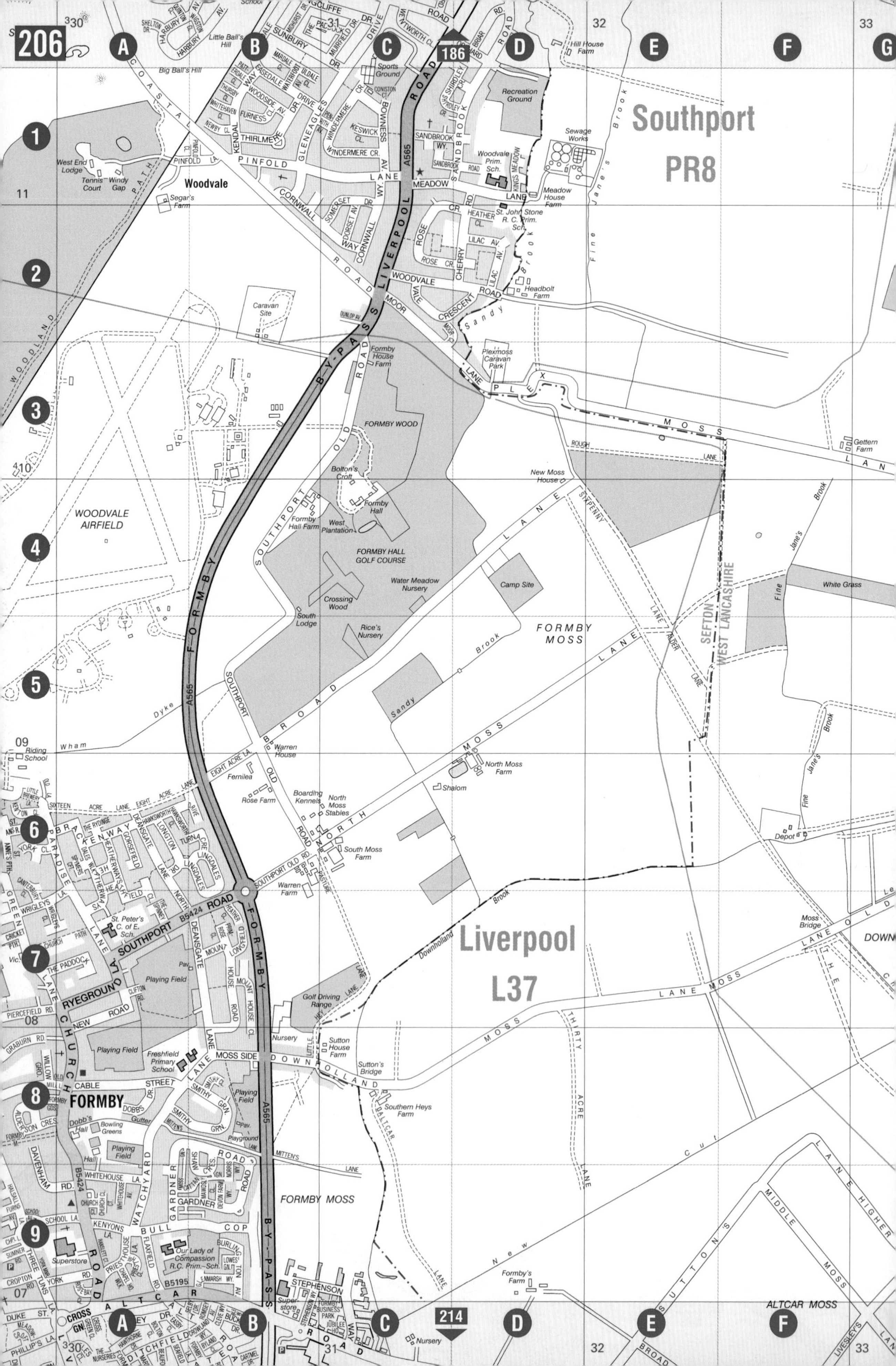

Southport
PR8

Liverpool
L37

Woodvale

WOODVALE
AIRFIELD

FORMBY
MOSS

FORMBY HALL
GOLF COURSE

FORMBY MOSS

FORMBY

ALTCAR MOSS

WEST LANCASHIRE

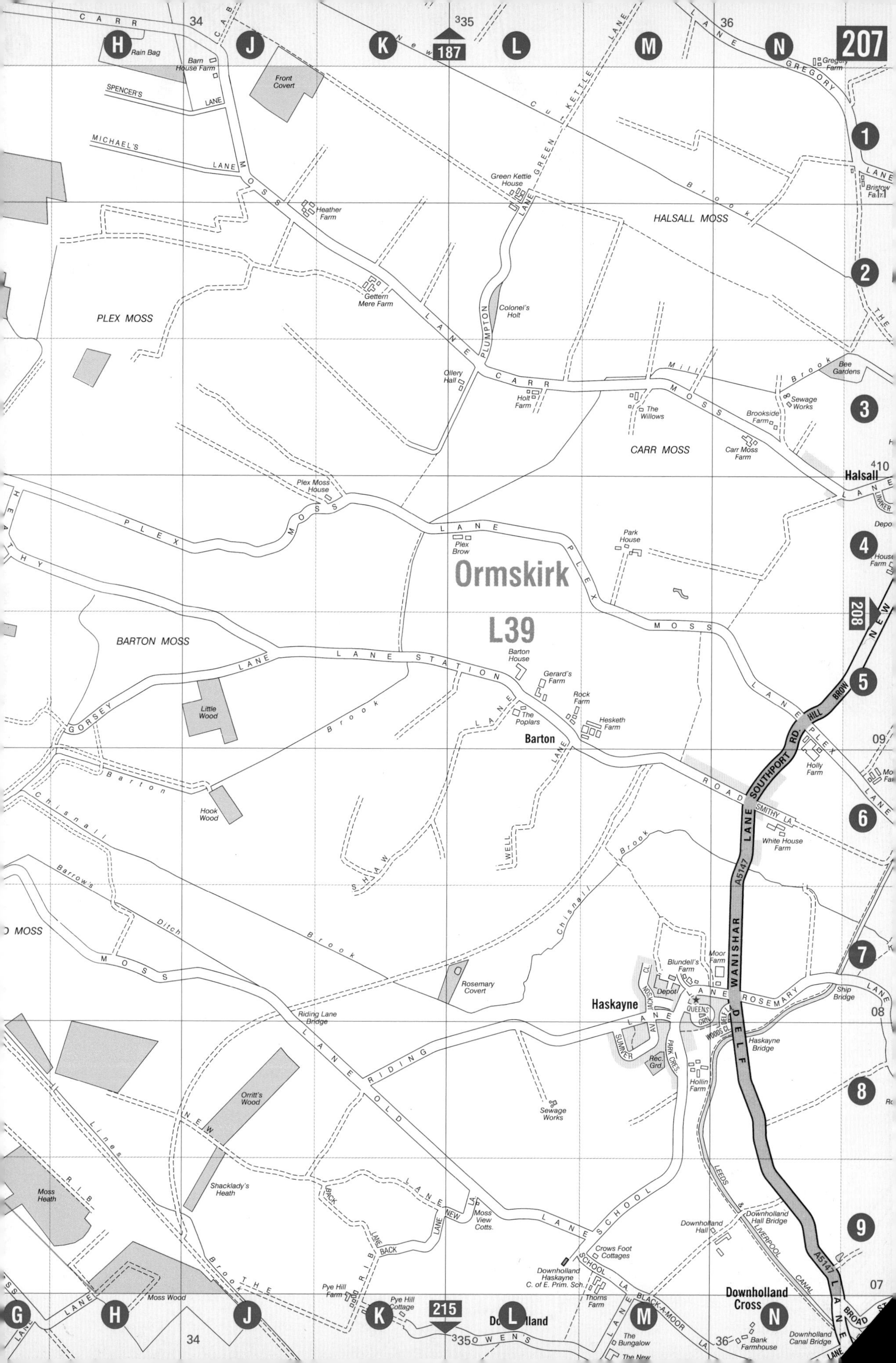

Rain Bag
Barn House Farm
Front Covert
Spencer's Lane
Michael's Lane
Moss Lane
Carr Lane
New Cut
Green Kettle Lane
Green Kettle House
Heather Farm
Gettern Mere Farm
Halsall Moss
Brook
Gregory Lane
Gregory Farm
Bristow Farm
Plex Moss
Colonel's Holt
Plumpton Lane
Ollery Hall
Holt Farm
Mill Brook
Bee Gardens
Sewage Works
Brookside Farm
The Willows
Carr Moss
Carr Moss Farm
Halsall
Plex Moss House
Plex Moss Lane
Heathy Lane
Plex Brow
Park House
Ormskirk
L39
Barton Moss
Gorsey Lane
Station Lane
Barton House
Gerard's Farm
Rock Farm
Hesketh Farm
The Poplars
Barton
Little Wood
Barton Road
Barton Brook
Hook Wood
Chisnall Brook
Southport Rd.
Hill Brow
Plex Lane
Holly Farm
Smithy La.
White House Farm
Well Lane
Shaw Lane
Barrow's Ditch
Moss Lane
Rosemary Covert
Riding Lane Bridge
Haskayne
Moor Farm
Blundell's Farm
Depot
Queens Grv.
Rosemary Lane
Wanishar Lane
A5147
Delf Lane
Ship Bridge
Haskayne Bridge
Summer Av.
Park Cres.
Rec. Grd
Woods Cl.
Hollin Farm
Riding Lane
Old Lane
Orritt's Wood
New Lane
Sewage Works
Lines
Rib Brook
Moss Heath
Shacklady's Heath
Back Lane
New Lane
Moss View Cotts.
School Lane
Leeds & Liverpool Canal
Downholland Hall Bridge
Downholland Hall
Crows Foot Cottages
Downholland Haskayne C. of E. Prim. Sch.
Thorns Farm
Black-a-Moor La.
Downholland Cross
The Brook
Moss Wood
Pye Hill Farm
Pye Hill Cottage
Owen's Lane
The Bungalow
Bank Farmhouse
Downholland Canal Bridge
Broad Lane
187
215
208
34
335
36
410
09
08
07
H
J
K
L
M
N
G
1
2
3
4
5
6
7
8
9

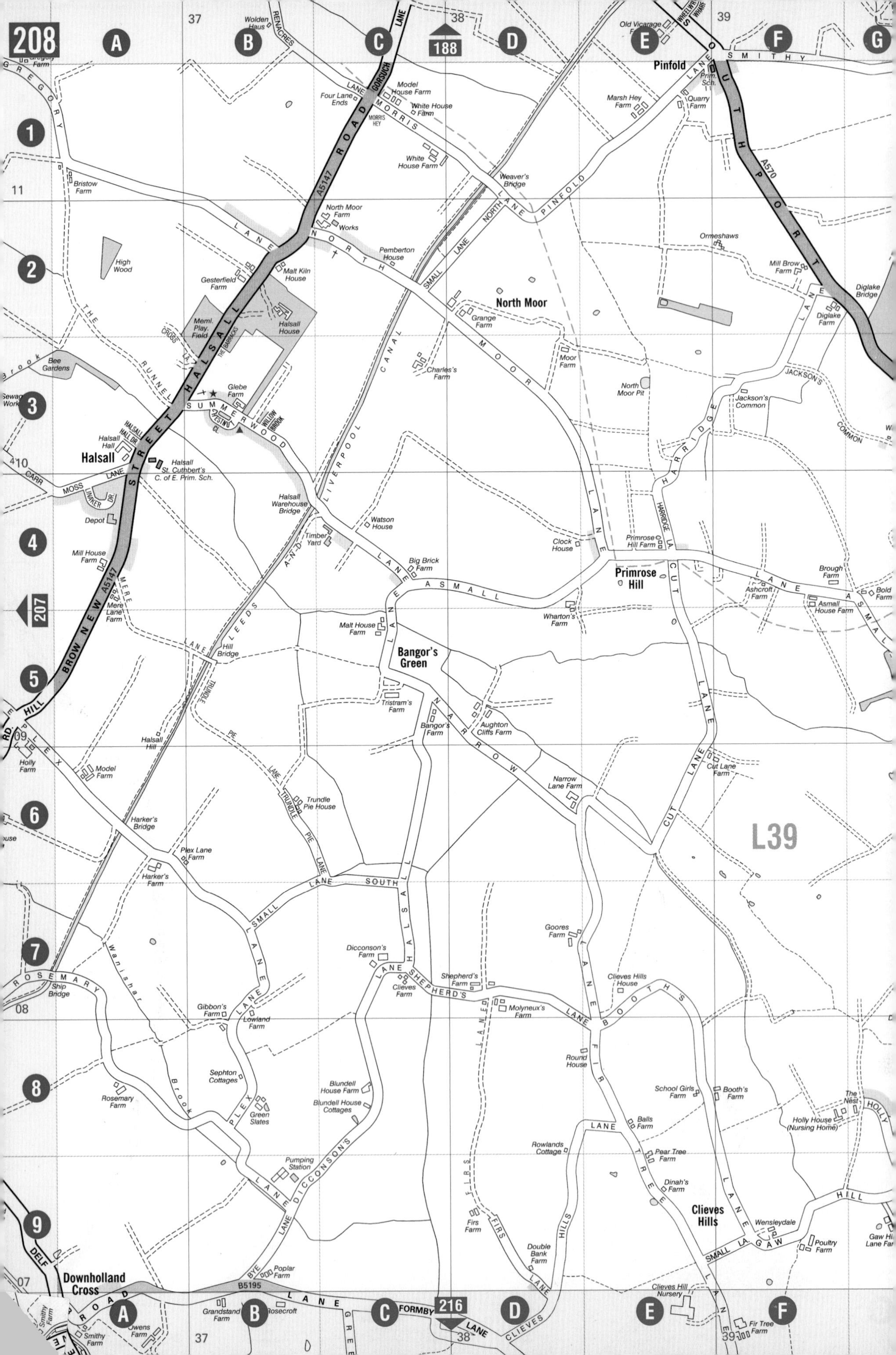

Halsall
North Moor
Primrose Hill
Bangor's Green
Pinfold
Clieves Hills
Downholland Cross
L39
188
207
216
GORSUCH LANE
HALSALL ROAD
STREET
NEW BROW
HILL
A5147
SOUTHPORT
A570
SMITHY
NORTH MOOR LANE
MORRIS LANE
SMALL LANE
PINFOLD LANE
ASMALL LANE
NARROW
CUT LANE
HARRIDGE LA
SOUTH LANE
HALSALL LANE
SHEPHERD'S LANE
BOOTH'S LANE
FIR TREE LANE
FIRS LANE
HILLS LANE
CLIEVES
FORMBY LANE
B5195
BYE LANE
DICCONSON'S LANE
PLEX LANE
ROSEMARY
SUMMERWOOD
TRUNDLE PIE LANE
MERE LANE
MOSS LANE
CARR
GREGORY
THE RUNNEL
LEEDS AND LIVERPOOL CANAL
JACKSON'S COMMON
GAW HILL
SMALL LA
HOLLY
RENACRES
Wanishar Brook
Brook
Bristow Farm
High Wood
Bee Gardens
Halsall Hall
St. Cuthbert's C. of E. Prim. Sch.
Gesterfield Farm
Meml. Play. Field
Malt Kiln House
Halsall House
Glebe Farm
North Moor Farm
Works
Pemberton House
Model House Farm
White House Farm
Four Lane Ends
Weaver's Bridge
Grange Farm
Charles's Farm
Moor Farm
North Moor Pit
Marsh Hey Farm
Quarry Farm
Old Vicarage
Ormeshaws
Mill Brow Farm
Diglake Bridge
Diglake Farm
Jackson's Common
Halsall Warehouse Bridge
Timber Yard
Watson House
Big Brick Farm
Clock House
Primrose Hill Farm
Brough Farm
Ashcroft Farm
Asmall House Farm
Bold Farm
Wharton's Farm
Malt House Farm
Mill House Farm
Depot
Mere Lane Farm
Hill Bridge
Tristram's Farm
Bangor's Farm
Aughton Cliffs Farm
Narrow Lane Farm
Cut Lane Farm
Halsall Hill
Holly Farm
Model Farm
Trundle Pie House
Harker's Bridge
Plex Lane Farm
Harker's Farm
Ship Bridge
Gibbon's Farm
Lowland Farm
Dicconson's Farm
Clieves Farm
Shepherd's Farm
Molyneux's Farm
Goores Farm
Clieves Hills House
Round House
Sephton Cottages
Green Slates
Rosemary Farm
Blundell House Farm
Blundell House Cottages
Pumping Station
School Girls Farm
Booth's Farm
Balls Farm
Rowlands Cottage
Pear Tree Farm
Dinah's Farm
The Nest
Holly House (Nursing Home)
Firs Farm
Double Bank Farm
Wensleydale
Poultry Farm
Gaw Hill Lane Farm
Poplar Farm
Clieves Hill Nursery
Fir Tree Farm
Grandstand Farm
Rosecroft
Owens Farm
Smithy Farm
DELF

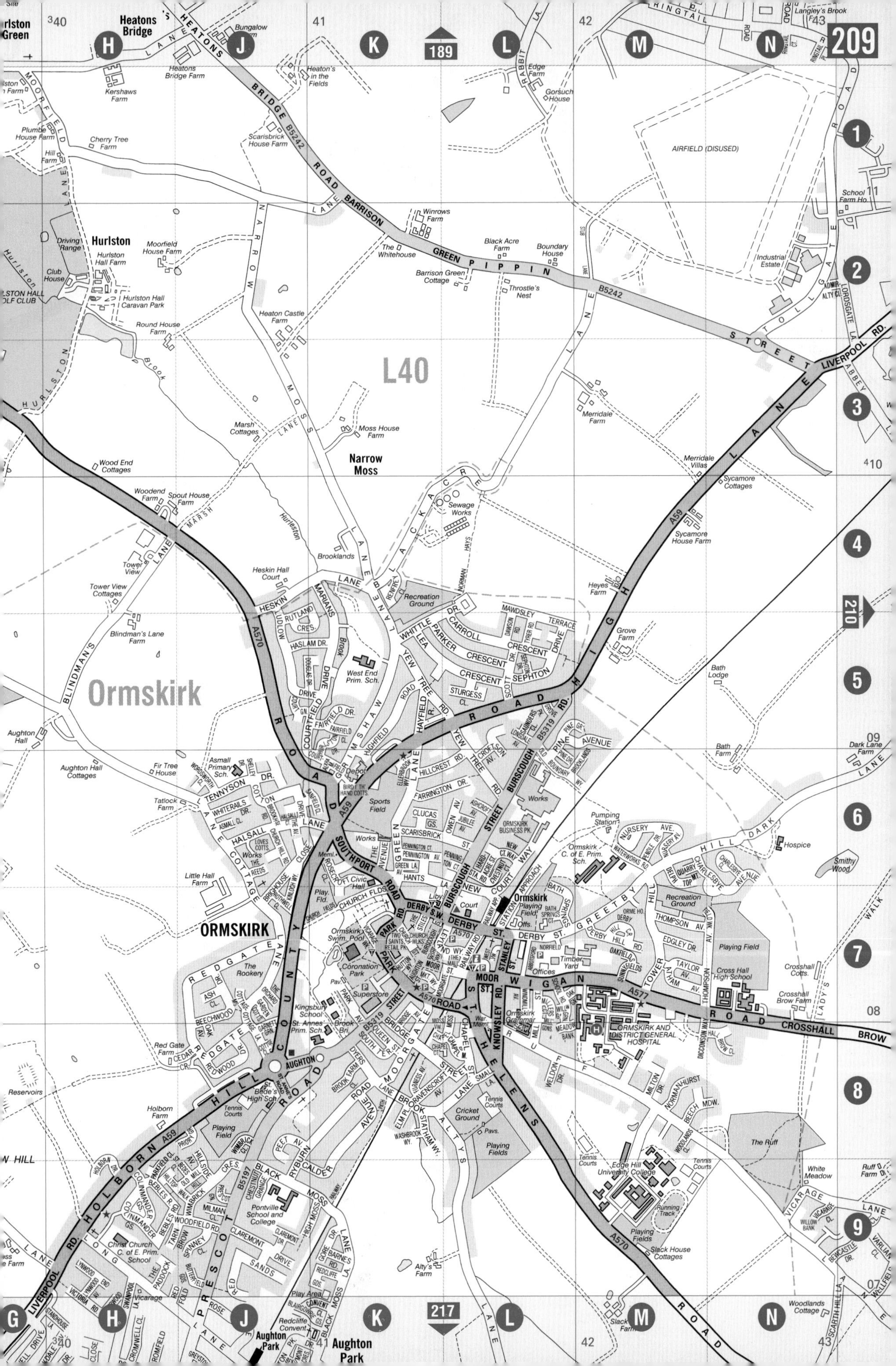

189
210
217
L40
Ormskirk
ORMSKIRK
Heatons Bridge
Hurlston
Narrow Moss
Aughton Park
Heatons Bridge Farm
Kershaws Farm
Heaton's in the Fields
Bungalow Farm
Edge Farm
Gorsuch House
Langley's Brook
AIRFIELD (DISUSED)
Plumbe House Farm
Cherry Tree Farm
Scarisbrick House Farm
Hill Farm
Driving Range
Club House
Hurlston Hall Farm
Moorfield House Farm
Hurlston Hall Caravan Park
Winrows Farm
The Whitehouse
Barrison Green Cottage
Black Acre Farm
Boundary House
Throstle's Nest
School Farm Ho.
Industrial Estate
Heaton Castle Farm
Round House Farm
Merridale Farm
Marsh Cottages
Moss House Farm
Wood End Cottages
Merridale Villas
Sycamore Cottages
Woodend Farm
Spout House Farm
Sewage Works
Sycamore House Farm
Tower View
Brooklands
Heskin Hall Court
Tower View Cottages
Heyes Farm
Recreation Ground
Blindman's Lane Farm
Grove Farm
West End Prim. Sch.
Bath Lodge
Aughton Hall
Bath Farm
Dark Lane Farm
Aughton Hall Cottages
Fir Tree House
Asmall Primary Sch.
Depot
Sports Field
Works
Tatlock Farm
Ormskirk Business Pk.
Pumping Station
Hospice
Ormskirk C. of E. Prim. Sch.
Smithy Wood
Little Hall Farm
Civic Hall
Play. Fld.
Court
Ormskirk
Playing Field
Recreation Ground
Ormskirk Swim. Pool
Playing Field
Coronation Park
Superstore
The Rookery
Timber Yard
Offices
Cross Hall High School
Crosshall Cotts.
Crosshall Brow Farm
Kingsbury School
St. Annes Prim. Sch.
Ormskirk Grammar Sch.
ORMSKIRK AND DISTRICT GENERAL HOSPITAL
Red Gate Farm
Reservoirs
St. Bede's High Sch.
Tennis Courts
Cricket Ground
Pavs.
Playing Fields
The Ruff
Holborn Farm
Playing Field
Tennis Courts
Edge Hill University College
Tennis Courts
White Meadow
Ruff Farm
Pontville School and College
Running Track
Christ Church C. of E. Prim. School
Playing Fields
Slack House Cottages
Alty's Farm
Play Area
Redcliffe Convent
Woodlands Cottage
Slack Farm
BARRISON GREEN PIPPIN
BRIDGE ROAD
HEATONS
B5242
STREET
LIVERPOOL RD.
LANE
HIGH
A59
A570
A577
B5319
B5197
COUNTY ROAD
SOUTHPORT ROAD
DERBY ST.
BURSCOUGH STREET
MOOR ST.
WIGAN ROAD
CROSSHALL BROW
ST. HELENS RD.
AUGHTON STREET
HOLBORN HILL
LIVERPOOL RD.
PRESCOT RD.
MOORGATE
NARROW MOSS LANE
LACK A CRE LANE
HESKIN LANE
BLINDMAN'S LANE
MARSH LANE
HURLSTON LANE
GREETBY HILL
DARK LANE
VICARAGE LANE
BLACK MOSS LANE
REDGATE
ALTYS LANE

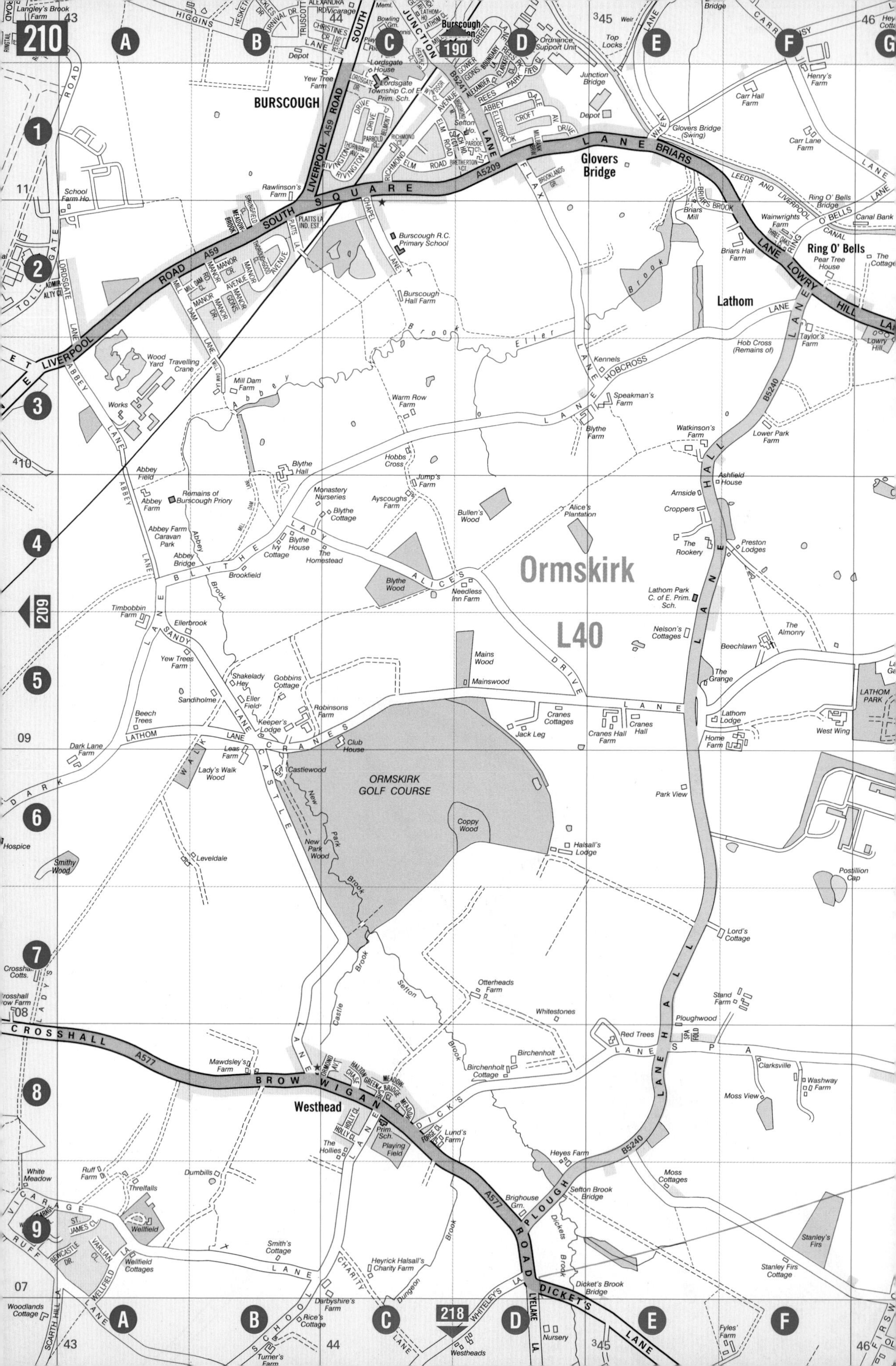

BURSCOUGH
Burscough Junction
Glovers Bridge
Lathom
Ring O' Bells
Ormskirk
L40
ORMSKIRK GOLF COURSE
Westhead
SOUTH SQUARE
LIVERPOOL ROAD
A59
A5209
BRIARS LANE
LOWRY HILL LANE
HALL LANE
B5240
CROSSHALL BROW
WIGAN ROAD
A577
PLOUGH LANE
DICKET'S LANE
CASTLE LANE
CRANES LANE
BLYTHE LANE
ALICE'S DRIVE
HOBCROSS LANE
LATHOM LANE
SANDY LANE
DARK LANE
SPA LANE
DICK'S LANE
VICARAGE LANE
SCHOOL LANE
CHARITY LANE
ABBEY LANE
FLAX LANE
Leeds and Liverpool Canal
Burscough R.C. Primary School
Lathom Park C. of E. Prim. Sch.
Remains of Burscough Priory
Blythe Wood
Mains Wood
Coppy Wood
Alice's Plantation
Bullen's Wood
Lady's Walk Wood
Smithy Wood
Stanley's Firs
LATHOM PARK
Hobbs Cross
Abbey Brook
Sefton Brook
Dickets Brook
Eller Brook
Hospice

190
209
218

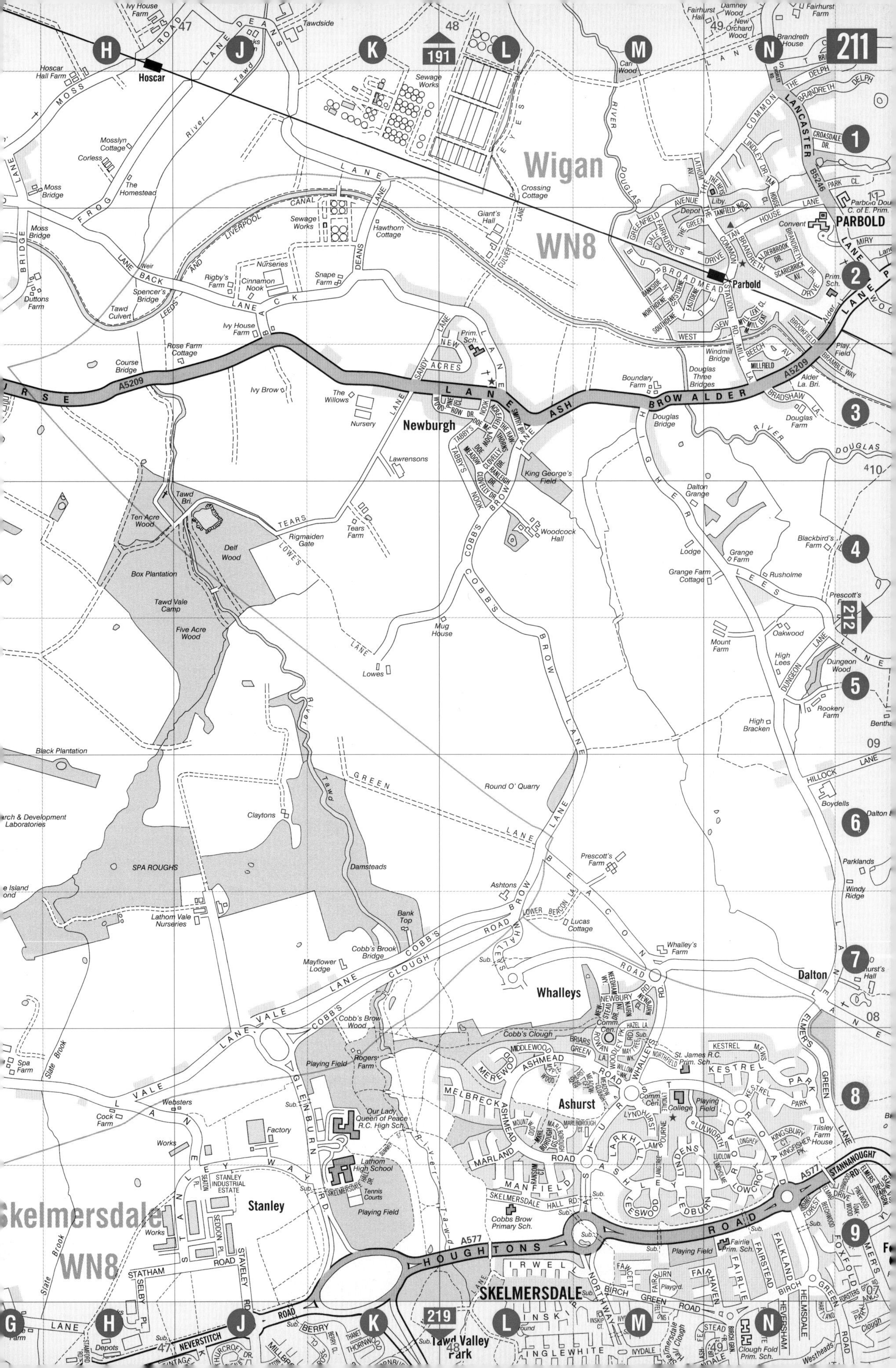
Wigan
WN8
PARBOLD
Parbold
Newburgh
Hoscar
Whalleys
Ashurst
Stanley
Dalton
SKELMERSDALE
Skelmersdale
WN8
Tawd Valley Park
191
212
219

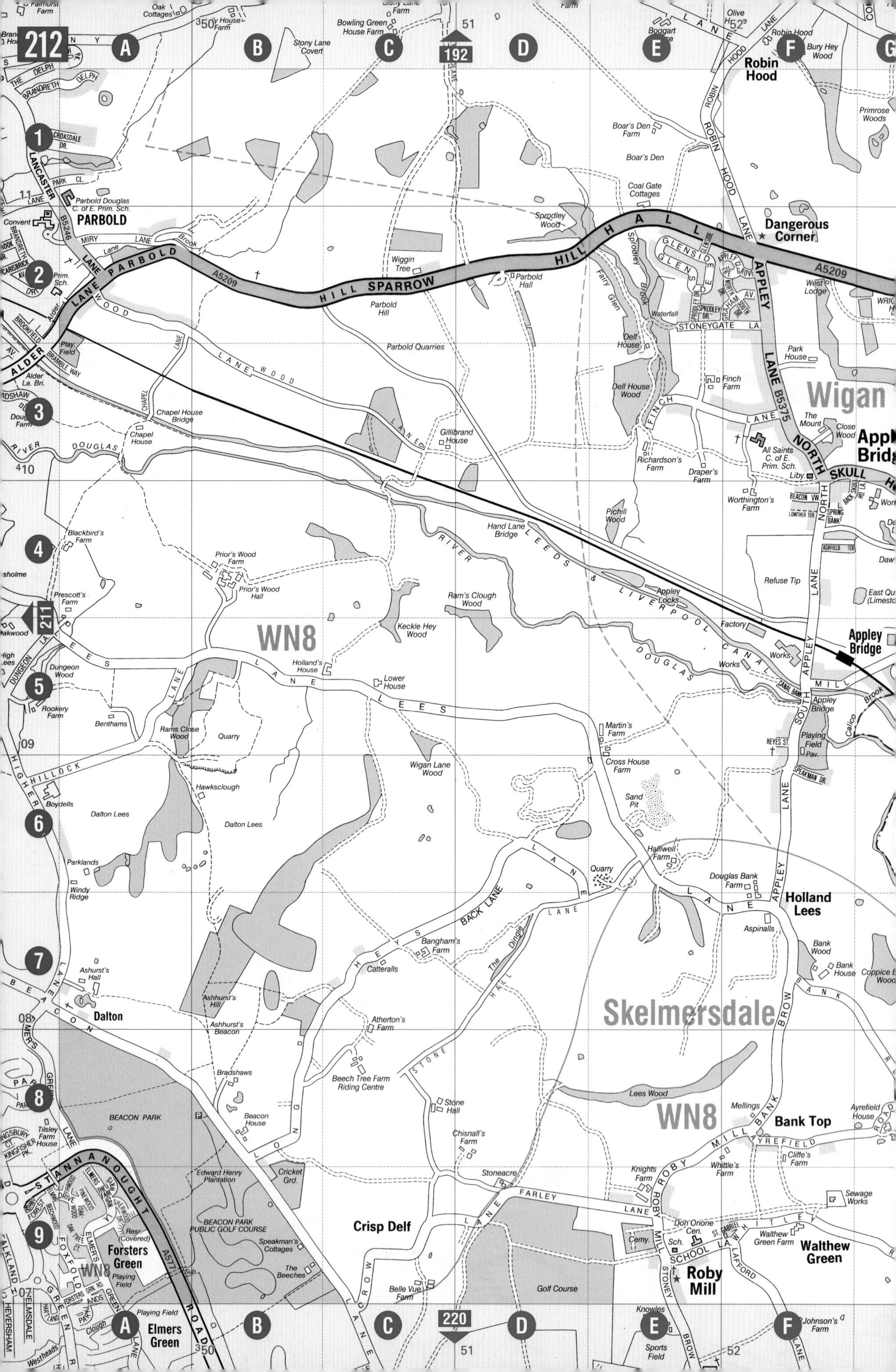

A
B
C
D
E
F
G
1
2
3
4
5
6
7
8
9
192
211
220
350
51
52
410
09
08
07
Oak Cottages
Stony Lane Covert
Bowling Green House Farm
Stony Lane Farm
Boggart
Olive
Robin Hood
Bury Hey Wood
Primrose Woods
THE DELPH
BRANDRETH DELPH
CROASDALE DR.
LANCASTER
PARK CL.
Parbold Douglas C. of E. Prim. Sch.
PARBOLD
Convent
B5246
MIRY LANE
Brook
Prim. Sch.
A5209
PARBOLD
HILL SPARROW
HILL
HALL
Wiggin Tree
Parbold Hall
Parbold Hill
Parbold Quarries
Boar's Den Farm
Boar's Den
Coal Gate Cottages
Sprodley Wood
Dangerous Corner
ROBIN HOOD LANE
GLENSIDE
APPLEY
APPLEY GROVE
West Lodge
Sprodley Brook
Fairy Glen
Waterfall
STONEYGATE LA.
Delf House
Delf House Wood
Park House
Finch Farm
FINCH LANE
Wigan
The Mount
Close Wood
Appley Bridge
All Saints C. of E. Prim. Sch.
Liby.
SKULL
Richardson's Farm
Draper's Farm
Worthington's Farm
BEACON VW.
LOWTHER TER.
SPRING BANK
ASHFIELD TER.
Refuse Tip
East Quarry (Limestone)
Pichill Wood
Hand Lane Bridge
LEEDS & LIVERPOOL CANAL
Appley Locks
Factory
Works
CANAL BANK
Appley Bridge
Playing Field
Pav.
HEYES ST.
SPEAKMAN DR.
Calico Brook
MILL
SOUTH
LANE NORTH B5375
ALDER
BROOKFIELD AV.
WOOD LANE
Play. Field
BRAMBLE WAY
Alder La. Bri.
Chapel House Bridge
Chapel House
CHAPEL LANE
Gillibrand House
RIVER DOUGLAS
Blackbird's Farm
Prior's Wood Farm
Prior's Wood Hall
Ram's Clough Wood
Keckle Hey Wood
Prescott's Farm
WN8
Holland's House
Lower House
Dungeon Wood
DUNGEON LA.
Rookery Farm
Benthams
LEES LANE
Rams Close Wood
Quarry
Martin's Farm
Cross House Farm
Sand Pit
Wigan Lane Wood
HIGHER
HILLOCK
Boydells
Dalton Lees
Hawksclough
Dalton Lees
Halliwell Farm
Quarry
Douglas Bank Farm
Holland Lees
Aspinalls
Parklands
Windy Ridge
BACK LANE
HEYS
Bangham's Farm
Catteralls
The Dingle
HALL LANE
Bank Wood
Bank House
Coppice
Ashurst's Hall
Dalton
BEACON
Ashhurst's Hill
Ashhurst's Beacon
Atherton's Farm
Skelmersdale
BROW
BANK
Beech Tree Farm Riding Centre
STONE
Bradshaws
Stone Hall
Chisnall's Farm
Lees Wood
WN8
Mellings
Bank Top
Ayrefield House
BEACON PARK
Beacon House
LONG
Tilsley Farm House
KINGFISHER PK.
STANNANOUGHT ROAD
Edward Henry Plantation
Cricket Grd.
Stoneacre
FARLEY LANE
Knights Farm
ROBY MILL
AYREFIELD
Whittle's Farm
Cliffe's Farm
Sewage Works
BEACON PARK PUBLIC GOLF COURSE
Resr (Covered)
Speakman's Cottages
Crisp Delf
Cemy.
Don Orione Cen.
Sch.
SCHOOL LA.
ST. GABRIEL
WHITLEY
Walthew Green Farm
Walthew Green
Forsters Green
FOXFOLD
WN8
Playing Field
The Beeches
Golf Course
Roby Mill
STONEY
LAFFORD
Belle Vue Farm
Playing Field
Elmers Green
CROW LANE
Knowles
Sports Field
BROW
Johnson's Farm
Westheads
Clough
ELMSDALE
HEVERSHAM
A577

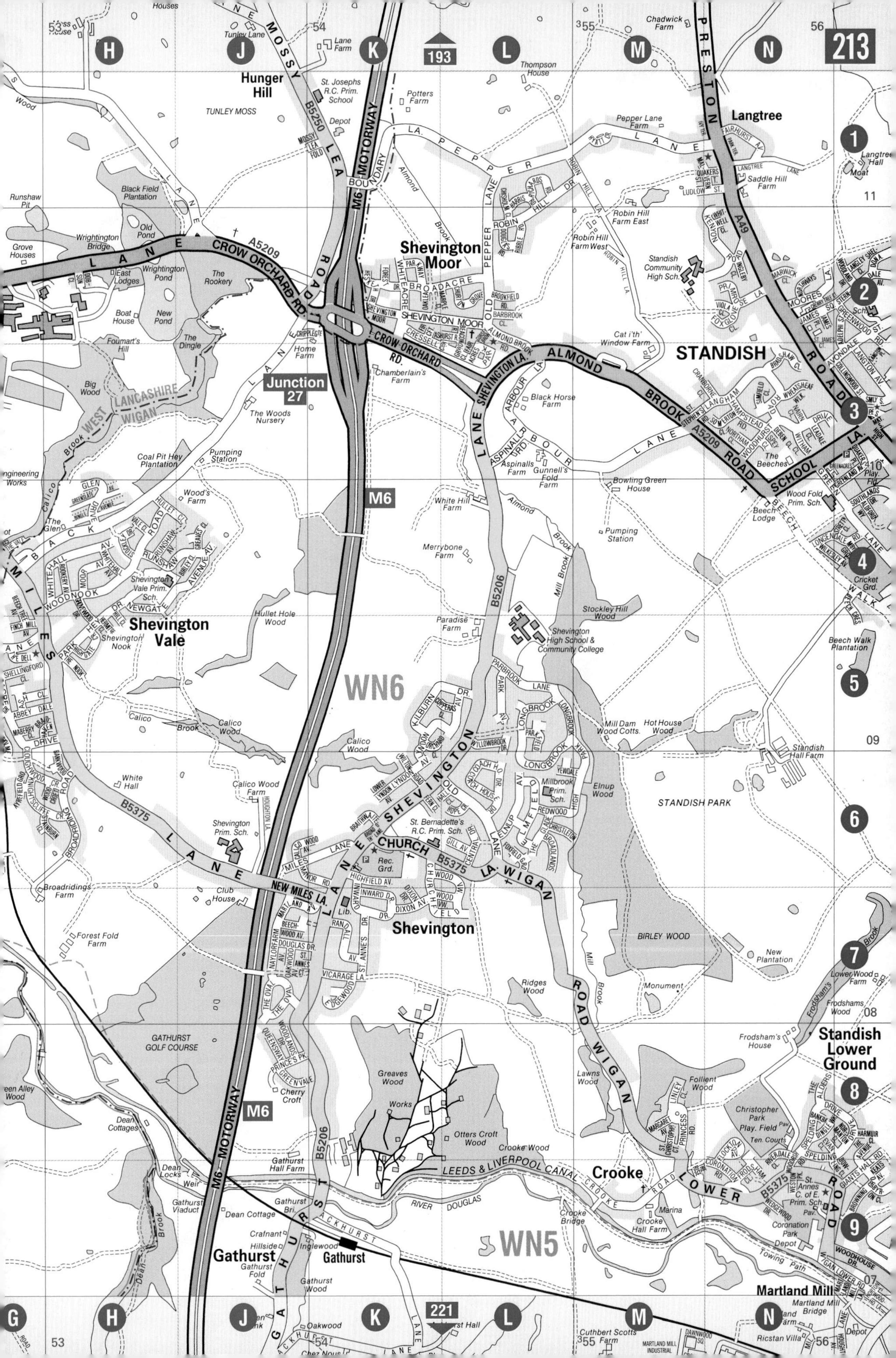

H
J
K
L
M
N
G
193
221
53
54
55
56
1
2
3
4
5
6
7
8
9
11
10
09
08
07
Hunger Hill
TUNLEY MOSS
Tunley Lane
MOSSY LEA
B5250
Lane Farm
St. Josephs R.C. Prim. School
Depot
M6 MOTORWAY
Potters Farm
Thompson House
Chadwick Farm
PRESTON
Langtree
Langtree Hall
Moat
Pepper Lane Farm
PEPPER LANE
Saddle Hill Farm
A49
Runshaw Pit
Black Field Plantation
Old Pond
Wrightington Bridge
Grove Houses
A5209
CROW ORCHARD RD.
East Lodges
Wrightington Pond
The Rookery
Boat House
New Pond
The Dingle
Foumart's Hill
Big Wood
LANCASHIRE
WIGAN
Brook
Shevington Moor
BROADACRE
Robin Hill Farm East
Robin Hill Farm West
ROBIN HILL LA.
Standish Community High Sch.
STANDISH
Cat i'th' Window Farm
ALMOND BROOK ROAD
Home Farm
Junction 27
Chamberlain's Farm
The Woods Nursery
Black Horse Farm
ARBOUR LANE
Aspinalls Farm
Gunnell's Fold Farm
Bowling Green House
SCHOOL LA.
Wood Fold Prim. Sch.
Beech Lodge
The Beeches
Coal Pit Hey Plantation
Pumping Station
Engineering Works
Calico Brook
Wood's Farm
M6
White Hill Farm
Almond Brook
Merrybone Farm
Mill Brook
Cricket Grd.
BEECH WALK
Shevington Vale Prim. Sch.
Shevington Vale
Shevington Nook
Hullet Hole Wood
Paradise Farm
B5206
Stockley Hill Wood
Shevington High School & Community College
Beech Walk Plantation
WN6
Calico Wood
White Hall
Calico Wood Farm
Mill Dam Wood Cotts.
Hot House Wood
Standish Hall Farm
STANDISH PARK
Elnup Wood
Millbrook Prim. Sch.
B5375
Shevington Prim. Sch.
St. Bernadette's R.C. Prim. Sch.
SHEVINGTON LANE
CHURCH LA.
WIGAN ROAD
Rec. Grd.
Lib.
Broadridings Farm
Club House
NEW MILES LA.
Shevington
Forest Fold Farm
BIRLEY WOOD
New Plantation
Lower Wood Farm
Frodsham's Brook
Frodshams Wood
Ridges Wood
Monument
GATHURST GOLF COURSE
Frodsham's House
Standish Lower Ground
Greaves Wood
Works
Lawns Wood
Follient Wood
Cherry Croft
Christopher Park Play. Field
Otters Croft Wood
Crooke Wood
Dean Cottages
Dean Locks
Weir
Gathurst Hall Farm
LEEDS & LIVERPOOL CANAL
Crooke
Gathurst Viaduct
Gathurst Bri.
RIVER DOUGLAS
Dean Cottage
Crooke Bridge
Crooke Hall Farm
Marina
LOWER ROAD
St. Annes C. of E. Prim. Sch.
Coronation Park
Depot
Crafnant
Hillside
Inglewood
Gathurst
Gathurst Fold
Gathurst Wood
WN5
Towing Path
Martland Mill
Martland Mill Bridge
Oakwood
Cuthbert Scotts Farm
Ricstan Villa
Depot
Dean Brook

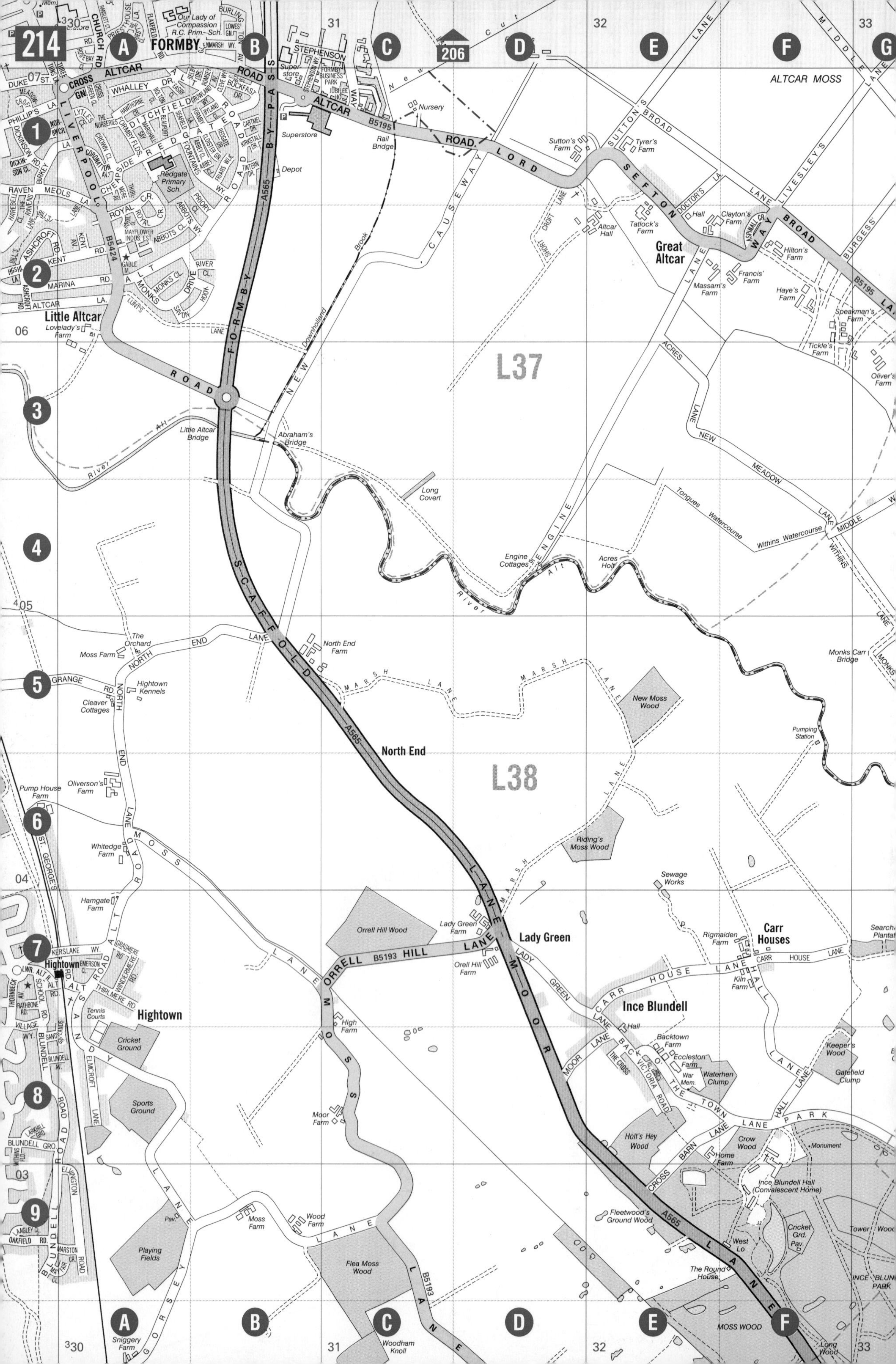

FORMBY
ALTCAR MOSS
Great Altcar
Little Altcar
L37
L38
North End
Lady Green
Carr Houses
Ince Blundell
Hightown
206

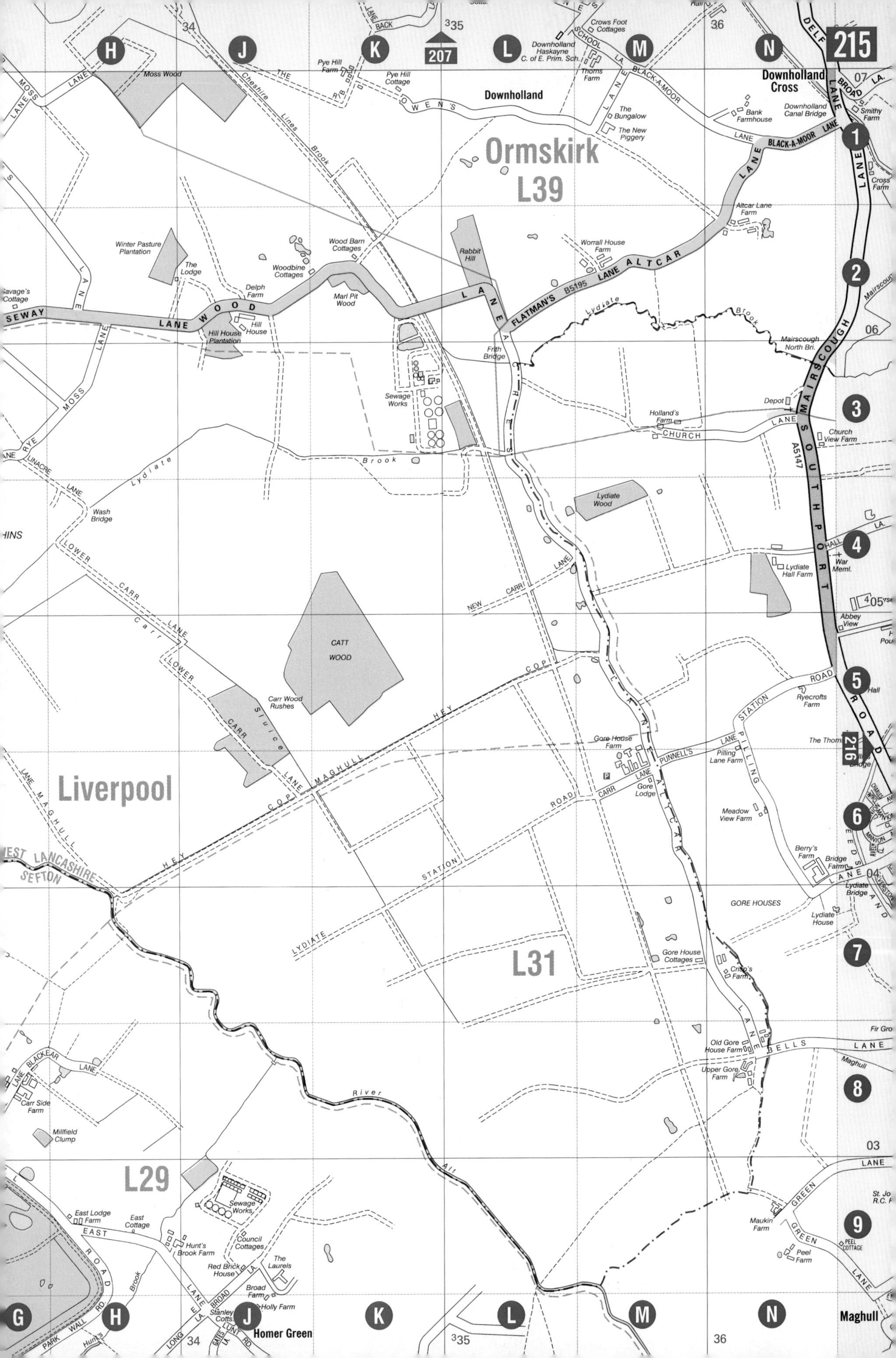
207
216
Downholland
Downholland Cross
Ormskirk
L39
Liverpool
L31
L29
Homer Green
Maghull
Moss Wood
Pye Hill Farm
Pye Hill Cottage
Crows Foot Cottages
Downholland Haskayne C. of E. Prim. Sch.
Thorns Farm
The Bungalow
The New Piggery
Bank Farmhouse
Downholland Canal Bridge
Smithy Farm
Cross Farm
Altcar Lane Farm
Worrall House Farm
Rabbit Hill
Wood Barn Cottages
Woodbine Cottages
Marl Pit Wood
Winter Pasture Plantation
The Lodge
Delph Farm
Savage's Cottage
Hill House
Hill House Plantation
Frith Bridge
Mairscough North Bri.
Sewage Works
Depot
Holland's Farm
Church View Farm
Lydiate Wood
Wash Bridge
Lydiate Hall Farm
War Meml.
Abbey View
CATT WOOD
Carr Wood Rushes
Ryecrofts Farm
Gore House Farm
Pilling Lane Farm
Gore Lodge
Meadow View Farm
Berry's Farm
Bridge Farm
Lydiate Bridge
Lydiate House
GORE HOUSES
Gore House Cottages
Crisp's Farm
Old Gore House Farm
Upper Gore Farm
Maukin Farm
Peel Farm
PEEL COTTAGE
St. Jo R.C.
Carr Side Farm
Millfield Clump
East Lodge Farm
East Cottage
Sewage Works
Hunt's Brook Farm
Council Cottages
The Laurels
Red Brick House
Broad Farm
Holly Farm
Stanley Cotts.
WEST LANCASHIRE
SEFTON
DELF LANE
BROAD LA.
BLACK-A-MOOR LANE
SCHOOL LA.
BACK LANE
OWEN'S LANE
MOSS LANE
LANE WOOD
FLATMAN'S LANE
ALTCAR LANE
B5195
MAIRSCOUGH LANE
SOUTHPORT ROAD
A5147
CHURCH LANE
HALL LA.
NEW CARR LANE
RYE MOSS LANE
LINACRE LANE
LOWER CARR LANE
CARR LANE
COP HEY
MAGHULL LANE
STATION ROAD
PUNNELL'S LANE
PILLING LANE
CARR LANE
LYDIATE STATION ROAD
BELLS LANE
GREEN LANE
BLACKEAR LANE
EAST LANE
BROAD LANE
PARK WALL RD.
LONG LA.
GATES LA.
LUNT RD.
Cheshire Lines Brook
Lydiate Brook
Carr Sluice
River Alt
Maghull Brook
Brook
H J K L M N
G H J K L M N
1 2 3 4 5 6 7 8 9
34 335 36
07 06 05 04 03

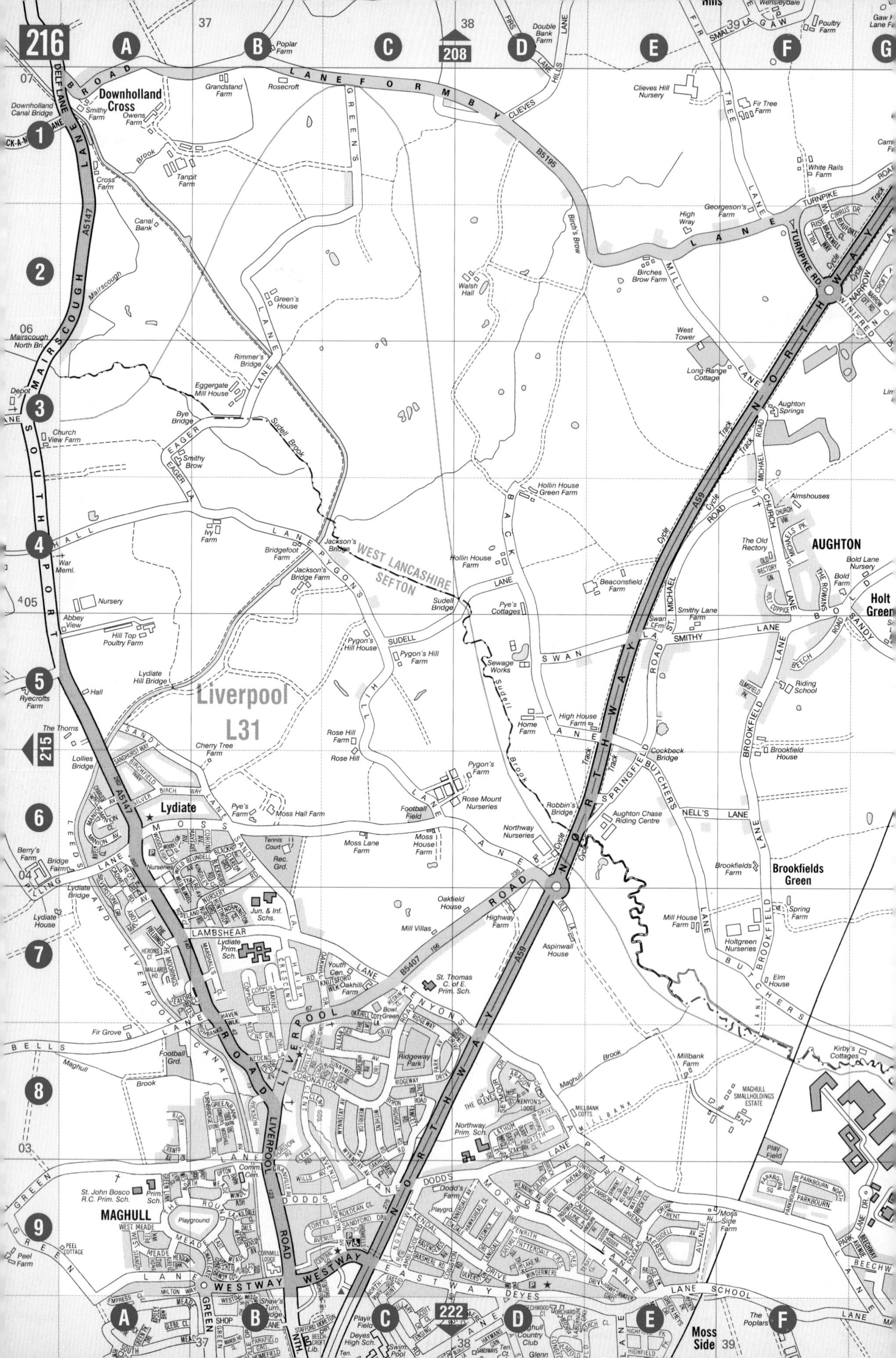

208
215
222
Downholland Cross
Downholland Canal Bridge
Smithy Farm
Owens Farm
Grandstand Farm
Rosecroft
Poplar Farm
Double Bank Farm
Clieves Hill Nursery
Fir Tree Farm
Poultry Farm
White Rails Farm
Georgeson's Farm
High Wray
Birches Brow Farm
West Tower
Long Range Cottage
Aughton Springs
Tanpit Farm
Cross Farm
Canal Bank
Mairscough
Mairscough North Bri.
Depot
Church View Farm
Green's House
Rimmer's Bridge
Eggergate Mill House
Bye Bridge
Smithy Brow
Sudell Brook
Walsh Hall
Birch's Brow
Hollin House Green Farm
Almshouses
The Old Rectory
AUGHTON
Bold Lane Nursery
Bold Farm
Holt Green
Ivy Farm
Bridgefoot Farm
Jackson's Bridge
Jackson's Bridge Farm
WEST LANCASHIRE
SEFTON
Hollin House Farm
Beaconsfield Farm
Sudell Bridge
Pye's Cottages
Smithy Lane Farm
War Meml.
Nursery
Abbey View
Hill Top Poultry Farm
Pygon's Hill House
Pygon's Hill Farm
Sewage Works
Riding School
Ryecrofts Farm
Hall
Lydiate Hill Bridge
Liverpool
L31
High House Farm
Home Farm
The Thorns
Rose Hill Farm
Rose Hill
Cockbeck Bridge
Brookfield House
Lollies Bridge
Cherry Tree Farm
Pygon's Farm
Rose Mount Nurseries
Lydiate
Pye's Farm
Moss Hall Farm
Football Field
Robbin's Bridge
Aughton Chase Riding Centre
Northway Nurseries
Berry's Farm
Bridge Farm
Tennis Court
Rec. Grd.
Moss Lane Farm
Moss House Farm
Brookfields Farm
Brookfields Green
Lydiate Bridge
Lydiate House
Jun. & Inf. Schs.
Oakfield House
Highway Farm
Mill Villas
Aspinwall House
Mill House Farm
Spring Farm
Holtgreen Nurseries
Lydiate Prim. Sch.
Youth Cen.
Oakhill Farm
St. Thomas C. of E. Prim. Sch.
Elm House
Fir Grove
Bowl. Green
Ridgeway Park
Football Grd.
Maghull Brook
Millbank Farm
Kirby's Cottages
MAGHULL SMALLHOLDINGS ESTATE
Kenyon's Lodge
Northway Prim. Sch.
MILLBANK COTTS.
Play. Field
St. John Bosco R.C. Prim. Sch.
Prim. Sch.
Comm. Cen.
MAGHULL
Playground
Dodd's Farm
Playgrd.
Moss Side Farm
Peel Cottage
Peel Farm
Shaw's Turn Bridge
Playing Field
Deyes High Sch.
Swim. Pool
Maghull Country Club
The Poplars
Moss Side
Lib.
DELF LANE
MAIRSCOUGH LANE
SOUTHPORT ROAD
BROAD LANE
FORMBY LANE
CLIEVES HILLS LANE
FIRS LANE
SMALL LA.
GAW
FIR TREE LANE
TURNPIKE ROAD
MILL LANE
NORTHWAY
GREEN'S LANE
EAGER LANE
HALL LANE
PYGONS HILL LANE
BACK LANE
SUDELL LANE
SWAN LANE
SMITHY LANE
ST. MICHAEL ROAD
CHURCH LANE
BOLD LANE
SANDY LANE
BROOKFIELD LANE
BUTCHERS LANE
NELL'S LANE
SPRINGFIELD ROAD
MOSS LANE
LIVERPOOL ROAD
LAMBSHEAR LANE
KENYONS LANE
LEEDS AND LIVERPOOL CANAL
PILLING LANE
BELLS LANE
MILLBANK LANE
PARK LANE
DODD'S LANE
WESTWAY
EASTWAY
DEYES LANE
SCHOOL LANE
GREEN LANE
A5147
A59
B5195
B5407

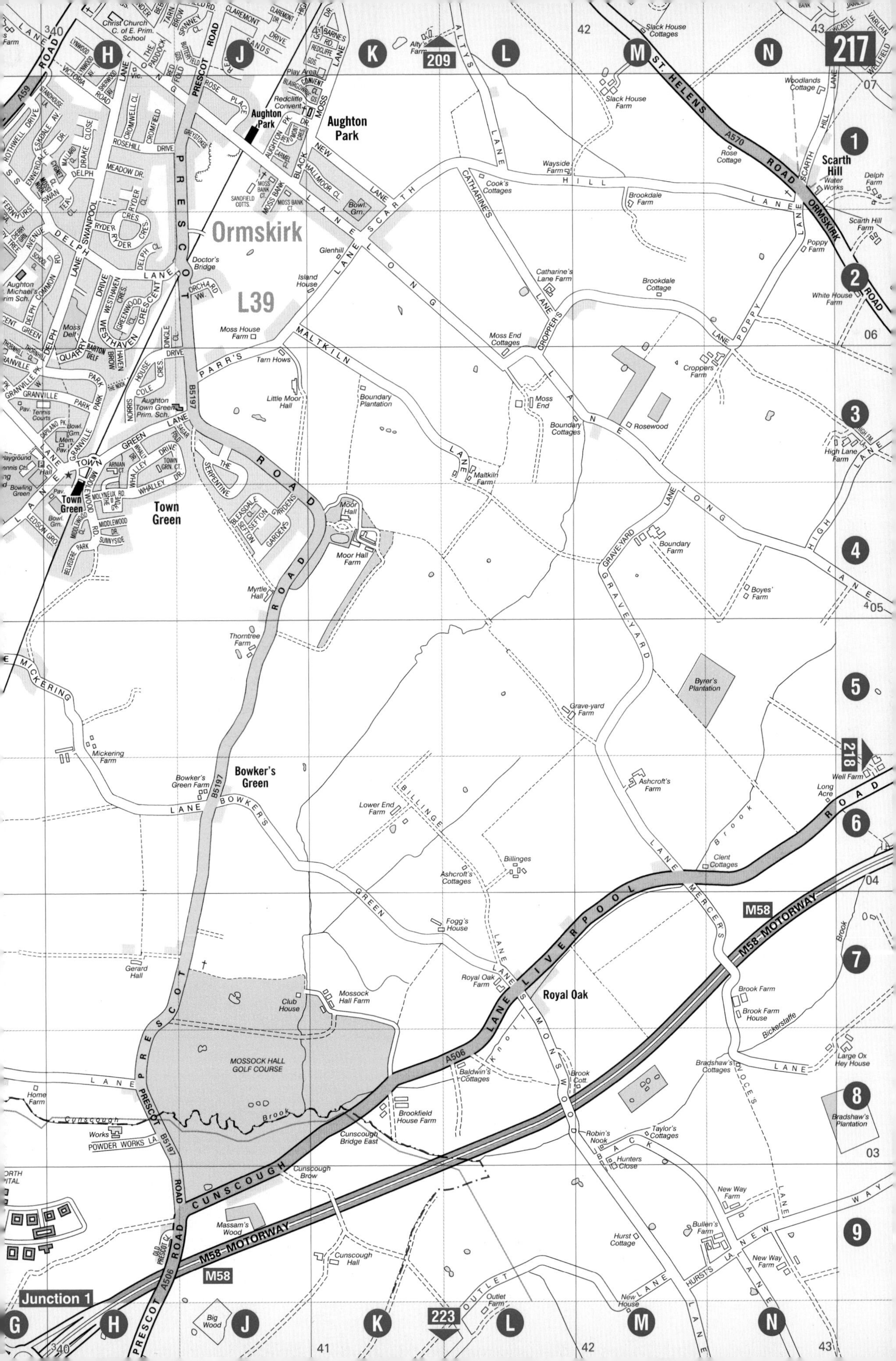
Ormskirk
Aughton Park
Town Green
Bowker's Green
Royal Oak
Scarth Hill
L39
Moss House Farm
Tarn Hows
Little Moor Hall
Boundary Plantation
Moor Hall
Moor Hall Farm
Myrtle Hall
Thorntree Farm
Mickering Farm
Bowker's Green Farm
Lower End Farm
Billinges
Ashcroft's Cottages
Fogg's House
Royal Oak Farm
Mossock Hall Farm
Club House
MOSSOCK HALL GOLF COURSE
Gerard Hall
Home Farm
Works
POWDER WORKS LA.
Cunscough Bridge East
Cunscough Brow
Massam's Wood
Cunscough Hall
Big Wood
Outlet Farm
Brookfield House Farm
Baldwin's Cottages
Brook Cott.
Robin's Nook
Hunters Close
Taylor's Cottages
Hurst Cottage
New House
Bullen's Farm
New Way Farm
Bradshaw's Cottages
Bradshaw's Plantation
Brook Farm
Brook Farm House
Large Ox Hey House
Clent Cottages
Ashcroft's Farm
Grave-yard Farm
Byrer's Plantation
Boundary Farm
Boyes' Farm
Rosewood
Croppers Farm
Moss End
Boundary Cottages
Maltkiln Farm
Moss End Cottages
Catharine's Lane Farm
Brookdale Cottage
Brookdale Farm
Wayside Farm
Cook's Cottages
Slack House Farm
Slack House Cottages
Alty's Farm
Woodlands Cottage
Rose Cottage
Delph Farm
Water Works
Scarth Hill Farm
Poppy Farm
White House Farm
High Lane Farm
Well Farm
Long Acre
Glenhill
Island House
Doctor's Bridge
Redcliffe Convent
Christ Church C. of E. Prim. School
Aughton St. Michael's Prim. Sch.
Aughton Town Green Prim. Sch.
ST. HELENS ROAD
ORMSKIRK ROAD
PRESCOT ROAD
LIVERPOOL ROAD
CUNSCOUGH LANE
M58 MOTORWAY
Junction 1
A59
A570
A506
B5197
M58
209
218
223
G H J K L M N
1 2 3 4 5 6 7 8 9
340 41 42 43
03 04 05 06 07

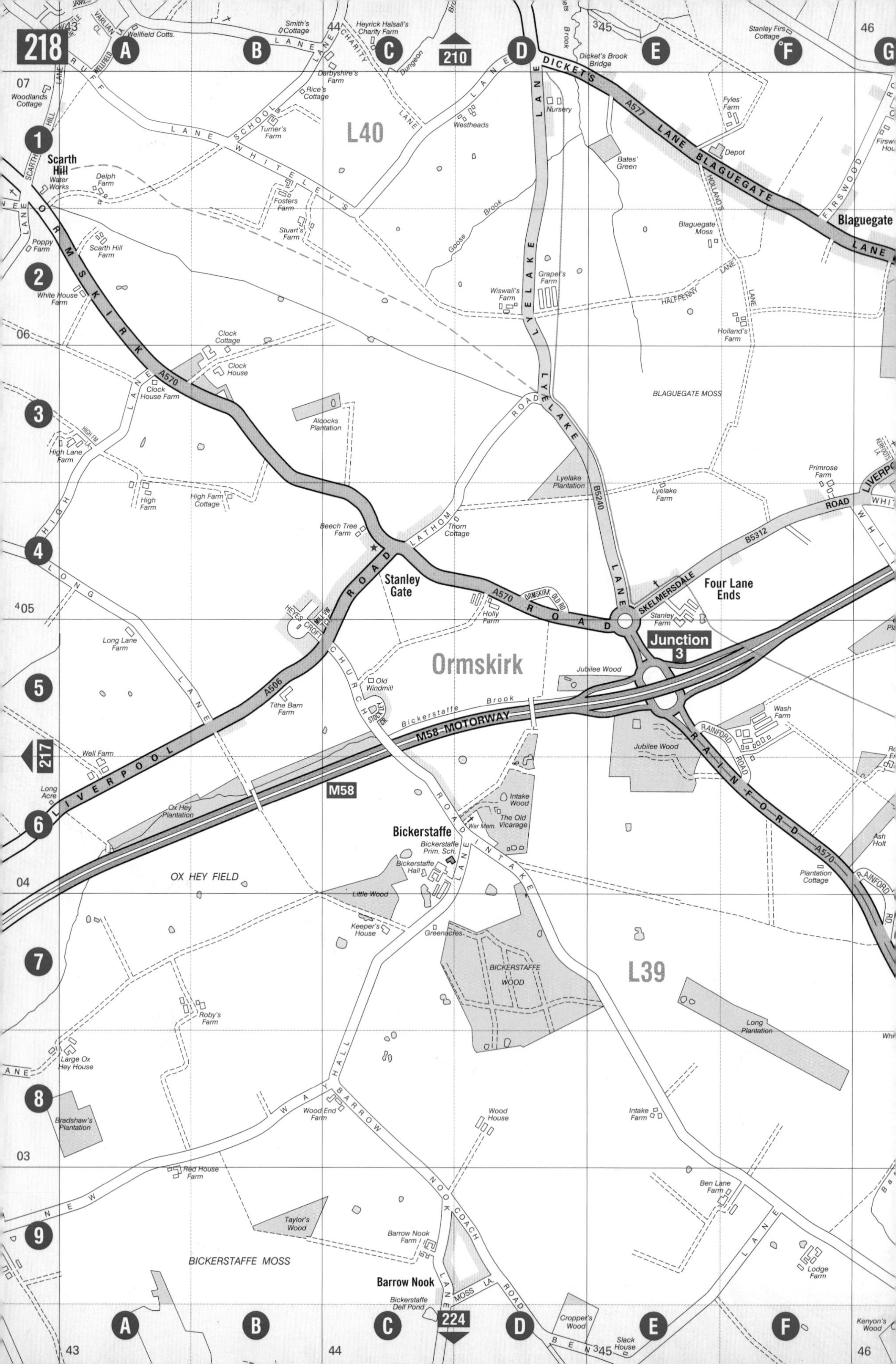
210
224
217
L40
L39
M58
Ormskirk
Scarth Hill
Stanley Gate
Four Lane Ends
Junction 3
Bickerstaffe
Barrow Nook
Blaguegate
BLAGUEGATE MOSS
BICKERSTAFFE MOSS
OX HEY FIELD
M58-MOTORWAY
A570
A577
A506
B5240
B5312
DICKET'S LANE
BLAGUEGATE LANE
LYELAKE LANE
ORMSKIRK ROAD
LIVERPOOL ROAD
RAINFORD ROAD
CHURCH ROAD
LATHOM ROAD
SKELMERSDALE ROAD
INTAKE LANE
HALL LANE
WAY BARROW
NOOK LANE
COACH ROAD
MOSS LA.
NEW LANE
LONG LANE
HIGH LANE
WHITELEYS LANE
SCHOOL LANE
CHARITY LANE
SMITH'S LANE
RUFF LANE
SCARTH HILL LANE
FIRSWOOD ROAD
HOLLAND'S LANE
HALFPENNY LANE
Smith's Cottage
Heyrick Halsall's Charity Farm
Wellfield Cotts.
Woodlands Cottage
Darbyshire's Farm
Rice's Cottage
Turner's Farm
Westheads
Nursery
Dicket's Brook Bridge
Stanley Firs Cottage
Fyles' Farm
Depot
Bates' Green
Delph Farm
Water Works
Fosters Farm
Stuart's Farm
Poppy Farm
Scarth Hill Farm
White House Farm
Goose Brook
Blaguegate Moss
Grapel's Farm
Wiswall's Farm
Holland's Farm
Clock Cottage
Clock House
Clock House Farm
Alcocks Plantation
High Lane Farm
High Farm
High Farm Cottage
Lyelake Plantation
Lyelake Farm
Primrose Farm
Beech Tree Farm
Thorn Cottage
Holly Farm
Stanley Farm
Long Lane Farm
Old Windmill
Jubilee Wood
Tithe Barn Farm
Bickerstaffe Brook
Wash Farm
Well Farm
Long Acre
Ox Hey Plantation
Intake Wood
The Old Vicarage
War Mem.
Bickerstaffe Prim. Sch.
Bickerstaffe Hall
Little Wood
Keeper's House
Greenacres
Plantation Cottage
Ash Holt
BICKERSTAFFE WOOD
Long Plantation
Roby's Farm
Large Ox Hey House
Bradshaw's Plantation
Wood End Farm
Wood House
Intake Farm
Red House Farm
Ben Lane Farm
Taylor's Wood
Barrow Nook Farm
Lodge Farm
Bickerstaffe Delf Pond
Cropper's Wood
Slack House
Kenyon's Wood

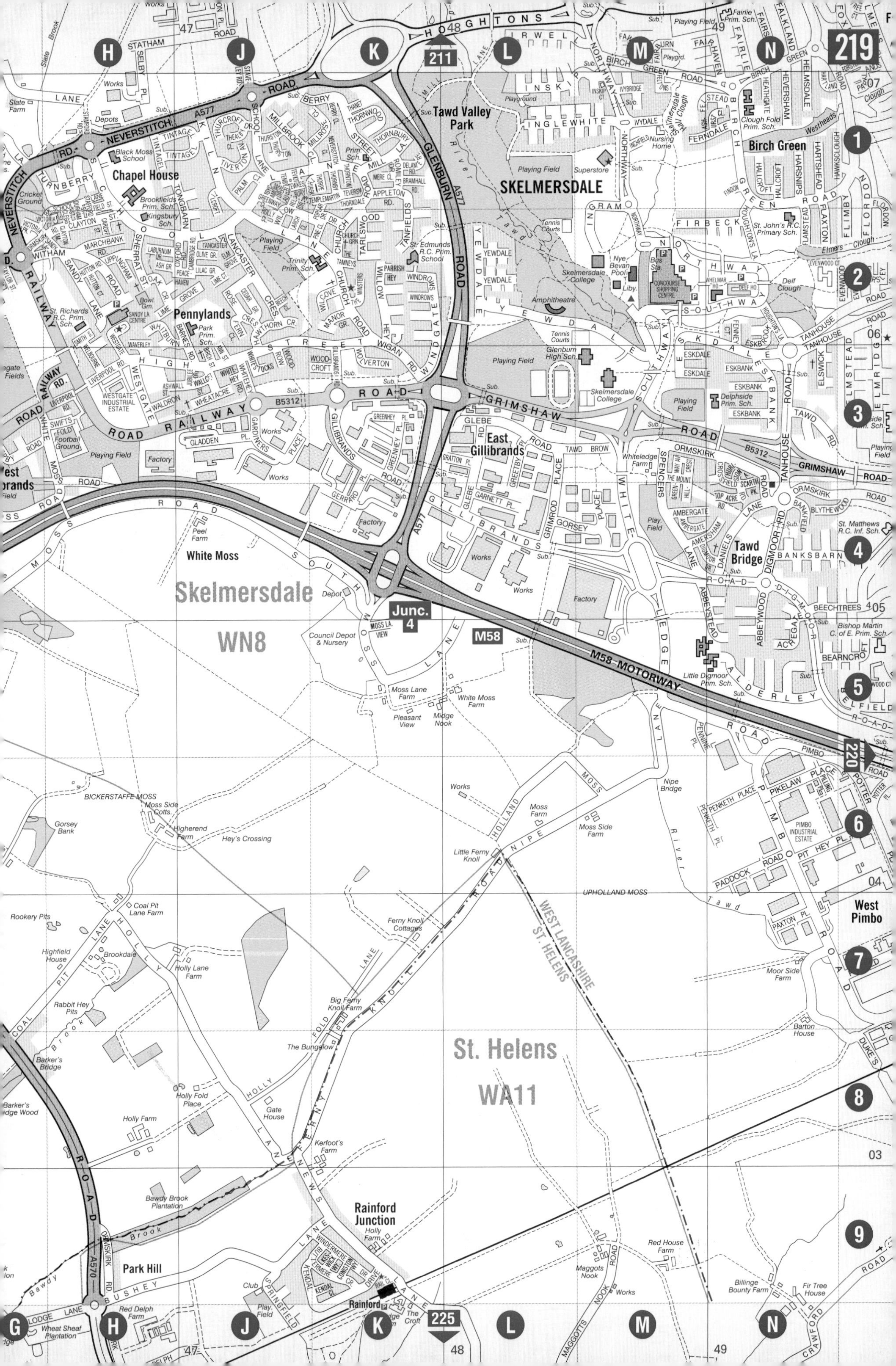

H
J
K
L
M
N
211
HOUGHTONS
IRWELL
Fairlie Prim. Sch.
Playing Field
STATHAM ROAD
SELBY PL.
NEVERSTITCH ROAD
A577
Slate Farm
Works
Depots
Tawd Valley Park
GLENBURN ROAD
INSKIP
INGLEWHITE
BIRCH GREEN ROAD
Clough Fold Prim. Sch.
Birch Green
Black Moss School
Chapel House
Brookfields Prim. Sch.
Kingsbury Sch.
Cricket Ground
TURNBERRY
CLAYTON
WITHAM
MARCHBANK RD.
SANDY LANE
Playing Field
Trinity Prim. Sch.
St. Edmunds R.C. Prim. School
SKELMERSDALE
Superstore
Nursing Home
Playing Field
Tennis Courts
INGRAM
NORTHWAY
FIRBECK
St. John's R.C. Primary Sch.
Nye Bevan Pool
Bus Sta.
Liby.
CONCOURSE SHOPPING CENTRE
Skelmersdale College
Amphitheatre
YEWDALE
SOUTHWAY
Delf Clough
Elmers Clough
St. Richards R.C. Prim. Sch.
Pennylands
Park Prim. Sch.
SANDY LA. CENTRE
WESTGATE INDUSTRIAL ESTATE
HIGH STREET
WIGAN RD
WINDGATE
Glenburn High Sch.
Playing Field
Tennis Courts
Skelmersdale College
ESKDALE
ESKBANK
Delphside Prim. Sch.
Playing Field
TANHOUSE ROAD
B5312
GRIMSHAW ROAD
RAILWAY ROAD
Swifts Fold Football Ground
Playing Field
Factory
Works
GILLIBRANDS ROAD
East Gillibrands
GLEBE ROAD
TAWD BROW
GRIMROD PLACE
Whiteledge Farm
ORMSKIRK ROAD
SPENCERS LANE
Play. Field
AMBERGATE
Tawd Bridge
DIGMOOR RD.
St. Matthews R.C. Inf. Sch.
BANKSBARN
West Gillibrands
MOSS ROAD
Peel Farm
White Moss
Factory
Works
Skelmersdale
WN8
Depot
Junc. 4
MOSS LA. VIEW
Council Depot & Nursery
MOSS LANE
M58
M58 MOTORWAY
Factory
ABBEYSTEAD
ABBEYWOOD
BEECHTREES
Bishop Martin C. of E. Prim. Sch.
Little Digmoor Prim. Sch.
ALDERLEY
Moss Lane Farm
White Moss Farm
Pleasant View
Midge Nook
PIMBO ROAD
220
POTTER PLACE
PIKELAW PLACE
PENKETH PLACE
PIMBO INDUSTRIAL ESTATE
PIT HEY PL.
PADDOCK ROAD
PAXTON PL.
West Pimbo
Nipe Bridge
River Tawd
Works
Moss Farm
Moss Side Farm
HOLLAND MOSS
NIPE ROAD
BICKERSTAFFE MOSS
Moss Side Cotts.
Higherend Farm
Hey's Crossing
Gorsey Bank
Little Ferny Knoll
UPHOLLAND MOSS
WEST LANCASHIRE
ST. HELENS
Coal Pit Lane Farm
Rookery Pits
Highfield House
Brookdale
Holly Lane Farm
Ferny Knoll Cottages
Rabbit Hey Pits
Big Ferny Knoll Farm
FOLD LANE
KNOLL LANE
Moor Side Farm
Barton House
DUKE'S
Barker's Bridge
The Bungalow
St. Helens
WA11
Holly Fold Place
Gate House
HOLLY LANE
COAL PIT LANE
Barker's Bridge Wood
Holly Farm
Kerfoot's Farm
FERNY KNOLL
NEWS LANE
Bawdy Brook Plantation
Rainford Junction
Holly Farm
Red House Farm
Maggots Nook
Works
Billinge Bounty Farm
Fir Tree House
Park Hill
BUSHEY LANE
A570
ORMSKIRK ROAD
Club
Play. Field
SPRINGFIELD
WINDERMERE
KENDAL
CONISTON
Rainford
The Croft
225
MAGGOTTS NOOK ROAD
CRAWFORD ROAD
LODGE LANE
Red Delph Farm
Wheat Sheaf Plantation
G
47
48
49
03
04
05
06
07
1
2
3
4
5
6
7
8
9

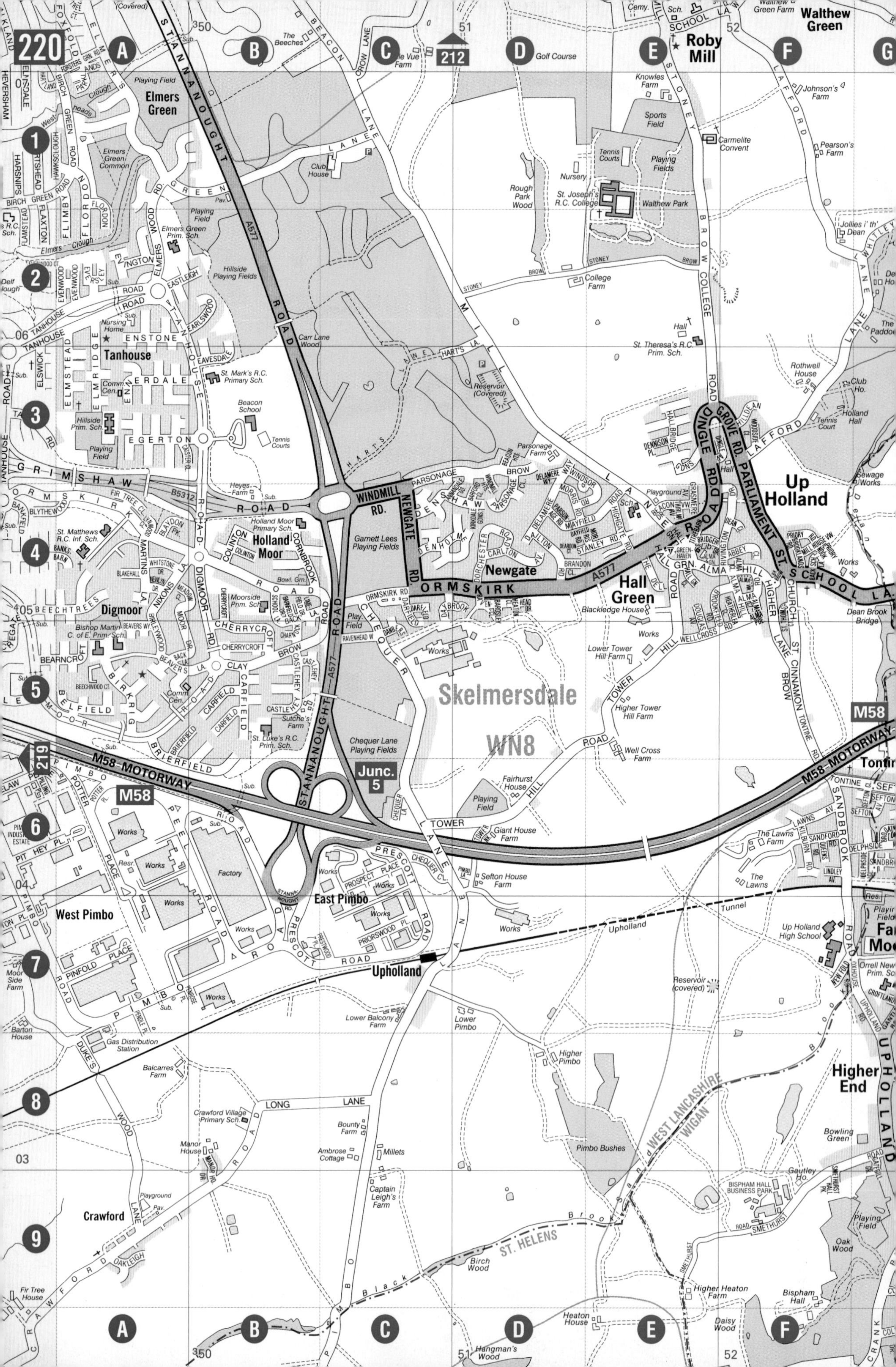
212
219
Walthew Green
Roby Mill
Elmers Green
Elmers Green Common
Tanhouse
Holland Moor
Digmoor
Newgate
Hall Green
Up Holland
Skelmersdale
WN8
West Pimbo
East Pimbo
Upholland
Crawford
Higher End
Pimbo Bushes
Tontine
STANNANOUGHT ROAD
A577
M58 MOTORWAY
M58
Junc. 5
B5312
GRIMSHAW ROAD
ORMSKIRK ROAD
WINDMILL RD.
NEWGATE RD.
DIGMOOR ROAD
TANHOUSE ROAD
TOWER HILL ROAD
CHEQUER LANE
PRESCOTT ROAD
PIMBO ROAD
LONG LANE
CRAWFORD ROAD
STONEY BROW
COLLEGE ROAD
MILL LANE
BEACON LANE
LAFFORD LANE
PARLIAMENT ST.
SCHOOL LANE
UPHOLLAND ROAD
Golf Course
St. Joseph's R.C. College
Walthew Park
Carmelite Convent
Hillside Playing Fields
Garnett Lees Playing Fields
Chequer Lane Playing Fields
Up Holland High School
Bispham Hall Business Park
Higher Pimbo
Lower Pimbo
Birch Wood
Hangman's Wood
WEST LANCASHIRE
WIGAN
ST. HELENS
Tunnel
Bispham Hall
Oak Wood
Daisy Wood
A
B
C
D
E
F
G
1
2
3
4
5
6
7
8
9
350
51
52
03
04
05
06
07

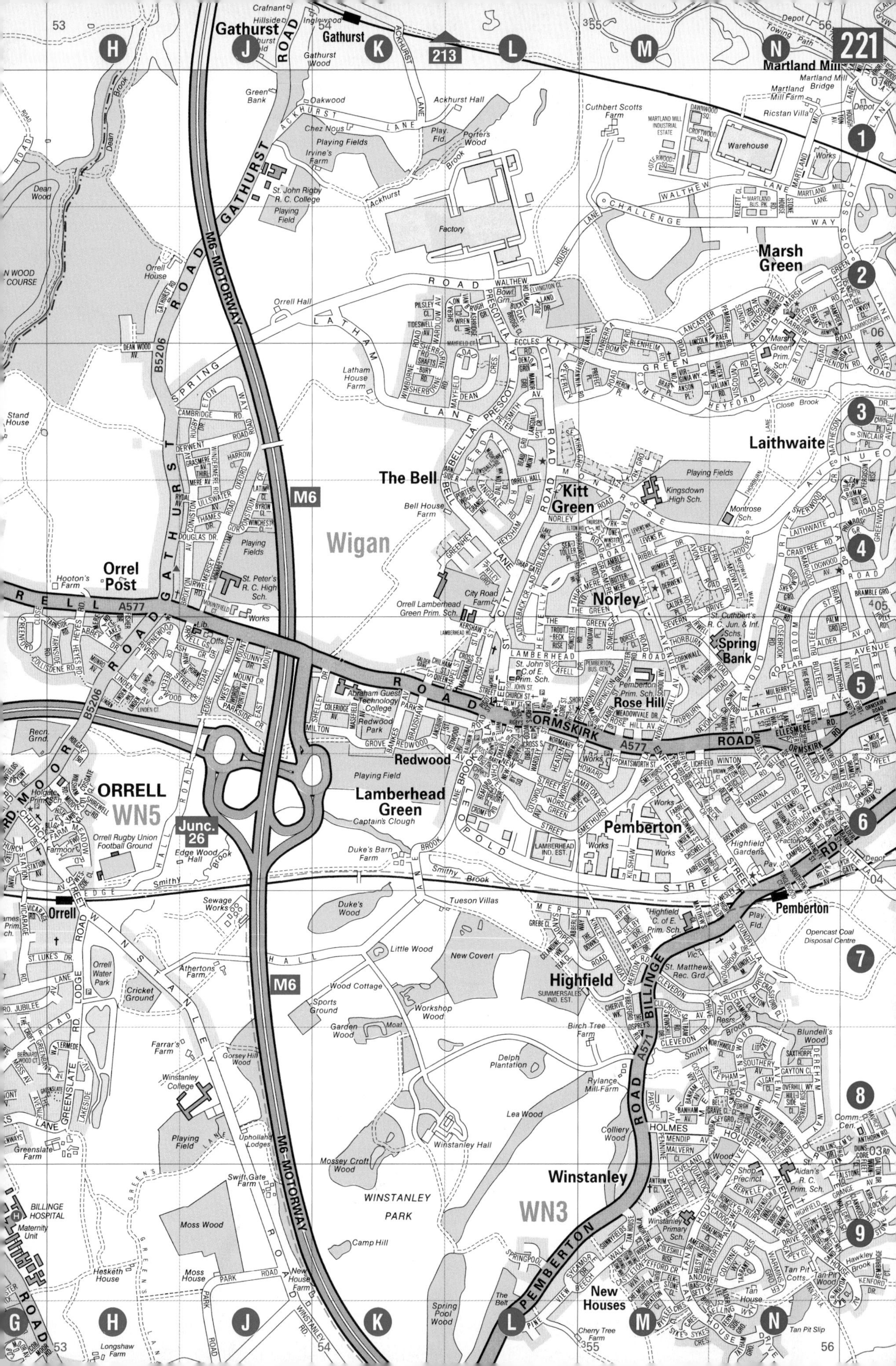

221
53
54
55
56
H
J
K
L
M
N
G
1
2
3
4
5
6
7
8
9
213
Gathurst
Crafnant
Hillside
Inglewood
Gathurst Wood
Martland Mill
Martland Mill Bridge
Martland Mill Farm
Ricstan Villa
Towing Path
Depot
Green Bank
Oakwood
Ackhurst Hall
Chez Nous
Playing Fields
Irvine's Farm
Porters Wood
Play. Fld.
St. John Rigby R. C. College
Playing Field
Factory
Cuthbert Scotts Farm
MARTLAND MILL INDUSTRIAL ESTATE
Warehouse
Works
MARTLAND BUS. PK.
CHALLENGE WAY
WALTHEW LANE
Marsh Green
Marsh Green Prim. Sch.
Dean Wood
Orrell House
Orrell Hall
LATHAM LANE
WALTHEW ROAD
Bowl. Grn.
Latham House Farm
GATHURST ROAD
B5206
M6-MOTORWAY
M6
Stand House
Laithwaite
Close Brook
The Bell
Kitt Green
Kingsdown High Sch.
Playing Fields
Montrose Sch.
Bell House Farm
Wigan
Orrel Post
Hooton's Farm
St. Peter's R.C. High Sch.
Playing Fields
Lib.
Offs.
Works
Orrell Lamberhead Green Prim. Sch.
City Road Farm
Norley
St. Cuthbert's R.C. Jun. & Inf. Schs.
Spring Bank
St. John's C.of E. Prim. Sch.
Pemberton Prim. Sch.
Rose Hill
Abraham Guest Technology College
Redwood Park
Redwood
A577
ORMSKIRK ROAD
RELL ROAD
Recn. Grnd.
ORRELL
WN5
Junc. 26
Orrell Rugby Union Football Ground
Edge Wood Hall
Playing Field
Lamberhead Green
Captain's Clough
Duke's Barn Farm
Pemberton
Works
LAMBERHEAD IND. EST.
Highfield Gardens
Pav.
Factory
Smithy Brook
Orrell
Sewage Works
Duke's Wood
Tueson Villas
Highfield C. of E. Prim. Sch.
Pemberton
Play. Fld.
Opencast Coal Disposal Centre
Little Wood
New Covert
St. Matthews Rec. Grd.
Athertons Farm
Orrell Water Park
Cricket Ground
Wood Cottage
Sports Ground
Workshop Wood
Moat
Garden Wood
Highfield
SUMMERSALES IND. EST.
A571 BILLINGE ROAD
Birch Tree Farm
Blundell's Wood
Farrar's Farm
Gorsey Hill Wood
Delph Plantation
Winstanley College
Rylance Mill Farm
Lea Wood
Colliery Wood
Playing Field
Upholland Lodges
Winstanley Hall
HOLMES
Comm. Cen.
Greenslate Farm
Mossey Croft Wood
Winstanley
Shop. Precinct
St. Aidan's R.C. Prim. Sch.
Swift Gate Farm
BILLINGE HOSPITAL
Maternity Unit
WINSTANLEY PARK
WN3
Moss Wood
Winstanley Primary Sch.
Camp Hill
Tan Pit Cotts.
Tan Pit Wood
Hawkley Brook
Hesketh House
Moss House
New House Farm
Spring Pool Wood
The Belt
PEMBERTON ROAD
New Houses
Tan House
Cherry Tree Farm
Tan Pit Slip
Longshaw Farm
WINSTANLEY ROAD

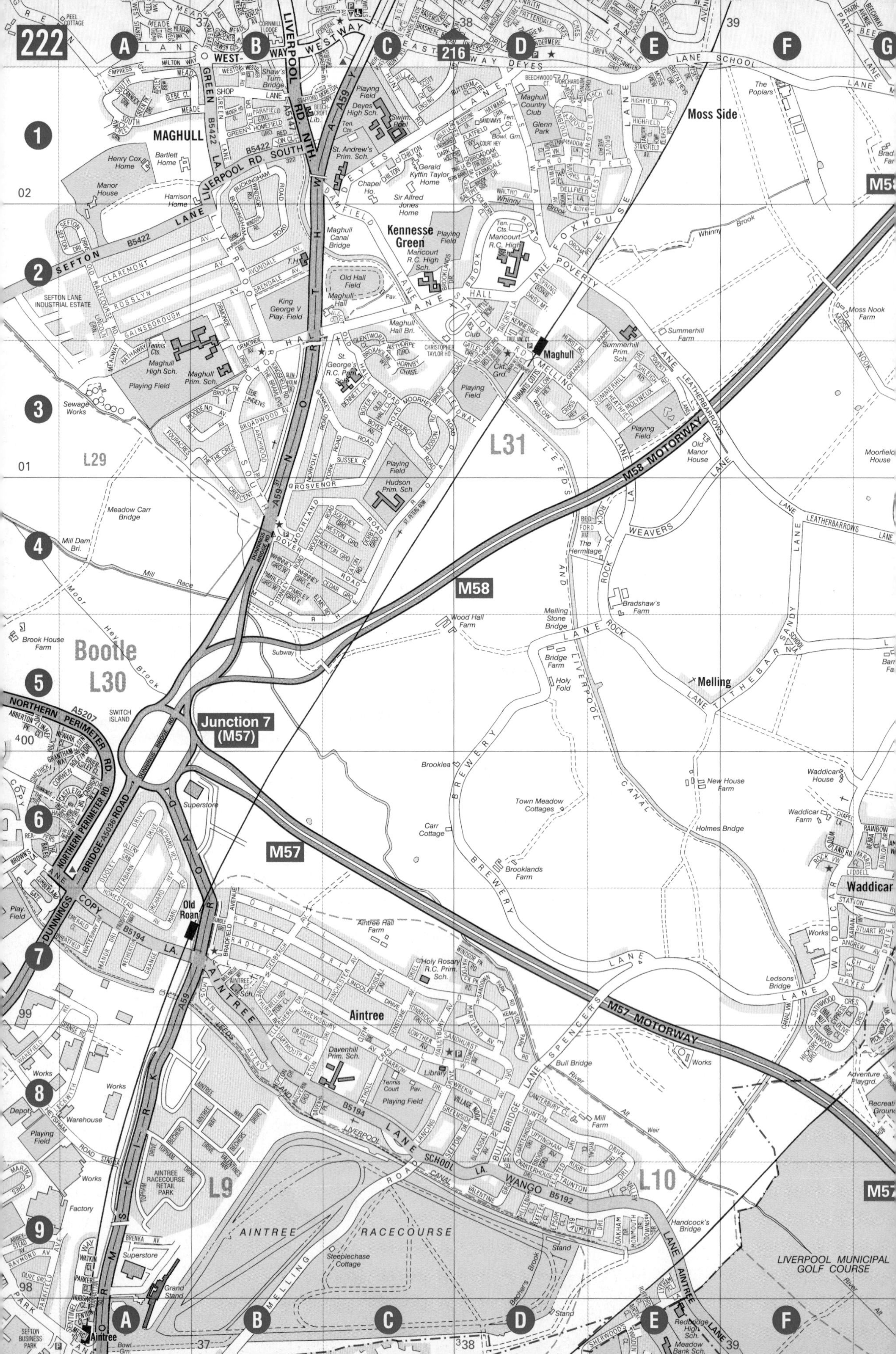

216
Moss Side
MAGHULL
Kennesse Green
Maghull
L31
L29
Bootle
L30
Junction 7 (M57)
M58
M58 MOTORWAY
M57
M57 MOTORWAY
Melling
Waddicar
Aintree
L9
L10
AINTREE RACECOURSE
LIVERPOOL MUNICIPAL GOLF COURSE
AINTREE RACECOURSE RETAIL PARK
SEFTON LANE INDUSTRIAL ESTATE
SEFTON BUSINESS PARK
NORTHERN PERIMETER RD.
LIVERPOOL RD. NTH.
DUNNINGS BRIDGE ROAD
ORMSKIRK ROAD
WESTWAY
SEFTON LANE
SCHOOL LANE
LEEDS AND LIVERPOOL CANAL
SWITCH ISLAND
Old Roan
Maghull High Sch.
Maghull Prim. Sch.
Hudson Prim. Sch.
Davenhill Prim. Sch.
Summerhill Prim. Sch.
Maricourt R.C. High Sch.
Deyes High Sch.
Henry Cox Home
Manor House
Sewage Works
Meadow Carr Bridge
Mill Dam Bri.
Brook House Farm
Wood Hall Farm
Bradshaw's Farm
Melling Stone Bridge
Bridge Farm
Holy Fold
Brooklea
Town Meadow Cottages
Carr Cottage
Brooklands Farm
New House Farm
Holmes Bridge
Waddicar House
Waddicar Farm
Ledsons Bridge
Aintree Hall Farm
Bull Bridge
Mill Farm
Handcock's Bridge
Steeplechase Cottage
Grand Stand
Superstore
Moss Nook Farm
Summerhill Farm
Old Manor House
Moorfield House
The Poplars
The Hermitage
Redbridge High Sch.
Meadow Bank Sch.
Aintree

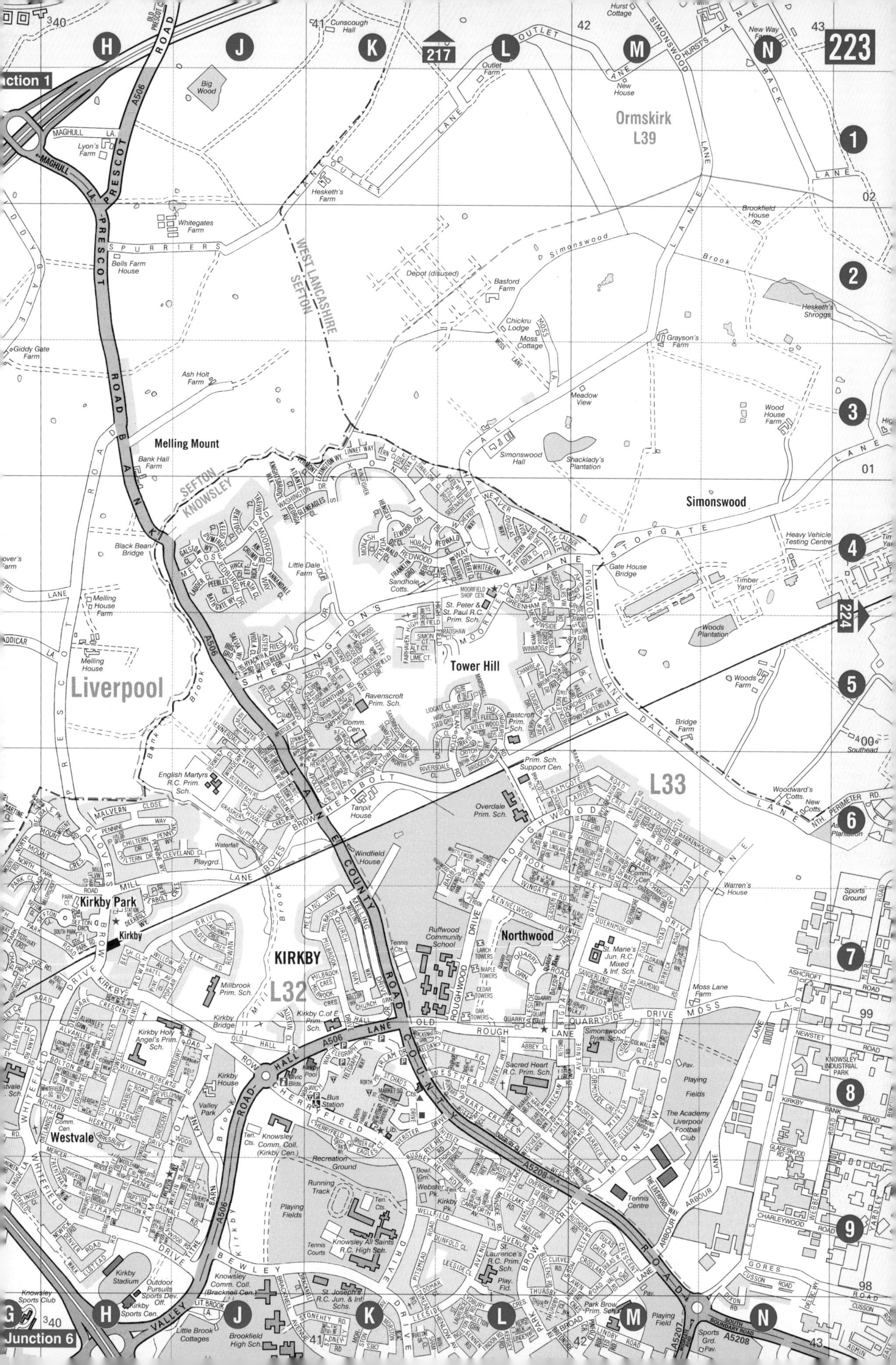
Junction 1
217
224
Junction 6
Ormskirk
L39
Melling Mount
Simonswood
Tower Hill
Liverpool
Kirkby Park
KIRKBY
L32
L33
Northwood
Westvale
SEFTON
KNOWSLEY
WEST LANCASHIRE
SEFTON
Big Wood
Lyon's Farm
Whitegates Farm
Bells Farm House
Giddy Gate Farm
Ash Holt Farm
Bank Hall Farm
Black Bean Bridge
Melling House Farm
Melling House
Little Dale Farm
Sandhole Cotts.
Cunscough Hall
Outlet Farm
Hesketh's Farm
Hurst Cottage
New House
New Way Farm
Brookfield House
Depot (disused)
Basford Farm
Chickru Lodge
Moss Cottage
Grayson's Farm
Hesketh's Shroggs
Meadow View
Simonswood Hall
Shacklady's Plantation
Wood House Farm
Heavy Vehicle Testing Centre
Gate House Bridge
Timber Yard
Woods Plantation
Woods Farm
Bridge Farm
Southead
Woodward's Cotts.
New Cotts.
Warren's House
Moss Lane Farm
Sports Ground
KNOWSLEY INDUSTRIAL PARK
Playing Fields
The Academy Liverpool Football Club
Tennis Centre
Ruffwood Community School
St. Marie's Jun. R.C. Mixed & Inf. Sch.
Simonswood Prim. Sch.
Sacred Heart R.C. Prim. Sch.
Overdale Prim. Sch.
Prim. Sch. Support Cen.
Eastcroft Prim. Sch.
Ravenscroft Prim. Sch.
St. Peter & St. Paul R.C. Prim. Sch.
MOORFIELD SHOP. CEN.
English Martyrs R.C. Prim. Sch.
Tanpit House
Windfield House
Waterfall
Playgrd.
Millbrook Prim. Sch.
Kirkby C. of E. Prim. Sch.
Kirkby Bridge
Kirkby Holy Angel's Prim. Sch.
Kirkby House
Valley Park
Civic Blds.
Kirkby Pool
Bus Station
Lib.
Knowsley Comm. Coll. (Kirkby Cen.)
Recreation Ground
Running Track
Playing Fields
Tennis Courts
Knowsley All Saints R.C. High Sch.
Webster Pk.
Kirkby Pk.
St. Laurence's R.C. Prim. Sch.
Play. Fld.
Park Brow Prim. Sch.
Playing Field
Sports Grd.
Kirkby Stadium
Outdoor Pursuits Sports Dev. Off.
Kirkby Sports Cen.
Knowsley Sports Club
Knowsley Comm. Coll. (Bracknell Cen.)
St. Joseph's R.C. Jun. & Inf. Schs.
Brookfield High Sch.
Little Brook Cottages
Comm. Cen.
PRESCOT ROAD
A506
BANK LANE
COUNTY ROAD
A5208
A5207
SPURRIERS LANE
MAGHULL LA.
OUTLET LANE
SIMONSWOOD LANE
STOPGATE LANE
DALE LANE
HALL LANE
SHEVINGTON'S LANE
MOORFIELD
HEADBOLT LANE
ROUGHWOOD DRIVE
OLD HALL LANE
HALL ROAD
VALLEY ROAD
BEWLEY DRIVE
WESTHEAD AVENUE
MOSS LANE
ASHCROFT ROAD
KIRKBY BANK ROAD
CHARLEYWOOD ROAD
SOUTH BOUNDARY ROAD
NTH. PERIMETER RD.
Simonswood Brook
Kirkby
340
41
42
43
02
01
00
99
98
H
J
K
L
M
N
G
1
2
3
4
5
6
7
8
9

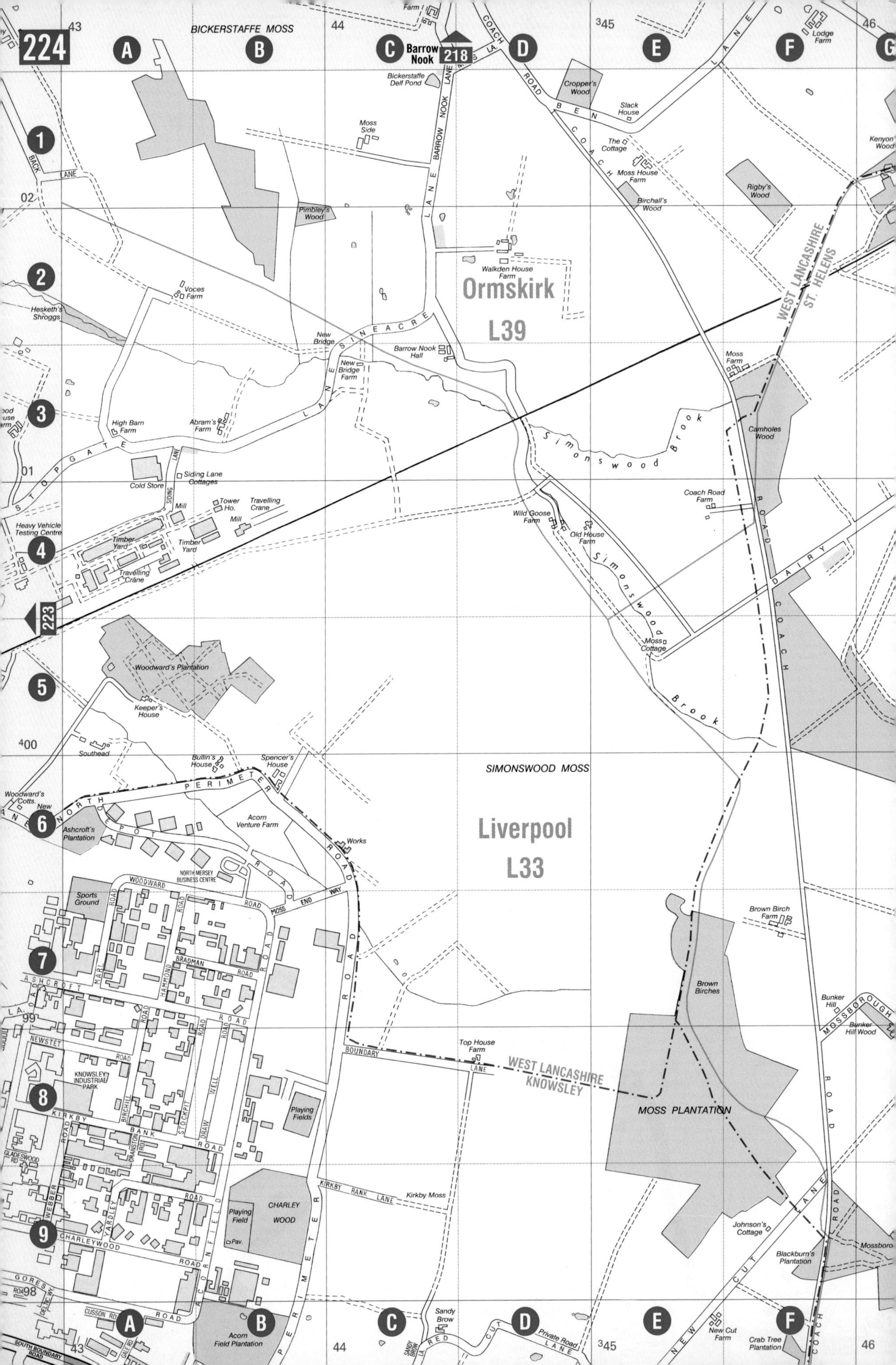
BICKERSTAFFE MOSS
Barrow Nook
218
Bickerstaffe Delf Pond
Moss Side
Cropper's Wood
Slack House
The Cottage
Moss House Farm
Birchall's Wood
Rigby's Wood
Lodge Farm
Kenyon's Wood
Pimbley's Wood
Walkden House Farm
Ormskirk
L39
Voces Farm
Hesketh's Shroggs
New Bridge
Barrow Nook Hall
New Bridge Farm
High Barn Farm
Abram's Farm
Simonswood Brook
Moss Farm
Camholes Wood
WEST LANCASHIRE
ST. HELENS
Cold Store
Siding Lane Cottages
Tower Ho.
Travelling Crane
Mill
Heavy Vehicle Testing Centre
Timber Yard
Travelling Crane
Coach Road Farm
Wild Goose Farm
Old House Farm
Moss Cottage
223
Woodward's Plantation
Keeper's House
Southead
Bullin's House
Spencer's House
SIMONSWOOD MOSS
Woodward's Cotts.
Ashcroft's Plantation
Acorn Venture Farm
Works
Liverpool
L33
NORTH MERSEY BUSINESS CENTRE
Sports Ground
Brown Birch Farm
Brown Birches
Bunker Hill
Bunker Hill Wood
Top House Farm
WEST LANCASHIRE
KNOWSLEY
KNOWSLEY INDUSTRIAL PARK
Playing Fields
MOSS PLANTATION
CHARLEY WOOD
Playing Field
Pav.
Kirkby Moss
Johnson's Cottage
Blackburn's Plantation
Mossborough
Sandy Brow
Private Road
New Cut Farm
Crab Tree Plantation
Acorn Field Plantation
BACK LANE
STOPGATE LANE
SINEACRE LANE
BARROW NOOK LANE
COACH ROAD
BEN LANE
SIDING LANE
NORTH PERIMETER ROAD
DEPOT ROAD
MOSS END WAY
WOODWARD ROAD
BRADMAN ROAD
ASHCROFT ROAD
NEWSTET ROAD
KIRKBY BANK ROAD
CHARLEYWOOD ROAD
PERIMETER ROAD
BOUNDARY LANE
KIRKBY RANK LANE
DAIRY LANE
MOSSBOROUGH ROAD
NEW CUT LANE
RED CUT LANE
GORES ROAD
CUSSON RD
SOUTH BOUNDARY ROAD
ACORNFIELD ROAD
YARDLEY ROAD
WEBBER ROAD
GLADESWOOD RD
STOCKPIT ROAD
DRAW WELL ROAD
HAMMOND ROAD
MARL ROAD
BIRCHILL ROAD
CRANSTON ROAD
43
44
345
46
02
01
400
99
98
A
B
C
D
E
F
G
1
2
3
4
5
6
7
8
9

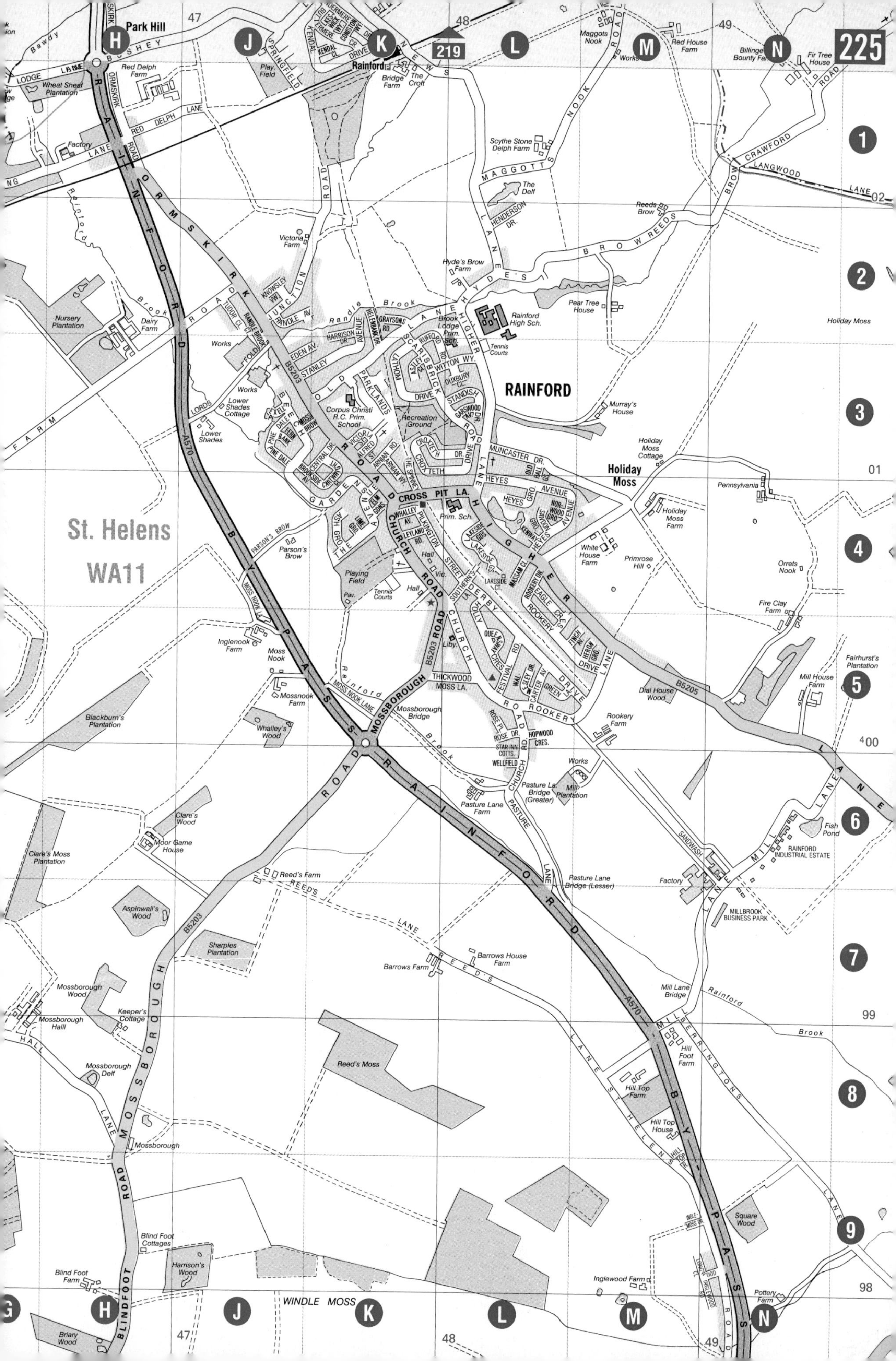
225
219
Park Hill
Bushey Lane
Lodge Lane
Wheat Sheaf Plantation
Red Delph Farm
Red Delph Lane
Play. Field
Springfield
Factory
Rainford
Bridge Farm
The Croft
News Lane
Maggots Nook
Nook Road
Works
Red House Farm
Billinge Bounty Farm
Fir Tree House
Scythe Stone Delph Farm
Maggotts Nook
The Delf
Henderson Dr.
Crawford
Langwood Lane
Reeds Brow
Victoria Farm
Hyde's Brow Farm
Hydes Brow
Pear Tree House
Nursery Plantation
Dairy Farm
Brook Road
Knowsley
Junction
Randle Brook
Rainford High Sch.
Brook Lodge Prim. Sch.
Tennis Courts
Holiday Moss
Works
Lower Shades Cottage
Lower Shades
Farm
Lords Fold
Corpus Christi R.C. Prim. School
Recreation Ground
RAINFORD
Murray's House
Holiday Moss Cottage
Muncaster Dr.
Heyes Avenue
Holiday Moss
Pennsylvania
Cross Pit La.
Church Road
Prim. Sch.
Holiday Moss Farm
St. Helens
WA11
Parson's Brow
White House Farm
Primrose Hill
Orrets Nook
Playing Field
Tennis Courts
Pav.
Hall
Vic.
Lakeside Ct.
Fire Clay Farm
Moss Nook Lane
Inglenook Farm
Moss Nook
Rookery Drive
Higher Lane
Fairhurst's Plantation
Mill House Farm
Libry.
B5203
Thickwood Moss La.
Dial House Wood
B5205
Mossnook Farm
Blackburn's Plantation
Whalley's Wood
Mossborough Bridge
Rookery Road
Rookery Farm
Rose Dr.
Hopwood Cres.
Star Inn Cotts.
Wellfield
Works
Mill Plantation
Pasture La. Bridge (Greater)
Pasture Lane Farm
Rainford By-Pass
A570
Clare's Wood
Moor Game House
Clare's Moss Plantation
Fish Pond
Rainford Industrial Estate
Reed's Farm
Factory
Sandwash
Pasture Lane Bridge (Lesser)
Aspinwall's Wood
Millbrook Business Park
Sharples Plantation
Reeds Lane
Barrows House Farm
Barrows Farm
Mossborough Wood
Keeper's Cottage
Mossborough Halll
Mill Lane Bridge
Rainford Brook
Reed's Moss
Millbrook Brook
Mill Lane
Hill Foot Farm
Hill Top Farm
Hill Top House
St. Helens Lane
Mossborough Delf
Hall Lane
Mossborough
Mossborough Road
Blindfoot Road
Square Wood
Ingle-Moss Dr.
Blind Foot Cottages
Harrison's Wood
Blind Foot Farm
Inglewood Farm
Windle Moss
Pottery Farm
Briary Wood
47
48
49
01
400
99
98
1
2
3
4
5
6
7
8
9
G
H
J
K
L
M
N

INDEX

Including Streets, Places & Areas, Industrial Estates, Selected Subsidiary Addresses
and Selected Places of Interest.

HOW TO USE THIS INDEX

1. Each street name is followed by its Posttown or Postal Locality and then by its map reference; e.g. Abbey Cres. *Dar* —7C **158** is in the Darwen Posttown is to be found in square 7C on page **158**. The page number being shown in bold type.
   A strict alphabetical order is followed in which Av., Rd., St., etc. (though abbreviated) are read in full and as part of the street name; e.g. Acres Brook Rd. appears after Acresbrook Av. but before Acresbrook Wlk.

2. Streets and a selection of Subsidiary names not shown on the Maps, appear in the index in *Italics* with the thoroughfare to which it is connected shown in brackets; e.g. *Abbeydale. Roch* —5B **204** (off Spotland Rd.)

3. Places and areas are shown in the index in **bold type**, the map reference referring to the actual map square in which the town or area is located and not to the place name; e.g. **Abbeystead.** —3A **48**

4. An example of a selected place of interest is **Academy, The.** —8M **223** (Liverpool F.C.)

GENERAL ABBREVIATIONS

All : Alley	Cir : Circus	Gt : Great	M : Mews	Sq : Square
App : Approach	Clo : Close	Grn : Green	Mt : Mount	Sta : Station
Arc : Arcade	Comn : Common	Gro : Grove	Mus : Museum	St : Street
Av : Avenue	Cotts : Cottages	Ho : House	N : North	Ter : Terrace
Bk : Back	Ct : Court	Ind : Industrial	Pal : Palace	Trad : Trading
Boulevd : Boulevard	Cres : Crescent	Info : Information	Pde : Parade	Up : Upper
Bri : Bridge	Cft : Croft	Junct : Junction	Pk : Park	Va : Vale
B'way : Broadway	Dri : Drive	La : Lane	Pas : Passage	Vw : View
Bldgs : Buildings	E : East	Lit : Little	Pl : Place	Vs : Villas
Bus : Business	Embkmt : Embankment	Lwr : Lower	Quad : Quadrant	Vis : Visitors
Cvn : Caravan	Est : Estate	Mc : Mac	Res : Residential	Wlk : Walk
Cen : Centre	Fld : Field	Mnr : Manor	Ri : Rise	W : West
Chu : Church	Gdns : Gardens	Mans : Mansions	Rd : Road	Yd : Yard
Chyd : Churchyard	Gth : Garth	Mkt : Market	Shop : Shopping	
Circ : Circle	Ga : Gate	Mdw : Meadow	S : South	

POSTTOWN AND POSTAL LOCALITY ABBREVIATIONS

Abb : Abbeystead
Abb V : Abbey Village
Acc : Accrington
Adl : Adlington
Aff : Affetside
Ains : Ainsdale
Ain : Aintree
Ain R : Aintree Racecourse Retail &
         Bus. Pk.
Airt : Airton
Ald : Aldcliffe
Als : Alston
Alt : Altham
Alt W : Altham West
And : Anderton
Ang : Anglezarke
Ans : Ansdell
App B : Appley Bridge
Ark : Arkholme
Arns : Arnside
Ash R : Ashton-on-Ribble
Ash S : Ashton with Stoddday
A'ton : Aughton (Lancaster)
Augh : Aughton (Ormskirk)
Bacup : Bacup
Bail : Bailrigg
Bald : Balderstone
Bam B : Bamber Bridge
Banks : Banks
Barb : Barbon
B'ley : Barley
Bncr : Barnacre
Barn : Barnoldswick
Barr : Barrow
Barfd : Barrowford
Btle : Bartle
Bar : Barton (Ormskirk)
Brtn : Barton (Preston)
Bas E : Bashall Eaves
Bax : Baxenden
Bay H : Bay Horse
Beet : Beetham
Bel : Belmont
Belt : Belthorn
Ben : Bentham
Bic : Bickerstaffe
Bil : Billinge
Bill : Billington
Bils : Bilsborrow
Bis : Bispham
Black : Blacko
Blac : Blackpool
Blac F : Blackpool & Fylde Ind. Est.
B'rod : Blackrod
Blkhd : Blackshawhead
Blea : Bleasdale
Bolt : Bolton
Bolt B : Bolton by Bowland
Bolt S : Bolton le Sands
Boot : Bootle
Borw : Borwick
Bowg : Bowgreave
Brac : Bracewell
Brad : Bradshaw
Breth : Bretherton
Brclf : Briercliffe
Brier : Brierfield
Brin : Brindle
Brins : Brinscall
Brit : Britannia
Brom X : Bromley Cross
Brook : Brookhouse
Brough : Broughton (Preston)
Brou : Broughton (Skipton)
Bryn : Bryning
Burn T : Burnham Trad. Pk.
Burn : Burnley

Burr : Burrow
Burs : Burscough
Burs I : Burscough Ind. Est.
Burt : Burton
Burt L : Burton in Lonsdale
Bury : Bury
Cabus : Cabus
Cald V : Calder Vale
Cap : Capernwray
Carn : Carnforth
Carr B : Carr Bank
Cast : Casterton
Catf : Catforth
Cat : Caton
Catt : Catterall
Chai : Chaigley
Char R : Charnock Richard
Chat : Chatburn
Cher T : Cherry Tree
Chip : Chipping
Chor : Chorley
Chu : Church
Chur : Churchtown (Preston)
Chtwn : Churchtown (Southport)
Clau : Claughton
Clau B : Claughton-on-Brock
Claw : Clawthorpe
Clay D : Clayton le Dale
Clay M : Clayton le Moors
Clay W : Clayton-le-Woods
Clie H : Clieves Hills
Clift : Clifton (Preston)
Clif : Clifton (Swinton)
Clith : Clitheroe
Cliv : Cliviger
Clough : Cloughfold
C'ham : Cockerham
C'den : Colden
Col : Colne
Con C : Coniston Cold
Cop : Coppull
Corn : Cornholme
Cot : Cottam
Crank : Crank
Craw : Crawshawbooth
Crook L : Crook o Lune
Cros : Crosby
Crost : Croston
Dal : Dalton
Dar : Darwen
Dink : Dinckley
Doph : Dolphinholme
D'ham : Downham
Down : Downholland
Dunn : Dunnockshaw
Dun B : Dunsop Bridge
Dutt : Dutton
Eag H : Eagland Hill
Earby : Earby
E Mar : East Marton
E'hill : Eccleshill
E'ston : Eccleston
Eden : Edenfield
Eger : Egerton
Ellel : Ellel
Elsl : Elslack
Elsw : Elswick
E'tn : Eshton
Esp : Esprick
Eux : Euxton
Fac : Facit
Far : Farington
Far M : Farington Moss
Farl : Farleton
Faz : Fazakerley
Fence : Fence
Fen : Feniscowles
Firg : Firgrove
Fltwd : Fleetwood

For H : Forest Holme
Form : Formby
Fort : Forton
Foul : Foulridge
Frec : Freckleton
Ful : Fulwood
Gal : Galgate
Garg : Gargrave
Gars : Garstang
Gigg : Giggleswick
Gis : Gisburn
Glas D : Glasson Dock
Good : Goodshaw
Goos : Goosnargh
Gt Alt : Great Altcar
Gt Ecc : Great Eccleston
Gt Har : Great Harwood
Gt Plu : Great Plumpton
G'hlgh : Greenhalgh
G'mnt : Greenmount
Grim V : Grimeford Village
Grims : Grimsargh
Grin : Grindleton
Guide : Guide
Haig : Haighton
Hale : Hale
Hals : Halsall
Halt : Halton
Halt W : Halton West
Hamb : Hambleton
Hamp : Hampson
Hap : Hapton
Harw : Harwood
Hask : Haskayne
Has : Haslingden
Hawk : Hawkshaw
Heal : Healey
H'pey : Heapey
Hth C : Heath Charnock
Heat O : Heaton with Oxcliffe
Hell : Hellifield
Helm : Helmshore
Hept : Heptonstall
Hesk B : Hesketh Bank
Hesk : Heskin
Hest B : Hest Bank
Hey : Heysham
Heyw : Heywood
High : Higham
H Big : High Biggins
High B : Higher Bartle
High W : Higher Walton
H Wltn : Higher Wheelton
H'twn : Hightown
Hodd : Hoddlesden
Hogh : Hoghton
Holc : Holcombe
Hol M : Holland Moor
Holme : Holme
H'wd : Holmeswood
Horn : Hornby
Hort : Horton
Hor : Horwich
Hoth : Hothersall
Hun : Huncoat
Hun I : Huncoat Ind. Est.
H End : Hundred End
Hur : Hurstead
Hur G : Hurst Green
Hut : Hutton
Hut R : Hutton Roof
Ince B : Ince Blundell
I'ton : Ingleton
Ingle : Inglewhite
Ing : Ingol
Ins : Inskip
Int : Intack
Ireby : Ireby
Kel : Kelbrook

Kirkby : Kirkby
K Lon : Kirkby Lonsdale
K'ham : Kirkham
Kno S : Knott End-on-Sea
K Grn : Knowle Green
Know I : Knowsley Ind. Pk.
Know N : Knowsley Ind. Pk. N.
Lanc : Lancaster
Lane : Laneshawbridge
L'clif : Langcliffe
Lang : Langho
Lan I : Lansil Ind. Est.
Lar : Larbreck
Lath : Lathom
Lea : Lea
Lea T : Lea Town
Leck : Leck
Ley : Leyland
L Grn : Lightfoot Green
L'boro : Littleborough
L Ecc : Little Eccleston
L Hoo : Little Hoole
Liv : Liverpool
Live : Livesey
L'rdge : Longridge
Longt : Longton
Los : Lostock
Los H : Lostock Hall
Loth : Lothersdale
Love : Loveclough
Low D : Low Dolphinholme
Lwr B : Lower Bartle
L Bent : Lower Bentham
Lwr D : Lower Darwen
Lowg : Lowgill
Lumb : Lumb
Lyd : Lydiate
Lytham : Lytham
Lyth A : Lytham St Annes
Mag : Maghull
Man : Mansergh
Mart : Marton
Maw : Mawdesley
Mlling : Melling (Carnforth)
Mell : Melling (Liverpool)
Mel : Mellor
Mel B : Mellor Brook
Mere B : Mere Brow
M'ton : Middleton
Midg H : Midge Hall
Mill : Millhead
Miln : Milnrow
Moor : Moorgate
More : Morecambe
Mos S : Moss Side (Lytham St Annes)
M Side : Moss Side (Preston)
Much H : Much Hoole
Nate : Nateby
Nels : Nelson
Neth K : Nether Kellet
N'bgn : Newbiggin
Newb : Newburgh
Newc : Newchurch
Newc P : Newchurch-in-Pendle
New H : New Hall Hey
New L : New Longton
News : Newsholme
Nwtn : Newton (Carnforth)
Newt : Newton (Preston)
Newt B : Newton in Bowland
Old L : Old Langho
Old R : Old Roan
Orm : Ormskirk
Orr : Orrell
Osb : Osbaldeston
Osw : Oswaldtwistle
Out R : Out Rawcliffe
Over K : Over Kellet
Over : Overton

Pad : Padiham
Parb : Parbold
Pay : Paythorne
Pem : Pemberton
Pend : Pendleton
Pen : Penwortham
Pick B : Pickup Bank
Pil : Pilling
Pleas : Pleasington
Poul I : Poulton Ind. Est.
Poul F : Poulton-le-Fylde
Pre : Preesall
Pres : Preston
P Hut : Priest Hutton
Queen I : Queensway Ind. Est.
Quer : Quernmore
Rainf : Rainford
Ram : Ramsbottom
Rams : Ramsgreave
Rath : Rathmell
Raw : Rawtenstall
Read : Read
Red M : Red Marsh Ind. Est.
Rdly : Reedley
Reed : Reedsholme
Rib : Ribbleton
Ribch : Ribchester
Rim : Rimington
Rish : Rishton
Ris B : Rising Bridge
Roby M : Roby Mill
Roch : Rochdale
Ross : Rossendale
Rou : Roughlee (Burnley)
R'lee : Roughlee (Nelson)
Ruf : Rufford
Sab : Sabden
St A : St Annes
St H : St Helens
St M : St Michaels
Sale : Salesbury
Salt : Salterforth
Salw : Salwick
Sam : Samlesbury
Saw : Sawley
Scar : Scarisbrick
Scor : Scorton
Scot : Scotforth
Set : Settle
Shawf : Shawforth
Shev : Shevington
Shir H : Shirdley Hill
Shore : Shore
Silv : Silverdale
S'stne : Simonstone
Sim : Simonswood
Sing : Singleton
Skel : Skelmersdale
Sla H : Slack Head
Slai : Slaidburn
Slyne : Slyne
Smal : Smallbridge
S'hills : Smithills
S'bri : Smithybridge
Sough : Sough
S'fld : Southfield
South : Southport
S'way : Southway
S'by : Sowerby
Stac : Stacksteads
Stainf : Stainforth
Stain : Staining
Stalm : Stalmine
Stand : Standish
Stand L : Standish Lower Ground
Stan I : Stanley Ind. Est.
Stone : Stonefold
Stony : Stonyhurst
S'seat : Summerseat

Posttown and Postal Locality Abbreviations

INDEX

Alfred's Ct. Chor —7E 174
Alfred St. Blac —5C 88
Alfred St. Dar —9B 158
Alfred St. Eger —2D 198
Alfred St. Lanc —8L 23
Alfred St. L'boro —8K 185
Alfred St. Rainf —3K 225
Alfred St. Ram —9G 180
Alfred St. Whitw —4A 184
Algar St. Nels —9K 85
Alice Av. Ley —6K 153
Alice Ingham Ct. Roch —4M 203
Alice Sq. Pres —8K 115
Alice St. Acc —1C 142
Alice St. Barn —2M 77
Alice St. Dar —7A 158
Alice St. More —3C 22
Alice St. Osw —5L 141
Alice St. Roch —4E 204
Alicia Ct. Roch —4B 204
Alicia Dri. Roch —4B 204
Alisan Rd. Poul F —6H 63
Alker La. Chor —3C 174
Alker St. Chor —7E 174
Alkincoats Rd. Col —6N 85
Alkincoats Vs. Col —5N 85
Allan Critchlow Way. Rish —7H 121
Allandale. Blac —4C 108
Allandale Av. T Clev —8F 54
Allandale Gro. Burn —5K 125
Allan St. Bacup —6K 163
Allanbury Pl. Blac —8G 89
Allenby Av. Ful —5L 115
Allenby Rd. Lyth A —1D 128
Allen Clo. Fltwd —2D 54
Allen Clo. T Clev —2D 62
Allen Ct. Burn —1E 124
(off Allen St.)
Allendale St. Burn —3N 123
Allendale St. Col —5C 86
Allengate. Ful —5J 115
Allen St. Burn —1E 124
(in two parts)
Allen St. Roch —7D 204
Allen Way. Fltwd —2C 54
Allerton Clo. Dar —5A 158
Allerton Dri. Burn —3B 124
Allerton Rd. South —5L 167
Allerton Rd. Walt D —5N 135
Allescholes Rd. Todm —8K 165
Alleys Grn. Clith —2L 81
Alleytroyds. —3L 141
Alleytroyds. Chu —3L 141
All Hallows Rd. Blac —6D 62
Alliance St. Acc —7E 142
Allington. Roch —7B 204
Allington Clo. Walt D —5B 136
Allison Gro. Col —5C 86
Allonby Av. T Clev —8E 54
All Saints Clo. Burn —2L 123
All Saints Clo. Osw —4H 141
All Saints Clo. Ross —7M 143
All Saints Rd. Lyth A —2E 128
All Saints Rd. T Clev —5E 62
All Saints Ter. Roch —3E 204
Allsprings Clo. Gt Har —3K 121
Allsprings Dri. Gt Har —2K 121
Alma Av. Foul —2A 86
Alma Clo. Uph —4F 220
Alma Ct. South —6F 186
Alma Ct. Uph —4F 220
Alma Dri. Char R —1A 194
Alma Grn. Uph —4E 220
Alma Hill. Uph —4E 220
Alma Ind. Est. Roch —4C 204
Alma Pde. Uph —4F 220
Alma Pl. Clith —4K 81
Alma Rd. Lanc —1K 29
Alma Rd. Lane —5G 86
Alma Rd. South —1G 186
Alma Rd. Todm —6K 165
Alma Rd. Uph —4F 220
Alma Row. Hogh —7G 136
Alma St. Bacup —5K 163
Alma St. B'brn —3L 139
Alma St. Clay M —6M 121
Alma St. Pad —9G 103
Alma St. Pres —8K 115
Alma St. Roch —4C 204
Alma St. Todm —6K 165
Alma Ter. Dunn —4A 144
Alma Wlk. Uph —4F 220
Almond Av. Burs —7C 190
Almond Brook Rd. Stand —2L 213
Almond Clo. Abb V —5C 156
Almond Clo. Ful —3M 115
Almond Clo. L'boro —8J 185
Almond Clo. Pen —5E 134
Almond Cres. Ross —7L 161
Almond Gro. Bolt —9F 198
Almond Gro. Wig —5N 221
Almond St. Bolt —9F 198
Almond St. Dar —7A 158
Almond St. Pres —9L 115
Almshouse. Lanc —8J 23
Almshouses, The. Grin —4C 74
Alnwick Clo. Burn —2C 124
Alpha St. Dar —7B 158
Alpha St. Nels —9K 85
Alpha St. Salt —4B 78
Alpic Dri. T Clev —4C 62
Alpine Av. Blac —4E 108
Alpine Av. Los H —9L 135
Alpine Clo. Hodd —6E 158
Alpine Clo. Los H —9L 135
Alpine Dri. Ward —8F 184
Alpine Gro. B'brn —8J 139
Alpine Rd. Chor —3G 175
Alpine Vw. Bolt S —3L 15
Alscot Clo. Liv —2C 222
Alsop St. Pres —7J 115
Alston Av. T Clev —8D 54
Alston Clo. Sab —3E 102
Alston Dri. More —3F 22
Alston La. Als —7J 97
Alston Rd. Blac —9E 62
Alston St. Bury —9H 201
Alston St. Pres —8N 115
Alt Av. Liv —3B 222
Altcar La. Down —2M 215
Altcar La. Form —8C 206
Altcar La. Ley —1G 173
Altcar La. Liv —2A 214
Altcar La. Lyd —6M 215
Altcar Rd. Form —1A 214
Alt Ct. Liv —5K 223
Altham. —3D 122
Altham Bus. Pk. Alt —3D 122
Altham Cvn. Site. Acc —8B 122
Altham Ind. Est. Alt —3C 122
Altham La. Alt & Acc —3D 122
Altham Rd. More —4B 22
Altham Rd. South —3L 187
Altham St. Burn —1E 124
Altham St. Pad —1J 123
Altham Wlk. More —5C 22
Althorp Clo. Blac —3C 88
Althorpe Dri. South —2L 187
Altom St. B'brn —2M 139
Alton Clo. Liv —9A 214
Alt Rd. Form —1A 214
Alt Rd. H'twn —7A 214
(in two parts)
Altway. Liv —7B 222
Altway Ct. Liv —7B 222
(off Altway)
Altys La. Orm —8L 209
Alum Scar La. Sam —1A 138
Alvanley Clo. Wig —3M 221
Alvanley Grn. Liv —8H 223
Alvanley Rd. Kirkby —8H 223
Alvern Av. Ful —5G 114
Alvern Cres. Ful —5G 114
Alvina La. Kirkby —5L 223
Alwin St. Burn —4C 124
Alwood Av. Blac —4F 88
Amanda Way. Liv —6G 222
Amber Av. B'brn —7N 119
Amberbanks Gro. Blac —8B 88
Ambergate. Ing —3C 114
Ambergate. Skel —4M 219
Amberley St. B'brn —6K 139
Amberwood. K'ham —4L 111
Amberwood Dri. B'brn —7H 139
Ambledene. Bam B —1C 154
Ambleside. Wig —4M 221
Ambleside Av. Barn —1L 77
Ambleside Av. Eux —5N 173
Ambleside Av. Kno S —7M 41
Ambleside Av. Ross —5K 161
Ambleside Clo. Acc —9D 122
Ambleside Clo. B'brn —2A 140
Ambleside Clo. Bolt —9M 199
Ambleside Clo. Walt D —6A 136
Ambleside Dri. Dar —4C 158
Ambleside Rd. Blac —9K 89
Ambleside Rd. Lanc —7L 23
Ambleside Rd. Lyth A —8E 108
Ambleside Rd. Mag —9C 216
Ambleside Rd. Rib —4A 116
Ambleside Wlk. Rib —4A 116
Ambleway. Walt D —4N 135
Ambrose St. Ley —5L 153
Ambrose St. Roch —8C 204
Amelia St. B'brn —2B 140
Amersham. Skel —4M 219
Amersham Clo. New L —8C 134
Amersham Gro. Burn —6H 105
Amesbury Dri. Wig —9M 221
Amethyst St. B'brn —7M 119
Amounderness Ct. K'ham —5N 111
Amounderness Way. Fltwd & T Clev —4F 54
Ampleforth Clo. Liv —9H 223
Ampleforth Dri. Los H —7K 135
Amy Johnson Way. Blac —4D 108
Amy St. Roch —4M 203
Amy Ter. Lyth A —3F 128
Ancenis Ct. K'ham —4N 111
Anchor. —2N 157
Anchorage Av. H End —6L 149
Anchorage M. Fltwd —1H 55
Anchorage Rd. Fltwd —1H 55
Anchor Av. Dar —3M 157
Anchor Cotts. E'ston —7D 172
Anchor Ct. Pres —1J 135
Anchor Dri. Hut —6A 134
Anchor Gro. Dar —3M 157
Anchor Retail Pk. Burn —3D 124
Anchor Rd. Dar —3M 157
Anchorsholme. —2F 62
Anchorsholme La. T Clev —3F 62
Anchorsholme La. E. T Clev —2D 62
Anchorsholme La. W. T Clev —2C 62
Anchor St. South —7H 167
Anchor St. Todm —2M 165
Anchor Way. Lyth A —8E 108
Ancliffe La. Bolt S —6M 15
Ancrum Rd. Liv —4J 223
Andelen Clo. Hap —6H 123
Anders Dri. Liv —5L 223
Anderson Clo. Bacup —6K 163
Anderson Clo. Lanc —1M 29
Anderson Rd. Wilp —2A 120
Anderson St. Blac —6C 88
Anderton. —5K 195
Anderton Clo. Ross —8D 162
Anderton M. More —3A 22
Anderton Rd. Eux —5N 173
Anderton Rd. High —5L 103
Andertons Mill. —3D 192
Anderton St. Adl —6J 195
Anderton St. Chor —7E 174
Andertons Way. Ful —4M 115
Anderton Way. Gars —6A 60
Andover Cres. Wig —9M 221
Andreas Clo. South —1H 187
Andrew Av. Liv —7F 222
Andrew Av. Ross —6L 161
Andrew Clo. B'brn —8J 139
Andrew Clo. G'mnt —4E 200
Andrew La. Bolt —7F 198
Andrew Rd. Nels —1M 105
Andrew's Ct. Burn —5E 124
Andrew St. Pres —8M 115
Anemone Dri. Has —7E 160
Angela St. B'brn —7J 139
Angel Way. Col —6B 86
(off King St.)
Anger's Hill Rd. Blac —9E 88
Angers La. Liv —4G 223
Anglesey Av. Burn —2M 123
Anglesey St. B'brn —8J 139
Angle St. Burn —1E 124
Anglezarke Rd. Adl —6J 195
Anglian Clo. Osw —3J 141
Angus St. Bacup —7G 162
Aniline St. Chor —6G 174
Annan Cres. Blac —9J 89
Annandale Clo. Liv —4J 223
Annandale Gdns. Skel —4C 220
Annarly Fold. Wors —4L 125
Annaside Clo. Blac —2E 108
Anna's Rd. Blac —7K 109
Anne Av. South —7E 186
Anne Clo. Burn —4F 124
Annecy Clo. Bury —9G 200
Anne Line Clo. Roch —8D 204
(off Wellfield St.)
Annesley Av. Blac —2E 88
Anne St. Burn —4F 124
Anne St. Lanc —9K 23
Annes Way. Lyth A —1K 129
Annie St. Acc —1B 142
Annie St. Ram —1F 200
Annie St. Ross —5M 161
Annis St. Pres —9M 115
Ann St. Barfd —8H 85
Ann St. Brier —4F 104
Ann St. Clay M —6M 121
Ann St. Roch —7C 204
Ann St. Skel —3J 219
Ansbro Av. Frec —2A 132
Ansdell. —4K 129
Ansdell Gro. Ash R —6F 114
Ansdell Gro. South —2N 167
Ansdell Rd. Blac —8D 88
Ansdell Rd. Hor —9D 196
Ansdell Rd. Wig —6N 221
Ansdell Rd. N. Lyth A —4K 129
Ansdell Rd. S. Lyth A —5K 129
Ansdell St. Pres —8M 115
Ansdell Ter. B'brn —7M 139
Anselm Ct. Blac —8B 62
Anshaw Clo. Bel —1K 197
Anson Clo. Lyth A —8D 108
Anson Pl. Wig —3M 221
Anson Rd. Frec —7N 111
Anstable Rd. More —3D 22
Anthony Rd. Lanc —9J 23
Anthorn Rd. Wig —8N 221
Antigua Dri. Lwr D —1N 157
Antrim Clo. Wig —9M 221
Antrim Rd. Blac —1C 88
Anvil Clo. Orr —6G 221
Anvil St. Bacup —7J 163
Anyon St. Dar —5B 158
Anzio Rd. Weet —5D 90
Apiary, The. Breth —1L 171
Apollo Cres. Liv —6K 223
Apostles Way. Kirkby —5J 223
Appealing La. Lyth A —7E 108
Appleby Clo. Acc —3C 142
Appleby Clo. Hogh —7G 136
Appleby Dri. Barfd —7H 85
Appleby Rd. Blac —1D 88
Appleby Rd. Liv —6J 223
Appleby St. B'brn —3A 140
Appleby St. Nels —2H 105
Appleby St. Pres —8J 115
Apple Clo. B'brn —4K 139
Apple Ct. B'brn —4K 139
Applecross Dri. Burn —5J 125
Applefields. Ley —8L 153
Applegarth. Barn —10G 52
Applegarth. Barfd —1F 104
Applegarth Rd. Hey —8M 21
Applegarth St. Earby —3E 78
Applesike. Longt —7L 133
Apple St. B'brn —4K 139
Appleton Clo. Poul F —9G 63
Appleton Rd. Skel —1K 219
Appletree Clo. Lanc —4L 29
Appletree Clo. Pen —6F 134
Apple Tree Clo. St M —3G 67
Appletree Dri. Lanc —5L 29
Apple Tree Way. Osw —3L 141
Applewood Clo. Lyth A —5M 129
Appley Bridge. —5F 212
Appley Clo. App B —2E 212
Appley La. N. App B —2F 212
Appley La. S. Roby M —6F 212
Approach Way. Burn —7C 124
Apsley Brow. Liv —1A 222
Apsley Fold. L'rdge —3K 97
Aqueduct Mill Ind. Est. Pres —8G 115
Aqueduct Rd. B'brn —6K 139
Aqueduct St. Pres —8G 114
Aqueduct St. Ind. Est. Pres —8H 115
Aragon Clo. Liv —8D 216
Arago St. Acc —4C 142
Arbories Av. Pad —1G 123
Arbory Dri. Pad —9G 102
Arbory, The. Gt Plu —2D 110
Arbour Clo. Bury —7K 201
Arbour Dri. B'brn —1L 157
Arbour La. Liv —9M 223
Arbour La. Stand —3L 213
Arbour St. Bacup —4L 163
Arbour St. South —8J 167
Arboury St. Pad —1G 122
Arbury Av. Roch —8B 204
Arcade. Acc —3B 142
(off Church St.)
Arcade. South —7H 167
Arcadia. Col —6B 86
(off Market Pl.)
Arcadia Av. Liv —8C 216
Archer Hill. Carn —6A 12
Archery Av. Foul —2A 86
Arches, The. Whal —5H 101
Archibald All. Pres —9J 115
Arch St. Burn —3D 124
Arch St. Dar —6A 158
Archway Bldgs. Ash R —8D 114
Arcon Clo. Roch —7H 205
Arcon Rd. Cop —4A 194
Ardee Rd. Pres —2G 135
Arden Clo. Slyne —9J 15
Arden Clo. South —8A 186
Ardengate. Lanc —3K 29
Arden Grn. Fltwd —9E 40
Ardleigh Av. South —2L 187
Ardley Rd. Hor —9D 196
Ardmore Rd. Blac —9D 62
Ardwick St. Burn —9E 104
Argameols Clo. South —9M 167
Argosy Av. Blac —2F 88
Argosy Ct. Blac —2G 88
Argyle Pk. South —6K 167
Argyle Rd. Ley —7K 153
Argyle Rd. Poul F —8L 63
Argyle Rd. South —5K 167
Argyle St. Acc —2A 142
Argyle St. Bury —9L 201
Argyle St. Col —6A 86
Argyle St. Dar —4N 157
Argyle St. Lanc —9L 23
Argyle St. Roch —9D 204
Argyll Ct. Blac —1C 88
(off Argyll Rd.)
Argyll Rd. Blac —1C 88
Argyll Rd. Pres —8K 115
Ariel Way. Fltwd —9F 40
Arkholme. —4C 18
Arkholme Av. Blac —8D 88
Arkholme Clo. Carn —8B 12
Arkholme Ct. More —5B 22
Arkholme Dri. Longt —7K 133
Arkwright Ct. Blac F —2J 109
Arkwright Fold. B'brn —8K 139
Arkwright Rd. Pres —7J 115
Arkwright St. Burn —2A 124
Arley Av. Bury —7K 201
Arley Gdns. Burn —2D 124
Arley Ri. Mel —7F 118
Arley St. Chor —6F 174
Arlington Av. Blac —2B 108
Arlington Clo. Bury —3H 201
Arlington Clo. South —8A 186
Arlington Rd. Dar —7N 157
Armadale Rd. Blac —1E 88
Armitstead Ct. Fltwd —2F 54
Armitstead Way. Fltwd —2F 54
Arm Rd. L'boro —9H 185
Armsgrove Rd. Tur —7H 179
Armstrong Hurst Clo. Roch —2E 204
Armstrong St. Ash R —7E 114
Arncliffe Av. Acc —4M 141
Arncliffe Gro. Barfd —8G 85
Arncliffe Rd. Burn —4J 125
Arncliffe Rd. Hey —7L 21
Arncot Rd. Ram —8F 198
Arndale Cen. More —3A 22
Arndale Clo. Fltwd —2C 54
Arndale Rd. L'rdge —3H 97
Arndale Shop. Cen. Nels —2J 105
Arnhem Rd. Carn —9B 12
Arnhem Rd. Pres —9N 115
(in two parts)
Arnian Ct. Augh —3H 217
Arnian Rd. Rainf —3K 225
Arnian Way. Rainf —3K 225
Arnold Av. Blac —2C 108
Arnold Clo. Burn —7C 124
Arnold Clo. Rib —7A 116
Arnold Pl. Chor —9C 174
Arnold Rd. Eger —5F 198
Arnold Rd. Lyth A —4C 130
Arnold St. Acc —2B 142
Arno St. Pres —1L 135
Arnott Rd. Ash R —7F 114
Arnott Rd. Blac —9E 88
Arnside. —1F 4
Arnside Av. Blac —9D 88
Arnside Av. Lyth A —1J 129
Arnside Clo. Clay M —7L 121
Arnside Clo. Hogh —5G 137
Arnside Clo. Lanc —4M 29
Arnside Cres. B'brn —9F 138
Arnside Cres. More —3C 22
Arnside Dri. Roch —8J 203
Arnside Knott. —4F 4
Arnside Rd. Ash R —7B 114
Arnside Rd. Brough —8G 94
Arnside Rd. Orr —3L 221
Arnside Rd. South —7J 167
Arnside Ter. South —7J 167
Arnside Vw. Kno S —7L 41
Arran Av. B'brn —6D 140
Arran Clo. Hey —9K 21
Arran St. Burn —4B 124
Arrow La. Halt —9B 16
Arrowsmith Clo. Hogh —6G 137
Arrowsmith Dri. Hogh —7G 137
Arrowsmith Gdns. T Clev —7E 54
Arroyo Way. Ful —5L 115
Arthington St. Roch —5E 204
Arthur Pits. Roch —6K 203
Arthurs La. Hamb —1C 64
Arthur St. Bacup —4M 163
Arthur St. Barn —1L 77
Arthur St. B'brn —4K 139
Arthur St. Brier —5F 104
Arthur St. Burn —3C 124
Arthur St. Chor —7F 174
Arthur St. Clay M —6M 121
Arthur St. Fltwd —8H 41
Arthur St. Gt Har —3K 121
Arthur St. Nels —1J 105
Arthur St. Pres —1H 135
Arthur St. Roch —5A 204
Arthur St. Sough —5D 78
Arthur St. N. Fltwd —8H 41
Arthur Way. B'brn —4K 139
Artlebeck Clo. Cat —2H 25
Artlebeck Gro. Cat —2H 25
Artlebeck Rd. Cat —2H 25
Artle Pl. Lanc —6J 23
Arundel Av. Blac —6B 62
Arundel Av. Roch —9B 204
Arundel Clo. Bury —7H 201
Arundel Dri. Poul F —5H 63
Arundel Pl. Pres —1K 135
Arundel Rd. Longt —7L 133
Arundel Rd. Lyth A —4H 129
Arundel Rd. South —5F 186
Arundel St. Bolt —8E 198
Arundel St. Rish —7G 121
Arundel Way. Ley —7M 153
Ascot Clo. Lanc —3M 29
Ascot Clo. Roch —5J 203
Ascot Clo. South —9E 166
Ascot Dri. Liv —5K 223
Ascot Gdns. Slyne —9K 15
Ascot Rd. Blac —4D 88
Ascot Rd. T Clev —3H 63
Ascot Way. Acc —3C 142
Ash Av. Gal —2K 37
Ash Av. Has —4H 161
Ash Av. K'ham —5M 111
Ash Bank Clo. Brtn —2E 94
Ashbee St. Bolt —9E 198
Ashborne Dri. Bury —3J 201
Ashbourne Clo. Lanc —5K 23
Ashbourne Clo. Ward —8G 184
Ashbourne Cres. Ing —4D 114
Ashbourne Dri. Lanc —5K 23
Ashbourne Gro. More —6C 22
Ashbourne Rd. Lanc —5K 23
Ashbourne St. Roch —4J 203
Ashbrook Cres. Roch —2F 204
Ashbrook Hey. —1F 204
Ashbrook Hey La. Roch —1F 204
Ashbrook St. Lanc —8H 23
Ash Brow. Newb —3L 211
Ashburn Av. Liv —6K 223
Ashburnham Rd. Col —9L 85
Ashburton Ct. Blac —3B 88
Ashburton Rd. Blac —3B 88
Ashby St. Chor —8E 174
Ash Clo. App B —5G 213
Ash Clo. Barr —1K 101
Ash Clo. Elsw —1M 91
Ash Clo. Orm —7J 209
Ash Clo. Rish —9H 121
Ash Clo. Roch —1F 204
Ashcombe Ga. T Clev —4K 63
Ash Coppice. Lea —7A 114
Ash Ct. B'brn —1A 140
(off Plane St.)
Ash Ct. Clift —7H 113
Ash Cres. Frec —3M 131
Ashcroft. Hey —7M 21
Ashcroft. Roch —1G 205
Ashcroft Av. Orm —6L 209
Ashcroft Clo. Cat —2G 25
Ashcroft Rd. Form —2A 214
Ashcroft Rd. Know I —7N 223
Ashdale Gro. T Clev —1L 63
Ashdale Pl. Lanc —6J 23
Ashdene. Roch —1A 204
Ashdene. Todm —6L 165
Ashdene Cres. Bolt —8K 199
Ashdown Clo. Poul F —6H 63
Ashdown Clo. South —1L 187
Ashdown Dri. Clay W —4E 154
Ashdown M. Ful —3A 116
Ash Dri. Frec —3M 131
Ash Dri. Poul F —9K 63
Ash Dri. T Clev —2J 63
Ash Dri. W'ton —3J 131
Ash Dri. War —4B 12
Ash Dri. W Brad —5K 73
Asheldon St. Pres —8N 115
Ashendean Vw. Pad —9J 103
Ashenhurst Clo. Todm —9K 147
Ashenhurst Rd. Todm —9J 147
Ashes La. Miln —6H 205
Ashes La. Todm —8N 147
Ashfield. Clay W —4E 154
Ashfield. Ful —1J 115
Ashfield Av. Lanc —9H 23
Ashfield Av. More —2F 22
Ashfield Av. Roch —8C 204
Ashfield Cvn. Pk. Blac —2M 109
Ashfield Clo. Barfd —1G 104
Ashfield Ct. Blac —5E 62
Ashfield Ct. Ing —3C 114
Ashfield Gro. Bolt —7G 199
Ashfield Ho. Blac —5E 62
Ashfield Ho. Roch —8C 204
Ashfield La. Miln —9J 205
Ashfield Ri. Catt —2A 68
Ashfield Rd. And —5K 195
Ashfield Rd. Blac & T Clev —6E 62
Ashfield Rd. Burn —3D 124
Ashfield Rd. Chor —7D 174
Ashfield Rd. Roch —9B 204
Ashfields. Ley —6D 152

Ashfield Ter.—Back La.

Ashfield Ter. App B —4F 212
Ashford Av. Lanc —4J 29
Ashford Clo. Bolt —9L 199
Ashford Clo. Lanc —4K 29
Ashford Cres. Brough —7F 94
Ashford Rd. Ash R —7B 114
Ashford Rd. Lanc —4J 29
Ashford St. Nels —3J 105
Ash Gro. Bam B —7B 136
Ash Gro. Barn —2M 77
Ash Gro. Chor —9E 174
Ash Gro. Dar —5B 158
Ash Gro. For H —8D 144
Ash Gro. Gars —4M 59
Ash Gro. Harw —9M 199
Ash Gro. Lanc —2K 29
Ash Gro. Longt —8K 133
Ash Gro. New L —1C 152
Ash Gro. Orr —5J 221
Ash Gro. Pre —9N 41
Ash Gro. Pres —8A 116
Ash Gro. Rainf —4K 225
Ash Gro. Ram —2E 200
Ash Gro. Raw —4M 161
(off Prospect Rd.)
Ash Gro. St M —4G 66
Ash Gro. Skel —2H 219
Ash Gro. Tot —8F 200
Ash Gro. Wesh —2N 111
Ash Gro. W Grn —6H 111
Ash Holme. Pres —6M 115
Ashia Clo. Roch —7D 204
Ashington Clo. Bolt —9B 198
Ashlands Clo. Ram —4J 181
(off Water La.)
Ash La. Clift —8H 113
Ash La. Gt Har —3H 121
Ash La. L'rdge —2K 97
Ashlea Gro. Stalm —5B 56
Ashleigh Ct. Arns —1F 4
Ashleigh Ct. Ful —2K 115
Ashleigh M. Blac —6E 88
(off Lever St.)
Ashleigh Rd. Arns —1F 4
Ashleigh Rd. Liv —3E 222
Ashleigh St. Dar —9B 158
Ashleigh St. Pres —1M 135
Ashley Clo. Blac —9C 62
Ashley Clo. Liv —5K 223
Ashley Clo. Roch —9N 203
Ashley Clo. T Clev —4H 63
Ashley Ct. Poul F —8J 63
Ashley Ct. Whitw —4A 184
Ashley La. Goos —3C 96
Ashley Rd. Lyth A —8F 108
Ashley Rd. South —7J 167
Ashley Rd. Uph —9M 211
Ashley St. Burn —2D 124
Ash Mdw. Lea —6A 114
Ashmeadow Gro. Neth K —4C 16
Ashmeadow La. Brins —7N 155
Ashmeadow Rd. Arns —1F 4
Ashmeadow Rd. Neth K —4C 16
Ashmead Rd. Uph —8L 211
Ashmere Clo. Has —8H 161
Ashmoor St. Pres —8H 115
Ashmore Gro. T Clev —2D 62
Ashmount Dri. Roch —3C 204
Ashmuir Hey. Liv —9L 223
Ashness Clo. Ful —1J 115
Ashover Clo. Bolt —7F 198
Ashridge Way. Orr —2L 221
Ash Rd. Cop —5A 194
Ash Rd. Elsw —9M 65
Ash St. Bacup —4K 163
Ash St. B'brn —1A 140
Ash St. Blac —3C 108
Ash St. Burn —4F 124
Ash St. Fltwd —9G 40
Ash St. Gt Har —3J 121
Ash St. Heyw —9F 202
Ash St. Nels —2K 105
Ash St. Osw —4K 141
Ash St. South —9J 167
Ash St. Traw —9F 86
Ashton & Lea Golf Course. —7N 113
Ashton Av. Kno S —8K 41
Ashton Clo. Ash R —8D 114
Ashton Ct. Lyth A —1D 128
Ashton Dri. Lanc —6J 23
Ashton Dri. Nels —4J 105
Ashton Garden Ct. Lyth A —1E 128
Ashton Gardens. —1D 128
Ashton Gdns. Roch —8B 204
Ashtongate. Ash R —8B 114
Ashton Ho. Dar —7B 158
Ashton La. Dar —7A 158
Ashton La. Out R —8K 57
Ashton Memorial. —9M 23
Ashton on Ribble. —8B 114
Ashton Pk. Golf Course. —7G 28
Ashton Pl. South —8H 167
Ashton Rd. Blac —7C 88
Ashton Rd. Dar —7B 158
Ashton Rd. Lanc —4J 29
(in two parts)
Ashton Rd. More —3C 22
Ashton Rd. South —4F 186
Ashton St. Ash R —9G 115
Ashton St. L'rdge —2J 97
Ashton St. Lyth A —5N 129
Ashton St. Roch —8B 204
Ashton Wlk. Lanc —8K 23
(off Cheapside)
Ashtree Ct. Ful —5D 114
Ashtree Ct. High W —5E 136
Ash Tree Gro. Bolt S —6K 15
Ashtree Gro. Pen —4E 134
Ashtrees. Maw —3N 191
Ashtrees Way. Carn —8A 12
(off Pond St.)
Ashtrees Way. Carn —8A 12
(Market St.)
Ashtree Wlk. Barfd —9H 85
Ashurst. —8M 211
Ashurst Clo. Skel —1N 219
Ashurst Gdns. Skel —8M 211
Ashurst Rd. Ley —6N 153
Ashurst Rd. Skel —9M 211
Ashurst Rd. Stand —2L 213
Ashurst's Beacon. —8B 212
Ashville Ter. B'brn —8L 139
Ashwall St. Skel —3H 219
Ashwell M. Bolt —9J 199
Ashwell Pl. T Clev —4C 62
Ashwell St. Bolt —9H 199
Ashwood. Skel —9N 211
Ashwood Av. Ram —7J 181
Ashwood Clo. Kirkby —5K 223
Ashwood Clo. Lyth A —4L 129
Ashwood Ct. Longt —9L 133
(off Little Twining)
Ashwood Dri. Bury —7G 201
Ashwood Dri. L'boro —9J 185
Ashwood Rd. Ful —2G 114
Ashworth Clo. B'brn —3K 139
Ashworth Clo. L'boro —7K 185
Ashworth Ct. Blac —3D 88
Ashworth Ct. Pres —2L 135
Ashworth Dri. Hest B —7J 15
Ashworth Gro. Pres —2M 135
Ashworth La. Bolt —8F 198
Ashworth La. Pres —2L 135
Ashworth La. Ross —4D 162
Ashworth Rd. Blac —1J 109
Ashworth Rd. Roch & Heyw —2C 202
Ashworth Rd. Ross —5D 162
Ashworth St. Acc —6D 142
Ashworth St. Bacup —4L 163
Ashworth St. Bam B —6B 136
Ashworth St. For H —9E 144
Ashworth St. Pres —1L 135
Ashworth St. Rish —8H 121
Ashworth St. Roch —5A 204
Ashworth St. Ross —5A 162
Ashworth St. Stac —7H 163
Ashworth St. Waterf —7D 162
(in two parts)
Ashworth Ter. Bacup —7F 162
Ashworth Ter. Bolt —9L 199
Ashworth Ter. Dar —7N 157
Ashworth Ter. Ross —5D 162
(off Burnley Rd.)
Askew La. Burt —8H 7
Askrigg Clo. Acc —2C 142
Askrigg Clo. Blac —2G 108
Asland Clo. Bam B —8B 136
Asland Gdns. South —2B 168
Asmall Clo. Orm —6J 209
Asmall La. Hals & Scar —4C 208
Asmall La. Orm —5G 208
Aspden St. Bam B —7A 136
Aspden St. Todm —1L 165
Aspels Cres. Pen —4F 134
Aspels Nook. Pen —4F 134
Aspels, The. Pen —4F 134
Aspen Clo. Kirkby —4L 223
Aspendale Clo. Longt —7K 133
Aspen Dri. Burn —2G 124
Aspen Fold. Osw —3H 141
Aspen Gdns. Chor —8D 174
Aspen Gdns. Roch —4L 203
Aspen La. Earby —2E 78
Aspen La. Osw —4H 141
Aspen Way. Skel —1J 219
Aspinall Clo. Pen —6G 134
Aspinall Cres. Liv —2F 214
Aspinall Fold. B'brn —9M 119
Aspinall Rd. Stand —3L 213
Aspley Gro. Traw —8F 86
(off Skipton Rd.)
Asshawes, The. Hth C —4H 195
Assheton Pl. Rib —5A 116
Assheton Rd. B'brn —3H 139
Asten Bldgs. Ross —8D 162
Aster Chase. Lwr D —9A 140
Aster Dri. Liv —5J 223
Astland Gdns. Tar —5D 150
Astland St. Lyth A —2E 128
Astley Bridge. —9F 198
Astley Clo. Rainf —3K 225
Astley Ct. Lanc —1H 29
Astley Cres. Frec —2A 132
Astley Ga. B'brn —3M 139
Astley Hall Mus. & Art Gallery. —5C 174
Astley Hill Dri. Ram —1H 201
Astley Rd. Bolt —8L 199
Astley Rd. Chor —5D 174
Astley St. Chor —5E 174
Astley St. Dar —8A 158
Astley St. L'rdge —3J 97
Astley Ter. Dar —8A 158
Astley Village. —4C 174
Aston Av. T Clev —1G 62
Aston St. Weet —4D 90
Aston Wlk. B'brn —8A 140
Aston Way. M Side —5E 152
Astra Bus. Cen. Rib —3E 116
Athelstan Fold. Ful —6F 114
Athens Vw. Burn —4G 125
(off Athletic St.)
Atherfield. Bolt —9L 199
Atherstone. Roch —5B 204
(off Spotland Rd.)
Atherstone Clo. Bury —9H 201
Atherton Rd. Lanc —7H 23
Atherton Rd. Ley —7G 152
Atherton St. Adl —7J 195
Atherton St. Bacup —7F 162
Atherton Way. Bacup —7F 162
Athletic St. Burn —4G 124
Athlone Av. Blac —9C 62
Athlone Av. Bolt —8C 198
Athlone Av. Bury —9L 201
Athole Gro. South —7M 167
Athol Gro. Chor —8G 174
Atholl Cres. Liv —8C 222
Atholl St. Pres —9G 115
Athol St. Nels —2K 105
Athol St. Ram —7H 181
Athol St. Roch —4E 204
Athol St. N. Burn —4B 124
Athol St. S. Burn —4B 124
***Atkinson Art Gallery.** —7H 167*
(off Lord St.)
Atkinson St. Brclf —7K 105
Atkinson St. Col —8N 85
(in two parts)
Atlanta Ct. Liv —3J 223
Atlas Rd. Dar —6A 158
Atlas St. Clay M —8M 121
Atrium Ct. Burn —5F 124
Aubigny Dri. Ful —5G 115
Aubrey St. Roch —8C 204
Auburn Gro. Blac —8D 88
Auckland St. Dar —8B 158
Auden Lea. T Clev —9F 54
Audenshaw Rd. More —4C 22
Audley Clo. Lyth A —3K 129
Audley Clo. Nels —2J 105
(off Audley Ct.)
Audley Ct. Nels —2J 105
Audley La. B'brn —3A 140
Audley Range. B'brn —4N 139
Audley St. B'brn —3A 140
Aughton. —6M 17
Aughton. —4F 216
Aughton Brow. A'ton —6M 17
Aughton Ct. Lanc —4K 23
Aughton M. South —9G 167
Aughton Park. —1J 217
Aughton Pk. Dri. Augh —1J 217
Aughton Rd. A'ton —6H 17
Aughton Rd. South —8F 166
Aughton St. Fltwd —8H 41
Aughton St. Orm —8J 209
(in two parts)
Aughton Wlk. Pres —8J 115
Augusta Clo. Roch —3B 204
(in two parts)
Augusta St. Acc —4B 142
Augusta St. Roch —4B 204
Austen Way. Blac —3N 109
Auster Cres. Frec —7N 111
Austin Clo. Ley —7K 153
Austin Clo. Liv —7J 223
Austin Cres. Ful —5E 114
Austin Gro. Blac —9B 88
Austin St. Bacup —5K 163
(off Union St.)
Austin St. Burn —4C 124
Austin St. Bury —8K 201
Austwick Rd. Lanc —6H 23
(in two parts)
Austwick Way. Acc —3D 142
Avallon Clo. Tot —6E 200
Avallon Way. Dar —6C 158
Avalon Clo. Burn —2L 123
Avalon Dri. Frec —1A 132
Avalwood Av. Longt —8M 133
Avebury Clo. B'brn —8A 140
Aveling Dri. South —9F 148
Avelon Clo. Liv —6A 216
Avenham. —2J 135
Avenham Clo. Banks —1G 169
Avenham Colonnade. Pres —2K 135
Avenham Ct. Pres —1K 135
Avenham Gro. Blac —4C 88
Avenham La. Pres —2K 135
Avenham Pl. Newt —7D 112
Avenham Pl. Pres —2K 135
Avenham Rd. Chor —7E 174
Avenham Rd. Pres —1K 135
Avenham St. Pres —1K 135
Avenham Ter. Pres —2K 135
Avenham Wlk. Pres —2K 135
Avenue Pde. Acc —2B 142
Avenue Rd. Blac —2H 89
Avenue Rd. Hur G —1M 99
Avenue, The. Adl —5J 195
Avenue, The. B'ley —6A 84
Avenue, The. Bil —8G 221
Avenue, The. Burn —7H 125
Avenue, The. Bury —8L 201
Avenue, The. Chur —9L 59
Avenue, The. Gars —3M 59
Avenue, The. Ing —3D 114
Avenue, The. Lea —8A 114
Avenue, The. Ley —9J 153
Avenue, The. Old L —5C 100
Avenue, The. Orm —6J 209
(Halsall La.)
Avenue, The. Orm —6K 209
(Southport Rd.)
Avenue, The. Pen —3E 134
Avenue, The. Poul F —7J 63
Avenue, The. Rainf —4K 225
Avenue, The. South —1E 168
(Station Rd.)
Avenue, The. South —9D 168
(Wyke La.)
Avenue, The. Stand L —8N 213
Aviemore Clo. B'brn —4A 140
Aviemore Clo. Ram —3F 200
Avocet Ct. Ley —6D 152
Avon Av. Fltwd —4D 54
Avon Bri. Ful —1F 114
Avon Clo. B'brn —5L 139
Avon Clo. Kirkby —4L 223
Avon Clo. Miln —7K 205
Avon Ct. Burn —2B 124
Avondale Av. B'brn —3E 140
Avondale Av. Burn —2A 124
Avondale Av. Bury —9K 201
Avondale Av. Liv —2B 222
Avondale Clo. Dar —5M 157
Avondale Cres. Blac —2F 108
Avondale Dri. Los H —8L 135
Avondale Dri. Ram —3E 200
Avondale Dri. Tar —7E 150
Avondale M. Dar —4M 157
Avondale Rd. Chor —7E 174
Avondale Rd. Dar —5M 157
Avondale Rd. Hey —5M 21
Avondale Rd. Lanc —1L 29
Avondale Rd. Lyth A —9C 108
Avondale Rd. Nels —3H 105
Avondale Rd. South —6H 167
Avondale Rd. N. South —5J 167
Avondale St. Col —6D 86
Avondale St. Stand —3N 213
Avon Dri. Barn —1N 77
Avon Dri. Bury —5L 201
Avon Gdns. Cot —4A 114
Avon Grn. Fltwd —9E 40
Avon Ho. Pres —9N 115
Avon Pl. Blac —2C 88
Avon Rd. Bil —4M 221
Avonside Av. T Clev —9G 55
Avon St. Lyth A —2E 128
Avonwood Clo. Dar —5M 157
Avroe Cres. Blac —5D 108
Aylesbury Av. Blac —9D 88
Aylesbury Wlk. Burn —7G 105
Ayr Clo. South —1M 187
Ayr Ct. Fltwd —5E 54
Ayrefield Gro. Shev —6G 213
Ayrefield Rd. Roby M —8F 212
Ayr Gro. Burn —6B 124
Ayr Rd. B'brn —5D 140
Ayr St. Bolt —9J 199
Ayr St. Lanc —9M 23
Ayrton Av. Blac —2D 108
Ayrton St. Col —6B 86
Aysgarth. Roch —4E 204
Aysgarth Av. Ful —2J 115
Aysgarth Ct. Blac —2F 108
Aysgarth Dri. Acc —2C 142
Aysgarth Dri. Dar —5M 157
Aysgarth Dri. Lanc —4K 23
Aysgarth Rd. Lanc —8H 23
Azalea Clo. Ful —3M 115
Azalea Clo. Ley —5A 154
Azalea Gro. More —3E 22
Azalea Rd. B'brn —2J 139

Babbacombe Av. Blac —3B 108
Baber Wlk. Bolt —9E 198
Babylon La. Adl & And —5K 195
Babylon La. Hth C —4K 195
Bk. Albany St. Roch —8D 204
Bk. Albert Rd. Col —7A 86
(off Albert Rd.)
Bk. Albert St. Fltwd —9H 41
(off Albert St.)
Bk. Albert St. Pad —1H 123
(off Albert St.)
Bk. Albion Pl. Bury —9L 201
Bk. Alfred St. Ram —9G 180
(off Mary St.)
Bk. Altham St. Pad —1J 123
Bk. Argyle St. Bury —8L 201
Bk. Arthur St. Clay M —6M 121
Bk. Ashburton Rd. Blac —3C 88
Bk. Ashby St. Chor —8F 174
Bk. Atkinson St. Col —7N 85
Bk. Avondale Rd. E. Hey —5M 21
Bk. Avondale Rd. W. Hey —5M 21
Bk. Bath St. South —6H 167
Bk. Beehive Ter. Ross —2G 160
(off Blackburn Rd.)
Bk. Birch St. Bury —9L 201
(in two parts)
Bk. Blackburn Rd. W. Bolt —9E 198
(off Blackburn Rd.)
Bk. Bolton Rd. Dar —8B 158
Bk. Bond St. Col —6A 86
(off Bond St.)
Bk. Boundry St. Col —7A 86
Bk. Bourne's Row. Hogh —7G 137
Bk. Bradshaw St. Roch —5D 204
Bk. Bridge St. Ram —8H 181
Bk. Brook St. N. Bury —9M 201
(in two parts)
Back Brow. Uph —4F 220
Bk. Brown St. Col —7N 85
Bk. Burnley Rd. Acc —2B 142
Bk. Burnley Rd. Bury —5K 201
Bk. Byrom St. Bury —9G 201
(off Byrom St.)
Bk. Byrom St. Todm —1L 165
Bk. Byrom St. S. Bury —9G 201
Bk. Calton St. More —2B 22
Bk. Cambridge St. Col —7A 86
(off Cambridge St.)
Bk. Canada St. Hor —9C 196
Bk. Canning St. Bury —9L 201
Bk. Carr Mill St. Ross —2G 160
Bk. Carshalton Rd. Blac —3B 88
Bk. Cateaton St. Bury —9L 201
Bk. Cemetery Ter. Bacup —7J 163
Bk. Chapel St. Col —7A 86
(off Chapel St.)
Bk. Chapel St. Hor —9D 196
Bk. Chapel St. Tot —6E 200
Bk. Chapel St. Ward —7F 184
Bk. Chesham Rd. N. Bury —9M 201
(off Chesham Rd.)
Bk. Chesham Rd. S. Bury —9M 201
(off Chesham St.)
Bk. Chester St. Bury —9M 201
(off Chester St.)
Bk. Church St. Barn —2M 77
(off Church St.)
Bk. Church St. Barfd —8H 85
Bk. Church St. Blac —5B 88
Bk. Church St. Hap —5H 123
(off Church St.)
Bk. Church St. Newc —5C 162
Bk. Claremont. More —4N 21
(off Claremont Rd.)
Bk. Clarendon Rd. Blac —8B 88
Bk. Clarendon Rd. More —4N 21
(off Clarendon Rd. E.)
Bk. Clay St. Brom X —6G 198
Bk. Clay St. E. Brom X —6G 198
Bk. Clayton St. Nels —1H 105
(off Clayton St.)
Bk. Clifton St. Bury —9L 201
Bk. Colne Rd. Barn —3L 77
Bk. Colne Rd. Traw —9F 86
(off Colne Rd.)
Bk. Commercial St. Todm —2M 165
Bk. Commons. Clith —2K 81
Bk. Compton Rd. South —2H 187
Bk. Constablelee. Ross —3M 161
Bk. Cookson St. Blac —4C 88
Bk. Cop La. Fltwd —9G 41
Bk. Cowm La. Whitw —4N 183
Bk. Crescent St. More —3A 22
Bk. Crown St. Hor —9B 196
Bk. Dale St. Miln —8J 205
Bk. Darwen Rd. N. Eger —4E 198
Bk. Delamere St. S. Bury —8M 201
(off Delamere St.)
Bk. Denton St. Bury —9L 201
Bk. Derby Rd. T Clev —9C 54
Bk. Der St. Todm —2M 165
Bk. Dover St. Lwr D —9N 139
Bk. Drake St. Roch —7C 204
Bk. Drinkhouse La. Crost —5L 171
Bk. Duckworth St. Dar —6A 158
Bk. Duke St. Col —7A 86
(off Duke St.)
Bk. Duncan St. Hor —9D 196
Bk. Earl St. Col —7A 86
(off Earl St.)
Bk. East Bank. Barfd —7H 85
Bk. Eaves St. Blac —3B 88
Bk. Eden St. Ram —9E 198
Bk. Eldon St. Bury —9L 201
Bk. Emmett St. Hor —9C 196
Bk. Epsom Rd. T Clev —3F 62
Bk. Fazakerley St. Chor —6E 174
Bk. Forest Rd. South —8K 167
(in two parts)
Bk. Garston St. Bury —9M 201
(off Garston St.)
Back Ga. I'ton —3N 19
(off Croft Rd.)
Bk. George St. Hor —9E 196
(off George St.)
Bk. Gisburn Rd. Black —4J 85
Bk. Glen Eldon Rd. Lyth A —1E 128
Bk. Goodlad St. Bury —9G 201
(off Tottington Rd.)
Bk. Green St. More —2B 22
(in two parts)
Bk. Grimshaw St. Pres —1K 135
Bk. Grove Ter. More —4F 22
(off Kendal Dri.)
Bk. Halifax Rd. Brclf —7L 105
Bk. Hall St. Col —7A 86
(off Hall St.)
Bk. Hanson St. Bury —9L 201
Bk. Harry St. Barfd —8H 85
Bk. Haslam St. Bury —9M 201
Bk. Headroomgate Rd. Lyth A —9F 108
Bk. Hesketh St. Gt Har —4J 121
(off Blackburn Rd.)
Bk. Heys. Osw —5L 141
Bk. Heysham Rd. Hey —5M 21
Bk. High St. Bel —9K 177
Bk. High St. Blac —4B 88
Bk. High St. Tur —1J 199
Bk. Hill St. Brier —4D 104
(off Hill St.)
Bk. Hill St. Ross —9M 143
(off Hill St.)
Bk. Hilton St. Bury —9L 201
Bk. Holland St. Ram —9F 198
Bk. Hope St. Bacup —3K 163
Bk. Hornby St. Bury —8L 201
Bk. Hornby St. W. Bury —9L 201
(off Walmersley Rd.)
Backhouse St. Osw —4L 141
Bk. Hulme St. Bury —9J 201
(off Hulme St.)
Bk. Hunter St. Carn —8A 12
Bk. Huntley Mt. Rd. Bury —9N 201
Bk. Ivy Bank Rd. Ram —8E 198
Bk. King St. Acc —2A 142
Bk. Knowlys Rd. Hey —8L 21
Back La. Acc —6D 142
Back La. App B & Stand —4G 213
Back La. Arns —1E 4
Back La. Augh —4D 216
Back La. Bic —8M 217
Back La. Breth —1J 171
Back La. Brclf & S'fld —1A 106
Back La. Burs —7C 190
Back La. Carn —2B 16
Back La. Char R —8J 173
Back La. Clay W —5B 154
(in two parts)
Back La. Down —9K 207
(in two parts)
Back La. Goos —8B 70
Back La. Gt Ecc —6N 65
Back La. Hale —1B 6
Back La. Hell —1D 52
Back La. High —3K 103
Back La. Hol M —7D 212
Back La. K Lon —6F 8
(off Lunefield Dri.)
Back La. Ley —8M 153
Back La. Longt —8H 133

Back La.—Barley Holme Rd.

Back La. Maw —5M 191
Back La. Newb —2H 211
Back La. Newt B & Slai —5N 49
Back La. Pre —5N 55
Back La. Rath —7M 35
Back La. Read —7B 102
Back La. Rim —4K 75
Back La. Ross —4M 161
Back La. Skel —5A 220
(Beavers La.)
Back La. Skel —4B 220
(School La.)
Back La. Stalm —6C 56
Back La. Tar —2E 170
Back La. Traw —9E 86
Back La. Tun —2E 18
Back La. War —5A 12
Back La. Weet —8E 90
Back La. Wenn —4G 18
Back La. W'ham —3C 96
Back La. Whitw —3N 183
Back La. Wis —3M 101
Back La. Wray —8D 18
Back La. E. Maw —4B 192
Back La. Side. Has —5G 161
Bk. Lathom St. Bury —9M 201
(off Lathom St.)
Bk. Leach St. Col —7N 85
(off Leach St.)
Bk. Lee St. Has —5G 161
Bk. Lines St. More —3B 22
Bk. Linton Av. Bury —8L 201
(off Linton Av.)
Bk. Lord St. Blac —4B 88
Bk. Lord St. Lanc —7K 23
Bk. Lord St. Ross —9M 143
(off Burnley Rd.)
Bk. Louise St. Roch —2E 204
Bk. Lucas St. Bury —9M 201
Bk. Lune St. Col —7B 86
(off Lune St.)
Bk. Main St. Hey —8K 21
(off Main St.)
Bk. Malvern Av. Bury —8L 201
(off Malvern Av.)
Bk. Marine Rd. More —4N 21
Bk. Marine Rd. E. More —2D 22
(off Seaborn Rd.)
Back Mkt. St. Carn —8A 12
Bk. Maxwell St. Ram —9E 198
Bk. Merton St. Bury —9J 201
Bk. Milner Av. Bury —8L 201
(off Milner Av.)
Bk. Monmouth St. Bury —8L 201
Bk. Moon Av. Blac —8B 88
Bk. Morecambe St. More —2B 22
Bk. Moss La. Burs —6D 190
Bk. Mostyn Av. Bury —8L 201
(off Mostyn Av.)
Back Mt. Chor —6E 174
Bk. Nelson St. Hor —9D 196
Bk. Newchurch Rd. Ross —5A 162
Bk. New St. Carn —8A 12
Bk. Nook Ter. Roch —2C 204
Bk. North Cres. Lyth A —2E 128
Bk. North St. Todm —2L 165
(off Ridge Rd)
Bk. Oddfellows Ter. Ross —4D 162
Bk. Oldham Rd. Roch —7D 204
Bk. Olive Bank. Bury —9G 201
Bk. Oram St. Bury —9M 201
(off Oram St.)
Bk. Ormerod St. Ross —5M 161
(off Ormerod St.)
Bk. o' the Town La. Liv —8E 214
Back o' th' Moss La. Heyw —9G 202
(in two parts)
Bk. Parkinson St. B'brn —6J 139
Bk. Patience St. Roch —4N 203
Bk. Peter St. Barfd —7H 85
Bk. Pine St. Miln —9L 205
(off Pine St.)
Bk. Pleasant St. Blac —3B 88
Bk. Porter St. Bury —9L 201
Bk. Queen St. Gt Har —4J 121
Bk. Queen St. Lanc —9K 23
Bk. Queen St. More —3B 22
Bk. Railway Vw. Adl —7J 195
Bk. Rake St. Bury —9L 201
Bk. Ramsden Rd. Roch —7F 184
Bk. Raven St. Bury —9L 201
(off Raven St.)
Bk. Rawlinson St. Hor —9C 196
Bk. Raymond Av. Bury —8L 201
(off Raymond Av.)
Bk. Read's Rd. Blac —6C 88
Bk. Regent St. Bury —9L 201
(off Regent St.)
Bk. Regent St. Has —4F 160
(off Regent St.)
Bk. Rhoden Rd. Osw —6K 141
Bk. Richard St. Brier —5F 104
(off Richard St.)
Bk. Ridge St. Todm —2L 165
Bk. Rigby La. N. Bolt —7J 199
Bk. Rings Row. Ross —7M 143
(off Burnley Rd.)
Back Rd. Grin —4A 74
Bk. Rochdale Old Rd. N. Bury —9B 202
(off Rochdale Old Rd.)
Bk. Rochdale Old Rd. N. Bury —9A 202
(off Coppice St.)
Bk. Rooley Moor Rd. Roch —4N 203
Bk. Royal Av. Bury —8L 201
(off Royal Av.)
Bk. Royds St. Roch —8D 204
Bk. Rushton St. Bacup —7J 163
Bk. St Anne's Rd. W. Lyth A —2E 128
Bk. St Anne's St. Bury —9L 201
Bk. St John St. Bacup —4K 163
Bk. Salford St. Bury —9M 201
(off Salford St.)
Bk. Sandy Bank Rd. Tur —9K 179
Bk. School La. Uph —4F 220
Bk. Scotland Rd. Nels —2H 105
(off Scotland Rd.)
Bk. Seed St. Pres —9J 115
Bk. Seymour Rd. Bolt —9F 198
Bk. Shannon St. Blac —7B 88
Bk. Shuttleworth St. Pad —1H 123
(off Shuttleworth St.)
Bk. Skipton Rd. Barn —2M 77
(off Forester's Bldgs.)
Bk. Skull Ho. La. App B —4F 212
Bk. Smith St. Barn —3L 77
(off Smith St.)
Bk. Spencer St. Ross —8M 143
Bk. Springfield Rd. N. Lyth A —2E 128
(off St David's Rd.)
Bk. Square St. Ram —8H 181
Bk. Stanley St. Ram —9G 181
(off Buchanan St.)
Bk. Starkie St. Pres —2J 135
Backs, The. L'rdge —4J 97
Back St. Over —7B 28
Bk. Sun St. Lanc —8K 23
(off Sun St.)
Bk. Thorns Rd. Ram —9E 198
Bk. Tottington Rd. Bury —9G 201
(off Tottington Rd.)
Bk. Tottington Rd. N. Bury —9H 201
Bk. Tottington Rd. S. Bury —9H 201
Bk. Townley St. More —2B 22
(off Townley St.)
Bk. Union Rd. Roch —1H 205
Bk. Vernon St. Bury —9L 201
Bk. Virginia St. South —8J 167
Bk. Walmersley Rd. E. Bury —8L 201
(off Mostyn Av.)
Bk. Walmersley Rd. E. Bury —9L 201
(Chesham Rd.)
Bk. Walmersley Rd. E. Bury —7L 201
(Walmersley Rd., in three parts)
Bk. Walmersley Rd. W. Bury —6L 201
(Limefield Brow, in three parts)
Bk. Walmersley Rd. W. Bury —9L 201
(Russell St.)
Bk. Walshaw Rd. N. Bury —9H 201
Bk. Walshaw Rd. S. Bury —9H 201
Bk. Warbreck Rd. Blac —4B 88
Bk. Waterloo Rd. Blac —9B 88
Bk. Water St. Acc —2B 142
Bk. Water St. Eger —3D 198
Bk. Wellfield Ter. Todm —3L 165
Bk. Wellington St. Acc —3B 142
Bk. West Cres. Lyth A —2E 128
Bk. Whitegate. L'boro —1H 205
Bk. Willow St. Burn —2C 124
Bk. Winterdyne Ter. Hey —4M 21
Bk. Woodfield Rd. Blac —8B 88
Bk. Wood St. Hor —9D 196
Bk. Wright St. Hor —9C 196
Bk. York St. Clith —3L 81
Bk. York St. Ross —9M 143
(off York St.)
Bk. Zion St. Col —7A 86
(off Zion St.)
Bacon St. Nels —2J 105
Bacup. —4K 163
Bacup Golf Course. —5H 163
Bacup Natural History Society Mus. (off Yorkshire St.) —4K 163
Bacup Old Rd. Bacup —9K 145
Bacup Rd. Burn —8G 125
Bacup Rd. Ross —5M 161
(in two parts)
Bacup Rd. Todm —1A 164
Badby Wood. Liv —6L 223
Baddon Clo. More —5C 22
Baden Ter. B'brn —7L 139
Badgebrow. Osw —3L 141
Badger Clo. Pad —9J 103
Badger Rd. Ley —3K 153
Badgers Clo. Acc —9D 122
Badgers Cft. Rib —7B 116
Badger St. Bury —9L 201
Badgers Wlk. Eux —3D 174
Badgers Wlk. E. Lyth A —5B 130
Badgers Wlk. W. Lyth A —5B 130
Badgers Way. Los H —5L 135
Badger Wells Cotts. Sab —2E 102
Bagganley La. Chor —4G 175
(in two parts)
Bagnall Clo. Roch —3K 203
Bagnold Rd. Pres —8N 115
Bagot St. Blac —9B 88
Bagslate Moor. —5K 203
Bagslate Moor La. Roch —5K 203
Bagslate Moor Rd. Roch —6J 203
Baildon Rd. Roch —4M 203
Bailey Bank. Chai —4A 80
Bailey Ct. Blac —4E 88
Bailey La. Hey —8K 21
Bailey La. Toss —10H 35
Bailey St. Burn —4C 124
Bailey St. Earby —3F 78
Baillie St. Roch —6C 204
(in two parts)
Baillie St. E. Roch —5D 204
Bailrigg. —6L 29
Bailrigg La. Bail —6K 29
Baines Av. Blac —1F 88
Bairstow St. Barn —1M 77
Bairstow St. Blac —7B 88
Bairstow St. Pres —1J 135
Baitings Row. Roch —3G 202
Bakers Ct. Blac —2F 108
Bakers La. South —3M 167
Baker St. Bacup —4K 163
Baker St. B'brn —4B 140
Baker St. Burn —4C 124
Baker St. Cop —4A 194
Baker St. Lanc —5K 23
Baker St. Ley —5L 153
Baker St. Nels —9J 85
Baker St. Ram —9G 181
Balaclava St. B'brn —2M 139
Bala Clo. B'brn —2M 139
Balcarres Clo. Ley —6K 153
Balcarres Pl. Ley —7K 153
Balcarres Rd. Ash R —6F 114
Balcarres Rd. Chor —9D 174
Balcarres Rd. Ley —7K 153
Balcombe Clo. Bury —6H 201
Balderstone. —4B 118
Balderstone Clo. Burn —8H 105
Balderstone Hall La. Bald —3L 117
Balderstone La. Burn —9H 105
Balderstone Rd. Frec —1N 131
Balderstone Rd. Pres —3G 135
Baldingstone. —4L 201
Baldwin Gro. Blac —8D 88
Baldwin Hill. Clith —3K 81
Baldwin Rd. Clith —3K 81
Baldwins Bldgs. Ross —4M 161
(off Bank St.)
Baldwins Hill. Burn —8H 105
(off Marsden Rd.)
Baldwin St. Bacup —7F 162
Baldwin St. Bam B —7A 136
Baldwin St. Barfd —7H 85
Baldwin St. B'brn —5K 139
Baldwin St. Orr —5L 221
Bales, The. Boot —6A 222
Balfour Clo. Brier —5H 105
Balfour Clo. T Clev —4K 63
Balfour Ct. Ley —6K 153
Balfour Rd. Ful —6H 115
Balfour Rd. Roch —4N 203
Balfour Rd. South —9L 167
Balfour St. B'brn —4K 139
Balfour St. Gt Har —4K 121
Balfour St. Ley —6K 153
Balham Av. Blac —4E 108
Balladen. —8L 161
Ballam Rd. Ash R —8B 114
Ballam Rd. Lyth A & West —8N 109
Ballam St. Burn —5E 124
Ballantrae Rd. B'brn —5D 140
Ballard Clo. L'boro —7L 185
Ballater St. Burn —6B 124
Balle St. Dar —7A 158
Ball Gro. Dri. Col —6E 86
Balliol Clo. Pad —3J 123
Ball La. Cat —2H 25
Ballot Hill Cres. Bils —6D 68
Ball's Pl. South —7H 167
Ball St. Blac —9B 88
Ball St. Nels —1H 105
Ball St. Poul F —8K 63
Ball St. Roch —5D 204
Ballygreen. Roch —9N 203
Balmer Gro. Blac —7D 88
Balmoral. Adl —7G 195
Balmoral Av. B'brn —5A 120
Balmoral Av. Clith —5J 81
Balmoral Av. Hey —5M 21
Balmoral Av. Ley —7M 153
Balmoral Av. Roch —5M 203
Balmoral Clo. G'mnt —4F 200
Balmoral Clo. Liv —5K 223
Balmoral Clo. Miln —7K 205
Balmoral Clo. South —3A 168
Balmoral Ct. Chor —6D 174
Balmoral Cres. B'brn —4F 140
Balmoral Dri. Brins —7N 155
Balmoral Dri. South —4N 167
Balmoral Pl. T Clev —3J 63
Balmoral Rd. Acc —1C 142
Balmoral Rd. Blac —1B 108
Balmoral Rd. Chor —6D 174
Balmoral Rd. Dar —9B 158
Balmoral Rd. E'ston —7F 172
Balmoral Rd. Has —6F 160
Balmoral Rd. Lanc —9L 23
Balmoral Rd. Lyth A —3G 128
Balmoral Rd. More —6M 21
Balmoral Rd. New L —7D 134
Balmoral Rd. Walt D —5N 135
Balmoral Rd. Wig —5N 221
Balmoral Ter. Fltwd —8H 41
Balm St. Ram —1F 200
(in two parts)
Balniel Clo. Chor —7D 174
Balshaw Av. Eux —4N 173
Balshaw Cres. Ley —5J 153
Balshaw La. Eux —5N 173
Balshaw Rd. Ley —6J 153
Balshaw Rd. Lowg —2M 33
Balshaw St. Bam B —6A 136
Baltic Rd. Ross —7C 162
Baltimore Rd. Lyth A —2H 129
Bamber Av. Blac —7C 62
Bamber Bridge. —8A 136
Bamber Bri. By-Pass. Bam B —9A 136
Bamber Gdns. South —6N 167
Bambers La. Blac —2J 109
(in two parts)
Bamber St. Chor —9D 174
Bamber's Wlk. Wesh —2K 111
Bambers Yd. Pres —1J 135
Bamburgh Clo. Blac —2G 108
Bamburgh Dri. Burn —2C 124
Bamford. —7J 203
Bamford Clo. Bury —9C 202
Bamford Ct. Roch —7M 203
(off Half Acre M.)
Bamford Cres. Acc —4C 142
Bamford M. Roch —6J 203
Bamford Pl. Roch —4B 204
Bamford Rd. Ram —6K 181
Bamfords Fold. Breth —1K 171
Bamford Shop. Cen. Roch —6J 203
Bamfords Pas. L'boro —8L 185
Bamford St. Burn —3E 124
Bamford St. L'boro —9J 185
(Featherstall Rd.)
Bamford St. L'boro —8H 185
(Shore Rd.)
Bamford St. Nels —2L 105
Bamford Way. Roch —7J 203
Bamton Av. Blac —2C 108
Banastre. Chor —4C 174
Banastre Rd. South —9G 167
Banastre St. Acc —8N 121
Banbury Av. Blac —2D 88
Banbury Av. Osw —4J 141
Banbury Clo. Acc —1N 141
Banbury Clo. B'brn —8G 138
Banbury Dri. Ful —5H 115
Banbury Rd. Bil —9G 220
Banbury Rd. Lyth A —2F 128
Banbury Rd. More —5C 22
Bancroft Av. T Clev —1J 63
Bancroft Fold. Barn —3L 77
Bancroft Mill Engine Mus. —3L 77
Bancroft Rd. Burn —1G 125
Bancroft St. B'brn —3N 139
Band La. Nate —1E 66
Bangor Av. Blac —6D 62
Bangor's Green. —5C 208
Bangor St. B'brn —1N 139
Bangor St. Roch —7E 204
Banham Av. Wig —8M 221
Bank. Roch —7F 184
Bank Av. Orr —6G 221
Bank Barn. Ward —7G 184
Bank Barn La. Ward —7G 184
Bank Bottom. Dar —6A 158
Bank Bottom. I'ton —2N 19
Bank Bri. Tar —1F 170
Bankbrook. Stand L —8N 213
Bank Brow. Roby M —8F 212
Bank Bldgs. Barn —2M 77
(off St James' Sq.)
Bank Clo. Gal —3K 37
Bank Clo. L'boro —2K 205
Bank Clo. Longt —8L 133
Bank Cotts. Bill —6H 101
Bank Cft. Longt —8L 133
Bankcroft Clo. Pad —1K 123
Bankes Av. Orr —5K 221
Bankfield. Burn —3E 124
Bankfield. Skel —4N 219
Bankfield Ct. T Clev —3H 63
Bankfield Gro. Blac —7E 88
Bankfield La. Roch —5J 203
Bankfield La. South —4A 168
Bankfield St. Bacup —7H 163
Bankfield St. Col —7M 85
Bankfield St. Traw —7E 86
Bankfield Ter. Bacup —7H 163
Bankfield Ter. Barn —1N 77
Bank Fold. —2F 158
Bank Fold. Barfd —6J 85
Bank Hall Cotts. Saw —3D 74
Bank Hall Ter. Burn —2E 124
(off Stafford St.)
Bank Head La. Bam B & Hogh —8E 136
Bank Hey. —8A 120
Bank Hey Clo. B'brn —8A 120
Bank Hey La. N. B'brn —6N 119
Bank Hey La. S. B'brn —8A 120
Bank Hey St. Blac —5B 88
Bank Ho. La. Bacup —5K 163
Bank Ho. La. I'ton —1M 19
Bank Ho. La. Silv —8G 4
Bankhouse M. Barfd —7J 85
Bankhouse Rd. Bury —8H 201
Bankhouse Rd. Nels —1J 105
Bank Houses. —7A 36
Bankhouse St. Barfd —7J 85
Bankhouse St. Burn —3D 124
(in two parts)
Bank Lane. —7K 181
Bank La. B'brn —4D 140
Bank La. Eux —3M 173
Bank La. K Lon —2B 16
Bank La. Mell & Liv —3H 223
Bank La. Ward —7G 184
Bank La. W'ton —4H 131
Bank La. Cvn. Pk. W'ton —4H 131
Bank Mdw. Hor —9D 196
Bank Mill St. Has —5G 161
Bank Newton. —4K 53
Bank Nook. South —3L 167
Bank Pace. South —8C 148
Bank Pde. Burn —3E 124
Bank Pde. Pen —5G 134
Bank Pde. Pres —2K 135
Bank Pl. Ash R —8F 114
Bank Pl. Bury —9H 201
Bank Rd. Lanc —5K 23
Bank Rd. Uph —7F 212
Bank Row. Ross —6L 143
Banks. —9F 148
Banksbarn. Skel —4N 219
Banks Bri. Clo. Barn —10G 52
Banks Cres. Hey —1L 27
Banksfield Av. Ful —6F 114
Banksfield Pl. Bam B —9C 136
Banks Hill. Barn —10F 52
Bankside. B'brn —6M 139
Bankside. Clay W —6D 154
Bankside. Parb —2M 211
Bankside. Todm —3L 165
Bankside Clo. Bacup —6J 163
Bankside La. Bacup —6J 163
Banks La. Set —3N 35
Bank Sq. South —6H 167
Banks Ri. Ben —6L 19
Banks Rd. Banks & South —1C 168
Banks Rd. Ful —6F 114
Banks St. Blac —4B 88
Banks St. Brclf —7M 105
Bank St. Acc —2B 142
Bank St. Adl —6J 195
Bank St. Bacup —5K 163
Bank St. Barn —2N 77
Bank St. Brier —4F 104
Bank St. Chor —6E 174
Bank St. Chu —2L 141
Bank St. Dar —6A 158
Bank St. Has —4G 160
Bank St. Nels —1J 105
Bank St. Pad —9H 103
Bank St. Ram —7K 181
Bank St. Roch —9D 204
Bank St. Ross —5M 161
Bank St. Todm —3L 165
Bank St. Traw —1F 106
Bank St. Tur —1J 199
Bank St. Wig —5N 221
Banks Way. Ben —6L 19
Bank Ter. Longt —2M 151
Bank Ter. S'stne —1D 122
Bank Ter. Whitw —6N 183
Bank, The. Roch —6C 204
Bank Top. —5K 139
(Blackburn)
Bank Top. —8G 198
(Bolton)
Bank Top. —8F 212
(Wigan)
Bank Top. B'brn —5K 139
Bank Top. Burn —3E 124
Bank Top. Bury —4L 201
Bank Top. I'ton —3N 19
Bank Top. Todm —3L 165
(off Honey Hole Rd.)
Bank Top Gro. Bolt —8G 198
Bank Vw. Dunn —3A 144
Bankwell Clo. Gigg —3N 35
Bankwell Rd. Gigg —3N 35
Bankwood. Shev —6H 213
Banner Clo. E'ston —7E 172
Banneriggs Brow. Barb —2H 9
Bannerman Ter. Chor —4F 174
Bannister Brook Ho. Ley —5K 153
Bannister Clo. High W —4D 136
Bannister Clo. Traw —8E 86
Bannister Ct. Nels —3J 105
(off York St.)
Bannister Dri. Ley —6G 153
Bannister Grn. Hesk —3E 192
Bannister Hall Cres. High W —4D 136
Bannister Hall Dri. High W —4D 136
Bannister Hall La. High W —4D 136
Bannister Hall Works. High W —4E 136
Bannister La. E'ston —9F 172
Bannister La. Far M —3G 153
Bannisters Bit. Pen —6F 134
Bannister St. Chor —7E 174
Bannister St. Lyth A —5A 130
Bannister Way. Col —6B 86
(off King St.)
Bannistre Clo. Lyth A —9G 109
Bannistre Ct. Tar —9E 150
Bannistre M. Tar —9E 150
Bantry St. Roch —3D 204
Baratheа Clo. Roch —9L 203
Barbara Castle Way. B'brn —3M 139
Barberry Bank. Eger —3D 198
Barber's Moor. —3A 172
Barbon. —2G 8
Barbon Pl. Lanc —5J 23
Barbon St. Burn —8G 104
Barbon St. Pad —9H 103
Barbor St. Roch —5D 204
Barbrook Clo. Stand —2L 213
Barclay Av. Blac —8F 88
Barclay Av. Burn —5A 124
Barclay Hills. —5N 123
Barclay Rd. L'rdge —3J 97
Bar Club St. Bam B —9A 136
Barclyde St. Roch —8B 204
Barcroft Grn. Cliv —8J 125
Barcroft St. Bury —9L 201
Barcroft St. Col —6N 85
(in two parts)
Barden Cft. Clay M —5M 121
Barden La. Burn —7D 104
Barden Pl. Rib —5N 115
Barden Rd. Acc —4M 141
Barden St. Burn —9F 104
Barden Vw. Burn —8E 104
Bardsea Pl. Ing —6C 114
Bardsley Clo. Bolt —8K 199
Bardsley Clo. Uph —4D 220
Bardsway. T Clev —9G 55
Bardsway Av. Blac —4E 88
Bare. —2E 22
Bare Av. More —2E 22
Barehill St. L'boro —8L 185
Bare La. More —2E 22
Barford Clo. Skel —4D 220
Barford Clo. South —7A 186
Bargee Clo. B'brn —5N 139
Barilla St. Chu —2L 141
Barker Brow. Clay D & Ribch —8H 99
Barker Clo. Burt —5G 7
Barkerfield Clo. High —5K 103
Barkerhouse Rd. Nels —1J 105
Barker La. Mel —7J 119
Barker St. Todm —1L 165
Barker Ter. Clith —2L 81
Barke St. L'boro —2H 205
Bar La. Bolt —8E 198
Barlborough Rd. Wig —6N 221
Barley. —5A 84
Barley Bank St. Dar —5N 157
Barley Brook Mdw. Bolt —7F 198
Barley Clo. B'brn —3L 139
Barley Cop La. Lanc —4G 22
Barleydale Rd. Barfd —6J 85
Barleyfield. Bam B —4E 154
Barley Green. —6A 84
Barley Gro. Burn —3G 125
Barley Holme Rd. Ross —9M 143

Belle Vue Av.—Blackpool Rd.

Belle Vue Av. Lanc —1L 29
Belle Vue Dri. Lanc —1L 29
Belle Vue La. Wadd —8H 73
Belle Vue Pl. Blac —5D 88
Belle Vue Pl. Burn —3C 124
Belle Vue St. B'brn —3K 139
Belle Vue St. Burn —3C 124
Belle Vue St. Wig —6N 221
Belle Vue Ter. Lanc —1L 29
(off Belle Vue Dri.)
Bellfield La. Roch —6F 204
Bellfield Rd. More —3C 22
Bellflower Clo. Ley —4A 154
Bellingham Rd. Lyth A —4A 130
Bellis Av. South —4M 167
Bellis Gro. Liv —5J 223
Bellis Way. Walt D —6L 135
Bell La. Bncr —8E 60
Bell La. Clay M —5A 122
Bell La. Miln —6L 205
Bell La. Orr —3L 221
Bell Mdw. Dri. Roch —8K 203
Bells Arc. Burn —1E 124
(off Ardwick St.)
Bell's Clo. Liv —7A 216
Bellshill Cres. Roch —4F 204
Bells La. Hogh —6G 136
Bells La. Liv —8N 215
Bell St. Has —4G 160
Bell St. Roch —5C 204
Bell, The. —4L 221
Belmont. —9K 177
Belmont Av. Bil —8G 221
Belmont Av. Blac —6C 88
Belmont Av. Poul F —8H 63
Belmont Av. Rib —6N 115
Belmont Clo. B'brn —1H 139
Belmont Clo. Brins —7N 155
Belmont Clo. Burs —1C 210
Belmont Clo. Lanc —5H 23
Belmont Clo. Rib —7N 115
Belmont Ct. L'rdge —3K 97
Belmont Cres. Rib —7N 115
Belmont Dri. Chor —5G 175
Belmont Gro. Burn —4H 125
Belmont Pl. Cop —7N 193
Belmont Rd. Adl & Bel —2G 177
Belmont Rd. Ash R —7F 114
Belmont Rd. Bel & Bolt —1L 197
Belmont Rd. Bolt —6C 198
Belmont Rd. Fltwd —1G 54
Belmont Rd. Gt Har —4H 121
Belmont Rd. Hor —4D 196
Belmont Rd. Ley —6G 152
Belmont Rd. Lyth A —3J 129
Belmont St. Orr —5L 221
Belmont St. South —8G 166
Belmont Ter. Barfd —8H 85
(off Nora St.)
Belmont Ter. Foul —2A 86
(off Lowther La.)
Belmont Ter. Foul —2B 86
(off Skipton Old Rd.)
Belmont Vw. Bolt —9M 199
Belmont Way. Roch —3B 204
Belper St. B'brn —2A 140
Belsfield Dri. Hesk B —3C 150
Belshaw Ct. Burn —6M 123
Belthorn. —1F 158
Belthorn Rd. Guide —9D 140
(in two parts)
Belton Av. Roch —4F 204
Belton Hill. Ful —1G 114
Belvedere Av. G'mnt —4F 200
Belvedere Av. Ross —6E 162
Belvedere Dri. Chor —6D 174
Belvedere Pk. Augh —4H 217
Belvedere Rd. And —5K 195
Belvedere Rd. B'brn —6K 120
Belvedere Rd. Burn —3F 124
Belvedere Rd. Ley —5L 153
Belvedere Rd. South —8C 186
Belvedere Rd. T Clev —3J 63
Belverdale Gdns. Blac —4F 108
Belvere Av. Blac —4D 108
Belvoir Meadows. Roch —1H 205
Belvoir St. Roch —4A 204
Bember's Cross. I'ton —2M 19
Bembridge Ct. Wins —9N 221
Benbow Clo. Lyth A —7D 108
Bence Rd. Pres —1L 135
Bence St. Col —7B 86
Bench Carr. Roch —4B 204
Benenden Pl. T Clev —1G 62
Bengal St. Chor —6F 174
Bengarth Rd. South —6M 167
Ben La. Barn —1N 77
Ben La. Bic —1D 224
Bennett Av. Blac —6C 88
Bennett Dri. Orr —7G 221
Bennett Rd. T Clev —9G 54
Bennett's La. Blac —3F 108
Bennett St. Nels —9K 85
Bennett St. Roch —8D 204
Ben Nevis Pl. Queen I —7G 109
Bennington St. B'brn —5N 139
Benson Av. More —4D 22
Benson Ho. B'brn —1B 140
Benson La. Catf —7H 93
Benson Rd. Blac —1E 88
Benson's La. Wood —9N 67
Benson St. B'brn —1B 140
Benson St. Tur —9K 179
Bentcliffe Gdns. Acc —4C 142
Bent Est. Bacup —9L 145
Bentfield Cres. Miln —9K 205
Bent Gap La. B'brn —4K 139
Bentgate Clo. Has —7J 161
Bentgate Clo. Miln —9K 205
Bentgate St. Miln —9K 205
Bentham Av. Burn —7F 104
Bentham Av. Fltwd —3C 54
Bentham Clo. B'brn —7J 139
Bentham Golf Course. —5M 19
Bentham Ind. Est. Ben —7L 19
Bentham Moor Rd. I'ton —4K 19
Bentham Rd. B'brn —7J 139
Bentham Rd. Horn —7C 18
Bentham Rd. I'ton —4L 19
Bentham Rd. Lanc —5L 29
Bentham St. Cop —4A 194
Bentham St. South —9H 167
Bentham's Way. South —3H 187
Bentinck Av. Blac —4B 108
Bentinck Rd. Lyth A —9C 108
Bentinck St. Roch —4N 203
Bent La. Col —5E 86
Bent La. Ley —6L 153
Bentlea Rd. Gis —9A 52
Bentley Dri. Blac —3N 109
Bentley Dri. K'ham —4K 111
Bentley Hall Rd. Bury —9B 200
Bentley La. Bis —4D 192
Bentley La. Bury —4L 201
Bentley Pk. Rd. Longt —9K 133
Bentley St. Bacup —4K 163
Bentley St. B'brn —3C 140
Bentley St. Dar —8C 158
Bentley St. Nels —3H 105
Bentley St. Roch —3A 204
Bentmeadows. Roch —4B 204
Benton Rd. Rib —5N 115
Bents. —5E 86
Bents. Col —5E 86
Bents Farm Clo. L'boro —9J 185
Bents La. Cast —4G 9
Bent St. B'brn —4L 139
Bent St. Has —7J 161
Bent St. Osw —5K 141
Bentwood Rd. Has —4F 160
Benwick Rd. Liv —8G 223
Beresford Dri. South —5M 167
Beresford Gdns. South —4M 167
Beresford Rd. B'brn —8E 139
Beresford St. Blac —3C 88
Beresford St. Burn —4B 124
Beresford St. Miln —9L 205
Beresford St. Nels —4K 105
Bergen St. Burn —4N 123
Bergerac Cres. Blac —5F 62
Berkeley Av. Wig —9N 221
Berkeley Clo. Chor —9F 174
Berkeley Clo. Nels —3J 105
Berkeley Cres. Pad —9H 103
Berkeley Dri. Bam B —3A 154
Berkeley Dri. Read —8C 102
Berkeley Dri. Roch —9E 204
Berkeley Rd. Bolt —9E 198
Berkeley St. Brier —5E 104
Berkeley St. Nels —4J 105
Berkeley St. Pres —8H 115
Berkley Clo. K'ham —3K 111
Berkley Wlk. L'boro —9J 185
Berkshire Av. Burn —2M 123
Berkshire Clo. Wilp —2N 119
Bernard St. Roch —2B 204
Bernard Wood Ct. Bil —8G 221
Berne Av. Hor —9B 196
Berridge Av. Burn —3M 123
Berriedale Rd. Nels —1L 105
Berringtons La. Rainf —8M 225
Berry Clo. Skel —1K 219
Berry Fld. Pen —5F 134
Berry Ho. Rd. H'wd —1M 189
Berry La. L'rdge —2J 97
Berry's La. Gt Har —8H 101
Berry's La. Poul F —7J 63
Berry St. Adl —5J 195
Berry St. Brier —5F 104
Berry St. Burn —5D 124
Berry St. Los H —8K 135
Berry St. Pres —1K 135
Berry St. Skel —1K 219
Bertha Rd. Roch —6F 204
Bertha St. Acc —2C 142
Bertie St. Roch —9A 204
Bertram Av. More —4A 22
Bertrand Av. Blac —3G 89
Berwick Av. South —7C 186
Berwick Av. T Clev —8F 54
Berwick Dri. Burn —2C 124
Berwick Dri. Ful —5G 115
Berwick Rd. Blac —4C 108
Berwick Rd. Lyth A —1F 128
Berwick Rd. Pres —2K 135
Berwick St. Pres —8A 116
Berwick St. Roch —7E 204
Berwick Way. Hey —9K 21
Berwyn Av. More —2D 22
Berwyn Clo. Hor —8D 196
Berwyn Ct. South —1K 187
Beryl Av. B'brn —7N 119
Beryl Av. T Clev —2E 62
Beryl Av. Tot —6E 200
Beryl St. Ram —9F 198
Bescar. —6F 188
Bescar Brow La. Scar —6D 188
Bescar La. Scar —6F 188
Bescot Way. T Clev —4F 62
Bessie St. Barn —2M 77
Best St. K'ham —4L 111
Beswicke Royds St. Roch —4F 204
Beswicke St. L'boro —9M 185
Beswicke St. Roch —5B 204
Beswick St. Todm —8K 165
Bethany La. Miln —9M 205
Bethel Av. Blac —7C 62
Bethel Grn. L'boro —5M 185
(off Calderbrook Rd.)
Bethel Rd. B'brn —1A 140
Bethel St. Barn —1M 77
Bethel St. Col —7M 85
Bethesda Clo. B'brn —5L 139
Bethesda Rd. Blac —6B 88
Bethesda St. Barn —3M 77
Bethesda St. Burn —3D 124
Betony. More —2F 22
Betony Clo. Roch —2A 204
Bett La. Wheel —6L 155
Betty Nuppy's La. Roch —8F 204
Betula M. Roch —4H 203
Between Gates La. Barb —1G 8
Beulah Av. More —3D 22
Bevan Pl. Nels —9K 85
Beverley. —3J 85
Beverley Av. Poul F —2K 89
Beverley Clo. Ash R —8F 114
Beverley Clo. Clith —5K 81
Beverley Clo. South —1B 168
Beverley Clo. W Grn —6F 110
Beverley Ct. More —3D 22
Beverley Dri. Clith —5K 81
Beverley Gro. Blac —2C 108
Beverley Pl. Roch —5D 204
Beverley Rd. Black —3H 85
Beverley Rd. Wig —3L 221
Beverley Rd. N. Lyth A —9G 109
Beverley Rd. S. Lyth A —9G 109
Beverley St. B'brn —7J 139
Beverley St. Burn —4C 124
Beverley Ter. B'brn —7J 139
(off Broadway St.)
Beverly Clo. T Clev —3H 63
Beverston. Roch —7B 204
Bevington Clo. Burn —4C 124
Bevis Green. —5K 201
Bevis Grn. Bury —5L 201
Bewcastle Dri. W'head —9N 209
Bewley Dri. Liv —9J 223
Bexhill Rd. Ing —6D 114
Bexley Av. Blac —2D 88
Bexley Pl. Lyth A —3L 129
Bezza La. Sam & Bald —6J 117
Bibby Dri. Stain —6L 89
Bibby Rd. South —4N 167
Bibby's Rd. Blac —8E 62
Bickerstaffe. —6D 218
Bickerstaffe St. Blac —7B 88
Bickerton Rd. South —1F 186
Bicknell St. B'brn —2M 139
Bideford Av. Blac —4G 89
Bideford Way. Cot —3C 114
Bidston St. Pres —9A 116
Bigdale Dri. Liv —7L 223
Biggins La. H Big —7D 8
Biggins Rd. K Lon —6E 8
Bigholmes La. Wigg —7N 35
Bilberry St. Roch —7D 204
Billinge Av. B'brn —3H 139
Billinge Clo. B'brn —3J 139
Billinge End. B'brn —2H 139
Billinge End Rd. B'brn —3F 138
Billinge La. Bic —6K 217
Billinge Rd. Wig —8M 221
Billinge Side. B'brn —3G 138
Billinge St. B'brn —4A 140
Billinge Vw. B'brn —6G 139
Billington. —6G 101
Billington Av. Ross —2M 161
Billington Gdns. Bill —6G 100
Billington Rd. Burn —6M 123
Billington St. Wesh —3L 111
Billington St. E. Wesh —3L 111
Billsborrow La. Ingle —6J 69
Bill's La. Liv —2A 214
Bilsberry Cotts. Hur G —1N 99
Bilsborough Hey. Pen —7H 135
Bilsborough Mdw. Lea —6B 114
Bilsborrow. —7D 68
Bilsborrow La. Bils —7D 68
Bilson Sq. Miln —8K 205
Binbrook Pl. Chor —7C 174
Binfold Cft. K Lon —6F 8
(off Lunefield Dri.)
Bingley Av. Blac —4F 88
Bingley Clo. Clay W —5E 154
Bingley Rd. Roch —6F 204
Bingley Sq. Roch —6F 204
Bingley Ter. Roch —6F 204
Binns Nook Rd. Roch —3D 204
Binns St. Craw —9M 143
Binn's Ter. L'boro —8L 185
(off Barehill St.)
Binyon Ct. Lanc —1K 29
Binyon Rd. Lanc —2K 29
Birbeck Rd. Liv —7M 223
Birbeck Wlk. Liv —7M 223
Birchall Lodge. Rib —5B 116
(off Grange Av.)
Birch Av. Ash R —7D 114
Birch Av. Burs —9C 190
Birch Av. Eux —2M 173
Birch Av. Gal —2K 37
Birch Av. Has —4H 161
Birch Av. Ley —4N 153
Birch Av. Newt —6D 112
Birch Av. Pen —5D 134
Birch Av. T Clev —1E 62
Birch Av. Todm —9K 147
Birch Av. Tot —8F 200
Birchbank Gdns. B'brn —2N 139
Birch Clo. Acc —7D 122
Birch Clo. Mag —1E 222
Birch Clo. Whitw —8N 183
Birch Cotts. Ross —7K 161
Birch Cres. Hogh —7G 136
Birch Cres. Miln —9K 205
Birch Cres. Osw —5M 141
Birch Dri. Silv —7G 4
Birchen Bower Dri. Tot —8E 200
Birchen Bower Wlk. Tot —8E 200
Birchenlee La. Col —8A 86
Birches Rd. Tur —1K 199
Birches, The. Pres —8M 115
Birchfield. Bolt —7L 199
Birch Fld. Clay W —4D 154
Birchfield. Much H —3K 151
Birchfield Dri. L'rdge —2J 97
Birchfield Dri. Roch —8N 203
Birchfield Way. Liv —6A 216
Birch Green. —1N 219
Birch Grn. Rd. Uph —9M 211
Birch Gro. Arns —3D 4
Birch Gro. Barr —2K 101
Birch Gro. Lanc —8H 23
Birch Gro. Ram —2F 200
Birch Gro. Stalm —5C 56
Birch Hall. —3M 157
Birch Hall Av. Dar —3M 157
Birch Hall La. Earby —2G 78
Birch Hey Clo. Roch —1F 204
Birch Hill Cres. Roch —1G 205
Birch Hill La. Ward —8G 184
Birch Hill Wlk. L'boro —9H 185
Birchhill Rd. Know I —8A 224
Birchin La. Whit W & Brin —6E 154
Birch La. Goos —7C 70
Birch La. H'wd —8B 170
Birch Mt. Roch —1G 205
Birchmuir Hey. Liv —9L 223
Birchover Clo. Ing —4D 114
Birch Rd. Chor —4F 174
Birch Rd. Cop —4A 194
Birch Rd. Gars —3M 59
Birch Rd. Ward & Roch —8F 184
Birch St. Acc —2A 142
Birch St. Bacup —4K 163
Birch St. Bury —9L 201
Birch St. Fltwd —9G 40
Birch St. Lyth A —5B 130
Birch St. Skel —3J 219
Birch St. South —1H 187
Birch St. Ward —8F 184
Birch Ter. Acc —5C 142
Birchtree Av. Hey —7M 21
Birchtree Gdns. Blac —8H 89
Birch Vs. Whitw —9N 183
Birch Wlk. B'brn —4B 140
Birch Way. Poul F —7J 63
Birchway Av. Blac —4E 88
Birchwood. Ley —6F 152
Birchwood Av. Hut —7M 133
Birchwood Clo. Lyth A —4L 129
Birchwood Clo. Set —3N 35
Birchwood Clo. Wins —9M 221
Birchwood Dri. Cop —3A 194
Birchwood Dri. Ful —2G 114
Birchwood Dri. Hamb —1B 64
Birchwood Way. Liv —5M 223
Bird i' th' Hand Cotts. Orm —6K 209
Bird St. Brier —5F 104
Bird St. Pres —2G 135
Birdy Brow. Chai —8N 71
Birkacre. —2C 194
Birkacre Brow. Cop —3B 194
Birkacre Rd. Chor —1B 194
Birkbeck Pl. Fltwd —2D 54
Birkbeck Way. Burn —9E 104
Birkdale. —1G 186
Birkdale Av. Blac —6E 62
Birkdale Av. Fltwd —5E 54
Birkdale Av. Longt —8K 133
Birkdale Av. Lyth A —8F 108
Birkdale Clo. Lanc —5H 23
Birkdale Clo. Longt —8K 133
Birkdale Clo. T Clev —3K 63
Birkdale Cop. South —3K 187
Birkdale Dri. Ash R —7A 114
Birkdale Hills Nature Reserve. —5B 186
Birkdale Rd. Roch —9F 204
Birkdale Trad. Est. South —3G 186
Birkett Clo. Bolt —7D 198
Birkett Dri. Bolt —7D 198
Birkett Dri. Rib —6C 116
Birkett Pl. More —2C 22
Birkett Pl. Rib —6C 116
Birkett Rd. Acc —1B 142
Birkey La. Liv —1A 214
Birklands Av. More —4C 22
Birkrig. Skel —5A 220
Birks Brow. Thorn —9F 70
Birks Dri. Bury —7G 201
Birkside Way. Blac —9J 89
Birks La. Todm —7L 165
Birk St. Pres —1H 135
Birkwith La. L Bent —7K 19
Birley Clo. App B —4J 213
Birley Pl. Burn —1E 124
Birley St. B'brn —2N 139
Birley St. Blac —5B 88
Birley St. Bolt —9E 198
Birley St. K'ham —4N 111
Birley St. Pres —9J 115
Birleywood. Skel —5A 220
Birnam Grn. Fltwd —9E 40
Birtenshaw Cres. Brom X —6H 199
Birtle. —7D 202
Birtle Green. —7C 202
Birtle Moor. Bury —8C 202
Birtle Rd. Bury —6C 202
Birtwistle Av. Col —5N 85
Birtwistle Clo. Brier —5F 104
Birtwistle Ct. Barn —3N 77
Birtwistle Fold. Col —6B 86
Birtwistle Hyde Pk. Col —6A 86
Birtwistle Standroyd Bungalows. Col —6D 86
Birtwistle St. Acc —3B 142
Birtwistle St. Gt Har —4H 121
Birtwistle St. Los H —9L 135
Birtwistle Ter. Lang —9C 100
(off Whalley New Rd.)
Bisham Clo. Dar —7C 158
Bishopdale Clo. B'brn —9E 138
Bishopdale Clo. More —5F 22
Bishopdale Rd. Lanc —9H 23
Bishopgate. Pres —9K 115
Bishopsgate. Blac —1G 89
Bishopsgate. Lanc —3L 29
Bishops Ga. Lyth A —2K 129
Bishops Ga. Wlk. Roch —9F 204
Bishopstone Clo. B'brn —8A 140
Bishop St. Acc —3B 142
Bishop St. Burn —9F 104
Bishop St. Nels —2H 105
Bishop St. Roch —4E 204
Bishopsway. Pen —5G 134
Bison Pl. Ley —5F 152
Bispham. —7B 62
Bispham Av. Far M —3H 153
Bispham Green. —6M 191
Bispham Hall Bus. Pk. Orr —9F 220
Bispham Rd. Blac —7D 62
Bispham Rd. Nels —4J 105
Bispham Rd. South —7M 167
Bispham Rd. T Clev —1C 62
Bispham Rd. T Clev & Poul F —4F 62
Bispham St. Pres —9J 115
Bittern Clo. Blac —4H 89
Bittern Clo. Roch —6K 203
Bivel St. Burn —3B 124
Black Abbey St. Acc —3B 142
Blackacre La. Orm —4K 209
Blackamoor. —8B 140
Black-a-Moor La. Down —1M 215
Blackamoor Rd. Guide —9B 140
Blackberry Hall Cres. Hey —8M 21
Blackberry Way. Pen —6F 134
Blackbrook Clo. H'pey —4J 175
Black Bull La. Ful —4G 114
Blackburn. —3M 139
Blackburn Brow. Chor —4G 175
Blackburn Cathedral. —4M 139
Blackburn Golf Course. —1J 139
Blackburn Mus. & Art Gallery. —3M 139
Blackburn Old Rd. Eger —1C 198
Blackburn Old Rd. Gt Har —4E 120
Blackburn Old Rd. Hogh —6L 137
Blackburn Old Rd. Rish —7C 120
(in two parts)
Blackburn Rd. Acc —8E 142
Blackburn Rd. Alt & Pad —2D 122
Blackburn Rd. B'brn & Osw —3E 140
Blackburn Rd. Bolt —9E 198
Blackburn Rd. Chor & Whit W
(in three parts) —3G 175
Blackburn Rd. Chu —2L 141
Blackburn Rd. Clay M —8K 121
Blackburn Rd. Dar —2M 157
Blackburn Rd. Gt Har —5J 121
Blackburn Rd. Has —4F 160
Blackburn Rd. Has & Ram —9J 161
Blackburn Rd. High W —4D 136
Blackburn Rd. L'rdge —3L 97
Blackburn Rd. Ribch —7F 98
Blackburn Rd. Rish —1D 140
Blackburn Rd. Tur & Eger —7B 178
Blackburn Rovers F.C. —8L 139
(Ewood Pk.)
Blackburn Rovers Football Academy. —5C 100
Blackburn Shop. Cen. B'brn —3M 139
(off Church St.)
Blackburn St. B'brn —2M 139
Blackburn St. Burn —3D 124
Blackburn St. Chor —7G 174
Blackcroft. Clay W —4D 154
Black Dad La. Roch —5E 202
Black Dyke Rd. Arns —1G 4
Blackear La. Liv —8G 215
Blacker St. Burn —8E 104
Blackfen Pl. Blac —2D 88
Blackfield Rd. Frec —2N 131
Blackgate La. Tar —4N 169
(in two parts)
Black Horse St. Chor —8D 174
Black Ho. La. Bils —6E 70
Black Ho. La. Brclf —8A 106
Blackhurst Ct. Longt —8M 133
Blackhurst Rd. Liv —6B 216
Black La. Nate —2A 58
Black La. Ram —6M 181
Blacklane Cft. Clith —2L 81
(off Railway Vw.)
Black La. Cft. Clith —2L 81
Black Lane Ends. —9J 79
Blackleach. —8J 93
Blackleach Av. Grims —9F 96
Blackleach La. Btle & Lwr B —9K 93
Blackledge Clo. Orr —6H 221
Blackley Gro. Liv —5L 223
(off Carl's Way)
Black Moor Rd. Maw —3J 191
Black Moss La. Augh & Orm —9J 209
Black Moss La. Scar —6C 188
Black Moss Rd. Black —2A 84
Blacko. —3G 85
Blacko Bar Rd. R'lee & Black —7D 84
Blackpits Rd. Roch —4H 203
Black Pole. —5N 93
Blackpool. —5B 88
Blackpool Airport. —6D 108
Blackpool Airport. Blac —6D 108
Blackpool Bus. Pk. Blac —5D 108
Blackpool Cricket Club. —6E 88
Blackpool F.C. —8C 88
(Bloomfield Pk.)
Blackpool Fylde Ind. Est. Blac —2J 109
Blackpool Model Village. —6F 88
Blackpool Old Rd. Blac & Poul F —1G 88
Blackpool Old Rd. L Ecc —6L 65
Blackpool Pk. Golf Course. —5F 88
Blackpool Rd. Blac —7D 62
Blackpool Rd. Ful & Pres —6H 115
Blackpool Rd. K'ham —5B 112
Blackpool Rd. Lea & Pres —8M 113
Blackpool Rd. L'rdge —3J 97

Blackpool Rd.—Bramdean Av.

Blackpool Rd. Lyth A —2K 129
Blackpool Rd. Poul F —8G 62
Blackpool Rd. St M —5E 66
Blackpool Rd. W Grn —3F 110
Blackpool Rd. N. Lyth A —7E 108
Blackpool St. Chu —3L 141
Blackpool St. Dar —9B 158
Blackpool Technology Pk. Blac —6F 62
Blackpool Tower. —5B 88
(Aquarium, Circus & Ballroom)
Blackpool Zoo. —6H 89
Blackrod Brow. Hor —9K 195
Blackrod By-Pass Rd. B'rod —9L 195
Blackshaw St. Todm —2N 165
Blacksmith La. Roch —9M 203
Blacksmiths Row. Lyth A —1K 129
Blacksnape. —7E 158
Blacksnape Rd. Hodd —6D 158
Blacksticks La. Chip —6C 70
Blackstone Av. Roch —5F 204
Blackstone Edge Ct. L'boro —8M 185
Blackstone Edge Old Rd. L'boro —8M 185
Blackstone Rd. Chor —5G 174
Blackthorn Clo. Lea —8A 114
Blackthorn Clo. Newt —7D 112
Blackthorn Clo. Roch —3B 204
Blackthorn Clo. T Clev —7F 54
Blackthorn Cres. Bacup —4K 163
Blackthorn Cft. Clay W —5C 154
Blackthorn Dri. Pen —5E 134
Blackthorn La. Bacup —3K 163
Blackwood Pl. Lanc —2M 29
Blackwood Rd. Bacup —8F 162
Blades St. Lanc —8J 23
Blaguegate. —2F 218
Blaguegate La. Skel —1E 218
Blainscough La. Cop —5N 193
Blainscough Rd. Cop —5A 194
Blairgowrie Gdns. Orm —1J 217
Blair Gro. South —7M 167
Blair St. Brom X —5F 198
Blairway Av. Blac —4F 88
Blake Av. Los H —9K 135
Blake Gdns. Gt Har —5H 121
Blakehall. Skel —4A 220
Blakeley Cres. Barn —10F 52
Blake St. Acc —2A 142
Blake St. Brom X —6G 199
Blake St. Roch —5D 204
Blakewater Rd. B'brn —1B 140
Blakey Moor. B'brn —3L 139
Blakey St. Burn —3E 124
Blakiston St. Fltwd —9G 40
Blanche St. Ash R —8F 114
Blanche St. Roch —3D 204
Blandford Av. T Clev —2C 62
Blandford Clo. Bury —8J 201
Blandford Clo. South —9F 166
Blannell St. Burn —3C 124
Blascomay Sq. Col —7A 86
(off Raglan St.)
Blashaw La. Pen —3D 134
Blaydike Moss. Ley —6E 152
Blaydon Av. T Clev —8E 54
Blaydon Pk. Skel —4A 220
Bleachers Dri. Ley —6H 153
Bleackley St. Bury —9H 201
Blea Clo. Burn —1A 124
Bleakholt Rd. Ram —5L 181
Bleak La. Lath —9G 191
Bleara Rd. Earby —4G 79
Bleasdale. —3A 70
Bleasdale Av. Clith —4J 81
Bleasdale Av. K'ham —3M 111
Bleasdale Av. Liv —8D 222
Bleasdale Av. Poul F —9J 63
Bleasdale Av. Stain —5L 89
Bleasdale Av. T Clev —2D 62
Bleasdale Clo. Augh —4J 217
Bleasdale Clo. Bam B —8B 136
Bleasdale Clo. Ley —8L 153
Bleasdale Ct. L'rdge —3K 97
Bleasdale Gro. Hey —7M 21
Bleasdale La. Blea —5N 61
Bleasdale La. Clau B —9K 61
Bleasdale Rd. Kno S —8K 41
Bleasdale Rd. Lyth A —4B 130
Bleasdale Rd. W'chpl —4B 96
Bleasdale Rd. W'ham —3M 69
Bleasdale St. E. Pres —8L 115
Blea Tarn Pl. More —4D 22
Blea Tarn Rd. Lanc —4M 29
Belock St. Pres —1K 135
Blenheim Av. Blac —6D 88
Blenheim Av. K'ham —4L 111
Blenheim Clo. B'brn —8M 119
Blenheim Clo. Los H —8M 135
Blenheim Dri. T Clev —1J 63
Blenheim Dri. W'ton —2J 131
Blenheim Pl. Lyth A —8E 108
Blenheim Rd. South —7B 186
Blenheim Rd. Wig —3M 221
Blenheim St. Col —6D 86
Blenheim St. Roch —4N 203
Blenheim Ter. Foul —2B 86
(off Skipton Old Rd.)
Blenheim Way. Cot —3B 114
Blesma Ct. Blac —3C 108
(off Lytham Rd.)
Blindfoot Rd. Rainf & Wind —9H 225
Blind La. Burt L —3K 19
Blind La. Gis —9A 52
Blind La. Todm —1K 165
Blindman's La. Orm —5H 209
Blind La. High —4M 103
Bloomfield Ct. Pres —7H 115
Bloomfield Grange. Pen —6F 134
Bloomfield Pk. Carn —9A 12
Bloomfield Rd. Blac —8B 88
Bloomfield Rd. Withn —6B 156
Bloomfield St. Bolt —9E 198
Bloom St. Ram —1F 200
Blossom Av. Blac —2F 108
Blossom Pl. Roch —5C 204
Blossoms, The. Ful —3M 115
Blowick. —8L 167
Blucher St. Col —7B 86
Bluebell Av. Has —7F 160
Bluebell Clo. Hesk B —3C 150
Bluebell Clo. T Clev —7F 54
Bluebell Clo. Whit W —1D 174
Bluebell Dri. Roch —9M 203
Blue Bell La. Todm —6F 146
Bluebell Pl. Pres —9K 115
Blue Bell Way. Ful —3A 116
Bluebellwood. Ley —4J 153
Bluecoat Cres. Newt —7E 112
Blue Moor. Whar —9C 92
Blue Scar La. Bolt B —5K 51
Bluestone La. Liv —1D 222
Blue Stone La. Maw —2B 192
Blundell Av. H'twn —8A 214
Blundell Av. South —3F 186
Blundell Cres. South —3F 186
Blundell Dri. South —3F 186
Blundell Gro. Liv —8A 214
Blundell La. Pen —2E 134
Blundell La. South —3B 168
Blundell Links Ct. South —9C 186
Blundell M. Wig —7N 221
Blundell Rd. Ful —6H 115
Blundell Rd. Liv —8A 214
Blundell Rd. Lyth A —8F 108
Blundell St. Blac —7B 88
Blyth Av. L'boro —2J 205
Blythe Av. T Clev —7E 54
Blythe La. Lath —4B 210
Blythewood. Skel —4N 219
Boarded Barn. Eux —3M 173
Boardman Av. Blac —8D 88
Boardman St. Todm —1L 165
Board St. Burn —9E 104
Boarsgreave. —9E 162
Boarsgreave La. Ross —9D 162
Boathorse La. Burn —3B 124
Bobbin Clo. Acc —3N 141
Bobbiners La. South —3F 168
Bobbin Mill Clo. Todm —7E 146
Bobbin St. Todm —7F 146
Bocholt Way. Ross —5M 161
Bodiam Rd. G'mnt —4E 200
Bodkin La. Out R —4E 64
Bodmin Av. South —1A 168
Bodmin St. Pres —8N 115
Boegrave Av. Los H —8K 135
Bogburn La. Cop —7N 193
Bog Height Rd. Dar —1J 157
Boland St. B'brn —1A 140
Bold La. Augh —4F 216
Bold St. Acc —2B 142
Bold St. Bacup —6K 163
Bold St. B'brn —2M 139
Bold St. Col —7B 86
Bold St. Fltwd —8H 41
Bold St. Hey —4M 21
Bold St. Pres —7G 115
Bold St. South —6H 167
Bold St. Wig —6N 221
Boleyn Ct. Blac —8G 89
Boleyn, The. Liv —8D 216
Bolholt. —9F 200
Bolholt Ind. Pk. Bury —9F 200
Bolholt Ter. Bury —9G 200
Bolland Clo. Clith —3M 81
Bolland Prospect. Clith —3M 81
Bolland St. Barn —1M 77
Bolton Av. Acc —8C 122
Bolton Av. Lanc —4K 23
Bolton Av. Liv —8H 223
Bolton Av. Poul F —6J 63
Bolton-by-Bowland. —8K 51
Bolton Clo. Liv —1A 214
Bolton Cft. Ley —7E 152
Bolton Green. —6M 173
Bolton Gro. Barfd —8H 85
Bolton Houses. —1C 112
Bolton La. Bolt S —5M 15
Bolton-le-Sands. —4L 15
Bolton Mdw. Ley —7D 152
Bolton Rd. And & Hor —5K 195
Bolton Rd. B'brn —7L 139
Bolton Rd. Brad —8J 199
Bolton Rd. Dar —1B 178
(Cemetery Rd.)
Bolton Rd. Dar —6A 158
(Circus, The)
Bolton Rd. Hogh —9N 137
Bolton Rd. South —1G 186
Bolton Rd. Tur —1K 199
Bolton Rd. N. Ram —5H 181
Bolton Rd. W. Hawk & Ram —2E 200
Bolton's Cop. Banks —9H 149
Bolton's Ct. B'brn —3M 139
(off Exchange Ter.)
Bolton's Ct. Pres —1K 135
Boltons Cft. Salw —2J 113
Bolton's Meanygate. Tar —7N 149
Bolton St. Blac —9B 88
Bolton St. Chor —7E 174
Bolton St. Col —7M 85
Bolton St. Newc —6C 162
Bolton St. Ram —9G 181
Bolton Town Ends. —6L 15
Bolton Wlk. Liv —8H 223
Bombay Rd. Wig —3M 221
Bombay St. B'brn —5K 139
Bonchurch St. B'brn —4C 140
Bond La. Set —3N 35
Bonds. —7A 60
Bond's La. Adl —6H 195
Bond's La. Banks —8F 148
Bonds La. Elsw —9M 65
Bonds La. Gars —6N 59
Bond St. Acc —3N 141
Bond St. Blac —9B 88
Bond St. Burn —1E 124
Bond St. Col —6A 86
Bond St. Dar —4A 158
Bond St. Lanc —8L 23
Bond St. Nels —3H 105
Bond St. Ram —4K 181
Bond St. Todm —2L 165
Bone Cft. Clay W —4D 154
Bone Hill La. Winm —2A 58
Bonfire Hill Clo. Ross —9N 143
Bonfire Hill Rd. Ross —9M 143
Bonny Grass Ter. Bill —6G 101
(off Whalley New Rd.)
Bonny St. Blac —6B 88
Bonny St. T Clev —9H 55
Bonsall St. B'brn —6H 139
Boome St. Blac —3C 108
Boonfields. Brom X —5G 198
Boon Town. Burt —6H 7
Boon Walks. Burt —5H 7
Booth Bridge. —10K 53
Booth Bri. La. Thorn C —9J 53
Booth Clo. Tot —8F 200
Booth Ct. Burn —1E 124
(off Old Hall St.)
Booth Cres. Ross —6E 162
Boothfield Ho. Cvn. Pk. Pre —7N 41
Booth Hall Dri. Tot —8E 200
Boothley Rd. Blac —4C 88
Boothman Pl. Nels —9J 85
Boothman St. B'brn —6L 139
Booth Pl. Ross —6D 162
Booth Rd. Ross & Bacup —6D 162
Boothroyden. Blac —2B 88
Booth's La. Augh —7E 208
Booths Shop. Cen. Ful —2J 115
Booth St. Acc —3B 142
Booth St. Bacup —5K 163
Booth St. Carn —9A 12
Booth St. Has —3F 160
Booth St. Nels —2H 105
Booth St. Ross —7C 162
Booth St. South —6H 167
Booth St. Tot —7E 200
Booth Way. Tot —8D 200
Boothwood Stile. Holc —2E 200
Bootle St. Pres —8M 115
(in two parts)
Boot St. Earby —2E 78
Boot Way. Burn —4E 124
Borage Clo. T Clev —7G 54
Border Ct. Lanc —7H 23
Bores Hill. Wig —9E 194
Borough Rd. Dar —7N 157
Borron La. Cap —6J 13
Borron Lane End. —5K 13
Borrowdale Av. B'brn —5C 140
Borrowdale Av. Fltwd —9E 40
Borrowdale Clo. Acc —8C 122
Borrowdale Clo. Burn —7G 104
Borrowdale Dri. Burn —6G 104
Borrowdale Dri. Roch —9M 203
Borrowdale Gro. More —3D 22
Borrowdale Rd. Blac —9H 89
Borrowdale Rd. Lanc —7L 23
Borrowdale Rd. Ley —8L 153
Borrowdale Rd. Wig —4M 221
Borwick. —3G 12
Borwick Av. War —4B 12
Borwick Clo. War —5B 12
Borwick Ct. Borw —3F 12
Borwick Ct. More —5B 22
Borwick Dri. Lanc —6H 23
Borwick La. Borw —4F 12
Borwick La. War —4B 12
Borwick M. Borw —4F 12
Borwick Rd. Borw & Cap —3G 12
Bosburn Dri. Mel B —6D 118
Boscombe Av. Hey —6M 21
Boscombe Rd. Blac —3B 108
Bosley Clo. Dar —7D 158
Bostock St. Pres —1K 135
Boston Av. Blac —5D 62
Boston Rd. Bacup —4K 163
Boston Rd. Lyth A —2H 129
Bostons. Gt Har —4H 121
Boston St. Nels —4K 105
Boston Way. Blac —1F 108
Bosworth Dri. South —9B 186
Bosworth Pl. Blac —5B 108
Bosworth Sq. Roch —9A 204
Bosworth St. Hor —9C 196
Botanical Gardens & Mus. —4A 168
(Churchtown)
Botanic Rd. South —5N 167
Botany. —4G 174
Botany Bay. Chor —3G 174
(in two parts)
Botany Brow. Chor —4G 174
Bott Ho. La. Col —9L 85
(in two parts)
Bottomdale Rd. Slyne —9K 15
Bottomgate. B'brn —3B 140
Bottomley Bank La. Ross —9M 143
Bottomley Rd. Todm —9M 165
Bottomley St. Nels —2J 105
Bottom of Hutton. —5K 133
Bottom o' th' Moor. Hor —9G 197
Bottom Rd. Wray —3J 33
Bottoms La. Silv —7H 5
Bottom's Row. Ross —9D 162
Boulder St. Ross —9M 143
Bouldon Dri. Bury —8H 201
Bouldsworth Rd. Burn —4J 125
Boulevard. Pres —3L 135
Boulevard, The. B'brn —4M 139
Boulevard, The. Lyth A —3F 128
Boulsworth Cres. Nels —1M 105
Boulsworth Dri. Traw —1F 106
Boulsworth Gro. Col —6D 86
Boulsworth Rd. Traw —1F 106
Boulview Ter. Col —6D 86
Boundary Clo. E'ston —7E 172
Boundary Clo. New L —8C 134
Boundary Ct. Blac —1G 89
Boundary La. Burs —9D 190
Boundary La. Hesk B —6C 150
Boundary La. H End —2J 169
Boundary La. Kirkby —8C 224
Boundary La. Poul F & Pil —5G 56
Boundary La. Ruf —4C 190
Boundary La. Wrigh —1K 213
Boundary Meanygate. Hesk B —8L 149
Boundary Rd. Acc —1B 142
Boundary Rd. Ful —6G 115
Boundary Rd. Lanc —1K 29
Boundary Rd. Lyth A —3D 130
Boundary St. Burn —8G 104
Boundary St. Col —7A 86
Boundary St. Ley —5L 153
Boundary St. Roch —7B 204
Boundary St. South —1H 187
Boundary Wlk. Roch —8B 204
Bourbles La. Pre —9C 42
Bourne Brow. Ingle —6H 69
Bourne Cres. Blac —3A 108
Bourne May Rd. Kno S —8K 41
Bournemouth Rd. Blac —3B 108
Bourne Rd. T Clev —7G 55
Bournesfield. Hogh —7G 136
Bourne's Row. Hogh —7G 137
Bourne Way. T Clev —8F 54
Bouverie St. Pres —8A 116
Bouymasters. Lanc —7J 23
(off St Georges Quay)
Bovington Av. T Clev —3F 62
Bow Brook Rd. Ley —6L 153
Bowden Av. Pleas —7D 138
Bowen St. B'brn —6J 139
Bower Av. Roch —1G 204
Bower Clo. B'brn —6J 139
Bowerham. —1L 29
Bowerham La. Lanc —4M 29
Bowerham Rd. Lanc —1L 29
Bowerham Ter. Lanc —9L 23
(off Bowerham Rd.)
Bowers La. Nate —5J 59
Bowers, The. Chor —9F 174
Bower St. B'brn —6J 139
Bower St. Clo. Bury —9A 202
Bowes Clo. Bury —8G 200
Bowes Lyon Pl. Lyth A —1J 129
Bowfell Av. More —3D 22
Bowfell Clo. Blac —9K 89
Bowfield's La. Bald —5A 118
Bowgreave. —8N 59
Bowgreave Clo. Blac —3F 108
Bowgreave Dri. Bowg —8A 60
Bow Hills La. Pay —6B 52
Bowker Clo. Roch —4J 203
Bowker's Green. —6J 217
Bowker's Grn. La. Augh & Bic —6J 217
Bowker St. Ram —1H 181
Bowland Av. Burn —4J 125
Bowland Av. Chor —6F 174
Bowland Av. Fltwd —4D 54
Bowland Av. Lanc —7M 29
Bowland Clo. Carn —9N 11
Bowland Clo. L'rdge —2K 97
Bowland Ct. Clith —3L 81
Bowland Ct. South —6J 167
(off Gordon St.)
Bowland Cres. Blac —2G 89
Bowland Dri. Lanc —6H 23
Bowland Ga. La. W Brad —4L 73
Bowland Gro. Miln —9J 205
Bowland Ho. B'brn —2N 139
(off Primrose Bank)
Bowland Pl. Lyth A —2J 129
Bowland Pl. Rib —6C 116
Bowland Rd. Cabus —3N 59
Bowland Rd. Hey —8M 21
Bowland Rd. Rib —6C 116
Bowland Vw. Brier —6H 105
Bowland Vw. Cabus —3N 59
Bowland Vw. Glas D —1C 36
Bow La. Ley —6L 153
Bow La. Pres —1H 135
Bowlers Clo. Ful —4M 115
Bowlers Wlk. Roch —3C 204
Bowlingfield. Ing —3D 114
Bowling Grn. Ram —3J 181
Bowling Grn. Clo. Dar —9A 158
Bowling Grn. Clo. South —9M 167
Bowling Grn. Cotts. Old L —5B 100
Bowling Grn. Mobile Home Pk. Carn
(off Queen St.) —9N 11
Bowling Grn. St. Ram —7J 181
(in two parts)
Bowling Grn. Way. Roch —6K 203
Bowman Ct. B'brn —3N 139
(off Cleaver St.)
Bowness Av. Blac —1J 109
Bowness Av. Fltwd —3C 54
Bowness Av. Lyth A —7F 108
Bowness Av. Nels —4J 105
Bowness Av. Roch —4N 203
Bowness Av. South —1C 206
Bowness Av. T Clev —1H 63
Bowness Clo. B'brn —2A 140
Bowness Rd. Lanc —7L 23
Bowness Rd. Pad —8H 103
Bowness Rd. Pres —8C 116
Bowood Ct. Blac —3H 89
Bowran St. Pres —9H 115
Bowstone Hill Rd. Bolt —8A 200
Bow St. Ley —5L 153
Boxer Pl. Ley —4F 152
Box St. L'boro —9K 185
Box St. Ram —8J 181
Boxwood Dri. B'brn —8G 138
Boxwood St. B'brn —9N 119
Boyer Av. Liv —3C 222
Boyes Av. Catt —1A 68
Boyes Brow. Liv —6J 223
Boyle St. B'brn —2N 139
Boys La. Ful —4F 114
Brabazon Pl. Wig —3M 221
Brabiner La. Haig & W'ham —7D 96
Bracebridge Dri. South —3M 187
Bracewell. —9E 52
Bracewell Av. Poul I —8N 63
Bracewell Clo. Nels —2J 105
Bracewell La. Brac —9D 52
Bracewell Rd. Rib —4A 116
Bracewell St. Barn —1M 77
Bracewell St. Burn —9F 104
Bracewell St. Nels —2J 105
Brackenber Clo. Gigg —3M 35
Brackenber La. Gigg —4M 35
Brackenbury Clo. Los H —9K 135
Brackenbury Rd. Ful & Pres —6H 115
Bracken Clo. B'brn —8G 138
Bracken Clo. Bolt —7D 198
Bracken Clo. Chor —6G 174
Bracken Dri. Frec —1B 132
Bracken Gro. Has —7F 160
Bracken Hey. Clith —3N 81
Brackenhurst Grn. Liv —8K 223
Brackenlea Fold. Roch —3M 203
Brackenthwaite Rd. Carr B —3L 5
Brackenway. Form —6A 206
Bracknell Av. Liv —9J 223
Bracknell Clo. Liv —9J 223
Bracknell Way. Augh —2F 216
Braconash Rd. Ley —5H 153
Bradda Rd. B'brn —7M 139
Braddocks Clo. Roch —1G 204
Braddon St. Pres —8N 115
Brades Av. T Clev —1K 63
Brades La. Frec —1B 132
Brade St. South —2B 168
Bradfield Av. Liv —7B 222
Bradford Gro. Hey —1L 27
Bradford St. Acc —2C 142
Bradkirk La. Bam B —8D 136
Bradkirk Pl. Bam B —9C 136
Bradley Fold. Nels —1J 105
Bradley Gdns. Burn —4N 123
Bradley Hall Rd. Nels —1K 105
Bradley La. E'ston —8F 172
Bradley La. Miln —9L 205
Bradley La. Stand —9C 194
Bradley Rd. Nels —1J 105
Bradley Rd. E. Nels —1J 105
Bradley Smithy Clo. Roch —3B 204
Bradley St. Col —6C 86
Bradley St. Miln —9L 205
Bradley St. South —6J 167
Bradley Vw. Nels —1J 105
Bradman Rd. Know I —7A 224
Bradshaw. —7K 199
Bradshaw Brow. Bolt —9J 199
Bradshaw Chapel. —8J 199
Bradshaw Clo. B'brn —9M 119
Bradshaw Clo. Nels —3J 105
Bradshaw Clo. Stand —3N 213
Bradshawgate Dri. Silv —7F 4
Bradshaw Hall Dri. Bolt —7J 199
Bradshaw Hall Fold. Bolt —7K 199
Bradshaw La. Adl —5H 195
Bradshaw La. G'hlgh —7G 91
Bradshaw La. Maw —3B 192
Bradshaw La. Parb —3N 211
Bradshaw La. Pil —9K 43
Bradshaw Meadows. Bolt —7K 199
Bradshaw Rd. Bolt & Tur —8K 199
Bradshaw Rd. Tot —7B 200
Bradshaw Row. Chu —2M 141
Bradshaws Brow. Maw —4B 192
Bradshaw's La. South —7D 186
Bradshaw St. Chu —2M 141
Bradshaw St. Lanc —9L 23
Bradshaw St. Nels —3H 105
Bradshaw St. Orr —5K 221
Bradshaw St. Roch —5D 204
Bradshaw St. E. Acc —2B 142
Bradshaw St. W. Acc —2M 141
Bradyll Ct. Old L —4C 100
Brady St. Hor —9B 196
Braefield Cres. Rib —7B 116
Braemar Av. South —4M 167
Braemar Av. T Clev —4J 63
Braemar Ct. More —4D 22
Braemar Wlk. Blac —5F 62
Braemore Clo. Wig —9M 221
Braeside. B'brn —2K 139
Braganza Way. Lanc —8G 22
Braid Clo. Pen —7G 134
Braidhaven. Shev —5G 213
Braid's La. Bncr —5C 60
Braidwood Ct. Lyth A —1D 128
Braintree Av. Pen —7H 135
Braith Clo. Blac —1F 108
Braithwaite. Shev —6K 213
Braithwaite St. Blac —3B 88
Brakehouse Clo. Miln —7H 205
Bramble Clo. Barr —1K 101
Bramble Clo. L'boro —9J 185
Bramble Clo. Wesh —2K 111
Bramble Ct. Pen —6H 135
Bramble Gro. Wig —4N 221
Brambles, The. B'brn —9H 119
Brambles, The. Cop —3B 194
Brambles, The. Ful —3N 115
Brambles, The. Lyth A —5B 108
Bramble St. Burn —9E 104
Bramble Way. Parb —3N 211
Bramble Wood. Crost —4M 171
Bramblings, The. Poul F —9H 63
Bramcote Clo. Liv —6M 223
Bramcote Rd. Liv —6L 223
Bramcote Wlk. Liv —6L 223
Bramdean Av. Bolt —9L 199

Bramhall Av.—Brookfield

Bramhall Av. Bolt —9N 199
Bramhall Clo. Miln —7H 205
Bramhall Rd. Skel —1K 219
Bramley Av. Burn —1A 124
Bramley Av. Fltwd —9E 40
Bramley Clo. Osw —3L 141
Bramley Dri. Bury —7H 201
Bramley Gdns. Poul F —9G 63
Bramley Rd. Bolt —7F 198
Bramleys, The. Liv —3B 222
Bramley Vw. Barr —2J 101
Bramley Way. Liv —7H 223
Brammay Dri. Tot —7D 200
Brampton Av. T Clev —8F 54
Brampton Dri. More —3F 22
Brampton St. Ash R —8F 114
Bramwell Rd. Frec —2N 131
Bramworth Av. Ram —8G 181
Branch Clo. Bury —9J 201
Branch Rd. B'brn & Lwr D —9M 139
Branch Rd. Burn —4E 124
Branch Rd. Clay M —6M 121
Branch Rd. L'boro —3H 205
Branch Rd. Mel B & Mel B —6C 118
Branch Rd. Wadd —8H 73
Branch St. Bacup —7H 163
Branch St. Nels —2K 105
Brancker St. Chor —9C 174
Brand Heald. —9K 149
Brandiforth St. Bam B —5B 136
Brandle Av. Bury —9H 201
Brandlesholme. —7G 200
Brandlesholme Rd. G'mnt & Bury —4E 200
Brandon Clo. Bury —8J 201
Brandon Clo. Uph —4D 220
Brandon St. Miln —7H 205 (off Nall St.)
Brandreth Delph. Parb —1N 211
Brandreth Dri. Parb —2N 211
Brandreth Pk. Parb —9N 191
Brandwood. —7F 162
Brandwood. Pen —4D 134
Brandwood. Ross —6C 162 (off Staghills Rd.)
Brandwood Fold. Tur —9L 179
Brandwood Gro. Burn —3G 124
Brandwood Pk. Bacup —7E 162
Brandwood Rd. Bacup —7F 162
Brandwood St. Dar —6B 158
Brandy Ho. Brow. B'brn —6N 139
Branksome Av. T Clev —9F 54
Branksome Dri. More —4D 22
Branston Rd. Blac —9E 88
Branstree Rd. Blac —9J 89
Brant Ct. Fltwd —3C 54
Brantfell Dri. Burn —1N 123
Brantfell Rd. B'brn —1L 139
Brantfell Rd. Gt Har —3J 121
Brant Rd. Pres —8C 116
Brantwood. Clay M —7L 121
Brantwood Av. B'brn —3E 140
Brantwood Av. More —2E 22
Brantwood Dri. Lanc —4L 29
Brantwood Dri. Ley —6L 153
Brassey St. Burn —2A 124
Brass Pan La. Brough —5G 94
Brathay Pl. Fltwd —2D 54
Bratton Clo. Wig —9M 221
Braxfield Ct. Lyth A —2D 128
Brayshaw Pl. Rib —5A 116
Brays Heys. T Clev —2J 63
Brays Rd. Mos S —7N 109
Bray St. Ash R —8F 114
Brazil Clo. More —6A 22
Bread St. Burn —3B 124 (off Redruth St.)
Brearlands. Thorn C —9J 53
Brearley St. Bacup —7H 163
Brechin Rd. Liv —8L 223
Breck Clo. Poul F —6L 63
Breck Dri. Poul F —6L 63
Breck Rd. Blac —6D 88
Breck Rd. Poul F —7K 63
Breckside Clo. Poul F —6L 63
Brecon Av. Osw —4J 141
Brecon Clo. Blac —7D 88
Brecon Rd. B'brn —3C 140
Bredon Av. Eux —5A 174 (Cotswold Av.)
Bredon Av. Eux —5N 173 (Hawkshead Av.)
Bredon Clo. Eux —5A 174
Bredon Clo. Lyth A —3C 130
Breeze Clo. Foul —2B 86
Breeze Clo. T Clev —8G 54
Breeze Mt. Los H —8M 135
Breeze Rd. South —3E 186
Bremetennacvm Roman Fort. —7F 98
Brenbar Cres. Whitw —5A 184
Brendale Av. Liv —2B 222
Brendjean Rd. More —4C 22
Brendon Ho. Has —4G 160 (off Pleasant St.)
Brendon Wlk. Blac —2F 88
Brenka Av. Liv —9A 222
Brennand Clo. Bam B —8B 136
Brennand Clo. Lanc —6G 22
Brennand St. Burn —9F 104
Brennand St. Clith —2L 81
Brent Ho Row. Hth C —3L 195
Brentlea Av. Hey —9K 21
Brentlea Cres. Hey —9L 21
Brent St. Burn —7G 104
Brentwood. Fltwd —2E 54
Brentwood. Wig —6N 221
Brentwood Av. Burn —6C 124
Brentwood Av. Poul F —8J 63
Brentwood Av. T Clev —2D 62
Brentwood Clo. L'boro —2J 205
Brentwood Ct. South —6K 167
Brentwood Rd. And —5K 195
Brentwood Rd. Nels —1L 105
Bretherton. —9K 151
Bretherton Clo. Ley —7F 152
Bretherton Ct. Burs —1D 210
Bretherton Rd. Crost —2M 171
Bretherton Ter. Ley —6L 153
Brettargh Clo. Lanc —1J 29
Brettargh Dri. Lanc —1J 29
Brett Clo. Clith —4N 81
Bretton Fold. South —9M 167
Brewary Arc. Lanc —8K 23 (off Lucy St.)
Brewery La. Lanc —8K 23
Brewery La. Mell —6D 222
Brewery St. B'brn —3L 139
Brewery St. L'rdge —3K 97
Brewery St. Todm —8H 147
Breworth Fold La. Brin —4H 155
Brewster St. Pres —9H 115
Briar Av. Eux —2M 173
Briar Bank Row. Ful —1J 115
Briar Clo. Roch —4L 203
Briar Cft. Longt —9L 133
Briarcroft. Lwr D —1A 158
Briarfield. Blac —5F 62
Briarfield. Eger —3D 198
Briarfield Rd. Poul F —5H 63
Briar Gro. Ing —5D 114
Briar Hill Clo. B'brn —4A 140
Briar Lea Rd. Neth K —4B 16
Briar M. T Clev —2J 63
Briar Rd. B'brn —9N 119
Briar Rd. South —9D 186
Briar Rd. T Clev —2H 63
Briar Rd. Wig —4N 221
Briars Brook. Lath —1E 210
Briars Grn. Skel —8M 211
Briars La. Lath —1E 210
Briars La. Liv —1D 222
Briars, The. Ful —3N 115
Briars, The. South —4F 186
Briar St. Bacup —6L 163
Briar St. Roch —7A 204
Briar Ter. Bacup —6L 163
Briarwood. Frec —2M 131
Briarwood Clo. Ley —7H 153
Briarwood Clo. T Clev —4H 63
Briarwood Clo. Weet —8E 90
Briarwood Dri. Blac —7E 62
Briary Ct. Bam B —2E 154
Brickcroft. Wig —5L 221
Brickcroft La. Crost —3L 171
Brickfield St. Roch —3E 204
Brick Ground. Roch —3G 202
Brick Ho Gdns. Chip —5G 70
Brick Ho. La. Hamb —8B 56
Brick Kiln La. Ruf —2E 190
Brickmakers Arms Yd. Orm —6J 209 (off Asmall La.)
Brick St. Burn —3D 124
Bride St. Todm —1L 165
Bridge Av. Orm —7K 209
Bridge Bank. Walt D —2M 135
Bri. Bank Rd. L'boro —2J 205
Bridge Brow. K Lon —6F 8
Bridge Clo. Los H —8K 135
Bridge Clo. Ross —6D 162
Bridge Ct. Clith —1M 81
Bridge Ct. I'ton —3N 19
Bridge Ct. Los H —8K 135
Bridge Ct. Lyth A —4C 130
Bridge Cft. Bolt S —5L 15
Bridge Cft. Clay M —5L 121
Bridge End. —8E 160
Bridge End. Bill —6J 101
Bridge End. Los H —8M 135
Bri. End Clo. Helm —8F 160
Bridge End St. Todm —7F 146
Bri. End Yd. Set —3N 35 (off Kirkgate)
Bridge Farm Dri. Liv —9E 216
Bridgefield Clo. Rish —7H 121
Bridgefield Rd. Roch —6A 204
Bridgefield St. Hap —5H 123
Bridgefield St. Roch —6A 204
Bridgefold Rd. Roch —6N 203
Bridge Gro. South —8H 167
Bri. Hall Dri. Bury —9B 202 (in two parts)
Bridgehall Dri. Uph —4E 220
Bridge Ho. Rd. Blac —1F 108
Bridge La. Lanc —7J 23 (in two parts)
Bridgemill Rd. B'brn —4N 139
Bri. Mill Rd. Nels —2G 105
Bridgend Dri. South —9B 186
Bridgenorth Dri. L'boro —2J 205
Bridge Rd. Ash R —7F 114
Bridge Rd. Chat —7C 74
Bridge Rd. Fltwd —9H 41
Bridge Rd. Lanc —2K 29
Bridge Rd. Los H —8M 135
Bridge Rd. Lyth A —4L 129
Bridge Rd. Mag —3C 222
Bridge Rd. More —3C 22
Bridge Rd. Neth K —4B 16
Bridgeside. Lyth A —5B 108
Bridge St. Acc —2B 142
Bridge St. Bam B —9A 136
Bridge St. B'brn —4M 139
Bridge St. Brier —4F 104
Bridge St. Burn —3E 124
Bridge St. Bury —9M 201
Bridge St. Chu —2L 141
Bridge St. Col —7N 85
Bridge St. Dar —6A 158
Bridge St. Gars —6N 59
Bridge St. Gt Har —4J 121 (in two parts)
Bridge St. High W —5D 136
Bridge St. Hor —9D 196
Bridge St. Miln —7J 205
Bridge St. Newc —6D 162
Bridge St. Orm —8K 209
Bridge St. Pad —1G 123
Bridge St. Ram —8H 181
Bridge St. Rish —7H 121
Bridge St. Roch —2F 204
Bridge St. Ross —8C 162
Bridge St. South —8H 167
Bridge St. Todm —2L 165
Bridge St. Water —8E 144
Bridge St. Wheel —8H 155
Bridge St. Whitw —5N 183
Bridge Ter. Walt D —2M 135
Bridge Ter. Whal —2H 101
Bridget St. Lanc —8K 23
Bridgeview Dri. Liv —6L 223
Bridgewater Av. T Clev —4F 62
Bridgewater Ho. B'brn —4K 139 (off Bath St.)
Bridgeway. Los H —8M 135
Bridgewills La. South —1B 168
Bridle Path, The. Salt —4A 78
Bridle Way. Lyth A —1L 129
Bridleway. Ross —5D 162
Bridlington Sq. Roch —7C 204
Brief St. Burn —1E 124
Briercliffe Av. Blac —8F 88
Briercliffe Av. Col —8M 85
Briercliffe Rd. Burn —9F 104
Briercliffe Rd. Chor —5F 174
Briercliffe St. Col —8M 85
Brier Cres. Nels —4H 105
Brier Dri. Hey —9K 21
Brierfield. —5F 104
Brierfield. New L —8C 134
Brierfield. Skel —5A 220
Brierfield Dri. Bury —5K 201
Brierh Gdns. Clo. Brier —5H 105
Brierholme Av. Eger —4E 198
Brierley Av. Blac —4E 88
Brierley Clo. Boot —6A 222
Brierley La. Wood —1M 93
Brierleys Pl. L'boro —8K 185
Brierley St. Ash R —8G 115
Brierly Rd. Bam B —8C 136
Briers Brow. Wheel —8J 155
Briers, The. E'ston —8F 172
Briery Av. Bolt —7K 199
Briery Bank. Arns —2F 4
Briery Clo. Ful —5M 115
Brieryfield Rd. Pres —9G 115
Briery Hey. Bam B —1E 154
Briery Hey Av. Liv —8L 223
Briery St. Lanc —7H 23
Brigg Fld. Clay M —5M 121
Briggs Fold. Eger —3E 198
Briggs Fold Clo. Eger —3E 198
Briggs Fold Rd. Eger —3E 198
Briggs Rd. Ash R —7F 114
Brighouse Clo. Orm —7J 209
Brighton Av. Blac —1B 108
Brighton Av. Lyth A —1F 128
Brighton Av. T Clev —1D 62
Brighton Cres. Ing —6D 114
Brighton Rd. Burn —7G 105
Brighton Rd. South —2G 186
Brighton St. Bury —9N 201
Brighton St. Chor —6G 174
Brighton St. Todm —7F 146
Brighton Ter. B'brn —2J 139
Brighton Ter. Dar —5M 157
Brighton Ter. Todm —7F 146 (off Brighton St.)
Brights Clo. Newt B —7A 50
Brightstone Clo. Banks —1G 169
Bright St. Bacup —5K 163
Bright St. Blac —1B 108
Bright St. Burn —9E 104
Bright St. Bury —9M 201
Bright St. Clith —3M 81
Bright St. Col —6A 86
Bright St. Dar —5N 157
Bright St. Eger —3D 198
Bright St. Osw —5K 141
Bright St. Pad —1J 123
Bright St. Roch —8D 204
Bright St. Ross —4M 161
Bright St. South —7M 167
Bright St. Todm —4K 165
Bright St. Traw —6E 86
Bright Ter. Traw —9E 86
Brigsteer Clo. Clay M —7L 121
Brimrod La. Roch —8A 204
Brindle. —2H 155
Brindle Clo. Bam B —8D 136
Brindle Clo. Lanc —6G 23
Brindle Clo. L'rdge —3K 97
Brindle Fold. Bam B —9E 136
Brindle Heights. Brin —2H 155
Brindle Rd. Bam B —6B 136
Brindle Rd. Brin —1G 154 (in two parts)
Brindle St. B'brn —7K 139
Brindle St. Chor —8E 174
Brindle St. Pres —9M 115
Brindley Rd. Liv —8H 223
Brindley St. Bolt —9F 198
Brindley St. Wig —6M 221
Brinklow Clo. South —8A 186
Brink's Row. Hor —8E 196
Brinscall. —8A 156
Brinscall Mill Rd. H'pey —1M 175
Brinscall Ter. Brins —8A 156
Brinwell Rd. Blac —9H 89
Brisbane Pl. T Clev —4F 62
Brisbane St. Clay M —8N 121
Bristol Av. Blac —7D 62
Bristol Av. Far —3M 153
Bristol Av. Fltwd —4C 54
Bristol Av. Ind. Est. Blac —7E 62
Bristol Clo. B'brn —4N 139
Bristol St. Burn —6B 124
Bristol St. Col —5B 86
Bristol St. More —4C 22
Bristow Av. Ash R —7E 114
Britannia. —7N 163
Britannia Av. Bacup —5L 163
Britannia Dri. Ash R —1E 134
Britannia Pl. Blac —9B 88
Britannia Rd. Wig —3M 221
Britannia St. Gt Har —4J 121
Britannia Wlk. Burn —5F 124 (off Tarleton St.)
Britannia Wlk. Lyth A —9J 109
Britannia Way. Ross —7F 160
Britannia Wharf. Ash R —9E 114
British Commercial Vehicle Mus. —6K 153
British in India Mus. —6B 86
British Lawnmower Mus. —9H 167
Britonside Av. Liv —9L 223
Briton St. Roch —5D 204
Britten Clo. B'brn —6A 140
Britten St. Dar —5N 157
Britwell Clo. B'brn —8A 140
Brixey St. Pres —2G 135
Brixham Pl. Blac —3B 108
Brixton Rd. Pres —1L 135
Broadacre. Cat —3H 25
Broad Acre. Roch —3J 203
Broadacre. Stand —2K 213
Broadacre Clo. Cat —3H 25
Broadacre Pl. Cat —3H 25
Broadacre Vw. Cat —3H 25
Broadbent Dri. Bury —9C 202
Broadbent Ho. Liv —3C 222 (off Boyer Av.)
Broad Clough. —3K 163
Broadcroft. Longt —7L 133
Broadfield. —6M 141 (Accrington)
Broadfield. —6H 153 (Leyland)
Broadfield. Brough —8E 94
Broadfield. Osw —6M 141
Broadfield Av. Blac —4F 108
Broadfield Av. Poul F —8M 63
Broadfield Dri. Ley —5H 153
Broadfield Dri. L'boro —2J 205
Broadfield Dri. Pen —6G 134
Broadfield Rd. Acc —5N 141
Broadfields. Chor —4D 174
Broadfield Stile. Roch —7B 204
Broadfield St. Osw —5M 141
Broadfield St. Roch —7C 204
Broadfield Ter. Osw —5M 141 (off Broadfield St.)
Broadfield Wlk. Ley —6H 153
Broadfleet Clo. Pil —7H 43
Broadfold Av. B'brn —1A 140
Broadgate. —2H 135
Broad Ga. Dar —5B 158
Broadgate. Pres —2G 135
Broad Ga. Todm —9M 147 (in two parts)
Broadgreen Clo. Ley —6J 153
Broadhalgh. —6L 203
Broadhalgh Av. Roch —6L 203
Broadhalgh Rd. Roch —7L 203
Broadhead Rd. Hodd —4H 159
Broadhead Rd. Tur —8L 179
Broad Hey La. App B —9C 192
Broadhurst La. Wrigh —6J 193
Broadhurst Rd. T Clev —3E 62
Broadhurst Way. Brier —6G 105
Broad Ing. Roch —4N 203
Broad Ing Clo. Cliv —8J 125
Broading Ter. Ross —5M 143
Broadith La. Goos —9N 69
Broadlands. Shev —6L 213
Broadlands. South —2E 186
Broadlands Dri. Bolt S —6K 15
Broadlands Pl. Lyth A —4M 129
Broad La. Augh —1A 216
Broad La. Form —5B 206
Broad La. Gt Alt —1E 214
Broad La. Kirkby —9L 223
Broad La. Nate —2K 59
Broad La. Pil —5H 57
Broad La. Roch —9E 204
Broad La. Thor —9J 215
Broad La. Todm —6N 147
Broad La. Whal —5H 101
Broad La. Whitw —6K 183
Broad La. Winm —8K 45
Broadlea Gro. Roch —3N 203
Broadley. —8N 183
Broadley St. Ross —4M 161
Broadley Vw. Whitw —9N 183
Broadmead. Parb —2M 211
Broad Mdw. Brom X —5H 199
Broad Mdw. Chip —5F 70
Broad Mdw. Los H —8K 135
Broad Mdw. La. Breth —3J 171
Broadness Dri. Nels —4J 105
Broad Oak. —4C 142
Broad Oak Av. Gars —6A 60
Broadoak Clo. Adl —5J 195
Broad Oak Grn. Pen —5E 134
Broad Oak La. Bury —9A 202
Broad Oak La. Hut —6E 134
Broad Oak La. Pen —4E 134 (in two parts)
Broad Oak La. Stain —5K 89
Broad Oak Rd. Acc —3B 142
Broadoak Rd. Liv —1D 222
Broadoak Rd. Roch —7J 203
Broadoaks. Bury —9B 202
Broad Oak Ter. Bury —9C 202
Broad o' th' La. Bolt —9E 198
Broad o' th' La. Shev —6K 213
Broadpool La. Hamb —2B 64
Broadriding Rd. Shev —6H 213
Broad Shaw La. Miln —9G 205 (in two parts)
Broad Sq. Ley —7K 153
Broadstone Clo. Roch —4L 203
Broadstone Rd. Bolt —8K 199
Broadstone St. Todm —1N 165
Broad St. Ley —7K 153
Broad St. Nels —2H 105
Broad St. Todm —1L 165
Broadtree Clo. Mel —6D 118
Broadwater. —4E 54
Broadwater Av. Fltwd —4E 54
Broadwater Gdns. Fltwd —4E 54
Broadwater Ho. Fltwd —3F 54
Broadway. Acc —2B 142
Broadway. Ash R —7C 114
Broadway. B'brn —7M 119
Broadway. Blac —2C 108
Broadway. Ful —3G 115
Broadway. Has —7F 160
Broadway. Lanc —6K 23
Broadway. Ley —7L 153
Broadway. More —2D 22
Broadway. Nels —2H 105
Broadway. T Clev & Fltwd —7D 54
Broadway Clo. South —8B 186
Broadway Cres. Has —7F 160
Broadway Pl. Barfd —8H 85
Broadway Pl. Nels —1L 105
Broadway St. B'brn —7J 139
Broadwood Av. Liv —3B 222
Broadwood Clo. Pen —4E 134
Broadwood Dri. Ful —2H 115
Broadwood Way. Lyth A —4L 129
Broche Clo. Roch —9M 203
Brock. —6D 68
Brock Av. Fltwd —2D 54
Brock Av. Liv —9D 216
Brock Bank. Ross —3D 162
Brock Clo. Lanc —5J 23
Brock Clo. More —5F 22
Brock Clough Rd. Ross —3D 162
Brockenhurst St. Burn —4G 124
Brockhall Village. —5C 100
Brockhole La. Set —4N 35
Brockholes Brow. Pres —8C 116
Brockholes Cres. Poul F —9L 63
Brockholes Vw. Pres —1M 135
Brockholes Way. Clau B —2B 68
Brocklebank Rd. South —5L 167
Brockledale Rd. Roch —6G 204
Brocklehurst Av. Acc —5A 142
Brocklewood Av. Poul F —2K 89
Brock Mill La. Clau B —9K 61
Brock Rd. Chor —5F 174
Brock Rd. Gt Ecc —7C 66
Brock Side. Bils —5E 68
Brock St. Lanc —8K 23
Brock Way. Poul F —9K 63
Brockway Av. Blac —4F 88
Broderick Av. Blac —1E 88
Broderick St. Dar —4N 157
Brodick Rd. B'brn —5D 140
Brodie Clo. Blac —3F 108
Brogden La. Barn —4F 76
Brogden St. Barn —1M 77
Brogden Vw. Barn —10F 52
Broken Back La. Lanc —5J 29
Broken Bank Head. Slai —3A 50
Broken Banks. Col —7B 86
Broken Stone Rd. Dar —9G 138
Bromfield. Roch —5B 204 (off Spotland Rd.)
Bromilow Rd. Skel —2G 218
Bromley Clo. Blac —1E 88
Bromley Ct. Blac —1E 88 (off Chelsea Av.)
Bromley Cross. —5H 199
Bromley Cross Rd. Brom X —6H 199
Bromley Grn. Chor —2H 175
Bromley Ho. B'brn —3K 139 (off Bromley St.)
Bromley Rd. Lyth A —3E 128
Bromley St. B'brn —3K 139
Bromley St. Pres —9G 115
Brompton Av. Kirkby —5L 223
Brompton Clo. Lyth A —2K 129
Brompton Rd. Poul F —1K 89
Brompton Rd. South —7L 167
Bromsgrove Av. Blac —7C 62
Bromsgrove Rd. Burn —1F 124
Bronte Av. Burn —3H 125
Bronte Clo. Roch —4L 203
Brooden Dri. Brier —6G 105
Brook Av. More —5N 21
Brook Av. Scor —6B 46
Brookbank. Barfd —7J 85 (off Bankhouse St.)
Brookbank Av. Lanc —8F 22
Brookbottom. Bolt —7L 199
Brook Clo. Orm —5L 209
Brook Ct. Ross —9M 143
Brook Cft. Ing —5E 114
Brookdale. Bel —1K 197
Brookdale. Hth C —4J 195
Brookdale. New L —9D 134
Brookdale. Todm —5K 165
Brookdale Av. T Clev —3E 62
Brookdale Clo. Ley —9L 153
Brookdean Clo. Bolt —9C 198
Brooke Clo. Acc —6D 142
Brooke Clo. South —7A 168
Brookes La. Whal —5J 101
Brookes St. Bacup —7H 163
Brookes, The. Chor —7G 175
Brooke St. Chor —7F 174
Brook Farm Clo. Orm —8K 209
Brookfield. —5A 116
Brookfield. Crost —3M 171
Brook Fld. Maw —3N 191
Brookfield. Mel —7F 118
Brookfield. Parb —2N 211

Brookfield Av.—Burwell Clo.

Brookfield Av. Blac —3G 108
Brookfield Av. Ful —5M 115
Brookfield Av. T Clev —2J 63
Brookfield Clo. Bolt S —4M 15
Brookfield Clo. Holme —1G 6
Brookfield Ct. Chip —5G 70
Brookfield Dri. Ful —1H 115
Brookfield Dri. L'boro —8H 185
Brookfield La. Augh —7F 216
Brookfield Pl. Bam B —1C 154
Brookfield Rd. Bury —5K 201
Brookfield Rd. Stand —2L 213
Brookfield Rd. T Clev —1J 63
Brookfield Rd. Uph —4E 220
Brookfields Green. —6F 216
Brookfield St. B'brn —2M 139
Brookfield St. Pres —8J 115
Brookfield St. Todm —7F 146
Brookfield Ter. Bay H —6B 38
Brookfield Ter. Lyth A —4A 130
Brookfield Ter. Todm —7F 146
(off Brookfield St.)
Brookfield Vw. Bolt S —4L 15
Brookfield Way. Earby —3D 78
Brookfold La. Bolt —9M 199
Brookford Clo. Burn —1B 124
Brook Gdns. Bolt —9L 199
Brook Gro. More —5N 21
Brook Gro. T Clev —8E 54
Brook Hey. Longt —8L 133
Brook Hey Clo. Roch —1G 204
Brook Hey Dri. Liv —6L 223
Brook Hey Wlk. Liv —7M 223
Brookhouse. —2M 139
(Blackburn)
Brookhouse. —2K 25
(Lancaster)
Brook Ho. South —9J 167
Brookhouse Bus. Cen. B'brn —2N 139
Brookhouse Clo. B'brn —2N 139
Brook Ho. Clo. Bolt —9L 199
Brook Ho. Clo. G'mnt —5D 200
Brookhouse Clo. Hogh —6H 137
Brookhouse Dri. Hogh —6H 137
Brookhouse Gdns. B'brn —2N 139
Brookhouse La. B'brn —2N 139
Brookhouse Mill La. G'mnt —5E 200
Brookhouse Rd. Cat & Brook —2H 25
Brookhouse Rd. Orm —6J 209
Brookhouse St. Ash R —8G 114
Brookland Clo. Clay M —5M 121
Brooklands. Ash R —8D 114
Brooklands. Burt L —3K 19
Brooklands. Chip —5G 70
Brooklands. Hor —9D 196
Brooklands. Lanc —3L 29
Brooklands. Orm —6M 209
Brooklands. Roch —7F 184
Brooklands. Ross —6D 162
(Burnley Rd. E.)
Brooklands. Ross —6L 161
(Bury Rd.)
Brooklands Av. Burn —6F 124
Brooklands Av. Ful —2H 115
Brooklands Av. K'ham —4M 111
Brooklands Av. Ross —8G 160
Brooklands Ct. Roch —7N 203
Brooklands Dri. Gars —6N 59
Brooklands Dri. Hey —1L 27
Brooklands Dri. Liv —2C 222
Brooklands Dri. Orr —6G 220
Brooklands Gro. Lath —1D 210
Brooklands Rd. Burn —6F 124
Brooklands Rd. Lyth A —2J 129
Brooklands Rd. Ram —3F 200
Brooklands Rd. Uph —4F 220
Brooklands St. Roch —9E 204
Brooklands Ter. B'brn —1A 140
Brooklands, The. W Grn —5F 110
Brookland St. Ross —6B 162
Brooklands Way. Blac —2L 109
Brookland Ter. Ross —8D 162
Brook La. Char R —1L 193
Brook La. Halt W —3B 52
Brook La. Much H —4J 151
Brook La. Orm —8K 209
Brook La. Orr —6K 221
Brook La. Roch —9E 204
Brook La. Wstke —1G 153
(in two parts)
Brooklyn Av. Blac —2E 88
Brooklyn Av. L'boro —7K 185
Brooklyn Av. Roch —1G 205
Brooklyn Cvn. Pk. South —2F 168
Brooklyn Rd. Clay D —4N 119
Brookmeadow. High B —3C 114
Brook Mill Ind. Est. W Grn —5F 110
Brook Pk. Liv —3B 222
Brook Pl. Lea —7A 114
Brook Rd. Lyth A —4B 130
Brook Rd. Mag —2D 222
Brook Rd. More —5N 21
Brooksbottoms. —2H 201
Brooksbottoms Clo. Ram —1H 201
Brooks End. Roch —4J 203
Brookshaw St. Bury —9L 201
(in two parts)
Brook Side. —5G 141
Brookside. Cop —4B 194
Brookside. Eux —4M 173
Brookside. K'ham —3L 111
Brookside. Mag —1D 222
Brookside. Old L —5C 100
Brookside. Red M —9J 55
Brookside. Ross —7K 161
Brookside. Sab —3E 102
Brookside Av. Rainf —3J 225
Brookside Bus. Pk. Ross —3L 161
Brookside Cen. T Clev —9J 55
Brookside Clo. Bolt —8K 199
Brookside Clo. Far M —4H 153
Brookside Clo. Ram —2F 200
Brookside Clo. Whal —5J 101
Brookside Cotts. H'pey —3M 175
Brookside Cotts. Roch —8C 204
Brookside Cres. G'mnt —5D 200
Brookside Cres. W Brad —5K 73
Brookside Dri. Doph —6E 38
Brookside Ind. Pk. Osw —5J 141
Brookside La. Osw —5F 140
Brookside Rd. Ful —2G 114
Brookside Rd. South —4J 187
Brookside St. Osw —5J 141
Brookside Vw. Osw —4J 141
Brook's Pl. Roch —5B 204
Brook St. Adl —4J 195
Brook St. Barn —2M 77
Brook St. B'brn —6J 139
Brook St. Blac —9E 88
Brook St. Bury —9M 201
Brook St. Clith —2M 81
Brook St. Col —6A 86
Brook St. Dar —5A 158
Brook St. Earby —2E 78
Brook St. Fltwd —4E 54
Brook St. Ful & Pres —6G 115
Brook St. Has —2G 160
Brook St. Hell —1D 52
(off Kendal Rd.)
Brook St. High W —5D 136
Brook St. K'ham —3L 111
Brook St. Lanc —9J 23
Brook St. Nels —2J 105
Brook St. Osw —5L 141
Brook St. Pad —2J 123
Brook St. Pem —5L 221
Brook St. Rish —8H 121
Brook St. Roch —7E 204
Brook St. South —2C 168
Brook St. Todm —2L 165
Brook St. N. Ful —6G 114
Brook Ter. Miln —9M 205
Brook, The. L'boro —5M 185
Brookthorpe Meadows. Wals —9F 200
Brookthorpe Rd. Wals —9F 200
Brookvale Ct. S'by —8J 67
Brookview. Ful —4L 115
Brookville Flats. Whitw —5N 183
(off Rawstron St.)
Brookwater Clo. Tot —7E 200
Brookway. B'brn —8J 139
Brookway. Longt —8K 133
Brook Way. W Grn —5F 110
Brooky Moor. Tur —8L 179
Broom Clo. Ley —4A 154
Broome Rd. South —2H 187
Broom Fld. Bowg —8A 60
Broomfield Mill St. Pres —8J 115
Broomfield Pl. B'brn —5J 139
Broomfield Rd. Fltwd —1F 54
Broomfield Sq. Roch —8C 204
Broomfield Ter. Miln —9L 205
Broomholme. Shev —5G 213
Broom Rd. Wig —5N 221
Brooms Gro. Liv —8D 222
Broom St. Miln —9L 205
Brotherod Hall Rd. Roch —3M 203
Brothers St. B'brn —7H 139
Brotherton Mdw. Clith —3M 81
Brougham St. Burn —2D 124
Brough Av. Blac —9E 62
Broughton. —8G 94
(Preston)
Broughton. —6N 53
(Skipton)
Broughton Av. Blac —3E 88
Broughton Av. South —1K 187
Broughton Clo. B'brn —7A 140
Broughton Gro. More —5C 22
Broughton Hall. —7N 53
Broughton Mill Bus. Pk. Brou —7M 53
Broughton St. Burn —3B 124
Broughton St. Dar —5N 157
Broughton St. Pres —6L 115
Broughton Tower Way. Ful —1K 115
Broughton Way. Poul F —5J 63
Brow Clo. L Ecc —5M 65
Brow Edge. Ross —6B 162
Browfoot Clo. Carn —8C 12
Browgate. Saw —4E 74
Browgill Pl. Lanc —6H 23
Browhead Ct. Burn —1F 124
Browhead Rd. Burn —1F 124
Brow Hey. Bam B —1D 154
Brow Hill. Ben —8N 19
Brown Bank Rd. L'boro —2J 205
Brown Birks Rd. Acc —9D 122
Brown Birks St. Todm —7E 146
Brown Ct. Wig —6N 221
Brown Edge. —3N 187
Brown Edge Clo. South —3N 187
Brownedge Clo. Walt D —7N 135
Brownedge La. Bam B —7A 136
Brownedge Rd. Los H & Bam B —8K 135
(in two parts)
Brownedge Wlk. Walt D —7N 135
Brownhill. —6N 119
Brownhill Av. Burn —3G 124
Brownhill Dri. B'brn —7N 119
Brown Hill La. Blkhd —4N 147
Brown Hill La. Col —4C 86
Brownhill La. Longt —9A 134
Brownhill Rd. B'brn —6N 119
Brownhill Rd. Ley —6J 153
Brownhills Clo. Tot —8F 200
Brown Ho. La. H Wltn —5K 155
Browning Av. Lyth A —4C 130
Browning Av. Osw —3J 141
Browning Av. T Clev —9G 54
Browning Clo. Col —5A 86
Browning Cres. Pres —7N 115
Browning Gro. Stand L —9N 213
Browning Rd. Pres —7N 115
Browning St. Hodd —6F 158
Brown La. Bam B —6C 136
Brownley St. Chor —7G 175
Brownley St. Clay W —6D 154
Brown Lodge Dri. L'boro —2J 205
Brown Lodge St. L'boro —2J 205
Brownlow Rd. Hor —9C 196
Brownlow St. B'brn —4D 140
Brownlow St. Clith —4L 81
Brown Low Ter. Pleas —7D 138
Brownroyd. Earby —2F 78
Browns Hey. Chor —4C 174
Brownside. —3J 125
Brownside Mill. B'brn —3J 125
Brownside Rd. Burn —4J 125
Brown's La. Boot —6A 222
Brown's La. K'ham —5J 111
Brown's La. Stalm —5L 55
Brown's Sq. Burn —3E 124
(off Forest St.)
Brown St. Acc —3N 141
Brown St. Bacup —3K 163
Brown St. Bam B —8B 136
Brown St. B'brn —3M 139
Brown St. Burn —3D 124
Brown St. Chor —6F 174
Brown St. Clith —4K 81
Brown St. Col —7N 85
Brown St. Fltwd —1G 54
Brown St. Heyw —9H 203
Brown St. L'boro —9L 185
Brown St. T Clev —9H 55
Brown St. E. Col —6A 86
Brown St. W. Col —7N 85
Browsholme. Lanc —6G 22
Browsholme Av. Burn —3G 124
Browsholme Av. Rib —5B 116
Browsholme Clo. Blac —2H 89
Browsholme Clo. Carn —9N 11
Browsholme Hall. —3N 71
Browsholme Rd. Wadd —4D 72
Browside Clo. Roch —2F 204
Brow St. Roch —9D 204
Brow Vw. Burn —1F 124
Broxholme Way. Liv —3C 222
Broxton Av. Orr —4J 221
Broyd Vw. Lanc —2K 29
Bruce St. Barn —1M 77
Bruce St. B'brn —2B 140
Bruce St. Burn —4B 124
Bruce St. Roch —9N 203
Bruna Hill. Bncr —8B 60
Brundhurst Fold. Mel —7E 118
Brunel Dri. B'brn —4N 139
Brunel St. Burn —2A 124
Brunel Wlk. B'brn —4N 139
Brunel Way. Blac F —2J 109
Brungerley Av. Clith —2L 81
Brun Gro. Blac —9D 88
Brunshaw. —4H 125
Brunshaw Av. Burn —4G 125
Brunshaw Rd. Burn —3F 124
Brun St. Burn —3D 124
Brunswick Dri. Col —8L 85
Brunswick Pl. Ash R —8F 114
Brunswick Rd. Hey —5M 21
Brunswick St. B'brn —4L 139
Brunswick St. Blac —6B 88
Brunswick St. Burn —5E 124
(in two parts)
Brunswick St. Chor —6F 174
Brunswick St. Dar —7B 158
Brunswick St. Nels —2J 105
Brunswick St. Roch —5D 204
Brunswick Ter. Acc —2A 142
Brunswick Ter. Bacup —7H 163
Brun Ter. Burn —4K 125
Brunton Rd. Lanc —2K 29
Brush St. Burn —4A 124
Brussells Rd. Dar —6C 158
Bryan Rd. Blac —5D 88
Bryan St. B'brn —6M 139
Brydeck Av. Pen —4H 135
Bryer's Cft. Wilp —3N 119
Bryer St. Lanc —8K 23
Bryn Gro. Hest B —7J 15
Bryngs Dri. Bolt —9M 199
Bryning. —9H 111
Bryning Av. Blac —7C 62
Bryning Av. W Grn —6G 110
Bryning Fern La. K'ham —5L 111
Bryning Hall La. Lyth A & Bryn —8E 110
Bryning La. Newt —6D 112
Bryning La. W Grn & W'ton —6G 111
Bryn Lea Ter. Bolt —9A 198
Bryony Clo. T Clev —7F 54
Bryony Clo. Wig —6G 221
Bryony Ct. More —6B 22
(off Burdock Wlk.)
Buccleuch Av. Clith —3K 81
Buccleuch Clo. Clith —3K 81
Buccleuch Rd. Nels —1G 105
Buccleuch St. Burn —4C 124
Buchanan Rd. Wig —4N 221
Buchanan St. Blac —4C 88
Buchanan St. Chor —7F 174
Buchanan St. Ram —8G 181
Buckden Clo. T Clev —2C 62
Buckden Ga. Barfd —8G 85
Buckden Pl. Hey —8L 21
Buckden Rd. Acc —4M 141
Buckfast Dri. Liv —1B 214
Buckholes La. Wheel —6L 155
Buckhurst Rd. Bury —1M 201
(in two parts)
Buckingham Av. Pen —6G 135
Buckingham Clo. Has —6F 160
Buckingham Clo. Wig —6N 221
Buckingham Ct. Liv —6L 223
Buckingham Dri. Read —8C 102
Buckingham Gro. Chu —1M 141
Buckingham Gro. More —5N 21
Buckingham Pl. More —5A 22
Buckingham Rd. Lyth A —4K 129
Buckingham Rd. Mag —1B 222
Buckingham Rd. More —5N 21
Buckingham St. Chor —7F 174
Buckingham St. Roch —5D 204
Buckingham Way. Poul F —6J 63
Buckland Dri. Wig —2L 221
Bucklands Av. Ash R —7G 115
Buckley. —2E 204
Buckley Brook St. Roch —3E 204
Buckley Chase. Miln —8H 205
Buckley Cotts. Roch —2E 204
Buckley Cres. T Clev —4D 62
Buckley Farm La. Roch —2E 204
Buckley Fields. Roch —3D 204
Buckley Hall Ind. Est. Roch —2E 204
Buckley Hill La. Miln —8H 205
Buckley La. Roch —2E 204
Buckley Rd. Roch —3D 204
Buckley St. Bury —9L 201
Buckley St. Roch —5D 204
Buckley Ter. Roch —2E 204
Buckley Vw. Roch —2E 204
Buckley Vw. Todm —1K 165
Buckley Wood Bottom. Todm —2L 165
(off Ridge Rd.)
Bucknell Pl. T Clev —4E 62
Buckshaw Hall Clo. Chor —4D 174
Buckshaw Ter. Read —8D 102
Bucks La. Gigg —3N 35
Buck St. Burn —4C 124
Buck St. Col —6B 86
Buck St. Grin —5A 74
Buckton Clo. Whit W —9E 154
Bude Clo. Cot —3C 114
Buersil Av. Roch —9E 204
Buersil Gro. Roch —9E 204
(in two parts)
Buersil St. Roch —9E 204
Buffalo Rd. Ley —3K 153
(off Country Clo.)
Buffet Hill La. Ben —7N 19
Buff St. Dar —7A 158
Bulcock St. Burn —9G 104
Bulk. —7L 23
Bulk Rd. Lanc —7L 23
Bulk St. Lanc —8K 23
Bull Bri. La. Liv —8D 222
Bull Cop. Form —9A 206
Bullens La. Scar —6C 188
Bullens Rd. Kirkby —9L 223
Buller Av. Pen —4H 135
Buller St. Lanc —5K 23
Buller St. Ross —5M 161
Bullfinch Dri. Bury —8A 202
Bullfinch St. Pres —8L 115
Bull Hill Cotts. Dar —3C 178
Bullion, The. B'ley —6A 84
Bullough Clo. Acc —3N 141
Bull Pk. La. Hamb —3B 64
Bullpot Rd. Cast —5H 9
Bullsnape La. Goos —8A 70
Bull St. Burn —3E 124
Bulmer St. Ash R —7F 114
Bulteel St. Wig —5N 221
Bulwer St. Roch —5D 204
Buncer La. B'brn —3H 139
Bungalows, The. Earby —3E 78
(in two parts)
Bungalows, The. Gt Ecc —6N 65
Bunkers Hill. —7M 85
Bunkers Hill Clo. B'brn —8J 139
Bunker St. Frec —2A 132
Bunting Pl. T Clev —2F 62
Bunyan St. Roch —4C 204
Burbank Clo. Blac —4F 108
Burchall Fld. Roch —6E 204
Burdett Av. Roch —4K 203
Burdett St. Burn —4B 124
Burdock Wlk. More —6B 22
Burford Clo. B'brn —8F 138
Burford Clo. Blac —3G 89
Burford Dri. Hey —9M 21
Burgate. Blac —4D 108
Burgess Av. Blac —2E 108
Burgess Gdns. Liv —9B 216
Burgess' La. Form —2F 214
Burgess St. B'brn —3C 140
Burgess St. Has —4G 160
Burgh Hall Rd. Chor —2C 194
Burgh La. Chor —1E 194
Burgh La. S. Cop —3D 194
Burghley Brow. Catt —2A 68
Burghley Clo. Clay W —5E 154
Burghley Ct. Ley —6L 153
Burgh Meadows. Chor —1E 194
Burgundy Cres. T Clev —4F 62
Burgundy Dri. Tot —6E 200
Burholme Clo. Rib —7C 116
Burholme Pl. Rib —7C 116
Burholme Rd. Rib —7C 116
Burleigh Rd. Pres —1G 135
Burleigh St. Burn —1D 124
Burley Clo. Liv —9L 223
Burley Cres. Wig —9M 221
Burlingham Pk. Gars —3M 59
Burlington Av. Liv —9B 206
Burlington Av. More —3D 22
Burlington Cen., The. Lyth A —2E 128
(off St Anne's Rd W.)
Burlington Gdns. Ley —7L 153
Burlington Gro. More —3D 22
Burlington Ho. Poul F —8K 63
Burlington Rd. Blac —3B 108
Burlington Rd. South —2F 186
Burlington Rd. W. Blac —3A 108
Burlington St. B'brn —3K 139
Burlington St. Chor —7F 174
Burlington St. Nels —3G 104
Burlington St. Roch —9D 204
Burnaby St. Roch —9N 203
Burnage Gdns. Blac —2D 108
Burnard Clo. Liv —8L 223
Burnard Cres. Liv —8L 223
Burnard Wlk. Liv —8L 223
Burnaston Gro. Wig —6N 221
Burnedge Clo. Whitw —4A 184
Burned Ho. La. Pre —3B 56
Burneside Clo. More —4C 22
Burnet Clo. Roch —9F 204
Burnfell Rd. Lanc —6H 23
Burn Gro. T Clev —8E 54
Burn Hall Ind. Est. Fltwd —6G 55
Burnham Clo. Burn T —4C 124
Burnham Ct. Blac —5E 88
(off Hollywood Av.)
Burnham Ct. More —7M 21
Burnham Ga. Burn —4B 124
Burnham Trad. Pk. Burn —3C 124
(off Blannel St.)
Burnley. —4E 124
Burnley Av. South —8D 186
Burnley Bus. Cen. Burn —3E 124
(off Bank Pde.)
Burnley Clo. B'brn —3B 140
Burnley F.C. —3F 124
(Turf Moor)
Burnley Golf Course. —8D 124
Burnley Lane. —9E 104
Burnley La. Hun & Acc —8E 122
Burnley Rd. Acc —2B 142
Burnley Rd. Bacup —2K 163
Burnley Rd. B'brn —3C 140
Burnley Rd. Brclf —7K 105
Burnley Rd. Brier —6F 104
Burnley Rd. Burn & Cliv —8G 125
Burnley Rd. Bury —5K 201
(in two parts)
Burnley Rd. Clay M —7N 121
Burnley Rd. Cliv —5F 144
Burnley Rd. Col —9L 85
Burnley Rd. Gis —7M 101
Burnley Rd. Good & Dunn —7M 143
Burnley Rd. Hap —8F 122
Burnley Rd. Pad —1H 123
Burnley Rd. Ram —2J 181
Burnley Rd. South —8C 186
Burnley Rd. Todm —5A 146
Burnley Rd. Traw —2D 106
Burnley Rd. E. Ross —2D 162
Burnley Rd. E. Waterf —7C 162
Burnley Wood. —5E 124
Burn Naze. —8H 55
Burnsall Av. Blac —1G 88
Burnsall Av. Hey —8L 21
Burnsall Clo. Burn —7J 105
Burnsall Pl. Barfd —8G 84
Burnsall Pl. Rib —5A 116
Burnsall Rd. Acc —4M 141
Burns Av. Lyth A —4C 130
Burns Av. Osw —3K 141
Burns Av. T Clev —9G 54
Burns Clo. Bil —9G 221
Burns Dri. Acc —6D 142
Burnside. Parb —2M 211
Burnside. Ram —4J 181
Burnside Av. Blac —1E 108
Burnside Av. Cald V —4H 61
Burnside Av. Fltwd —2C 54
Burnside Av. Rib —6B 116
Burnside Rd. Roch —7F 204
Burnside Way. Pen —5G 134
Burnslack Rd. Rib —6B 116
Burns Pl. Blac —1F 108
Burns Rd. Fltwd —8G 40
Burns St. Burn —2D 124
Burns St. Hap —5H 123
Burns St. Nels —1H 105
Burns St. Pad —2J 123
Burns St. Pres —7N 115
Burns Wlk. Dar —6B 158
Burns Way. Gt Har —5H 121
Burnt Edge La. Blkhd —4N 147
Burnt Edge La. Hor —7J 197
Burnthorpe Clo. Roch —7J 203
Burnt Ho. Clo. Todm —1M 165
Burnvale. Wig —9N 221
Burrans Mdw. Col —7A 86
Burrell Av. Col —5A 86
Burrington Clo. Ful —3N 115
Burrow Heights. Lanc —7K 29
Burrow Mill La. Whit —9E 8
Burrow Rd. Lanc —6K 29
Burrow Rd. Pres —8K 115
Burrow's La. Hamb —5L 55
Burrs. —7J 201
Burrs Clo. Bury —7H 201
Burrs Lea Clo. Bury —7K 201
Burrswood Av. Bury —7K 201
Burscough. —9C 190
Burscough Bridge. —8C 190
Burscough F.C. —8C 190
Burscough Ind. Est. Burs I —8N 189
Burscough Priory. —4A 210
Burscough Rd. Orm —6L 209
Burscough Sports Cen. —8C 190
Burscough St. Orm —7K 209
Burton Av. Lanc —5G 22
Burton Av. Wals —9E 200
Burton Ct. Fltwd —4C 54
Burton Gdns. Brier —5F 104
Burton Hill. Burt L —3K 19
Burton-in-Kendal. —6H 7
Burton in Lonsdale. —3K 19
Burton La. Holme —1F 6
Burton Pk. Burt —5G 7
Burton Rd. Acc —1B 142
Burton Rd. Blac —1F 108
Burton St. Burn —4F 124
Burton St. Rish —8J 121
Burwains Av. Foul —2A 86
Burwell Av. Cop —5N 193
Burwell Clo. Liv —7M 223

Burwell Clo.—Carr La.

Burwell Clo. Roch —2A 204
Burwell Wlk. Liv —7M 223
Burwen Castle Rd. Elsl —8L 53
Burwen Clo. Burn —6B 124
Burwood Clo. Pen —7J 135
Burwood Dri. Blac —4G 89
Burwood Dri. Rib —6A 116
Bury & Rochdale Old Rd. Bury & Heyw —9D 202
Bury Bus. Cen. Bury —9M 201
Bury Fold. Dar —9A 158
Bury Fold Clo. Dar —8A 158
Bury Fold La. Dar —9A 158
Bury La. Withn —4A 156
Bury New Rd. Ram —8J 181
Bury Old Rd. Ram —4L 181
Bury Rd. Has —4G 160
Bury Rd. Ram —4J 181
Bury Rd. Ross —9K 161
Bury Rd. South —2H 187
Bury Rd. Tur —8L 179
Bury Row. Sab —2E 102
Bury St. Dar —6A 158
Bury St. Osw —5K 141
Buseph Barrow. More —3F 22
Buseph Ct. More —4F 22
Buseph Dri. More —4F 22
Bushburn Dri. Lang —9C 100
Bushell Pl. Pres —2K 135
Bushell St. Pres —8J 115
Bushey La. Rainf —9H 219
Bush La. Frec —2N 131
(in two parts)
Bush St. Burn —9E 104
Bussel Rd. Pen —6H 135
Butcher Brow. Walt D —3A 136
Butcher's La. Augh —6E 216
Bute Av. Blac —3B 88
Bute Rd. B'brn —5D 140
Bute St. Burn —6B 124
Butler Pl. Pres —7J 115
Butler Rd. Blac —7B 88
Butlers Mdw. W'ton —2K 131
Butler St. Blac —4C 88
Butler St. Burn —1E 124
Butler St. Pres —1J 135
Butler St. Ram —1F 200
Butler St. Rish —8J 121
Buttercross Clo. Burn —7B 124
Buttercup Dri. Roch —9M 203
Butterfield Gdns. Augh —9J 209
Butterfield St. Barfd —8H 85
Butterfield St. Lanc —8K 23
Butterlands. Pres —9B 116
Buttermere Av. Chor —8C 174
Buttermere Av. Col —5C 86
Buttermere Av. Fltwd —3C 54
Buttermere Av. More —4D 22
Buttermere Clo. B'brn —2N 139
Buttermere Clo. Ful —5M 115
Buttermere Clo. Kirkby —6J 223
Buttermere Clo. Mag —1D 222
Buttermere Clo. Walt D —6N 135
Buttermere Ct. Lanc —7M 23
Buttermere Cres. Rainf —9K 219
Buttermere Dri. Kno S —8M 41
Buttermere Dri. Osw —3K 141
Buttermere Dri. Ram —7G 181
Buttermere Rd. Burn —4K 125
Buttermere Rd. Lanc —7M 23
Buttermere Rd. L'rdge —5H 97
Buttermere Rd. Wig —4M 221
Butterworth Brow. Brins —8A 156
Butterworth Brow. Chor —1B 194
Butterworth Clo. Wesh —3M 111
Butterworth Hall. —8K 205
Butterworth Hall. Miln —8K 205
Butterworth Pl. Shore —8K 185
Butterworth St. L'boro —9K 185
Butt Hill La. Clau B —8H 61
Button St. Ingle —6L 69
Butts. Barn —2M 77
Butts. Gt Har —4H 121
(off Delph Rd.)
Butts Av., The. Roch —6C 204
Butts Clo. T Clev —8J 55
Butts Gro. Clith —1L 81
Butts La. Ben —6L 19
Butt's La. Gt Ecc —6N 65
Butts La. South —9M 167
Butts La. Todm —7N 147
Butts Mt. Gt Har —4H 121
Butts Rd. T Clev —8H 55
Butts, The. Roch —6C 204
Butt Yeats. —8C 18
Buxted Rd. Liv —9M 223
Buxton Av. Blac —7D 62
Buxton Cres. Roch —9E 204
Buxton Pk. L'clif —1N 35
Buxton St. Acc —3N 141
Buxton St. More —4C 22
Buxton St. Whitw —3A 184
Bye La. Hals —9B 208
Bye Rd. Ram —7K 181
Byerworth La. N. Bowg —7N 59
Byerworth La. S. Bowg —7N 59
Byfield Av. T Clev —4E 62
Byfleet Clo. Wig —9M 221
Byland Clo. Blac —4C 108
Byland Clo. Liv —1B 214
Byland Clo. S'stne —9C 102
Bymbrig Clo. Bam B —8A 136
By-Pass Rd. Bolt S —6L 15
Byrom St. B'brn —4L 139
Byrom St. Bury —9G 201
Byrom St. South —7M 167
Byrom St. Todm —1L 165
Byron Av. Bolt S —4L 15
Byron Av. Lyth A —4C 130
Byron Av. T Clev —9G 54
Byron Av. W'ton —2K 131
Byron Clo. Acc —6D 142
Byron Clo. Orr —4J 221
Byron Clo. Osw —4J 141
Byron Clo. Stand L —9N 213
Byron Clo. Tar —1D 170
Byron Cres. Cop —4A 194
Byron Gro. Barn —1L 77
Byron Rd. Col —6B 86
Byron Rd. G'mnt —3E 200
Byron Rd. Hey —5M 21
Byron Rd. Mag —8C 216
Byron Sq. Gt Har —5H 121
Byron St. Blac —9B 88
Byron St. Burn —2L 123
Byron St. Chor —6E 174
Byron St. Fltwd —8G 40
Byron Ter. B'brn —5J 139
Byton Wlk. Liv —6M 223

Cabin End Row. B'brn —4E 140
Cabin Hill. Pleas —6C 138
Cabin La. Hals —9J 187
Cabin La. H'wd —8M 169
Cabin La. South —3D 168
Cable St. Form —8A 206
Cable St. Lanc —8K 23
Cable St. South —7H 167
Cabus. —1M 59
Cabus Nook La. Cabus —8L 45
Cadby Av. Blac —8F 88
Cadley. —5F 114
Cadley Av. Ful —6E 114
Cadley Causeway. Ful —6F 114
Cadley Dri. Ful —6E 114
Cadman's Yd. Wig —6N 221
Cadogan Dri. Wig —9N 221
Cadogan Pl. Pres —2K 135
Cadogan St. Barfd —9H 85
Cadshaw. —5D 178
Cadshaw Clo. B'brn —9M 119
Cadwell Rd. Liv —6A 216
Caernarfon Clo. T Clev —1K 63
Caernarvon Av. Burn —2M 123
Caernarvon Clo. G'mnt —4E 200
Caernarvon Rd. Has —6F 160
Cage La. New L —8E 134
Cairn Ct. Blac —5C 108
Cairndale Dri. Ley —9L 153
Cairn Dri. Roch —7J 203
Cairn Gro. Blac —5C 108
Cairns Clo. Barfd —8G 84
Cairnsmore Av. Pres —8B 116
Cairo St. Burn —3B 124
Caister Clo. Skel —3A 220
Caithness Rd. Roch —8J 203
Calcott St. Burn —7C 124
Caldbeck Clo. Nels —4J 105
Caldbeck Rd. Lanc —7M 23
Calder Av. Bill —6G 101
Calder Av. Chor —9D 174
Calder Av. Dar —3L 157
Calder Av. Fltwd —2D 54
Calder Av. Frec —3M 131
Calder Av. Ful —3J 115
Calder Av. L'boro —7K 185
Calder Av. L'rdge —3J 97
Calder Av. Orm —9J 209
Calder Av. T Clev —1F 62
Calder Av. Whal —3G 100
Calder Av. Withn —6B 156
Calder Bank. Orr —5K 221
Calderbank Clo. Ley —6D 152
Calder Banks. B'brn —1N 139
(in two parts)
Calderbank St. Wig —6N 221
Calderbrook. —5M 185
Calderbrook Av. Burn —6C 124
Calderbrook Pl. Burn —6C 124
Calderbrook Rd. L'boro —8K 185
Calderbrook Ter. L'boro —6M 185
Calder Clo. Bury —5M 201
Calder Clo. Carn —9M 11
Calder Clo. K'ham —4N 111
Calder Clo. Liv —4L 223
Calder Clo. Lyth A —7F 108
Calder Clo. Nels —1H 105
Calder Ct. Alt —3D 122
Calder Dri. Catt —1A 68
Calder Dri. Mag —9D 216
Calder Ho. La. Bowg —8A 60
Caldermoor. —8K 185
Calder Pl. Gt Har —3L 121
Calder Pl. Wig —4M 221
Calder Rd. Blac —1C 88
Calder Rd. Ross —8M 161
Caldershaw. —3M 203
Caldershaw Cen., The. Roch —3M 203
Calder Shaw La. Roch —3L 203
Caldershaw Rd. Roch —4L 203
Calder St. Ash R —9E 114
Calder St. B'brn —1N 139
Calder St. Burn —3D 124
Calder St. Col —7N 85
Calder St. Nels —1H 105
Calder St. Pad —1H 123
Calder St. Roch —3E 204
Calder St. Todm —2L 165
Calder Ter. Nels —2F 104
Calder Vale. —4H 61
Calder Va. Barfd —9G 85
Calder Va. Whal —6J 101
Caldervale Av. Poul F —8J 63
Calder Va. Rd. Bncr —5G 60
Calder Vale Rd. Burn —3D 124
Calder Vw. Barfd —6J 85
Calder Way. More —6F 22
Calderwood Clo. Tot —7E 200
Caldicott Clo. Todm —4J 165
Caldicot Way. Poul F —5J 63
Caldwell Clo. Liv —6L 223
Caldy Dri. Ram —2F 200
Caleb St. Nels —1J 105
Caledonian Av. Blac —3D 88
Calendar St. B'brn —3M 139
Calendine Clo. T Clev —7F 54
Calfcote La. L'rdge —3K 97
Calf Cft. Pl. Lyth A —4N 129
Calf Hall La. Barn —2L 77
Calf Hall Rd. Barn —2L 77
Calf Hey. Clay M —5M 121
Calf Hey. L'boro —8J 185
Calf Hey. Roch —7F 184
Calf Hey La. Whitw —6A 184
Calf Hey N. Roch —9D 204
Calf Hey Rd. Has —5N 159
Calf Hey S. Roch —9D 204
Calf Hey Ter. Todm —6J 165
Calf Wood La. Loth —3N 79
Calgary Av. B'brn —9J 119
Calico Clo. Osw —4H 141
Calico Dri. Catt —9A 60
Calico St. B'brn —7L 139
Calico Wood Av. Shev —6J 213
California Dri. Todm —4K 165
Calkeld La. Lanc —8K 23
Calla Dri. Gars —4N 59
Callender St. Ram —8G 181
Calliards La. L'boro —1H 205
Calliard's Rd. Roch —1H 205
Callon St. Pres —9N 115
Caltha St. Ram —8G 181
Calton Clo. Wig —7N 221
Calva Clo. Burn —1N 123
Calverley St. Pres —8N 115
Calverley Way. Roch —1B 204
Calvert Pl. Blac —2G 88
Camberley Clo. South —9E 166
Camberley Dri. Roch —7K 203
Camborne Av. Carn —1N 15
Camborne Ct. Blac —8H 89
Camborne Pl. Frec —2M 131
Cambray Rd. Blac —2B 88
Cambrian Clo. B'brn —6N 119
Cambrian Ct. South —6K 167
Cambrian Cres. Wig —9M 221
Cambrian Dri. Miln —7K 205
Cambrian Way. Has —6G 161
Cambridge Arc. South —7H 167
Cambridge Av. Lanc —2M 29
Cambridge Av. Roch —7L 203
Cambridge Av. South —4M 167
Cambridge Clo. B'brn —4N 139
Cambridge Clo. Pad —3J 123
Cambridge Clo. Pres —7H 115
Cambridge Ct. Pres —7H 115
Cambridge Ct. South —4M 167
Cambridge Dri. B'brn —4E 140
Cambridge Dri. Gars —5M 59
Cambridge Dri. Pad —2J 123
Cambridge Gdns. South —4M 167
Cambridge Ho. Dar —6C 158
Cambridge Pl. Todm —2L 165
Cambridge Rd. Bam B —8B 136
Cambridge Rd. Blac —5D 88
Cambridge Rd. Fltwd —1E 54
Cambridge Rd. Lyth A —4K 129
Cambridge Rd. More —5M 21
Cambridge Rd. Orr —3J 221
Cambridge Rd. Skel —2J 219
Cambridge Rd. South —5L 167
Cambridge Rd. T Clev —9C 54
Cambridge St. Acc —1B 142
Cambridge St. B'brn —4N 139
Cambridge St. Brier —5F 104
Cambridge St. Burn —4B 124
Cambridge St. Chor —7E 174
Cambridge St. Col —7A 86
Cambridge St. Dar —6C 158
Cambridge St. Gt Har —4K 121
Cambridge St. Has —5G 160
Cambridge St. Nels —3H 105
Cambridge St. Pres —7H 115
Cambridge St. Todm —2L 165
Cambridge Wlk. Pres —7H 115
Cambridge Walks. South —7H 167
(off Eastbank St.)
Cam Clo. Bam B —8B 136
Camden Pl. Pres —1J 135
Camden Rd. Blac —4E 88
Camden St. Barfd —8H 85
Camden St. Nels —3H 105
Camelot Theme Pk. —1J 193
Cameron Av. Blac —3E 88
Cameron Cft. Chor —6F 174
Cameron Pl. Wig —3N 221
Cameron St. Bolt —8D 198
Cameron St. Burn —9E 104
Camforth Hall La. W'ham —4B 96
Cam La. Clay W —3C 154
Cam La. Thorn C —9J 53
Cammock La. Set —3N 35
Camms Vw. Has —7F 160
Camomile Clo. Chor —3C 174
Campbell Av. Blac —3E 88
Campbell Clo. Wals —9D 200
Campbell Pl. B'brn —5J 139
(off Spring La.)
Campbell St. B'brn —8N 119
Campbell St. Burn —2L 123
Campbell St. Pres —9L 115
Campbell St. Read —8C 102
Campbell St. Roch —3B 204
Campbell St. Wig —6N 221
Campion Clo. T Clev —7F 54
Campion Ct. Osw —4L 141
Campion Dri. Has —7F 160
Campion Dri. Lea —8N 113
Campions, The. Lea —8N 113
Campion Way. More —6B 22
Campion Way. Roch —2N 203
Camp St. Burn —7J 105
Cam St. Pres —7M 115
Camwood. Bam B —3D 154
Camwood Dri. Los H —7L 135
Cam Wood Fold. Clay W —4C 154
Canada Cres. Blac —8E 62
Canada St. Hor —9C 196
Canal Bank. App B —5F 212
Canal Bank. Burs —7N 189
Canal Bank. Tar —9F 150
Canal Gdns. Bolt S —3M 15
Canal M. Nels —2H 105
(off Carr Rd.)
Canal Pl. Carn —9B 12
Canalside. B'brn —5N 139
Canalside. Nels —9H 85
Canalside Ind. Est. Roch —8E 204
Canal St. Adl —7H 195
Canal St. B'brn —7J 139
Canal St. Burn —3D 124
Canal St. Chu —2L 141
Canal St. Clay M —7M 121
Canal St. L'boro —9L 185
Canal St. Roch —8D 204
Canal Vw. Mell —7F 222
Canal Wlk. Chor —6G 175
Canal Wlk. Lanc —8L 23
Canberra Clo. T Clev —4F 62
Canberra Rd. Ley —6L 153
Canberra Rd. Wig —3M 221
Canberra Way. W'ton —1K 131
Candlemakers Ct. Clith —3L 81
Candlestick Ct. Bury —9B 202
Cann Bri. St. High W —4D 136
Canning Rd. South —7N 167
(in two parts)
Canning St. Burn —2D 124
(in two parts)
Canning St. Bury —9L 201
Canning St. Pad —2J 123
Cannock Av. Blac —2E 88
Cannock Grn. Liv —1A 222
Cannon Hill. Ash R —8F 114
Cannon Hill. Lanc —9H 23
Cannon St. Acc —3A 142
Cannon St. Chor —6E 174
Cannon St. Nels —1K 105
Cannon St. Pres —1J 135
Cannon St. Ram —1F 200
Cannon St. Todm —4K 165
Cann St. Tot —5C 200
Canon Flynn Ct. Roch —6F 204
Canon St. Bury —9M 201
Canteen Mill Ind. Est. Todm —8G 147
Canterbury Av. Blac —7F 88
Canterbury Av. Lanc —1M 29
Canterbury Clo. Ain —8D 222
Canterbury Clo. Brins —7N 155
Canterbury Clo. Form —6A 206
Canterbury Clo. Gars —5L 59
Canterbury Clo. Heat O —6B 22
Canterbury Clo. Poul F —6J 63
Canterbury Clo. Roch —6L 203
Canterbury Clo. South —1F 186
Canterbury Dri. Bury —9J 201
Canterbury Rd. Pres —8N 115
Canterbury St. B'brn —4L 139
Canterbury St. Chor —8G 175
Canterbury Way. Gars —5L 59
Cantlow Fold. South —9A 186
Cantsfield. —3G 18
Cantsfield Av. Ing —5E 114
Canute St. Pres —8K 115
Capernwray. —6H 13
Capernwray Rd. Over K —9E 12
Capesthorne Dri. Chor —2D 194
Cape St. Ross —5M 161
Capilano Pk. Augh —3H 217
Capital Way. Walt D —3M 135
Capitol Cen. Walt D —3M 135
Capstan Clo. Lyth A —8E 108
Captain Fold. —9J 203
Captain's Cotts. Wors —4M 125
(off Wallstreams La.)
Captain's Row. Lanc —7K 23
Captain St. Bacup —9L 145
Captain St. Hor —9C 196
Carawood Clo. Shev —5G 213
Carcroft Av. Blac —7D 62
Cardiff St. Skel —2H 219
Cardigan Av. Burn —2M 123
Cardigan Av. Clith —3K 81
Cardigan Av. Osw —4J 141
Cardigan Clo. Clith —3K 81
Cardigan Pl. Blac —4A 108
Cardigan Rd. South —4F 186
Cardigan St. Ash R —8G 114
Cardigan St. Roch —2B 204
Cardigan Way. Boot —6A 222
Cardinal Gdns. Lyth A —2K 129
Cardinal Pl. T Clev —9E 54
Cardinal St. Burn —9F 104
Cardwell Clo. W'ton —3J 131
Cardwell Pl. B'brn —3L 139
Cardwell St. Pad —2J 123
Carey Clo. Wig —9N 221
Carfax Fold. Roch —3M 203
Carfax Rd. Liv —6M 223
Carfield. Skel —5B 220
Carham Rd. B'brn —9M 119
Carholme Av. Burn —3G 124
Carisbrooke Av. Blac —2G 108
Carisbrooke Clo. Poul F —5J 63
Carisbrooke Dri. Bolt —9F 198
Carisbrooke Dri. South —5M 167
Carleton. —6G 63
Carleton Av. Blac —1F 88
Carleton Av. Ful —5N 115
Carleton Av. S'stne —8D 102
Carleton Dri. Pen —4D 134
Carleton Gdns. Poul F —6H 63
Carleton Ga. Poul F —7J 63
Carleton Rd. Chor —2G 175
Carleton Rd. Col —8L 85
Carleton St. More —4A 22
Carleton St. Nels —3J 105
Carleton Way. Poul F —6J 63
Carley St. Dar —5M 157
Carlile Way. Liv —4L 223
Carlin Ga. Blac —9B 62
Carlinghurst Rd. B'brn —4L 139
Carlisle Av. Fltwd —3D 54
Carlisle Av. Pen —4D 134
Carlisle Gro. T Clev —1H 63
Carlisle Ho. Pres —1K 135
(off Arundel Pl.)
Carlisle Pl. Adl —5J 195
Carlisle Rd. Acc —9C 122
Carlisle Rd. South —3G 186
Carlisle St. B'brn —4N 139
Carlisle St. Brom X —5G 198
Carlisle St. Pres —9K 115
Carlisle St. Wig —5N 221
Carlisle Ter. Carn —7A 12
Carloway Av. Ful —4M 115
Carl's Way. Liv —4M 223
Carlton Av. Clay W —5D 154
Carlton Av. Uph —4D 220
Carlton Clo. Col —6M 85
Carlton Dri. Pres —3L 135
Carlton Gdns. B'brn —2M 139
Carlton Gro. Blac —7B 62
Carlton Pl. Clith —4M 81
Carlton Rd. B'brn —2M 139
Carlton Rd. Burn —4C 124
Carlton Rd. Ley —7J 153
Carlton Rd. Lyth A —1F 128
Carlton Rd. South —7C 186
Carlton St. Ash R —9G 115
Carlton St. Bacup —4L 163
Carlton St. Brier —5F 104
Carlton Way. Blac —3M 109
Carluke St. B'brn —3C 140
Carlyle Av. Blac —3B 108
Carlyle Gro. More —2E 22
Carlyle St. Burn —7G 105
Carmel Clo. Augh —1J 217
Carnarvon Rd. B'brn —3J 139
Carnarvon Rd. Pres —1G 135
Carnarvon Rd. South —4F 186
Carneghie Ct. South —1F 186
Carnfield Pl. Bam B —8D 136
Carnforth. —8A 12
Carnforth Av. Blac —6E 62
Carnforth Av. Liv —9L 223
Carnforth Brow. Carn —8C 12
Carnforth Clo. B'brn —7A 140
Carnforth Dri. G'mnt —3F 200
Carnoustie Clo. Ful —2E 114
Carnoustie Ct. Pen —2D 134
Carnoustie Dri. Ram —9G 180
Caroline Clo. Hey —8L 21
Caroline Ct. Burn —5N 123
Caroline St. Blac —7B 88
Caroline St. Pres —8M 115
Carpenters Way. Roch —9E 204
Carr. —7G 181
Carradice Clo. Nels —2H 105
Carr Bank. —5L 201
(Bury)
Carr Bank. —1J 5
(Milnthorpe)
Carr Bank. Ram —7G 181
Carr Bank Av. Ram —7G 181
Carr Bank Dri. Ram —7G 181
Carr Bank Rd. Carr B —2J 5
Carr Bank Rd. Ram —7G 181
Carr Barn Brow. Bam B —1E 154
Carr Bri. Pk. Blac —2M 109
Carr Brook Clo. Whit W —7D 154
Carr Clo. Hamb —8B 56
Carr Clo. Pil —8H 43
Carr Clo. Poul F —9L 63
Carr Cft. Rim —4K 75
Carr Cross. —5C 188
Carrdale. Hut —6A 134
Carr Dene Ct. K'ham —4A 112
Carr Dri. Wesh —3K 111
Carr End La. Stalm —5B 56
Carr Fld. Bam B —3E 154
Carrfield Vs. Todm —7D 146
Carr Fold. Ram —7G 181
Carr Ga. T Clev —8C 54
Carr Gro. Miln —7K 205
Carr Hall. —9F 84
Carr Hall Dri. Barfd —1F 104
Carr Hall Gdns. Barfd —1F 104
Carr Hall Rd. Barfd —9E 84
Carr Hall St. Has —2G 160
Carr Head. Traw —9F 86
Carr Head La. Poul F —1L 89
Carr Hey. T Clev —1G 63
Carr Ho. Fold. Todm —1N 165
Carr Ho. La. Breth —8G 151
Carr Ho. La. Lanc —9J 23
Carr Ho. La. Liv —7E 214
Carr Ho. La. Todm —1N 165
Carr Ho. La. Wrigh —5J 193
Carr Houses. —7F 214
Carriage Dri. L'boro —7M 185
Carrick M. Blac —8H 89
(off Knutsford Rd.)
Carrier's Row. Col —5H 87
Carrington Av. B'brn —8K 139
Carrington Cen., The. E'ston —8F 172
Carrington Clo. Roch —2G 204
Carrington Gro. More —3E 22
Carrington Rd. Adl —6H 195
(in two parts)
Carrington Rd. Chor —7D 174
Carr La. B'brn —2F 138
Carr La. Chor —9E 174
Carr La. Con C —2H 53
Carr La. Crost —7M 171
Carr La. Far —4K 153
Carr La. Hamb —1B 64
Carr La. Hey & M'ton —8K 27
Carr La. K'ham —4A 112

Carr La.—Charles Way

Carr La. Lath —9E 190
Carr La. Mag —6M 215
Carr La. Miln —7M 205
Carr La. New H —6L 161
Carr La. Pil —8H 43
Carr La. South —6F 186
(in two parts)
Carr La. Stalm —1A 90
Carr La. Tar —7D 150
Carr La. W'ton —2G 130
Carr La. Waterf —7C 162
Carr Mdw. Bam B —1E 154
Carr Mill St. Has —2G 160
Carr Moss La. Hals —9G 187
Carr Mt. Ross —6L 161
Carroll Cres. Orm —5L 209
Carrol St. Pres —8L 115
Carr Pl. Bam B —9D 136
Carr Rd. Barn —1L 77
Carr Rd. Burn —6C 124
Carr Rd. Clay W —5D 154
Carr Rd. Col —5B 86
Carr Rd. Dar —7B 158
Carr Rd. Fltwd —8F 40
Carr Rd. Hamb —1B 64
Carr Rd. Hor —8C 196
Carr Rd. K'ham —5N 111
Carr Rd. Nels —1G 104
Carr Rd. Ross —6L 161
Carr Rd. T Clev —5D 62
Carr Rd. Todm —7C 146
Carr Rd. Water —9G 144
Carrs. —3F 160
Carrs Green. —3H 93
Carr Side La. Liv —8G 214
Carrs Ind. Est. Has —4F 160
Carr St. Bam B —8A 136
Carr St. B'brn —2M 139
Carr St. Chor —5G 174
Carr St. Has —2G 160
Carr St. Hey —9K 21
Carr St. Pres —1L 135
Carr St. Ram —7G 181
Carrs Wood. B'brn —2G 139
Carr Vw. Traw —1F 106
Carrwood Dri. K'ham —4N 111
Carrwood Grn. Pad —1H 123
Carrwood Hey. Ram —1F 200
Carrwood Pk. South —2H 187
Carrwood Rd. Walt D —5K 135
Carrwood Way. Walt D —5L 135
Carry Bridge. —7C 86
Carry La. Col —6B 86
Carshalton Rd. Blac —2B 88
Carside. Brier —1F 104
Carsluith Av. Blac —7E 88
Carson Rd. Blac —9G 89
Carter Av. Hap —5H 123
Carter Av. Rainf —5L 225
Carter Fold. Mel —7F 118
Carter's La. Gis —6M 51
Carters, The. Boot —6A 222
Carter St. Acc —4A 142
Carter St. Blac —5B 88
Carter St. Burn —2A 124
Carter St. Pres —1G 135
Carterville Clo. Blac —2G 108
Cartford Clo. L Ecc —5M 65
Cartford La. L Ecc —6M 65
Cart Ga. Pre —1A 56
Cartmel. Roch —5B 204
(off Spotland Rd.)
Cartmel Av. Acc —5N 141
Cartmel Av. Fltwd —3D 54
Cartmel Av. Lanc —7M 29
Cartmel Av. Liv —9D 216
Cartmel Av. Miln —9J 205
Cartmel Cen., The. More —3B 22
Cartmel Clo. South —2M 187
Cartmel Dri. Burn —1N 123
Cartmel Dri. Form —1B 214
Cartmel Dri. Hogh —4G 136
Cartmell La. Lyth A —1C 130
Cartmell La. Nate —4F 58
Cartmell Rd. Blac —9K 89
Cartmell Rd. Lyth A —4F 128
Cartmel Pl. Ash R —7B 114
(in two parts)
Cartmel Pl. More —4C 22
Cartmel Rd. B'brn —5H 139
Cartmel Rd. Lanc —6M 23
Cartmel Rd. Ley —7G 152
Cartwright Clo. Rainf —4K 225
Cartwright Ct. Lanc —2J 29
Carus Av. Hodd —6E 158
Carus Pk. Ark —4C 18
Carus St. Hodd —6F 158
Carver Brow. High W —4F 136
Carvers Brow. Crost —5M 171
Carwags La. Goos —6B 70
Carwood La. Whit W —8E 154
(in two parts)
Caryl Rd. Lyth A —9C 108
Casserley Rd. Col —5C 86
Casson Ga. Roch —4B 204
Castercliff Bank. Col —8N 85
Castercliffe Rd. Nels —2M 105
Casterton. —5G 8
Casterton. Eux —4M 173
Casterton Av. Burn —7F 104
Casterton Golf Course. —6G 8
Castle Av. Poul F —5H 63
Castle Av. Roch —7B 204
Castle Bank. Silv —7G 4
Castlebergh La. Set —3N 35
Castle Clo. Col —5B 86
Castle Clough Cotts. Burn —5G 123
Castle Cres. Hor —8D 196
Castle Dri. Adl —7G 194
Castle Fold. Pen —6J 135
Castle Gdns. Cres. Poul F —6H 63
Castle Ga. Blac —9B 88
Castlegate. Clith —3L 81
Castle Gro. Ram —3F 200
Castlehey. Skel —5B 220
Castle Hill. Lanc —8J 23
Castle Hill. Roch —7B 204
Castle Hill. Set —3N 35
(off High St.)
Castle Hill Cres. Roch —7B 204
Castle Hill Rd. Bury —5A 202
Castle Ho. La. Adl —7G 195
Castle La. Gars —6N 59
Castle La. Lath & W'head —6B 210
Castle La. Stain —5K 89
Castle La. Todm —1N 165
Castle La. Clo. Todm —1N 165
Castlemere St. Roch —7B 204
Castlemere Ter. Roch —7C 204
Castle Mt. Ful —2J 115
Castle Pde. Lanc —8J 23
(off Hillside)
Castle Pk. Horn —7C 18
Castle Pk. Lanc —8J 23
Castle Pk. M. Lanc —8J 23
Castlerigg Dri. Burn —1N 123
Castlerigg Pl. Blac —9J 89
Castle Rd. Col —5B 86
Castle Street. —1N 165
Castle St. B'brn —3B 140
Castle St. Brier —4F 104
Castle St. Burn —2D 124
Castle St. Chor —7F 174
Castle St. Clith —3L 81
Castle St. Hap —5H 123
Castle St. Nels —2K 105
Castle St. Pres —8J 115
Castle St. South —6H 167
Castle St. S'seat —3J 201
Castleton Dri. Boot —6A 222
Castleton Rd. Pres —8L 115
Castleton Way. Wig —9M 221
Castletown Dri. Bacup —7M 163
Castle Vw. Barn —3M 77
Castle Vw. Clith —3L 81
Castle Vw. Todm —3L 165
(off Honey Hole Clo.)
Castle Wlk. Pen —1F 134
Castle Wlk. South —8G 166
Castle Walks. Crost —4M 171
Catches Clo. Roch —5M 203
Catches La. Roch —5M 203
Cateaton St. Bury —9L 201
Cat Fold. Foul —2A 86
(off Chapel St., in two parts)
Catforth. —6K 93
Catforth Av. Blac —9H 89
Catforth Rd. Ash R —8B 114
Catforth Rd. Catf —4J 93
Catharine's La. Bic —1L 217
Cathedral Clo. B'brn —3M 139
(off Church St.)
Cathedral Dri. Heat O —6B 22
Catherine Clo. Wesh —2L 111
Catherine St. Chor —8E 174
Catherine St. Pres —9L 115
Catherine St. Wesh —3L 111
Catherine St. E. Hor —9C 196
Catherine St. W. Hor —8C 196
Cathrow Dri. New L —9D 134
Cathrow Way. T Clev —1K 63
Catley Clo. Whit W —1E 174
Catley Lane Head. —1L 203
Catlow. —5N 105
Catlow Hall St. Osw —5L 141
Caton. —2H 25
Caton Av. Fltwd —3D 54
Caton Clo. L'rdge —2K 97
Caton Clo. South —2M 167
Caton Dri. Ley —5A 154
Caton Green. —1L 25
Caton Grn. Rd. Brook —2K 25
Caton Gro. Blac —3F 88
Caton Rd. Lanc & Crook L —7L 23
Caton St. Roch —7C 204
Cato St. Ram —1F 200
Cat Tail La. South —4D 188
Cattan Grn. Liv —9B 206
Catterall. —1N 67
Catterall Clo. Blac —3D 88
Catterall Cres. Bolt —7K 199
Catterall Gates La. Catt —1N 67
(in three parts)
Catterall La. Catt —3M 67
Catterall St. B'brn —8K 139
Catterick Fold. South —2M 187
Cattle St. Gt Har —4J 121
Caunce Av. South —9F 148
Caunce's Rd. South —1G 189
Caunce St. Blac —5C 88
Causeway. Foul —2A 86
Causeway. Gt Har —4H 121
Causeway Av. Ful —5E 114
Causeway Cft. Clith —2L 81
Causeway Head. Has —7F 160
Causeway La. Liv —2G 215
Causeway La. Ruf —4F 190
Causeway St. Dar —8C 158
Causeway, The. Chor —6G 175
Causeway, The. Ley —9C 152
Causeway, The. South —1B 168
Causeway Wood Rd. Todm —3N 165
Causey Foot. Nels —3G 105
Cavalry Way. Burn —3B 124
Cavendish Ct. Bolt S —4L 15
Cavendish Ct. South —5L 167
Cavendish Cres. Rib —6B 116
Cavendish Dri. Rib —6B 116
Cavendish Dri. Wig —9N 221
Cavendish Gdns. K Lon —6F 8
(off Salt Pie La.)
Cavendish Mans. T Clev —8C 54
Cavendish Pl. B'brn —5J 139
Cavendish Pl. Walt D —5N 135
Cavendish Rd. Blac —8B 62
Cavendish Rd. Hey —5M 21
Cavendish Rd. Lyth A —9C 108
Cavendish Rd. Pres —8A 116
Cavendish Rd. South —2F 186
Cavendish St. Barn —3L 77
Cavendish St. Chor —7G 174
Cavendish St. Dar —4N 157
Cavendish St. Lanc —8H 23
Cave St. B'brn —7J 139
Cave St. Pres —9N 115
Cavour St. Burn —2D 124
Cawthorne St. Lanc —8J 23
Caxton Av. Blac —6C 62
Caxton Rd. Ful —1L 115
Cayley St. Roch —6E 204
Cecilia Rd. B'brn —6G 139
Cecilia St. Pres —8N 115
Cecil St. Barn —1L 77
Cecil St. B'brn —2A 140
Cecil St. Blac —3C 88
Cecil St. L'boro —9J 185
Cecil St. Lyth A —5N 129
Cecil St. Osw —4L 141
Cecil St. Rish —7J 121
Cecil St. Roch —8C 204
Cedar Av. Ash R —7D 114
Cedar Av. Eux —2M 173
Cedar Av. Fltwd —4E 54
Cedar Av. Has —4H 161
Cedar Av. Los H —8L 135
Cedar Av. Poul F —2K 89
Cedar Av. Pre —8N 41
Cedar Av. Raw —5K 161
Cedar Av. T Clev —1E 62
Cedar Av. W'ton —2J 131
Cedar Bank Clo. Firg —7G 204
Cedar Clo. Gars —4M 59
Cedar Clo. Grims —9F 96
Cedar Clo. Newt —7E 112
Cedar Clo. Rish —9H 121
Cedar Ct. B'brn —1N 139
Cedar Cres. K'ham —5M 111
Cedar Cres. Orm —8J 209
Cedar Cres. Ram —7H 181
Cedar Fld. Clay W —5E 154
Cedar Gro. Longt —7L 133
Cedar Gro. Mag —4C 222
Cedar Gro. Orr —5J 221
Cedar Gro. Skel —2J 219
Cedar La. Miln —9L 205
Cedar Rd. Chor —4F 174
Cedar Rd. Lanc —8H 23
Cedar Rd. Rib —7A 116
Cedars Clo. Barn —3L 77
Cedar Sq. Blac —5B 88
Cedars, The. Bolt —7F 198
Cedars, The. Chor —1D 194
Cedars, The. E'ston —7E 172
Cedars, The. New L —8C 134
Cedar St. Acc —2B 142
Cedar St. B'brn —9N 119
Cedar St. Burn —4F 124
Cedar St. More —4N 21
Cedar St. Roch —4C 204
Cedar St. South —1J 187
Cedar St. Todm —7K 165
Cedar Towers. Liv —7L 223
Cedar Wlk. Elsw —1L 91
Cedar Way. Pen —5E 134
Cedarwood Clo. Lyth A —4L 129
Cedarwood Dri. Ley —7H 153
Cedarwood Pl. Lanc —9N 23
Cedric Pl. Blac —7C 62
Celandine Clo. L'boro —8J 185
Celandine Wlk. Wig —7L 221
Celia St. Burn —4G 124
Cemetery La. Burn —5M 123
Cemetery La. Pre —4N 55
Cemetery Rd. Dar —9B 158
Cemetery Rd. Earby —2E 78
Cemetery Rd. Pad —2H 123
Cemetery Rd. Pres —8M 115
Cemetery Rd. Ram —1F 200
Cemetery Rd. South —1H 187
Cemetery Vw. Adl —7H 195
Centenary Way. Burn —4D 124
Central Av. Clith —4K 81
Central Av. Hogh —6G 136
Central Av. Lanc —4K 23
Central Av. L'boro —8L 185
Central Av. Osw —4J 141
Central Av. Ram —4J 181
Central Av. South —5F 186
Central Av. Wesh —3K 111
Central Av. N. T Clev —9F 54
Central Beach. Lyth A —5A 130
Central Bldgs. Pad —9H 103
(off Factory La.)
Central Dri. Blac —6B 88
Central Dri. Bury —5L 201
Central Dri. Lyth A —3J 129
Central Dri. More —3N 21
Central Dri. Pen —4C 134
Central Dri. Rainf —3K 225
Central Dri. Shev —6L 213
Central Sq. Has —4G 160
Central Sq. Liv —9C 216
Central St. Ram —8G 181
Central Vw. Bacup —5L 163
Centre Dri. Clay W —3D 154
Centre Rd. Loth —6L 79
Centre Va. L'boro —7M 185
Centre Va. Clo. L'boro —7M 185
Centurion Clo. B'brn —9B 140
Centurion Ct. Ful —6J 115
Centurion Ind. Est. Far —4L 153
Centurion Way. B'brn —1B 158
Centurion Way. Far —3K 153
Century Gdns. Roch —5C 204
Ceres Way. Lanc —8G 22
Chaddock St. Pres —1J 135
Chadfield Rd. Blac —8D 88
Chad St. Col —9L 85
Chadwell Rd. Liv —6L 223
Chadwick Clo. Miln —8K 205
Chadwick Fold. Bury —6L 201
Chadwick Gdns. Los H —9K 135
Chadwick Hall Rd. Roch —7M 203
Chadwick St. B'brn —5L 139
Chadwick St. Blac —7C 88
Chadwick St. Bury —9C 202
Chadwick Ter. Roch —1A 204
Chaffinch Clo. T Clev —7F 54
Chaffinch Ct. Blac —4H 89
Chaffinch Dri. Bury —9A 202
Chaigley Ct. Chai —3A 80
Chaigley Farm Cotts. Chai —3A 80
Chaigley Rd. L'rdge —2K 97
Chain Caul Rd. Ash R —1B 134
Chain Caul Way. Ash R —9B 114
Chain Ho. La. Wstke —9E 134
Chain La. Stain —5K 89
Chale Grn. Bolt —9L 199
Chalfont Fld. Ful —4F 114
Challenge Way. B'brn —1C 140
Challenge Way. Wig —1M 221
Challen Hall M. Silv —5J 5
Chamber Ho. Dri. Roch —9M 203
Chamberhouse Urban Farm. —9L 203
Chamberlain Dri. Liv —5L 223
Chamber St. Ross —8E 144
Chambres Rd. South —9K 167
Chambres Rd. N. South —8K 167
Champagne Av. T Clev —4F 62
Chancel Pl. Dar —7C 158
Chancel Pl. Roch —6C 204
Chancel Way. Dar —7C 158
Chancery Clo. Cop —4B 194
Chancery Ct. K Lon —6F 8
(off Lunefield Dri.)
Chancery Rd. Chor —3C 174
Chancery Wlk. Burn —3E 124
Chandler Bus. Pk. Ley —5H 153
(off Talbot Rd.)
Chandlers Cft. Hesk B —4C 150
Chandlers Rest. Lyth A —5C 130
Chandler St. Pres —9H 115
Chandley Clo. South —8A 186
Change Clo. Bacup —3M 163
Changford Grn. Liv —7M 223
Changford Rd. Liv —7M 223
Channel Way. Ash R —9F 114
Channing Ct. Roch —7E 204
Channing Rd. Lyth A —4J 129
Channing Sq. Roch —7E 204
Channing St. Roch —7E 204
Chantry Brow. Hor —9L 195
Chapel Brow. Ley —5L 153
Chapel Brow. L'rdge —4K 97
Chapel Clo. Clith —3H 81
Chapel Clo. Hest B —8H 15
Chapel Clo. Over —7A 28
Chapel Clo. Todm —9L 165
Chapel Clo. Traw —9E 86
Chapel Clo. Wesh —2L 111
Chapel Clo. W Brad —7L 73
Chapel Clo. Whal —5J 101
Chapel Ct. Brclf —7L 105
Chapel Ct. Garg —3M 53
(off Skipton Rd.)
Chapel Ct. Orm —8K 209
Chapel Fld. Col —7A 86
Chapel Fields. Tur —1J 199
Chapel Fold. Wis —3M 101
Chapel Gdns. G'mnt —4C 200
Chapel Gdns. Hesk B —3C 150
Chapel Ga. Miln —7J 205
Chapel Grange. Tur —1J 199
Chapel House. —1H 219
Chapel Hill. L'boro —9L 185
Chapel Hill. L'rdge —4J 97
Chapel Hill. Salt —5A 78
Chapel Hill La. Ross —3N 161
Chapel Hill Trad. Est. L'rdge —4J 97
Chapel Ho. Rish —8J 121
(off Chapel St.)
Chapelhouse La. K Lon —6F 8
Chapel Ho. Rd. Nels —4H 105
Chapel Houses. Whitw —2A 184
(off Oak Clo.)
Chapel Ho. Wlk. Liv —9A 206
Chapel La. Arns —1F 4
Chapel La. Banks —8G 148
Chapel La. Burs —2C 210
Chapel La. Burt L —3K 19
Chapel La. Catf —5G 92
Chapel La. Cop —3B 194
Chapel La. Ellel —1M 37
Chapel La. Form —9A 206
Chapel La. Good —7M 143
Chapel La. Grin —4A 74
Chapel La. H'pey —9H 155
Chapel La. Hogh —6L 137
Chapel La. Holc —8F 180
Chapel La. H'wd —9N 169
Chapel La. K Lon —6F 8
(off Main St.)
Chapel La. Lang —7B 100
Chapel La. Longt —8M 133
Chapel La. Mell —6F 222
Chapel La. New L —8A 134
Chapel La. Out R —1F 64
Chapel La. Over —6B 28
Chapel La. Parb —3A 212
Chapel La. W Brad —7L 73
Chapel La. Bus. Pk. Cop —4B 194
Chapel Mdw. Longt —8N 133
Chapel Meadows. Tar —1E 170
Chapel M. Earby —3E 78
(off Cowgill St.)
Chapel M. Orm —8L 209
Chapel Moss. Orm —8K 209
Chapel Pk. Rd. Longt —8N 133
Chapel Ri. Bill —6H 101
Chapel Rd. Blac —2G 108
Chapel Rd. Ful —5K 115
Chapel Rd. Hesk B —3B 150
Chapel Rd. Res. Site. Blac —1H 109
Chapels. —4B 158
Chapels. Dar —4A 158
Chapels Brow. Dar —4A 158
(in two parts)
Chapelside Clo. Catt —1A 68
Chapels La. Toc —5G 157
Chapel Sq. Brook —2K 25
Chapel Sq. Earby —2F 78
(off Earlham St.)
Chapel Sq. Set —3N 35
(off Victoria St.)
Chapel St. Acc —3B 142
Chapel St. Adl —7H 195
Chapel St. Bacup —7G 163
Chapel St. Barn —2M 77
Chapel St. Bel —9K 177
Chapel St. Belt —1F 158
Chapel St. B'brn —4L 139
Chapel St. Blac —6B 88
Chapel St. Brier —4F 104
Chapel St. Brins —7N 155
Chapel St. Burn —3E 124
Chapel St. Chor —6E 174
(in two parts)
Chapel St. Clay M —6L 121
Chapel St. Col —7A 86
Chapel St. Cop —4A 194
Chapel St. Dar —7A 158
Chapel St. Earby —2E 78
Chapel St. Eger —2D 198
Chapel St. Foul —2B 86
Chapel St. Gal —2L 37
Chapel St. Good —8M 143
Chapel St. Gt Ecc —6N 65
Chapel St. Has —4G 160
Chapel St. High —5L 103
Chapel St. Hor —9D 196
Chapel St. Lanc —8K 23
Chapel St. L'boro —4N 185
Chapel St. L'rdge —3K 97
Chapel St. Lyth A —5N 129
Chapel St. More —3A 22
Chapel St. Nels —2J 105
Chapel St. Newc —6C 162
Chapel St. Orm —8L 209
Chapel St. Orr —5L 221
Chapel St. Osw —4L 141
Chapel St. Pem —6L 221
Chapel St. Poul F —8K 63
Chapel St. Pres —1J 135
Chapel St. Rish —8J 121
Chapel St. Roch —9D 204
Chapel St. Set —3N 35
Chapel St. Slai —5C 50
Chapel St. South —7H 167
Chapel St. Todm —1N 165
Chapel St. Ward —7F 184
Chapel St. Whitw —6N 183
Chapel St. Wors —4L 125
Chapel St. Ct. Poul F —8K 63
Chapel St. S. Todm —6K 165
Chapel Ter. Ross —2D 162
Chapeltown. —1J 199
Chapeltown Rd. Brom X —6H 199
Chapeltown Rd. Tur & Tur —3J 199
Chapel Vw. Over —7B 28
Chapel Wlk. Cop —4A 194
Chapel Wlk. Pad —9H 103
Chapel Wlk. War —4B 12
Chapel Walks. K'ham —5N 111
Chapel Walks. Pres —1J 135
Chapel Way. Cop —5B 194
Chapel Yd. Cop —4B 194
Chapel Yd. Set —3N 35
(off High St.)
Chapel Yd. Walt D —3N 135
Chapman Clo. Gt Ecc —6N 65
Chapman Ct. Barn —1M 77
Chapman Ct. Fltwd —1F 54
Chapman Rd. Ful —6K 115
Chapman Rd. Hodd —6F 158
Chapter Rd. Dar —7C 158
Chardonnay Cres. T Clev —4F 62
Charity La. W'head —9C 210
Charlbury Gro. Hey —9M 21
Charles Av. South —7E 186
Charlesbye Av. Orm —6M 209
Charlesbye Clo. Orm —6N 209
Charles Clo. Hesk B —4C 150
Charles Ct. Blac —3D 88
Charles Ct. Lanc —1K 29
(off Charles St.)
Charles Ct. South —7J 167
Charles Cres. Hogh —5E 136
Charles Gro. L'rdge —3H 97
Charles La. Has —5F 160
Charles La. Miln —8K 205
Charles M. Miln —8K 205
Charles Pl. Todm —4K 165
Charles St. B'brn —6L 139
Charles St. Blac —5C 88
Charles St. Bury —9L 201
Charles St. Clay M —6L 121
Charles St. Col —6B 86
Charles St. Dar —5A 158
Charles St. Eger —2D 198
Charles St. Gt Har —5J 121
Charles St. Lanc —1K 29
Charles St. L'boro —9K 185
Charles St. More —3C 22
Charles St. Nels —1H 105
Charles St. Osw —5L 141
Charles St. Ross —5D 162
Charles St. Whitw —4A 184
Charleston Ct. Bam B —7A 136
Charles Way. Ash R —7B 114

Charlesway Ct.—Church St.

Charlesway Ct. Lea —8B 114
Charles Whittaker St. Roch —4K 203
Charlesworth Clo. Liv —6A 216
Charleywood Rd. Know I —9N 223
Charlotte Dri. Wig —7N 221
Charlotte Pl. Pres —1K 135
Charlotte's La. Tar —3C 170
Charlotte St. B'brn —2M 139
Charlotte St. Burn —4D 124
Charlotte St. Pres —1K 135
Charlotte St. Ram —9G 180
Charlotte St. Roch —9D 204
Charlotte St. Tur —1J 199
Charnley Clo. Pen —6F 134
Charnley Fold. Walt D —5B 136
Charnley Fold Ind. Est. Bam B —5B 136
Charnley Fold La. Bam B —5B 136
Charnley Rd. Blac —6B 88
Charnley's La. Banks & South —7D 148
(in two parts)
Charnley St. B'brn —6K 139
Charnley St. Lanc —7H 23
Charnley St. Pres —1J 135
Charnock. Skel —5B 220
Charnock Av. Pen —6H 135
Charnock Bk. La. Hth C —9K 175
Charnock Brow. Char R —7M 173
Charnock Brow Golf Course. —7N 173
Charnock Fold. Pres —7K 115
Charnock Green. —8M 173
Charnock Ho. Chor —4E 174
(off Lancaster Ct.)
Charnock Richard. —2N 193
Charnock Richard Golf Course. —2M 193
Charnock St. Chor —7F 174
Charnock St. Ley —6K 153
Charnock St. Pres —7K 115
Charnock St. Wesh —3L 111
Charnock's Yd. Wig —6L 221
Charnwood Av. Blac —4G 89
Charnwood Clo. B'brn —9H 119
Charter Brook. Gt Har —4K 121
Charterhouse Ct. Fltwd —9D 40
Charterhouse Dri. Liv —8D 222
Charterhouse Pl. B'brn —5J 139
Charter La. Char R —1N 193
Charter St. Acc —3M 141
Charter St. Roch —9D 204
Chartwell Clo. Clay W —5E 154
Chartwell Ri. Los H —8M 135
Chartwell Rd. South —7B 186
Chasden Clo. Whit W —1E 174
Chase Clo. South —1F 186
Chase Heys. South —5M 167
Chaseley Rd. Roch —5B 204
Chase, The. Blac —3J 89
Chase, The. Burn —1B 124
Chase, The. Cot —4A 114
Chase, The. Ley —5M 153
Chase, The. Silv —9H 5
Chase, The. T Clev —8G 55
Chatburn. —7C 74
Chatburn Av. Burn —4H 125
Chatburn Av. Clith —2M 81
Chatburn Clo. Blac —2H 89
Chatburn Clo. Gt Har —4L 121
Chatburn Clo. Ross —3M 161
Chatburn Old Rd. Chat —7B 74
Chatburn Old Rd. Clith —9M 73
Chatburn Pk. Av. Brier —4E 104
Chatburn Pk. Dri. Brier —4E 104
Chatburn Pk. Dri. Clith —1M 81
Chatburn Rd. Chat —7E 74
Chatburn Rd. Clith —2M 81
Chatburn Rd. L'rdge —4J 97
Chatburn Rd. Rib —5A 116
Chatburn St. B'brn —3K 139
Chatham Av. Lyth A —8E 108
Chatham Cres. Col —5B 86
Chatham Pl. Chor —6G 175
Chatham Pl. Pres —7L 115
Chatham St. Col —5B 86
Chatham St. Nels —1H 105
Chatsworth Av. Blac —5C 62
Chatsworth Av. Fltwd —2C 54
Chatsworth Av. W'ton —2J 131
Chatsworth Clo. Barfd —1F 104
Chatsworth Clo. B'brn —8M 119
Chatsworth Clo. Chor —6D 174
Chatsworth Clo. T Clev —2K 63
Chatsworth Ct. Hth C —4H 195
Chatsworth Rd. Lanc —3K 29
Chatsworth Rd. Ley —6K 153
Chatsworth Rd. Lyth A —1D 128
Chatsworth Rd. More —5N 21
Chatsworth Rd. South —7A 186
Chatsworth Rd. Walt D —5N 135
Chatsworth St. Pres —9M 115
Chatsworth St. Roch —2B 204
Chatsworth St. Wig —6M 221
Chatteris Pl. T Clev —2C 62
Chatterton. —5H 181
Chatterton. Ram —4H 181
(off Well St. N.)
Chatterton Dri. Acc —6D 142
Chatterton Old La. Ram —4H 181
Chatterton Rd. Ram —4H 181
Chatwell Ct. Miln —9M 205
Chaucer Av. T Clev —9F 54
Chaucer Clo. E'ston —8E 172
Chaucer Gdns. Gt Har —5H 121
Chaucer Rd. Fltwd —9G 40
Chaucer St. Pres —7N 115
Cheam Av. Chor —8F 174
Cheapside. Blac —5B 88
Cheapside. Chor —7E 174
Cheapside. Form —1A 214
Cheapside. Lanc —8K 23
Cheapside. L Bent —6J 19
(off Doctor's Hill)
Cheapside. Pres —1J 135
Cheapside. Set —3N 35
(off High St.)
Cheddar Av. Blac —3D 108
Cheddar Dri. Ful —3N 115
Chedworth Av. Hey —9M 21
Cheesden. —9B 182
Cheesden Edge. Roch —9C 182
Cheetham Hill. Whitw —3A 184
Cheetham Mdw. Ley —6D 152
Cheetham St. B'brn —3K 139
Cheetham St. Roch —5C 204
Chelburn Gro. Burn —3G 124
Chelburn Vw. L'boro —5M 185
Chelford Av. Blac —2E 88
Chelford Av. Bolt —8E 198
Chelford Clo. Pen —7J 135
Chelmorton Gro. Wig —9M 221
Chelmsford Clo. Lanc —2M 29
Chelmsford Gro. Chor —7D 174
Chelmsford Pl. Chor —7D 174
Chelmsford Wlk. Ley —7D 152
Chelsea Av. Blac —1E 88
Chelsea Ct. Blac —1E 88
(off Chelsea Av.)
Chelsea M. Blac —1E 88
(off Bispham Rd.)
Chelsea St. Roch —8A 204
Chelston Dri. Ross —8F 160
Cheltenham Av. Acc —9B 122
Cheltenham Clo. Liv —9D 222
Cheltenham Cres. Lyth A —3C 130
Cheltenham Cres. T Clev —3K 63
Cheltenham Dri. Bil —9G 220
Cheltenham Rd. B'brn —3K 139
Cheltenham Rd. Blac —3B 88
Cheltenham Rd. Lanc —2K 29
Cheltenham St. Roch —9A 204
Cheltenham Way. South —1M 187
Chelwood Clo. Bolt —6D 198
Chennell Ho. Lanc —8J 23
(off Castle Pk. M.)
Chepstow Clo. Roch —5K 203
Chepstow Ct. Blac —2F 88
Chepstow Rd. Blac —2F 88
Chequer Clo. Uph —6C 220
Chequer La. Uph —4C 220
Chequers. Clay M —7M 121
Chequers Av. Lanc —3M 29
Cheriton Fld. Ful —2F 114
Cheriton Gdns. Hor —7C 196
Cheriton Pk. South —2L 187
Cherry Clo. B'brn —3B 140
Cherry Clo. Ful —3N 115
Cherry Clo. K'ham —4K 111
Cherryclough Way. B'brn —8H 139
Cherry Cres. Osw —6K 141
Cherry Cres. Ross —7L 161
Cherrycroft. Skel —4B 220
Cherrydale. Blac —6D 62
Cherryfield Cres. Liv —8K 223
Cherryfield Dri. Liv —8J 223
Cherryfields. Eux —2N 173
Cherry Gdns. Catt —2A 68
Cherry Grn. Augh —2G 217
Cherry Gro. Abb V —5C 156
Cherry Gro. Burs —7C 190
Cherry Gro. L'rdge —2J 97
Cherry Gro. Roch —5L 203
Cherry La. Frec —4M 131
Cherry Lea. B'brn —7G 139
Cherry Rd. South —2D 206
Cherry St. B'brn —3B 140
Cherry Tree. —7G 138
Cherrytree Clo. Bolt S —7K 15
Cherry Tree Clo. Hey —1K 27
Cherry Tree Clo. Pil —8K 43
Cherry Tree Ct. Blac —9H 89
(off Radworth Cres.)
Cherry Tree Ct. Fltwd —8H 41
Cherry Tree Ct. Stand —2N 213
Cherry Tree Dri. Lanc —3K 29
Cherry Tree Gdns. Blac —1G 108
Cherry Tree Gro. Chor —3E 174
Cherry Tree La. Augh —2G 217
Cherry Tree La. B'brn —8F 138
Cherry Tree La. Ross —6L 161
Cherry Tree M. Burn —6B 124
(off Bristol St.)
Cherry Tree Rd. Blac —1G 108
Cherry Tree Rd. N. Blac —9G 89
Cherry Trees. Los H —5M 135
Cherry Tree Ter. B'brn —7G 138
Cherry Tree Way. Bolt —9H 199
Cherry Tree Way. Ross —8F 160
Cherry Va. Hesk B —5D 150
Cherry Vw. Liv —5L 223
Cherry Wood. Pen —5D 134
Cherrywood Av. Lyth A —4L 129
Cherrywood Av. T Clev —2C 62
Cherrywood Clo. Ley —7H 153
Chervil Wlk. Wig —7M 221
Cheryl Dri. T Clev —3H 63
Chesham. —8M 201
Chesham Cres. Bury —9M 201
Chesham Dri. New L —8C 134
Chesham Fold Rd. Bury —9N 201
Chesham Ind. Est. Bury —9M 201
Chesham Lodge. Gt Ecc —7N 65
Chesham Rd. Bury —9L 201
Chesham St. Gt Ecc —6N 65
Cheshire Ct. Ram —8J 181
Cheshire Ho. Clo. Far M —9J 135
Chesmere Dri. Pen —3E 134
Chesnell Gro. Liv —5L 223
Chessington Grn. Burn —7H 105
(off Hillingdon Rd. N.)
Chester Av. Chor —1G 194
Chester Av. Clith —2L 81
Chester Av. Poul F —8J 63
Chester Av. Roch —7L 203
Chester Av. South —6L 167
Chester Av. T Clev —1D 62
Chesterbrook. Ribch —6F 98
Chester Clo. B'brn —5A 140
Chester Clo. Gars —5M 59
Chester Clo. Heat O —6B 22
Chester Cres. Has —7G 160
Chester Dri. Ram —1F 200
Chesterfield Clo. South —9B 186
Chesterfield Dri. Liv —5K 223
Chesterfield Rd. Blac —3B 88
Chesterfield Rd. South —9B 186
Chester Pl. Adl —5J 195
Chester Pl. Gt Ecc —6A 66
Chester Pl. Lanc —2L 29
Chester Rd. Blac —3D 88
Chester Rd. Pres —8M 115
Chester Rd. South —6M 167
Chester St. Acc —3N 141
Chester St. B'brn —4A 140
Chester St. Bury —9M 201
Chester St. Roch —7D 204
Chestnut Av. Blac —4F 108
Chestnut Av. Bolt S —4L 15
Chestnut Av. Brook —2J 25
Chestnut Av. Chor —4G 174
Chestnut Av. Eux —1M 173
Chestnut Av. Pen —4D 134
Chestnut Av. Todm —9K 147
Chestnut Av. Tot —8F 200
Chestnut Clo. Gars —3A 60
Chestnut Clo. Hals —3B 208
Chestnut Clo. K'ham —4N 111
Chestnut Clo. Walt D —6A 136
Chestnut Ct. Ley —8K 153
Chestnut Ct. Orm —6L 209
Chestnut Ct. South —6J 167
Chestnut Cres. Barr —1K 101
Chestnut Cres. Longt —8K 133
Chestnut Cres. Rib —7A 116
Chestnut Dri. Barn —3L 77
Chestnut Dri. Bury —6L 201
Chestnut Dri. Ful —2G 114
Chestnut Dri. More —2F 22
Chestnut Dri. Ross —7L 161
Chestnut Gdns. B'brn —1N 139
Chestnut Grange. Orm —9J 209
Chestnut Gro. Acc —4N 141
Chestnut Gro. Clay M —5N 121
Chestnut Gro. Dar —1A 178
Chestnut Gro. Lanc —8H 23
Chestnut Pl. Roch —5E 204
Chestnut Ri. Burn —5D 124
Chestnuts, The. Cop —3B 194
Chestnut St. South —1J 187
Chestnut Wlk. B'brn —3B 140
(off Longton St.)
Chestnut Way. L'boro —8J 185
Chethams Clo. T Clev —1G 62
Chetwyn Av. Brom X —6G 199
Chevassut Clo. Barfd —1G 104
Cheviot Av. Burn —4J 125
Cheviot Av. Lyth A —3D 130
Cheviot Av. T Clev —8F 54
Cheviot Clo. Bolt —8D 198
Cheviot Clo. Bury —9F 200
Cheviot Clo. Hor —8D 196
Cheviot Clo. Miln —7K 205
Cheviot Clo. Ram —1H 201
Cheviot Clo. Wig —9M 221
Cheviot St. Pres —9G 114
Cheviot Way. Liv —4L 223
Chew Gdns. Poul F —8H 63
Chew La. Garg —3M 53
Chichester Bus. Cen. Roch —6D 204
Chichester Clo. Burn —3F 124
Chichester Clo. L'boro —2J 205
Chichester Clo. T Clev —1G 62
Chichester St. Roch —6D 204
Chicken St. B'brn —4K 139
Chiddlingford Ct. Blac —7D 88
Childrey Wlk. B'brn —8A 140
(off Ridgeway Av.)
Chilham St. Orr —5K 221
Chiltern Av. Blac —2D 108
Chiltern Av. Burn —4H 125
Chiltern Av. Eux —5N 173
Chiltern Av. Poul F —8J 63
Chiltern Clo. Hor —8D 196
Chiltern Clo. Kirkby —6H 223
Chiltern Clo. Lyth A —3C 130
Chiltern Clo. Ram —1H 201
Chiltern Dri. Bury —9G 200
Chiltern Dri. Liv —6H 223
Chiltern Dri. Wig —8M 221
Chiltern Mdw. Ley —6N 153
Chiltern Rd. Ram —1H 201
Chiltern Rd. South —7A 186
Chilton Clo. Liv —1C 222
Chilton M. Liv —1C 222
Chimes, The. K'ham —5M 111
Chimes, The. Tar —1E 170
China St. Acc —2M 141
China St. Lanc —8K 23
Chindits Way. Ful —5L 115
Chines, The. Ful —5H 115
Chingford Bank. Burn —7G 105
Chingle Clo. Ful —3A 116
Chipping. —5G 70
Chipping Av. South —8A 186
Chipping Ct. Blac —2G 88
Chipping Fold. Miln —8J 205
Chipping Gro. Blac —2G 89
Chipping Gro. Burn —5H 125
Chipping La. L'rdge —2H 97
Chipping St. Pad —9J 103
Chirk Dri. T Clev —1K 63
Chisacre Dri. Shev —5G 213
Chisholm Clo. Stand —1L 213
Chisholme Clo. G'mnt —3D 200
Chislehurst Av. Blac —9C 88
Chislehurst Gro. Burn —6H 105
Chislehurst Pl. Lyth A —2K 129
Chislett Clo. Burs —9B 190
Chisnall Av. Wrigh —8J 193
Chisnall La. Cop —8K 193
(in two parts)
Chisnall La. Hesk —3J 193
Chiswell Gro. T Clev —3K 63
Chiswell St. Wig —6M 221
Chiswick Gro. Blac —8H 89
Chorley. —6E 174
Chorley Bus. & Technology Cen. Eux —2A 174
Chorley Clo. South —1D 168
Chorley F.C. —8E 174
(Victory Pk.)
Chorley Golf Course. —1J 195
Chorley Hall Rd. Chor —4E 174
Chorley La. Char R —3M 193
Chorley Moor. —8E 174
Chorley New Rd. Hor & Los —9B 196
Chorley N. Ind. Est. Chor —3F 174
Chorley Old Rd. Hor —9E 196
Chorley Old Rd. Whit W & Brin —8E 154
Chorley Rd. Blac —9F 62
Chorley Rd. B'rod —7J 195
Chorley Rd. Hth C —2H 195
Chorley Rd. Parb —1N 211
Chorley Rd. Walt D —4N 135
Chorley Rd. Withn —5M 155
Chorley R.U.F.C. —3C 174
(Brookfields Chancery Rd.)
Chorley St. Adl —5K 195
Chorley W. Bus. Pk. Chor —6B 174
Chorlton Clo. Burn —8H 105
Chorlton Gdns. B'brn —2N 139
Chorlton St. B'brn —1N 139
Christchurch La. Bolt —9M 199
Christchurch Sq. Acc —3B 142
Christchurch St. Acc —3B 142
Christchurch St. Bacup —4L 163
Christ Chu. St. Pres —1H 135
Christian Rd. Pres —1H 135
Christie Av. More —4D 22
Christines Cres. Burs —9B 190
Christleton. Shev —6L 213
Christleton Clo. Brclf —7K 105
Christopher Acre. Roch —4J 203
Christopher Taylor Ho. Mag —3C 222
Church. —1M 141
Church All. Clay M —7M 121
Church and Oswaldtwistle. —3L 141
Church Av. Acc —7D 142
Church Av. Lanc —3K 29
Church Av. Pen —2F 134
Church Av. Pres —9A 116
Church Bank. Chu —1L 141
Church Bank. Over K —1F 16
Chu. Bank Gdns. Burt —4H 7
Chu. Bank St. Dar —6A 158
Church Brow. Bolt S —6L 15
Church Brow. Chor —6E 174
Church Brow. Clith —2L 81
Churchbrow. Halt —2A 24
Church Brow. Walt D —3N 135
Church Brow Clo. Bolt S —6L 15
Chu. Brow Gdns. Clith —2L 81
Church Clo. Clith —2L 81
Church Clo. Doph —7E 38
Church Clo. Frec —2M 131
Church Clo. Liv —9A 206
Church Clo. Mel —7F 118
Church Clo. Ram —9G 180
Church Clo. Read —8C 102
Church Clo. South —6N 167
Church Clo. Wadd —8H 73
Church Clo. Ct. Liv —9A 206
Church Ct. Bolt S —6L 15
Church Ct. Pres —7M 115
Church Ct. Ram —2J 181
Church Cft. Garg —4M 53
Church Dri. Lyth A —5M 129
Church Dri. Orr —6G 221
Church Dri. Whal —3G 101
Churchfield. Ful —3J 115
Churchfield. Shev —6K 213
Churchfield. Silv —8G 5
Church Fields. Orm —7K 209
Church Fields. Scar —6E 188
Churchfields. South —2F 186
Church Fold. Char R —1A 194
Church Fold. Cop —5B 194
Church Gdns. W'ton —2K 131
Churchgate. Goos —4N 95
Churchgate. South —5M 167
(in two parts)
Churchgate M. South —5N 167
Church Grn. Kirkby —7K 223
Church Grn. Skel —2K 219
Church Gro. Over —7B 28
Church Hall. Acc —1M 141
Church Hill. Arns —1F 4
Church Hill. Neth K —4B 16
Church Hill. Whit W —8D 154
Chu. Hill Av. War —5A 12
Church Hill Rd. Orm —6J 209
Churchill Av. Rish —9G 120
Churchill Av. South —4M 167
Churchill Clo. T Clev —1H 63
Churchill Ct. Blac —4D 88
Churchill M. Blac —5D 62
Churchill Rd. Acc —5C 142
Churchill Rd. Barfd —1F 104
Churchill Rd. B'brn —5K 140
Churchill Rd. Brins —7B 156
Churchill Rd. Ful —5M 115
Churchill St. Roch —4N 203
(in two parts)
Churchill St. Todm —9H 147
Churchill Way. Brier —2E 104
Churchill Way. Ley —5K 153
Church La. Augh —4F 216
Church La. Bils —7D 68
Church La. Brough —9G 95
Church La. Char R —1M 193
Church La. Clay M —8N 121
Church La. Clith —7E 80
Church La. E Mar —7J 53
Church La. Elsl & Brou —8M 53
Church La. Gal —2L 37
Church La. Garg —4M 53
Church La. Goos —4N 95
Church La. Gt Har —3J 121
Church La. Hamb —2C 64
Church La. Kel —6D 78
Church La. Lanc —8K 23
Church La. Lyd —3M 215
Church La. Mel —7F 118
Church La. More —2B 22
(Lord St.)
Church La. More —2C 22
(Marine Rd. E.)
Church La. Newc —6C 162
Church La. Newt & Clift —6E 112
Church La. Pad —9H 103
Church La. Ram —2J 181
Church La. Roch —6C 204
Church La. Shev —6K 213
Church La. Tun —2F 18
Church La. Whal —5J 101
Church La. W'chpl —3M 69
Church La. Wstke & Far M —9H 135
Church La. Wigg —10M 35
Church La. Winm —9G 45
Church La. Wrigh —5G 192
Church Meadows. Col —6A 86
Church Pad. Ross —5M 161
Church Pk. Lea T —6K 113
Church Pk. Over —7B 28
Church Path. Liv —7A 206
Church Raike. Chip —5G 70
Church Rd. Bam B —9A 136
(in three parts)
Church Rd. Barn —9H 53
Church Rd. Bic —5C 218
Church Rd. Form —8A 206
Church Rd. Gt Plu —2D 110
Church Rd. Ley —7K 153
Church Rd. Lytham —5L 129
Church Rd. Mag —3C 222
Church Rd. Rainf —4K 225
Church Rd. Ram —6K 181
Church Rd. Roch —7E 204
Church Rd. Ruf —1G 191
Church Rd. St A —1F 128
Church Rd. Sing —1D 90
Church Rd. Skel —2K 219
Church Rd. South —9F 148
Church Rd. Tar —1E 170
Church Rd. T Clev —1F 62
Church Rd. Todm —8H 147
Church Rd. Trea —2C 112
Church Rd. W'ton —1J 131
Church Rd. Wesh —2L 111
Church Row. Pres —9K 115
Church Row. W Grn —5G 111
Church Row Chambers. Longt —8L 133
(off Franklands)
Churchside. New L —8C 134
Church Sq. Wors —4M 125
(off Ravenoak La.)
Church Stile. Roch —6C 204
Church St. Acc —3B 142
Church St. Adl —6J 195
Church St. Bacup —7G 163
Church St. Barn —2M 77
Church St. Barfd —7H 85
Church St. Bel —1K 197
Church St. B'brn —3M 139
Church St. Blac —5B 88
Church St. Bolt —8K 199
Church St. Brclf —8K 105
Church St. Brier —5F 104
Church St. Burn —2E 124
Church St. Chor —7E 174
Church St. Chu —1L 141
Church St. Chur —1L 67
Church St. Clay M —7M 121
Church St. Clith —3L 81
Church St. Col —6A 86
Church St. Crost —5M 171
Church St. Dar —6A 158
Church St. Fltwd —9H 41
Church St. Garg —3M 53
Church St. Gars —5M 59
Church St. Gigg —2N 35
(in two parts)
Church St. Good —7M 143
Church St. Gt Har —4J 121
Church St. Halt —2A 24
Church St. Hap —5H 123
Church St. Has —4G 160
Church St. High W —5D 136
Church St. Hor —9D 196
Church St. K Lon —6F 8
(off Market St.)
Church St. K'ham —4N 111
Church St. Lanc —8J 23
Church St. Ley —5L 153
Church St. L'rdge —3K 97
Church St. Miln —9L 205
Church St. More —2B 22
Church St. Newc —6C 162
Church St. Orm —7K 209
Church St. Orr —6G 221
Church St. Osw —5K 141
Church St. Pad —1G 123
Church St. Poul F —8K 63
Church St. Pres —1K 135
Church St. Ram —8H 181
Church St. Read —8C 102
Church St. Ribch —7E 98
Church St. Rish —8G 121
Church St. Roch —6B 204
Church St. Ross —7C 162
Church St. Slai —5B 50

238 A-Z Lancashire

Church St.—Colchester Av.

Church St. South —7J 167
Church St. Todm —8H 147
Church St. Traw —9F 86
Church St. Uph —4F 220
Church St. Whit —8D 8
Church St. Whitw —6N 183
Church St. Wig —5L 221
Church Ter. Dar —6A 158
Church Ter. High W —5D 136
Church Ter. Miln —8K 205
Church Ter. Ward —7F 184
Churchtown. —6D 62
(Blackpool)
Churchtown. —1L 67
(Preston)
Churchtown. —5N 167
(Southport)
Churchtown Ct. South —4N 167
Churchtown Cres. Bacup —6L 163
Church Vw. Arns —1F 4
Church Vw. Augh —4F 216
Church Vw. Gis —9B 52
(off Park La.)
Church Vw. Roch —3J 203
Church Vw. Stalm —5B 56
Church Vw. Tar —1E 170
Church Vw. Traw —9F 86
(off Ash St.)
Church Vw. Ct. Orm —7K 209
(off Burscough St.)
Church Wlk. B'brn —6N 119
Church Wlk. Clith —3L 81
Church Wlk. E'ston —6E 172
Church Wlk. Eux —4M 173
Church Wlk. G'mnt —4C 200
Church Wlk. More —2C 22
Church Wlk. Tar —9E 150
Church Wlk. Todm —6K 165
Church Wlk. Wesh —2L 111
Church Walks. Orm —7K 209
Church Way. Kirkby —7K 223
Church Way. Nels —4H 105
Churton Gro. Stand —2L 213
Cicely Ct. B'brn —4N 139
Cicely La. B'brn —3N 139
Cicely St. B'brn —4N 139
Cinderbarrow La. Yeal R —7D 6
Cinder Hill Rd. Todm —1N 165
Cinder La. Lanc —4K 29
Cinder La. Mere B —4L 169
Cinder La. Wood —4L 93
Cinnamon Brow. Uph —5F 220
Cinnamon Clo. Roch —5A 204
Cinnamon Ct. Pen —6F 134
Cinnamon Hill Dri. N. Walt D —5N 135
Cinnamon Hill Dri. S. Walt D —5N 135
Cinnamon St. Roch —5A 204
Cintra Av. Ash R —6G 114
Cintra Ter. Ash R —6G 114
Circus, The. Dar —6A 158
Cirrus Dri. Augh —2F 216
City Heights Clo. Lanc —8L 23
City o Pinch. Holme —1G 6
City Rd. Wig —3L 221
Clairane Av. Ful —3H 115
Clairville. South —9F 166
Clancut La. Cop —2A 194
Clanfield. Ful —2H 115
Clanwood Clo. Wig —9N 221
Clapgate Rd. Roch —4J 203
Clara Gorton Ct. Roch —7E 204
Clara St. Pres —1M 135
Clara St. Roch —8C 204
Clare Av. Col —9L 85
Clare Clo. Bury —8J 201
Claremont Av. Chor —7D 174
Claremont Av. Clith —4M 81
Claremont Av. Ley —7L 153
Claremont Av. Liv —2A 222
Claremont Av. South —1G 186
Claremont Ct. Blac —3C 88
Claremont Cres. More —4N 21
Claremont Dri. Augh —9J 209
Claremont Dri. Clith —4M 81
Claremont Pl. Lyth A —9E 108
Claremont Pl. Todm —1L 165
(off Stansfield Rd.)
Claremont Rd. Acc —9A 122
Claremont Rd. Blac —3C 88
Claremont Rd. Chor —9D 174
Claremont Rd. Miln —8H 205
Claremont Rd. More —4N 21
Claremont Rd. Roch —6N 203
Claremont Rd. South —1G 187
Claremont St. Brier —5E 104
Claremont St. Burn —3B 124
Claremont St. Col —6C 86
Claremont Ter. Nels —3H 105
Claremont Ter. Todm —1N 185
Clarence Av. Has —6F 160
Clarence Av. Kno S —8L 41
Clarence Av. T Clev —9D 54
Clarence Ct. Blac —9B 88
Clarence Pk. B'brn —1J 139
Clarence Rd. Acc —4N 141
Clarence Rd. South —1G 187
Clarence St. Barn —3N 77
Clarence St. B'brn —2L 139
Clarence St. Burn —5F 124
Clarence St. Chor —7F 174
Clarence St. Col —6D 86
Clarence St. Dar —4N 157
Clarence St. Lanc —9L 23
Clarence St. Ley —5L 153
Clarence St. L'rdge —3J 97
Clarence St. More —2B 22
Clarence St. Osw —5J 141
Clarence St. Roch —3A 204
Clarence St. Ross —9M 143
Clarence St. Traw —9F 86
Clarence St. Ind. Est. Chor —7F 174
(off Clarence St.)
Clarendon Gro. Liv —6B 216
Clarendon Rd. B'brn —9N 119
Clarendon Rd. Blac —8B 88
Clarendon Rd. Lanc —5K 23
Clarendon Rd. Lyth A —9F 108
Clarendon Rd. E. B'brn —9A 120
Clarendon Rd. E. More —4N 21
Clarendon Rd. N. Lyth A —9F 108
Clarendon Rd. W. More —5M 21
Clarendon St. Acc —2C 142
Clarendon St. Bury —9M 201
Clarendon St. Chor —7G 174
Clarendon St. Col —6E 86
Clarendon St. Pres —2K 135
Clarendon St. Roch —9E 204
Clare Rd. Lanc —5J 23
Clare St. Blac —9B 88
Clare St. Burn —3C 124
Claret St. Acc —3N 141
Clarke Holme St. Ross —5D 162
Clarke's La. Roch —5A 204
Clarke St. Poul F —8M 63
Clarke St. Rish —8H 121
Clarke St. Roch —3E 204
Clarke Wood Clo. Wis —2M 101
Clarkfield Clo. Burs —1D 210
Clarkfield Dri. More —3D 22
Clarksfield Rd. Bolt S —5L 15
Clark St. More —2B 22
Clarrick Ter. I'ton —3N 19
Claude St. Wig —5N 221
Claughton. —9A 18
(Lancaster)
Claughton. —2G 69
(Preston)
Claughton Av. Ley —6A 154
Claughton Dri. Lanc —4L 29
Claughton Rd. Wals —8E 200
Claughton St. Burn —9F 104
Claughton Ter. Clau —9A 18
Clawthorpe. —3H 7
Claybank. Pad —9H 103
Claybank Dri. Tot —6C 200
Clay Bank St. Heyw —9G 202
Claybridge Clo. Wig —2L 221
Clay Brow Rd. Skel —5B 220
Clayburn Clo. Chor —4F 174
Clay Cft. Ter. L'boro —7K 185
Clayfield Dri. Roch —5K 203
Clay Gap La. Hamb & Out R —9D 56
Clay Hill La. L'rdge —2C 98
Claylands Dri. Bolt S —5L 15
Clay La. Hey —7N 21
Clay La. Roch —5H 203
Claymere Av. Roch —5J 203
Clay St. Brom X —6G 198
Clay St. Burn —4A 124
Clay St. L'boro —9J 185
Clayton Av. Ley —8G 153
Clayton Av. Ross —7K 161
Clayton Brook Rd. Bam B —2D 154
Clayton Bus. Pk. Clay M —7K 121
Clayton Clo. Nels —1H 105
Clayton Ct. L'rdge —3K 97
Clayton Cres. Blac —3D 108
Claytongate. Cop —3B 194
Clayton Green. —4D 154
Clayton Grn. Cen. Clay W —3D 154
Clayton Grn. Rd. Clay W —4C 154
Clayton Gro. Clay D —3L 119
Claytonhalgh. Ribch —7F 98
Clayton Hall Dri. Clay M —5M 121
Clayton Ho. Gdns. Burs —9C 190
Clayton-le-Dale. —2K 119
Clayton-le-Moors. —6M 121
Clayton-le-Woods. —5B 154
Clayton M. Skel —2H 219
Clayton Row. Lang —9D 100
Clayton's Ga. Pres —9J 115
Clayton St. Bam B —7A 136
Clayton St. Barn —2N 77
Clayton St. B'brn —4M 139
Clayton St. Clay M —8N 121
Clayton St. Col —7B 86
Clayton St. Gt Har —4J 121
Clayton St. Nels —2H 105
(in two parts)
Clayton St. Osw —3L 141
Clayton St. Roch —3E 204
Clayton St. Skel —2H 219
Clayton St. Ind. Est. Nels —1H 105
Claytonvilla Fold. Clay W —4C 154
Clayton Way. Clay M —6N 121
Cleadon Dri. S. Bury —8H 201
Cleator Av. Blac —1C 88
Cleaver St. B'brn —3N 139
Cleaver St. Burn —1F 124
Cleavland Ter. Dar —7B 158
Clecken La. Clau B —1G 68
Clegg Av. T Clev —9D 54
Clegg Hall. —4H 205
Clegg Hall Rd. Roch & L'boro —3G 204
(in two parts)
Clegg's Av. Whitw —4N 183
(off Clegg St.)
Clegg's Ct. Whitw —4N 183
(off Clegg St.)
Clegg St. Bacup —7G 163
Clegg St. Brier —5F 104
Clegg St. Burn —1E 124
Clegg St. Has —4G 161
Clegg St. K'ham —4M 111
Clegg St. L'boro —7J 185
Clegg St. Miln —8K 205
Clegg St. Nels —4J 105
Clegg St. Skel —2H 219
Clegg St. Whitw —4N 183
Clegg St. Wors —4L 125
Clegg St. E. Burn —1E 124
(off Grey St.)
Cleggswood Av. L'boro —2K 205
Clematis Clo. Chor —3C 174
Clematis St. B'brn —3J 139
Clement Ct. Roch —7E 204
Clementina St. Roch —4C 204
(in two parts)
Clement Pl. L'boro —9M 185
Clement Pl. Roch —5B 204
Clement Royds St. Roch —5B 204
Clements Dri. Brier —6G 104
Clement St. Acc —4B 142
Clement St. Dar —7A 158
Clement Vw. Nels —2H 105
Clenger's Brow. South —4M 167
Clent Av. Liv —8B 216
Clent Gdns. Liv —8B 216
Clent Rd. Liv —8B 216
Clerk Hill Rd. Whal —6M 101
Clerkhill St. B'brn —3B 140
Clery St. Burn —4M 123
Clevedon Dri. Wig —7M 221
Clevedon Rd. Blac —3B 88
Clevedon Rd. Ing —5D 114
Cleveland Av. Ful —5M 115
Cleveland Av. Silv —7G 5
Cleveland Av. Wig —9M 221
Cleveland Clo. Liv —6H 223
Cleveland Clo. Ram —2H 201
Cleveland Dri. Lanc —1H 29
Cleveland Dri. Miln —7K 205
Cleveland Ho. Has —4G 160
(off Pleasant St.)
Cleveland Rd. Ley —5J 153
Cleveland Rd. Lyth A —5A 130
Clevelands Av. More —5N 21
Clevelands Gro. Burn —5C 124
Clevelands Gro. More —5N 21
Clevelands Mt. Burn —5D 124
(off Clevelands Gro.)
Clevelands Rd. Burn —5C 124
Cleveland St. Chor —6E 174
Cleveland St. Col —5C 86
Cleveland St. Cop —4A 194
Cleveland St. Todm —7E 146
Clevelands Wlk. More —5N 21
Cleveleys. —1D 62
Cleveleys Av. Ful —5F 114
Cleveleys Av. Lanc —5G 22
Cleveleys Av. South —2N 167
Cleveleys Av. T Clev —1D 62
Cleveleys Rd. Acc —9N 121
Cleveleys Rd. B'brn —7N 139
Cleveleys Rd. Hogh —5G 136
Cleveleys Rd. South —3N 167
Clevely Bank La. Fort —3A 46
Cleves Ct. Blac —8H 89
Cleves, The. Liv —8D 216
Cleve Way. Liv —1B 214
Clieves Hills. —9E 208
Clieves Hills La. Augh —1D 216
Clieves Rd. Liv —9L 223
Cliff Av. Bury —3H 201
Cliffe. —3J 121
Cliffe Ct. Pres —9N 115
Cliffe Dri. Whit W —7D 154
Cliffe La. Gt Har —3J 121
Cliffe St. L'boro —4N 185
Cliffe St. Nels —1J 105
Cliff Mt. Ram —7G 180
Clifford Av. Longt —7L 133
Clifford Av. More —2D 22
Clifford Rd. Blac —3B 88
Clifford Rd. South —4G 186
Clifford St. Barn —2N 77
Clifford St. Chor —6F 174
Clifford St. Col —6B 86
Clifford St. Roch —8C 204
Cliff Pl. Blac —7B 62
Cliff Rd. South —4K 167
Cliffs, The. Hey —7L 21
Cliff St. Col —8M 85
Cliff St. Pad —9J 103
Cliff St. Pres —2H 135
Cliff St. Rish —7H 121
Cliff St. Roch —4E 204
Clifton. —8H 113
Clifton Av. Acc —9B 122
Clifton Av. Ash R —7C 114
Clifton Av. Blac —9J 89
Clifton Av. Ley —7L 153
Clifton Av. W'ton —2K 131
Clifton Clo. T Clev —2J 63
Clifton Ct. Blac —3B 108
Clifton Ct. Lytham —5B 130
Clifton Cres. Blac —8G 89
Clifton Cres. Pres —7M 115
Clifton Dri. Blac —3A 108
Clifton Dri. Gt Har —3J 121
Clifton Dri. Liv —8C 222
Clifton Dri. Lyth A —4H 129
Clifton Dri. More —3E 22
Clifton Dri. Pen —3F 134
Clifton Dri. N. Lyth A —5B 108
Clifton Dri. S. Lyth A —2E 128
Clifton Gdns. Lyth A —2J 129
Clifton Grn. Clift —8G 113
Clifton Gro. Chor —7D 174
Clifton Gro. Pres —6M 115
Clifton Gro. Wilp —5N 119
Clifton Ho. Ful —5M 115
Clifton La. Clift —6G 113
Clifton Lodge. Lyth A —3E 128
Clifton Pde. Far —4M 153
Clifton Pk. Retail Cen. Blac —1K 109
Clifton Pl. Ash R —7E 114
Clifton Pl. Frec —2N 131
Clifton Rd. Blac —9H 89
Clifton Rd. Brier —6G 105
Clifton Rd. Burn —2A 124
Clifton Rd. Fltwd —1G 54
Clifton Rd. Form —7A 206
Clifton Rd. South —8M 167
Clifton Sq. Lyth A —5A 130
Clifton St. Acc —4N 141
Clifton St. B'brn —4M 139
Clifton St. Blac —5B 88
Clifton St. Burn —3C 124
Clifton St. Bury —9L 201
Clifton St. Col —6A 86
Clifton St. Dar —3N 157
Clifton St. Lyth A —5A 130
Clifton St. Miln —7J 205
Clifton St. Pres —2G 135
Clifton St. Rish —8H 121
Clifton St. Sough —4D 78
Clifton St. Traw —9E 86
Clifton Ter. Hodd —5E 158
Clinkham Rd. Gt Har —4F 120
Clinning Rd. South —3G 187
Clinton Av. Blac —6C 88
Clinton St. B'brn —2A 140
Clipper Quay. B'brn —5N 139
Clitheroe. —3L 81
Clitheroe By-Pass. Clith —8L 81
Clitheroe Castle Mus. —3L 81
Clitheroe Clo. Heyw —9H 203
Clitheroe Golf Course. —9J 81
Clitheroe Pl. Blac —1G 109
Clitheroe Rd. Brier —5D 104
Clitheroe Rd. Chat —9B 74
Clitheroe Rd. Lyth A —2J 129
Clitheroe Rd. Sab —9D 82
Clitheroe Rd. Wadd —8H 73
Clitheroe Rd. W Brad —7L 73
Clitheroe Rd. Whal —4J 101
Clitheroe's La. Frec —2N 131
Clitheroe St. Pad —9H 103
Clitheroe St. Pres —1M 135
Clive Av. Lyth A —8E 108
Clive Lodge. South —3F 186
Clive Rd. Pen —2E 134
Clive Rd. South —3F 186
Clive St. Burn —1D 124
Clockhouse Av. Burn —7H 105
Clockhouse Ct. Burn —7H 105
Clockhouse Gro. Burn —7H 105
Clod La. Has —8H 161
Clods Carr La. Pre —1M 55
Clogger La. Elsl —8L 53
Clogger La. Loth —10M 53
Clogg Head. Traw —9F 86
Cloister Dri. Dar —6B 158
Cloister Grn. Liv —1B 214
Cloisters. Heat O —6C 22
Cloisters, The. Ash R —9G 115
Cloisters, The. Blac —5E 88
Cloisters, The. Ley —5M 153
Cloisters, The. Roch —4E 204
Cloisters, The. Tar —9E 150
Cloisters, The. Whal —5K 101
Clorain Clo. Liv —7M 223
Clorain Rd. Liv —7M 223
Closebrook Rd. Wig —5N 221
Closes Hall M. Clith —7M 51
Close, The. Acc —8F 142
Close, The. Bury —7H 201
Close, The. Clay M —5M 121
Close, The. Ful —3A 116
Close, The. Gars —3M 59
Close, The. K'ham —5N 111
Close, The. New L —9D 134
(in two parts)
Close, The. South —1F 168
Close, The. T Clev —1D 62
(Conway Av.)
Close, The. T Clev —8D 54
(Queen's Wlk.)
Close, The. Weet —8D 90
Close, The. Withn —5L 155
Cloth Hall St. Col —6A 86
Clough. —6K 185
Clougha Av. Lanc —1M 29
Clough Acre. Chor —4C 174
Clough Av. Walt D —5L 135
Clough Bank. Chat —7C 74
Clough Bank. L'boro —6K 185
Clough End Rd. Has —2G 160
Clough Fld. L'boro —1K 205
Cloughfield. Pen —7G 134
Cloughfold. —5A 162
Clough Head. L'boro —4M 185
(off Higher Calderbrook Rd.)
Clough Ho. La. Ward —8E 184
Clough La. Halt —2C 24
Clough La. Heyw —9G 203
Clough La. S'stne —9E 102
Clough La. Thorn —7G 71
Clough Rd. Bacup —4L 163
Clough Rd. L'boro —6K 185
Clough Rd. Nels —2L 105
Clough Rd. Todm —6K 165
Clough St. Bacup —7H 163
Clough St. Burn —4B 124
(in two parts)
Clough St. Dar —9C 158
Clough St. Ross —6D 162
Clough St. Ward —8F 184
Clough Ter. Barn —3M 77
(off North St.)
Clough, The. Clay W —4C 154
Clough, The. Dar —9C 158
Cloughwood Cres. Shev —5G 213
Clovelly Av. Ash R —6G 114
Clovelly Av. T Clev —5C 62
Clovelly Dri. Newb —3L 211
Clovelly Dri. Pen —3D 134
Clovelly Dri. South —5E 186
Clovelly St. Roch —9M 203
Clover Av. Lyth A —8G 108
Clover Ct. Blac —5F 62
Clover Cres. Burn —1B 124
Clover Dri. Frec —1B 132
Clover Fld. Clay W —5D 154
Cloverfield. Pen —4E 134
Cloverfields. B'brn —2A 140
Clover Hall. —4F 204
Clover Hall Cres. Roch —4F 204
Clover Hill Rd. Nels —3K 105
Clover M. Blac —4E 88
Clover Rd. Chor —9C 174
Clover St. Bacup —4L 163
Clover St. Roch —5B 204
Clover Ter. Dar —4A 158
Clover Vw. Roch —5F 204
Clow Bridge. —3A 144
Club La. Chip —5G 70
Club St. Bam B —9A 136
Club St. Barr —9K 81
Club St. Todm —7E 146
Clucas Gdns. Orm —6K 209
Clyde Ct. Roch —7E 204
Clydesdale Pl. Ley —5F 152
Clyde St. Ash R —9F 114
Clyde St. B'brn —5J 139
Clyde St. Blac —3B 88
Clyffes Farm Clo. Scar —6F 188
Clynders Cotts. Burn —9A 104
Coach Ho. Ct. Burs —1D 210
Coach Ho. Dri. Shev —6L 213
Coach La. Roch —8J 203
Coach Rd. Bic —9D 218
Coach Rd. Chu —3L 141
Coach Rd. Liv —9F 224
Coach Rd. War —2A 12
Coal Clough La. Burn —4C 124
Coal Clough Rd. Todm —6E 146
Coal Hey St. Has —4G 160
(off Peel St.)
Coal Pit La. Acc —4M 141
Coal Pit La. Bacup —4M 163
Coal Pit La. Bic —7G 219
Coal Pit La. Col —7C 86
Coal Pit La. Gis —10A 52
Coal Pit La. Ross —4E 162
Coal Pit La. Toc —4H 157
Coal Pit Rd. S'hills —6J 197
Coal Rd. Ram —6N 181
Coal St. Burn —3D 124
Coastal Dri. Hest B —7J 15
Coastal Ri. Hest B —8H 15
Coastal Rd. Ains —7A 186
Coastal Rd. Hest B & Bolt S —7H 15
Coastal Rd. More & Hest B —1E 22
Coates. —1N 77
Coates Av. Barn —1N 77
Coates Fields. Barn —10G 52
Coates La. Barn —10G 52
Cobb's Brow La. Newb —4L 211
Cobb's Clough Rd. Lath —7K 211
Cobbs La. Osw —9K 141
Cob Castle Rd. Has —4D 160
Cobden Ct. B'brn —3M 139
(off Blackburn Shop. Cen.)
Cobden Ho. Ross —6B 162
Cobden Pl. Traw —6E 86
(off Rosley St.)
Cobden Rd. South —8M 167
(in two parts)
Cobden St. Bacup —7M 163
Cobden St. Barn —3M 77
Cobden St. Brclf —7K 105
Cobden St. Burn —1F 124
Cobden St. Bury —9M 201
Cobden St. Chor —5G 174
Cobden St. Dar —7A 158
Cobden St. Eger —3D 198
Cobden St. Hap —5H 123
Cobden St. Nels —3H 105
Cobden St. Pad —9J 103
Cobden St. Todm —2L 165
Cobham Ct. Ross —6C 162
Cobham Rd. Acc —3C 142
Cob La. Kel —7D 78
Cob Moor Rd. Bil —9G 221
Cobourg Clo. B'brn —6N 139
Cob Wall. —1A 140
Cob Wall. B'brn —2A 140
Cochran St. Dar —7A 158
Cocker Av. Poul I —8N 63
Cocker Bar. —6B 152
Cocker Bar Rd. Ley —8N 151
Cockerham. —9G 37
Cockerham Rd. C'ham —1H 45
Cockerham Rd. Nate —2L 59
Cockerham Wlk. Blac —1G 89
Cocker Hill. —1N 85
Cockerill St. Has —3G 161
Cockerill Ter. Barr —1K 101
Cocker La. Ley —6E 152
Cockermouth Clo. B'brn —9N 139
Cocker Rd. Bam B —9C 136
Cockersand Abbey. —6A 36
Cockersand Av. Hut —7N 133
Cockersand Dri. Lanc —4L 29
Cocker Sq. Blac —4B 88
Cocker St. Blac —4B 88
Cocker St. Dar —8C 158
Cocker Trad. Est. Blac —3C 88
Cockhall La. Whitw —5N 183
Cockhill La. Col —3E 86
Cock Hollow. Bury —9M 201
Cocking Yd. Burt —6H 7
Cockle Dick's La. South —4L 167
Cocklinstones. Bury —9H 201
Cockridge Clo. B'brn —8J 139
Cock Robin. Crost —4N 171
Cock Robin La. Catt —1A 68
Codale Av. Blac —6D 62
Coddington St. B'brn —3B 140
Coe La. Tar —9E 150
Cogie Hill. Winm —1B 58
Cog La. Burn —4A 124
Cog St. Burn —4B 124
Colbern Clo. Liv —1D 222
Colbourne Clo. Burs —8D 190
Colbran St. Burn —9F 104
Colbran St. Nels —9K 85
Colchester Av. Lanc —2M 29

Colchester Dri.—Cowling Brow Ind. Est.

Colchester Dri. T Clev —8F 54
Colchester Rd. Blac —7F 88
Colchester Rd. South —3M 187
Coldale Ct. Blac —3B 108
Cold Bath St. Pres —9H 115
Cold Greave Clo. Miln —9M 205
Cold Row. —7B 56
Coldstream Pl. B'brn —6M 139
Coldwall St. Roch —5A 204
Coldweather Av. Nels —5K 105
Cold Well La. Carr B —2K 5
Colebatch. Ful —4G 114
Cole Cres. Augh —3H 217
Coleman St. Nels —2K 105
Colenso Rd. Ash R —7F 114
Colenso Rd. B'brn —1L 139
Coleridge Av. Orr —5K 221
Coleridge Av. T Clev —9F 54
Coleridge Clo. Col —5A 86
Coleridge Clo. Cot —5B 114
Coleridge Dri. Acc —6D 142
Coleridge Dri. L'boro —3J 205
Coleridge Pl. Gt Har —5H 121
Coleridge Rd. Bil —9G 220
Coleridge Rd. Blac —4D 88
Coleridge Rd. G'mnt —3E 200
Coleridge St. B'brn —5K 139
Colerne Way. Wig —9N 221
Colesberg Ct. Arns —1F 4
Coles Dri. Arns —2F 4
Coleshill Av. Burn —4G 125
Coleshill Ri. Wig —9M 221
Colesville Av. T Clev —2H 63
Colinmander Gdns. Orm —9H 209
Colin St. Barn —1M 77
Colin St. Burn —4B 124
Colinton. Skel —4B 220
Colldale Ter. Has —5G 161
College Av. T Clev —2C 62
College Clo. L'rdge —5J 97
College Clo. Pad —3J 123
College Clo. South —2G 186
College Ct. Pres —7H 115
College Ga. T Clev —7C 54
College Rd. Roch —6A 204
College Rd. Uph —2E 220
College St. Acc —2N 141
College St. Todm —7F 146
Collen Cres. Bury —7G 201
Colley St. Roch —4D 204
Collier Av. Miln —6J 205
Collier's La. Cast —5G 8
Collier's Row. Guide —7F 140
Colliers Row Rd. Bolt —8L 197
Colliers Sq. Acc —3L 141
(off Colliers St.)
Colliers St. Osw —3L 141
Collier St. Osw —6D 142
Collinge Fold La. Ross —3L 161
Collinge St. Bury —9G 201
Collinge St. Pad —2H 123
Collinge St. Ross —3L 161
Collingham Pk. Lanc —5L 29
Colling St. Ram —9G 180
Collingwood. Clay M —7L 121
Collingwood Av. Blac —4E 88
Collingwood Av. Lyth A —8E 108
Collingwood Pl. Blac —4E 88
Collingwood Rd. Chor —7C 174
Collingwood St. Col —7M 85
Collingwood St. Stand —3N 213
Collingwood Ter. Ben —6L 19
(off Mt. Pleasant)
Collins Av. Blac —8E 62
Collins Dri. Acc —6D 142
Collin's Hill La. Chip —5E 70
Collinson St. Pres —8M 115
Collins Rd. Bam B —7A 136
Collins Rd. N. Bam B —6B 136
Collins St. Wals —9E 200
Collisdene Rd. Orr —5G 221
Collison Av. Chor —6E 174
Collyhurst Av. Blac —3E 108
Colman Ct. Pres —2G 135
Colmoor Clo. Liv —4L 223
Colmore Gro. Bolt —9H 199
Colmore St. Bolt —9H 199
Colnbrook. Stand —3L 213
Colne. —6B 86
Colne & Broughton Rd. Thorn C —10J 53
Colne Edge. —4N 85
Colne Golf Course. —3E 86
Colne La. Col —7B 86
Colne Rd. Barn —3L 77
Colne Rd. Barfd & Col —7J 85
Colne Rd. Brier —4F 104
(in two parts)
Colne Rd. Burn —6F 104
Colne Rd. Col —9C 78
Colne Rd. Kel —6D 78
Colne Rd. Traw —9E 86
Colonnades, The. Lanc —9N 23
Colthirst Dri. Clith —1M 81
Colt Ho. Clo. Ley —8K 153
Coltsfoot Dri. Chor —4F 174
Coltsfoot Wlk. More —6B 22
Columbia Way. B'brn —9H 119
Columbine Clo. Chor —3C 174
Columbine Clo. Roch —2N 203
Colville Av. Blac —4C 108
Colville Rd. Dar —3M 157
Colville St. Burn —1E 124
Colwall Clo. Liv —8M 223
Colwall Rd. Liv —8M 223
Colwall Wlk. Liv —8M 223
Colwyn Av. Blac —9E 88
Colwyn Av. More —2D 22
Colwyn Pl. Ing —6D 114
Colyton Clo. Chor —6G 175
Colyton Rd. Chor —6G 175
Colyton Rd. E. Chor —6G 175
Combermere Gro. Hey —2K 27
Combermere Rd. Hey —1K 27
Comer Gdns. Liv —8B 216
Comet Rd. M Side —5F 152
Comet Rd. Wig —3M 221
Comet St. Bacup —9K 145
Commerce St. Bacup —5K 163
Commerce St. Has —4F 160
(in two parts)
Commercial Rd. Chor —5E 174
Commercial Rd. Gt Har —4J 121
Commercial Rd. Nels —2J 105
Commercial St. Bacup —7H 163
Commercial St. Barn —2M 77
Commercial St. Blac —9B 88
Commercial St. Brier —4F 104
Commercial St. Chu —2L 141
Commercial St. Gt Har —4J 121
Commercial St. Osw —5K 141
Commercial St. Rish —7H 121
Commercial St. Ross —5M 143
Commercial St. Set —3N 35
Commercial St. Todm —2M 165
Commodore Pl. Wig —2N 221
Comn. Bank Ind. Est. Chor —7B 174
Comn. Bank La. Chor —7B 174
Common Edge. —3F 108
Comn. Edge Rd. Blac —3F 108
Comn. Garden St. Lanc —8K 23
Common La. South —4G 168
Commonside. Lyth A —4K 129
Commons La. Bald —3A 118
Common, The. Adl —9G 194
Common, The. Parb —1N 211
Commonwealth Clo. Lyth A —9J 109
Como Av. Burn —5A 124
Company St. Rish —8H 121
Compley Av. Poul F —9J 63
Compley Grn. Poul F —9J 63
Compression Rd. Hey —5K 27
Compston Av. Ross —7M 143
Compton Clo. Poul F —6J 63
Compton Grn. Ful —2F 114
Compton Rd. South —2H 187
Comrie Cres. Burn —6B 124
Concourse Shop. Cen. Uph —2M 219
Conder Av. T Clev —1F 62
Conder Brow. Carn —8B 12
Conder Green. —1G 36
Conder Grn. Rd. Gal —3K 37
Conder Pl. Lanc —6J 23
Conder Rd. Ash R —8B 114
Condor Gro. Blac —8D 88
Condor Gro. Lyth A —9D 108
Conduit St. Nels —1H 105
Coneygarth La. Whit —9E 8
(in two parts)
Congleton Clo. Blac —9H 89
Congress St. Chor —5E 174
Conifer Clo. Kirkby —5K 223
Conifers, The. Brtn —2E 94
Conifers, The. Hamb —1A 64
Conifers, The. K'ham —4N 111
Conifers, The. Liv —8B 216
Conisber Clo. Eger —4E 198
Conisborough. Roch —7B 204
Coniston Av. Acc —4M 141
Coniston Av. Adl —5K 195
Coniston Av. Ash R —7G 114
Coniston Av. Bacup —3L 163
Coniston Av. Barn —1L 77
Coniston Av. Eux —5N 173
Coniston Av. Fltwd —9E 40
Coniston Av. Hamb —1B 64
Coniston Av. Kno S —7L 41
Coniston Av. Lyth A —7F 108
Coniston Av. Orr —4J 221
Coniston Av. Pad —8H 103
Coniston Av. Poul F —7H 63
Coniston Av. T Clev —1H 63
Coniston Clo. Kirkby —6J 223
Coniston Clo. L'rdge —5H 97
Coniston Clo. Ram —6H 181
Coniston Cold. —3J 53
Coniston Ct. More —2C 22
(off Marine Rd. E.)
Coniston Ct. South —1C 206
Coniston Cres. T Clev —2H 63
Coniston Dri. Dar —5C 158
Coniston Dri. Walt D —6N 135
Coniston Gro. Col —5D 86
Coniston Rd. B'brn —1A 140
Coniston Rd. Blac —1C 108
Coniston Rd. Bolt S —5L 15
Coniston Rd. Carn —1B 16
Coniston Rd. Chor —8D 174
Coniston Rd. Ful —4M 115
Coniston Rd. Lanc —6L 23
Coniston Rd. Mag —9C 216
Coniston Rd. More —3C 22
Coniston St. Burn —3A 124
Coniston Way. Crost —3M 171
Coniston Way. Rainf —9K 219
Coniston Way. Rish —8F 120
Connaught Rd. Hey —2J 27
Connaught Rd. Lanc —2M 29
Connaught Rd. Pres —3H 135
Conningsbury Clo. Brom X —5F 198
Consett Av. T Clev —7E 54
Constable Av. Burn —6D 124
Constable Av. Los H —9K 135
Constable Lee Ct. Ross —3M 161
(off Burnley Rd.)
Constable Lee Cres. Ross —3M 161
Constable St. Pres —9K 115
Constantine Rd. Roch —6C 204
Constitution Hill. Set —3N 35
(off Church St.)
Convent Clo. Augh —1K 217
Convent Clo. Bam B —7N 135
Convent Clo. Ley —5M 153
Convent Cres. Blac —2G 88
Convent Gro. Roch —8A 204
Conway Av. B'brn —1M 139
Conway Av. Blac —3H 89
Conway Av. Clith —4J 81
Conway Av. Ley —7M 153
Conway Av. Pen —7K 135
Conway Av. T Clev —1D 62
Conway Clo. Catt —1A 68
Conway Clo. Eux —5A 174
Conway Clo. Has —6G 161
Conway Clo. Liv —5J 223
Conway Clo. Ram —8G 180
Conway Ct. Hogh —6F 136
Conway Cres. Barn —2N 77
Conway Cres. G'mnt —3E 200
Conway Dri. Ful —2F 114
Conway Dri. Osw —4H 141
Conway Gro. Burn —7G 104
Conway Ho. Pres —9N 115
Conway Rd. E'ston —7F 172
Conway Rd. Ross —4A 162
Conway St. Wig —6M 221
Conyers Av. South —2F 186
Cook Ct. B'brn —2H 139
Cooke St. Hor —9E 196
Cook Gdns. B'brn —4B 140
Cook Grn. La. K Grn —3C 98
Cook Ho. Rd. Col —5B 86
Cookson Clo. Frec —2N 131
Cookson Rd. T Clev —9G 55
Cookson St. Blac —4C 88
Cook St. Roch —4E 204
Cook Ter. Roch —4E 204
Coolham La. Earby —3F 78
Coolidge Av. Lanc —9H 23
Coombes, The. Ful —4J 115
Cooperage, The. Osw —5K 141
Co-operation St. Bacup —5L 163
Co-operation St. Craw —9M 143
Co-operation St. Ross —5N 161
(Bacup Rd.)
Co-operation St. Ross —5D 162
(Burnley Rd. E.)
Co-operative Bldgs. Cliv —9K 125
Co-operative St. Bam B —8A 136
Co-operative St. Barn —2M 77
Co-operative St. Ross —8E 160
Cooperative St. Todm —8K 165
Cooper Ct. T Clev —9D 54
Cooper Hill Clo. Walt D —3N 135
Cooper Hill Dri. Walt D —3N 135
Cooper Rd. Pres —9G 115
Coopers Clo. Osw —5K 141
(off Peel St.)
Cooper's La. Hesk —6E 192
Coopers Row. Lyth A —1K 129
Cooper St. Bacup —4K 163
Cooper St. Burn —4E 124
Cooper St. Hor —9C 196
Cooper St. Nels —1J 105
Cooper St. Roch —1G 205
Coopers Wlk. Roch —3F 204
Coopers Way. Blac —3C 88
Cooper Ter. Roch —5E 204
Coop St. Blac —6B 88
Coop St. Bolt —9E 198
Coop Ter. Roch —6G 205
Coote La. Wstke & Los H —9H 135
Copeland Pl. Lyth A —4B 130
Copenhagen Sq. Roch —5D 204
Copenhagen St. Roch —5D 204
(in two parts)
Cop La. Fltwd —9G 41
Cop La. Pen —3E 134
Copp. —8M 65
Copperas Clo. Shev —5K 213
Copperas Ho. Ter. Todm —5J 165
Copper Beech Clo. Much H —4J 151
Copper Beeches. Pen —7G 134
Copperfield Clo. Burn —3K 125
Copperfield St. B'brn —5N 139
Copperwood Way. Chor —7B 174
Coppice Av. Acc —1C 142
Coppice Brow. Carn —8C 12
Coppice Clo. Chor —5G 175
Coppice Clo. Nels —9L 85
Coppice Dri. Bil —9G 220
Coppice Dri. Whitw —7N 183
Coppice La. H'pey —2L 175
Coppice St. Bury —9A 202
Coppice, The. B'brn —1H 139
Coppice, The. Bolt —8K 199
Coppice, The. Clay M —5M 121
Coppice, The. Ing —5D 114
Coppice, The. K'ham —3M 111
Coppice, The. Longt —8L 133
Coppice, The. More —3E 22
Coppice, The. Ram —1F 200
Coppingford Clo. Roch —3L 203
Coppins Grn. Poul F —1L 89
Copp La. Gt Ecc & Elsw —8M 65
Coppull. —4A 194
Coppull Enterprise Cen. Cop —3A 194
Coppull Hall La. Cop —4C 194
Coppull Moor. —7N 193
Coppull Moor La. Cop —7N 193
Coppull Rd. Chor —2B 194
Coppull Rd. Liv —7B 216
Cop Royd Ter. Cliv —8K 125
Copse Dri. Bury —7L 201
Copse Rd. Fltwd —3F 54
Copse, The. Acc —3M 141
Copse, The. Chor —1D 194
Copse, The. Tur —3J 199
Copse Vw. Bus. Pk. Fltwd —2F 54
Copse Wlk. L'boro —9J 185
Copster Dri. L'rdge —3K 97
Copster Green. —1L 119
Copster Hill Clo. Guide —8D 140
Cop, The. T Clev —6D 54
Copthorne Rd. Liv —8G 222
Copthorne Wlk. Liv —8G 222
Copthorne Wlk. Tot —8E 200
Copthurst Av. High —4L 103
Copthurst La. H'pey & Whit W —9G 155
Copthurst St. Pad —9H 103
Coptrod Head Clo. Roch —1B 204
Coptrod Rd. Roch —6A 204
Copy La. Boot —6A 222
Copy La. Cat —3G 25
Copy Nook. B'brn —3A 140
Copy St. B'brn —3A 140
Coral Clo. Blac —9G 89
Coral Island. —6B 88
Corbet Clo. Liv —8H 223
Corbett St. Roch —5E 204
Corbet Wlk. Liv —8H 223
Corbridge Clo. Blac —2G 108
Corbridge Clo. Poul F —6J 63
Corbridge Ct. Clith —2L 81
Corcas La. Stalm —5L 55
Corka La. Lyth A —8E 110
Cork Rd. Lanc —1M 29
Corlass St. Barfd —8H 85
Corless Cotts. Doph —7E 38
Cornall St. Bury —9H 201
Cornbrook. Skel —4B 220
Cornbrook Clo. Ward —8F 184
Corncroft. Pen —5F 134
Cornel Gro. Burn —5A 124
Cornelian St. B'brn —7N 119
Corner Bank Clo. Gt Plu —2E 110
Corner Row. —8K 91
Corners, The. T Clev —8C 54
Cornfield. Cot —3B 114
Cornfield Clo. Bury —6L 201
Cornfield Gro. Burn —1M 123
Cornfield St. Dar —5B 158
Cornfield St. Miln —8J 205
Cornfield St. Todm —1N 165
Cornflower Clo. Chor —4F 174
Cornflower Clo. Hesk B —3C 150
Cornford Rd. Blac —1H 109
Cornhill. Acc —2B 142
Cornhill Arc. Acc —2B 142
(off Cornhill)
Cornholme. —7E 146
Cornholme. Burn —8J 105
Cornholme Ter. Todm —7E 146
(off Burnley Rd.)
Corn Mkt. Lanc —8K 23
(off Comn. Gdns. St.)
Corn Mill Clo. Roch —1F 204
Corn Mill La. Ross —4M 161
(off Greenfield St.)
Cornmill Lodge. Liv —9B 216
Cornmill Ter. Barn —1M 77
Corn Mill Yd. Clay M —7M 121
Cornthwaite Rd. Ful —6H 115
Cornwall Av. B'brn —4E 140
Cornwall Av. Blac —1C 88
Cornwall Av. T Clev —8F 54
Cornwall Pl. Blac —8H 89
Cornwall Pl. Chu —1M 141
Cornwall Pl. Wig —5M 221
Cornwall Rd. Rish —8G 120
Cornwall Way. South —1B 206
Corona Av. Liv —6B 216
Coronation Av. B'brn —9D 138
Coronation Av. Form —1A 214
Coronation Av. Fort —2M 45
Coronation Av. Pad —3H 123
Coronation Cres. Pres —1L 135
Coronation Gro. Ross —6C 162
Coronation Pk. —7K 209
(Ormskirk)
Coronation Pk. —9N 213
(Standish Lower Ground)
Coronation Pl. Barfd —8H 85
Coronation Rd. Brier —5G 104
Coronation Rd. K'ham —4M 111
Coronation Rd. Lyd —8B 216
Coronation Rd. Lyth A —4J 129
Coronation Rd. Stand L —9N 213
Coronation Rd. T Clev —1C 62
Coronation Rock Company. —9G 89
(off Cherry Tree Rd. N.)
Coronation St. Barn —2N 77
Coronation St. Blac —5B 88
Coronation St. Gt Har —3K 121
Coronation Ter. Lang —9C 100
(off Whalley New Rd.)
Coronation Vs. Whitw —4A 184
Coronation Wlk. South —7G 167
Coronation Way. Lanc —4L 23
Corporation Rd. Roch —7A 204
Corporation St. Acc —3N 141
Corporation St. B'brn —3M 139
Corporation St. Blac —5B 88
Corporation St. Chor —5F 174
Corporation St. Clith —3K 81
Corporation St. Col —8L 85
Corporation St. Pres —9J 115
Corporation St. South —7H 167
Corrib Rd. Blac —9D 62
Corringham Rd. More —3B 22
Corring Way. Bolt —9H 199
Corwen Clo. B'brn —2M 139
Corwen Dri. Boot —6A 222
Cosford St. Weet —4D 90
Cosgate Clo. Orr —6H 221
Costessey Way. Wig —8M 221
Cote Holme. —2L 141
Cote La. L'boro —8J 185
Cotford Rd. Ram —8F 198
Coton Way. Liv —7H 223
Cotswold Av. Eux —5N 173
Cotswold Av. Wig —6L 221
Cotswold Clo. E'ston —8G 172
Cotswold Clo. Ram —1H 201
Cotswold Cres. Bury —9F 200
Cotswold Cres. Miln —6K 205
Cotswold Dri. Hor —8D 196
Cotswold Ho. Chor —8E 174
Cotswold Ho. Has —4G 161
(off Warwick St.)
Cotswold M. B'brn —8A 140
Cotswold Rd. Blac —1D 88
Cotswold Rd. Chor —8E 174
Cotswold Rd. Lyth A —3C 130
Cottage Clo. Orm —8J 209
Cottage Cft. Bolt —8K 199
Cottage Fields. Chor —1D 194
Cottage La. Bam B —6B 136
Cottage La. Crost —5J 171
Cottage La. Orm —6J 209
Cottage M. Orm —7J 209
Cottage Wlk. Roch —1N 203
Cottam. —4B 114
Cottam Av. Ing —5C 114
Cottam Clo. Lyth A —7F 108
Cottam Clo. Whal —5J 101
Cottam Grn. Cot —3B 114
Cottam Hall La. Cot —4B 114
Cottam La. Ing & Ash R —6D 114
Cottam La. Longt —1N 151
Cottam Pl. Poul F —9H 63
Cottam St. Bury —9H 201
Cottam St. Chor —8E 174
Cottam Way. Cot —5N 113
Cottesloe Pl. Barfd —8G 84
Cottesmore Pl. Blac —4G 88
Cottom Cft. Clay M —5M 121
Cotton Ct. Col —8N 85
Cotton Ct. Pres —9K 115
Cotton Dri. Orm —6J 209
Cotton Fold. Roch —7F 204
Cotton Hall St. Dar —5A 158
Cotton La. Roch —9N 203
Cotton St. Acc —3A 142
Cotton St. Burn —3B 124
Cotton St. Pad —2H 123
Cotton Tree. —6E 86
Cotton Tree La. Col —6D 86
Cottys Brow. South —3M 167
Coudray Rd. South —5L 167
Coulston Av. Blac —8B 62
Coulston Rd. Lanc —2L 29
Coultate St. Burn —3A 124
Coulter Beck La. Leck —8H 9
Coulthurst St. Ram —8G 180
Coulton Rd. Brier —3F 104
Counsell Ct. T Clev —1H 63
Countess Clo. Wesh —2M 111
Countess Cres. Blac —8C 62
Countess Rd. Lwr D —9N 139
Countess St. Acc —2M 141
Countess Way. Bam B —7A 136
Countess Way. Eux —4N 173
Country Clo. Ley —3K 153
Count St. Roch —8D 204
County Av. Lanc —7M 29
County Brook La. Foul —9N 77
County Rd. Kirkby —6K 223
County Rd. Orm —8J 209
County St. Lanc —8J 23
Coupe Green. —4G 136
Coupe Grn. Hogh —4G 136
Couplands, The. Cop —5A 194
Coupland St. Todm —2L 165
Coupland St. Whitw —6N 183
Courage Low La. Wrigh —9G 192
Courier Pl. Wig —2N 221
Course La. Lath —3G 211
Courtfield. Orm —5J 209
Courtfield Av. Blac —2D 88
Courtfields. Blac —6C 88
Court Grn. Orm —5J 209
Court Gro. Clay D —3M 119
Court Hey. Mag —1D 222
Court Rd. South —6J 167
Court, The. Ful —2F 114
Court, The. Pen —4F 134
Courtyard, The. Bacup —4L 163
Cousin Fields. Brom X —6J 199
Cousin's La. Ruf —2E 190
Cove Dri. Silv —7G 4
Covell Ho. Lanc —8J 23
(off Castle Pk. M.)
Coventry St. Chor —8E 174
Coventry St. Roch —7C 204
Coverdale Dri. B'brn —9E 138
Coverdale Rd. Lanc —8H 23
Coverdale Way. Burn —2B 124
Cove Rd. Silv —6E 4
Covert, The. T Clev —8F 54
Cove, The. More —1E 22
Cove, The. T Clev —8C 54
Coveway Av. Blac —4E 88
Cowan Brae. B'brn —2L 139
Cowan Bridge. —8H 9
Cow Ark. —3M 71
Cow Clough La. Whitw —4M 183
Cowdrey M. Lanc —7H 23
Cowell Way. B'brn —3L 139
Cower Gro. Walm B —2L 151
Cowes Av. Has —5H 161
Cowfold St. Todm —1L 165
Cowgarth La. Earby —2F 78
Cow Gate La. Hell —4D 52
Cow Gill La. Saw —2K 75
Cowgill St. Bacup —4L 163
Cowgill St. Earby —3E 78
Cow Hill. —1C 116
Cowhill La. Rish —1F 140
Cowhurst Av. Todm —9J 147
Cow La. Burn —3D 124
Cow La. Ley —7J 153
Cowley Cres. Pad —2K 123
Cowley Rd. Blac —1F 108
Cowley Rd. Ram —8F 198
Cowley Rd. Rib —6A 116
Cowling. —8G 175
Cowling Brow. Chor —7G 175
Cowling Brow Ind. Est. Chor —8G 175

Cowling Cotts.—Cumberland Vw.

Cowling Cotts. Char R —2N 193
Cowling Hill La. Loth —8N 79
Cowling La. Ley —6G 152
Cowling Rd. Chor —8H 175
Cowm Pk. Way N. Whitw —4N 183
Cowm Pk. Way S. Whitw —6N 183
Cowm St. Whitw —1B 184
Cowper Av. Clith —2L 81
Cowpe Rd. Ross & Waterf —7C 162
Cowper Pl. Saw —3E 74
Cowper St. B'brn —1N 139
Cowper St. Burn —4A 124
Cowslip Way. Chor —4F 174
Cowtoot La. Bacup —4K 163
Cow Well La. Whit W —7D 154
Coxfield. App B —5G 213
Cox Green. —4F 198
Cox Grn. Clo. Eger —2D 198
Cox Grn. Rd. Eger —1D 198
Coyford Dri. South —2N 167
Crabtree Av. Bacup —6L 163
Crabtree Av. Pen —5D 134
Crabtree Av. Ross —5D 162
Crabtree Clo. Burs —9B 190
Crabtree La. Burs —8N 189
Crabtree La. N'bgn —3A 8
Crab Tree La. St M —3A 66
Crabtree Orchard. T Clev —9H 55
Crabtree Rd. T Clev —9H 55
Crabtree Rd. Wig —4N 221
Crabtree St. B'brn —3B 140
Crabtree St. Brier —5F 104
Crabtree St. Col —7N 85
Crabtree St. Ross —2D 162
Cracoe Gill. Barfd —8G 85
Craddock Rd. Col —6B 86
Crag Av. Bury —3J 201
Crag Bank. —1N 15
Crag Bank Cres. Carn —1N 15
Crag Bank La. Carn —8M 11
Crag Bank Rd. Carn —9M 11
Cragdale. Set —3N 35
(off Victoria St.)
Crag Fold. Bury —3J 201
Crag Foot. —2K 11
Cragg Pl. L'boro —9L 185
Cragg Row. Salt —4A 78
Craggs La. Lowg —2L 33
Cragg's Row. Pres —8J 115
Cragg St. Blac —7B 88
Cragg St. Col —6N 85
Crag La. Bury —3J 201
Crag La. Hut R —6A 8
Crag Rd. Lanc —7M 23
Crag Rd. War —2K 11
Craigflower Ct. Bam B —9E 136
Craighall Rd. Bolt —7E 198
Craiglands Av. Hey —6L 21
Craiglands Ct. Ald —2G 29
Craig St. Hey —5L 21
Crake Av. Fltwd —2C 54
Crake Bank. Lanc —6G 22
Cramond Clo. Wig —7N 221
Cranberry Av. Todm —8L 165
Cranberry Chase. Dar —8C 158
Cranberry Clo. Dar —9D 158
Cranberry La. Dar —8C 158
Cranberry Ri. Love —6M 143
Cranborne Clo. Stand —3M 213
Cranborne St. Pres —9M 115
Cranborne Ter. B'brn —2K 139
Cranbourne Dri. Chor —7G 174
Cranbourne Dri. Chu —9N 121
Cranbourne Gro. T Clev —4L 63
Cranbourne Rd. Roch —7J 203
Cranbourne St. Bam B —8A 136
Cranbourne St. Chor —7F 174
Cranbourne St. Col —5B 86
Cranbrook Av. Blac —6D 62
Cranbrook Av. Osw —4J 141
Cranbrook St. B'brn —6L 139
Cranes La. Lath —5B 210
Crane St. Cop —7N 193
Cranfield Vw. Dar —9C 158
Crangle Way. Clith —1N 81
Crank Rd. Bil —9G 220
Crankshaw St. Ross —4M 161
Cranleigh Av. Blac —8C 62
Cranmer St. Burn —3C 124
Cranshaw Dri. B'brn —9M 119
Cranshaw St. Acc —2A 142
Cranston Rd. Know I —8A 224
Cranwell Av. Lanc —2M 29
Cranwell Clo. B'brn —4N 139
Cranwell Clo. Liv —8B 222
Cranwell Ct. K'ham —4L 111
Crask Wlk. Liv —6L 223
Craven Bank La. Gigg —2L 35
Craven Clo. Ful —2J 115
Craven Corner. T Clev —4F 62
Craven Cotts. Set —3N 35
(off Kirkgate)
Cravendale Av. Nels —8J 85
Craven Gdns. Roch —8B 204
Craven Ho. Todm —7K 165
Craven's Av. B'brn —9J 139
Craven's Brow. B'brn —9M 139
Cravens Heath. B'brn —1M 157
Cravens Hollow. B'brn —1L 157
Craven St. Acc —3N 141
Craven St. Barn —2N 77
Craven St. Brier —5F 104
Craven St. Burn —4E 124
Craven St. Clith —4L 81
Craven St. Col —6D 86
Craven St. Nels —2G 105
Craven St. Ross —5L 161
Craven Ter. Set —3N 35
(off Kirkgate)
Crawford. —9A 220
Crawford Av. Adl —8G 195
Crawford Av. Blac —6D 62
Crawford Av. Chor —7D 174
Crawford Av. Ley —7K 153
Crawford Av. Mag —8A 216
Crawford Av. Pres —8B 116
Crawford Rd. Uph —1N 225
Crawford St. Nels —1J 105
Crawford St. Roch —8D 204
Crawford St. Todm —7L 165
Crawshawbooth. —9N 143
Crawshaw Dri. Ross —1M 161
Crawshaw Grange. Craw —1M 161
Crawshaw La. S'fld —4N 105
Cray Ho. Farm, The. Miln —7H 205
Cray, The. Miln —7H 205
(in two parts)
Crediton Av. South —1A 168
Crediton Clo. B'brn —8K 139
Crescent Av. T Clev —1D 62
Crescent Ct. Blac —4A 108
Crescent E. T Clev —1D 62
Crescent Grn. Augh —2G 217
Crescent Rd. Poul F —7L 63
Crescent Rd. Roch —9M 203
Crescent Rd. South —2F 186
Crescent St. Pres —8M 115
Crescent St. Todm —2L 165
Crescent, The. Ash R —7D 114
Crescent, The. Bam B —6B 136
Crescent, The. B'brn —7F 138
Crescent, The. Blac —2B 108
Crescent, The. Bolt —9M 199
Crescent, The. Brom X —6G 199
Crescent, The. Burn —6F 104
Crescent, The. Chor —4E 174
Crescent, The. Clith —3K 81
Crescent, The. Col —5A 86
Crescent, The. Dun B —7K 49
Crescent, The. Fltwd —4E 54
Crescent, The. Has —6G 161
Crescent, The. Hest B —8H 15
Crescent, The. Holme —1F 6
Crescent, The. Lea —8A 114
Crescent, The. Los H —8M 135
Crescent, The. Lyth A —2E 128
Crescent, The. Mag —3B 222
Crescent, The. More —3A 22
(off Queen St.)
Crescent, The. Poul F —7J 63
Crescent, The. Pre —9A 42
Crescent, The. South —3B 168
Crescent, The. W'ton —4H 131
Crescent, The. Whal —4G 101
Crescent, The. Whitw —6N 183
Crescent, The. Wig —5N 221
Crescent, The. Wors —4L 125
Crescent W. T Clev —1D 62
Cressell Pk. Stand —2K 213
Cresswood Av. T Clev —2D 62
Crestway. Blac —4F 88
Crestway. Tar —8E 150
Creswell Av. Ing —6C 114
Creswick Av. Burn —7D 124
Creswick Clo. Burn —6D 124
Crewdson St. Dar —5N 157
Crewgarth Rd. More —6B 22
Cribden End La. Has —3G 161
Cribden La. Raw —3K 161
Cribden Side. —2H 161
Cribden St. Ross —3L 161
Criccieth Clo. Has —6G 161
Criccieth Pl. T Clev —1K 63
Crichton Pl. Blac —4B 108
Cricketers Grn. E'ston —7E 172
Cricket Path. Liv —7A 206
Cricket Path. South —2F 186
Cricket Vw. Miln —8J 205
Crimble. —9J 203
Crimble La. Roch & Heyw —8J 203
Crimbles La. C'ham —2E 44
Crimble St. Roch —6A 204
Crimea St. Bacup —5L 163
Crime Well La. Hey —9K 21
Cringle Fold. Clith —1N 81
Cripplegate. Shev —2J 213
Cripple Ga. La. Hogh —4K 137
Crisp Delf. —9C 212
Critchley Clo. Much H —4K 151
Critchley Way. Liv —6L 223
Croasdale. Lanc —6G 22
Croasdale Av. Burn —8H 105
Croasdale Av. Rib —5A 116
Croasdale Clo. Carn —9N 11
Croasdale Dri. Clith —4M 81
Croasdale Dri. Parb —1N 211
Croasdale Dri. T Clev —8F 54
Croasdale Sq. B'brn —5A 140
Croasdale Wlk. Blac —2G 89
Crockleford Av. South —2L 187
Crocus Clo. Has —7E 160
Crocus Fld. Ley —8K 153
Crocus St. Bolt —9F 198
Croft. —2L 77
Croftacres. Ram —4J 181
Croft Av. Burs —1D 210
Croft Av. Orr —6G 220
Croft Av. Sing —9J 15
Croft Bank. Pen —5F 134
Croft Bank. Whitw —4A 184
Cft. Butts La. Frec —2A 132
Croft Clo. Ross —2M 161
Croft Ct. Fltwd —2E 54
(off Croft, The)
Croft Ct. Frec —2N 131
Croft Dri. Tot —7D 200
Crofters Fold. Gal —2L 37
Crofters Fold. Hey —7M 21
Crofters Grn. Eux —3M 173
Crofters Grn. Pres —7H 115
Crofters La. Liv —5M 223
Crofters M. Blac —3C 88
Crofters Wlk. Bolt —7J 199
Crofters Wlk. Pen —6G 135
Crofters Way. Lyth A —1L 129
Croftfield. Liv —1D 222
Croft Ga. Bolt —9L 199
Croftgate. Ful —4J 115
Crofthead. L'boro —7L 185
Cft. Head Dri. Miln —6J 205
Cft. Head Rd. Whi I —8B 120
Croft Hey. Ruf —1F 190
Croft Heys. Augh —2G 216
Crofthill Ct. Roch —1G 204
Croftland Gdns. Bolt S —3L 15
Croftlands. Orr —7G 220
Croftlands. Ram —2F 200
Croftlands. War —4B 12
Croft La. High —4L 103
Croft Manor. Frec —2A 132
Croft Mdw. Bam B —1E 154
Crofton Av. Blac —6D 62
Croft Pk. Ley —6M 153
Croft Rd. Chor —7G 175
Croft Rd. I'ton —3N 19
Croft St. Earby —2F 78
Crofts Clo. K'ham —4A 112
Croftson Av. Orm —6L 209
Croft Sq. Roch —2F 204
Croft St. Bacup —4K 163
Croft St. Burn —4E 124
Croft St. Clith —4L 81
Croft St. Dar —6A 158
Croft St. Gt Har —5J 121
Croft St. More —3C 22
Croft St. Pres —9G 115
(in two parts)
Croft St. Roch —2F 204
Croft, The. Bil —7G 221
Croft, The. B'brn —1L 139
Croft, The. Burt L —3K 19
Croft, The. Cat —2G 25
Croft, The. Col —4B 86
Croft, The. E'ston —7F 172
Croft, The. Eux —3L 173
Croft, The. Fltwd —2E 54
Croft, The. Gars —3M 59
Croft, The. Goos —5N 95
Croft, The. Gt Plu —2D 110
Croft, The. Hogh —6K 137
(off Station Rd.)
Croft, The. Longt —7L 133
Croft, The. Lyth A —8H 109
Croft, The. Mag —6A 216
Croft, The. Poul F —9K 63
Croft, The. T Clev —1D 62
Croftway. T Clev —3J 63
Croftwood Sq. Wig —1M 221
Croft Wood Ter. B'brn —7H 139
Croich Bank. Hawk —3A 200
Crombleholme Rd. Pres —8A 116
Crombleholm Rd. W'chpl —2N 69
Cromer Av. Burn —9G 105
Cromer Gro. Burn —9G 104
Cromer Pl. B'brn —1M 139
Cromer Pl. Ing —5D 114
Cromer Rd. Blac —7E 62
Cromer Rd. Bury —8H 201
(in two parts)
Cromer Rd. Lyth A —8G 108
Cromer Rd. South —3E 186
Cromer St. Roch —5B 204
Cromfield. Augh —1H 217
Cromford Dri. Wig —6L 221
Cromford Wlk. Pres —9M 115
Crompton Av. Blac —2E 108
Crompton Clo. Bolt —9G 199
Crompton Pl. B'brn —3J 139
Crompton St. Pres —8M 115
Crompton Way. Bolt —9F 198
Cromwell Av. Acc —9A 122
Cromwell Av. Pen —5F 134
Cromwell Clo. Augh —1H 217
Cromwell Rd. Blac —2C 88
Cromwell Rd. Lanc —9J 23
Cromwell Rd. Pen —5E 134
Cromwell Rd. Rib —5N 115
Cromwell St. B'brn —4A 140
Cromwell St. Burn —2D 124
Cromwell St. Foul —2A 86
Cromwell St. Pres —8K 115
Cromwell Ter. Barfd —8H 85
Cronkeyshaw Rd. Roch —4B 204
Cronkshaw St. Burn —2E 124
Cronshaw Dri. Lang —9C 100
Crookall Clo. Fltwd —2E 54
Crook Dale La. Stalm —5C 56
Crooke. —9M 213
Crooked La. Pres —9K 115
Crooked Shore. Bacup —4K 163
Crooke Rd. Wig —9M 213
Crookfield Rd. Adl —3H 177
Crook Ga. La. Out R —2H 65
Crookhalgh Av. Burn —3K 125
Crookhey Gdns. C'ham —2J 45
Crookings La. Pen —2D 134
Crooklands Dri. Gars —4N 59
Crookleigh Pl. Hey —6L 21
Crook O' Lune Cvn. Pk. Crook L —3E 24
Crook St. Adl —6H 195
Crook St. Chor —9D 174
Crook St. Pres —9L 115
Crook St. Roch —5D 204
Cropper Gdns. Hesk B —4B 150
Cropper Rd. Blac —2H 109
Cropper's La. Bic —2L 217
Cropton Rd. Liv —9A 206
Crosby Clo. Dar —9B 158
Crosby Gro. Blac —7E 88
Crosby Pl. Ing —5D 114
Crosby Rd. B'brn —7M 139
Crosby Rd. Lyth A —8F 108
Crosby Rd. South —2F 186
Crosby St. Roch —3C 204
Crosfield Av. S'seat —3H 201
Crosier Wlk. Cot —4B 114
Crosland Rd. Liv —9M 223
Crosland Rd. N. Lyth A —8F 108
Crosland Rd. S. Lyth A —9G 109
Crosley Clo. Acc —5A 142
Cross Bank. Pad —1J 123
(off Hambledon St.)
Cross Barn Gro. Dar —7B 158
Cross Barn La. Liv —9E 214
Cross Barn Wlk. Dar —7B 158
Cross Ct. Bacup —4L 163
Crossdale Av. Hey —6L 21
Crossdale Sq. Lanc —8L 23
(off Woodville St.)
Cross Edge. —7N 141
Cross Edge. Osw —7N 141
Crosse Hall La. Chor —7G 175
Crosse Hall St. Chor —7H 175
Crossens. —2C 168
Crossens Cricket Club Ground. —3C 168
Crossens Way. South —9B 148
Cross Fld. Hut —7N 133
Crossfield Clo. Ward —7F 184
Crossfield Ct. Arns —2E 4
Crossfield Pl. Roch —8D 204
Crossfield Rd. Skel —3N 219
Crossfield Rd. Ward —8F 184
Crossfields. Brom X —5J 199
Crossfield St. B'brn —5N 139
Cross Flatts Cres. Salt —4B 78
Cross Fold. Grin —4A 74
Crossford Clo. Wig —7N 221
Cross Gates. Gt Har —4J 121
Crossgates Rd. Miln —6J 205
Crossgill. —7N 25
Crossgill Pl. Lanc —6H 23
(off Austwick Rd.)
Cross Grn. Liv —1A 214
Cross Grn. Clo. Liv —1A 214
Cross Grn. Rd. Ful —3H 115
Cross Hagg St. Col —7A 86
Crosshall Brow. Orm & W'head —8N 209
Cross Halls. Pen —5E 134
Cross Helliwell St. Col —7A 86
Cross Hey. Liv —3D 222
Cross Hill Ct. Bolt S —5L 15
Cross Hill La. Rim —3B 76
Crosshill Rd. B'brn —3J 139
Crosshills. Pad —9H 103
(off East St.)
Crossing, The. Hogh —6K 137
Cross Keys Dri. Whit W —7E 154
Crossland Rd. Blac —9E 88
Crossland St. Acc —3N 141
Cross La. B'ley —7A 84
Cross La. Bil —8G 220
Cross La. Hals —2A 208
Cross La. Holc —9F 180
Cross La. L Bent —6J 19
Cross La. Salt —4A 78
Cross La. Trea —9B 92
Cross La. Wadd —7C 72
Cross La. Cotts. Salt —4A 78
(off Chapel Hill)
Cross Lee. Todm —9J 147
Cross Lee Ga. Todm —9J 147
Cross Lee Rd. Todm —9J 147
Cross Lees. Roch —2D 204
Crossley Fold. Burn —5B 124
Crossley St. Miln —7H 205
Crossley St. Todm —2L 165
Cross Meanygate. H'wd —9N 169
Crossmoor. —1C 92
Cross Pit La. St H —4K 225
Cross Rd. L Bent —7J 19
Cross School St. Col —7A 86
Cross Skelton St. Col —6B 86
Cross Stone. —1N 165
Cross Stone Rd. Todm —1M 165
Cross St. Acc —3B 142
Cross St. Blac —3B 88
Cross St. Brclf —8K 105
Cross St. Brier —5F 104
Cross St. Brom X —6F 198
Cross St. Chor —5E 174
Cross St. Clay M —6L 121
Cross St. Clith —3K 81
Cross St. Dar —8B 158
Cross St. Earby —3D 78
Cross St. Firg —6G 205
Cross St. Fltwd —8H 41
Cross St. High —5L 103
Cross St. Ley —5L 153
Cross St. L'rdge —4H 97
Cross St. Lwr D —9N 139
Cross St. Lyth A —9D 108
Cross St. More —3C 22
Cross St. Nels —2H 105
Cross St. Orr —5L 221
Cross St. Osw —4K 141
Cross St. Pem —5L 221
Cross St. Pres —1J 135
Cross St. Ram —8H 181
Cross St. Ross —9M 143
Cross St. South —8H 167
Cross St. Wors —3M 125
Cross St. N. Has —3G 160
Cross St. S. Has —3G 160
Cross St. W. Col —7M 85
Cross Swords Clo. Chor —9D 174
Cross, The. Liv —8E 214
Cross Way. T Clev —8D 54
Crossways. W Brad —5K 73
Croston. —4M 171
Croston Av. Adl —5J 195
Croston Barn Rd. Nate —4L 59
Croston Clo. B'brn —3B 140
Croston Clo. Rd. Bury & Ram —4A 202
Croston Dri. Ruf —8F 170
Croston La. Char R —3L 193
Croston Rd. Far M & Los H —4H 153
Croston Rd. Gars —3M 59
Croston Rd. Ruf —7F 170
Croston's Brow. South —3M 167
Crostons Rd. Bury —9J 201
Croston St. B'brn —3C 140
Crowder Av. T Clev —1H 63
Crowell Way. Walt D —5A 136
Crowfoot Row. Barn —3M 77
(off Castle Vw.)
Crow Hills Rd. Pen —2D 134
Crowland Clo. South —8N 167
Crowland St. South —8N 167
(in two parts)
Crowland Way. Liv —1B 214
Crow La. Dal —9C 212
Crow La. Out R —3K 65
Crow La. Ram —8H 181
Crowle St. Pres —9N 115
Crown Clo. Liv —1A 214
Crowndale. Tur —7K 179
Crowneast St. Roch —6N 203
Crownest Cotts. Barn —1N 77
(off Bankfield Ter.)
Crownest Ind. Est. Barn —1N 77
Crownest Rd. Barn —1M 77
Crown Gdns. Roch —8D 204
Crown Gdns. Tur —8K 179
Crown Ho. Dar —3N 157
Crown La. Btle —8L 93
Crown La. Fltwd —9H 41
Crown La. Hor —9B 196
Crownlee. Pen —5D 134
Crown M. K'ham —4M 111
Crown Point. Tur —8L 179
Crown Point Rd. Burn —8C 124
Crown St. Acc —3N 141
Crown St. Chor —6E 174
Crown St. Dar —7A 158
Crown St. Far —4L 153
Crown St. Pres —9J 115
Crown St. Roch —8D 204
Crown Way. Col —6N 85
Crow Orchard Rd. Wrigh —2J 213
(in two parts)
Crow Pk. La. Gis —8B 52
Crowshaw Dri. Roch —2B 204
Crowther Ct. L'boro —1H 205
Crowther Ct. Wors —3M 125
(off Showfield)
Crowther St. Burn —5F 124
Crowther St. Clay M —6L 121
Crowther St. L'boro —9H 185
Crowther St. Roch —9E 204
Crowthorn Rd. Tur —5M 179
Crow Tree Av. Bacup —7F 162
Crow Tree Gdns. Chat —7C 74
Crow Trees. —6D 84
Crowtrees. L Bent —6J 19
Crow Trees Brow. Chat —8C 74
Crowtrees Gro. R'lee —6D 84
Crow Trees La. Tur —7J 179
Crow Trees Rd. Sab —2E 102
Crow Wood Av. Burn —2B 124
Crow Wood Ct. Burn —2C 124
Crow Wood Rd. Ross —9J 161
Crow Woods. Ram —1J 181
Croxteth Clo. Liv —8D 216
Croxteth Dri. Rainf —3K 225
Croxton Av. Roch —5E 204
Croxton Wlk. Hor —9C 196
(off Beatrice M.)
Croyde Clo. South —1A 168
Croyde Rd. Lyth A —3G 128
Croydon Rd. Blac —3E 88
Croydon St. B'brn —3K 139
Crummock Pl. Blac —9J 89
Crummock Rd. Pres —8C 116
Crumpax Av. L'rdge —2J 97
Crumpax Cft. L'rdge —2J 97
Crundale Rd. Bolt —7G 198
Crystal Gro. Lyth A —9E 108
Crystal Rd. Blac —9B 88
Crystal Rd. T Clev —7H 55
Cuba St. Nels —2H 105
Cub St. Ley —3K 153
(off Country Clo.)
Cuckoo Brow. B'brn —9L 119
Cuckoo La. Out R —9N 57
Cuckstool La. Fence —3B 104
Cuckstool Rd. Fence —4C 104
Cuddy Hill. —3N 93
Cudworth Rd. Lyth A —8F 108
Cuerdale La. Walt D & Sam —3A 136
Cuerdale St. Burn —7J 105
Cuerden Av. Ley —8G 153
Cuerden Clo. Bam B —3A 154
Cuerden Green. —1M 153
Cuerden Ri. Los H —9M 135
Cuerden St. Chor —7G 174
Cuerden St. Col —8M 85
Cuerden Valley Pk. —4B 154
Cuerden Way. Bam B —8N 135
Culbeck La. Eux —4J 173
Culcross Av. Wig —7M 221
Culshaw St. B'brn —3A 140
Culshaw St. Burn —4G 125
Culshaw Way. Scar —6E 188
Culvert La. Newb —2L 211
Cumberland Av. Blac —7D 88
Cumberland Av. Burn —2M 123
Cumberland Av. Clay M —6N 121
Cumberland Av. Ley —8H 153
Cumberland Av. T Clev —8D 54
Cumberland Ga. Boot —6A 222
Cumberland Ho. Pres —9J 115
(off Warwick St.)
Cumberland Rd. South —9K 167
Cumberland St. B'brn —4A 140
Cumberland St. Col —6B 86
Cumberland St. Nels —1J 105
Cumberland Vw. Lanc —1L 29

Cumberland Vw. Clo. Hey —5L 21
Cumberland Vw. Rd. Hey —5L 21
Cumbrian Av. Blac —3E 88
Cumbrian Way. Burn —1N 123
Cumeragh La. W'ham —4B 96
Cumeragh Village. —5B 96
Cumpstey St. B'brn —5M 139
Cuncliffe Ct. Clay M —7M 121
Cunliffe Av. Ram —1F 200
Cunliffe Clo. B'brn —8B 120
Cunliffe Ho. Ross —6B 162
(off Bacup Rd.)
Cunliffe La. Wis —2M 101
Cunliffe Rd. B'brn —8B 120
Cunliffe Rd. Blac —8D 88
Cunliffe St. Chor —7E 174
Cunliffe St. Pres —9K 115
Cunliffe St. Ram —7H 181
Cunnery Mdw. Ley —6A 154
Cunningham Av. Chor —8C 174
Cunningham Gro. Burn —3N 123
Cunscough La. Liv —9J 217
Curate St. Chor —5G 174
Curate St. Gt Har —4J 121
Curlew Clo. B'brn —9M 119
Curlew Clo. Ley —8F 152
Curlew Clo. Osw —5K 141
Curlew Clo. Roch —6K 203
Curlew Clo. T Clev —8F 54
Curlew Gdns. Burn —4N 123
Curlew Gro. Hey —2L 27
Curlew La. Burs —5B 190
Curteis St. Hor —9C 196
Curtis Dri. Fltwd —1D 54
Curtis St. Ross —4M 161
Curtis St. Wig —5N 221
Curven Edge. Ross —8F 160
Curve St. Bacup —6K 163
Curwen Av. Hey —1K 27
Curwen La. Goos —8M 69
Curwen St. Pres —8M 115
(in two parts)
Curzon Pl. B'brn —5K 139
Curzon Rd. Lyth A —1F 128
Curzon Rd. Poul F —8L 63
Curzon Rd. South —9K 167
Curzon St. Burn —3D 124
(in two parts)
Curzon St. Clith —3K 81
Curzon St. Col —7B 86
Cusson Rd. Know I —9A 224
(in two parts)
Custom Ho. La. Fltwd —8H 41
Customs Way. Ash R —9F 114
Cutgate. —5L 203
Cutgate Rd. Roch —4M 203
Cutgate Shop. Precinct. Roch —5M 203
Cuthbert Mayne Ct. Roch —7B 204
Cuthbert St. Wig —5N 221
Cutland Way. L'boro —1K 205
Cut La. Hals —4E 208
Cut La. Rish —8F 120
(in two parts)
Cut La. Roch —4K 203
Cutler Clo. B'brn —3L 139
Cutler Cres. Bacup —8H 163
Cutler La. Bacup —8H 163
Cutler La. Chip —7F 70
Cutt Clo. Ley —9C 152
Cuttle St. Pres —9N 115
Cutts La. Hamb & Out R —1D 64
Cyclamen Clo. Ley —5A 154
Cygnet Clo. Augh —1H 217
Cygnet Ct. Liv —8M 223
Cyon Clo. Pen —3H 135
Cypress Av. T Clev —1E 62
Cypress Clo. Ley —5A 154
Cypress Clo. Liv —7F 222
Cypress Clo. Rib —5C 116
Cypress Gdns. Firg —6G 204
Cypress Gro. Blac —3D 88
Cypress Gro. Los H —8L 135
Cypress Ridge. B'brn —8G 138
Cypress Rd. South —8L 167
Cypress St. Bacup —7G 163
Cyprus Av. Lyth A —4H 129
Cyprus Rd. Hey —1K 27
Cyprus St. Dar —9B 158

Dacca St. Chor —5F 174
Dacre Rd. Roch —9C 204
Daffodil Clo. Has —7F 160
Daffodil Clo. Roch —2B 204
Daffodil St. Ram —8F 198
Dagger Rd. Trea —8G 92
Daggers Hall La. Blac —1E 108
Daggers La. Pre —1A 56
Dagnall Rd. Liv —9H 223
Dahlia Clo. Ley —5A 154
Dahlia Clo. Lwr D —9A 140
Dahlia Clo. Roch —2A 204
Dailton Rd. Uph —4D 220
Dairy Farm Rd. Rainf —4F 224
Daisy Bank. —8D 162
Daisy Bank. Bacup —4K 163
Daisy Bank. Lanc —9A 24
Daisy Bank. T Clev —1D 62
Daisy Bank Clo. Ley —6G 153
Daisy Bank Cres. Burn —4K 125
Daisy Bank St. Todm —7E 146
Daisy Cft. Lea —9A 114
Daisyfield. —2A 140
Daisyfields. High B —2C 114
Daisyfield St. Dar —2M 157
Daisy Fold. Chor —4G 175
Daisy Hill. —5N 173
Daisy Hill. Ross —4M 161
Daisy Hill Dri. Adl —4J 195
Daisy Hill Fold. Eux —5N 173
Daisy La. B'brn —2N 139
Daisy La. Lath —9F 190
Daisy La. Pres —6M 115
Daisy Mdw. Bam B —1C 154
Daisy Mt. Liv —2D 222
Daisy Row. L'boro —2J 205
Daisy St. B'brn —2N 139
Daisy St. Col —7A 86
Daisy St. Lanc —5K 23
Daisy St. Roch —5B 204
Daisy Wlk. South —7L 167
(off Beacham Rd.)
Dakin St. Chor —7F 174
Dakin Wlk. Liv —8L 223
Dalby Clo. Pres —6N 115
Dalby Clo. T Clev —4F 62
Dalby Cres. B'brn —7H 139
Dalby Lea. B'brn —7H 139
Dale Av. Eux —5N 173
Dale Av. Longt —9J 133
Dale Av. Slyne —9J 15
Dale Av. Todm —2N 165
Dale Clo. Burn —3B 124
(off Tunnel St.)
Dale Clo. Liv —9B 216
Dale Clo. Parb —2M 211
Dale Cres. B'brn —8F 138
Dale Dyke Wlk. Poul F —8H 63
Dalegarth Clo. Blac —9J 89
Dalehead Rd. Ley —8K 153
Dale La. Liv —5M 223
Dales Brow. Bolt —7F 198
Dales Ct. Blac —3D 108
Dalesford. Has —6G 161
Dalesford Clo. T Clev —3J 63
Daleside Rd. Liv —7L 223
Daleside Wlk. Liv —7L 223
Dales, The. Lang —1A 120
Dale St. Acc —2N 141
Dale St. Bacup —4K 163
Dale St. B'brn —4L 139
Dale St. Blac —7B 88
Dale St. Brier —5E 104
Dale St. Burn —3B 124
Dale St. Bury —9H 201
Dale St. Col —6N 85
Dale St. Earby —2E 78
Dale St. Has —4G 160
Dale St. Lanc —9L 23
Dale St. Nels —2G 105
Dale St. Osw —4L 141
Dale St. Pres —9L 115
Dale St. Ram —6H 181
Dale St. Stac —7G 163
Dale St. Todm —2L 165
Dale St. M. Blac —7B 88
(off Yorkshire St.)
Dalesview Cres. Hey —9L 21
Dales Vw. Pk. Salt —1M 77
(off Powell St.)
Dales Wlk. Liv —6A 206
Dalesway. Barfd —8G 85
Dale Ter. Chat —7C 74
Dale Vw. B'brn —1M 157
Daleview. Chor —1E 194
Dale Vw. Earby —3E 78
Dale Vw. L'boro —3J 205
Dale Vw. Ross —6H 161
Daleview Pk. Salt —5M 77
Dalewood Av. Blac —9E 88
Dalkeith Av. Blac —8G 89
Dalkeith Rd. Nels —2G 105
Dallam Av. More —2C 22
Dallas Ct. More —4F 22
Dallas Rd. Lanc —9J 23
Dallas Rd. More —4F 22
Dallas St. Pres —6H 115
Dallicar La. Gigg —3M 35
Dall St. Burn —5E 124
Dalmeny Ter. Roch —9C 204
Dalmore Rd. Ing —6D 114
Dalston Gro. Wig —8N 221
Dalton. —5K 7
(Carnforth)
Dalton. —7A 212
(Wigan)
Dalton Av. Blac —4D 108
Dalton Av. Roch —6G 205
Dalton Clo. B'brn —3A 140
Dalton Clo. Orr —4L 221
Dalton Clo. Ram —1F 200
Dalton Clo. Roch —6G 205
Dalton Dri. Wig —8N 221
Dalton La. Burt —6H 7
Dalton Rd. Hey —5L 21
Dalton Rd. Lanc —8L 23
Dalton Sq. Lanc —8K 23
Dalton St. Burn —6B 124
Dalton St. Lyth A —9D 108
Dalton St. Nels —1J 105
Dalton St. Todm —2L 165
Dalweb Ind. Est. South —3H 169
Dame Fold. High —4L 103
Dame Fold. Pad —1H 123
Damfield La. Liv —1C 222
Dam Head Rd. Barn —2M 77
Dam La. Scar —7G 188
Dampier St. Todm —6K 165
Dam Side. —7J 43
Dam Side. Barn —1M 77
(off Gisburn St.)
Dam Side. Col —7A 86
Damside. Ellel —1M 37
Damside Cotts. Ellel —1M 37
Damside St. Lanc —7K 23
Dam Wood La. Scar —8H 189
Danbers. Uph —5C 220
Dancer La. Rim —3A 76
Dandy Row. Dar —4C 158
Dandy's Meanygate. Tar —8N 149
Dandy Wlk. B'brn —4M 139
Dane Hall La. Eux —4G 173
Dane M. Poul F —2L 89
Danesbury Pl. Blac —5C 88
Danesbury Rd. Bolt —9H 199
Danes Clo. K'ham —4A 112
Danes Ct. South —6K 167
Danes Dri. Walt D —7N 135
Danes Ho. Rd. Burn —1E 124
Danes La. Whitw —5L 183
Danesmoor Dri. Bury —9M 201
Dane St. Burn —2E 124
Dane St. Roch —6B 204
Danesway. Hth C —4H 195
Danesway. Pen —4D 134
Danesway. Walt D —6N 135
(in two parts)
Daneswood Av. Whitw —6N 183
Daneswood Clo. Whitw —6M 183
Daneway. South —7B 186
Danewerk St. Pres —9K 115
Dangerous Corner. —2F 212
Daniel Fold. Roch —3M 203
Daniel Fold La. Catt —1N 67
Daniell St. Rish —7G 121
Daniels La. Skel —4N 219
Daniel St. Clay M —6L 121
Daniel St. Whitw —4A 184
Danson Gdns. Blac —2D 88
Danvers St. Rish —7H 121
Darbishire Rd. Fltwd —8F 40
Daresbury Av. South —8A 186
Daresbury Clo. Liv —8H 223
Darfield. Uph —4C 220
Darkinson La. Cot —5N 113
Darkinson La. Lea T —6K 113
Dark La. B'rod —9K 195
Dark La. Earby —2G 79
Dark La. Lath —6N 209
Dark La. Liv —1C 222
Dark La. Ross —7B 162
(in two parts)
Dark La. Thorn C —8J 53
Dark La. Whit W —1G 174
Darkwood Cres. Chat —7B 74
Dark Wood La. Sam —2K 137
Darley Av. Blac —2E 108
Darley Ct. Lyth A —1D 128
Darley Rd. Roch —9C 204
Darley St. Hor —8C 196
Darlington Clo. Bury —8G 200
Darlington Rd. Roch —9C 204
Darlington St. Cop —4N 193
Darmond Rd. Liv —7M 223
Darnbrook Rd. Barn —2L 77
Darnley St. Burn —4G 125
Dartford Clo. B'brn —4N 139
Dartmouth Av. Liv —8B 222
Dartmouth Clo. K'ham —4L 111
Dart St. Ash R —9F 114
Darwen. —6A 158
Darwen Clo. L'rdge —3K 97
Darwen Enterprise Cen. Dar —5A 158
Darwen Golf Course. —4K 157
Darwen Rd. Eger & Brom X —4E 198
Darwen St. B'brn —4M 139
Darwen St. High W —4D 136
Darwen St. Pad —1H 123
Darwen St. Pres —1M 135
Darwen Vw. Walt D —3A 136
Darwin St. Burn —8E 104
Datchet Ter. Roch —9C 204
Daub Hall La. Hogh —7F 136
Daub La. Bis —5K 191
Dauntesey Av. Blac —4G 89
Davenham Rd. Dar —4M 157
Davenham Rd. Liv —8A 206
Davenhill Pk. Liv —8B 222
Davenport Av. Blac —6C 62
Davenport Fold. Bolt —9N 199
Davenport Fold Rd. Bolt —9N 199
Davenport Gro. Liv —6K 223
Daventry Av. Blac —7B 62
Daventry Rd. Roch —9C 204
David Lewis Clo. Roch —7F 204
Davidson St. Lanc —8L 23
David St. Bacup —7H 163
David St. Barfd —7H 85
David St. Burn —5D 124
David St. Bury —9H 201
(in two parts)
David St. Roch —4C 204
David St. N. Roch —4C 204
Davies Rd. B'brn —2D 140
Davis St. L'rdge —2J 97
Davitt Clo. Has —4G 160
Davy Fld. Rd. B'brn —1A 158
Davyhulme St. Roch —4E 204
Dawber's La. Eux —4G 172
Dawlish Av. Blac —2F 88
Dawlish Clo. B'brn —8K 139
Dawlish Dri. South —1N 167
Dawlish Lodge. Lyth A —1D 128
Dawlish Pl. Ing —6D 114
Dawnay Rd. Rib —6A 116
Dawnwood Sq. Wig —1M 221
Dawson Av. S'stne —8D 102
Dawson Av. South —1B 168
Dawson Gdns. Liv —9B 216
Dawson La. Ley & Whit W —8N 153
Dawson Pl. Bam B —9C 136
Dawson Rd. Lyth A —8F 108
Dawson Rd. Orm —5L 209
Dawson Sq. Burn —2E 124
Dawson St. Bury —9M 201
(in two parts)
Dawson St. Roch —5C 204
Dawson Wlk. Pres —8J 115
Daybrook. Uph —4C 220
Dayfield. Uph —4D 220
Day St. Nels —3J 105
Dayton Pl. Blac —3C 108
Deacons Cres. Tot —8F 200
Deacon St. Roch —3E 204
Deakins Bus. Pk. Eger —4D 198
Deakin's Ter. Bel —9K 177
Deal Pl. Lyth A —8F 108
Deal St. B'brn —1N 139
Dean Brow. K Grn —2F 98
Dean Clo. Ram —3J 181
Dean Clo. Uph —4F 220
Dean Ct. Fltwd —4D 54
Deancourt. Roch —9C 204
Dean Cres. Orr —3L 221
Deancroft Av. Hey —6M 21
Dean Fold. Ross —8E 144
Dean Head. L'boro —3N 185
Dean Head La. Hor —1A 196
Dean La. Gt Har & Whal —2H 121
(in three parts)
Dean La. Ross —8E 144
Dean La. Sam —7J 117
Dean La. Toc —6H 157
Dean Mdw. Clith —4K 81
Deanpoint. More —5C 22
Dean Rd. Has —6F 160
Dean Rd. Helm —7G 160
Deanroyd Rd. Todm —8L 165
Deansgate. Blac —5B 88
Deansgate. More —3B 22
Deansgate La. Liv —7B 206
Deansgate La. N. Liv —6A 206
Deansgrave. Has —5F 160
Deansgreave Rd. Bacup —7M 163
Deans La. Lath —9J 191
Deans La. Newb —2K 211
Deans La. Sam —6H 117
Dean St. Bam B —7A 136
Dean St. B'brn —4M 139
Dean St. Blac —1B 108
Dean St. Burn —3C 124
Dean St. Dar —4N 157
Dean St. Pad —9J 103
Dean St. Roch —4E 204
Dean St. Traw —9E 86
Dean Ter. K'ham —4M 111
Dean Vs. Todm —8L 165
Dean Wood Av. Orr —3H 221
Dean Wood Golf Course. —2G 221
Dearbought La. Bncr —3D 46
Dearden Cft. Has —4G 160
(off Ratcliffe St.)
Dearden Fold. Ram —4K 181
Dearden Ga. Has —4G 160
Deardengate Cft. Has —4G 160
Dearden Nook. Ross —6M 161
Dearden St. L'boro —8L 185
Deardon Ct. Uph —4D 220
Dearncamme Clo. Bolt —8H 199
Dearnley. —1H 205
Dearnley Clo. L'boro —1H 205
Dearnley Pas. L'boro —1H 205
Deben Clo. Stand —3N 213
Deborah Av. Ful —2K 115
Debra Clo. Liv —6G 222
Dee Clo. Liv —4L 223
Deepdale. —8K 115
Deepdale Av. Poul F —6H 63
Deepdale Av. Roch —7F 204
Deepdale Clo. Sla H —1N 5
Deepdale Ct. Barfd —8G 85
Deepdale Dri. Burn —7G 104
Deepdale Grn. Barfd —8G 85
Deepdale La. Lea T —6H 113
Deepdale Mill St. Pres —8L 115
Deepdale Retail Pk. Pres —6M 115
Deepdale Rd. Blac —1J 109
Deepdale Rd. Fltwd —1G 54
Deepdale Rd. Pres & Ful —9L 115
Deepdale St. Pres —9L 115
Deep La. L'boro —4M 205
Deep La. Miln —6L 205
Deeplish Cotts. Roch —8C 204
Deeplish Rd. Roch —8C 204
Deeplish St. Roch —8C 204
Deeply Va. La. Bury —3A 202
Deerbarn Dri. Boot —6A 222
Deerbolt Clo. Liv —7H 223
Deerbolt Cres. Liv —7H 223
Deerbolt Way. Liv —7H 223
Deer Chace. Fence —2B 104
Deerfold. Chor —4D 174
Deerhurst Rd. T Clev —4E 62
Dee Rd. Lanc —6H 23
Deer Pk. Acc —9D 122
Deer Pk. La. Horn —7C 18
Deer Pk. Rd. Burn —4J 125
(in two parts)
Deerplay Clo. Burn —8J 105
Deerstone Av. Burn —3G 125
Deerstone Rd. Nels —2M 105
Deer St. Bacup —9K 145
Deeside. Blac —4D 108
Dee St. Lyth A —2F 128
Deganwy Av. B'brn —1M 139
Deighton Av. Ley —7K 153
Deighton Rd. Chor —8D 174
De Lacy St. Ash R —7G 114
De Lacy St. Clith —3K 81
Delamere Av. Hey —1K 27
Delamere Clo. B'brn —6J 139
Delamere Pl. Chor —6F 174
Delamere Rd. Brclf —7K 105
Delamere Rd. Roch —9F 204
Delamere Rd. Skel —1K 219
Delamere Rd. South —8B 186
Delamere St. Bury —8M 201
Delamere Way. Uph —4D 220
Delaney Ct. Set —3N 35
Delaney Gdns. Set —3N 35
(off Duke St.)
Delany Dri. Frec —3M 131
Delaware Cres. Liv —7H 223
Delaware Rd. Blac —1E 88
Delaware St. Pres —8M 115
Delfby Cres. Liv —9M 223
Delf Ho. Uph —2N 219
Delf La. Down —7N 207
Delf La. Todm —5F 146
Delius Clo. B'brn —7A 140
Dellar St. Roch —5N 203
Dellfield La. Liv —1D 222
Dell Gdns. Roch —3M 203
Dell La. Hap —5H 123
Dell Mdw. Whitw —9N 183
Dell Rd. Roch —2M 203
Dell Side Way. Roch —3N 203
Dell St. Bolt —8J 199
Dell, The. App B —5G 213
Dell, The. B'brn —1L 157
Dell, The. Bolt —8J 199
Dell, The. Ful —2G 114
Dell, The. H'pey —3J 175
Dell, The. Uph —4E 220
Dell, The. W Grn —6G 111
Dellway, The. Hut —5A 134
Delma Rd. Burn —4J 125
Delph App. B'brn —4C 140
Delph Av. Eger —2D 198
Delph Brook Way. Eger —3D 198
Delph Clo. Augh —2H 217
Delph Clo. B'brn —4C 140
Delph Comn. Rd. Augh —2G 217
Delph Ct. Gt Har —4J 121
Delphene Av. T Clev —5D 62
(in two parts)
Delph La. Augh —2H 217
Delph La. Bncr —4C 60
Delph La. B'brn —4C 140
Delph La. Blea —3L 61
Delph La. Char R —8M 173
(in two parts)
Delph Mt. Gt Har —3H 121
Delph Mt. Nels —3H 105
Delph Pk. Av. Augh —2G 216
Delph Rd. Gt Har —4H 121
Delphside Clo. Orr —6G 220
Delphside Rd. Orr —6G 220
Delph Sq. Burn —8H 105
(off Marsden Rd.)
Delph St. B'brn —6N 139
Delph St. Dar —4B 158
Delph St. Has —3G 160
Delph St. Miln —7J 205
Delph, The. Parb —1N 211
Delph Top. Orm —6M 209
Delph Way. Whit W —8E 154
Delta La. Fltwd —9G 41
Delta Pk. Av. Hesk B —3C 150
Delta Pk. Dri. Hesk B —3C 150
Deltic Way. Kirkby —9N 223
Delves La. S'fld —3N 105
Demming Clo. Lea —9N 113
Denbigh Av. South —3M 167
Denbigh Av. T Clev —2E 62
Denbigh Clo. Ley —6L 153
Denbigh Dri. Clith —1M 81
Denbigh Gro. Burn —2M 123
Denbigh Way. Pres —1K 135
Denby Clo. Los H —5M 135
Dene Av. Foul —2A 86
Denebank. Blac —6D 62
Dene Bank. Bolt —8J 199
Dene Bank Rd. Osw —5L 141
Denehurst Rd. Roch —5M 203
Dene St. Bolt —8J 199
Dene, The. B'brn —9H 119
Dene, The. Hur G —2M 99
Deneway Av. Blac —4F 88
Denford Av. Ley —7L 153
Denford Av. Lyth A —4G 128
Denham Clo. Bolt —8G 198
Denham La. Brin —6F 154
Denham Way. Fltwd —2F 54
Denholme. Skel —4C 220
(in two parts)
Denholme Gro. Blac —6E 62
Denholme Rd. Roch —9C 204
Denhurst Rd. L'boro —8L 185
Denis St. Lanc —8L 23
Denmark Rd. Lyth A —4K 129
Denmark Rd. South —4N 167
Denmark St. Lanc —9G 23
Denmark St. Roch —5D 204
Dennett Clo. Liv —3C 222
Dennis Gro. More —4B 22
Denny Av. Lanc —6J 23
Denny Beck La. Lanc —3B 24
Denshaw. Skel —4C 220
Denstone Av. Blac —7D 62
Denstone Av. Liv —8C 222
Dentdale Clo. B'brn —9E 138
Denton Gro. Orr —3L 221
Denton St. Barn —1L 77
Denton St. Bury —9L 201
Dent Row. Burn —4D 124
Dent St. Col —8M 85
Denver Rd. Liv —9H 223
Denver Rd. Roch —9C 204
Denville Av. T Clev —3F 62
Denville Rd. B'brn —3L 139
Denville Rd. Pres —8M 115
Denville St. B'brn —3L 139
Depot Rd. Blac —1E 88
Depot Rd. Liv —6A 224
Derbe Rd. Lyth A —3F 128
Derby Clo. Dar —1B 178
Derby Cres. Ins —2G 93
Derby Dri. Rainf —4L 225
Derby Gro. Mag —4C 222
Derby Hill Cres. Orm —7M 209
Derby Hill Rd. Orm —7M 209
Derby Pl. Adl —5J 195
Derby Rd. Blac —3B 88
Derby Rd. Ful —5H 115
Derby Rd. Gars —5M 59
Derby Rd. Lanc —7K 23

Derby Rd.—Dundee La.

Derby Rd. L'rdge —3J 97
Derby Rd. Lyth A —3J 129
Derby Rd. Poul F —7K 63
Derby Rd. Skel —3G 219
Derby Rd. South —7J 167
Derby Rd. T Clev —9C 54
Derby Rd. Wesh —3L 111
Derbyshire Av. Gars —4M 59
Derbyshire Rd. Ram —9E 198
Derby Sq. Pres —9N 115
Derby St. Acc —1B 142
Derby St. B'brn —2A 140
Derby St. Brins —7B 156
Derby St. Burn —4D 124
Derby St. Clith —3M 81
Derby St. Col —6A 86
Derby St. Ley —5L 153
Derby St. More —3A 22
Derby St. Nels —1J 105
Derby St. Orm —7L 209
Derby St. Pres —9K 115
Derby St. Ram —8J 181
Derby St. Rish —8J 121
Derby St. Todm —2N 165
Derby St. W. Orm —7K 209
Derdale St. Todm —2M 165
Dereham Clo. Bury —8J 201
Dereham Way. Wig —8N 221
Derek Rd. Whit W —6E 154
Derham St. B'brn —5M 139
Derrick Walker Ct. Roch —8A 204
Derry Rd. Rib —6A 116
Der St. Todm —2M 165
Dertern La. Carn —2L 15
Derwent Av. Burn —8E 104
Derwent Av. Fltwd —2D 54
Derwent Av. Miln —7L 205
Derwent Av. More —3C 22
Derwent Av. Pad —8H 103
Derwent Av. South —5M 167
Derwent Clo. Col —5D 86
Derwent Clo. Frec —2M 131
Derwent Clo. Kirkby —6J 223
Derwent Clo. Kno S —7M 41
Derwent Clo. Mag —9E 216
Derwent Clo. Rish —8F 120
Derwent Ct. Lanc —6G 23
Derwent Cres. Clith —4J 81
Derwent Dri. Frec —2M 131
Derwent Dri. L'boro —3J 205
Derwent Dri. L'rdge —5H 97
Derwent Hall. Pres —8H 115
(off Ashmoor St.)
Derwent Ho. Pres —9N 115
Derwent Pl. Poul F —1K 89
Derwent Pl. T Clev —3D 62
Derwent Pl. Wig —4M 221
Derwent Rd. Chor —9D 174
Derwent Rd. Lanc —7M 23
Derwent Rd. Lyth A —8G 108
Derwent Rd. Orr —3J 221
Derwent St. Dar —5N 157
Derwent St. Roch —4C 204
Derwentwater Pl. Pres —7J 115
Deva Clo. Liv —3K 223
Dever Av. Ley —6G 152
De Vitre St. Lanc —8L 23
Devona Av. Blac —9H 89
Devon Av. Fltwd —1E 54
Devon Av. Osw —3H 141
Devon Clo. Walt D —5N 135
Devon Clo. Wig —5M 221
Devon Ct. Pres —8N 115
Devon Cres. Has —7G 160
Devon Farm Way. Liv —9B 206
Devon Gro. Burn —2M 123
Devon Pl. Chu —3L 141
Devon Pl. Lanc —3L 29
Devonport Clo. Walt D —5A 136
Devonport Ct. B'brn —3K 139
(off Johnston St.)
Devonport Rd. B'brn —3K 139
Devonport Way. Chor —7G 175
Devonport Way Flats. Chor —6G 175
Devon Rd. B'brn —3C 140
Devonshire Av. T Clev —1H 63
Devonshire Ct. Chor —7E 174
Devonshire Dri. Clay M —6M 121
Devonshire Dri. Gars —4M 59
Devonshire Pl. Pres —8A 116
Devonshire Rd. Blac —1D 88
Devonshire Rd. Burn —2E 124
Devonshire Rd. Chor —7E 174
Devonshire Rd. Ful —5K 115
Devonshire Rd. Lyth A —1D 128
Devonshire Rd. More —4M 21
Devonshire Rd. Rish —8G 120
Devonshire Rd. South —6N 167
Devonshire Sq. Blac —5D 88
Devonshire Sq. M. Blac —5D 88
Devonshire St. Acc —1A 142
Devonshire St. Lanc —2K 29
Devonshire Ter. Burn —2E 124
(off Devonshire Rd.)
Devon St. Blac —9D 88
Devon St. Col —5B 86
Devon St. Dar —9B 158
Devon St. Roch —7C 204
Dewan Ind. Est. Has —7G 160
Dew Forest. Bowg —8A 60
Dewhirst Rd. Roch —1C 204
(in three parts)
Dewhirst Way. Roch —1C 204
Dewhurst Av. Blac —1E 108
Dewhurst Clo. Dar —9B 158
Dewhurst Clough Rd. Eger —3D 198
Dewhurst Ct. Eger —3D 198
Dewhurst Ind. Est. Pres —8G 115
Dewhurst Rd. Lang —9N 99
Dewhurst Row. Bam B —9N 135
Dewhurst St. B'brn —4A 140
(in two parts)
Dewhurst St. Col —8A 86
Dewhurst St. Dar —9B 158
Dewhurst St. Pres —8G 115
Dew Mdw. Clo. Roch —3B 204
Deycroft Av. Liv —6L 223
Deycroft Wlk. Liv —6M 223
Deyes End. Liv —1C 222
Deyes La. Liv —1C 222
Diamond Jubilee Rd. Ruf —1G 191
Dianne Rd. T Clev —1K 63
Dib Rd. Hesk B —1M 149
Dicconson's La. Hals —9B 208
Dicconson Ter. Lyth A —5A 130
Dicconson Way. Orm —8M 209
Dicken Grn. Roch —9C 204
Dicken Grn. La. Roch —9C 204
Dickens Av. Barn —1L 77
Dickensons Fld. Pen —6H 135
Dickens Rd. Cop —5A 194
Dickens St. B'brn —5N 139
Dicket's La. Skel —9D 210
Dickies La. Blac —2H 109
Dickies La. S. Blac —3H 109
(in two parts)
Dickinson Clo. B'brn —5K 139
Dickinson Clo. Liv —1A 214
Dickinson Ct. Hor —9C 196
Dickinson Rd. Liv —1A 214
Dickinson St. B'brn —5L 139
Dickinson St. W. Hor —9B 196
Dick La. Brins —8N 155
Dick's La. W'head —8C 210
Dickson Av. Pres —7N 115
Dickson Hey. New L —8C 134
Dickson Rd. Blac —3B 88
Dickson St. Burn —3A 124
Dickson St. Col —5B 86
Dickson St. Pres —1L 135
Didsbury Clo. Liv —8L 223
Didsbury St. B'brn —3C 140
Digby Rd. Roch —9C 204
Dig Ga. La. Miln —9H 205
Diggles La. Roch —7J 203
(in two parts)
Digham Av. Blac —5D 62
Digmoor. —4A 220
Digmoor Dri. Skel —4M 219
Digmoor Rd. Skel —4N 219
Dill Hall. —1N 141
Dill Hall La. Chu —1M 141
Dilworth La. L'rdge —3K 97
Dimmock St. B'brn —6K 139
Dimple. —1D 198
Dimple Pk. Eger —2D 198
Dimple Rd. Eger —1C 198
Dimples La. Bncr —6A 60
Dinckley. —5N 99
Dinckley Gro. Blac —7D 88
Dinckley Sq. B'brn —2J 139
Dineley Av. Todm —9J 147
Dineley St. Chu —2M 141
Dingle Av. App B —4H 213
Dingle Av. Blac —2F 88
Dingle Av. Uph —3E 220
Dingle Clo. Augh —2H 217
Dingle Rd. Newt —5E 112
Dingle Rd. Uph —3E 220
Dingle, The. Ful —2G 114
Dingle, The. H'pey —3J 175
Dingle Wlk. Stand L —8N 213
Dinmore Av. Blac —1G 89
Dinmore Pl. Blac —3G 89
Dinorwic Rd. South —2G 187
Dirty Leech. Whitw —8C 184
Disley St. Roch —9N 203
Disraeli St. Burn —8E 104
Ditchfield. Liv —1A 214
Ditton Mead Clo. Roch —3E 204
Division La. Blac —6G 109
Division St. Roch —3E 204
Dixey St. Hor —9B 196
Dixon Av. Shev —7K 213
Dixon Closes. Roch —6K 203
Dixon Dri. Shev —7K 213
Dixon Fold. Roch —7J 203
Dixon Rd. Know I —9N 223
Dixon Rd. L'rdge —3K 97
Dixon's Farm M. Clift —8H 113
Dixons La. Grims —8E 96
Dixon St. Barfd —8G 84
Dixon St. B'brn —4K 139
Dixon St. Hor —9C 196
Dixon St. Roch —9A 204
Dixon Ter. Neth K —5B 16
Doals. —9K 145
Dobbin Clo. Ross —5A 162
Dobbin Ct. Ross —5A 162
(off Dobbin La.)
Dobbin Fold. Ross —5A 162
Dobbin La. Ross —5A 162
Dob Brow. Char R —1A 194
Dobbs Dri. Liv —8A 206
Dobbs La. Glas D —2C 36
Dob La. L Hoo —2L 151
Dobroyd Rd. Todm —3K 165
Dobson Av. Lyth A —9E 108
Dobson Clo. App B —2H 213
Dobson Rd. Blac —3H 89
Dobson's La. Poul F —6D 56
Dobson St. Dar —5N 157
Docker. —10B 8
Docker La. Nwtn —10D 8
Docker Pk. Farm. —2B 18
Dockinsall La. Out R —9H 57
Dockray St. Col —6B 86
Dock Rd. Fltwd —2G 54
Dock Rd. Lyth A —4C 130
Dock St. B'brn —3A 140
Dock St. Fltwd —9H 41
Docky Pool La. Blac —3G 108
Doctor Dam Cotts. Roch —2G 203
Doctor's Hill. Ben —6J 19
Doctor's La. E'ston —8D 172
Doctor's La. Liv —2E 214
Doctor's La. Tar —3C 170
Doctor's Rake. Lang —8E 100
Doctors Row. L'rdge —4J 97
Dodds La. Liv —9B 216
Dodd Way. Bam B —1C 154
Dodgeons Clo. Poul F —9J 63
Dodgson La. Earby —2J 79
Dodgson Pl. Pres —8M 115
Dodgson Rd. Pres —8M 115
Dodgson St. Roch —7D 204
Dodney Dri. Lea —8N 113
Dodworth Av. South —9L 167
Doeholme Rake. Abb —3A 48
Doe Mdw. Newb —3L 211
(in two parts)
Doghouse La. Todm —2J 165
Dog Kennel Wood Nature Reserve. —5M 135
Dog Pits La. Bacup —1L 163
Dole La. Chor —6E 174
Dole La. Withn —6D 156
Doles La. Breth —7L 151
Doll La. Ley —6D 152
Dolly's La. South —6C 168
Dollywood La. Carr B —1K 5
Dolphin Brow. Whit W —8D 154
Dolphinholme. —6E 38
Domar Clo. Liv —9K 223
Dombey St. B'brn —4A 140
(in two parts)
Domingo Dri. Liv —5J 223
Dominica Av. Lwr D —1N 157
Dominion Ct. Burn —5N 123
Dominion Rd. B'brn —9K 119
Doncaster Rd. Blac —8G 88
Donnington. Roch —7B 204
Donnington Lodge. South —8F 166
Donnington Rd. Lyth A —1F 128
Donnington Rd. Poul F —5J 63
Don Short M. Barfd —1G 104
Don St. Lyth A —1E 128
Doodstone Av. Los H —7L 135
Doodstone Clo. Los H —7L 135
Doodstone Dri. Los H —7L 135
Doodstone Nook. Los H —7L 135
Dooley Dri. Boot —6A 222
Dora St. Ram —1F 200
Dorchester Av. Osw —3J 141
Dorchester Clo. B'brn —5B 140
Dorchester Clo. T Clev —3J 63
Dorchester Dri. Liv —5L 223
Dorchester Gdns. More —6C 22
Dorchester Rd. Blac —2B 88
Dorchester Rd. Gars —5M 59
Dorchester Rd. Uph —4D 220
Doric Grn. Bil —8G 221
Doris Henderson Way. Lanc —6F 22
Doris St. Burn —3F 124
Doris St. Chor —5F 174
Dorking Rd. Chor —2H 175
Dorman Rd. Rib —6A 116
Dormer St. Bolt —9F 198
Dorning St. Bury —9G 200
Dorothy Av. Ley —6K 153
Dorothy St. B'brn —8K 139
Dorothy St. Ram —9G 180
Dorrington Rd. Lanc —2K 29
Dorritt Rd. Blac —3E 108
Dorritt St. B'brn —5A 140
Dorset Av. Dar —4N 157
Dorset Av. Pad —2J 123
Dorset Av. South —2C 206
Dorset Av. T Clev —8D 54
Dorset Av. Walt D —5N 135
Dorset Clo. Wig —5M 221
Dorset Dri. B'brn —4E 140
Dorset Dri. Clith —1M 81
Dorset Dri. Has —7F 160
Dorset Pl. Chu —1M 141
Dorset Rd. Lyth A —9F 108
Dorset Rd. Pres —8K 115
Dorset Rd. Rish —8G 120
Dorset St. Blac —9D 88
Dorset St. Burn —3M 123
Dorset St. Roch —7C 204
Dotcliffe Rd. Kel —6D 78
(in two parts)
Double Row. Pad —1G 123
Doughty St. Col —7A 86
Douglas Av. Blac —3D 88
Douglas Av. Hey —9L 21
Douglas Av. Hor —8D 196
Douglas Av. Stalm —5B 56
Douglas Av. Tar —6D 150
Douglas Av. Uph —4E 220
Douglas Clo. Bam B —8B 136
Douglas Clo. Hor —9D 196
Douglas Clo. Ruf —2G 190
Douglas Dri. Frec —2M 131
Douglas Dri. Hey —9L 21
Douglas Dri. Liv —9E 216
Douglas Dri. Orm —5J 209
Douglas Dri. Orr —4J 221
Douglas Dri. Shev —7J 213
Douglas Gro. Dar —3L 157
Douglas Ho. Chor —9D 174
Douglas Leatham Ho. Blac —9D 88
Douglas Pl. B'brn —8N 119
Douglas Pl. Chor —9D 174
Douglas Pl. Fltwd —1D 54
Douglas Rd. Bacup —6L 163
Douglas Rd. Brclf —7L 105
Douglas Rd. Ful —6G 114
Douglas Rd. South —2B 168
Douglas Rd. Stand —2L 213
Douglas Rd. N. Ful —6G 114
Douglas St. Ash R —8F 114
Douglas St. Bolt —8E 198
Douglas St. Col —5B 86
Douglas St. Lyth A —2D 128
Douglas St. Ram —8G 180
Douglas Way. Brclf —7L 105
Douglas Way. Liv —4L 223
Doultons, The. Los H —5M 135
Dove Av. Pen —4H 135
Dove Clo. T Clev —2F 62
Dovecote. Clay W —4C 154
Dovecote Clo. Brom X —5H 199
Dove Ct. Burn —8F 104
(off Shuttleworth St.)
Dovedale Av. Blac —8J 89
Dovedale Av. Ing —5D 114
Dovedale Av. Liv —9B 216
Dovedale Av. T Clev —9H 55
Dovedale Clo. Burn —6G 104
Dovedale Clo. Ing —5D 114
Dovedale Clo. Ley —9K 153
Dovedale Dri. Burn —1A 124
Dovedale Dri. Ward —8G 184
Dovedale Ho. Ful —5D 114
Dove Dri. Bury —9N 201
Dove La. Dar —5N 157
Dover Clo. B'brn —4C 140
Dover Clo. G'mnt —4F 200
Dover Clo. W'ton —1K 131
Dover Ct. Blac —8D 88
Dover Gdns. Poul F —6H 63
Dover La. Brin —9K 137
Dover Rd. Blac —9D 88
Dover Rd. Liv —4B 222
Dover Rd. Lyth A —9F 108
Dover Rd. South —3E 186
Dover St. Acc —4N 141
Dover St. Lwr D —9N 139
Dover St. Nels —1J 105
Dover St. Roch —3E 204
Dover St. Todm —1N 165
Dovestone Dri. Poul F —8H 63
Dove St. Lyth A —2D 128
Dove St. Pres —8L 115
Dove St. Ram —9E 198
Dovetree Clo. Walt D —5K 135
Dovetree Ct. Blac —9H 89
Dowbridge. —5B 112
Dowbridge. K'ham —5A 112
Dowbridge Way. K'ham —5A 112
Dowling Clo. Stand L —9N 213
Dowling St. Roch —7C 204
Downes Gro. More —4D 22
Downeyfield Rd. Over —5N 27
Downfield Clo. Ram —8F 180
Downham. —7G 74
Downham Av. Gt Har —3L 121
Downham Av. Ross —3M 161
Downham Dri. Acc —5N 141
Downham Gro. Burn —4H 125
Downham Pl. Ash R —7B 114
Downham Pl. Blac —5B 108
Downham Pl. Lyth A —2J 129
Downham Rd. Chat —7C 74
Downham Rd. Ley —7F 152
Downham St. B'brn —4K 139
Downholland. —1L 215
Downholland Cross. —1A 216
Downholland Moss La. Liv —8B 206
Downing Ct. Brough —8F 94
Downing St. Pres —9A 116
Downley Clo. Roch —3M 203
Downside Dri. Liv —9E 222
Downs, The. Poul F —7K 63
Downs, The. Wig —7M 221
Dowry St. Acc —2B 142
Draba Brow. Ram —8H 181
Dragon St. Pad —1H 123
Drake Clo. Augh —1H 217
Drake Clo. Lyth A —8E 108
Drakelowe Av. Blac —3F 108
Drake Rd. L'boro —5M 185
Drakes Cft. Ash R —6F 114
Drakes Hollow. Walt D —4N 135
Drake St. Roch —6C 204
Drammen Av. Burn —4N 123
Draper Av. E'ston —8F 172
Draperfield. Chor —1C 194
Draw Well Rd. Know I —8B 224
Draycombe Ct. Hey —6L 21
Draycombe Dri. Hey —6M 21
Draycot Av. Blac —2F 88
Drayton Rd. Hey —9M 21
Drewitt Cres. South —2C 168
Drew St. Burn —4N 123
(in two parts)
Drewton Av. Hey —6L 21
Drink House. —5L 171
Drinkhouse La. Crost —5L 171
Drinkhouse Rd. Crost —5M 171
Driscoll St. Pres —9L 115
Driver St. Ross —9M 143
Drive, The. Bacup —5K 163
(off Market St.)
Drive, The. Carn —9M 11
Drive, The. Ful —5K 115
Drive, The. Hest B —8H 15
Drive, The. Hey —9L 21
Drive, The. Longt —8L 133
Drive, The. Old L —5C 100
Drive, The. Ram —3J 181
Drive, The. Walt D —3B 136
Driving Ga. Ross —7M 143
Dronsfield Rd. Fltwd —8F 40
Drovers Wlk. Hell —1D 52
(off Hammerton Dri.)
Drovers Wlk. Hey —9L 21
Drovers Way. Burt —5G 6
Drovers Way. Lyth A —1K 129
Dr Robertson Ct. Fltwd —3E 54
Druids Clo. Eger —2D 198
Drumacre La. E. Longt —1N 151
Drumacre La. W. Longt —9K 133
Drumhead Rd. Chor —3F 174
Drummersdale La. Scar —4G 188
Drummond Av. Blac —3E 88
Drummond Sq. Wig —4N 221
Drummond St. Bolt —9E 198
Drybread La. Out R —1G 65
Dryburgh Av. Blac —7F 88
Dryburgh Av. Bolt —9D 198
Dryden Gro. Gt Har —5H 121
Dryden Rd. Fltwd —9G 40
Dryden St. Clay M —6M 121
Dryden St. Pad —2J 123
(in two parts)
Dryfield La. Hor —8B 196
Dubside. W Grn —6G 110
Duchess Ct. Blac —8B 62
Duchess Dri. Blac —8B 62
Duchess St. Lwr D —9N 139
Duchy Av. Ful —5L 115
Ducie Pl. Pres —8B 116
Ducie St. Ram —7G 180
Ducketts La. Clau B —3D 68
Duckett St. Burn —3C 124
Duck La. Ful —5G 115
Duckshaw Rd. Dar —1N 177
Duck St. Clith —3M 81
Duck St. Pil —6F 42
Duck St. Wray —8E 18
Duckworth Clo. Catt —9A 60
Duckworth Dri. Catt —9A 60
Duckworth Hall Brow. Acc —7G 141
Duckworth Hill La. Osw —7G 141
Duckworth La. Ross —7K 161
Duckworth La. Tar —8C 150
Duckworth St. Barfd —9H 85
Duckworth St. B'brn —5L 139
Duckworth St. Bury —9M 201
(in two parts)
Duckworth St. Chu —2L 141
Duckworth St. Dar —5N 157
Duddle La. Walt D —7N 135
Duddon Av. Dar —4M 157
Duddon Av. Fltwd —3D 54
Duddon Av. Liv —9E 216
Duddon Ct. More —6F 22
Dudley Av. Blac —1D 88
Dudley Av. Osw —4J 141
Dudley Clo. Longt —7L 133
Dudley Pl. Ash R —7C 114
Dudley St. Brier —5G 104
Dudley St. Col —6C 86
Dudley St. More —4C 22
Duerden St. Nels —2H 105
Duffins Clo. Roch —2A 204
Dugdale Clo. Blac —4F 108
Dugdale Ct. Blac —4F 108
(off Dugdale Clo.)
Dugdale Ct. T Clev —3D 62
(off Maida Va.)
Dugdale La. Slai —3F 50
Dugdale Rd. Burn —2N 123
Dugdales Clo. Blac —2L 109
Dugdale St. Burn —4E 124
(off Red Lion St.)
Duke Av. South —1J 187
Duke of Sussex St. B'brn —8J 139
Dukes Brow. B'brn —2J 139
Dukes Ct. B'brn —2J 139
Dukes Cut. Blkhd —5K 147
Dukes Dri. Hodd —6E 158
Dukes Mdw. Ing —4D 114
Dukes Playhouse & Theatre. —8K 23
Duke St. Bam B —9A 136
Duke St. Ben —6L 19
Duke St. B'brn —3L 139
Duke St. Blac —9B 88
Duke St. Brclf —7K 105
Duke St. Burn —5F 124
Duke St. Burt —3K 19
Duke St. Chor —8E 174
Duke St. Clay M —7M 121
Duke St. Col —7A 86
Duke St. Form —1A 214
Duke St. Gt Har —4H 121
Duke St. Hey —9K 21
Duke St. Holme —1F 6
Duke St. Lanc —7J 23
Duke St. L'boro —9K 185
Duke St. Osw —5K 141
Duke St. Pres —1L 135
Duke St. Ram —1F 200
Duke St. Ross —7C 162
Duke St. Set —3N 35
Duke St. South —8G 166
(in two parts)
Duke St. Traw —7E 86
Duke's Wood La. Uph —8A 220
Dulas Grn. Liv —9M 223
Dulas Rd. Kirkby —9M 223
Dumbarton Clo. Blac —3G 108
Dumbarton Rd. Lanc —9L 23
Dumb Tom's La. I'ton —4L 19
Dumfries Clo. Blac —6F 62
Dumfries Way. Liv —4J 223
Dunald Mill La. Neth K —5D 16
Dunbar Clo. Blac —3G 108
Dunbar Cres. South —5F 186
Dunbar Dri. Ful —5G 115
Dunbar Dri. Hey —9K 21
Dunbar Rd. Ing —6C 114
Dunbar Rd. South —3E 186
(in two parts)
Duncan Av. Blac —5C 62
Duncan Clo. Burn —4K 125
Duncan Clo. Lyth A —8D 108
Duncan Pl. Fltwd —9E 40
Duncan Pl. Wig —4N 221
Duncan St. Burn —4M 123
Duncan St. Hor —9D 196
Duncombe. —7D 68
Dun Cft. Clo. Clith —1L 81
Dundas St. Col —7N 85
(off John St.)
Dundee Dri. B'brn —4A 140
Dundee La. Ram —8G 180

Dundee Rd.—Elizabeth Clo.

Dundee Rd. Todm —8G 146
Dundee St. Lanc —9L 23
Dunderdale Av. Nels —3G 105
Dunderdale St. L'rdge —3K 97
Dundonald St. Pres —9N 115
Dundonnell Rd. Nels —1L 105
Dunedin Rd. G'mnt —3E 200
Dunelt Rd. Blac —8C 88
Dunes Av. Blac —4B 108
Dunfold Clo. Liv —9L 223
Dungeon La. Dal —5N 211
Dunham Dri. Whit W —1E 174
Dunkeld St. Lanc —9L 23
Dunkenhalgh Way. Acc —8L 121
Dunkenshaw Cres. Lanc —5M 29
Dunkirk Av. Carn —1B 16
Dunkirk Av. Ful —5F 114
Dunkirk La. Ley —6C 152
Dunkirk Ri. Roch —6B 204
Dunkirk Rd. South —3F 186
Dunlin Clo. Roch —6K 203
Dunlin Clo. T Clev —7G 54
Dunlin Dri. Lyth A —1L 129
Dunlop Av. Roch —9B 204
Dunlop Av. South —2C 206
Dunlop Dri. Liv —6G 222
Dunmail Av. Blac —8F 88
Dunmore St. Pres —9L 115
Dunnings Bri. Rd. Boot —7A 222
Dunnings Wlk. Boot —6A 222
Dunnockshaw. —4N 143
Dunnocks La. Cot —5B 114
Dunnyshop. —4M 141
Dunny Shop Av. Acc —4N 141
Dunoon Clo. Ing —5C 114
Dunoon Dri. B'brn —5D 140
Dunoon Dri. Bolt —8C 198
Dunoon St. Burn —4B 124
Dunrobin Dri. Eux —5N 173
Dunscar. —5E 198
Dunscar Dri. Chor —5G 175
Dunscar Fold. Eger —5E 198
Dunscar Golf Course. —4C 198
Dunscar Ind. Est. Eger —6E 198
Dunscar Sq. Eger —5E 198
Dunscore Rd. Wig —8N 221
Dunsop Bridge. —7K 49
Dunsop Clo. Bam B —8B 136
Dunsop Clo. Blac —9D 88
Dunsop Ct. Blac —9D 88
Dunsop Gdns. More —6F 22
Dunsop Rd. Rib —5N 115
Dunsop St. B'brn —2N 139
Dunstable. Roch —5B 204
(off Spotland Rd.)
Dunster Av. Osw —3J 141
Dunster Av. Roch —8B 204
Dunster Gro. Clith —5J 81
Dunster Rd. South —5E 186
Dunsters Av. Bury —8H 201
Dunsterville Ter. Roch —8B 204
(off New Barn La.)
Dunvegan Clo. Blac —3G 108
Durants Cotts. Liv —3D 222
Durban Gro. Burn —5C 124
Durban Rd. Ram —8E 198
Durham Av. Burn —2N 123
Durham Av. Lanc —2L 29
Durham Av. Lyth A —1E 128
Durham Av. T Clev —9E 54
Durham Clo. B'brn —4N 139
Durham Clo. Heat O —6B 22
Durham Clo. Ley —9H 153
Durham Dri. B'brn —3N 119
Durham Dri. Osw —5M 141
Durham Dri. Ram —2G 200
Durham Gro. Gars —5M 59
Durham Ho. Pres —2K 135
(off Guildford Ho.)
Durham Rd. Blac —5D 88
Durham Rd. Dar —5M 157
Durham Rd. Wilp —3N 119
Durhams Pas. L'boro —9K 185
Durham St. Acc —1C 142
Durham St. Roch —7C 204
Durham St. Skel —1H 219
Durham St. Bri. Roch —8D 204
Durley Rd. Blac —8D 88
Durn. —8M 185
Durnford Clo. Roch —3H 203
Durn St. L'boro —8M 185
Durn St. Todm —7D 146
Durton La. Brough —9G 95
(in two parts)
Dutch Barn Clo. Chor —4D 174
Dutton Rd. Blac —4D 88
Dutton St. Acc —2B 142
Duxbury Av. Bolt —8L 199
Duxbury Clo. Liv —8D 216
Duxbury Clo. Rainf —3L 225
Duxbury Hall Rd. Chor —2G 194
Duxbury Pk. Golf Course. —2F 194
Duxbury St. Dar —9B 158
Duxbury St. Earby —2F 78
Duxon Hill. Brin —8K 137
Dye Ho. La. Lanc —8K 23
Dye Ho. La. Roch —2F 204
Dyers Ct. L'boro —8K 185
Dyers La. Orm —8K 209
Dyer St. K'ham —4L 111
Dyke Nook. Clith —4M 81
Dykes La. Yeal C —9B 6
Dymock Rd. Pres —8N 115
Dyneley Av. Burn —5K 125
Dyneley La. Cliv —1H 145
Dyneley Rd. B'brn —1C 140
Dyson St. B'brn —6L 139

Eachill Gdns. Rish —9H 121
Eachill Rd. Rish —8H 121
Eafield Av. Miln —6J 205
Eafield Clo. Miln —6J 205
Eafield Rd. L'boro —2H 205
Eafield Rd. Roch —4F 204
Eager La. Liv —3A 216
Eagland Hill. —5N 57
Eagle Cres. Rainf —4L 225
Eagles Ct. Liv —8K 223
Eagles, The. Poul F —6L 63
Eagle St. Acc —3A 142
Eagle St. B'brn —4C 140
Eagle St. Nels —1K 105
Eagle St. Osw —6J 141
Eagle St. Roch —7D 204
Eagle St. Todm —1L 165
Eagle Technology Pk. Roch —9D 204
Eagle Way. Roch —9D 204
Eagley. —6F 198
Eagley Bank. Bolt —7F 198
Eagley Bank. Shawf —9B 164
Eagley Brow. Ram —7F 198
Eagley Ct. Brom X —6G 198
Eagley Ind. Est. Brom X —6F 198
Eagley Rd. Brier —6G 104
Eagley Way. Bolt —7F 198
Ealees. —9M 185
Ealees. L'boro —9M 185
Ealees Rd. L'boro —9M 185
Ealing Gro. Chor —2H 175
Eamont Av. South —1A 168
Eamont Pl. Fltwd —2D 54
Eanam. B'brn —3N 139
Eanam Old Rd. B'brn —3N 139
Eanam Wharf. B'brn —3N 139
Eanam Wharf Vis. Cen. —3N 139
(off Eanam Wharf)
Earby. —2E 78
Earby Rd. Salt —4B 78
Earcroft. —1L 157
Eardley Rd. Hey —8K 21
Earlesdon Av. Earby —3C 78
Earlham St. Earby —2F 78
Earl Rd. Ram —8G 181
Earls Av. Bam B —8A 136
Earls Dri. Hodd —6E 158
Earl St. Barn —2N 77
Earl St. B'brn —1M 139
Earl St. Burn —1F 124
Earl St. Clay M —7M 121
Earl St. Col —7A 86
Earl St. Gt Har —4H 121
Earl St. Lanc —7K 23
Earl St. Nels —1K 105
Earl St. Pres —9J 115
Earl St. Ram —8J 181
Earlsway. Blac —5K 89
Earls Way. Eux —4N 173
Earlswood. Skel —2B 220
Earnsdale Av. Dar —5L 157
Earnsdale Clo. Dar —5M 157
Earnsdale Rd. Dar —4M 157
Earnshaw Av. Roch —2B 204
Earnshaw Bridge. —5H 153
Earnshaw Dri. Ley —6G 153
Earnshaw Rd. Bacup —4K 163
Easby Clo. Liv —1A 214
Easdale Av. More —3E 22
Easedale Clo. Bolt S —7K 15
Easedale Clo. Burn —1N 123
Easedale Dri. South —9B 186
Easedale Wlk. Liv —6J 223
Easington. —7B 50
Easington. Lanc —6G 22
Easington Cres. Blac —2H 89
Easington Wlk. B'brn —5N 139
East Av. Barn —2M 77
East Bank. Barfd —7H 85
Eastbank Av. Blac —2G 109
E. Bank Av. Has —5G 160
Eastbank Ho. South —8H 167
E. Bank Rd. Lyth A —3E 128
E. Bank Rd. Ram —2F 200
(in two parts)
Eastbank St. South —7H 167
Eastbank St. Sq. South —7H 167
East Beach. Lyth A —5B 130
E. Boothroyden. Blac —2B 88
Eastbourne Clo. Ing —4C 114
Eastbourne Rd. Blac —3B 108
Eastbourne Rd. South —2G 187
Eastbourne St. Roch —8C 204
E. Cecil St. Lyth A —5N 129
E. Chorley Bus. Cen. Chor —6F 174
Eastcliff. Clau —9A 18
East Cliff. Pres —2J 135
East Cliffe. Lyth A —5B 130
East Cliff Rd. Pres —2J 135
Eastcott Clo. B'brn —8A 140
East Ct. T Clev —7D 54
East Cres. Acc —9A 122
East Cft. Nels —1M 105
Eastdene. Parb —2M 211
East Dri. Eux —2N 173
Eastern Av. Burn —1G 124
Eastfield Dri. Longt —7L 133
Eastfield Dri. W Brad —6M 73
Eastfield Wlk. Liv —9G 223
Eastgate. Acc —2A 142
Eastgate. Ful —4H 115
East Ga. Has —4G 161
Eastgate. Ribch —6F 98
Eastgate. Whi L —6E 22
Eastgate. Whitw —7M 183
E. Gate St. Roch —5C 204
East Gillibrands. —3L 219
Eastgrove Av. Bolt —7E 198
Eastham Av. Bury —7K 201
Eastham Hall Cvn. Site. Lyth A —2C 130
Eastham Pl. Burn —3F 124
Eastham St. Burn —4F 124
Eastham St. Clith —2L 81
Eastham St. Lanc —9L 23
Eastham St. Pres —8H 115
E. Hills St. Barn —2M 77
East Holme. Lyth A —4B 130
East Lancashire Railway. —6L 161
E. Lancashire Rd. B'brn —6N 119
Eastlands. Hey —9M 21
Eastlands. Ley —8F 152
East La. Liv —9H 215
Eastleigh. Skel —2A 220
E. Lodge Pl. Cliv —8J 125
East Marton. —6J 53
East Mead. Augh —2G 216
East Mead. Blac —7E 88
East Meade. Liv —9B 216
Eastmoor Dri. Clith —4M 81
East Mt. Orr —5J 221
Easton Clo. Ful —3N 115
East Pde. Barn —2M 77
East Pde. Ross —4M 161
East Pk. Av. B'brn —1L 139
East Pk. Av. Dar —7N 157
East Pk. Dri. Blac —7F 88
East Pk. Rd. B'brn —2L 139
East Pimbo. —7C 220
Eastpines Dri. T Clev —3E 62
East Rd. Ful —6K 115
East Rd. Lanc —8L 23
East Rd. Liv —1E 222
Eastside. Blac —1F 108
East Sq. Longt —8L 133
East St. Bam B —9A 136
East St. B'brn —5K 139
East St. Brier —5G 104
East St. Far —5L 153
East St. Fen —8E 138
East St. Firg —6G 204
East St. Garg —3M 53
East St. Hap —5H 123
East St. Helm —8F 160
East St. Ley —6L 153
East St. L'boro —9M 185
East St. More —4M 21
East St. Nels —1H 105
East St. Pad —9H 103
East St. Pres —9K 115
East St. Ram —2J 181
East St. Raw —2L 161
East St. Roch —5D 204
East St. South —7K 167
East St. Ward —8F 184
E. Topping St. Blac —5B 88
East Vw. Acc —8F 142
(off Hoyle St.)
East Vw. Bacup —5K 163
East Vw. Barn —2M 77
(off Leonard St.)
East Vw. Frec —2A 132
East Vw. Ful —4B 116
East Vw. Gal —2L 37
(off Chapel St.)
East Vw. Grin —5A 74
East Vw. Los H —9K 135
East Vw. Pres —9K 115
East Vw. Ram —5H 181
East Vw. Read —8C 102
East Vw. Ross —6D 162
East Vw. Traw —9F 86
East Vw. Walt D —2M 135
East Vw. Winm —7K 45
E. View Ct. Lanc —5H 23
E. View Ter. Withn —5C 156
East Wlk. Eger —3D 198
East Way. Bolt —9H 199
Eastway. Frec —2M 131
Eastway. Ful —1F 114
Eastway. Liv —9C 216
(in three parts)
Eastway Bus. Village. Ful —1L 115
E. Way La. Chor —6F 174
Eastwood Av. Blac —2E 88
Eastwood Av. Fltwd —1F 54
Eastwood Cres. Ross —5A 162
Eastwood Rd. Ley —6J 153
Eastwood Rd. Todm —5K 147
Eastwood St. Barn —1N 77
Eastwood St. B'brn —1A 140
Eastwood St. L'boro —9L 185
Eastwood St. Ross —5A 162
Eastwood Ter. Barn —1N 77
(off Eastwood St.)
Eaton Av. Blac —9C 88
Eaton Ct. Lyth A —2F 128
Eaton Pl. K'ham —4L 111
Eaton Rd. Mag —4C 222
Eaton Way. Poul F —2L 89
Eaves Av. Burn —7B 124
Eaves Clo. Hun —8E 122
Eavesdale. Skel —3B 220
Eaves Grn. La. Goos —1B 96
Eaves Grn. Rd. Chor —9D 174
Eaves Hall La. W Brad —4J 73
Eaves La. Chor —5G 174
Eaves La. Ful —6H 115
Eaves La. Wood —3M 93
Eavesleа. K Lon —6E 8
(off New Rd.)
Eaves Rd. Lyth A —8G 108
Eaves St. Blac —3B 88
Eaveswood Clo. Bam B —7A 136
Ebony St. B'brn —1A 140
Ebony Way. Kirkby & Liv —5K 223
Ebor St. Burn —8F 104
Ebor St. L'boro —9L 185
Ecclesgate Rd. Blac —4F 108
(in two parts)
Eccleshill Cotts. E'hill —3C 158
Eccleshill Gdns. E'hill —3D 158
Eccleshill St. Pad —1H 123
Eccles Rd. Orr —2L 221
Eccles's La. Bis —7M 191
Eccles St. Acc —1A 142
Eccles St. B'brn —5M 139
Eccles St. Pres —8M 115
Eccles St. Ram —8G 180
Eccleston. —7E 172
Eccleston Rd. Blac —9D 88
Eclipse Clo. Roch —6F 204
Eclipse Rd. B'brn —8E 138
Ecroyd Rd. Ash R —7F 114
Ecroyd St. Ley —6K 153
Ecroyd St. Nels —2G 104
Edale Av. Has —5H 161
Edale Clo. Ley —8K 153
Edale Ct. Pres —8J 115
Eddington Rd. Lyth A —4H 129
Eddleston Clo. Stain —5K 89
Edelston Rd. Blac —4C 88
Eden Av. Bolt —9E 198
Eden Av. Fltwd —2D 54
Eden Av. Lyth A —5L 129
Eden Av. More —3F 22
Eden Av. Rainf —3J 225
Eden Av. Ram —3J 181
Eden Av. South —3M 167
Edenbreck Dales. Lanc —9H 23
Eden Clo. Barfd —7H 85
Eden Clo. Liv —4L 223
Eden Ct. Ram —4J 181
(off N. Bury Rd.)
Edenfield. —4J 181
Edenfield Av. Poul F —9M 63
Edenfield Clo. South —2L 187
Edenfield Rd. Roch —3G 203
Edenfield St. Roch —4N 203
Eden Gdns. L'rdge —2K 97
Eden Gro. Bolt —9E 198
Eden Gro. Bolt S —3M 15
Eden Hall. Pres —8H 115
(off Ashmoor St.)
Eden La. Ram —4J 181
Eden Lodge. Bolt —9E 198
Eden Mt. Way. Carn —8C 12
Eden Pk. Lanc —3K 29
Edensor Ter. Dar —5N 157
Eden St. Acc —3N 141
Eden St. B'brn —3A 140
Eden St. Blac —4C 88
Eden St. Bolt —9E 198
Eden St. Ley —7K 153
Eden St. Ram —4J 181
Edenvale Av. Blac —7B 62
Edenvale Cres. Lanc —5J 23
Edenvale Rd. Lanc —5J 23
Edenway. Ful —2G 115
Edgar St. Acc —2A 142
Edgar St. Hun —7D 122
Edgar St. Nels —9K 85
Edgar St. Ram —9G 181
Edgar St. Roch —3F 204
Edgar St. W. Ram —9G 181
Edgecott Clo. Hey —9M 21
Edge End. —4H 121
Edge End. Gt Har —4H 121
Edge End Av. Brier —4H 105
Edge End La. Gt Har —4H 121
(in two parts)
Edge End La. Nels —4G 105
Edge End La. Ross —1M 161
Edge End Rd. Gt Har —4H 121
Edge End Ter. Withn —3C 156
Edgefield. Chor —4D 174
Edgefield Ct. Blac —2H 89
Edge Fold. —5G 178
Edgefold Rd. Liv —9L 223
Edge Ga. La. Brins —9A 156
Edge Hall Rd. Orr —7H 221
(in two parts)
Edgehill Clo. Ful —5H 115
Edgehill Cres. Ley —5H 153
Edgehill Dri. Ful —5G 115
Edge La. Barn —3J 77
Edge La. Bolt —8K 197
Edge La. Brit —7N 163
Edge La. Hept —9N 127
Edge La. Ross —5A 162
Edge La. Tur —4D 178
Edgeley Ct. Burn —2B 124
Edgemoor Clo. Shawf —1B 184
Edgemoor Dri. Roch —8K 203
Edge Nook Rd. B'brn —7D 140
Edgeside. —5E 162
Edgeside. Gt Har —4H 121
Edgeside La. Ross —4D 162
Edgeware Gro. Wig —8N 221
Edgeware Rd. B'brn —2K 139
Edgeway Pl. T Clev —2J 63
Edgeway Rd. Blac —3E 108
Edgewood. Shev —7K 213
Edge Yate La. Ross —2N 161
Edgley Dri. Orm —7M 209
Edgworth. —8K 179
Edgworth Gro. Burn —3G 125
Edinburgh Clo. Ley —6M 153
Edinburgh Dri. Osw —5M 141
Edinburgh Dri. Wig —6N 221
Edinburgh Rd. Has —7E 160
Edinburgh Way. Roch —9A 204
Edington. Roch —5B 204
(off Spotland Rd.)
Edisford Rd. Clith —4H 81
Edisford Rd. Wadd —8H 73
Edison St. Dar —6N 157
Edith St. Barn —1M 77
Edith St. B'brn —4A 140
Edith St. Nels —2K 105
Edith St. Ram —6K 181
Edleston Lodge. Rib —5B 116
(off Grange Av.)
Edleston St. Acc —3M 141
Edlingham. Roch —7B 204
Edmondsen Pl. Fltwd —2F 54
Edmondson's La. Brou —7L 53
Edmondson St. Barn —1M 77
Edmonton Dri. B'brn —9H 119
Edmonton Pl. Blac —8F 62
Edmund Gennings Ct. Chat —7C 74
Edmunds Fold. L'boro —8J 185
Edmundson St. B'brn —3K 139
Edmundson St. Chu —2L 141
Edmunds Pas. L'boro —7K 185
Edmund St. Acc —3B 142
Edmund St. B'brn —9L 139
Edmund St. Burn —9F 104
Edmund St. Dar —6B 158
Edmund St. Pres —9L 115
Edmund St. Roch —5A 204
Edmund St. Todm —7K 165
Edward Av. L'boro —2J 205
Edward Clo. Tar —1E 170
Edward Ct. Chu —2L 141
Edward VIII Quay. Ash R —9E 114
Edward Sq. Pres —8K 115
Edward St. Bacup —4L 163
Edward St. Bam B —8A 136
Edward St. Barn —1N 77
Edward St. Bax —7D 142
Edward St. Blac —5B 88
Edward St. Burn —3E 124
Edward St. Carn —8A 12
Edward St. Chor —7F 174
Edward St. Chu —2L 141
Edward St. Craw —8M 143
Edward St. Dar —5A 158
Edward St. Earby —2E 78
Edward St. Gt Har —4J 121
Edward St. Has —1G 160
Edward St. Hor —9B 196
Edward St. Lanc —8L 23
Edward St. Ley —7K 153
Edward St. Lyth A —1F 128
Edward St. More —3A 22
Edward St. Nels —8K 85
(in two parts)
Edward St. Pres —9H 115
Edward St. Rish —8H 121
Edward St. Roch —5D 204
Edward St. T Clev —8H 55
Edward St. Walt D —3M 135
Edward St. Ward —1G 205
Edward St. Whitw —4A 184
Edwell Av. Blac —1D 108
Edwinstowe Rd. Lyth A —2J 129
Edwin Waugh Gdns. Roch —3A 204
Egan St. Pres —9K 115
Egbert St. Pres —8K 115
Egerton. —3D 198
Egerton. Skel —3A 220
Egerton Barn Cottage. Eger —3E 198
Egerton Ct. Ash R —8E 114
Egerton Gro. Chor —8D 174
Egerton Lodge. Eger —4E 198
Egerton Rd. Ash R —8D 114
Egerton Rd. Bel —1L 197
Egerton Rd. Blac —3B 88
Egerton Rd. Ley —5J 153
Egerton St. L'boro —9M 185
Egerton Va. Eger —3D 198
Egremont Av. T Clev —7D 54
Egremont Rd. Miln —9H 205
Egypt Mt. Ross —5K 161
Egypt St. Ross —6K 161
Eider Clo. T Clev —7F 54
Eidsforth La. Bncr —2D 60
Eidsforth Rd. More —2B 22
Eight Acre Av. Sab —2E 102
Eight Acre La. Liv —6A 206
(in two parts)
Eight Acre La. Pil —7E 42
Eight Acre La. Yeal R —7B 6
Elaine Av. Blac —9F 88
Eland Way. Frec —7N 111
Elbow La. Roch —7D 204
Elbow St. Chor —7E 174
Elbut La. Bury —8D 202
Elcho St. Pres —7K 115
Elderberry Clo. T Clev —7F 54
Elder Clo. Ful —3N 115
Elder Clo. W'ton —2K 131
Elder Clo. Whit W —5E 154
Elder Ct. Acc —9D 122
Elder St. Nels —9K 85
Elder St. Roch —8E 204
Elderwood Av. T Clev —4H 63
Eldon Ct. Lyth A —1E 128
Eldon Dri. Poul F —1K 89
Eldon Gro. Hey —9L 21
Eldon Ho. Chor —7F 174
Eldon Rd. B'brn —1L 139
Eldons Cft. Ains —8D 186
Eldon St. Ash R & Pres —7F 114
Eldon St. Bury —9L 201
Eldon St. Chor —7F 174
Eldon St. Todm —2M 165
Eldroth. —1H 35
Eldwick St. Burn —9G 104
Eleanor St. B'brn —3N 139
Eleanor St. Bolt —8G 198
Eleanor St. Nels —1J 105
Electricity St. Acc —1A 142
Elgar Clo. B'brn —6A 140
Elgin Cres. Burn —5B 124
Elgin Pl. Blac —2G 88
Elgin St. Lanc —9L 23
Elgin St. Pres —7K 115
Elgin St. Roch —8D 204
Elijah St. Pres —9N 115
Elim Ct. Lyth A —5B 130
Elim Gdns. B'brn —7K 139
Elim Pl. B'brn —7K 139
Elim St. L'boro —7M 185
Elim Ter. L'boro —7M 185
Elim Vw. Burn —8H 105
Elisie St. Ram —1F 200
Elizabethan Way. Miln —7J 205
Elizabeth Av. South —7E 186
Elizabeth Clo. Stain —5K 89

244 A-Z Lancashire

Elizabeth Ct.—Fairlawne Clo.

Elizabeth Ct. *Blac* —4D **88**
Elizabeth Ct. *Poul F* —8K **63**
Elizabeth Dri. *Has* —7F **160**
Elizabeth Ho. *B'brn* —5B **140**
Elizabeth Ho. *Dar* —6B **158**
Elizabeth Sq. *Pres* —8K **115**
Elizabeth St. *Acc* —3M **141**
Elizabeth St. *B'brn* —3N **139**
Elizabeth St. *Blac* —4C **88**
Elizabeth St. *Burn* —4E **124**
Elizabeth St. *Fltwd* —8H **41**
Elizabeth St. *L'boro* —1H **205**
Elizabeth St. *Nels* —1J **105**
Elizabeth St. *Pad* —2H **123**
Elizabeth St. *Pres* —9J **115**
Elizabeth St. *Ram* —3J **181**
Elizabeth St. *Ross* —3D **162**
Eliza St. *Burn* —4F **124**
Eliza St. *Ram* —8J **181**
Elker Cotts. *Bill* —6F **100**
Elker La. *Bill* —4E **100**
Elker M. *Bill* —7F **100**
Elkfield Dri. *Blac* —1G **88**
Elkin Rd. *More* —3D **22**
Elkstone Clo. *Wig* —9M **221**
Elland Pl. *Blac* —8B **88**
Elland Rd. *Brier* —4G **104**
Ellel. —1M 37
Ellel Hall Gdns. *Gal* —3K **37**
Ellen Ct. *Pres* —7J **115**
Ellenroad App. *Miln* —9K **205**
Ellenroad St. *Miln* —9K **205**
Ellenrod Dri. *Roch* —3L **203**
Ellenrod La. *Roch* —3L **203**
Ellenshaw Clo. *Dar* —6B **158**
Ellenshaw Clo. *Roch* —3L **203**
Ellens Pl. *L'boro* —2J **205**
Ellen St. *Bam B* —7A **136**
Ellen St. *Dar* —8A **158**
Ellen St. *Nels* —2H **105**
Ellen St. *Pres* —8G **115**
(in three parts)
Ellerbeck Av. *Rib* —4A **116**
Ellerbeck Clo. *Bolt* —8J **199**
Ellerbeck Clo. *Burn* —7J **105**
Ellerbeck Rd. *Acc* —1A **142**
Ellerbeck Rd. *Dar* —6B **158**
Ellerbeck Rd. *T Clev* —1C **62**
Ellerbrook Clo. *Bolt* —8H **199**
Ellerbrook Clo. *Hth C* —4H **195**
Ellerbrook Dri. *Burs* —1D **210**
Ellerbrook Way. *Orm* —6K **209**
Eller Gill La. *Elsl* —8M **53**
Ellerigg La. *Barb* —2G **9**
Ellerslie Rd. *Ash R* —8E **114**
Ellesmere Av. *Col* —6C **86**
Ellesmere Av. *T Clev* —2K **63**
Ellesmere Dri. *Liv* —8B **222**
Ellesmere Gro. *More* —5A **22**
Ellesmere Rd. *Blac* —9D **88**
Ellesmere Rd. *Dar* —4M **157**
Ellesmere Rd. *More* —4N **21**
Ellesmere Rd. *Wig* —5N **221**
Ellesmere St. *Roch* —8C **204**
Elletson St. *Poul F* —7K **63**
Elliott Av. *Dar* —9B **158**
Elliott Clo. *Pres* —7H **115**
Elliott St. *Burn* —4G **125**
Elliott St. *Pres* —7H **115**
(in two parts)
Elliott St. *Roch* —5D **204**
Elliott Wlk. *Pres* —7H **115**
Ellis Dri. *More* —2E **22**
Ellis Fold. *Roch* —3J **203**
Ellisland. *Blac* —9J **89**
Ellison Fold. *Clay M* —6L **121**
Ellison Fold La. *Dar* —6C **158**
Ellison Fold Ter. *Dar* —6B **158**
Ellison St. *Acc* —2A **142**
Ellison St. *Dar* —5A **158**
Ellis St. *Barn* —2M **77**
Ellis St. *Burn* —4C **124**
Ellis St. *Ram* —9G **181**
Ellwood Av. *Lanc* —4L **23**
Ellwood Av. *More* —6C **22**
Ellwood Cotts. *L'clif* —1N **35**
Ellwood Ct. *More* —6C **22**
Ellwood Gro. *More* —6C **22**
Elm Av. *Ash R* —7C **114**
Elm Av. *Blac* —5E **88**
Elm Av. *Gal* —2K **37**
Elm Av. *Poul F* —8K **63**
Elm Av. *Todm* —9L **147**
Elm Av. *W'ton* —2J **131**
Elm Av. *Wig* —5N **221**
Elmbank Av. *T Clev* —4C **62**
Elm Brow. *Thorn* —9F **70**
Elm Clo. *Barn* —3L **77**
Elm Clo. *Has* —4G **161**
Elm Clo. *Rish* —9H **121**
Elm Clo. *Salt* —4B **78**
Elm Ct. *Poul F* —8K **63**
Elmcroft La. *Liv* —8A **214**
Elm Dri. *Bam B* —7B **136**
Elmers Green. —1A 220
Elmer's Grn. La. *Skel & Dal* —7N **211**
(in two parts)
Elmers Wood Rd. *Skel* —2A **220**
Elmfield. *Shev* —6L **213**
Elmfield Dri. *Bam B* —1E **154**
Elmfield St. *Chu* —1M **141**
Elm Gdns. *Rainf* —4K **225**
Elm Gro. *Brom X* —5G **198**
Elm Gro. *Chor* —4G **174**
Elm Gro. *Dar* —4B **158**
Elm Gro. *Ley* —4N **153**
Elm Gro. *Miln* —9K **205**
Elm Gro. *More* —1E **22**
Elm Gro. *Rib* —7A **116**
Elm Gro. *Skel* —2J **219**
Elm Gro. *Wesh* —2N **111**
Elmhurst Rd. *Lyth A* —9H **109**
Elm Mill. *B'brn* —1E **124**
Elmore Wood. *L'boro* —8H **185**
Elm Pk. Ga. *Roch* —2M **203**
Elm Pk. Gro. *Roch* —2M **203**
Elm Pk. Va. *Roch* —2M **203**
Elm Pk. Vw. *Roch* —2M **203**
Elm Pk. Way. *Roch* —2M **203**
Elm Pl. *Orm* —8K **209**
Elmridge. *Skel* —3A **220**
Elmridge Cres. *Blac* —9F **62**
Elm Rd. *Burs* —1C **210**
Elm Rd. *Kirkby* —7J **223**
Elm Rd. *South* —1H **187**
Elms Av. *Lyth A* —5L **129**
Elms Av. *T Clev* —1E **62**
Elms Ct. *More* —1E **22**
Elmsdale Clo. *Lanc* —6J **23**
Elms Dri. *More* —2E **22**
Elms Dri. *W Grn* —5G **110**
Elmsett Rd. *Walt D* —5B **136**
Elmsfield Av. *Roch* —4J **203**
Elmsfield Pk. *Augh* —5F **216**
Elmside Clo. *T Clev* —1K **63**
Elmslack Ct. *Silv* —7G **4**
Elmslack La. *Silv* —7G **4**
Elmsley St. *Pres* —6H **115**
Elms Rd. *Liv* —4B **222**
Elms Rd. *More* —1E **22**
Elmstead. *Skel* —3A **220**
Elms, The. *Clay W* —6E **154**
Elms, The. *L'boro* —1H **205**
Elms, The. *Lyd* —8C **216**
Elms, The. *South* —9J **167**
(Ash St.)
Elms, The. *South* —8F **166**
(Rotten Row)
Elm St. *Bacup* —4L **163**
Elm St. *B'brn* —1A **140**
Elm St. *Burn* —9E **104**
Elm St. *Col* —5B **86**
Elm St. *Fltwd* —9G **40**
Elm St. *Gt Har* —5J **121**
Elm St. *Has* —4G **161**
Elm St. *Lanc* —7J **23**
Elm St. *Nels* —1J **105**
Elm St. *Ram* —8J **181**
(Peel Brow)
Elm St. *Ram* —3K **181**
(Rochdale Rd.)
Elm St. *Raw* —4M **161**
Elm St. *Roch* —4A **184**
Elmswood Clo. *Lyth A* —4M **129**
Elmwood. *Chor* —5D **174**
Elmwood. *L'rdge* —2J **97**
Elmwood. *Skel* —9N **211**
Elmwood Av. *Ley* —6H **153**
Elmwood Av. *Pre* —9N **41**
Elmwood Clo. *Acc* —2C **142**
Elmwood Ct. *Weet* —8E **90**
Elmwood Dri. *Pen* —4E **134**
Elmwood Dri. *T Clev* —2H **63**
Elmwood Gdns. *Lanc* —5L **29**
Elmwood St. *Burn* —4B **124**
Elnup Av. *Shev* —6L **213**
Elockton Ct. *Hor* —9C **196**
Elric Wlk. *Liv* —7M **223**
Elsack. —8L 53
Elsby Av. *T Clev* —3J **63**
Elsham Clo. *Bolt* —8E **198**
Elsinore Clo. *Fltwd* —8F **40**
Elslack La. *Elsl* —8L **53**
Elson St. *Bury* —9G **201**
Elstead Rd. *Kirkby* —9H **223**
Elston. —4J 117
Elston Av. *Blac* —2G **88**
Elston Grn. *Grims* —9G **96**
Elston La. *Grims* —9G **97**
Elston Lodge. Rib —5B 116
(off Grange Av.)
Elstree Ct. Blac —1E 88
(off Chelsea Av.)
Elswick. —1M 91
Elswick. *Skel* —3N **219**
Elswick Gdns. *Mel* —6E **118**
Elswick Grn. *South* —1N **167**
Elswick Leys. —2M 91
Elswick Lodge. *Mel* —6F **118**
Elswick Pl. *Blac* —4E **108**
Elswick Pl. *Lyth A* —9H **109**
Elswick Rd. *Ash R* —8B **114**
Elswick Rd. *Ley* —7G **152**
Elswick Rd. *South* —2M **167**
Elswick St. *Dar* —6B **158**
Elsworth Dri. *Bolt* —9F **198**
Elterwater. *Kno S* —8L **41**
Elterwater Clo. *Bury* —9G **201**
Elterwater Pl. *Blac* —8J **89**
Elterwater Pl. *Lanc* —7L **23**
Eltham Ct. *Blac* —1G **89**
Elton Ho. *Wig* —4L **221**
Elton Rd. *Belt* —9F **140**
Elton St. *Ash R* —8F **114**
Elvaston Rd. *Poul F* —5J **63**
Elvington Clo. *Wig* —2L **221**
Elvington Rd. *Liv* —9A **214**
Elwood Clo. *Liv* —4K **223**
Ely Clo. *Dar* —6C **158**
Ely Clo. *Wilp* —3N **119**
Ely Dri. *Bury* —9J **201**
Ely M. *Chtwn* —4N **167**
Embankment Rd. *Tur* —9J **179**
Embassy Clo. *Bolt* —8D **198**
Emerald Av. *B'brn* —7N **119**
Emerald Clo. *Boot* —7A **222**
Emerald Clo. *T Clev* —4F **62**
Emerald St. *B'brn* —7N **119**
Emerson Av. *Blac* —2D **108**
Emerson Clo. *Liv* —7A **214**
Emerson Rd. *Pres* —7N **115**
Emerson St. *Lanc* —3L **29**
Emesgate La. *Silv* —8G **4**
Emily St. *B'brn* —2A **140**
Emily St. *Burn* —5E **124**
Emily St. *Chor* —9D **174**
Emily St. *Los H* —8K **135**
Emmanuel Rd. *South* —4M **167**
Emmanuel St. *Pres* —7H **115**
(in two parts)
Emma St. *Acc* —2M **141**
Emma St. *Roch* —5B **204**
Emmaus Rd. *Hey* —1L **27**
Emmett St. *Hor* —9C **196**
Emmett St. *Pres* —8J **115**
Emmott Ct. *Lane* —5H **87**
Emmott La. *Lane* —4G **86**
Emnie La. *Ley* —8F **152**
Empire Gro. *Blac* —3D **88**
Empire Shop. Arc. More —3N 21
(off Central Dri.)
Empire St. *Gt Har* —3K **121**
Empress Av. *Ful* —5H **115**
Empress Clo. *Liv* —1A **222**
Empress Dri. *Blac* —1B **88**
Empress St. *Acc* —2M **141**
Empress St. *Col* —6B **86**
Empress St. *Lwr D* —9N **139**
Empress Way. *Eux* —4A **174**
Emstry Wlk. *Liv* —8H **223**
Endcliffe Rd. *More* —3C **22**
Endeavour Clo. *Ash R* —1E **134**
Enderley Ct. *T Clev* —2J **63**
Ending Rake. *Whitw* —1N **203**
Endsleigh Gdns. *Blac* —3D **108**
Endsleigh Gro. *Lanc* —5G **22**
End St. *Col* —7M **85**
Enfield. —8N 121
Enfield Clo. *E'ston* —9F **172**
Enfield Clo. *Roch* —5J **203**
Enfield Rd. *Acc* —7C **122**
Enfield Rd. *Blac* —3C **88**
Enfield St. *Wig* —6M **221**
Engine Fold. *Wig* —5L **221**
Engine La. *Liv* —4D **214**
England Av. *Blac* —7C **62**
Engledene. *Bolt* —7D **198**
English Martyrs Pl. *Pres* —7J **115**
Ennerdale. *Skel* —3A **220**
Ennerdale Av. *B'brn* —5C **140**
Ennerdale Av. *Fltwd* —3C **54**
Ennerdale Av. *Liv* —9D **216**
Ennerdale Av. *More* —4D **22**
Ennerdale Clo. *Clith* —4J **81**
Ennerdale Clo. *Fort* —2M **45**
Ennerdale Clo. *Kirkby* —5J **223**
Ennerdale Clo. *Kno S* —7M **41**
Ennerdale Clo. *Lanc* —6M **23**
Ennerdale Clo. *Ley* —8K **153**
Ennerdale Clo. *Osw* —3K **141**
Ennerdale Dri. *Augh* —1G **217**
Ennerdale Dri. *Walt D* —3A **136**
Ennerdale Rd. *Blac* —9J **89**
Ennerdale Rd. *Burn* —4J **125**
Ennerdale Rd. *Chor* —8C **174**
Ennerdale Rd. *Clith* —4J **81**
Ennerdale Rd. *L'rdge* —5H **97**
Ennerdale Rd. *Roch* —9M **203**
Ennismore St. *Burn* —9G **104**
Enstone. *Skel* —2A **220**
Enter La. *I'ton* —4N **19**
Enterprise Ct. *Hun I* —8C **122**
Enterprise Dri. *Ley* —2J **153**
Enterprise Way. *Col* —8K **85**
Enterprise Way. *Fltwd* —6G **54**
Entwisle Rd. *Roch* —5D **204**
Entwistle. —6H 179
Entwistle Hall La. *Tur* —6H **179**
Entwistle Rd. *Acc* —9A **122**
Entwistle St. *Dar* —6A **158**
Entwistle St. *Miln* —7H **205**
Envoy Clo. *Wig* —2N **221**
Ephraim St. *Pres* —1M **135**
Epping Clo. *Blac* —6E **62**
Epping Pl. *Chor* —6F **174**
Epsom Clo. *Chor* —2H **175**
Epsom Clo. *Liv* —9D **222**
Epsom Clo. *Roch* —5K **203**
Epsom Cft. *And* —6K **195**
Epsom Gro. *Liv* —5M **223**
Epsom Rd. *T Clev* —3F **62**
Epsom Way. *Acc* —3C **142**
Epworth St. *Dar* —9B **158**
Equitable St. *Miln* —8J **205**
Equitable St. *Roch* —7D **204**
Equity St. *Dar* —7A **158**
Erdington Rd. *Blac* —7C **88**
Eric St. *L'boro* —8K **185**
Erith Gro. *Blac* —6C **62**
Ermine Clo. *B'brn* —8A **140**
Ermine Pl. *More* —5E **22**
Ernest St. *Bacup* —7N **163**
Ernest St. *Chu* —2L **141**
Ernest St. *Clay M* —8M **121**
Ernest St. *Todm* —7F **146**
Ernest Ter. *Roch* —4E **204**
Ernlouen Clo. *B'brn* —8H **139**
Erradale Cres. *Wig* —9N **221**
Erringden St. *Todm* —2M **165**
Erskine Rd. *Chor* —5G **174**
Escar St. *Burn* —4D **124**
Escott Gdns. *Burn* —1E **124**
Esher Pond. *Ful* —3F **114**
Eshton. —1M 53
Eshton Rd. *Garg* —3M **53**
Eshton Ter. *Clith* —4K **81**
Esk Av. *Fltwd* —2D **54**
Esk Av. *Ram* —1J **181**
Eskbank. *Skel* —3N **219**
Eskbrook. *Skel* —2N **219**
Eskdale. *Skel* —3M **219**
Eskdale Av. *Augh* —1G **217**
Eskdale Av. *Fltwd* —3D **54**
Eskdale Av. *Roch* —9M **203**
Eskdale Clo. *Blac* —9F **88**
Eskdale Clo. *Burn* —6F **104**
Eskdale Clo. *Ful* —1J **115**
Eskdale Cres. *B'brn* —8F **138**
Eskdale Dri. *Mag* —9D **216**
Eskdale Dri. *Wesh* —2M **111**
Eskdale Gdns. Pad —8H 103
(off Windermere Rd.)
Eskdale Gro. *Kno S* —7M **41**
Eskdale Pl. *More* —4D **22**
Eskdale Rd. *Ley* —8M **153**
Eskdale Rd. *L'rdge* —4H **97**
Eskew La. *L Bent* —7J **19**
Eskham Clo. *Wesh* —3K **111**
Eskrigge. —6A 18
Eskrigge Clo. *Lanc* —4J **23**
Eskrigge La. *Horn* —6B **18**
Esplanade. *Kno S* —8K **41**
Esplanade. *Pres* —3L **135**
Esplanade. *South* —8E **166**
Esplanade Art Gallery & Mus., The. —6B 204
Esplanade, The. *Fltwd* —8F **40**
Esplanade, The. *Rish* —9F **120**
Esplanade, The. *Roch* —6B **204**
Esp La. *Barn* —4J **77**
Esprick. —5J 91
Essex Av. *Burn* —2N **123**
Essex Clo. *B'brn* —5L **139**
Essex Pl. *Blac* —9F **62**
Essex Rd. *More* —4F **22**
Essex Rd. *Rish* —8G **120**
Essex Rd. *South* —5G **187**
Essex St. *Acc* —2C **142**
Essex St. *Barn* —2M **77**
Essex St. *Col* —7B **86**
Essex St. *Dar* —6B **158**
Essex St. *Nels* —1J **105**
Essex St. *Pres* —8K **115**
Essex St. *Roch* —7C **204**
Essie Ter. Barn —3M 77
(off Low Moor La.)
Essington Av. *More* —4A **22**
Esther St. *B'brn* —3C **140**
Esther St. *L'boro* —9J **185**
Ethel Ct. *Roch* —7E **204**
Ethel St. *Barn* —2N **77**
Ethel St. *Roch* —7E **204**
Ethel St. *Whitw* —4A **184**
Ethersall Rd. *Nels* —4J **105**
Eton Av. *Acc* —1B **142**
Eton Clo. *Pad* —3K **123**
Eton Clo. *Roch* —7M **203**
Eton Ct. *South* —5J **167**
Eton Dri. *Liv* —8B **222**
Eton Pk. *Ful* —4M **115**
Eton Way. *Orr* —3J **221**
Ettington Dri. *South* —8A **186**
Ettrick Av. *Fltwd* —1D **54**
Ettrick Clo. *Liv* —4J **223**
Europa Dri. *Ley* —2K **153**
Europa Way. *Lanc* —8G **22**
Euro Trad. Est. *B'brn* —1N **139**
Euston Cres. *Fltwd* —8H **41**
Euston Gro. *More* —3B **22**
Euston Rd. *More* —3A **22**
Euston St. *Pres* —1H **135**
Euxton. —2M 173
Euxton Hall Ct. *Eux* —4M **173**
Euxton Hall Gdns. *Eux* —4M **173**
Euxton Hall M. *Eux* —4M **173**
Euxton La. *Chor & Eux* —2N **173**
Euxton Pk. Golf Cen. —2C 174
Evan Clo. *Stand L* —8N **213**
Evans St. *Ash R* —8G **115**
Evans St. *Burn* —5D **124**
Evans St. *Hor* —9D **196**
Eva St. *Roch* —3D **204**
Evellynne Clo. *Liv* —8H **223**
Evelyn Rd. *Dar* —2M **157**
Evelyn St. *Burn* —9E **104**
Evenwood. *Skel* —2A **220**
Evenwood Ct. *Skel* —2N **219**
Everard Clo. *Scar* —6E **188**
Everard Rd. *South* —1K **187**
Everdon Wood. *Liv* —7L **223**
Everest Clo. *Lyth A* —8G **108**
Everest Ct. *Wesh* —2M **111**
Everest Dri. *Blac* —5C **62**
Everest Rd. *Queen I* —7G **108**
Evergreen Av. *Ley* —8K **153**
Evergreen Clo. *Chor* —9D **174**
Evergreens, The. *B'brn* —8D **138**
Evergreens, The. *Cot* —5B **114**
Everleigh Clo. *Bolt* —8L **199**
Eversham Clo. *Banks* —1F **168**
Eversholt Clo. *Fence* —2B **104**
Eversleigh Av. *T Clev* —9F **54**
Eversleigh St. *Pres* —8H **115**
Eversley. *Skel* —2A **220**
Everton. *B'brn* —7A **140**
Everton Rd. *Blac* —3C **108**
Everton Rd. *South* —1G **187**
Everton St. *Dar* —6N **157**
Every St. *Brier* —4F **104**
Every St. *Burn* —4C **124**
Every St. *Bury* —9L **201**
Every St. *Nels* —3G **105**
Every St. *Ram* —8J **181**
Every St. *Todm* —2M **165**
Evesham Av. *Pen* —6H **135**
Evesham Clo. *Acc* —1N **141**
Evesham Clo. *Hey* —1M **27**
Evesham Clo. *Hut* —7N **133**
Evesham Clo. *T Clev* —4E **62**
Evesham Rd. *Blac* —2H **89**
Evesham Rd. *Lyth A* —3G **129**
Evington. *Skel* —2A **220**
Ewell Clo. *Chor* —2H **175**
Ewood. —8L 139
Ewood. *B'brn* —7L **139**
Ewood Bridge. —9H 161
Ewood Ct. *B'brn* —6K **139**
Ewood La. *Has* —8H **161**
Ewood La. *Todm* —1J **165**
Exbury. Roch —5B 204
(off Spotland Rd.)
Excelsior Ter. L'boro —2J 205
(off Barke St.)
Exchange St. *Acc* —3M **141**
Exchange St. *B'brn* —3M **139**
Exchange St. *Blac* —3B **88**
Exchange St. *Col* —7A **86**
Exchange St. *Dar* —5A **158**
Exchange St. *Ram* —3J **181**
Exell Est. *Wins* —9M **221**
Exe St. *Pres* —7L **115**
Exeter Av. *Lanc* —1M **29**
Exeter Clo. *Liv* —9D **222**
Exeter Dri. *T Clev* —1G **62**
Exeter Gro. *Roch* —8C **204**
Exeter Pl. *Ash R* —7B **114**
Exeter St. *B'brn* —6K **139**
Exeter St. *Blac* —9C **88**
Exeter St. *Roch* —8C **204**
Exmoor Clo. *South* —9A **148**
Exmouth Pl. *Roch* —9D **204**
Exmouth Sq. *Roch* —9D **204**
Exmouth St. *Burn* —4E **124**
Exmouth St. *Roch* —9D **204**
Exton St. *Brier* —5E **104**
Extwistle Rd. *Wors* —4M **125**
Extwistle Sq. *Burn* —4J **125**
Extwistle St. *Burn* —1E **124**
Extwistle St. *Nels* —3H **105**
Eyes La. *Breth* —4G **170**
Eyes La. *Newb* —1L **211**

Facit. —4B 184
Factory Brow. *Scor* —6B **46**
Factory Hill. *Hor* —9E **196**
Factory Hill. *Lanc* —7L **23**
Factory La. *Barfd* —7H **85**
Factory La. *Hth C* —5K **195**
Factory La. *Pad* —9H **103**
Factory La. *Pen* —5H **135**
Factory La. *Whit W* —7D **154**
Factory St. *Ram* —7H **181**
Fair Acres. *Stand* —3L **213**
Fairbairn Av. *Burn* —1A **124**
Fairbank. *K Lon* —5E **8**
Fairbank Gro. *More* —5A **22**
Fairbank Wlk. *Love* —6M **143**
Fairburn. *Skel* —9M **211**
Fairclough Rd. *Acc* —5N **141**
Fairclough Rd. *T Clev* —9G **55**
Fairfax Av. *Blac* —5E **62**
Fairfax Clo. *Gars* —6A **60**
Fairfax Dri. *L'boro* —2J **205**
Fairfax Pl. *Walt D* —6N **135**
Fairfax Rd. *Rib* —5A **116**
Fairfield. —9B 202
Fairfield. *Gars* —4N **59**
Fairfield Av. *Blac* —3H **89**
Fairfield Av. *Poul F* —8K **63**
Fairfield Av. *Ross* —5D **162**
Fairfield Av. *Wig* —6M **221**
Fairfield Clo. *Carn* —9B **12**
Fairfield Clo. *Clith* —4J **81**
Fairfield Clo. *Lanc* —8J **23**
Fairfield Clo. *Orm* —5K **209**
Fairfield Ct. *Fltwd* —2F **54**
Fairfield Dri. *Ash R* —7E **114**
Fairfield Dri. *Burn* —7F **104**
Fairfield Dri. *Bury* —9B **202**
Fairfield Dri. *Clith* —4J **81**
Fairfield Dri. *Orm* —5K **209**
Fairfield Gro. *Hey* —6M **21**
Fairfield Rd. *Blac* —2C **88**
Fairfield Rd. *Ful* —5K **115**
Fairfield Rd. *Hey* —5L **21**
Fairfield Rd. *Lanc* —8J **23**
Fairfield Rd. *Ley* —7J **153**
Fairfield Rd. *Nels* —2M **105**
Fairfield Rd. *Poul F* —3L **89**
Fairfield Rd. *Sing* —3A **90**
Fairfield Rd. *South* —8C **186**
Fairfields. *Eger* —5F **198**
Fairfields Dri. *Lwr D* —1N **157**
Fairfield St. *Acc* —4M **141**
Fairfield St. *Los H* —9L **135**
Fairfield St. *Pem* —6M **221**
Fairgarth Dri. *K Lon* —5E **8**
Fairham Av. *Pen* —6G **134**
Fairhaven. —4G 129
Fairhaven. *Liv* —5K **223**
Fairhaven. *Skel* —9M **211**
Fairhaven Av. *Fltwd* —5D **54**
Fairhaven Clo. *T Clev* —3K **63**
Fairhaven Ct. *Lyth A* —4K **129**
Fairhaven Golf Course. —2M 129
Fairhaven La. *Lyth A* —3E **128**
Fairhaven Rd. *B'brn* —7N **139**
Fairhaven Rd. *Ley* —6G **152**
Fairhaven Rd. *Lyth A* —3E **128**
Fairhaven Rd. *Pen* —3H **135**
Fairhaven Rd. *South* —2A **168**
Fairhaven Way. *More* —3D **22**
Fairheath Rd. *Halt* —9J **19**
Fair Hill. *Ross* —8F **160**
Fairhill Ter. *Ross* —8F **160**
Fairholme Rd. *Burn* —6F **124**
Fairholmes Clo. *T Clev* —9H **55**
Fairholmes Way. *T Clev* —9G **55**
Fairhope Av. *Lanc* —5J **23**
Fairhope Av. *More* —2F **22**
Fairhope Ct. *B'brn* —2K **139**
Fairhurst Av. *Stand* —1N **213**
Fairhurst Ct. T Clev —9D 54
(off Beach Rd.)
Fairhurst La. *Ingle* —5K **69**
Fairhurst's Dri. *Parb* —2M **211**
Fairhurst St. *Blac* —4C **88**
Fairlands Rd. *Bury* —6L **201**
Fairlawne Clo. *Liv* —5K **223**

Fairlawn Rd.—Floyd Rd.

Fairlawn Rd. Lyth A —6L 129
Fairlea Av. More —2F 22
Fairlie. Skel —9N 211
Fairmont Dri. Hamb —1C 64
Fair Mt. Todm —6K 165
Fair Oak Clo. Rib —6B 116
Fairsnape Av. L'rdge —3K 97
Fairsnape Dri. Gars —6M 59
Fairsnape Rd. Lyth A —4C 130
Fairstead. Skel —9N 211
Fairthorn Wlk. Liv —7M 223
Fairview. —5J 195
Fair Vw. Bacup —7N 163
Fairview. K Lon —5E 8
(off Fairgarth Dri.)
Fair Vw. L'boro —7M 185
Fairview. Ross —2L 161
Fairview Av. Lyth A —1G 129
Fairview Clo. Roch —3G 203
Fairview Clo. Walm B —2K 151
Fair Vw. Cres. Bacup —5M 163
Fair Vw. Rd. Burn —4F 124
Fairway. Chor —4E 174
Fairway. Fltwd —2C 54
Fairway. Miln —7K 205
Fairway. Pen —2E 134
Fairway. Poul F —9G 63
Fairway. South —4J 167
Fair Way. Stalm —5B 56
Fairway. Whitw —7N 183
Fairway Av. Bolt —9N 199
Fairway Gdns. Kno S —8K 41
Fairway Rd. Blac —1E 108
Fairways. Ful —3K 115
Fairways. St A —2G 129
Fairways Av. Brough —7F 94
Fairways Ct. Wilp —4N 119
Fairways Dri. Burn —7C 124
Fairways, The. Skel —9A 212
Fairweather Ct. Pad —9J 103
Fairwinds Av. Hesk B —3B 150
Falcon Av. Dar —4M 157
Falcon Clo. B'brn —9L 119
Falcon Clo. Bury —9M 201
Falcon Clo. Set —3N 35
(off Longdale Av.)
Falcon Ct. Clay M —7M 121
Falcon Dri. Poul F —9H 63
Falcon Gdns. Set —3N 35
Falcon St. Pres —7L 115
Falge M. Roch —5B 204
Falinge Fold. Roch —4A 204
Falinge Rd. Roch —4A 204
Falkirk Av. Blac —5C 62
Falkirk Gro. Wig —3M 221
Falkland. Skel —9N 211
Falkland Av. Blac —8F 88
Falkland Av. Roch —5N 203
Falkland Rd. South —1K 187
Falkland St. Pres —1H 135
Fallbarn Cres. Ross —6L 161
Fallbarn Rd. Ross —5N 161
(in two parts)
Fall Kirk. A'ton —6A 18
Fallowfield. Liv —6K 223
Fallowfield Clo. Wesh —3K 111
Fallowfield Dri. Burn —1B 124
Fallowfield Dri. Roch —3N 203
Fallowfield Rd. Lyth A —2J 129
Falmer Clo. Bury —6H 201
Falmouth Av. Fltwd —4C 54
Falmouth Av. Has —5H 161
Falmouth Rd. Blac —8C 88
Falmouth St. Roch —8D 204
Falshaw Dri. Bury —4K 201
Falstone Av. Ram —1H 201
Falstone Clo. Wig —9N 221
Faraday Av. Clith —3K 81
Faraday Dri. Ful —2M 115
Faraday St. Burn —2A 124
Faraday Way. Blac —6F 62
Far Bank. —7H 149
Far Clo. Dri. Arns —3D 4
Far Cft. Los H —7K 135
Far E. Vw. Barn —2M 77
Fareham Clo. Ful —5K 115
Fareham Clo. Walt D —5B 136
Fareham Dri. Banks —1F 168
Far Fld. Pen —4G 134
Farholme La. Bacup —7H 163
Faringdon. Roch —7B 204
Faringdon Av. Blac —4D 108
Faringdon Park. —8B 116
Farington. —1J 153
Farington Av. Ley —8G 153
Farington Bus. Pk. Ley —3K 153
Farington Ga. Ley —5L 153
Farington Lodges Nature Reserve. —9H 135
Farington Moss. —2G 153
Farington Rd. Far M & Los H —1J 153
Far La. Pen —6F 134
Farleton. —8B 18
Farleton Clo. War —6N 11
Farleton Ct. Lanc —4K 23
Farleton Crossing. Farl —8A 18
Farleton Old Rd. Clau —9A 18
Farleton Vw. Holme —2G 6
Farley La. Roby M —9D 212
Farm Av. Adl —5J 195
Farm Av. Bacup —3K 163
Farm Clo. Chtwn —6N 167
Farm Clo. T Clev —1H 63
Farm Clo. Tot —7E 200
Farmdale Dri. Liv —1D 222
Farmdale Rd. Lanc —2M 29
Farmend Clo. Longt —8M 133
Farmer's Row. B'brn —9J 139
Farm Ho. Clo. B'brn —4C 140
Farmhouse Clo. Whit W —9E 154
Farm Mdw. Rd. Orr —6H 221
Far Moor. —7G 220
Farmoor La. Lanc —8N 23
Farm Wlk. L'boro —9J 185
Farm Wlk. Roch —4F 204
Farnborough St. Todm —5K 165
Farnborough Rd. Bolt —7E 198
Farnborough Rd. South —5F 186
Farndean Way. Col —7B 86
Farnell Pl. Blac —3D 108
Farnham Way. Poul F —6J 63
Farnlea Dri. More —3E 22
Farnley Clo. Roch —3K 203
Far Nook. Whit W —8D 154
Farnworth Gro. Liv —5K 223
Farnworth Rd. T Clev —2K 63
Faroes Clo. B'brn —7N 139
Farrell Clo. Liv —6G 222
Farrell St. Wig —6M 221
Farrer St. Nels —2G 105
Farrier Rd. Liv —8M 223
Farriers Fold. Hey —9L 21
Farriers La. Roch —9M 203
Farriers Yd. Cat —2H 25
Farringdon Clo. Pres —8B 116
Farringdon Cres. Pres —8B 116
Farringdon La. Rib —6B 116
Farringdon Pl. Pres —8B 116
Farrington Clo. Burn —6A 124
Farrington Ct. Burn —6A 124
Farrington Dri. Orm —6K 209
Farrington Pl. Burn —6A 124
Farrington Rd. Burn —6N 123
Farrington St. Chor —6E 174
Farthings, The. Chor —5B 174
Faulkner Clo. South —7C 186
Faulkner Gdns. South —7C 186
Faulkner's La. Fort —4M 45
Faulkner St. Roch —6C 204
Favordale Rd. Col —5D 86
Fawcett. Skel —9M 211
Fawcett Clo. B'brn —5L 139
Fawcett Rd. Liv —8C 216
Fayles Gro. Blac —9G 88
Fazackerley St. Ash R —8F 114
Fazakerley St. Chor —6E 174
Fearnhead Av. Hor —8C 196
Fearns Moss. Bacup —6E 162
Featherstall Rd. L'boro —9J 185
Featherstall Sq. L'boro —9K 185
Fecit La. Ram —6N 181
Fecitt Brow. B'brn —4C 140
Fecitt Rd. B'brn —2J 139
Federation St. Barn —1L 77
Feilden Pl. B'brn —8E 138
Feilden St. B'brn —4L 139
Felgate Brow. Blac —5E 88
Felix St. Burn —2F 124
Fell Brow. L'rdge —4K 97
Fell Clo. Bam B —8B 136
Fell End Cvn. Pk. Hale —3B 6
Fellery St. Chor —6E 174
Fellfoot Rd. Cast —5H 9
Fellgate. More & Whi L —6E 22
Fell La. Cast —5J 9
Fell La. Man —1E 8
Fell Rd. More —4F 22
Fell Rd. Wadd —10C 50
Fellside. Bolt —9N 199
Fellside Clo. G'mnt —4E 200
Fellside Vw. Hey —9L 21
Fellstone Va. Withn —6B 156
Fellstone Vw. Withn —7B 156
Fell Vw. Burn —7H 105
Fell Vw. Cat —3H 25
Fell Vw. Chor —8G 175
Fell Vw. Gars —4N 59
Fell Vw. Grims —8E 96
Fell Vw. South —9C 148
Fell Vw. W Brad —5K 73
Fell Vw. Clo. Gars —4N 59
Fell Vw. Ho. Whal —3G 100
Fell Way. Stalm —5C 56
Fellway Clo. Los H —8M 135
Felstead. Skel —1M 219
Felstead St. Pres —9N 115
Felsted Dri. Liv —9D 222
Feltons. Skel —1M 219
Felton Way. Much H —4K 151
Fenber Av. Blac —2C 108
Fence. —3B 104
Fence Ga. Fence —3B 104
Fengrove. Longt —8L 133
Feniscliffe. —6H 139
Feniscliffe Dri. B'brn —6G 139
Feniscowles. —8E 138
Fenney Ct. Skel —2N 219
Fennyfold Ter. Pad —3H 123
Fensway. Hut —6A 134
Fenton Av. Barn —1A 78
Fenton Clo. Boot —9A 222
Fenton M. Roch —8B 204
Fenton Rd. Blac —4C 88
Fenton Rd. Ful —5M 115
Fenton St. Bury —9H 201
Fenton St. Lanc —8J 23
Fenton St. Roch —8B 204
Fenwick St. Burn —6B 124
Fenwick St. Roch —6B 204
Ferguson Gdns. Roch —2C 204
Ferguson Ri. Wig —3N 221
Ferguson Rd. Blac —8E 88
Ferguson St. B'brn —9L 139
Fermor Rd. Pres —8A 116
Fermor Rd. Tar —6C 150
Fern Av. Osw —5M 141
Fern Bank. Carn —9A 12
(off Albert St.)
Fernbank. Chor —3F 174
Fern Bank. Lanc —2L 29
Fern Bank. Liv —1C 222
Fern Bank. Rainf —3J 225
Fern Bank Av. Barn —1L 77
Fernbank Ct. Nels —3J 105
Ferncliffe Dri. Hey —6L 21
Fern Clo. Los H —8L 135
Fern Clo. Shev —6K 213
Fern Clo. Skel —2J 219
Fern Ct. Fltwd —3C 54
Fern Cft. Cast —5G 8
Ferndale. B'brn —2A 140
Ferndale. Skel —1M 219
Ferndale Av. Blac —2D 108
Ferndale Clo. Frec —1B 132
Ferndale Clo. Ley —8L 153
Ferndale Clo. T Clev —1J 63
Ferndale St. Burn —1G 124
Fern Dene. Roch —3M 203
Ferney Lee Rd. Todm —1K 165
Ferney St. Todm —1K 165
(off Buckley Vw.)
Fern Gore. —5N 141
Fern Gore Av. Acc —5N 141
Fern Grove. —9A 202
Fern Gro. Blac —7C 88
Ferngrove. Bury —8N 201
Ferngrove W. Bury —9N 201
Fernhill. —9L 201
Fernhill Av. Bacup —7J 163
Fernhill Cvn. Pk. Bury —9K 201
Fernhill Clo. Bacup —7J 163
Fernhill Cres. Bacup —7J 163
Fernhill Dri. Bacup —7H 163
Fernhill Gro. Bacup —6J 163
Fern Hill La. Roch —2L 203
Fernhill Pk. Bacup —7J 163
Fernhills. Eger —3E 198
Fernhill St. Bury —9L 201
Fernhill Way. Bacup —7J 163
Fernhurst Av. Blac —9D 88
Fernhurst Ga. Augh —1G 217
Fernhurst Rd. Liv —9H 223
Fernhurst St. B'brn —8L 139
Fern Isle Clo. Whitw —8M 183
Fernlea Av. Barn —2M 77
Fernlea Av. Osw —5M 141
Fernlea Clo. B'brn —8J 139
Fernlea Clo. Roch —3M 203
Fernlea Dri. Clay M —5L 121
Fern Lea St. Ross —7B 162
Fernleigh. Ley —7D 152
Fernleigh Clo. Blac —7D 62
Fernley Rd. South —9G 167
Fern Mdw. Whit W —4E 154
Fern Rd. Burn —5C 124
Fernside Gro. Wins —9N 221
Fernside Way. Roch —4L 203
Ferns, The. Ash R —7F 114
Ferns, The. Bacup —6L 163
Ferns, The. Walt D —5L 135
Fern St. Bacup —4K 163
Fern St. Bury —9L 201
Fern St. Col —5C 86
Fern St. Ram —8J 181
(in two parts)
Fern St. Ross —6D 162
Fern St. Ward —8F 184
Fern Ter. Has —4F 160
Fernview Dri. Ram —4G 200
Fernville Ter. Bacup —7H 163
Fernwood Av. T Clev —3H 63
Fernwood Clo. Lyth A —4L 129
Fernyhalgh Ct. Ful —3N 115
Fernyhalgh Gdns. Ful —3N 115
Fernyhalgh Gro. Ful —3N 115
Fernyhalgh La. Ful —9M 95
(in two parts)
Fernyhalgh Pl. Ful —3N 115
Ferny Knoll Rd. Rainf —8J 219
Ferrand Lodge. L'boro —7M 185
Ferrand Rd. L'boro —8L 185
Ferrier Bank. W'ton —3J 131
Ferrier Clo. B'brn —3C 140
Ferrier Ct. B'brn —3C 140
Ferry Rd. Ash R —9C 114
Ferry Side La. South —1B 168
Festival Rd. Rainf —5L 225
Fewstone Clo. Bolt —8E 198
Fiddler's Ferry. —9C 148
Fiddler's La. Chip —5D 70
Fiddlers La. Clay W —5D 154
Fidler La. Far M —2J 153
Field Clo. Burs —1D 210
Fieldcroft. Roch —6M 203
Fieldens Farm La. Mel B —6C 118
Fielden Sq. Todm —3L 165
Fielden St. Burn —4A 124
Fielden St. Chor —6G 174
Fielden St. Ley —6G 152
Fielden St. L'boro —3H 205
Fieldfare Clo. T Clev —7G 54
Fieldhead Av. Roch —6M 203
Fieldhouse Av. T Clev —1K 63
Fieldhouse Ind. Est. Roch —3C 204
Fieldhouse Rd. Roch —3C 204
Fielding Cres. B'brn —7H 139
Fielding La. Gt Har —4H 121
Fielding La. Osw —5L 141
Fielding Pl. Adl —5K 195
Fielding Rd. Blac —2D 88
Fieldings, The. Liv —7A 216
Fielding St. Rish —8J 121
Fieldlands. South —3N 187
Field Maple Dri. Rib —6B 116
Field Rd. Hey —1J 27
Field Rd. Roch —6G 205
Fieldsend. Hey —9M 21
Fields End. Lang —1C 120
Fieldside Av. Eux —5M 173
Fieldside Clo. Los H —5M 135
Fields Rd. Has —6H 161
Fields, The. E'ston —7E 172
Field St. B'brn —6J 139
Field St. Blac —8C 88
Field St. Pad —2H 123
Field St. Skel —1H 219
Field Top. Bacup —9L 145
Field Wlk. Orm —7N 209
Field Way. Lyth A —7E 108
Fieldway. Mag —3C 222
Fieldway. Roch —9E 204
Fife Clo. Chor —8G 174
Fife St. Acc —3N 141
Fife St. Barfd —1G 104
Fifth Av. Blac —2C 108
Fifth Av. Burn —8F 104
Fifth Av. Bury —9B 202
Fifth St. Bolt —9N 197
Filbert Clo. Liv —4L 223
Filberts Clo. Ful —6F 114
Filberts, The. Ful —6F 114
File St. Chor —7E 174
Filey Pl. Blac —4B 88
Filey Pl. Ing —5D 114
Filey Rd. Lyth A —8G 108
Filey St. Roch —2F 204
Filton Gro. More —5E 22
Finance St. L'boro —9H 185
Finch Av. Rainf —5L 225
Finch Clo. B'brn —2N 139
Finches, The. Poul F —9H 63
Finch La. App B —3E 212
Finch La. Cot —5B 114
Finchley Rd. Blac —2B 88
Finch Mill Av. App B —5G 213
Finch's Cotts. Pen —4H 135
Finch St. Dar —5N 157
Findon. Skel —1N 219
Findon Rd. Liv —9L 223
Fine Jane's Way. South —6A 168
Finney La. Crost —6H 171
Finnington La. Fen —1B 156
Finsbury Av. Blac —8D 88
Finsbury Av. Lyth A —4H 129
Finsbury Pl. B'brn —9L 139
Finsbury St. Roch —8A 204
Finsley Ga. Burn —4D 124
Finsley St. Brclf —7J 105
Finsley Vw. Brclf —7K 105
Firbank. Eux —4M 173
Firbank Av. Tar —8E 150
Firbank Rd. Lanc —7L 23
Firbarn Clo. Firg —6G 204
Firbeck. Skel —2M 219
Fir Clo. Fltwd —2C 54
Fir Cotes. Liv —1D 222
Fir Ct. Acc —9D 122
Fir Cft. Stand —2K 213
Fire Sta. Yd. Roch —7C 204
Firewood La. Sam —3J 137
Firfield Clo. K'ham —4K 111
Firgrove. —6G 205
Fir Gro. Blac —8E 88
Fir Gro. W'ton —2J 131
Firgrove Av. Roch —5G 204
Firgrove Gdns. Roch —5G 204
Fir Gro. Rd. Burn —5F 124
Fir Mt. Bacup —6L 163
Firshill Clo. T Clev —3H 63
Firs La. Augh —9D 208
(in two parts)
First Av. Ash R —7D 114
First Av. Blac —2C 108
First Av. Chu —8N 121
First Av. Clift —8G 113
First Av. Poul F —8L 63
First Av. Tot —7E 200
First Av. W Grn —5G 110
Firstone Gro. Liv —9K 223
Fir St. Burn —4F 124
Fir St. Has —5H 161
Fir St. Nels —2K 105
Fir St. Ram —7J 181
Fir St. South —8L 167
Fir St. Todm —7K 165
First St. Bolt —9N 197
Firswood Clo. Lyth A —4L 129
Firswood Rd. Skel —1F 218
Fir Tree Av. Ful —5E 114
Fir Tree Clo. Bolt S —7K 15
Fir Tree Clo. Chor —2E 194
Fir Tree Clo. Much H —4J 151
Fir Tree Clo. Skel —4A 220
Fir Tree La. Augh —8E 208
Fir Tree Pl. T Clev —3F 62
Fir Trees Av. Los H —7K 135
Fir Trees Av. Rib —7B 116
Fir Trees Cres. Los H —8K 135
Firtrees Dri. B'brn —8G 138
Fir Trees Gro. High —5K 103
Fir Trees La. High —5K 103
Fir Trees Pl. Rib —5B 116
Fir Trees Rd. Los H —7K 135
Firwood. Skel —9A 212
Firwood Clo. L'rdge —2J 97
Firwood Clo. Todm —6K 165
Fisher Dri. Orr —4H 221
Fisher Dri. South —7M 167
Fisherfield. Roch —4K 203
Fishergate. Pres —1H 135
Fishergate Cen. Pres —1J 135
Fishergate Ct. Pres —1H 135
Fishergate Hill. Pres —2G 135
Fishergate Wlk. Pres —1J 135
Fishermans Wlk. Fltwd —9G 41
Fishermans Wharf. Fltwd —9G 40
(off Lofthouse Way)
Fisher's La. Blac —4F 108
Fisher's Row. —7K 43
Fisher's Slack La. Poul F —9G 64
Fisher St. Blac —4C 88
Fish Ho. La. Chip —5E 70
Fish La. Burs & H'wd —1N 189
Fishmoor Dri. B'brn —8N 139
Fish Rake La. Ross —1J 181
Fish St. Pres —8J 115
Fishwick. —9M 115
Fishwick Bottoms. Pres —2M 135
Fishwick Hall Golf Course. —9B 116
Fishwick La. Wheel —6K 155
Fishwick Pde. Pres —9M 115
Fishwick Rd. Pres —9M 115
Fishwick St. Roch —7D 204
Fishwick Vw. Pres —9M 115
Fitchfield. Pen —6J 135
Fitton St. Roch —5D 204
Fitzgerald St. Pres —8M 115
Fitzhugh St. Bolt —8G 198
Fitzroy Rd. Blac —8D 62
Fitzroy St. Pres —1G 135
Five Acres. Far M —3H 153
Five Ashes La. Lanc —8K 29
Five La. Ends. Bay H —6A 38
Flag La. Breth —1L 171
Flag La. Hth C —9H 175
Flag La. Ley & Eux —2G 172
Flag La. Pen —7J 135
Flag St. Bacup —7J 163
Flag St. Fltwd —9H 41
Flakefleet Av. Fltwd —3E 54
Flamstead. Skel —2N 219
Flannel St. Roch —5D 204
Flare Rd. Hey —1J 27
Flasby. —1N 53
Flash La. Ruf —1G 190
Flatfield Way. Liv —1D 222
Flat La. Yeal C —8B 6
Flatman's La. Down —2L 215
Flats Retail Pk., The. Walt D —3M 135
Flats, The. Chor —8D 174
Flax Clo. Has —7F 160
Flaxfield Rd. Liv —9A 206
Flaxfield Way. K'ham —4M 111
Flax La. Burs —1D 210
Flax Moss. —7F 160
Flaxmoss Clo. Helm —7F 160
Flax St. Ram —1F 200
Flaxton. Skel —2N 219
Fleece St. Roch —6C 204
Fleet Grn. Lanc —5J 23
Fleet La. Horn —6B 18
Fleet's La. Cast —6G 8
Fleet Sq. Lanc —8K 23
(off Cable St.)
Fleet St. Blac —6C 88
Fleet St. Chor —7E 174
Fleet St. Hor —9E 196
Fleet St. L'rdge —3J 97
Fleet St. Lyth A —1D 128
Fleet St. Nels —1J 105
Fleet St. Orr & Wig —5L 221
Fleet St. Pres —1J 135
Fleet St. La. Hoth —4A 98
Fleet Wlk. Burn —3E 124
Fleetwood. —9H 41
Fleetwood Clo. B'brn —7N 139
Fleetwood Clo. South —3M 167
Fleetwood Cres. South —9F 148
Fleetwood Docks. Fltwd —2G 54
Fleetwood Dri. South —9F 148
Fleetwood Gdns. Liv —5L 223
(in two parts)
Fleetwood Golf Course. —9C 40
Fleetwood Mus. —8J 41
Fleetwood Old Rd. K'ham —7K 91
Fleetwood Rd. Burn —8G 104
Fleetwood Rd. Esp —3H 91
Fleetwood Rd. Fltwd —2E 54
Fleetwood Rd. Pad —1J 123
Fleetwood Rd. Poul F —5H 63
Fleetwood Rd. South —5J 167
(in two parts)
Fleetwood Rd. T Clev —1C 62
Fleetwood Rd. Wesh —1L 111
Fleetwood Rd. N. Fltwd & T Clev —5F 54
Fleetwood Rd. S. T Clev —2H 63
Fleetwood St. Ash R —8G 114
Fleetwood St. Ley —5L 153
Fleming Sq. B'brn —4M 139
Fleming Sq. L'rdge —3K 97
Flensburg Way. Ley —4G 152
Fletcher Av. Tar —9E 150
Fletcher Bank. —8J 181
Fletcher Dri. Burs —9C 190
Fletcher Rd. Pres —9L 115
Fletcher Rd. Rish —9G 121
Fletchers Pas. L'boro —8K 185
Fletcher's Rd. L'boro —2H 205
Fletchers Sq. L'boro —8L 185
(off Sutcliffe St.)
Fletcher St. B'brn —5L 139
Fletcher St. L'boro —8K 185
Fletcher St. Nels —3K 105
Fletcher St. Roch —8D 204
Flett St. Ash R —8F 114
Flimby. Skel —2A 220
Flimby Clo. B'brn —8N 139
Flintoff Way. Pres —6L 115
Flinton Brow. Abb —2A 48
Flip Rd. Has —4F 160
Flockton Av. Stand L —8N 213
Floral Hall & Theatre. —6H 167
Floral Hall Gardens. —6H 167
Flordon. Skel —2A 220
Florence Av. Bolt —9F 198
Florence Av. Burn —4A 124
Florence Av. W'ton —3J 131
Florence Pl. B'brn —2A 140
Florence St. B'brn —2A 140
Florence St. Blac —3G 109
Florence St. Burn —4A 124
Florence St. Chu —2L 141
Florence St. Roch —7E 204
Flowerfield. Cot —3B 114
Flower Fields. Catt —1A 68
Flower Hill La. Ward —8D 184
Flower Scar Rd. Todm —1A 164
Floyd Rd. Rib —6A 116

Floyer St.—Garswood Clo.

Floyer St. Pres —1L 135
Fluke Hall La. Pil —4E 42
Flush Brow. Cast —4G 9
Fold Gdns. Roch —2M 203
Fold Head. —6M 183
Fold Ho. Cvn. Pk. Pil —9J 43
Foldside. Frec —1A 132
Folds St. Burn —1D 124
Fold, The. Barfd —6J 85
Fold Vw. Eger —4E 198
Folkestone Clo. T Clev —8F 54
Folkestone Clo. W'ton —1K 131
Folkestone Rd. Lyth A —9F 108
Folkestone Rd. South —2L 187
Folly Bank. Ross —8M 143
Folly Cotts. Barn —3L 77
Folly La. Barn —6K 77
Folly La. Slyne —4H 23
Folly Ter. Ross —8M 143
Folly Wlk. Roch —4C 204
(in two parts)
Fooden La. Bolt B —8L 51
Footeran La. Yeal C —8B 6
Foot Mill Cres. Roch —3A 204
Foot Wood Cres. Roch —3A 204
Forbes Ct. Burn —6M 123
Ford Gdns. Roch —7M 203
Ford Green. —2K 59
Fordham Clo. South —2L 187
Ford La. Goos —1B 96
Ford La. Silv —6J 5
Fordoe La. Roch —1G 202
Fordside Av. Clay M —5L 121
Fordstone Av. Pre —9N 41
Ford St. Barfd —7J 85
Ford St. Burn —9F 104
Ford St. Lanc —7H 23
Ford St. Roch —6D 204
Fordway Av. Blac —4E 88
Foregate. Ful —5H 115
Foreside. Barfd —6J 85
Forest Av. Fence —2C 104
Forest Bank. Ross —9M 143
Forest Bank Rd. Ross —9M 143
Forest Becks. —6K 51
Forest Becks Brow. Bolt B —6K 51
Forest Brook Ho. Ful —6J 115
Forest Clo. Los H —5M 135
Forest Dri. Lyth A —4L 129
Forest Dri. Skel —9N 211
Forest Dri. Stand —2K 213
Forester Dri. Fence —2B 104
Forester's Bldgs. Barn —2M 77
Forest Ga. Blac —5D 88
Forest Ga. Whi L —6E 22
Forest Gro. Brtn —2E 94
Forest Hills Golf Course. —9N 29
Forest Holme. —9D 144
Forest Holme Clo. Water —9D 144
Forest La. Barfd —9F 84
Forest of Mewith. —8M 19
Forest Pk. Lanc —9G 23
Fore St. Lwr D —9N 139
Forest Rd. South —8K 167
Forestry Houses. Dun B —7K 49
Forestside. B'brn —9L 139
Forest St. Bacup —5K 163
Forest St. Burn —3E 124
Forest St. Nels —1H 105
(in two parts)
Forest St. Ross —9E 144
Forest Vw. Barfd —8H 85
Forest Vw. Brier —5E 104
Forest Vw. Roch —3A 204
Forest Way. Brom X —7J 199
Forest Way. Ful —4J 115
Forest Way. Ley —7J 153
Forfar Gro. Burn —6B 124
Forfar St. Bolt —8E 198
Forfar St. Burn —6B 124
Forge Clo. W'head —8C 210
Forge La. Bncr —4B 60
Forge St. Bacup —5K 163
Forge St. Ley —6K 153
Forgewood Clo. Halt —2D 24
Forgewood Dri. Halt —2C 24
Formby Av. Fltwd —5D 54
Formby Bus. Pk. Form —1C 214
Formby By-Pass. Liv —5B 206
Formby Clo. B'brn —8N 139
Formby Cres. Longt —8K 133
Formby Fields. Liv —1A 214
Formby Gdns. Liv —8A 206
Formby Hall Golf Course. —4C 206
Formby La. Augh —1C 216
Formby La. Liv —1B 214
Formby M. Liv —8A 206
Formby Pl. Ash R —7B 114
(in two parts)
Formby Rd. Lyth A —8F 108
Forrest Ct. Blac —2E 88
Forrester Clo. Ley —6H 153
Forrest St. B'brn —3A 140
Forshaw Av. Blac —2F 88
Forshaw Av. Lyth A —9D 108
Forshaw Clo. Fltwd —2E 54
Forshaw Rd. Pen —6G 134
Forsters Green. —9A 212
Forsters Grn. Rd. Uph —9A 212
Forsyth St. Roch —3J 203
Fort Av. Ribch —7E 98
Forton. —2M 45
Forton Rd. Ash R —9B 114
Forts Bldgs. Kel —6D 78
Fort St. Acc —2A 142
Fort St. B'brn —3A 140
Fort St. Clay M —6M 121
Fort St. Clith —4K 81
Fort St. Read —8C 102
Fort St. Ind. Est. B'brn —2A 140
Forty Acre La. L'rdge —1L 97
Forum Ct. South —7G 167
Forward Ind. Est. Ley —5H 153
(off Talbot Rd.)
Foscote Rd. Liv —6M 223
Fossdale Moss. Ley —6F 152
Fosse Clo. B'brn —8A 140
Fossgill Av. Bolt —8J 199
Foster Ct. Bury —9B 202
Foster Cft. Pen —2F 134
Fosterfield Pl. Chor —5G 174
Foster Rd. Barn —1L 77
Fosters Clo. South —6A 168
Foster St. Acc —1B 142
Foster St. Chor —5G 174
Fothergill St. Col —6N 85
Foul Clough Rd. Todm —7G 164
Fould Clo. Col —8N 85
Fouldrey Av. Poul F —6L 63
Foulds Rd. Traw —8E 86
Foulds Ter. Traw —9F 86
Foul La. South —9N 167
Foulridge. —2A 86
Foulridge Wharf. —1A 86
Foundary St. Chor —6E 174
Foundry La. Halt —1N 23
Foundry La. Wig —7N 221
Foundry St. Bacup —5K 163
Foundry St. B'brn —4K 139
Foundry St. Burn —3D 124
Foundry St. Dar —6A 158
Foundry St. Has —5G 161
Foundry St. Ross —6L 161
Foundry St. Todm —3K 165
Fountain Pl. Acc —3A 142
Fountain Retail Pk. Acc —2N 141
Fountains Av. B'brn —9B 120
Fountains Av. S'stne —9C 102
Fountains Clo. Chor —9F 174
Fountain Sq. Barfd —7H 85
Fountain St. Acc —4N 141
Fountain St. Barn —2N 77
Fountain St. Col —7A 86
Fountain St. Dar —7A 158
Fountain St. Nels —1J 105
Fountains Way. Liv —1A 214
Fountains Way. Osw —3H 141
Fouracre. Mel —7F 118
Four Acre La. Thorn —9F 70
(in two parts)
Fouracres. Liv —3A 222
Fourfields. Bam B —6A 136
Four Lane Ends. —9L 119
(Blackburn)
Four Lane Ends. —8C 200
(Bury)
Four Lane Ends. —4E 218
(Skelmersdale)
Four La. Ends. Blac —4G 88
Four La. Ends. Doph —6E 38
Four La. Ends. Hey —7L 21
Four La. Ends. S'stne —6E 102
Four La. Ends Rd. Bacup —7F 162
Four Lanes Way. Roch —4G 203
Four Oaks Rd. Bam B —1C 154
Fourth Av. Blac —2C 108
Fourth Av. Bury —9B 202
Fourth St. Bolt —9N 197
Fowler Av. Far M —1L 153
Fowler Clo. Hogh —6L 137
(in two parts)
Fowler Height Clo. B'brn —9J 139
Fowler Hill La. Cabus —8L 45
Fowler La. Far & Far M —1J 153
Fowler St. Ful —6G 115
Foxcote. Chor —4D 174
Foxcroft. Burn —1B 124
Foxcroft St. L'boro —9J 185
Foxdale Av. Blac —3D 88
Foxdale Clo. Bacup —6L 163
Foxdale Clo. South —2L 187
Foxdale Clo. Tur —7L 179
Foxdale Gro. Pres —6N 115
Foxdale Pl. Lanc —6J 23
Foxen Dole La. High —5M 103
Foxfield Av. More —5C 22
Foxfield Clo. Bury —8G 201
Foxfield Gro. Shev —6L 213
Foxfold. Skel —9A 212
Foxglove Clo. Hesk B —3C 150
Foxglove Clo. Stand —2N 213
Foxglove Ct. Roch —2A 204
Foxglove Dri. Bury —9B 202
Foxglove Dri. Whit W —1D 174
Foxglove Way. Frec —1B 132
Fox Gro. Hey —5M 21
Foxhall Rd. Blac —7B 88
Foxhall Sq. Blac —7B 88
Foxhill Bank. —3L 141
Foxhill Bank. Chu —3K 141
Foxhill Bank Brow. Chu —3L 141
Foxhill Dri. Ross —3D 162
Foxhill Ter. Acc —4L 141
Foxhill Ter. Osw —4L 141
Foxhole Rd. Chor —5B 174
Foxholes Clo. Roch —4D 204
Foxholes M. Bay H —8A 38
Foxholes Rd. Hor —9E 196
Foxholes Rd. More —2D 22
Foxhouse La. Liv —2D 222
Fox Ho. St. B'brn —3K 139
Fox Ind. Est. Blac —1F 88
Fox La. Hogh —5G 137
Fox La. Ley —7G 153
Fox Lane Ends. —4F 110
Fox La. Ends. W Grn —3F 110
Foxstones Cres. B'brn —8H 139
Foxstones La. Cliv —6L 125
Fox St. Acc —2A 142
Fox St. Burn —3L 123
Fox St. Clith —2L 81
Fox St. Miln —5E 204
Fox St. Pres —1J 135
Foxwell Clo. Has —5H 161
Foxwood Chase. Acc —9D 122
Foxwood Clo. Orr —6H 221
Foxwood Dri. K'ham —3K 111
Foxwood, The. Char R —4M 193
Frailey Clo. South —9C 186
Frances Ho. K'ham —4M 111
Frances Pas. Lanc —8K 23
(off Penny St.)
Frances St. Dar —5N 157
Frances St. Roch —1G 205
France St. B'brn —4L 139
France St. Chu —2L 141
Francis Av. Barfd —6J 85
Francis St. Ash R —8F 114
Francis St. B'brn —7J 139
Francis St. Blac —4B 88
Francis St. Burn —9E 104
Francis St. Clay M —6M 121
Francis St. Col —8M 85
Frankel Clo. New L —8C 134
Franklands. Longt —7L 133
Franklands Dri. Rib —4B 116
Franklands Fold. Longt —8L 133
(off Franklands)
Franklin Gro. Liv —4K 223
Franklin Rd. B'brn —5H 139
Franklin St. Burn —3A 124
Franklin St. Clith —4K 81
Franklin St. Dar —6A 158
Franklin St. Lanc —2K 29
Franklin St. Roch —8E 204
Franklin Ter. L'boro —9K 185
(off William St.)
Frank St. Barn —2M 77
Frank St. Clay M —8N 121
Frank St. Pres —8J 115
Franton Wlk. Liv —8H 223
Fraser Av. Pen —3H 135
Fraser St. Acc —4N 141
Fraser St. Burn —9F 104
Fraser St. Roch —9E 204
Frazer Gro. Blac —9B 88
Freckleton. —2M 131
Freckleton By-Pass. Frec —2M 131
Freckleton Ct. Lyth A —5B 130
(off Freckleton St.)
Freckleton Dri. Liv —5L 223
Freckleton Rd. K'ham —5N 111
Freckleton Rd. South —2M 167
Freckleton St. B'brn —4L 139
(in two parts)
Freckleton St. Blac —7C 88
Freckleton St. K'ham —4N 111
Freckleton St. Lyth A —5B 130
Frederick Row. B'brn —3B 140
Frederick St. Acc —2N 141
Frederick St. Barn —1L 77
Frederick St. B'brn —5M 139
Frederick St. Blac —1D 108
Frederick St. Chor —7G 175
Frederick St. Dar —5A 158
Frederick St. L'boro —8K 185
Frederick St. Osw —4L 141
Frederick St. Ram —9G 180
Fredora Av. Blac —8G 89
Freehold. —7L 23
Freeholds La. Wadd —5F 72
(in two parts)
Freeholds Rd. Shawf —9B 164
Freeholds Ter. Shawf —9B 164
Freehold St. Roch —8B 204
Free La. Ross —9F 160
Freeman's La. Char R —2A 194
Freeman's Wood. Lanc —8E 22
Freemantle Av. Blac —5B 108
Freeport. Fltwd —1G 55
Freeport Village Retail Pk. Fltwd —1H 55
Freestone Clo. Bury —9J 201
Freetown. —9M 201
Free Trade St. Burn —3D 124
Freetrade St. Roch —8B 204
French Clo. B'brn —4J 139
French Rd. B'brn —4J 139
Frenchwood. —2L 135
Frenchwood Av. Lyth A —4M 129
Frenchwood Av. Pres —2L 135
Frenchwood Knoll. Pres —2L 135
Frenchwood St. Pres —2K 135
Freshfield Av. Clay M —6L 121
Freshfields. Lea —6A 114
Friar Ct. Acc —2B 142
Friargate. Pres —9J 115
Friargate Wlk. Pres —1J 135
Friar's Moss Rd. Brook —8E 24
Friars Pas. Lanc —8K 23
Friars, The. Ful —5H 115
Friar St. Lanc —8K 23
Friars Wlk. Liv —1B 214
Friary Clo. K'ham —5A 112
Friday St. Chor —6F 174
Frieldhurst Rd. Todm —7F 146
Frieston. Roch —5B 204
(off Spotland Rd.)
Frinton Gro. Blac —5E 62
Friths Av. Hogh —7G 137
Frobisher Dri. Lyth A —8D 108
Frobisher Rd. L'boro —5M 185
Frodsham Clo. Stand L —9N 213
Frog La. Lath —2H 211
Frome St. Pres —8N 115
Frontierland. —4N 21
Froom St. Chor —6G 174
(in two parts)
Fryer Clo. Pen —7F 134
Fry St. Nels —2K 105
Fulford Av. Lea —8N 113
Fulham St. Nels —9K 85
Fulledge. —5G 124
Fullers Ter. Bacup —6K 163
(off Park Rd.)
Full Pot La. Roch —5J 203
Full Vw. B'brn —8J 139
Fulmar Cres. Hey —2L 27
Fulmar Gdns. Roch —6K 203
Fulmars, The. Poul F —9H 63
Fulshaw Rd. Ash R —7E 114
Fulwood. —6H 115
Fulwood Av. Blac —2F 88
Fulwood Av. South —1K 187
Fulwood Av. Tar —6D 150
Fulwood Dri. More —3F 22
Fulwood Hall La. Ful —5L 115
Fulwood Heights. Ful —4M 115
Fulwood Row. —4A 116
Fulwood Row. Ful & Rib —2A 116
(in two parts)
Furbarn La. Roch —5H 203
Furbarn Rd. Roch —6H 203
(in two parts)
Furlong Cres. Blac —1G 88
Furlong La. Poul F —6K 63
Furnesford Rd. L Bent —9H 19
Furness Av. B'brn —9B 120
Furness Av. Blac —2G 88
Furness Av. Fltwd —3D 54
Furness Av. Form —9A 206
Furness Av. Heyw —9G 202
Furness Av. Lanc —8M 29
Furness Av. L'boro —8K 185
Furness Av. Orm —8K 209
Furness Av. S'stne —9C 102
Furness Clo. Chor —9F 174
Furness Clo. Miln —7H 205
Furness Clo. South —1B 206
Furness Ct. Blac —2G 88
Furness Dri. Ben —6L 19
Furness Dri. Poul I —8M 63
Furness Rd. Hey —6L 21
Furness St. Burn —9F 104
Furness St. Lanc —7H 23
Furnival Dri. Burs —9B 190
Further Ends Rd. Frec —2N 131
Further Fld. Roch —4H 203
Further Ga. B'brn —3B 140
Furthergate Ind. Est. B'brn —3B 140
Further Heights Rd. Roch —3C 204
Further La. Sam & Mel —1N 137
Further Pits. Roch —6N 203
Further Wilworth. B'brn —7M 119
Furze Ga. Roch —9E 204
Fushetts La. Ben —6K 19
Fylde Av. Far M —3H 153
Fylde Av. Lanc —8M 29
Fylde Country Life Mus. —5D 58
Fylde Ct. Kno S —8K 41
Fylde Cres. Weet —4D 90
Fylde Rd. Ash R & Pres —8G 114
Fylde Rd. Lyth A —3K 129
Fylde Rd. Poul F —7L 63
Fylde Rd. South —2M 167
Fylde Rd. Ind. Est. Pres —8G 115
Fylde Rd. Ind. Est. South —2N 167
Fylde St. K'ham —5M 111
Fylde St. Pres —9H 115
Fylde Vw. Clo. Poul F —9K 63

Gabbot St. Adl —6J 195
Gable M. Liv —2A 214
Gables Pl. More —3D 22
Gables, The. Cot —5B 114
Gables, The. Dar —3M 157
Gables, The. Mag —3D 222
Gable St. Bolt —8K 199
Gadfield St. Dar —7B 158
Gadsby St. Blac —8B 88
Gage St. Lanc —8K 23
Gaghills Rd. Ross —6D 162
Gaghills Ter. Ross —6D 162
(off Gaghills Rd.)
Gainsborough Av. B'brn —2K 139
Gainsborough Av. Burn —6C 124
Gainsborough Av. Liv —2A 222
Gainsborough Av. Los H —9K 135
Gainsborough Av. More —2D 22
Gainsborough Clo. Wig —8N 221
Gainsborough Rd. Blac —6D 88
Gainsborough Rd. Ram —4G 200
Gainsborough Rd. South —2E 186
Gaisgill Av. More —5B 22
Gait Barrows Nature Reserve. —4L 5
Galbraith Way. Roch —5J 203
Gale. —7M 185
Gale Rd. Know I —9A 224
Gales La. Maw —2L 191
Gales Ter. Roch —8B 204
(off High Barn Clo.)
Gale St. Roch —2C 204
Galgate. —2L 37
Galgate Silk Mills Ind. Est. Gal —2M 37
Galindo St. Bolt —9J 199
Galligreaves St. B'brn —5L 139
Galligreaves Way. B'brn —5K 139
Gall La. Todm —6F 146
Galloway Cres. Blac —6F 62
Galloway Rd. Fltwd —8F 40
Gallowber La. Hut R —6B 8
Gallows La. Ribch —6G 99
Galston Clo. Liv —4J 223
Galway Av. Blac —8D 62
Gamble Rd. T Clev —8G 55
Gambleside Clo. Ross —7M 143
Game St. Gt Har —4J 121
Gamston Wood. Liv —9H 223
Gamull La. Rib —4B 116
Gandy La. Roch —1N 203
Gannet Way. Frec —7N 111
Gannow La. Burn —3N 123
Gantley Av. Bil —7G 220
Gantley Cres. Bil —8G 220
Gantley Rd. Bil —7G 220
Ganton Clo. South —2L 187
Ganton Ct. Pen —2D 134
Gants La. Stalm —8B 56
Garbett St. Acc —4N 141
Garden Av. W Grn —5G 111
Garden City. Ram —3F 200
Garden Clo. L'boro —2J 205
Garden Cotts. Orm —7J 209
Gardeners M. Blac —3C 88
Gardeners Row. Sab —3E 102
Gardeners Vw. Liv —4L 223
Garden Holme. Garg —3M 53
(off West St.)
Garden Holme. I'ton —2N 19
(off Bank Top)
Garden M. L'boro —9L 185
(off Industry St.)
Garden Pl. Burt —6H 7
Garden Row. Heyw —9F 202
Gardens Gro. More —4A 22
Gardens La. E'tn —1M 53
Garden Sq. Traw —9E 86
Gardens, The. Bolt —7F 198
Gardens, The. Tur —1K 199
Garden St. Abb V —5D 156
Garden St. Acc —1A 142
Garden St. Barn —2M 77
Garden St. B'brn —4K 139
Garden St. Brier —5F 104
Garden St. Col —7A 86
Garden St. Gt Har —5J 121
Garden St. High —5L 103
Garden St. K'ham —5M 111
Garden St. Los H —9L 135
Garden St. Lyth A —2E 128
Garden St. Miln —9L 205
Garden St. Nels —2J 105
Garden St. Osw —4K 141
Garden St. Pad —9H 103
Garden St. Pres —1J 135
Garden St. Ram —8H 181
Garden St. S'seat —2H 201
Garden St. Todm —1L 165
Garden St. Tot —6E 200
Garden Ter. Blac —9B 88
Garden Ter. Chor —5E 174
Garden Ter. M'ton —5M 27
Garden Va. Bus. Pk. Col —7M 85
Garden Wlk. Ash R —8E 114
Garden Wlk. T Clev —7D 54
Garden Way. L'boro —3J 205
Gardiners Pl. Skel —3J 219
Gardner Rd. Form —9A 206
Gardner Rd. Hey —5M 21
Gardner Rd. Lanc —6K 23
Gardner Rd. War —5A 12
Gardner's La. Clau B —9G 60
Gardner St. Pres —9J 115
Garfield Av. Lanc —9H 23
Garfield Clo. Roch —5J 203
Garfield Ct. Blac —8J 89
Garfield Dri. More —4F 22
Garfield St. Acc —3C 142
Garfield St. Fltwd —8H 41
Garfield St. Todm —7F 146
Garfield Ter. Chor —4F 174
Gargrave. —3M 53
Gargrave Ho. Gdns. Garg —3L 53
Gargrave Rd. Brou —6M 53
Garland Gro. Fltwd —1D 54
Garlick's Cotts. Lyth A —5B 130
(off N. Warton St.)
Garnet Clo. T Clev —4F 62
Garnet St. Lanc —8L 23
Garnett Grn. Orm —8J 209
Garnett Pl. Skel —4L 219
Garnett Rd. Clith —4J 81
Garnett St. Barfd —9H 85
Garnett St. Bolt —9E 198
Garnett St. Dar —6B 158
Garnett St. More —2B 22
(off Morecombe St. E.)
Garnett St. Ram —8G 180
Garrick Gro. Blac —3E 88
Garrick Pde. South —7G 166
Garrick St. Nels —9K 85
Garrison Rd. Ful —6L 115
Garsdale Av. Burn —6F 104
Garsdale Clo. Walt D —3A 136
Garsdale Rd. Rib —5A 116
Garsden Av. B'brn —6E 140
Gars End. Wray —8E 18
Garside Hey Rd. Bury —7G 201
Garstang. —5N 59
Garstang Clo. Poul F —8J 63
Garstang Country Hotel Golf Course. —8N 59
Garstang New Rd. Sing —8C 64
Garstang Rd. Brtn —9D 68
Garstang Rd. Bils —7D 68
Garstang Rd. Brough & Ful —7F 94
(in two parts)
Garstang Rd. Chip —6E 70
Garstang Rd. Chur —1L 67
Garstang Rd. C'ham & Fort —1H 45
Garstang Rd. Ful & Pres —6H 115
Garstang Rd. Gars & Catt —6A 60
Garstang Rd. Pil —9K 43
Garstang Rd. St M —4G 66
Garstang Rd. Sing —7F 64
Garstang Rd. South —2M 167
Garstang Rd. E. Poul F & Sing —8K 63
Garstang Rd. N. Wesh —2L 111
Garstang Rd. S. Wesh —3L 111
Garstang Rd. W. Blac & Poul F —1G 89
Garstang St. Dar —5A 158
Garstangs Yd. Gigg —2N 35
(off Church St.)
Gars, The. Wray —8E 18
Garstone Cft. Ful —3F 114
Garston St. Bury —9M 201
Garswood Av. Rainf —3L 225
Garswood Clo. Burn —8D 104
Garswood Clo. Liv —8D 216

Garswood Dri.—Grane St.

Garswood Dri. Bury —7G 201
Garth Edge. Whitw —1B 184
Garton Av. Blac —3C 108
Gas Fld. Rd. Hey —5K 27
Gas Ho. La. Ben —6L 19
(off Main St.)
Gaskell Clo. L'boro —8K 185
Gaskell Clo. Silv —8G 4
Gaskell Cres. T Clev —1G 63
Gaskell Rd. Pen —3H 135
Gaskell St. Chor —6G 174
Gas St. Adl —7H 195
Gas St. Bacup —5K 163
Gas St. Burn —3D 124
Gas St. Has —6E 160
Gas St. Roch —6B 204
Gas Ter. Ley —5K 153
Gatefield Ct. Burn —5E 124
(off Hollingreave Rd.)
Gate Flats. K Lon —6F 8
(off Lunefield Dri.)
Gate Fold. —8K 199
Gategill Gro. Bil —8G 220
Gateheads Brow. Cast —5G 9
Gateland. Salt —4A 78
Gatelands Cvn. Pk. Tew —2F 12
Gatesgarth Av. Ful —2J 115
Gateside Ct. Blac —2G 88
Gateside Dri. Blac —2F 88
Gates La. Liv —9J 215
Gate St. B'brn —3A 140
Gate St. Roch —8C 204
Gateway Clo. T Clev —4K 63
Gathurst. —9K 213
Gathurst Golf Course. —8H 213
Gathurst La. Shev —9K 213
Gathurst Rd. Ash R —7F 114
Gathurst Rd. Orr —4H 221
Gatley Dri. Liv —3D 222
Gatwick Clo. Bury —6H 201
Gaulter's La. Pre —9B 42
Gauxholme. —4J 165
Gauxholme Fold. Todm —4J 165
Gaw Hill La. Augh —9F 208
Gawthorpe Edge Pk. Pad —2L 123
Gawthorpe Hall. —9L 103
Gawthorpe Rd. Burn —2B 124
Gawthorpe St. Pad —9H 103
Gawthorpe Vw. High —5L 103
Gaydon Way. T Clev —4E 62
Gaylands La. Earby —2F 78
Gayle Way. Acc —4M 141
(off Lynton Rd.)
Gaythorne Av. Pres —8B 116
Gayton Clo. Wig —8N 221
Geddes St. B'brn —6G 139
Geldard Cotts. Wigg —10M 35
Gelder Clough Cvn. Pk. Heyw —8G 203
Geldof Dri. Blac —2C 88
Gendre St. Eger —5E 198
General St. Blac —4B 88
Generation Cen., The. Roch —6B 204
Geneva Rd. Ful —5M 115
Geneva Ter. Roch —5N 203
Genoa St. Burn —5A 124
Geoffrey St. Bury —9M 201
Geoffrey St. Chor —5F 174
Geoffrey St. Pres —8M 115
Geoffrey St. Ram —1F 200
George Av. Blac —9F 88
George Av. Gt Har —5H 121
George Dri. South —8E 186
George Fox Clo. Lanc —8M 29
George La. Read —8B 102
George Rd. Ram —9G 180
George's La. Banks —7E 148
Georges La. Hor —6E 196
Georges Rd. Pres —1J 135
George's Row. Ross —7D 162
George's Ter. Orr —6G 221
George St. Acc —4M 141
George St. Bacup —5L 163
George St. Barn —10G 52
George St. B'brn —4M 139
George St. Blac —4C 88
(in two parts)
George St. Burn —4D 124
George St. Chor —7E 174
George St. Clay M —6M 121
George St. Clith —5K 81
George St. Dar —5A 158
George St. Earby —2E 78
George St. Firg —6H 205
George St. Gt Har —4J 121
George St. Has —4G 160
George St. Hor —9D 196
George St. Lanc —9K 23
George St. Ley —5L 153
George St. L'rdge —2J 97
George St. Lyth A —5A 130
George St. More —3C 22
George St. Nels —1H 105
George St. Osw —3L 141
George St. Pres —1L 135
George St. Rish —8H 121
George St. Roch —5D 204
George St. Smal —2G 204
George St. Stac —7G 163
George St. Todm —2L 165
(off Union St.)
George St. Whal —5J 101
George St. Whitw —7N 183
George St. W. B'brn —4K 139
Georgia Av. Liv —4J 223
Gerald Ct. Burn —5F 124
(off Kirkgate)
Gerald's Fold. Abb V —5C 156
German La. Char R —6N 173
German La. Cop —4A 194
German's La. Burs —6E 190
Gerona Ct. T Clev —2J 63
Gerrard Pl. Skel —4K 219
Gerrard's Ter. Poul F —7J 63
Gerrard St. Lanc —9G 23
Gerrard St. Pres —1G 135
Gertrude St. Nels —9K 85
Gertrude St. Shawf —9B 164
Ghants La. Hamb —9D 56
Ghyll Fields. —10H 53
Ghyll Golf Course. —10H 53
Ghyll La. Barn —10G 53
Ghyll M. Barn —10G 53
Giants Hall Rd. Stand L —9N 213
Gib Fld. Rd. Col —8L 85
Gib Hey La. Chip —7D 70
Gib Hill La. Ross —7N 143
Gib Hill Rd. Nels —1M 105
Gib La. B'brn —8H 139
Gib La. Hogh —4L 137
Gibraltar St. B'brn —2J 139
Gibralter Rd. Weet —4D 90
Gibson St. Nels —9K 85
Gibson St. Roch —5F 204
Gibson St. Todm —2M 165
Giddygate La. Liv —1G 223
Gidlow Av. Adl —6J 195
Giggleswick. —3M 35
Gilbert Pl. Burs I —9N 189
Gilbertson Rd. Hth C —3G 195
Gilbert St. Burn —8J 105
Gilbert St. Chor —8E 174
Gilbert St. Ram —5H 181
Gilbert St. Ross —6B 162
Gildabrook Rd. Blac —4D 108
Gilderdale Ct. Lyth A —4B 130
Gildow St. Pres —9H 115
Gilescroft Av. Liv —6M 223
Gilescroft Wlk. Liv —6M 223
Giles St. Clith —4L 81
Giles St. Nels —1J 105
Gilhouse Av. Lea —8N 113
Gill Av. Shev —6L 213
Gill Ct. Blac —4B 108
Gillcroft. E'ston —7E 172
Giller Clo. Pen —6H 135
Giller Dri. Pen —6H 135
Giller Fold. Pen —6J 135
Gillett Farm Cvn. Pk. Blac —4L 109
Gillett St. Pres —8M 115
(in two parts)
Gillhead Brow. Ben —5L 19
Gillians La. Barn —3L 77
Gillibrand Clo. Pen —7F 134
Gillibrand Ho. Chor —4E 174
(off Lancaster Ct.)
Gillibrands Rd. Skel —3K 219
(in two parts)
Gillibrand St. Chor —7E 174
Gillibrand St. Dar —4N 157
Gillibrand St. Walt D —3N 135
Gillibrand Walks. Chor —8D 174
Gillies St. Acc —2B 142
Gillies St. B'brn —5N 139
Gillison Clo. Mllng —4D 18
Gill La. Longt —2L 151
Gill Nook. Walm B —2L 151
Gillow Av. Lanc —8L 29
Gillow Pk. L Ecc —5L 65
Gillow Rd. K'ham —3L 111
Gills Cft. Clith —5M 81
Gill St. Burn —3C 124
Gill St. Col —8M 85
Gill St. Nels —1G 105
Gilow Ct. Lanc —2K 29
Gilpin Av. Liv —9D 216
Gilpin Clo. Lanc —6G 22
Gilstead Av. Hey —8M 21
Gin Bow. Chor —8F 174
Gin Cft. La. Ram —3K 181
Gingham Brow. Hor —9E 196
Ginnel, The. Ley —7K 153
Gipsy La. Roch —9N 203
Girvan Gro. Burn —4B 124
Gisburn. —9A 52
Gisburn Av. Lyth A —2H 129
Gisburn Gro. Blac —3E 88
Gisburn Gro. Burn —4H 125
Gisburn Old Rd. Black —5F 76
(in two parts)
Gisburn Rd. Barn —10F 52
Gisburn Rd. Barfd —9H 85
Gisburn Rd. Black —3G 85
Gisburn Rd. Bolt B —8K 51
Gisburn Rd. Hell —1D 52
Gisburn Rd. Rib —5A 116
Gisburn St. Barn —1M 77
Gisburn St. B'brn —4K 139
Gladden Pl. Skel —3J 219
Glades, The. Lyth A —4B 130
Gladeswood Rd. Know N —8N 223
Glade, The. B'brn —1M 157
Glade, The. More —3E 22
Glade, The. Shev —6L 213
Glade Way. T Clev —4K 63
Gladstone Cres. Bacup —5L 163
Gladstone Ho. Roch —8F 184
Gladstone Rd. South —8M 167
Gladstone St. Bacup —5L 163
Gladstone St. B'brn —2B 140
Gladstone St. Blac —9C 88
Gladstone St. Gt Har —4J 121
Gladstone St. Todm —7E 146
Gladstone Ter. Barfd —8H 85
Gladstone Ter. B'brn —7G 139
Gladstone Ter. Lanc —7L 23
(off Bulk Rd.)
Gladstone Ter. Traw —7E 86
Gladstone Ter. Withn —6D 156
Gladstone Vw. Barn —1L 77
Gladstone Way. T Clev —2F 62
Glaisdale Dri. South —2M 187
Glamis Dri. Chor —6C 174
Glamis Dri. South —3A 168
Glamis Rd. Ley —7M 153
Glamorgan Gro. Burn —2M 123
Glasson. —1D 36
Glasson Clo. B'brn —7N 139
Glastonbury. Roch —5B 204
(off Spotland Rd.)
Glastonbury Av. Blac —8E 88
Glasven Rd. Liv —7L 223
Gleaves Av. Bolt —9N 199
Glebe Clo. Acc —3A 142
Glebe Clo. Burt —5H 7
Glebe Clo. Ful —5J 115
Glebe Clo. Liv —1A 222
Glebe Ct. K Lon —5E 8
(off Fairbank)
Glebe Ct. Lanc —8L 23
(off East Rd.)
Glebelands. Tar —1E 170
Glebe La. K'ham —5A 112
Glebe La. South —8F 148
Glebe Pl. South —7H 167
Glebe Rd. Skel —4L 219
Glebe St. Burn —5E 124
Glebe St. Gt Har —4J 121
Glebe, The. Ley —7G 152
Gledhill St. Todm —1L 165
Gledhill Way. Brom X —4G 198
Gledstone Rd. W Mar —6G 53
Glegside Rd. Liv —8M 223
Glenapp Av. Blac —3F 108
Glenarden Av. T Clev —3E 62
Glen Av. Todm —9J 147
Glenavon Dri. Roch —2A 204
Glenborough Av. Bacup —7G 162
Glenbrook Clo. B'brn —8J 139
Glenburn Rd. Skel —8J 211
Glencarron Clo. Hodd —7F 158
Glencoe Av. Blac —1G 89
Glencoe Av. Hodd —6E 158
Glencoe Pl. Roch —6A 204
Glen Cotts. Earby —2F 78
Glencourse Dri. Ful —4M 115
Glencoyne Dri. Bolt —7D 198
Glencoyne Dri. South —9A 148
Glen Cres. Bacup —7E 162
Glencroft. Eux —3L 173
Glencross Pl. Blac —2E 108
Glendale Av. Los H —7M 135
Glendale Clo. Blac —6F 62
Glendale Clo. Burn —6E 124
Glendale Clo. Ley —8L 153
Glendale Clo. Poul F —8J 63
Glendale Cres. Los H —7M 135
Glendale Dri. Mel —7F 118
Glendale Gro. Liv —5M 223
(off Dorchester Dri.)
Glendale Gro. Rib —7N 115
Glendene Pk. Clay D —4M 119
Glenden Foot. Roch —3A 204
Glendor Rd. Burn —4J 125
Glen Dri. App B —4H 213
Gleneagles Av. Hodd —6E 158
Gleneagles Clo. Liv —4J 223
Gleneagles Ct. B'brn —5C 140
Gleneagles Ct. K'ham —5N 111
Gleneagles Dri. Ful —2E 114
Gleneagles Dri. More —2D 22
Gleneagles Dri. Old L —4C 100
Gleneagles Dri. Pen —2D 134
Gleneagles Dri. South —1B 206
Gleneagles Way. Ram —9G 180
Glen Eldon Rd. Lyth A —1E 128
Glenfield Av. Blac —5E 62
Glenfield Clo. B'brn —1B 140
Glenfield Pk. Bus. Cen. B'brn —1B 140
Glenfield Pk. Ind. Est. B'brn —9B 120
Glenfield Pk. Ind. Est. Nels —1L 105
Glenfield Rd. Nels —1K 105
Glen Gdns. Roch —3C 204
Glengarry. Lyth A —5B 130
Glen Gth. Barn —1A 78
Glengreave Av. Rams —6M 119
Glen Gro. Rib —4B 116
Glenholme Gdns. Poul F —9H 63
Glenholm Rd. Liv —3B 222
Glenluce Cres. B'brn —5D 140
Glenluce Dri. Pres —9B 116
Glenmarsh Way. Liv —9B 206
Glenmere Cres. T Clev —4C 62
Glenmore. Clay W —4C 154
Glenmore Av. T Clev —1H 63
Glenmore Clo. Acc —6D 142
Glenmore Clo. Roch —8J 203
Glenmore Rd. Ram —3E 200
Glen Pk. Dri. Hesk B —3B 150
Glenpark Dri. South —2A 168
Glen Rd. Ross —7D 162
Glenrose Ter. South —9G 167
Glenroy Av. Col —5A 86
Glen Royd. Roch —4N 203
Glenroyd Clo. Blac —7E 88
Glenroyd Dri. Burs —9C 190
Glenshiels Av. Hodd —6E 158
Glenside. App B —2E 212
Glen Sq. Burn —7D 124
Glen St. Bacup —7J 163
Glen St. Blac —6E 88
Glen St. Burn —3C 124
Glen St. Col —5A 86
Glen Ter. Ross —7D 162
Glen Ter. Todm —8H 147
Glen, The. B'brn —1L 157
Glen, The. Cat —3H 25
Glen, The. Kno S —9L 41
Glen, The. Rib —7B 116
Glen, The. Todm —9J 147
Glen Top. —7E 162
Glentworth Clo. Liv —2C 222
Glentworth Rd. E. More —5D 22
Glentworth Rd. W. More —5C 22
Glen Vw. L'boro —7M 185
Glen Vw. Whitw —4N 183
Glen Vw. Av. Hey —1K 27
Glenview Clo. Rib —6C 116
Glenview Ct. Rib —6C 116
(in two parts)
Glen Vw. Cres. Hey —1K 27
Glen Vw. Dri. Hey —1K 27
Glen Vw. Rd. Burn —7C 124
Glen Vw. St. Todm —7F 146
Glen Way. Brier —5E 104
Glen Way. Liv —4L 223
Glenway. Pen —4F 134
Glenwood St. Blac —5D 88
Global Way. Dar —2A 158
Globe La. Eger —2D 198
Globe, The. Burt —6G 7
Glossop Clo. Blac —5C 62
Gloucester Av. Acc —1N 141
Gloucester Av. Blac —6D 88
Gloucester Av. Clay M —6M 121
Gloucester Av. Far —4M 153
Gloucester Av. Lanc —3L 29
Gloucester Av. Roch —1G 205
Gloucester Av. T Clev —8D 54
Gloucester Ct. Blac —6D 88
Gloucester Dri. Hey —5M 21
Gloucester Rd. Bkdle & South —9F 166
Gloucester Rd. B'brn —3C 140
Gloucester Rd. Chor —9E 174
Gloucester Rd. Lyth A —4K 129
Gloucester Rd. Rish —8F 120
Gloucester Rd. Wig —5M 221
Glover Clo. Ley —9C 152
Glover Rd. Cop —6N 193
Glovers Bridge. —1E 210
Glover's Brow. Liv —6H 223
Glovers Ct. Pres —1J 135
Glover St. Hor —9C 196
Glover St. Pres —1K 135
Glynn St. Chu —1M 141
Gnat Bank Fold. Roch —8K 203
Godiva St. Burn —9E 104
Godley St. Burn —3F 124
Godwin Av. Blac —7E 88
Goe La. Frec —1N 131
Goffa Mill. Garg —4M 53
(off Church La.)
Goit Pl. Roch —6C 204
Goitside. Nels —1J 105
Goit St. B'brn —6K 139
Golbourne St. Pres —8L 115
Goldacre La. Gt Har —1G 121
Goldburn Clo. Ing —3C 114
Golden Hill. —5K 153
Golden Hill. Ley —5L 153
Golden Hill La. Ley —5H 153
Golden Way. Pen —6E 134
Goldfield Av. Burn —3K 125
Goldfinch Dri. Bury —9A 202
Goldfinch Grn. Burn —4A 124
Goldfinch St. Pres —7L 115
Goldhey St. B'brn —1A 140
Goldsboro Av. Blac —7F 88
Goldshaw Ct. Newc P —8A 84
Goldstone Dri. T Clev —4F 62
Golf Vw. Ing —3D 114
Golgotha. —1M 29
Golgotha Rd. Lanc —1L 29
Gonder La. Clau B —8H 61
Goodenber Cres. Ben —6L 19
(off Lakeber Dri.)
Goodenber Rd. Ben —6L 19
Goodhall Clo. Earby —2E 78
Goodier St. Pres —9M 115
Good Intent. Miln —8K 205
Goodlad St. Bury —9G 201
Goodmickle La. Man —2C 8
Goodrich. Roch —7B 204
Goodshaw. —8L 143
Goodshaw Av. B'brn —9M 119
Goodshaw Av. Ross —7M 143
Goodshaw Av. N. Ross —6M 143
Goodshaw Chapel. —7N 143
Goodshaw Clo. B'brn —9M 119
Goodshaw Fold. —6L 143
Goodshaw Fold Clo. Raw —6M 143
Goodshaw Fold Rd. Ross —6L 143
Goodshaw La. Ross —8M 143
Goodshaw La. Stone —7G 143
Good St. Pres —1H 135
Goodwood Av. Blac —1D 88
Goodwood Av. Ful —2J 115
Goodwood Av. Slyne —9K 15
Goodwood Ct. Lanc —3M 29
Goodwood Rd. Lanc —3M 29
Goosebutts La. Clith —4M 81
Goosecote Hill. Eger —3E 198
Goosefoot Clo. Sam —1M 137
Goose Foot La. Sam —2L 137
Goose Green. —4J 151
Goose Grn. Av. Cop —4B 194
Goose Hill St. Bacup —4K 163
Goose Ho. La. Dar —3A 158
Gooselands. Rath —7M 35
Goose La. Chip —6G 70
Goose La. Roch —5C 204
Goose La. Traw —9E 86
Goose La. Cotts. Chip —6G 70
Gooseleach La. S'stne —1D 122
Goosnargh. —4N 95
Goosnargh La. Goos —3K 95
Gordale Clo. Barn —2L 77
Gordale Clo. Blac —1G 108
Gordon Av. Acc —4N 141
Gordon Av. Mag —8B 216
Gordon Av. South —5J 167
Gordon Av. T Clev —1H 63
Gordon M. South —5J 167
Gordon Rd. Fltwd —1F 54
Gordon Rd. Lyth A —4K 129
Gordon Rd. Nels —1G 105
Gordonstoun Cres. Orr —4J 221
Gordonstoun Pl. B'brn —5K 139
Gordonstoun Pl. T Clev —1G 63
Gordon St. Bacup —3K 163
Gordon St. Blac —9B 88
Gordon St. Burn —2D 124
Gordon St. Bury —9K 201
Gordon St. Chor —7F 174
Gordon St. Chu —3L 141
Gordon St. Clay M —7N 121
Gordon St. Col —6B 86
Gordon St. Dar —4A 158
Gordon St. Miln —9L 205
Gordon St. Pres —8H 115
(in two parts)
Gordon St. Roch —8D 204
Gordon St. Ross —5L 161
Gordon St. South —6H 167
Gordon St. Todm —2M 165
Gordon St. Wors —3M 125
Gordon Ter. Lanc —2L 29
Gordon Way. South —6J 167
(off Gordon St.)
Gore Dri. Augh —9K 209
Gores Rd. Know I —9N 223
Gore St. Wig —5L 221
Goring St. Chor —7F 174
Gorple Grn. Wors —4M 125
Gorple Rd. Wors —4M 125
Gorple St. Burn —7J 105
Gorrell Clo. Newc P —9B 84
Gorrells Clo. Roch —9A 204
Gorrell St. Roch —8D 204
Gorse Av. T Clev —9F 54
Gorse Clo. Tar —9E 150
Gorse Clo. Whit W —1G 175
Gorsefield. Liv —6A 206
Gorse Gro. Helm —7F 160
Gorse Gro. Longt —7L 133
Gorse Gro. Rib —6A 116
Gorse La. Tar —1N 169
Gorse Rd. B'brn —3J 139
Gorse Rd. Blac —6D 88
Gorse Rd. Miln —7K 205
Gorse St. B'brn —2B 140
Gorsewood Rd. Ley —6H 153
Gorsey Bank. L'boro —7M 185
Gorsey Brow. Stand —2L 213
Gorsey Clough Dri. Tot —8E 200
Gorsey Clough Wlk. Tot —8E 200
Gorsey La. Banks —8G 149
Gorsey La. Bar —5H 207
Gorsey La. H'twn —9A 214
Gorsey La. Maw —3N 191
Gorsey Pl. Skel —4L 219
Gorst La. Burs —8L 189
Gorsuch La. Scar —1C 208
Gorton Fold. Hor —9D 196
Gorton St. Blac —4C 88
Gosforth Clo. Bury —8H 201
Gosforth Clo. Walt D —5A 136
Gosforth Rd. Blac —1C 88
Gosforth Rd. South —6M 167
Gough La. Bam B —1D 154
(in two parts)
Goulding Av. Ley —6L 153
Goulding St. Chor —8F 174
Gowans La. Brin —7J 137
Gower Ct. Ley —4G 152
Gower Gdns. Burs —1D 210
Gowers St. Roch —5E 204
Goyt St. Lyth A —1F 128
Grab La. Lanc —1N 29
Graburn Rd. Liv —8A 206
Gracamy Av. W'ton —3J 131
Grace St. Hor —9C 196
Grace St. Roch —3D 204
Gradwell St. Pres —9H 115
Grafton Av. Acc —6D 142
Grafton Av. Burn —5F 104
Grafton Ct. Dar —5N 157
Grafton Ct. Roch —7E 204
Grafton Dri. South —8A 186
Grafton Pl. Hey —5M 21
Grafton Rd. Hey —5M 21
Grafton Rd. Rib —5B 116
Grafton St. Adl —7H 195
Grafton St. Bacup —6L 163
(off Rockcliffe La.)
Grafton St. B'brn —6L 139
Grafton St. Blac —3C 88
Grafton St. Chor —9D 174
Grafton St. Clith —3M 81
Grafton St. Nels —1K 105
Grafton St. Pres —2H 135
Grafton St. Roch —7E 204
Grafton Ter. Dar —5N 157
(off Grafton Ct.)
Grafton Vs. Bacup —6K 163
Graham Av. App B —2F 212
Graham Av. Los H —8M 135
Graham Rd. Cabus —2N 59
Grahams Cvn. Pk., The. Blac —9L 89
Graham St. Hodd —6F 158
Graham St. Lanc —1K 29
Graham St. More —3A 22
Graham St. Pad —2J 123
Graham St. Pres —8L 115
Grammar School La. K'ham —4L 111
Grampian Way. Lyth A —3C 130
Granary, The. T Clev —2G 63
Granborne Chase. Liv —7G 222
Granby Av. Blac —2E 88
Granby Clo. South —3M 167
Granby St. Burn —3B 124
Granby St. Tot —9E 200
Grandidge St. Roch —8B 204
Grand Manor Dri. Lyth A —1K 129
Grand Theatre. —5B 88
(Blackpool)
Grand Theatre. —8K 23
(Lancaster)
Grane Pk. Has —5F 160
Grane Rd. Has —4K 159
Grane St. Has —4G 161

Gregson St.—Hardacre

Gregson St. Dar —7A 158
Gregson St. Lyth A —5N 129
Gregson Way. Ful —4L 115
Grenada Clo. Lwr D —1N 157
Grenfell Av. Blac —3E 88
Grenville Av. Lyth A —8E 108
Grenville Av. Walt D —6N 135
Grenville Wlk. L'boro —5M 185
Gresham Rd. T Clev —2D 62
Gresham St. Ross —6D 162
Gresley Ct. Lanc —1K 29
Gresley Pl. Blac —9E 62
Gressingham. —5A 18
Gressingham Ct. Lanc —4L 29
(off Gressingham Dri.)
Gressingham Dri. Lanc —4L 29
Gressingham Ho. Lanc —4L 29
(off Gressingham Dri.)
Gressingham Wlk. Lanc —4M 29
Greta Heath. Burt L —4K 19
Greta Pl. Fltwd —2D 54
Greta Pl. Lanc —6J 23
Gretdale Av. Lyth A —9E 108
Gretna Cres. T Clev —3D 62
Gretna Rd. B'brn —8N 119
Gretna Wlk. B'brn —8N 119
Greyfriars Av. Ful —4G 114
Greyfriars Cres. Ful —4G 114
Greyfriars Dri. Pen —3F 134
Greyfriars Rd. South —7B 186
Grey Heights Vw. Chor —6G 175
(in three parts)
Greyhound Bri. Rd. Lanc —7K 23
Greymont Rd. Bury —7L 201
Greystock Av. Ful —3H 115
Greystock Clo. Bam B —8D 136
Greystock Pl. Ful —3H 115
Greystoke Av. B'brn —8F 138
Greystoke Ct. Blac —4B 108
Greystoke Dri. Bolt —7D 198
Greystoke Pl. Blac —4B 108
Greystokes. Augh —1J 217
Greystonegill. —6N 19
Greystonegill La. Ben —7N 19
Greystones. Ley —6E 152
Greystones Dri. Fence —2B 104
Grey St. Barfd —8H 85
Grey St. Burn —9E 104
Greythwaite Ct. Lanc —1H 29
Griffin. —5K 139
Griffin Clo. Acc —8E 122
Griffin Clo. Burn —5N 123
Griffin Clo. Bury —9N 201
Griffin Ct. B'brn —6K 139
Griffin St. B'brn —5J 139
Griffiths Dri. South —6M 167
Grimeford La. B'rod & And —9K 195
Grimeford Village. —7M 195
Grimes Cotts. Roch —4K 203
Grimeshaw La. Lanc —5A 24
Grimes St. Roch —4K 203
Grime St. Chor —8F 174
Grime St. Dar —5N 157
Grime St. Ram —1F 200
Grimrod Pl. Skel —4L 219
Grimsargh. —9F 96
Grimsargh St. Pres —8N 115
Grimshaw Green. —8N 191
Grimshaw Grn. La. Parb —8N 191
Grimshaw La. Orm —6K 209
Grimshaw Park. —5N 139
Grimshaw Pk. B'brn —5N 139
Grimshaw Retail Pk. B'brn —5M 139
Grimshaw Rd. Skel —3L 219
Grimshaw St. Acc —2N 141
Grimshaw St. Barfd —7H 85
Grimshaw St. Burn —4E 124
Grimshaw St. Chu —2L 141
Grimshaw St. Clay M —7M 121
Grimshaw St. Dar —8B 158
Grimshaw St. Gt Har —4J 121
Grimshaw St. Pres —1K 135
Grindlestone Hurst. Col —8N 85
Grindleton. —4A 74
Grindleton Brow. Grin —5A 74
Grindleton Clo. Blac —2H 89
Grindleton Gro. Burn —5H 125
Grindleton Rd. B'brn —4K 139
Grindleton Rd. W Brad —6L 73
Grindlow Wlk. Wig —9M 221
Grindrod La. Roch —9D 184
Grindrod St. Roch —4B 204
Gringley Rd. More —5C 22
Grinstead Clo. South —4F 186
Grisedale Av. B'brn —6C 140
Grisedale Dri. Burn —1N 123
Grisedale Pl. Chor —9D 174
Grisedale Rd. Roch —9M 203
Grizedale Av. Gars —6M 59
Grizedale Av. Lanc —8M 29
Grizedale Av. Poul F —8J 63
Grizedale Clo. Clay M —7L 121
Grizedale Clo. Rib —7B 116
Grizedale Ct. Blac —5E 88
(off Felgate Brow)
Grizedale Cres. Rib —7B 116
Grizedale Pl. Hey —8M 21
Grizedale Pl. Rib —7B 116
Grizedale Rd. Blac —9J 89
Grizedale Rd. Lanc —6L 23
Grosvenor Clo. South —2E 186
Grosvenor Ct. Carn —9N 11
Grosvenor Ct. Lyth A —8G 109
Grosvenor Ct. T Clev —1C 62
Grosvenor Gdns. South —2F 186
Grosvenor Pl. Ash R —7E 114
Grosvenor Pl. Carn —9N 11
Grosvenor Pl. South —2F 186
Grosvenor Rd. Bkdle & South —1D 186
Grosvenor Rd. Carn —9A 12
Grosvenor Rd. Chor —8D 174
Grosvenor Rd. Hey —5L 21
Grosvenor Rd. Mag —4B 222
Grosvenor Rd. Poul F —7K 63
Grosvenor St. Blac —5C 88
Grosvenor St. Burn —2D 124
Grosvenor St. Col —6C 86
Grosvenor St. Lyth A —5B 130
Grosvenor St. Pres —1L 135
Grosvenor Way. B'brn —3M 139
Groundwork Countryside Cen. —6K 161
Grouse St. Roch —4C 204
Grove Av. Adl —6J 195
Grove Av. Longt —8K 133
Grove Ct. Osw —5J 141
Grove Cres. Adl —6J 195
Grove La. Pad —9J 103
Grove Mead. Liv —1E 222
Grove Mill Development Cen. E'ston —9F 172
Grove Pk. Orm —5L 209
Grove Pk. South —6M 167
Grove Pk. Gdns. Set —3N 35
(off High Hill Gro. St.)
Grove Rd. Uph —3F 220
Grove Rd. Walt D —2M 135
Grove St. Acc —2N 141
Grove St. Bacup —4L 163
Grove St. Bam B —8B 136
Grove St. Barfd —8H 85
Grove St. B'brn —6M 139
Grove St. Burn —4B 124
Grove St. Earby —2E 78
Grove St. Ley —7G 152
Grove St. Lyth A —1F 128
Grove St. More —4N 21
Grove St. Nels —2J 105
Grove St. Osw —5J 141
Grove St. Roch —8B 204
Grove St. South —1G 187
Grove Ter. South —9G 167
Grove, The. App B —2F 212
Grove, The. Ash R —8E 114
Grove, The. Augh & Orm —4H 217
Grove, The. Barn —1N 77
(off Eastwood St.)
Grove, The. Bils —6D 68
Grove, The. Burn —3N 123
Grove, The. Carn —9M 11
Grove, The. Chor —4E 174
Grove, The. Clith —2M 81
Grove, The. Lanc —1L 29
Grove, The. Pen —4E 134
Grove, The. Ruf —2E 190
Grove, The. T Clev —9E 54
Grove, The. Whal —5J 101
Grovewood. South —9E 166
Grovewood Dri. App B —4H 213
Grundy Art Gallery. —4B 88
Grundy Clo. South —9L 167
Grundy Homes. South —9L 167
Grundy M. Blac —2C 108
Grundy's La. Chor —4E 194
Grundy St. Ley —5K 153
Grunsagill. —3K 51
Guardian Clo. Ful —5K 115
Gubberford La. Gars & Scor —1N 59
Guernsey Av. B'brn —7N 139
Guide. —8D 140
Guide La. High —3M 103
Guide Rd. Hesk B —9B 132
Guildford Av. Blac —5C 62
Guildford Av. Chor —2G 175
Guildford Rd. Pres —1K 135
Guildford Rd. South —5G 187
Guildford St. Roch —6D 204
(in two parts)
Guildford Way. Poul F —5J 63
Guild Hall. —1K 135
Guild Hall Arc. Pres —1K 135
(off Lancaster Rd.)
Guildhall St. Pres —1J 135
Guild Row. Pres —1K 135
Guild St. Brom X —7G 199
Guild Trad. Est. Pres —8L 115
Guild Way. Pres —1G 134
Guilford St. Brier —5F 104
Guinea Hall La. South —9F 148
Guiness Ho. Roch —7E 204
Guiseley Clo. Bury —5K 201
Gulf La. Pil —5N 43
Gummers Howe Wlk. Carn —1B 16
Gunsmith Pl. Burn —3E 124
Gurney St. B'brn —5J 139
Gutter La. Ram —7G 181
Guy St. Pad —9H 103
Guysyke. Col —7N 85
Gynn Av. Blac —2B 88
Gynn Sq. Blac —2B 88

Habergham. —2L 123
Habergham Dri. Burn —1L 123
Habergham St. Pad —9H 103
Hackensall Rd. Kno S —9L 41
Hackford Clo. Bury —8J 201
Hacking Clo. Lang —9C 100
Hacking Dri. L'rdge —5H 97
Hacking St. Dar —6A 158
Hacking St. Nels —9K 85
Hacklands Av. Lea —8M 113
Haddings La. Newc P —1M 103
Haddon Ct. Blac —6C 62
Haddon Pl. Ful —6G 114
Haddon Rd. Blac —6C 62
Haddon St. Roch —9B 204
Hadlee Ter. Lanc —7H 23
Hadleigh Clo. Bolt —7G 198
Hadleigh Rd. Liv —9L 223
Hadleigh Rd. Poul F —5J 63
Hadrian Rd. More —5E 22
Hagg La. St M —3A 66
Hagg St. Col —7N 85
Haig Av. Ash R —7G 114
Haig Av. Lanc —8H 23
Haig Av. Ley —6J 153
Haig Av. South —9L 167
(in three parts)
Haig Av. Tar —8E 150
Haigh Clo. Chor —7C 174
Haigh Ct. South —8M 167
Haigh Cres. Chor —7C 174
Haigh Cres. Liv —7B 216
Haigh Hall Clo. Ram —1G 201
Haigh St. Roch —8D 204
Haighton Ct. Ful —2K 115
Haighton Dri. Ful —4A 116
Haighton Green. —8B 96
Haighton Grn. La. Haig —9M 95
Haighton Top. —9M 95
Haig Rd. Blac —9B 88
Haileybury Av. Liv —8C 222
Hailsham Clo. Bury —6H 201
Hail St. Ram —1F 200
Hailwood St. Roch —9B 204
Hala Cres. Lanc —4L 29
Hala Gro. Lanc —4L 29
Hala Hill. Lanc —4M 29
Hala Rd. Lanc —4L 29
Hala Sq. Scot —4L 29
Halcyon Clo. Roch —3M 203
Haldane Rd. Dar —3M 157
Haldane St. Burn —8F 104
Halden Rd. Hey —5M 21
Hale. —1B 6
Halecarr Gro. Hey —7M 21
Hale Carr La. Hey —7M 21
Hale Nook. —7F 56
Hales Rushes Rd. Pil —7H 57
Hale St. Burn —5E 124
Half Acre. Los H —8K 135
Half Acre Dri. Roch —7N 203
Half Acre La. Roch —7M 203
Half Acre M. Roch —7M 203
Half Acre Rd. Roch —7M 203
Halford Pl. T Clev —4E 62
Halfpenny Bri. Ind. Est. Roch —7D 204
Halfpenny La. Hesk —2D 192
Halfpenny La. L'rdge —3G 97
Halfpenny La. Uph —2E 218
Halifax Rd. Brclf —7L 105
Halifax Rd. Brier —5F 104
Halifax Rd. Nels —4H 105
Halifax Rd. Roch —4E 204
Halifax Rd. South —8C 186
Halifax Rd. Todm —2L 165
Halifax St. Blac —7F 88
Hallam Cres. Nels —2L 105
Hallam La. M'ton —5M 27
Hallam Rd. Nels —1K 105
Hallam St. Acc —8N 121
Hallam Way. Blac —2L 109
Hall Av. Blac —9C 88
Hallbridge Gdns. Uph —3E 220
Hall Brow Clo. Orm —8N 209
Hall Carr. —6M 161
Hall Carr La. Longt & Walm B —8G 133
Hall Carr Rd. Ross —6M 161
Hall Clo. Cat —2G 25
Hall Clo. Ross —1M 161
Hall Clo. Shev —6K 213
Hall Coppice, The. Eger —3D 198
Hall Cft. Hut —6A 134
Hallcroft. Skel —1N 219
Hallcroft Gdns. Miln —7H 205
Hall Cft. Head. Hut —6A 134
Hall Cross. —8M 111
Hall Dri. Cat —2G 25
Hall Dri. Liv —7K 223
Hall Dri. M'ton —5M 27
Hall Dri. More —4E 22
Halley Rd. Dar —4M 157
Halley St. Bacup —9L 145
Hallfield La. Neth K —4A 16
Hallfield Rd. Gt Har —3K 121
Hallfold. —6N 183
Hall Fold. Whitw —6M 183
Hall Gdns. Roch —3N 203
Hall Gth. Gdns. Over K —9F 12
Hall Ga. Chor —5C 174
Hallgate Hill. Newt B —7B 50
Hall Ga. La. Pre & Stalm —3B 56
Hall Greaves Clo. Over —7B 28
Hall Green. —4E 220
Hall Grn. Uph —4E 220
Hall Grn. Clo. Uph —4E 220
(in two parts)
Hall Grn. La. Hesk —2C 192
Hall Gro. M'ton —5M 27
Hall Hill. White —2L 71
Hall Hill St. Pad —9H 103
(off St Giles St.)
Halliday Ct. L'boro —1H 205
Halling Pl. Todm —3K 165
Hall I' Th' Wood. —9H 199
Hall i' th' Wood. Bolt —9G 199
Hall i' th Wood Mus. —9G 199
Halliwell Ct. Chor —7E 174
(off Halliwell St.)
Halliwell La. Chor —2E 174
Halliwell Pl. Chor —7E 174
Halliwell St. Acc —6C 142
Halliwell St. Chor —7E 174
Halliwell St. Firg & Miln —6H 205
Halliwell St. L'boro —9M 185
Halliwell St. Roch —5B 204
(in two parts)
Hall La. App B —2E 212
Hall La. Bic —8C 218
Hall La. Gt Ecc —7N 65
Hall La. Hor —3B 196
Hall La. Ince B —7F 214
Hall La. Kirkby —8J 223
Hall La. Lath —7E 210
Hall La. Ley —4J 153
Hall La. Liv & Mag —2B 222
Hall La. Longt —9H 133
Hall La. Lyd —4A 216
Hall La. Maw —2A 192
Hall La. Pem —7J 221
Hall La. St M —5G 66
Hall La. Sim —3L 223
Hall Meadows. Traw —8E 86
Hallmoor Clo. Augh —1K 217
Hall More Cvn. Pk. Hale —4B 6
Hallows Clo. St M —5G 66
Hallows St. Burn —8E 104
Hall Pk. Lanc —3K 29
Hall Pk. Av. Burn —5K 125
Hall Pk. Dri. Lyth A —2K 129
Hall Rd. Ful —4H 115
Hall Rd. Pen —5H 135
Hall Rd. Scar —6F 188
Hall Rd. Traw —8E 86
Hallroyd Cres. Todm —2M 165
Hallroyd Pl. Todm —2M 165
Hallroyd Rd. Todm —1M 165
Hall St. Ash R —8F 114
Hall St. Bacup —4K 163
Hall St. B'brn —6M 139
Hall St. Burn —3E 124
Hall St. Bury —3H 201
(Railway St. W.)
Hall St. Bury —9H 201
(Tottington Rd.)
Hall St. Clith —4L 81
Hall St. Col —7A 86
Hall St. Has —5G 161
Hall St. More —2B 22
Hall St. Raw —4M 161
Hall St. South —7J 167
Hall St. Todm —2L 165
Hall St. Wals —9E 200
Hall St. Whitw —6N 183
Hall St. Wors —4L 125
Hallwell St. Burn —1E 124
Hallwood Clo. Burn —6F 104
Hallwood Rd. Chor —9C 174
Halmote Av. High —5L 103
Halsall. —3B 208
Halsall Bldgs. South —7K 167
Halsall Clo. Bury —7L 201
Halsall Ct. Orm —6J 209
Halsall Dri. More —2F 22
Halsall Hall Dri. Hals —3A 208
Halsall La. Form & Liv —9A 206
Halsall La. Hals —7C 208
Halsall La. Orm —6J 209
Halsall Rd. Hals —3B 208
Halsall Rd. South —5F 186
Halsall Sq. Gt Ecc —6N 65
Halsbury St. Pres —2K 135
Halstead Clo. Barfd —7H 85
Halstead La. Barfd —7H 85
Halstead Rd. Rib —4N 115
Halsteads Cotts. Set —3N 35
(off Birchwood Clo.)
Halstead St. Burn —4D 124
Halstead St. Bury —8M 201
Halstead St. Wors —3L 125
Halstead Wlk. Bury —8M 201
Halstead Wlk. Liv —9H 223
Halton. —1B 24
Halton Av. Ley —5N 153
Halton Av. T Clev —8E 54
Halton Chase. W'head —8C 210
Halton Ct. More —5B 22
Halton Gdns. Blac —1F 108
Halton Gdns. T Clev —8F 54
Halton Green. —1E 24
Halton Pk. Halt —9G 16
Halton Pl. L'rdge —2K 97
Halton Pl. Rib —5B 116
Halton Rd. Lanc —5L 23
Halton Rd. Liv —8C 216
Halton Rd. Neth K —4B 16
Halton St. Weet —4D 90
Halton West. —3C 52
Halton Wood. Liv —7G 222
Halvard Av. Bury —7L 201
Halvard Ct. Bury —7L 201
Hambledon St. Pad —1J 123
Hambledon Ter. Burn —2L 123
Hambledon Vw. Burn —2L 123
Hambledon Vw. S'stne —9C 102
Hambleton. —2B 64
Hambleton Clo. Longt —7K 133
Hambleton Country Pk. Hamb —8C 56
Hambleton Dri. Pen —6H 135
Hambleton Moss Side. —2D 64
Hambleton Ter. High —4L 103
Hameldon App. Burn —4B 124
Hameldon Av. Acc —6D 142
Hameldon Clo. Hap —6H 123
Hameldon Rd. Hap —7H 123
Hameldon Rd. Ross —6M 143
Hameldon Vw. Gt Har —4K 121
Hamer Av. B'brn —3D 140
Hamer Av. Ross —7M 143
Hamer Ct. Roch —4E 204
Hamer Hall Cres. Roch —3E 204
Hamer La. Roch —4E 204
Hamer Rd. Ash R —6G 114
Hamer St. Ram —3G 200
Hamer St. Ross —5M 161
Hamers Wood Dri. Catt —1A 68
Hamer Ter. Bury —2H 201
(off Ruby St.)
Hamilton Clo. Lytham —4C 130
Hamilton Ct. Blac —6C 88
Hamilton Dri. Lanc —5G 22
Hamilton Gro. Rib —6A 116
Hamilton Rd. Barfd —1G 104
Hamilton Rd. Chor —7D 174
Hamilton Rd. Col —9L 85
Hamilton Rd. More —2G 22
Hamilton Rd. Rib —5N 115
Hamilton St. B'brn —6L 139
Hamilton St. Bolt —8E 198
Hamilton St. Bury —9L 201
Hamlet Clo. B'brn —5K 139
Hamlet Gro. Whar —6D 92
Hamlet Rd. Fltwd —9F 40
Hamlet, The. Hth C —4H 195
Hamlet, The. Lyth A —7F 108
Hammerton Dri. Hell —1D 52
Hammerton Grn. Bacup —4K 163
Hammerton Hall Clo. Lanc —4J 23
Hammerton Hall La. Lanc —4H 23
Hammerton Mere. —3E 50
Hammerton Pl. Blac —2G 89
Hammerton St. Bacup —3K 163
Hammerton St. Burn —4D 124
Hammerton Ter. Todm —1L 165
Hammond Av. Bacup —7H 163
Hammond Ct. Pres —8H 115
Hammond Dri. Read —8B 102
Hammond Rd. Know I —7A 224
Hammond's Row. Pres —1K 135
Hammond St. Nels —3K 105
Hammond St. Pres —8G 115
(Bold St., in three parts)
Hammond St. Pres —7J 115
(Garstang Rd.)
Hamnet Clo. Bolt —8G 199
Hampden Av. Dar —8B 158
Hampden Pl. Wig —2N 221
Hampden Rd. Ley —5K 153
Hampden St. Burn —5F 124
Hampden St. Hap —5H 123
Hampden St. Roch —7C 204
Hampden Wlk. Wig —2N 221
Hampsfell Dri. More —5B 22
Hampshire Clo. Wilp —2A 120
Hampshire Pl. Blac —3F 108
Hampshire Rd. Rish —8G 121
Hampshire Rd. Walt D —5N 135
Hampson Av. Ley —6N 153
Hampson Cotts. Hamp —6M 37
Hampson Green. —5M 37
Hampson Gro. Pre —9N 41
Hampson La. Hamp —5M 37
Hampson Ter. Gt Ecc —6A 66
Hampstead Clo. Lyth A —2L 129
Hampstead M. Blac —3C 88
Hampstead Rd. Rib —7N 115
Hampstead Rd. Stand —3N 213
Hampton Clo. Chor —6D 174
Hampton Ct. Lyth A —9J 109
Hampton Gro. Bury —7L 201
Hampton Pl. T Clev —9E 54
Hampton Rd. Blac —1C 108
Hampton Rd. Hey —5M 21
Hampton Rd. South —1H 187
Hampton St. Ash R —7F 114
Hampton St. Hor —9C 196
Hanbury St. Ash R —8F 114
Hancock St. B'brn —5K 139
(in two parts)
Handbridge, The. Ful —4H 115
Handel St. Whitw —6M 183
Hand La. Maw —9C 172
Handley Rd. Blac —4C 88
Handley St. Roch —5A 204
Hands La. Roch —6L 203
Handsworth Ct. Blac —3C 88
Handsworth Rd. Blac —3C 88
Handsworth Wlk. South —2M 187
Hanging Grn. La. Hest B —8J 15
Hanging Lees Clo. Miln —9M 205
Hanley Clo. Stalm —5B 56
Hanmer Pl. Lanc —1L 29
(off Avondale Rd.)
Hanmer Rd. Liv —8G 222
Hannah St. Acc —3A 142
Hannah St. Bacup —4L 163
Hannah St. Dar —6B 158
Hanover Ct. Burn —6B 124
Hanover Ct. Ing —3C 114
Hanover Cres. Blac —5C 62
Hanover St. Col —5A 86
Hanover St. L'boro —9K 185
Hanover St. More —3B 22
Hanover St. Pres —8J 115
Hanson St. Adl —7H 195
Hanson St. Bury —9L 201
Hanson St. Gt Har —5J 121
Hanson St. Rish —8J 121
Hanstock Clo. Orr —6H 221
Hants La. Orm —6K 209
Happy Mt. Ct. More —1F 22
Happy Mt. Dri. More —1E 22
Hapton. —5H 123
Hapton Rd. Pad —2H 123
Hapton St. Pad —1J 123
Hapton St. T Clev —8H 55
Hapton Way. Ross —6M 143
Harborne Wlk. G'mnt —4E 200
Harbour Av. W'ton —2K 131
Harbour La. Miln —8J 205
Harbour La. Tur —9K 179
Harbour La. W'ton —1K 131
Harbour La. Wheel —8L 155
Harbour La. N. Miln —7J 205
Harbour M. Ct. Brom X —5H 199
Harbour Trad. Est. Fltwd —2F 54
Harbour Way. Fltwd —1H 55
Harbury Av. South —9A 186
Harcles Dri. Ram —3G 200
Harcourt M. Hor —9C 196
Harcourt Rd. Acc —5C 142
Harcourt Rd. B'brn —2K 139
Harcourt Rd. Blac —1D 108
Harcourt Rd. Lanc —5J 23
Harcourt St. Bacup —4K 163
Harcourt St. Burn —4B 124
Harcourt St. Pres —8H 115
Hardacre. Nels —3J 105

250 A-Z Lancashire

Hardacre La.—Hazelwood Av.

Hardacre La. Rim —2B 76
Hardacre La. Whit W —1D 174
Hardacre St. Orm —6L 209
Hardaker Ct. Lyth A —2E 128
Hardcastle Clo. Bolt —7J 199
Hardcastle Gdns. Bolt —7J 199
Hardcastle Rd. Ful —6H 115
Harden Rd. Kel —6D 78
Hardhorn. —2K 89
Hardhorn Ct. Poul F —8K 63
Hardhorn Rd. Poul F —8K 63
Hardhorn Village. —2L 89
Hardhorn Way. Poul F —9K 63
Harding Rd. Burs —9B 190
Harding St. Adl —5K 195
Hard Knott Ri. Carn —1B 16
Hardlands Av. More —4F 22
Hardman Av. Ross —6M 161
Hardman Clo. B'brn —4F 140
Hardman Clo. Ross —8D 162
Hardman Dri. Ross —8D 162
Hardmans. Brom X —6F 198
Hardman's La. Brom X —5F 198
Hardman St. B'brn —5K 139
Hardman St. Blac —4C 88
Hardman St. Bury —9L 201
(in two parts)
Hardman St. Miln —8K 205
Hardman's Yd. Pres —1J 135
Hardman Ter. Bacup —7H 163
Hardman Way. Dar —6A 158
Hardsough La. Ram —1H 181
Hardwen Av. Lea —8N 113
Hardwicke St. Roch —9B 204
Hardwick St. Pres —9K 115
Hardy Av. Barn —1L 77
Hardy Av. Brier —4F 104
Hardy Clo. Roch —9C 204
Hardy Ct. Nels —2J 105
Hardy Dri. Chor —7C 174
Hardy Mill Rd. Bolt —9M 199
Hardy St. B'brn —8N 119
Hardy St. Brier —4F 104
Harebell Clo. B'brn —8E 138
Harebell Clo. Liv —2A 214
Harebell Clo. Roch —2A 204
Hare Clough Clo. B'brn —5N 139
Hareden Brook Clo. B'brn —5N 139
Hareden Rd. Rib —7B 116
Haredon Clo. Bam B —8B 136
Harefield Av. Roch —8D 204
Harefield Ri. Burn —1B 124
(in two parts)
Harehill Av. Todm —1K 165
Hare Hill Ct. L'boro —8L 185
Hare Hill Rd. L'boro —8K 185
Harehill St. Todm —1K 165
Hareholme. —6B 162
Hareholme La. Ross —6B 162
Hare Runs. —4J 23
Hares La. South —4B 188
(in two parts)
Harestone Av. Chor —9C 174
Hare St. Roch —8C 204
Harewood. Chor —4D 174
Harewood Av. Blac —1G 88
Harewood Av. Hey —6M 21
Harewood Av. Lanc —4L 29
Harewood Av. Roch —3H 203
Harewood Av. S'stne —8D 102
Harewood Av. South —7C 186
Harewood Clo. Poul F —6J 63
Harewood Clo. Roch —4H 203
Harewood Dri. Roch —4G 203
Hare Wood Rd. Pres —7L 115
Harewood Rd. Roch —3G 203
Harewood Way. Roch —4G 203
Hargate Av. Roch —3L 203
Hargate Clo. Bury —3H 201
Hargate Rd. Liv —8L 223
Hargate Rd. T Clev —1J 63
Hargate Wlk. Liv —8L 223
Hargher St. Burn —4B 124
Hargreaves Av. Ley —7L 153
Hargreaves Ct. Clith —4J 81
Hargreaves Ct. Ing —5C 114
Hargreaves Ct. Ross —1D 162
Hargreaves Dri. Ross —5L 161
Hargreaves Fold La. Ross —9D 144
Hargreaves La. B'brn —5M 139
Hargreaves Rd. Osw —4H 141
Hargreaves St. Acc —3B 142
Hargreaves St. Brclf —7K 105
Hargreaves St. Burn —3D 124
Hargreaves St. Col —7M 85
Hargreaves St. Has —4G 160
Hargreaves St. Hodd —6F 158
Hargreaves St. Nels —2G 105
Hargreaves St. Roch —9N 203
Hargreaves St. Ross —2C 162
Hargreaves St. South —8J 167
Hargreaves St. T Clev —9H 55
Hargrove Av. Burn —9H 103
Hargrove Av. Pad —2B 124
Harland St. Ful —6G 115
Harland Way. Roch —3L 203
Harlech Av. Blac —9D 88
Harlech Clo. Has —6G 161
Harlech Dri. Ley —6M 153
Harlech Dri. Osw —4J 141
Harlech Gro. T Clev —1K 63
Harleston Rd. Liv —7M 223
Harleston Wlk. Liv —7M 223
Harle Syke. —7J 105
Harley Clo. L Bent —6K 19
Harley Rd. Blac —6E 88
Harley St. Burn —3A 124
Harley St. Todm —1L 165
Harley Wood. —9J 147
Harley Wood. Todm —8H 147
Harley Wood Vw. Todm —8H 147
(off Church St.)
Harling Bank. K Lon —6E 8
Harling Rd. Pres —8N 115
Harling St. Burn —3N 123
Harmuir Clo. Stand L —8N 213
Harold Av. Blac —3G 108
Harold Av. Burn —5A 124
Harold St. Burn —5B 124
Harold St. Col —7N 85
Harold St. Roch —3F 204
Harold Ter. Los H —8K 135
Harperley. Chor —4D 174
Harpers La. Chor —5F 174
Harpers La. Fence —2B 104
Harpers St. Chor —4F 174
Harper St. Barn —2L 77
Harper St. Roch —8B 204
Harridge Av. Roch —2N 203
(in two parts)
Harridge Bank. Roch —3N 203
Harridge La. Scar —4E 208
Harridge St. Roch —2N 203
Harridge, The. Roch —2N 203
Harrier Dri. B'brn —9L 119
Harriet St. Burn —5C 124
Harriet St. Roch —6D 204
Harrington Av. Blac —4B 108
Harrington Rd. Chor —6D 174
Harrington Rd. Hey —5M 21
Harrington St. Clay M —8N 121
Harrington St. Pres —9J 115
Harris Av. Blac —9D 88
Harris Ct. Clith —3L 81
Harris Mus. & Art Gallery. —1K 135
Harrison Av. T Clev —1H 63
Harrison Clo. Roch —4K 203
Harrison Cres. Hey —7L 21
Harrison Dri. Col —5N 85
Harrison Dri. Rainf —2K 225
Harrison La. Hut —6E 134
Harrison Rd. Adl —7H 195
Harrison Rd. Chor —8E 174
Harrison Rd. Ful —4H 115
Harrison St. Bacup —7M 163
Harrison St. Barn —2N 77
Harrison St. B'brn —4L 139
Harrison St. Blac —7C 88
Harrison St. Brclf —8K 105
Harrison St. Hor —9C 196
Harrison St. Ram —7H 181
Harrison St. Todm —7E 146
Harrison Trad. Est. Pres —8M 115
Harris Rd. Stand —1L 213
Harris St. Fltwd —9G 40
Harris St. Pres —1K 135
Harrock La. App B —8C 192
Harrock Rd. Ley —6N 153
Harrod Dri. South —2E 186
Harrogate Cres. Burn —8G 105
Harrogate Rd. Lyth A —1J 129
Harrogate Way. South —9B 148
Harrop Pl. Rib —5A 116
Harrow Av. Acc —1B 142
Harrow Av. Fltwd —1F 54
Harrow Av. Roch —7L 203
Harrow Clo. Orr —3J 221
Harrow Clo. Pad —3K 123
Harrowdale Pk. Halt —1C 24
Harrow Dri. B'brn —5B 140
Harrow Dri. Liv —8C 222
Harrow Gro. More —4F 22
Harrow Pl. Blac —4A 108
Harrow Pl. Lyth A —3K 129
Harrow Rd. Wig —2N 221
Harrowside. Blac —4A 108
Harrowside W. Blac —4A 108
Harrow Stiles La. Bacup —7J 145
Harrow St. Osw —4L 141
Harry St. Barfd —8H 85
Harry St. Salt —5A 78
Harsnips. Skel —1N 219
Hartford Av. Blac —8D 88
Hartington Rd. Brins —7A 156
Hartington Rd. Dar —3M 157
Hartington Rd. Pres —1G 135
Hartington St. Brier —5F 104
Hartington St. Lanc —8M 23
Hartington St. Rish —8G 121
Hartington St. Traw —7E 86
Hartland. Skel —1N 219
Hartland Av. South —1A 168
Hartland Ct. Bolt —9E 198
(off Blackburn Rd.)
Hartlands Clo. Burn —7H 105
Hartlebury. Roch —7B 204
Hartley Av. Acc —5N 141
Hartley Cres. South —3F 186
Hartley Gro. Liv —5L 223
Hartley Gro. Orr —4L 221
Hartley Homes, The. Lane —5F 86
Hartley La. Roch —9B 204
Hartley Pl. Firg —6G 204
Hartley Rd. South —3F 186
Hartleys Ter. Col —7B 86
Hartley St. B'brn —2M 139
Hartley St. Burn —4A 124
Hartley St. Col —6A 86
Hartley St. Earby —3E 78
Hartley St. Firg —6G 205
Hartley St. Gt Har —3K 121
Hartley St. Has —4G 160
Hartley St. L'boro —9K 185
Hartley St. Nels —3J 105
Hartley St. Osw —4L 141
Hartley St. Ward —8F 184
Hartley St. Wig —5L 221
Hartley Ter. L'boro —9K 185
(off William St.)
Hartley Ter. Roch —9B 204
Hartmann St. Acc —2N 141
Hartshead. Skel —1N 219
Hart's La. Uph —3C 220
(in two parts)
Hart St. B'brn —4N 139
Hart St. Burn —3E 124
Hart St. South —8K 167
Hartwood. —4F 174
Hartwood Grn. Chor —3F 174
Hartwood Rd. South —7K 167
Harvard St. Roch —9D 204
Harvest Dri. Whit W —9E 154
Harvester Way. Boot —6A 222
Harvey Ct. L'boro —8M 185
Harvey Longworth Ct. Ross —7M 143
Harvey St. Bury —9H 201
Harvey St. Nels —1J 105
Harvey St. Osw —4J 141
Harvey St. Roch —3E 204
Harvington Dri. South —8A 186
Harwich Rd. Lyth A —8G 108
Harwin Clo. Roch —2A 204
Harwood. —9M 199
Harwood Av. Lyth A —9E 108
Harwood Bar. —4L 121
Harwood Clo. Stalm —5B 56
Harwood Cres. Tot —6D 200
Harwood Ga. B'brn —2A 140
Harwood Golf Course. —9A 200
Harwood La. Gt Har —3K 121
Harwood Lee. —8L 199
Harwood Mdw. Bolt —9M 199
Harwood New Rd. Gt Har —3L 121
Harwood Rd. B'brn —5D 120
Harwood Rd. Rish —7G 120
Harwood Rd. Tot —9B 200
Harwood's La. Hodd —6D 158
Harwood St. B'brn —1A 140
(in two parts)
Harwood St. Dar —5M 157
Harwood St. L'boro —9J 185
Harwood Va. Bolt —9L 199
Harwood Va. Ct. Bolt —9L 199
Harwood Wlk. Tot —6D 200
Hasgill Ct. Lanc —7J 23
Haskayne. —7M 207
Haslam Dri. Orm —5J 209
Haslam St. Bury —9M 201
Haslemere Av. Blac —7E 88
Haslemere Ind. Est. Ley —4J 153
Haslingden Old Rd. Ross —5J 161
Haslingden Rd. B'brn —5N 139
(in two parts)
Haslingden Rd. B'brn & Guide —4D 140
Haslingden Rd. Ross —6H 161
Haslow Pl. Blac —3F 88
Hassall Dri. Elsw —1M 91
Hassam Heights. Hey —2L 27
Hassett Clo. Pres —2H 135
Hastings Av. Blac —6E 62
Hastings Av. W'ton —1K 131
Hastings Clo. B'brn —4C 140
Hastings Clo. T Clev —2J 63
Hastings Pl. Lyth A —5N 129
Hastings Rd. Ash R —8E 114
Hastings Rd. Frec —7N 111
Hastings Rd. Lanc —2K 29
Hastings Rd. Ley —5L 153
Hastings Rd. South —3E 186
Hastings Rd. T Clev —2J 63
Hastings St. Roch —8C 204
Hastings, The. Lanc —2K 29
(off Cheltenham Rd.)
Haston Lee Av. B'brn —6N 119
Hasty Brow Rd. Hest B & Slyne —2H 23
Hatfield Av. Fltwd —2E 54
Hatfield Av. More —2F 22
Hatfield Clo. T Clev —1J 63
Hatfield Ct. More —2G 22
(off Hatfield Av.)
Hatfield Gdns. Fltwd —2E 54
Hatfield M. Fltwd —2E 54
Hatfield Rd. Acc —9C 122
Hatfield Rd. Rib —6A 116
Hatfield Rd. South —7C 186
Hatfield Wlk. Fltwd —2E 54
Hathaway. Blac —1E 108
Hathaway. Liv —3A 222
Hathaway Dri. Bolt —8G 199
Hathaway Fold. Pad —2J 123
Hathaway Rd. Fltwd —9E 40
Hathaway Rd. Lanc —5J 23
Hatlex Dri. Hest B —7J 15
Hatlex Hill. Hest B —7J 15
Hatlex La. Hest B —7J 15
Hattersley St. Burn —3C 124
Hatton Gro. Bolt —8G 198
Haugh. —9M 205
Haugh Av. S'stne —9D 102
Haugh Fold. Miln —9M 205
Haugh La. Miln —9M 205
Haugh Sq. Miln —9M 205
Haughl St. Burn —8F 104
Haunders La. Much H —5F 150
Havelock Clo. B'brn —5L 139
Havelock Rd. Bam B —9A 136
Havelock Rd. Pen —3H 135
Havelock St. B'brn —6K 139
Havelock St. Blac —6B 88
Havelock St. Burn —3N 123
Havelock St. Lanc —1L 29
Havelock St. Osw —5K 141
Havelock St. Pad —9H 103
Havelock St. Pres —7G 115
(in four parts)
Havenbrook Gro. Ram —2F 200
Haven Brow. Augh —3H 217
Haven Rd. Lyth A —5B 130
Haven St. Burn —4G 124
Haven St. Todm —2M 165
Haven Wlk. Liv —7B 216
Haverbreaks. —1J 29
Haverbreaks Pl. Lanc —1J 29
Haverbreaks Rd. Lanc —1J 29
Havercroft Clo. Wig —8N 221
Haverholt Clo. Col —6N 85
Haverholt Rd. Col —6N 85
Haverthwaite Av. Hey —9L 21
Havre Pk. Barn —2N 77
Hawarden Av. More —3C 22
Hawarden Rd. Pres —8A 116
Hawarden St. Bolt —8E 198
Hawarden St. Nels —3J 105
Hawer St. Dar —7B 158
Hawes Clo. Bury —8G 200
Hawes Dri. Col —5C 86
Hawes Side. —9E 88
Hawes Side La. Blac —9E 88
Hawesside St. South —7J 167
Hawes Ter. Burn —8G 104
Haweswater Av. Chor —8D 174
Haweswater Clo. Liv —5J 223
Haweswater Gro. Liv —9E 216
Haweswater Pl. More —4D 22
Haweswater Rd. Acc —8C 122
Hawgreen Rd. Liv —9G 223
Haw Gro. Hell —1D 52
Hawick Clo. Liv —4J 223
Hawk Clo. Bury —9N 201
Hawkhurst Av. Ful —3G 115
Hawkhurst Cres. Ful —3G 115
Hawkhurst Rd. Pen —4H 135
Hawkhurst Rd. Pres —7L 115
Hawking Pl. Blac —6F 62
Hawkins Clo. Pres —8H 115
Hawkins St. B'brn —6J 139
Hawkins St. Pres —8H 115
(in two parts)
Hawkins Way. L'boro —5M 185
Hawksbury Dri. Pen —6G 134
Hawksclough. Skel —1N 219
Hawks Gro. Ross —6M 161
Hawkshaw. —2A 200
(Bury)
Hawkshaw. —4M 157
(Darwen)
Hawkshaw Av. Dar —4M 157
Hawkshaw Bank Rd. B'brn —9L 119
Hawkshaw La. Hawk —2A 200
Hawkshead. Pen —5H 135
Hawkshead Av. Eux —5N 173
Hawkshead Clo. B'brn —4J 139
Hawkshead Clo. Liv —9D 216
Hawkshead Dri. More —5C 22
Hawkshead Rd. Kno S —7M 41
Hawkshead Rd. Rib —4A 116
Hawkshead St. B'brn —4J 139
Hawkshead St. South —6J 167
Hawkshead Ter. Blac —1K 109
Hawksheath Clo. Eger —4F 198
Hawkstone Clo. Acc —8E 122
Hawkstone Clo. T Clev —3K 63
Hawkstone Ct. More —2F 22
Hawk St. Burn —3E 124
Hawk St. Carn —8B 12
Hawkswood. E'ston —8E 172
Hawkswood Gdns. Brier —6E 104
Hawksworth Av. Hey —6M 21
Hawksworth Clo. Liv —6A 206
Hawksworth Dri. Liv —6A 206
Hawksworth Gro. Hey —7L 21
Hawksworth Rd. Acc —9A 122
Haw La. Hell —1D 52
Hawley Grn. Roch —3A 204
Hawley St. Col —7N 85
Hawley St. Traw —6E 86
Haworth Art Gallery. —5C 142
(Tiffany Glass)
Haworth Av. Acc —5C 142
Haworth Av. Ram —3F 200
Haworth Av. Ross —5L 161
Haworth Cres. Poul F —8L 63
Haworth Dri. Bacup —6G 163
Haworth St. Acc —8A 122
Haworth St. Osw —4L 141
Haworth St. Rish —8H 121
Haworth St. Tur —9K 179
Haworth St. Wals —9D 200
Haws Av. Carn —9A 12
Hawshaw Rd. Loth —8K 79
Haws Hill. Carn —9A 12
Hawthorn Av. Brook —3J 25
Hawthorn Av. Bury —9H 201
Hawthorn Av. Dar —5C 158
Hawthorn Av. Orr —5J 221
Hawthorn Av. Osw —4L 141
Hawthorn Av. Ram —3F 200
Hawthorn Av. Wig —5N 221
Hawthorn Bank. Alt —7N 121
Hawthorn Bank. Bolt —9L 199
Hawthorn Clo. Brook —3J 25
Hawthorn Clo. Ley —5G 153
Hawthorn Clo. Nels —2M 105
Hawthorn Clo. New L —9D 134
Hawthorn Clo. Wesh —2K 111
Hawthorn Cres. Lea —9N 113
Hawthorn Cres. Skel —2J 219
Hawthorn Cres. Tot —6E 200
Hawthorn Dri. Rish —9H 121
Hawthorne Av. Burn —5F 104
Hawthorne Av. Fltwd —4E 54
Hawthorne Av. Gars —4M 59
Hawthorne Av. High W —5E 136
Hawthorne Av. Newt —6D 112
Hawthorne Clo. Barfd —1F 104
Hawthorne Clo. Clay W —4D 154
Hawthorne Clo. Lang —1D 120
Hawthorne Cres. Form —1A 214
Hawthorne Dri. Barn —1N 77
Hawthorne Gro. Barfd —8H 85
Hawthorne Gro. Poul F —6G 63
Hawthorne Gro. South —7M 167
Hawthorne Ind. Est. Clith —2N 81
Hawthorne Lea. T Clev —3J 63
Hawthorne Meadows. Craw —8M 143
Hawthorne Pl. Clith —2L 81
Hawthorne Rd. Burn —5C 124
Hawthorne Rd. T Clev —3H 63
Hawthornes, The. Ruf —2F 190
Hawthorne St. B'brn —9N 119
Hawthorne Ter. Foul —2B 86
(off Skipton Old Rd.)
Hawthorn Gdns. Clay M —6N 121
Hawthorn La. Miln —9K 205
Hawthorn Pl. Todm —1L 165
Hawthorn Rd. Bacup —5L 163
Hawthorn Rd. Blac —3C 88
Hawthorn Rd. Bolt S —3L 15
Hawthorn Rd. More —4F 22
Hawthorn Rd. Rib —7A 116
(in two parts)
Hawthorn Rd. Roch —7J 203
Hawthorns, The. B'brn —3N 119
Hawthorns, The. E'ston —7E 172
Hawthorns, The. Ful —3J 115
Hawthorns, The. Lanc —5L 29
Hawthorns, The. Lyth A —7F 108
Hawthorns, The. Newb —3L 211
Hawthorns, The. Ross —6D 162
(off Booth Rd.)
Hawthorns, The. Wood —8B 94
Hawthorn Wlk. L'boro —9J 185
Haydock Av. Ley —7K 153
Haydock Gro. Hey —7L 21
Haydock La. Brom X —4G 199
(in two parts)
Haydock Pk. Rd. Liv —7D 222
Haydock Rd. Lanc —4M 29
Haydocks La. Cot —4A 114
Haydock Sq. Gt Har —4J 121
Haydock St. Bam B —6A 136
Haydock St. B'brn —8M 119
Haydock St. Burn —9G 104
Haydon Av. Los H —9K 135
Hayes Dri. Liv —7F 222
Hayfell Av. More —5C 22
Hayfell Cres. Hest B —8H 15
Hayfell Gro. Hest B —8H 15
Hayfield. B'brn —1H 139
Hayfield Av. Blac —9E 62
Hayfield Av. Hogh —7F 136
Hayfield Av. Poul F —8L 63
Hayfield Clo. G'mnt —4E 200
Hayfield Clo. Hogh —7G 136
Hayfield Rd. Orm —5K 209
Hayfields. Salt —5B 78
Hayhurst Clo. Whal —4J 101
Hayhurst Farm Ter. Clith —4M 81
Hayhurst Rd. Whal —4J 101
Hayhurst St. Clith —4M 81
Haylemere Ct. South —9E 166
(off Oxford Rd.)
Hayling Pl. Ing —5D 114
Haylot Dri. Halt —1C 24
Haylot Sq. Lanc —8L 23
(off Nun's St.)
Haymaker Ri. Ward —8G 184
Haymans Grn. Mag —1D 222
Haymarket. Lyth A —2H 129
Haynes St. Roch —5C 204
Haysworth St. Pres —7J 115
Hay Vw. Salt —4B 78
Hayward St. Bury —9H 201
Haywood Clo. Acc —9A 122
Haywood Clo. Ful —1K 115
Haywood Rd. Acc —9A 122
Hazel Av. Bam B —7C 136
Hazel Av. Clay M —7M 121
Hazel Av. Dar —4B 158
Hazel Av. Fltwd —4F 54
Hazel Av. Liv —7H 223
Hazel Av. Ram —4G 200
Hazel Av. Tot —8F 200
Hazel Bank. B'brn —2K 139
Hazel Bank. Hey —9L 21
Hazel Clo. Bam B —7B 136
Hazel Clo. B'brn —4K 139
Hazel Clo. Pen —5E 134
Hazel Coppice. Lea —6B 114
Hazel Dene. W Brad —6L 73
Hazeldene Av. Has —5G 160
Hazeldene Rd. Fltwd —2F 54
Hazel Gro. Bacup —4M 163
Hazel Gro. Bam B —7B 136
Hazel Gro. B'brn —3E 140
Hazel Gro. Blac —5E 88
Hazel Gro. Burn —8H 105
Hazel Gro. Chor —3E 174
Hazel Gro. Clay M —7M 121
Hazel Gro. Clith —4J 81
Hazel Gro. Lanc —8H 23
Hazel Gro. L'rdge —2K 97
Hazel Gro. Rib —5C 116
Hazel Gro. Ross —3L 161
Hazel Gro. South —7L 167
Hazel Gro. Tar —7D 150
Hazel Hall La. Ram —4G 200
Hazelhead La. Bncr —3B 60
Hazelhurst. —1F 200
Hazelhurst Clo. Ram —1G 200
Hazelhurst Dri. Gars —5L 59
Hazelhurst Rd. Rib —7C 116
Hazel La. Skel —7M 211
Hazelmere Rd. Ash R —8D 114
Hazelmere Rd. Ful —1G 115
Hazel M. Liv —7G 222
Hazel Mt. Eger —3E 198
Hazelmount Av. Carn —7A 12
Hazelmount Cres. Carn —7A 12
Hazelmount Dri. Carn —7N 11
Hazelrigg La. Ellel —9M 29
Hazelslack. —1K 5
Hazels, The. B'brn —3M 119
Hazels, The. Cop —4A 194
Hazel St. Acc —8F 142
Hazel St. Ram —1F 200
Hazelwood. Silv —8G 5
Hazelwood Av. Burs —9C 190

A-Z Lancashire 251

Hazelwood Clo.—Highfield

Hazelwood Clo. *B'brn* —8A **120**
Hazelwood Clo. *Ley* —6H **153**
Hazelwood Dri. *Bury* —6L **201**
Hazelwood Dri. *Hesk B* —3B **150**
Hazelwood Dri. *More* —2F **22**
Hazelwood Gdns. *Lanc* —5L **29**
Hazelwood Rd. *Nels* —2L **105**
Hazelwood St. *Todm* —2L **165**
Hazlewood Clo. *T Clev* —1G **62**
Headbolt La. *Kirkby* —6K **223**
Headbolt La. *South* —7G **187**
(in two parts)
Head Dyke La. *Pre & Pil* —1D **56**
Headen Av. *Wig* —6L **221**
Headfort Clo. *Blac* —9D **62**
Headingley Clo. *Acc* —8E **122**
Headlands St. *Roch* —4B **204**
Headley Rd. *Ley* —6H **153**
Headroomgate Rd. *Lyth A* —8F **108**
Heads La. *Kel* —6D **78**
Heald Brow. *Barn* —10F **52**
Heald Clo. *L'boro* —2K **205**
Heald Clo. *Roch* —2N **203**
Heald Dri. *Roch* —2N **203**
Heald Ho. Rd. *Ley* —8M **153**
Heald La. *Bacup* —8L **145**
Heald La. *L'boro* —1K **205**
Heald Rd. *Burn* —8E **104**
Heald St. *Blac* —4D **88**
Heald St. *Chor* —6G **174**
Healdwood Clo. *Burn* —7D **104**
Healdwood Dri. *Burn* —7D **104**
Healey Av. *Roch* —1A **204**
Healey Ct. *Burn* —4D **124**
Healey Dell. *Roch* —1M **203**
Healey Dell Nature Reserve & Vis. Cen. —1M 203
Healey Gro. *Whitw* —9N **183**
Healey Hall M. *Roch* —1N **203**
Healey La. *Roch* —2B **204**
Healey Mt. *Burn* —4D **124**
Healey Row. *Burn* —5D **124**
Healey Stones. *Roch* —1A **204**
Healey St. *Blac* —4D **88**
Healey Vw. *Chor* —4G **175**
Healey Wood Rd. *Burn* —4D **124**
(in two parts)
Healey Wood Rd. Ind. Est. *Burn* —5D **124**
Healing St. *Roch* —8D **204**
Heaning Av. *Acc* —9C **122**
Heaning Av. *B'brn* —4D **140**
Heanor Dri. *South* —2M **187**
Heapey. —9J 155
Heapey Fold La. *Ang* —5L **175**
Heapey Rd. *Chor & H'pey* —4H **175**
Heapfold. *Roch* —3M **203**
Heaplands. *G'mnt* —4E **200**
Heap Rd. *Roch* —3H **203**
Heap St. *Brier* —5E **104**
Heap St. *Burn* —9F **104**
Heap St. *Ross* —8M **143**
Heap St. *Wors* —3M **125**
Heapworth Av. *Ram* —8G **180**
Heartwood Clo. *B'brn* —9H **119**
Heasandford Ind. Est. *Burn* —1H **125**
(Bancroft Rd.)
Heasandford Ind. Est. *Burn* —9H **105**
(Widow Hill Rd., in two parts)
Heath Av. *Ram* —4G **200**
Heathbourne Rd. *Bacup* —7F **162**
Heath Charnock. —3H 195
Heath Cotts. *Bolt* —7D **198**
Heather Bank. *Burn* —5A **124**
Heather Bank. *Ross* —6L **161**
Heather Bank. *Todm* —6L **165**
Heather Bank. *Tot* —6D **200**
Heather Brow. *Earby* —2G **78**
Heather Clo. *Brier* —6H **105**
Heather Clo. *Burs* —9C **190**
Heather Clo. *Chor* —6G **175**
Heather Clo. *Form* —7B **206**
Heather Clo. *Has* —7F **160**
Heather Clo. *Hor* —9C **196**
Heather Clo. *Kirkby* —6K **223**
Heather Clo. *South* —2D **206**
Heather Clo. *T Clev* —2H **63**
Heatherfield. *Bolt* —8D **198**
Heatherfield. *Tur* —8L **179**
Heather Gro. *Rib* —6A **116**
Heather Gro. *Wig* —4N **221**
Heatherlands. *Whitw* —2A **184**
Heatherlea Clo. *Uph* —4F **220**
Heather Lea Dri. *Brins* —7A **156**
Heatherlea Rd. *Fence* —2B **104**
Heatherleigh. *Ley* —4G **153**
Heatherleigh Gdns. *B'brn* —1L **157**
Heather Pl. *Blac* —7D **88**
Heatherside Rd. *Ram* —7G **181**
Heathers, The. *Bam B* —3E **154**
Heatherway. *Ful* —4A **116**
Heatherways. *Liv* —6A **206**
(in two parts)
Heathey La. *South* —5N **187**
Heathfield. *Harw* —9M **199**
Heathfield Av. *Bacup* —7G **162**
Heathfield Clo. *Form* —6A **206**
Heathfield Dri. *Liv* —6K **223**
Heathfield Dri. *Rib* —5A **116**
Heathfield Pk. *B'brn* —2G **139**
Heathfield Rd. *Bacup* —7G **162**
Heathfield Rd. *Fltwd* —2E **54**
Heathfield Rd. *Mag* —3E **222**
Heathfield Rd. *South* —7E **186**
Heathfields. *Hth C* —4H **195**
Heathfoot Av. *Hey* —1K **27**
Heathfoot Dri. *Hey* —1K **27**
Heathgate. *Fence* —2B **104**
Heathgate. *Skel* —1N **219**
Heath Gro. *Hey* —1K **27**
Heath Hill Dri. *Bacup* —7G **162**
Heathlea Clo. *Bolt* —7E **198**
Heath Rd. *Ward* —8F **184**
Heathrow Pl. *Chor* —7C **174**
Heath St. *Burn* —1F **124**
Heath St. *Roch* —7A **204**
Heathway. *Ful* —3J **115**
Heathway Av. *Blac* —4E **88**
Heathy La. *Hals* —4G **207**
Heatley Clo. *B'brn* —5L **139**
Heatley Rd. *Roch* —7G **205**
Heatley St. *Pres* —1H **135**
Heaton Av. *Brad* —8L **199**
Heaton Bottom Rd. *Heat O* —3C **28**
Heaton Clo. *Burs* —9B **190**
Heaton Clo. *More* —5E **22**
Heaton Clo. *Poul F* —6J **63**
Heaton Clo. *T Clev* —3J **63**
Heaton Clo. *Uph* —4D **220**
Heaton Clo. *Walt D* —4N **135**
Heaton Ho. Lanc —2K 29
(off Heaton Rd.)
Heaton Mt. Av. *Ful* —2J **115**
Heaton Pl. *Pres* —8A **116**
Heaton Rd. *Lanc* —2K **29**
Heaton Rd. *Lyth A* —1G **129**
Heatons Bridge. —9J 189
Heatons Bri. Rd. *Scar* —9H **189**
Heaton St. *B'brn* —4M **139**
Heaton St. *Ley* —5H **153**
Heaton St. *Miln* —8K **205**
Heaviley Gro. *Hor* —8B **196**
Hebble Butt Clo. *Miln* —7H **205**
Hebble Clo. *Bolt* —8H **199**
Hebburn Dri. *Bury* —8H **201**
Hebden Av. *Blac* —9D **88**
Heber Dri. *E Mar* —7J **53**
Heber Pl. L'boro —9L 185
(off Victoria St.)
Heber St. *Dunn* —4N **143**
Hebrew Rd. *Burn* —1E **124**
(in two parts)
Hebrew Sq. *Burn* —1E **124**
Heckenhurst Av. *Burn* —3K **125**
Hector Av. *Roch* —5E **204**
Hector Rd. *Dar* —2M **157**
Hector Rd. *Wig* —2N **221**
Hedge Row. *W Grn* —6G **111**
Hedge Rows. *Whitw* —5N **183**
Hedgerows Rd. *Ley* —7D **152**
Hedgerow, The. *B'brn* —9H **119**
Heeley Rd. *Lyth A* —9D **108**
Height Barn La. *Bacup* —7K **163**
Height Cft. *Brier* —5J **105**
Height End. —4J 161
Height La. *Chip* —7D **70**
Heights Av. *Roch* —3B **204**
(in three parts)
Heights Clo. *Roch* —3B **204**
Heights Cotts. *Acc* —4E **142**
Heightside Av. *Ross* —5C **162**
Height Side La. *Ross* —9N **143**
Heightside M. *Ross* —5C **162**
Heights La. *Roch* —3B **204**
Heights Rd. *Fence* —1A **104**
Heights Rd. *Nels* —4H **105**
Heirshouse La. *Col* —5M **85**
Helena St. *Burn* —4F **124**
Helenbank Dri. *Rainf* —2K **225**
Helens Clo. *Blac* —4D **108**
Helks Brow. *Wray* —3J **33**
Hellifield. —1D 52
Hellifield. *Ful* —2H **115**
Hellifield Green. —1D 52
Hellifield Rd. *Airt & Garg* —3L **53**
Hellifield Rd. *Bolt B* —8K **51**
Hellifield Rd. *Gis* —9A **52**
Helm Clo. *Burn* —7B **124**
Helmcroft. —7G 160
Helmcroft. *Has* —6F **160**
Helmcroft Ct. *Has* —6G **160**
Helmn Way. *Nels* —9K **85**
Helmsdale. *Skel* —9N **211**
Helmsdale Clo. *Ram* —1F **200**
Helmsdale Rd. *Blac* —2F **108**
Helmsdale Rd. *Nels* —1L **105**
Helmshore. —8G 160
Helmshore Rd. *Holc & Helm* —4F **180**
Helmshore Textile Mus. —7E 160
Helmside Av. *More* —5C **22**
Helmsley Grn. *Ley* —5L **153**
Helsby Gdns. *Bolt* —9F **198**
Helsby Way. *Wig* —9M **221**
Helston Clo. *Burn* —5N **123**
Helston Clo. *South* —1A **168**
Helton Clo. *Barfd* —7H **85**
Helvellyn Dri. *Burn* —1N **123**
Helvellyn Rd. *Wig* —5L **221**
Hemingway. *Blac* —1D **108**
Hemingway Pl. *Nels* —2K **105**
Hempshaw Av. *Ross* —6M **143**
Hemp St. *Bacup* —6K **163**
Henderson Dri. *Rainf* —2L **225**
Henderson Rd. *Fltwd* —2F **54**
Henderson Rd. *Weet* —4D **90**
Henderson St. *L'boro* —9K **185**
Henderson St. *Pres* —6H **115**
(in two parts)
Henderson St. *Roch* —3E **204**
Henderville St. *L'boro* —8K **185**
Hendon Pl. *Ash R* —7B **114**
Hendon Rd. *Nels* —2K **105**
Hendon Rd. *Wig* —3N **221**
Hendriff Pl. *Roch* —4C **204**
Henfield Clo. *Clay M* —6N **121**
Hengest Clo. *Liv* —4K **223**
Henley Av. *T Clev* —1D **62**
Henley Ct. *Blac* —1E **88**
Henley Dri. *South* —5M **167**
Henley St. *Roch* —4B **204**
Henley Ter. *Roch* —8B **204**
Henlow Av. *Liv* —9L **223**
Hennel Ho. *Walt D* —4M **135**
Hennel La. *Los H* —4M **135**
(in three parts)
Hennel La. *Walt D* —6L **135**
Henrietta St. *Bacup* —5K **163**
Henrietta St. B'brn —3K 139
(off Johnston St.)
Henrietta St. *Pres* —9L **115**
Henrietta St. Ind. Est. Bacup —5K 163
(off Henrietta St.)
Henry Gdns. *Brier* —5F **104**
Henry St. *Acc* —4C **142**
Henry St. *Blac* —8C **88**
Henry St. *Chu* —2L **141**
Henry St. *Clay M* —7N **121**
Henry St. *Col* —7N **85**
Henry St. *Lanc* —9K **23**
Henry St. *Lyth A* —5N **129**
Henry St. *Nels* —1H **105**
Henry St. *Ram* —7J **181**
Henry St. *Rish* —8H **121**
Henry St. *Ross* —5L **161**
Henry St. *Ward* —7F **184**
Henry Whalley St. *B'brn* —6H **139**
Henshaw Rd. *Todm* —6K **165**
Henson Av. *Blac* —3E **108**
Henthorn Clo. *Clith* —4K **81**
Henthorne St. *Blac* —4C **88**
Henthorn Rd. *Clith* —6H **81**
Henwick Hall Av. *Ram* —1G **201**
Herbert St. *Bacup* —7H **163**
Herbert St. *B'brn* —6L **139**
Herbert St. *Burn* —4C **124**
Herbert St. *Hor* —9B **196**
Herbert St. *Ley* —6K **153**
Herbert St. *Pad* —2J **123**
Herbert St. *Pres* —8L **115**
Hereford Av. *Blac* —7E **88**
Hereford Av. *Burn* —2N **123**
Hereford Av. *Gars* —4M **59**
Hereford Clo. *Acc* —1A **142**
Hereford Dri. *Clith* —4M **81**
Hereford Gro. *Cot* —4A **114**
Hereford Rd. *B'brn* —3C **140**
Hereford Rd. *Col* —9L **85**
Hereford Rd. *South* —7M **167**
Hereford St. *Nels* —2G **105**
Hereford St. *Roch* —8D **204**
Herevale Hall Dri. *Ram* —1G **201**
Heriot Clo. *T Clev* —2F **62**
Heritage Way. *Tar* —1E **170**
Heritage Way. *T Clev* —2F **62**
Herkomer Av. *Burn* —7C **124**
Herlebeck Ri. Lanc —6M 23
(off Lingmoor Rd.)
Hermitage Clo. *App B* —5H **213**
Hermitage St. *Rish* —8J **121**
Hermitage, The. *T Clev* —1F **62**
Hermitage Way. *Lyth A* —2K **129**
Hermon Av. *T Clev* —2E **62**
Hermon St. *Pres* —8M **115**
(in two parts)
Hern Av. *Los H* —8K **135**
Heron Clo. *B'brn* —9L **119**
Heron Clo. *T Clev* —7F **54**
Heron Ct. *Burn* —4A **124**
Heron Dri. *More* —5C **22**
Heron Gro. *Rainf* —5M **225**
Heron Pl. *Wig* —3M **221**
Heron Row. *Lyth A* —1L **129**
Herons Ct. *Liv* —7A **216**
Herons Reach Golf Course. —6J 89
Heronsyke. *Lanc* —4J **23**
Heron Way. *Blac* —3H **89**
Heron Way. *Frec* —7N **111**
Heron Way. *Osw* —5L **141**
Herschel Av. *Burn* —1A **124**
Herschell St. *B'brn* —7J **139**
Herschell St. *Pres* —2K **135**
Hertford St. *B'brn* —6K **139**
Hesketh. —5N 149
Hesketh Av. *Blac* —7B **62**
Hesketh Av. *Bolt* —8F **198**
Hesketh Av. *South* —9F **148**
Hesketh Bank. —3C 150
Hesketh Clo. *Dar* —9C **158**
Hesketh Clo. *Rib* —8A **116**
Hesketh Ct. *Blac* —7B **62**
Hesketh Dri. *Liv* —1E **222**
Hesketh Dri. *Ruf* —2E **190**
Hesketh Dri. *South* —4L **167**
Hesketh Dri. *Stand* —2K **213**
Hesketh Golf Course. —3L 167
Hesketh Grn. *Ruf* —2F **190**
Hesketh Lane. —7F 70
Hesketh La. *Chip* —7F **70**
Hesketh La. *Tar* —5D **150**
Hesketh Links Ct. *South* —4L **167**
Hesketh Mnr. *South* —4L **167**
Hesketh Moss. —6A 150
Hesketh Pk. —5K 167
Hesketh Pl. *Fltwd* —8H **41**
Hesketh Rd. *Burs* —9B **190**
Hesketh Rd. *Hey* —8K **21**
Hesketh Rd. *L'rdge* —2J **97**
Hesketh Rd. *Lyth A* —8G **108**
Hesketh Rd. *Rib* —8A **116**
Hesketh Rd. *Roch* —6F **204**
Hesketh Rd. *South* —3K **167**
Hesketh St. *Ash R* —8F **114**
Hesketh St. *Gt Har* —4J **121**
Hesketh Vw. *South* —5L **167**
Heskin Clo. *Lyd* —7C **216**
Heskin Green. —1H 193
Heskin La. *Orm* —4J **209**
Hesley. —7K 35
Hesley La. *Rath* —7L **35**
Hesse St. *Dar* —7A **158**
Hest Bank. —8H 15
Hest Bank La. *Hest B & Slyne* —8H **15**
Hest Bank Rd. *More* —2E **22**
Hester Clo. *Liv* —7A **214**
Hestham Av. *More* —4B **22**
Hestham Cres. *More* —4B **22**
Hestham Dri. *More* —4B **22**
Hestham Pde. *More* —4B **22**
Heswall Dri. *Wals* —8D **200**
Hetherington Pl. *Blac* —9E **62**
Hetton Lea. *Barfd* —8G **85**
Heversham. *Skel* —1N **219**
Heversham Av. *Ful* —2H **115**
Heversham Clo. *Lanc* —4M **29**
Heversham Clo. *More* —5C **22**
Hewitt St. *Ley* —5L **153**
Hewlett Av. *Cop* —4N **193**
Hewlett Ct. *Ram* —3F **200**
Hewlett St. *Cop* —4A **194**
Hexham Av. *T Clev* —8E **54**
Hexham Clo. *Acc* —5D **142**
Hexham Rd. *More* —3F **22**
Hey. —9N 77
Hey Bottom La. *Whitw* —9C **184**
Heybrook. *Roch* —4E **204**
Heybrook St. *Roch* —5E **204**
Heycrofts Vw. *Ram* —3J **181**
Hey End. *New L* —8C **134**
Heyes Av. *Rainf* —4L **225**
Heyescroft. *Bic* —4B **218**
Heyes Gro. *Rainf* —4L **225**
Heyes Rd. *Orr* —5H **221**
Heyes St. *App B* —5F **212**
Heyes, The. *Clay W* —5D **154**
Hey Fold. —9N 77
Heyfold Gdns. *Dar* —4N **157**
Heyford Rd. *Wig* —3N **221**
Hey Head Av. *Ross* —7E **162**
Hey Head Cotts. *Bolt* —8A **200**
Hey Head La. *L'boro* —5L **185**
Hey Head La. *Todm* —7M **147**
Heyhead St. *Brier* —5G **104**
Hey Houses. —9H 109
Heyhouses Ct. *Lyth A* —9H **109**
Heyhouses La. *Lyth A* —8G **109**
Heyhurst Rd. *B'brn* —3L **139**
Heymoor Av. *Gt Har* —3K **121**
Heys Av. *Has* —4F **160**
Heys Clo. *B'brn* —9K **139**
Heys Clo. *Ross* —5A **162**
Heys Ct. *B'brn* —8K **139**
Heys Ct. *Osw* —5L **141**
Heysham. —8L 21
Heysham Av. *Hey* —8L **21**
Heysham Bus. Pk., The. *Hey* —5K **27**
Heysham Cres. *B'brn* —7N **139**
Heysham Golf Course. —3K 27
Heysham Hall Gro. *Hey* —9K **21**
Heysham Mossgate Rd. *Hey* —9L **21**
Heysham Pk. *Hey* —9K **21**
Heysham Port. —2H 27
Heysham Rd. *Boot* —8A **222**
Heysham Rd. *Hey* —9K **21**
Heysham Rd. *Orr* —4L **221**
Heysham Rd. *South* —7M **167**
Heysham St. *Pres* —8H **115**
Heys La. *Dar* —5N **157**
Heys La. *Gt Har* —4K **121**
(in two parts)
Heys La. *Hodd* —7E **158**
Heys La. *Live & B'brn* —1J **157**
Heys La. *Osw* —5L **141**
Heys La. *Rou* —6A **84**
Heys St. *Bacup* —5K **163**
Heys St. *Has* —4F **160**
Heys St. *Raw* —6A **162**
Heys St. *T Clev* —9H **55**
Heys, The. *Cop* —3B **194**
Heys, The. *Parb* —1N **211**
Hey St. *Nels* —1J **105**
Hey St. *Roch* —5E **204**
Hey St. *Todm* —2M **165**
Heywood Hall Rd. *Heyw* —9H **203**
Heywood Rd. *Ash R* —7B **114**
Heywood St. *Blac* —6B **88**
Heywood St. *Gt Har* —5J **121**
Heyworth Av. *B'brn* —9K **139**
Hibbert Ter. *Lanc* —4K **29**
Hibson Av. *Roch* —3J **203**
Hibson Clo. *Ward* —8F **184**
Hibson Rd. *Nels* —4H **105**
(in two parts)
Hic-Bibi La. *Cop* —7A **194**
Hickory Gro. *Liv* —8F **222**
Hickson Av. *Liv* —8B **216**
Hick's Ter. *Rish* —8H **121**
Hidings Ct. La. *More* —4B **22**
Higgins La. *Burs* —8N **189**
Higgin St. *Burn* —4F **124**
Higgin St. *Col* —6A **86**
Higgin St. *Wors* —4M **125**
Higham. —5L 103
Higham Gro. *Blac* —8F **88**
Higham Hall Rd. *High* —5L **103**
Higham Rd. *Pad* —7H **103**
Higham Side Rd. *Ins* —4F **92**
Higham St. *Pad* —9J **103**
Highbank. *B'brn* —8N **119**
High Bank. *Brom X* —6F **198**
High Bank. *H'pey* —3J **175**
Highbank Av. *Blac* —1G **108**
Highbank Rd. *Miln* —9M **205**
Highbanks. *Liv* —8B **216**
High Barn Clo. *Roch* —8B **204**
High Barn La. *Whitw* —3N **183**
High Bentham. —6M 19
High Biggins. —6E 8
High Birch Ter. *Roch* —9M **203**
Highbrake Ter. *Acc* —7D **122**
Highbury Av. *Blac* —2E **88**
Highbury Av. *Fltwd* —1E **54**
Highbury Ga. *Elsw* —9M **65**
Highbury Pl. *B'brn* —2L **139**
Highbury Rd. E. *Lyth A* —8D **108**
Highbury Rd. W. *Lyth A* —9C **108**
High Casterton. —5G 8
High Clo. *Burn* —3K **123**
High Cop. *Brin* —3H **155**
High Cote La. *Sla H* —1M **5**
High Ct. *More* —3F **22**
Highcroft Av. *Blac* —5E **62**
High Cft. Rd. *Todm* —1M **165**
Highcroft Way. *Roch* —1C **204**
High Cross. —2K 89
High Cross Av. *Poul F* —2K **89**
Highcross Hill. *Poul F* —3K **89**
High Cross Rd. *Poul F* —2K **89**
Higher Antley St. *Acc* —3N **141**
Higher Ashenhurst. *Todm* —9K **147**
Higher Audley. —4A 140
Higher Audley St. *B'brn* —4N **139**
Higher Avondale Rd. *Dar* —5M **157**
Higher Ballam. —8N 109
Higher Bank Rd. *Ful* —6J **115**
Higher Bank Rd. *L'boro* —2K **205**
Higher Bank St. *B'brn* —2J **139**
Higher Bank St. *Withn* —6B **156**
Higher Barn. *Hor* —9G **196**
Higher Barn St. *B'brn* —3A **140**
Higher Bartle. —2B 114
Higher Baxenden. —6D 142
Higher Blackthorn. *Bacup* —3K **163**
Higher Booths La. *Craw* —7M **143**
Higher Calderbrook. *L'boro* —5M **185**
Higher Calderbrook Rd. *L'boro* —5M **185**
Higher Causeway. *Barfd* —8H **85**
Higher Change Vs. *Bacup* —3M **163**
Higher Chapel La. *Grin* —4A **74**
Higher Chu. St. *Dar* —6B **158**
Higher Cleggswood Av. *L'boro* —2K **205**
Higher Cloughfold. —4A 162
Higher Cockcroft. *B'brn* —3M **139**
Higher Commons La. *Mel B* —6D **118**
Higher Constablelee. —2M 161
Higher Copthurst. —8H 155
Higher Crimble. *Roch* —9K **203**
Higher Croft. —7N 139
Higher Cft. *Pen* —6F **134**
(in two parts)
Higher Cft. Rd. *Lwr D* —8N **139**
Higher Cft. St. Set —3N 35
(off Commercial St.)
Higher Cross Row. *Bacup* —4K **163**
Higher Dri. *Clay M* —6N **121**
Higher Dunscar. *Eger* —4E **198**
Higher Eanam. *B'brn* —3A **140**
Higher End. —8G 220
Higher Feniscowles La. *Pleas* —8C **138**
Higherfield. *Lang* —1C **120**
Higher Fold La. *Ram* —7K **181**
Higherford. —6J 85
Higher Furlong. *Longt* —1K **151**
Higher Ga. *Acc* —8E **122**
Highergate Clo. *Hun* —7E **122**
Higher Ga. Rd. *Acc* —8E **122**
Higher Grn. *Poul F* —8K **63**
Higher Greenfield. *Ing* —4E **114**
Higher Heys. *Osw* —5L **141**
Higher Heysham. —1K 27
Higherhouse Clo. *B'brn* —9H **139**
Higher Ho. La. *Chor & H'pey* —3J **175**
Higherlands Clo. Garg —3M 53
(off West St.)
Higher La. *Dal* —3M **211**
Higher La. *Has* —3G **161**
Higher La. *Rainf & Crank* —2L **225**
Higher La. *Salt* —5M **77**
Higher La. *Scor* —7D **46**
Higher La. *Tar* —4A **170**
Higher La. *Uph* —4F **220**
Higher Lawrence St. *Dar* —5N **157**
Higher Lodge. *Roch* —3H **203**
Higher Lomax La. *Heyw* —9E **202**
Higher London Ter. *Dar* —5B **158**
Higher Mdw. *Ley* —6A **154**
Higher Mill St. *Ross* —4M **161**
Higher Moor Fld. *Catt* —1N **67**
Higher Moor Rd. *Blac* —9F **62**
Higher Moss La. *Form* —9G **206**
Higher Mouldings. *Bury* —8C **202**
Higher Pk. Rd. *Barn* —4N **77**
Higher Peel St. *Osw* —5K **141**
Higher Penwortham. —3E 134
Higher Perry St. *Dar* —5B **158**
Higher Ramsgreave Rd. *Rams* —6J **119**
Higher Reedley Rd. *Brier* —6G **105**
Higher Ridings. *Brom X* —5F **198**
(in two parts)
Higher Rd. *L'rdge* —3K **97**
Higher Row. *Bury* —9N **201**
Higher Saxifield. *Burn* —7J **105**
Higher Shady La. *Brom X* —6H **199**
Higher Shore Rd. *L'boro* —7H **185**
Higher S. St. *Dar* —6B **158**
Higher Stanhill. —4H 141
Higher Summerseat. —4G 201
Higher Summerseat. *Ram* —3G **201**
Higher Syke. *Abb* —2C **48**
Higher Tentre. *Burn* —4F **124**
Higher Walton. —4D 136
Higher Walton Rd. *Walt D & High W* —3N **135**
Higher Watermill. —7E 160
Higher Wheat La. *Roch* —5F **204**
Higher Wheelton. —6L 155
Higher Witton Rd. *B'brn* —4J **139**
Higher Woodhill. —8J 201
High Farm La. *Bic* —3A **218**
High Fell Clo. *Set* —4N **35**
Highfield. —7M 221
Highfield. *Bacup* —5K **163**
Highfield. *Brins* —7A **156**
Highfield. *Gt Har* —4H **121**
Highfield. *Liv* —4L **223**
Highfield. *Miln* —7K **205**
Highfield. *Pen* —6G **134**

Highfield—Holly Mt.

Highfield. Ross —9M 143
Highfield. Wig —7N 221
Highfield Av. Bolt —9N 199
Highfield Av. Burn —7F 104
Highfield Av. Far —4M 153
Highfield Av. Foul —2B 86
Highfield Av. Ful —5M 115
Highfield Av. Ins —2G 93
Highfield Av. Los H —7M 135
Highfield Av. Shev —6K 213
Highfield Clo. Adl —6J 195
Highfield Clo. Clift —8G 113
Highfield Clo. Osw —5M 141
Highfield Clo. Tar —1E 170
Highfield Cres. Barfd —8H 85
Highfield Cres. More —4N 21
Highfield Cres. Nels —8J 85
Highfield Dri. Ful —1H 115
Highfield Dri. Hest B —8H 15
Highfield Dri. L'rdge —4K 97
Highfield Dri. Longt —1K 151
Highfield Dri. Pen —6G 135
Highfield Gdns. B'brn —6M 139
Highfield Golf Course. —7L 155
Highfield Grange Av. Wig —9N 221
Highfield Gro. Los H —6M 135
Highfield Ind. Est. Chor —4F 174
Highfield La. Bolt S —3N 15
Highfield La. Scar —6H 189
Highfield M. Dar —7B 158
Highfield Pk. Has —5F 160
Highfield Pk. Liv —1E 222
Highfield Rd. Adl —6J 195
Highfield Rd. B'brn —5M 139
Highfield Rd. Blac —3C 108
Highfield Rd. Carn —9B 12
Highfield Rd. Clith —4L 81
Highfield Rd. Crost —4N 171
Highfield Rd. Dar —6B 158
Highfield Rd. Earby —2E 78
Highfield Rd. Orm —5K 209
Highfield Rd. Ram —4J 181
Highfield Rd. Rish —8G 121
Highfield Rd. Ross —6B 162
Highfield Rd. South —3A 168
Highfield Rd. N. Adl —5J 195
Highfield Rd. N. Chor —4E 174
Highfield Rd. S. Chor —5E 174
Highfield St. Dar —7B 158
Highfield St. Has —5F 160
Highfield Ter. L Bent —6K 19
(off Doctor's Hill)
High Fold. Kel —6D 78
Highgale Gdns. Los H —9M 135
Highgate. Blac —4D 108
High Ga. Fltwd —1D 54
Highgate. Goos —4N 95
Highgate. Nels —4H 105
Highgate. Pen —3E 134
Highgate Av. Ful —5H 115
Highgate Clo. Ful —5J 115
Highgate Clo. Newt —6D 112
Highgate Cres. App B —5H 213
High Ga. La. Stalm & Hamb —5M 55
Highgate La. W'ton —2K 131
Highgate La. Whitw & Roch —8N 183
Highgate Pl. Lyth A —2K 129
Highgate Rd. Liv —8C 216
Highgate Rd. Uph —4E 220
High Grn. Ley —6J 153
Highgrove Av. Char R —1H 193
Highgrove Clo. Bolt —9F 198
Highgrove Clo. More —4A 22
Highgrove Ct. Ley —6C 152
Highgrove Ho. Chor —4E 174
High Hill Gro. St. Set —3N 35
High Houses. Bolt —7D 198
High Knott Rd. Arns —2F 4
Highland Av. Pen —4E 134
Highland Brow. Gal —1L 37
Highland Rd. Brom X —5H 199
Highlands. L'boro —2K 205
Highlands Av. Ruf —2E 190
Highlands Rd. Roch —8J 203
High La. Bic —4N 217
High La. Burs —5M 209
High La. Crost —7J 171
High La. Salt —6N 77
High Level Rd. Roch —7C 204
High Mdw. Brom X —5H 199
High Mill. Garg —3L 53
High Moor. —9C 192
Highmoor. Nels —4K 105
High Moor La. Wrigh —9C 192
Highmoor Pk. Clith —3M 81
High Moss. Orm —9J 209
High Park. —6N 167
High Pk. Shev —6M 213
High Pk. Pl. South —6N 167
High Pk. Rd. South —6N 167
High Peak Rd. Whitw —8N 183
Highrigg Dri. Brough —9J 95
High Rd. Barb —1G 9
High Rd. Halt —2B 24
High Rd. L Bent —9J 19
Highsted Gro. Liv —5L 223
High St. Acc —5M 141
High St. Bel —9K 177
High St. B'brn —3M 139
High St. Blac —4B 88
High St. Brier —5F 104
High St. Burt L —3K 19
High St. Chor —6E 174
High St. Clith —3H 81
High St. Col —6B 86
High St. Dar —6A 158
High St. Elsw —1L 91
High St. Fltwd —9H 41
High St. Garg —3M 53
High St. Gars —5N 59
High St. Gt Ecc —6N 65
High St. Has —3G 160
High St. Hor —9C 196
High St. Lanc —9J 23
High St. L'boro —9J 185
High St. Maw —4M 191
High St. Nels —3H 105
High St. Osw —4A 142
High St. Pad —9J 103
High St. Pres —9K 115
High St. Rish —8H 121
High St. Roch —5C 204
High St. Set —3N 35
High St. Skel —3H 219
High St. Stand —3N 213
High St. Todm —4K 165
(off Cannon St.)
High St. Tur —1J 199
Hightown. —7A 214
Hightown. Ross —3C 162
Hightown Rd. Ross —3C 162
Highview St. Bolt —7E 198
High Wardle La. Fac —5D 184
Highway. L'clif —2N 35
Highways Av. Eux —5N 173
Highwood. Roch —4J 203
Highwood Ct. Liv —6L 223
Higson St. B'brn —3L 139
Hilary Av. Blac —6C 62
Hilary St. Burn —9E 104
Hilbre Clo. South —5M 167
Hilbre Dri. South —5M 167
Hilda Av. Tot —7E 200
Hilderstone. —5E 6
Hilderstone La. Yeal R —7E 6
Hilgay Clo. Wig —8N 221
Hillam La. C'ham —8D 36
Hillary Av. Wig —6N 221
Hillary Cres. Liv —1C 222
Hillbrook Grn. Ley —5J 153
Hillbrook Rd. Ley —5J 153
Hill Brow. Hals —5N 207
Hill Clo. App B —4H 213
Hill Cot Rd. Bolt —8F 198
Hill Cres. Newt —7D 112
Hill Crest. Bacup —6H 163
Hillcrest. Liv —2E 222
Hillcrest. Skel —4M 219
Hillcrest Av. Bolt S —4L 15
Hill Crest Av. Burn —5K 125
Hillcrest Av. Ful —1H 115
Hillcrest Av. Ing —5D 114
Hillcrest Av. L'rdge —3J 97
Hillcrest Clo. Tar —7E 150
Hillcrest Dri. L'rdge —3J 97
Hillcrest Dri. Scar —5E 188
Hillcrest Dri. Sla H —1N 5
Hillcrest Dri. Tar —8E 150
Hillcrest Rd. B'brn —6G 139
Hillcrest Rd. Blac —5B 108
Hillcrest Rd. Lang —1C 120
Hillcrest Rd. Orm —6K 209
Hillcroft. Ben —7L 19
(off Wenning Av.)
Hillcroft. Ful —2F 114
Hill Cft. K'ham —4N 111
Hill Dale. —8A 192
Hilldean. Uph —3F 220
Hill End. Traw —9F 86
Hill End La. Ross —6A 162
Hill Ho. Fold La. Wrigh —8F 192
Hill Ho. La. Brin —8J 137
Hill Ho. La. Wrigh —6E 192
Hillhouses. Dar —8A 158
Hillingdon Rd. Burn —7H 105
Hillingdon Rd. N. Burn —6G 105
Hillkirk Dri. Roch —2N 203
Hill La. Col —4E 86
Hill La. Neth K —5C 16
Hillmore Rd. More —3A 22
Hillmount Av. Hey —8L 21
Hillock Clo. Scar —6F 188
Hillock La. Dal —6N 211
Hillock La. Scar —6F 188
Hillock La. W'ton —1J 131
Hillocks, The. Crost —5M 171
Hillock, The. Bolt —8K 199
Hillock Vale. —9D 122
Hillpark Av. Ful —5G 114
Hillpark Av. Hogh —7F 136
Hill Pl. Nels —4H 105
Hill Pl. Todm —4K 165
Hill Ri. Has —6H 161
Hill Ri. Ram —1F 200
Hill Rise Vw. Augh —2F 216
Hill Rd. Lanc —5K 23
Hill Rd. Ley —6M 153
Hill Rd. Pen —3F 134
Hill Rd. S. Pen —5F 134
Hillsborough Av. Brier —5H 105
Hills Ct. Bury —9G 201
Hills Ct. Lanc —6K 23
Hillsea Av. Hey —8L 21
Hillside. —4E 186
Hillside. Burn —6B 124
Hillside. Holme —1G 6
Hillside. Lanc —8J 23
Hillside. Whit W —7E 154
Hillside Av. B'brn —4C 140
Hillside Av. Brom X —4H 199
Hillside Av. Burn —6G 104
Hillside Av. Dar —7A 158
Hillside Av. Far M —9J 135
Hillside Av. Ful —5G 114
Hillside Av. Hor —9D 196
Hillside Av. K'ham —4A 112
Hillside Av. Orm —8J 209
Hillside Av. Parb —8N 191
Hillside Av. Pre —9A 42
Hillside Clo. B'brn —4C 140
Hillside Clo. Blac —4E 88
Hillside Clo. Brad —8L 199
Hillside Clo. Brier —5G 105
Hillside Clo. Burn —6B 124
Hillside Clo. Clith —5L 81
Hillside Clo. Eux —5M 173
Hillside Clo. Gt Har —3J 121
Hillside Clo. T Clev —3K 63
Hillside Clo. Wig —8N 221
Hillside Cres. Bacup —9K 145
Hillside Cres. Bury —7L 201
Hillside Cres. Hor —9D 196
Hillside Cres. Whit W —6E 154
Hillside Dri. Ross —5C 162
Hillside Dri. Stalm —5B 56
Hillside Dri. W Brad —6L 73
Hillside Gdns. Bury —3H 201
Hillside Gdns. Dar —8A 158
Hillside Golf Links. —5C 186
Hillside Rd. Has —5G 161
Hillside Rd. L Bent —6J 19
Hillside Rd. Pres —2M 135
Hillside Rd. Ram —9F 180
Hillside Rd. South —4E 186
Hillside Vw. Brier —5G 105
Hillside Vw. Miln —7K 205
Hillside Wlk. B'brn —4C 140
Hillside Wlk. Roch —1A 204
Hillside Way. Whitw —5N 183
Hills, The. Pres —2D 116
Hillstone Av. Roch —1N 203
Hillstone Clo. G'mnt —3E 200
Hill St. Acc —3B 142
(Hollins La.)
Hill St. Acc —6C 142
(Wellington St.)
Hill St. Barn —2N 77
Hill St. B'brn —2B 140
Hill St. Blac —9B 88
Hill St. Brier —4D 104
(Burnley Rd.)
Hill St. Brier —5F 104
(Montford Rd.)
Hill St. Carn —9A 12
Hill St. Clay M —8N 121
Hill St. Col —7A 86
Hill St. Osw —3K 141
Hill St. Pad —1H 123
Hill St. Pres —9J 115
Hill St. Roch —6D 204
Hill St. Ross —9M 143
Hill St. South —6H 167
Hill St. S'seat —2H 201
Hill St. Tot —9E 200
Hillsview Rd. South —9C 186
Hill Top. —9E 86
Hill Top. Barfd —7H 85
Hill Top. New L —1D 152
Hilltop. Whitw —9N 183
Hill Top Clo. Frec —1B 132
Hilltop Dri. Has —8H 161
Hilltop Dri. Tot —7D 200
Hill Top La. Earby —2D 78
Hill Top La. Whit W —7E 154
Hilltop Rd. Nels —1K 105
Hill Top Rd. Rainf —8M 225
Hilltop Wlk. Orm —9H 209
Hill Vw. B'brn —8M 119
Hill Vw. L'boro —5N 185
Hill Vw. Ross —6L 161
Hillview Ct. Bolt —9E 198
Hill Vw. Dri. Cop —5N 193
Hillview Rd. Bolt —9E 198
Hill Vw. Rd. Gars —3N 59
Hillview Rd. Wesh —3M 111
Hill Wlk. Ley —5K 153
Hilly Cft. Brom X —5F 198
Hillylaid Rd. T Clev —1J 63
Hilmarton Clo. Brad —8L 199
Hilstone La. Blac —1D 88
Hilton Av. Blac —9B 88
Hilton Av. Hor —9B 196
Hilton Av. Lyth A —2J 129
Hilton Ct. Lyth A —3E 128
Hilton Rd. Dar —7B 158
Hilton's Brow. Brin —3K 155
Hilton St. Bury —9L 201
Hilton St. Dar —7A 158
Hinchcliffe St. Roch —5A 204
Hinchley Grn. Liv —1A 222
Hindburn Av. Liv —9E 216
Hindburn Clo. Carn —8C 12
Hindburn Pl. Lanc —6J 23
Hinde St. Lanc —7L 23
Hindle Ct. Dar —5A 158
Hindle Fold La. Gt Har —2J 121
Hindle St. Acc —2A 142
Hindle St. Bacup —7H 163
Hindle St. Dar —5M 157
Hindle St. Has —4G 160
Hindley Beech. Liv —9B 216
Hindley Clo. Ful —2M 115
Hindley Ct. Barfd —1G 104
Hindley St. Chor —8D 174
Hind Rd. Wig —3N 221
Hind's Head Av. Wrigh —7J 193
Hind St. Burn —8F 104
Hind St. Pres —2H 135
Hinton. Roch —5B 204
(off Spotland Rd.)
Hinton Clo. Roch —7J 203
Hinton St. Burn —4H 125
Hippings La. Ross —6D 162
Hippings Va. Osw —4K 141
(off Holly St.)
Hippings Way. Clith —1L 81
Hirst St. Burn —5F 124
(in two parts)
Hirst St. Pad —9H 103
Hirst St. Todm —7E 146
Hoarstones Av. Fence —3B 104
Hobart Dri. Liv —4K 223
Hobart Pl. T Clev —3F 62
Hobart St. Burn —3F 124
Hobbs La. Clau B —7J 61
Hobcross La. Lath —3E 210
Hob Grn. Mel —7G 118
Hob La. Tur —7J 179
Hob La. Wlk. Liv —8G 222
Hobsons La. Cap —6J 13
Hobson St. Ross —4L 161
Hockley Pl. Blac —3F 88
Hodder Av. Blac —9D 88
Hodder Av. Chor —9D 174
Hodder Av. Fltwd —2C 54
Hodder Av. L'boro —8J 185
Hodder Av. Liv —9E 216
Hodder Av. More —5F 22
Hodder Brook. Rib —6C 116
Hodder Clo. Bam B —8B 136
Hodder Clo. Fltwd —2C 54
Hodder Clo. Wig —4N 221
Hodder Ct. Stony —7C 80
Hodder Dri. Lyth A —1J 129
Hodder Dri. W Brad —5K 73
Hodder Gro. Clith —4J 81
Hodder Gro. Dar —3M 157
Hodder Pl. B'brn —2N 139
(in two parts)
Hodder Pl. Lanc —2M 29
Hodder St. Acc —2C 142
Hodder St. B'brn —2N 139
Hodder St. Burn —7G 104
Hodder St. L'rdge —3K 97
Hodder Way. Poul F —9K 63
Hoddlesden. —6F 158
Hoddlesden Fold. Hodd —6F 158
Hoddlesden Rd. Hodd —6E 158
Hodge Bank Pk. Nels —9H 85
Hodge Brow. Hor —1A 196
Hodge La. Barn —4M 77
Hodge St. South —7H 167
Hodgson Av. Frec —3M 131
Hodgson Pl. Poul F —9K 63
Hodgson Rd. Blac —1C 88
Hodgson St. Dar —6B 158
Hodgson St. Osw —4L 141
Hodson St. Bam B —7A 136
Hodson St. South —8J 167
Hogarth Av. Burn —6C 124
Hogath Cres. Whar —6D 92
Hogg's La. Chor —9G 174
Hoghton. —6K 137
Hoghton Av. Bacup —6L 163
Hoghton Bottoms. —6A 138
Hoghton Clo. Lanc —1H 29
Hoghton Clo. Lyth A —7F 108
Hoghton Gro. South —6J 167
Hoghton La. High W & Hogh —5E 136
Hoghton Pl. South —7H 167
Hoghton Rd. Ley —6G 152
Hoghton Rd. L'rdge —3K 97
Hoghton St. South —7H 167
Hoghton Tower. —7N 137
Hoghton Vw. Pres —2M 135
Holbeach Clo. Bury —8J 201
Holbeck Av. Blac —1F 108
Holbeck Av. More —4F 22
Holbeck Av. Roch —1A 204
Holbeck St. Burn —9E 104
Holborn Dri. Orm —9H 209
Holborn Gdns. Roch —8A 204
Holborn Hill. Orm —9H 209
Holborn Sq. Roch —8A 204
Holborn St. Roch —8A 204
Holcombe. —8F 180
Holcombe Brook. —3F 200
Holcombe Ct. Ram —3F 200
Holcombe Dri. Burn —3F 124
Holcombe Gro. Chor —5G 175
Holcombe Lee. Ram —1F 200
Holcombe M. Ram —2E 200
Holcombe Old Rd. Holc —9F 180
Holcombe Rd. Blac —1E 88
Holcombe Rd. Ross —6D 160
Holcombe Rd. Tot & G'mnt —6E 200
Holcombe Village. Bury —8F 180
(off Helmshore Rd.)
Holcroft Pl. Lyth A —4M 129
Holden. —8J 51
Holden Av. Bolt —7E 198
Holden Av. Bury —9C 202
Holden Av. Ram —9F 180
Holden Clo. Barfd —1G 105
Holden Fold. Dar —4B 158
Holden La. Bolt B —5G 51
Holden Rd. Brier —5E 104
Holden Rd. Burn —7F 104
Holden St. Acc —3A 142
Holden St. Adl —6H 195
Holden St. Belt —1F 158
Holden St. B'brn —4K 139
Holden St. Burn —3D 124
Holden St. Clith —3M 81
Holden St. Roch —3D 204
Holden Vale. —3F 160
Holden Way. Lanc —2K 29
Holden Wood. —6E 160
Holden Wood Dri. Has —6F 160
Holderness St. Todm —2M 165
Hole Bottom. —9L 147
Hole Bottom Rd. Todm —1L 165
Hole House. —2C 140
Hole Ho. La. Slai —1E 50
Hole Ho. St. B'brn —3C 140
Holford Wlk. Firg —6G 204
Holgate. Blac —3F 108
Holgate Dri. Orr —5H 221
Holgates Cvn. Pk. Silv —6F 4
Holgate St. Brclf —7K 105
Holgate St. Gt Har —4J 121
Holhouse La. G'mnt —3E 200
Holiday Moss. —3M 225
Holker Bus. Cen. Col —7M 85
Holker Clo. Hogh —5G 136
Holker Clo. Lanc —1H 29
Holker La. Ley —2C 172
Holker St. Col —7M 85
Holker St. Dar —7B 158
Holland Av. Ross —3L 161
Holland Av. Walt D —6A 136
Holland Ho. Rd. Walt D —5N 135
Holland Lees. —7F 212
Holland Lodge. Rib —5B 116
(off Grange Av.)
Holland Moor. —4B 220
Holland Moss. Skel —6L 219
Holland Ri. Roch —5B 204
Holland Rd. Ash R —8F 114
Holland Slack. —5A 136
Holland's La. Skel —1E 218
Holland St. Acc —3M 141
Holland St. B'brn —2L 139
Holland St. Bolt —9F 198
Holland St. Hur —1G 205
Holland St. Pad —1G 123
Holland St. Roch —6B 204
Holliers Clo. Liv —1C 222
Hollies Clo. B'brn —8G 138
Hollies Clo. Catt —1A 68
Hollies Rd. Wilp —2A 120
Hollies, The. South —8F 166
(off Beechfield Gdns.)
Hollin Bank. —6L 139
Hollin Bank St. Brier —4F 104
Hollin Bri. St. B'brn —6K 139
(in two parts)
Hollin Clo. Ross —3D 162
(off Foxhill Dri.)
Hollinghurst Rd. Liv —5L 223
Hollingreave Rd. Burn —5E 124
Hollin Gro. Ross —3M 161
(off Hollin La.)
Hollings. New L —9C 134
Hollington St. Col —6E 86
Hollington Way. Wig —9M 221
Hollingworth. —2K 205
Hollingworth Lake Cvn. Site. L'boro —4M 205
Hollingworth Lake Country Pk. & Vis. Cen. —2L 205
Hollingworth La. Todm —7L 165
Hollingworth Rd. L'boro —2L 205
Hollin Hall. —1F 106
Hollinhead Cres. Ing —5E 114
Hollinhey Clo. Boot —5A 222
Hollin Hill. Burn —6F 124
Hollinhurst Av. Pen —2F 134
Hollinhurst Brow. Wray —3J 33
Hollinhurst Vw. High —5L 103
(off Anderton Rd.)
Hollin La. H'pey —4L 175
Hollin La. Roch —7J 203
Hollin La. Ross —3M 161
Hollin Mill St. Brier —4F 104
Hollins. —3N 157
Hollins Av. Burn —5K 125
Hollins Clo. Acc —4B 142
Hollins Clo. Hogh —5L 137
Hollins Ct. Barn —1M 77
(off Hollins Rd)
Hollins Grn. Todm —3F 164
Hollins Grove. —4N 157
Hollins Gro. Ful —6E 114
Hollins Gro. St. Dar —4N 157
Hollinshead St. Chor —6E 174
Hollinshead Ter. Toc —8J 157
Hollins Hill. Fort —3N 45
Hollins Lane. —2A 46
Hollins La. Acc —4B 142
Hollins La. Arns & Silv —2G 4
Hollins La. Fort —4N 45
Hollins La. Ley —1F 172
Hollin's La. Ram —5K 181
Hollins La. Saw —1H 75
Hollins La. Silv & Silv —1G 11
Hollins Mdw. Todm —6K 165
Hollins Pl. Todm —6K 165
Hollins Rd. Barn —2L 77
Hollins Rd. Dar —3M 157
Hollins Rd. Nels —9L 85
Hollins Rd. Pres —6L 115
Hollins Rd. Todm —5K 165
Hollins St. Todm —7L 165
Hollins, The. Todm —1L 165
Hollin St. B'brn —6K 139
Hollin Way. Raw —3M 161
Hollin Way. Ross —1M 161
Hollinwood Dri. Raw —2M 161
Hollowbrook Way. Roch —3A 204
Hollow Fld. Roch —4H 203
Hollowford La. Lath —1G 210
Hollowforth La. Wood —6B 94
Hollowhead Av. Wilp —4N 119
Hollowhead Clo. Wilp —4A 120
Hollowhead La. B'brn & Wilp —4N 119
Hollowrayne. Burt —5H 7
Hollows Farm Av. Roch —3A 204
Hollowspell. Roch —2F 204
Hollsworth Ct. Blac —8D 88
Holly Av. Has —6H 161
Holly Bank. Acc —4B 142
Holly Bank. War —5A 12
Hollybank Clo. Ing —4C 114
Hollybrook Rd. South —9G 166
Holly Clo. Clay W —5D 154
Holly Clo. Skel —2J 219
Holly Clo. T Clev —9J 55
Holly Clo. W'head —8C 210
Holly Cres. Cop —2A 194
Holly Cres. Rainf —5L 225
Holly Fold La. Bic —8J 219
Holly Gro. L'rdge —2J 97
Holly Gro. Tar —8E 150
Holly La. Augh —8G 208
Holly La. Bic —7H 219
Holly La. Ruf —2G 190
Holly M. Lyth A —7F 108
Holly Mill Cres. Bolt —9F 198
Holly Mt. Ross —8F 160

Holly Mt. La.—Ightenhill Pk. La.

Holly Mt. La. G'mnt —4C 200
Holly Pl. Bam B —9D 136
Holly Rd. Blac —1C 88
Holly Rd. T Clev —9H 55
Holly Rd. Wig —4N 221
Holly St. B'brn —1N 139
Holly St. Bolt —9F 198
Holly St. Burn —4F 124
Holly St. Nels —2K 105
Holly St. Osw —4K 141
Holly St. S'seat —2H 201
Holly St. Tot —7E 200
Holly St. Ward —8F 184
Holly Ter. B'brn —9N 119
Holly Tree Clo. Dar —1A 178
Holly Tree Clo. Ross —2L 161
Holly Tree Way. B'brn —8G 138
Holly Wlk. Lanc —8H 23
(off Sycamore Gro.)
Hollywood Av. Blac —5E 88
Hollywood Av. Pen —5F 134
Hollywood Gro. Fltwd —9F 40
Holman St. Pres —8M 115
Holmbrook Clo. B'brn —8N 139
Holmby St. Burn —8F 104
Holmdale Av. South —2A 168
Holme. —1F 6
Holme Av. Bury —8H 201
Holme Av. Fltwd —4D 54
Holme Bank. Ross —6L 161
Holme Chapel. —2L 145
Holme Clo. Sough —4D 78
Holme Cres. Traw —8E 86
Holme End. Burn —6D 104
Holmefield. Holme —2G 6
Holmefield Av. T Clev —9E 54
Holmefield Clo. T Clev —1E 62
Holmefield Ct. Barfd —8H 85
Holmefield Rd. Lyth A —1F 128
Holme Head. L'clif —1N 35
Holme Hill. Clith —1L 81
Holme Ho. L'boro —5N 185
Holme Ho. Rd. Todm —7F 146
Holme Ho. St. L'boro —5N 185
Holme La. Brook —1J 25
(in two parts)
Holme La. Has & Ross —7J 161
(in two parts)
Holme Lea. Clay M —5M 121
Holme Mills. —2F 6
Holme Mills Ind. Est. Holme —3F 6
Holme Pk. Ben —7L 19
(off Wenning Av.)
Holme Rd. Bam B —8N 135
Holme Rd. Burn —2C 124
Holme Rd. Clay M —5L 121
Holme Rd. Pen —1F 134
Holmes. —3N 169
Holmes Cotts. Bolt —9C 198
Holmes Ct. Pres —6H 115
Holmes Dri. Bacup —3K 163
Holmes Ho. Av. Wig & Wins —8M 221
Holme Slack. —6M 115
Holme Slack La. Pres —6L 115
Holmes La. Bacup —4K 163
Holmes Mdw. Ley —6E 152
Holmes Moss. —2L 169
Holmes Rd. Roch —6A 204
Holmes Rd. T Clev —9G 55
Holmes Sq. Burn —4F 124
Holmes St. Burn —4F 124
Holmes St. Pad —1J 123
Holmes St. Roch —2F 204
Holmes St. Ross —9E 144
(Burnley Rd. E.)
Holmes St. Ross —4N 161
(Newchurch Rd.)
Holmes Ter. Reed —2L 161
Holmes, The. Reed —2L 161
Holmestrand Av. Burn —5M 123
Holme St. Acc —2A 142
Holme St. Bacup —7H 163
Holme St. Barfd —9H 85
Holme St. Col —6E 86
Holme St. Dar —7A 158
Holme St. Nels —2J 105
Holme St. Todm —9H 147
Holmeswood. —8A 170
Holmeswood. K'ham —4M 111
Holmeswood Cres. Brtn —2E 94
Holmeswood Pk. Ross —7K 161
Holmeswood Rd. Ruf —7N 169
Holme Ter. L'boro —5N 185
Holme Ter. Nels —2G 104
Holme Ter. Tow F —7K 161
Holme, The. Cald V —4H 61
Holmfield Cres. Lea —8A 114
Holmfield Rd. Blac —1B 88
Holmfield Rd. Ful —5K 115
Holmfield Rd. Kno S —8L 41
Holm Nook. —4D 64
Holmrook Rd. Pres —8L 115
Holmsley St. Burn —4F 124
Holroyd St. Roch —6D 204
Holsands Clo. Ful —3A 116
Holstein Av. Roch —1A 204
Holstein St. Pres —9K 115
Holt Av. Cop —3B 194
Holt Brow. Ley —9K 153
Holt Coppice. Augh —4F 216
Holt Green. —4G 216
Holthouse Rd. Tot —8D 200
Holt La. Brin —4F 154
Holt Mill Rd. Ross —7B 162
Holts La. Poul F —8M 63
Holts Pas. L'boro —9K 185
Holt Sq. Barfd —6J 85
Holts Ter. Roch —3B 204
Holt St. L'boro —4N 185
Holt St. Miln —8K 205
Holt St. Orr —6G 221
Holt St. Ram —8J 181
Holt St. Rish —7J 121
Holt St. Ross —7C 162
Holt St. Whitw —5N 183
Holt St. W. Ram —9G 180
Holt Way. Liv —8J 223
Holyoake Av. Blac —1E 88
Holyoake St. Burn —3L 123
Holyoake St. Todm —7D 146
Homeacre Av. Sab —2E 102
Homechase Ho. South —1F 186
Home Fld. Gars —4N 59
Homefield Gro. Liv —1B 222
Homelinks Ho. Lyth A —5K 129
Homeport Ho. South —6J 167
(off Hoghton St.)
Homer Av. Tar —8D 150
Homer Green. —9J 215
Homer St. Burn —4A 124
Homesands Ho. South —6K 167
Homestead. Bam B —2D 154
Homestead Av. Boot —7A 222
Homestead Clo. Ley —6G 152
Homestead Dri. Fltwd —3E 54
Homestead Farm. Wstke —9G 135
Homestead Gdns. Roch —1G 204
Homestead, The. Lyth A —5N 129
(off Henry St.)
Homestead Way. Fltwd —3E 54
Homewood Av. More —2F 22
Homfray Av. More —5E 22
Homfray Gro. More —5E 22
Hondwith Clo. Bolt —8J 199
Honey Hole. B'brn —6M 139
Honey Hole Clo. Todm —3L 165
Honey Hole Rd. Todm —3L 165
Honey Holme La. Cliv —1K 145
Honey Holme Ter. Cliv —1L 145
Honey Pot La. Sing —7C 64
Honeysuckle Clo. Whit W —1D 174
Honeysuckle Pl. Blac —5F 62
Honeysuckle Row. Rib —7A 116
Honeysuckle Way. Roch —2A 204
Honeywood Clo. Ram —2F 200
Honister Av. Blac —8E 88
Honister Clo. Fltwd —2D 54
Honister Rd. Burn —7F 104
Honister Rd. Lanc —6M 23
Honister Rd. Wig —5L 221
Honister Sq. Lyth A —7F 108
Honister Way. Roch —9M 203
Honiton Av. B'brn —8K 139
Honiton Way. Cot —3C 114
Hood Ho. St. Burn —5C 124
Hood St. Acc —1B 142
Hoohill. —3E 88
Hoo Hill Ind. Est. Blac —2E 88
Hoole La. Banks —9F 148
Hoole La. Nate —8E 58
Hooles La. Pil —8F 42
Hooley Bridge. —9G 203
Hooley Bri. Ind. Est. Heyw —9G 203
Hooley Clough. Heyw —9H 203
Hope Av. Brad —8L 199
Hope Bldgs. Todm —2M 165
(off Derdale St.)
Hope Ct. Roch —5C 204
(off Wilson St.)
Hope Cres. Shev —6L 213
Hope La. Thorn —8F 70
Hope Sq. South —7J 167
Hope St. Acc —3A 142
Hope St. Adl —5K 195
Hope St. Bacup —3K 163
Hope St. B'brn —3L 139
Hope St. Brier —5F 104
Hope St. Chor —5E 174
Hope St. Dar —6N 157
Hope St. Gt Har —5J 121
Hope St. Has —5G 161
Hope St. Hor —9C 196
Hope St. Lanc —9L 23
Hope St. Lyth A —1G 128
Hope St. More —4C 22
Hope St. Nels —3H 105
Hope St. Pad —1J 123
Hope St. Pres —9J 115
Hope St. Ram —9G 180
Hope St. Raw & Ross —6A 162
Hope St. Roch —5C 204
Hope St. South —7J 167
Hope St. Todm —2M 165
Hope St. Wors —3M 125
Hope St. N. Hor —8C 196
Hope Ter. B'brn —2K 139
Hope Ter. Los H —8K 135
Hophouse La. K Lon —5D 8
Hopkinson St. Traw —8E 86
Hopkinson Ter. Traw —8E 86
(off Skipton Rd.)
Hopton Rd. Blac —8B 88
Hopwood Av. Hor —9D 196
Hopwood Cres. Rainf —5L 225
Hopwood St. Acc —4A 142
Hopwood St. Bam B —8A 136
Hopwood St. B'brn —5M 139
Hopwood St. Burn —3C 124
Hopwood St. Pres —9K 115
Horace St. Burn —3B 124
Horby St. Pres —9L 115
Horden Rake. B'brn —9E 138
Horden Vw. B'brn —9F 138
Hordley St. Burn —3M 123
Horeb Clo. Pad —2J 123
(off Victoria Rd.)
Horley Clo. Bury —6H 201
Hornbeam Clo. Pen —5E 134
Hornby. —7C 18
Hornby Av. Fltwd —4D 54
Hornby Av. Rib —5A 116
Hornby Bank. Horn —6C 18
Hornby Bank. Neth K —4C 16
Hornby Castle. —7C 18
Hornby Chase. Liv —3C 222
Hornby Ct. B'brn —4K 139
(off Garden St.)
Hornby Ct. K'ham —5N 111
Hornby Ct. Lanc —4J 23
Hornby Cft. Ley —7E 152
Hornby Dri. Lanc —3L 29
Hornby Dri. Newt —6D 112
Hornby Hall Clo. Horn —7C 18
Hornby La. Ins —1D 92
Hornby Pk. Ct. Blac —6D 88
Hornby Rd. Blac —6B 88
Hornby Rd. Cat —2H 25
Hornby Rd. Chor —8G 175
Hornby Rd. L'rdge —2K 97
Hornby Rd. Lyth A —3E 128
Hornby Rd. South —1N 167
Hornby Rd. Wray —8D 18
Hornby's La. Pil —6J 57
Hornby's La. Raw —7F 56
(in two parts)
Hornby St. Burn —4E 124
Hornby St. Bury —8L 201
Hornby St. Osw —5L 141
Hornby Ter. More —2C 22
Horncastle Clo. Bury —8J 201
Hornchurch Dri. Chor —6C 174
Horncliffe Clo. Ross —7K 161
Horncliffe Heights. Brier —5J 105
Horncliffe Rd. Blac —9B 108
Horncliffe Vw. Has —7G 161
Horne St. Acc —1B 142
Horning Cres. Burn —8H 105
Hornsea Clo. Ing —5D 114
Hornsea Clo. T Clev —1K 63
Hornsey Av. Lyth A —5B 108
Hornsey Gro. Wig —8N 221
Horns La. Goos —1B 96
Horridge Fold. Eger —2E 198
Horridge St. Bury —9G 200
Horrobin La. And & Hor —4L 195
Horrobin La. Tur —3J 199
Horrocks Fold. —6D 198
Horrocks Fold Av. Bolt —7D 198
Horrocksford. —8L 73
Horrocksford Way. Lanc —1H 29
Horrocks Rd. Tur —7K 179
Horsebridge Rd. Blac —2H 89
Horsefield Av. Whitw —8N 183
Horse Mkt. K Lon —6F 8
(off Mill Brow)
Horse Pk. La. Pil —6L 43
Horseshoe La. Brom X —5G 198
Horsfall Av. Lyth A —5N 129
Horsfall Clo. Acc —1A 142
Horsfield Clo. Col —6C 86
Horsham Clo. Bury —6H 201
Horton. —7D 52
Horton Av. Bolt —7E 198
Horton Av. Burn —7F 104
Horton St. Wig —9N 213
Horwich. —9C 196
Hoscar. —9H 191
Hoscar Moss Rd. Lath —1G 210
Hospital Cotts. Hoth —4A 98
Hospital Rd. Brom X —5F 198
Hosta Clo. Liv —5J 223
Hosticle La. Whit —8D 8
Hothersall La. Hoth —6M 97
Houghclough La. Chip —6D 70
Hough Fold Way. Bolt —8K 199
Hough La. Brom X —6F 198
Hough La. Ley —6K 153
Houghton Av. Blac —1D 108
Houghton Av. Wig —1N 221
Houghton Clo. Pen —5G 134
Houghton Clo. Roch —7F 204
Houghton Ct. Halt —1B 24
Houghton Ct. T Clev —9H 55
(off Holmes Rd.)
Houghton La. Shev —6J 213
Houghton Rd. Pen —5F 134
Houghtons Ct. K'ham —4M 111
(off Marsden St.)
Houghton's La. Uph —2N 219
(in two parts)
Houghtons Rd. Uph —9L 211
Houghton St. Chor —6F 174
Houghton St. Los H —8K 135
Houldsworth Rd. Ful —6H 115
Houlston Rd. Liv —8G 222
Houlston Wlk. Liv —8G 222
Hounds Hill Cen. Blac —5B 88
Houseman Pl. Blac —2E 108
Hove Av. Fltwd —4C 54
Hove Clo. G'mnt —4D 200
Hove Rd. Lyth A —2F 128
Hovingham St. Roch —5E 204
Howard Clo. Acc —3M 141
Howard Clo. Lyth A —8E 108
Howard Clo. Mag —1E 222
Howard Ct. South —5K 167
Howard Dri. Tar —8D 150
Howard M. Carn —9N 11
Howard Pl. Roch —5C 204
Howard Rd. Chor —9D 174
Howard's La. Orr —4J 221
Howard St. Blac —4C 88
Howard St. Burn —4B 124
Howard St. Nels —2G 105
Howard St. Rish —8G 121
Howard St. Roch —5B 204
Howard St. Wig —6M 221
Howard Way. L'boro —5M 185
Howarth Av. Chu —1M 141
Howarth Cross. —3E 204
Howarth Cross St. Roch —3E 204
Howarth Farm Way. Roch —2F 204
Howarth Grn. Roch —2F 204
Howarth Knoll. Roch —9F 184
Howarth Pl. Roch —9A 204
Howarth Rd. Ash R —6G 114
Howarth Sq. Roch —5D 204
Howarth St. L'boro —8L 185
Howarth St. Ross —8D 144
Howden Heights. Poul F —8H 63
Howe Av. Blac —1E 108
Howe Cft. Clith —3M 81
Howe Dri. Ram —3G 200
Howe Gro. Chor —7C 174
Howells Clo. Liv —9C 216
Howe Wlk. Burn —3E 124
Howgill. —3A 76
Howgill Av. Lanc —4K 23
Howgill Clo. Nels —4K 105
Howgill La. Rim —3B 76
(in two parts)
Howgills, The. Ful —2K 115
Howgill Way. Lyth A —3C 130
Howick Cross. —4C 134
Howick Cross La. Pen —3A 134
Howick Moor La. Pen —5C 134
Howick Pk. Av. Pen —4C 134
Howick Pk. Clo. Pen —4C 134
Howick Pk. Dri. Pen —4C 134
Howick Row. Pen —3A 134
How La. Bury —7K 201
How Lea Dri. Bury —7L 201
Howorth Clo. Burn —6E 124
Howorth Rd. Burn —6E 124
Howorth St. Todm —8H 147
Howsin Av. Bolt —9H 199
Howsin St. Burn —9E 104
Howsons La. L'clif —1N 35
Howsons Yd. Set —3N 35
(off Market Pl.)
Hoylake Clo. Ful —3E 114
Hoyle Av. Lyth A —7F 108
Hoyle Botton. —7L 141
Hoyles La. Cot —4M 113
Hoyle's Ter. Miln —7H 205
Hoyle St. Acc —8F 142
Hoyle St. Bacup —7J 163
Hoyle St. Bolt —9E 198
Hoyle St. Whitw —3A 184
Hozier St. B'brn —3C 140
Hubert Pl. Lanc —8H 23
Hubie St. Burn —2D 124
Huck La. Lyth A —1D 130
Hudcar La. Bury —9M 201
Huddersfield Rd. Miln —9L 205
Hud Hey. —2F 160
Hud Hey Ind. Est. Ross —1G 160
Hud Hey Rd. Has —1F 160
Hud Rake. Has —2G 160
Hudson Clo. B'brn —9K 119
Hudson Ct. Bam B —9E 136
Hudson Pl. B'brn —9J 119
Hudson Rd. Blac —8D 88
Hudson Rd. Liv —3C 222
Hudsons Pas. L'boro —7M 185
Hudson St. Acc —4B 142
Hudson St. Brier —5F 104
Hudson St. Burn —4B 124
Hudson St. Pres —1K 135
Hudson St. Todm —7F 146
Hudson Wlk. Roch —6M 203
Hudswell Clo. Boot —9A 222
Hufling Ct. Burn —5F 124
(off Hufling La.)
Hufling La. Burn —6F 124
Hugh Barn La. New L —9B 134
Hugh Bus. Pk. Ross —7D 162
Hughendon Ct. Tot —6E 200
Hughes Av. Hor —9B 196
Hughes Gro. Blac —1E 88
Hughes St. Burn —4E 124
Hugh La. Ley —4F 152
Hugh Lupus St. Bolt —8G 198
Hugh Mill. —7D 162
Hugh Rake. Ross —1L 161
Hugh St. Roch —5D 204
Hughtrede St. Roch —9E 204
Hullet Clo. App B —4H 213
Hull Rd. Blac —6B 88
Hull St. Ash R —9F 114
Hull St. Burn —4F 124
(in two parts)
Hulme Av. T Clev —1J 63
Hulme Rd. Bolt —7L 199
Hulme St. South —7G 167
Hulton Dri. Nels —4J 105
Humber Av. Blac —2E 88
Humber Dri. Bury —5L 201
Humber Pl. Wig —4M 221
Humber Rd. Miln —7K 205
Humber Sq. Burn —7G 105
Humber St. L'rdge —3J 97
Humblescough La. Nate —6G 59
Hume St. Roch —7D 204
Humphrey St. Brier —4F 104
Huncoat. —7D 122
Huncoat Ind. Est. Acc —8B 122
Hundred End. —6L 149
Hundred End La. H End —5L 149
Hungar Hill. —1J 213
Hungerford Rd. Lyth A —3F 128
Hunger Hill. Roch —8G 185
Hunger Hill La. Roch —2K 203
Hunniball Ct. Ash R —7F 114
Hunslet St. Burn —3F 124
Hunslet St. Nels —3K 105
Hunstanton Dri. Bury —8J 201
Hunter Av. Tar —9E 150
Hunter Rd. Frec —7N 111
Hunter Rd. Wig —2N 221
Hunters Dri. Burn —1B 124
Hunters Fold. Walm B —2L 151
Hunters Ga. Lanc —2J 29
Hunters Grn. Ram —2E 200
Hunter's La. Mere B —3M 169
Hunters La. Roch —5C 204
Hunter's La. Tar —6B 170
Hunters La. Todm —9J 147
Hunters Lodge. B'brn —7G 138
Hunters Lodge. Walt D —5N 135
Hunters Rd. Ley —6N 153
Hunter St. Brier —6F 104
Hunter St. Carn —8A 12
Hunt Fold Dri. G'mnt —3E 200
Huntingdon Gro. Liv —7B 216
Huntingdon Hall Rd. K Grn —9K 71
Huntingdon Rd. T Clev —1C 62
Hunting Hill Cvn. Pk. Carn —9N 11
Hunting Hill Rd. Carn —9M 11
Huntington Dri. Dar —8A 158
Huntley Av. Blac —3E 88
Huntley Clo. More —3E 22
Huntley La. Sam —7M 117
Huntley Mt. Rd. Bury —9N 201
Hunt Rd. Liv —9C 216
Huntroyde Av. Pad —1G 122
Huntroyde Clo. Burn —2B 124
Hunts Fld. Clay W —5E 154
Huntsman's Chase. Trea —3D 112
Hunt St. Pres —9G 115
Hurlston. —2H 209
Hurlston Av. Skel —3N 219
Hurlston Dri. Orm —5K 209
Hurlston Green. —9G 189
Hurlston Hall Golf Club and Course. —2G 209
Hurlston La. Scar —3G 209
Hurn Gro. Chor —7C 174
Hurst Brook. Cop —4B 194
Hurst Cres. Ross —4N 161
Hurstead. —1G 204
Hurstead Grn. Roch —1G 205
Hurstead M. Roch —1G 204
Hurstead St. Acc —7D 142
Hursted Rd. Miln —7J 205
Hurst Green. —1M 99
(Clitheroe)
Hurst Green. —3N 191
(Ormskirk)
Hurst Grn. Maw —3N 191
Hurst La. Raw & Ross —4M 161
Hurstleigh Dri. Hey —9M 21
Hurstleigh Heights. T Clev —1L 63
Hurstmere Av. Blac —1E 108
Hurst Pk. Pen —4F 134
Hurst Rd. Liv —3D 222
Hurst's La. Bic —9M 217
Hurst St. Roch —8D 204
Hurstway. Ful —2G 115
Hurstway Clo. Ful —2G 115
Hurstwood. —6N 125
Hurstwood. Bolt —8D 198
Hurst Wood Av. B'brn —7H 139
Hurstwood Av. Burn —4H 125
Hurstwood Enterprise Pk. Has —5E 160
Hurstwood Gdns. Brier —6H 105
Hurstwood La. Wors —5M 125
Hurtley St. Burn —1E 124
Hutch Bank. —5E 160
Hutch Bank Rd. Ross —5E 160
Hutchinson Ct. Dar —6N 157
Hutchinson Rd. Roch —4H 203
Hutchinson St. B'brn —5M 139
Hutchinson St. Roch —7M 203
Hut La. Hth C —1K 195
Huttock End La. Bacup —7H 163
Hutton. —6A 134
Hutton Clo. Burt —5H 7
Hutton Ct. Skel —2H 219
Hutton Cres. More —4A 22
Hutton Dri. Burn —2C 124
Hutton Gro. More —4A 22
Hutton Hall Av. Hut —7B 134
(in two parts)
Hutton Rd. Skel —2H 219
Hutton Roof. —6B 8
Hutton St. B'brn —3A 140
Hutton Way. Lanc —7H 23
Hutton Way. Orm —7K 209
Huyton Rd. Adl —7J 195
Huyton Ter. Adl —7K 195
Hyacinth Av. Liv —5J 223
Hyacinth Clo. Has —7E 160
Hyatt Cres. Stand —1M 213
Hyde Pk. Pl. Roch —6F 204
Hyde Rd. Blac —8B 88
Hyde Rd. More —4F 22
Hyde's Brow. Rainf —2L 225
Hydon Brook Wlk. Roch —9N 203
Hygiene. Clay M —7L 121
Hynd Brook Ho. Acc —3N 141
(off Dale St.)
Hyndburn Bri. Clay M —4M 121
Hyndburn Clo. More —5F 22
Hyndburn Dri. Dar —3L 157
Hyndburn Rd. Acc & Chu —1M 141
Hyndburn Rd. Gt Har —4L 121
Hyndburn St. Acc —2M 141
Hyndburn Ter. Clay M —5L 121
Hyning Rd. Yeal C —1B 12
Hynings, The. Gt Har —3H 121
Hythe Clo. B'brn —4C 140
Hythe Clo. South —2L 187

Ian Frazer Ct. Roch —9C 204
Ibbison Ct. Blac —7C 88
Ibbotroyd Av. Todm —9K 147
Ibsley. Roch —5B 204
(off Spotland Rd.)
Icconhurst Clo. Acc —6D 142
Ice St. B'brn —1M 139
Iddesleigh Rd. Pres —8A 116
Iddon Ct. Blac —4C 88
(off Elizabeth St.)
Idlewood Pl. T Clev —3F 62
Idstone Clo. B'brn —8A 140
Ightenhill. —9N 103
Ightenhill Pk. La. Burn —8N 103

Ightenhill Pk. M.—Kelvin St.

Ightenhill Pk. M. Burn —2A 124
Ightenhill St. Pad —9H 103
Ighten Rd. Burn —1A 124
Ilford Rd. Blac —9E 88
Ilkley Av. Lyth A —2J 129
Ilkley Av. South —9B 148
Ilkley Gro. T Clev —3D 62
Illingworth Rd. Pres —8A 116
Ilminster. Roch —7B 204
Ilway. Walt D —5N 135
Imperial Gdns. Nels —2H 105
(off Carr Rd.)
Imperial St. Blac —3B 88
Imperial Wlk. Blac —3B 88
Imperial Yd. Blac —3B 88
(off Imperial St.)
Ince Blundell. —8E 214
Ince Blundell Pk. —9G 214
Ince La. E'ston —9F 172
Inchfield. Skel —1M 219
Inchfield. Wors —3M 125
Inchfield Clo. Roch —5J 203
Inchfield Rd. Todm —7J 165
India St. Acc —2M 141
India St. Bury —2H 201
India St. Dar —7B 158
Industrial Cotts. Ross —7D 162
(off Wood Lea Rd.)
Industrial Pl. Bacup —5K 163
(off St James St.)
Industrial St. Bacup —5L 163
Industrial St. Ram —5H 181
Industrial St. Todm —2L 165
Industrial Ter. Bill —6G 100
(off Whalley New Rd.)
Industry Rd. Roch —4C 204
Industry St. Dar —5A 158
Industry St. L'boro —9L 185
Industry St. Roch —4J 203
Industry St. Todm —6K 165
Industry St. Whitw —4A 184
Infant St. Acc —2B 142
Infirmary Clo. B'brn —6L 139
Infirmary Rd. B'brn —6L 139
Infirmary St. B'brn —6L 139
Ingdene Clo. Col —7M 85
Ingfield Cres. Set —3N 35
Ingfield Est. Set —3N 35
Ingfield La. Set —3N 35
Ingfield Ter. Todm —7F 146
Inghams La. L'boro —9L 185
Ingham St. Barfd —7H 85
Ingham St. Pad —9J 103
Ingleborough Dri. Barn —2L 77
Ingleborough Rd. Lanc —5G 23
Ingleborough Vw. Carn —1B 16
Ingleborough Vw. Withn —7B 156
(off Prospect Ter.)
Ingleborough Way. Ley —5M 153
Ingleby Clo. B'brn —3D 140
Ingleby Clo. Stand —2N 213
Ingleby Clo. T Clev —7F 54
Ingle Clo. Chor —5F 174
Ingledene Cvn. Site. T Clev —2J 63
Inglefield. Roch —4K 203
Ingle Head. Ful —3G 114
Inglehurst Rd. Burn —4N 123
Inglemere Clo. Arns —2E 4
Inglemere Dri. Arns —1F 4
Inglemere Gdns. Arns —2F 4
Inglemoss Dri. Rainf —9M 225
Ingle Nook. Burn —5K 125
Inglenook Clo. T Clev —2F 62
Ingleton. —3N 19
Ingleton Av. Blac —6F 62
Ingleton Clo. Acc —3C 142
Ingleton Clo. Bolt —9K 199
Ingleton Dri. Lanc —4L 29
Ingleton Grn. Liv —9L 223
Ingleton Ho. Lanc —4L 29
(off Ingleton Dri.)
Ingleton Ind. Est. I'ton —3N 19
Ingleton M. Bury —9G 201
Ingleton Rd. Kirkby —9L 223
Ingleton Rd. Rib —5A 116
Ingleton Rd. South —2L 187
Ingleway. T Clev —9E 54
Ingleway Av. Blac —4E 88
Inglewhite. —6L 69
Inglewhite. Skel —1L 219
Inglewhite Rd. Ingle —6L 69
Inglewood Clo. Bury —9A 202
Inglewood Clo. Fltwd —3C 54
Inglewood Clo. W'ton —2J 131
Inglewood Ct. Wig —6N 221
Inglewood Gro. Blac —6E 62
Inglewood Rd. Rainf —9N 225
Inglis St. L'boro —8K 185
Ingoe Clo. Liv —9G 223
Ingoe La. Liv —9G 223
Ingol. —5D 114
Ingol Gdns. Hamb —1B 64
Ingol Golf Course. —3E 114
Ingol Gro. Hamb —1B 64
Ingol La. Hamb —1B 64
Ingot St. Pres —9G 115
Ingram. Skel —2M 219
Ings Av. Barn —1M 77
Ings Av. Roch —3M 203
Ings La. Roch —3M 203
Ings, The. Set —3N 35
(off High Hill Gro. St.)
Ingthorpe Av. Blac —6D 62
Inkerman Rd. Weet —4D 90
Inkerman St. Ash R —6F 114
Inkerman St. Bacup —5L 163
Inkerman St. B'brn —2M 139
Inkerman St. Pad —1H 123
Inkerman St. Roch —4C 204
Ink St. Roch —6C 204
Inman's Rd. Silv —7G 4
Inner Promenade. Lyth A —4F 128
Inskip. —2G 93
Inskip. Skel —1L 219
Inskip Ct. Skel —1M 219
Inskip Moss Side. —8E 66
Inskip Pl. Blac —4E 108
Inskip Pl. Lyth A —9H 109
Inskip Rd. Ash R —8B 114
Inskip Rd. Ley —5G 152
Inskip Rd. South —2N 167
Inskip Rd. Whar —6D 92
Inskip St. Pad —1H 123
Institute St. Pad —1J 123
Intack. —3D 140
Intack La. Mel B —7C 118
Intack Rd. Longt —8M 133
Intake Cres. Col —5C 86
Intake La. Bic —6D 218
Inverness Rd. Dar —7N 157
Inver Rd. Blac —8D 62
Inward Dri. Shev —7K 213
Ipswich Pl. T Clev —1C 62
Ipswich Rd. Rib —7N 115
Ipswich St. Roch —8C 204
Ireby. —9K 9
Ireby Rd. Burt L —3K 19
Irene Pl. B'brn —3J 139
Irene St. Burn —4G 124
Iris Gro. Liv —5J 223
Iris St. Ram —8G 181
Irlam Dri. Liv —8K 223
Irongate. Bam B —8M 135
Ironside Clo. Ful —5L 115
Iron St. B'brn —5L 139
Irton Rd. South —6L 167
Irvin Av. South —1B 168
Irvine Clo. Blac —6F 62
Irvine St. Nels —9K 85
Irving Pl. B'brn —3J 139
Irving St. South —5H 167
Irvin St. Pres —8L 115
Irwell. Skel —9L 211
Irwell Ho. Ross —7C 162
(off Cowpe Rd.)
Irwell Pl. Wig —5M 221
Irwell Rd. Orr —4J 221
Irwell St. Bacup —5K 163
Irwell St. Burn —3M 123
Irwell St. L'rdge —3K 97
(Berry La.)
Irwell St. L'rdge —2K 97
(Green La.)
Irwell St. Lyth A —1E 128
Irwell St. Ram —8H 181
Irwell Ter. Bacup —4K 163
Irwell Vale. —1G 181
Irwell Va. Rd. Ross —1H 181
Isabella St. L'rdge —2J 97
Isabella St. Roch —3C 204
Isa St. Ram —1F 200
Isherwood Fold. Tur —7K 179
Isherwood St. B'brn —7L 139
Isherwood St. Pres —8M 115
Isherwood St. Roch —8D 204
(off Durham St)
Island La. Winm —2C 58
Islay Rd. Lyth A —2K 129
Isle of Man. Rams —5M 119
Isle Of Man St. Ross —9D 144
Isle Of Man Vs. Ross —9D 144
Isleworth Dri. Chor —7D 174
Islington. B'brn —5M 139
Islington Clo. Burn —7H 105
Ivan St. Burn —8F 104
Iveagh Ct. Roch —7E 204
Ive Ct. Foul —2B 86
Ivegate. Col —6A 86
Ivinson Rd. Dar —4B 158
Ivory Dri. Liv —5K 223
Ivory St. Burn —3A 124
Ivy Av. Blac —4D 108
Ivy Av. Has —4H 161
Ivy Bank. Ful —3N 115
Ivy Bank. Whitw —3A 184
Ivy Bank Clo. Bolt —8E 198
Ivy Bank Rd. Bolt —8E 198
Ivybridge. Skel —1M 219
Ivy Clo. Ley —5A 154
Ivy Cotts. Roch —4A 204
Ivydale. Skel —1M 219
Ivy Fold. Gigg —2N 35
(off Church St.)
Ivy Gro. Ross —4M 161
Ivy Ho. Gdns. Garg —3M 53
(off South St.)
Ivy St. B'brn —6L 139
Ivy St. Burn —9F 104
Ivy St. Col —9L 85
Ivy St. Ram —2E 200
Ivy St. Ross —7D 162
Ivy St. South —8K 167
Ivy Ter. Dar —9B 158
Ivy Ter. L'boro —4N 185
Ivy Ter. Stand —1M 213

Jackdaw Rd. G'mnt —3E 200
Jack Green. —8H 137
Jack La. Wigg —9M 35
Jackman St. Todm —2L 165
Jack McCann Ct. Roch —5D 204
Jacks Key Dri. Dar —1C 178
Jacksmere La. South —5N 187
Jackson Clo. Has —7M 207
Jackson Clo. Lanc —9G 23
Jackson Fold. High —4L 103
(off Sabden Rd.)
Jackson Heights La. Belt —4H 159
Jackson Pl. Roch —5E 204
Jackson Rd. Chor —9C 174
Jackson Rd. Ley —6G 152
Jacksons Banks Rd. Bald —4M 117
Jackson's Comn. La. Scar —3F 208
Jackson's La. Bis —7B 192
Jackson St. Bam B —8B 136
Jackson St. Blac —3E 88
Jackson St. Burn —1E 124
Jackson St. Chor —8F 174
Jackson St. Chu —3L 141
Jackson St. Clay M —6M 121
Jackson St. Roch —7E 204
Jackson St. Ward —8F 184
Jackson Ter. Carn —7A 12
Jack Taylor Ct. Roch —4E 204
(off Athol St.)
Jacob's La. Trea —9D 92
Jacob St. Acc —3B 142
Jacson St. Pres —1K 135
Jade Clo. Liv —7L 223
Jagoe M. Earby —3D 78
(off Jagoe Rd.)
Jagoe Rd. Earby —3D 78
James Av. Blac —9F 88
James Av. Gt Har —4H 121
James Butterworth Ct. Roch —7E 204
James Butterworth St. Roch —7E 204
James Hill St. L'boro —9L 185
James Holt Av. Liv —9H 223
Jameson Rd. Fltwd —4F 54
Jameson St. Blac —7C 88
James Pl. Cop —5N 193
James Pl. Stand —2N 213
James Sq. Stand —2L 213
James St. Acc —7D 122
James St. Bacup —8E 162
James St. Bam B —7A 136
James St. Barn —3M 77
James St. Barfd —7H 85
James St. Belt —1F 158
James St. B'brn —3M 139
James St. Burn —9E 104
James St. Clay M —6M 121
James St. Col —7B 86
(off West St.)
James St. Dar —6N 157
James St. Earby —3E 78
James St. Eger —2D 198
James St. Firg —6G 204
James St. Gt Har —4H 121
James St. Has —5F 160
James St. Hor —9A 196
James St. Lanc —8K 23
James St. L'boro —1H 205
James St. More —3C 22
James St. Osw —4K 141
James St. Pres —1L 135
James St. Rish —8J 121
James St. Roch —1F 204
James St. Ross —5M 161
James St. Salt —5A 78
James St. Todm —1L 165
(off Meadow Bottom)
James St. Whitw —4A 184
James St. W. Dar —6A 158
Jane La. Catf —5J 93
Jane La. Midg H —4D 152
Jane's Brook Rd. South —1K 187
James Mdw. Tar —1E 170
Jane St. Roch —5B 204
Jane St. Shawf —9B 164
Janice Dri. Ful —2G 114
Janine Clo. More —4A 22
Jannat Clo. Acc —3A 142
Jarrett Rd. Liv —6M 223
Jarrett Wlk. Liv —6M 223
Jarvis St. Roch —4C 204
Jasmine Rd. Walt D —5K 135
Jasmine Rd. Wig —4N 221
Jasper St. B'brn —8N 119
Jay Bank. Maw —4M 191
Jedburgh Dri. Liv —4J 223
Jefferson Clo. Lanc —9H 23
Jefferson Way. Roch —2C 204
Jeffrey Av. L'rdge —3K 97
Jeffrey Hill Clo. Pres —2E 116
Jeffrey Sq. Blac —7D 88
Jellicoe Clo. Lyth A —8E 108
Jem Ga. T Clev —3D 62
Jemmett St. Pres —6H 115
Jenny La. Nels —4H 105
Jenny La. Wheel —6L 155
Jensen Clo. Lanc —1J 29
Jensen Dri. Blac —3N 109
Jepheys Pl. Roch —4C 204
Jepheys St. Roch —4C 204
Jepp Hill. Barn —2M 77
Jepps Av. Brtn —2E 94
Jepps La. Brtn —2E 94
Jepson St. Dar —7A 158
Jepson Way. Blac —5F 108
Jeremiah Horrocks Observatory. —6J 115
Jericho. —9C 202
Jericho Rd. Bury —9C 202
Jermyn St. Roch —5D 204
Jerrold St. L'boro —9L 185
Jersey Av. Blac —9E 62
Jersey St. B'brn —7J 139
Jervis Clo. Lyth A —8D 108
Jesmond Av. Blac —2B 108
Jesmond Ct. Lyth A —9F 108
Jesmond Dri. Bury —8H 201
Jesmond Gro. More —5D 22
Jesmond Rd. Bolt —9B 198
Jessel St. B'brn —6J 139
Jesson Way. Carn —9N 11
Jethro St. Brad —9J 199
Jevington Way. Hey —9M 21
Jewel Holme. Brie —5E 104
Jib Hill Cotts. Burn —7H 105
Jingling La. K Lon —6F 8
(off Main St.)
Jinny La. Rou —8A 84
Jobing St. Col —8M 85
Jockey St. Burn —4A 124
Joe Connolly Way. Waterf —7C 162
Joe La. Catt —2A 68
John Ashworth St. Roch —4E 204
John Barker St. Todm —8H 147
John Henry St. Whitw —2A 184
John Hill St. Blac —8F 88
John Kay Ct. Lanc —5H 23
John Kemble Ct. Roch —9A 204
Johnny Barn Clo. Ross —5B 162
Johnny Barn Cotts. Ross —5B 162
John o'Gaunt St. Pad —9H 103
(off Guy St.)
John Roberts Clo. Roch —8B 204
Johnson Clo. Carn —9N 11
Johnson Clo. Lanc —9G 23
Johnson New Rd. Hodd —5E 158
Johnson Rd. Blac —8F 88
Johnson Rd. E'hill & Waters —2C 158
Johnson's Hillock. —8G 154
Johnson's Meanygate. Tar —6A 150
Johnson St. Pem —5L 221
Johnson St. South —6H 167
Johnspool. Ful —3F 114
Johnston. Roch —5B 204
(off Spotland Rd.)
Johnston Av. L'boro —2J 205
Johnston Clo. B'brn —3K 139
Johnston St. B'brn —3K 139
John St. Bam B —7A 136
John St. Barn —2L 77
John St. Barfd —7J 85
John St. Blac —8B 88
John St. Brier —4F 104
John St. Brom X —6G 198
John St. Carn —8A 12
John St. Chu —1L 141
John St. Clay M —6M 121
John St. Col —7N 85
John St. Cop —4A 194
John St. Dar —6N 157
John St. Earby —3E 78
John St. Gal —3L 37
John St. Has —4G 160
John St. Ley —6K 153
John St. L'boro —9K 185
John St. Osw —5K 141
John St. Roch & Smal —2F 204
John St. T Clev —8H 55
John St. Todm —2L 165
(off Dalton St.)
John St. Waterf —6D 162
John St. Whitw —4A 184
John St. Wig —6N 221
Johnsville Av. Blac —2E 108
John Wall Ct. Clith —3K 81
(Bawdlands)
John Wall Ct. Clith —4L 81
(Eshton Ter.)
John William St. Pres —9M 115
Joiners All. Gt Har —4J 121
Joiners Row. B'brn —5N 139
Jolly Tar La. Cop —6B 194
Jonathan Clo. Has —7F 160
Jones Gro. Fltwd —8H 41
Jones St. Hor —9C 196
Jones St. Roch —7D 204
Jones's Yd. Burt —6G 7
Jordan St. Pres —1H 135
Joseph St. Barfd —9H 85
Joseph St. Dar —6B 158
Joseph St. Roch —3A 204
Joshua St. Todm —1L 165
Jowkin La. Roch —6H 203
Joyce Av. Blac —8F 88
Joy Pl. Roch —3C 204
Joy St. Ram —8G 181
Jubilee Av. Lea —8A 114
Jubilee Av. Orm —6L 209
Jubilee Av. Orr —7G 221
Jubilee Av. Pre —9N 41
Jubilee Clo. Has —6F 160
Jubilee Ct. Has —6F 160
Jubilee Ct. Ley —7H 153
Jubilee Ct. South —6N 167
Jubilee Dri. T Clev —9C 54
Jubilee Dri. Uph —3J 219
Jubilee Ho. Form —1C 214
Jubilee La. Blac —3H 109
Jubilee La. N'bgn —5A 8
Jubilee La. N. Blac —3G 109
(in two parts)
Jubilee M. Has —5F 160
Jubilee Pl. Chor —5F 174
Jubilee Quay. Fltwd —9H 41
Jubilee Rd. Chu —1M 141
Jubilee Rd. Has —5F 160
Jubilee Rd. Los H —8K 135
Jubilee St. B'brn —4M 139
Jubilee St. Brclf —7K 105
Jubilee St. Clay M —8N 121
Jubilee St. Dar —6A 158
Jubilee St. Frec —1A 132
Jubilee St. Osw —4L 141
Jubilee St. Read —8C 102
Jubilee Ter. Clif —1A 132
Jubilee Tower. —7L 157
Jubilee Wlk. Whitw —3A 184
Jubilee Way. Lyth A —9H 109
Judd Holmes La. Chip —8F 70
Judd Ho. Pres —2H 135
Judeland. Chor —4C 174
Jude St. Nels —2H 105
Judge Fields. Col —5A 86
Judges' Lodgings Mus. —8J 23
Judith St. Roch —2N 203
Julia M. Hor —9C 196
Julia St. Hor —9C 196
July St. B'brn —4A 140
Jumbles Country Pk. —3K 199
Jumbles Wlk. Tur —1K 199
Jumps La. Todm —8H 147
Jumps Rd. Todm —8H 147
Junction All. Roch —6C 204
Junction La. Burs —9C 190
Junction Rd. Ash R —1G 134
Junction Rd. Rainf —2J 225
Junction St. Brier —4F 104
Junction St. Burn —2B 124
(in two parts)
Junction St. Col —8K 85
Junction St. Dar —8B 158
Junction Ter. Eux —1M 173
June Av. Blac —9G 88
June St. B'brn —4A 140
June's Wlk. Walm B —2K 151
Juniper Clo. Pre —8N 41
Juniper Ct. Hun —9D 122
Juniper Cft. Clay W —6C 154
Juniper Dri. Firg —6G 204
Juniper St. B'brn —1A 140
Juno St. Nels —9K 85
Jutland Av. Roch —5N 203
Jutland St. Pres —9K 115

Kairnryan Clo. Blac —6F 62
Kale Gro. Liv —5M 223
Kaley La. Chat —7D 74
Kane St. Ash R —8F 114
Karan Way. Liv —7F 222
Kateholme. Bacup —9L 145
Kate St. Ram —8G 180
Kathan Clo. Roch —6E 204
Kathleen St. Roch —6A 204
Katie Cotts. Fltwd —1G 54
Kay Brow. Ram —8H 181
Kayfields. Bolt —9L 199
Kay Fold Lodge. B'brn —7L 119
Kay Gdns. Burn —4F 124
Kay La. Con C —3H 53
Kaymar Ind. Est. Pres —1M 135
Kay St. B'brn —5M 139
Kay St. Blac —6B 88
Kay St. Brier —5F 104
Kay St. Bury —9M 201
Kay St. Clith —4K 81
Kay St. Dar —6B 158
Kay St. Eden —4J 181
Kay St. Osw —5K 141
Kay St. Pad —9J 103
Kay St. Pres —1H 135
Kay St. Ross —5M 161
Kay St. S'seat —2H 201
Kay St. Tur —1J 199
Kayswell Rd. More —3F 22
Kearsley Av. Tar —9E 150
Kearstwick. —4E 8
Keasden Av. Blac —2D 108
Keating Ct. Fltwd —1F 54
Keats Av. Bil —9G 220
Keats Av. Bolt S —4L 15
Keats Av. Roch —4L 203
Keats Av. Stand L —9N 213
Keats Av. Todm —1N 165
Keats Av. W'ton —1K 131
Keats Clo. Acc —6D 142
Keats Clo. Col —5A 86
Keats Clo. E'ston —9G 172
Keats Clo. T Clev —1G 62
Keats Fold. Burn —2K 123
Keats Rd. G'mnt —3E 200
Keats Ter. South —8M 167
Keats Way. Cot —5A 114
Keble Dri. Liv —7B 222
Kebs Rd. Todm —4G 146
Keele Clo. T Clev —1G 62
Keele Wlk. B'brn —4N 139
Keelham La. Todm —7N 147
Keepers Dri. Roch —3J 203
Keepers Ga. Lyth A —1K 129
Keeper's Hey. T Clev —8G 54
Keeper's La. Bncr —3C 60
Keer Bank. Lanc —6G 22
Keer Holme La. Cap —4J 13
Keer Vs. Carn —7A 12
Keighley Av. Col —5A 86
Keighley Rd. Col —6B 86
Keighley Rd. Lane —7F 86
Keighley Rd. Traw —9F 86
Keirby Wlk. Burn —3E 124
Keith Gro. T Clev —2D 62
Keith St. Burn —3A 124
Kelbrook. —6D 78
Kelbrook Dri. Burn —6C 124
Kelbrook Rd. Barn & Salt —3N 77
Kelday Clo. Liv —8K 223
Keld Clo. Bury —8G 200
Kelkbeck Clo. Liv —9E 216
Kellamergh. —1H 131
Kellet Acre. Los H —9K 135
Kellet Av. Ley —6N 153
Kellet Ct. Lanc —8J 23
Kellet La. Bam B —1D 154
Kellet La. Slyne & Bolt S —3M 23
Kellet La. Tew —2F 12
Kellet Rd. Carn —9B 12
Kellet Rd. Ind. Est. Carn —9C 12
Kellett Clo. Wig —2N 221
Kellett St. Bolt —7F 198
Kellett St. Chor —6E 174
Kellett St. Roch —5E 204
Kelmarsh Clo. Blac —8H 89
Kelne Ho. Lanc —8J 23
(off Castle Pk. M.)
Kelsall Av. B'brn —9B 120
Kelsall St. Roch —5D 204
Kelsey St. Lanc —8J 23
Kelso Av. T Clev —1D 62
Kelso Clo. Liv —4J 223
Kelsons Av. T Clev —1J 63
Kelswick Dri. Nels —4J 105
Kelverdale Rd. T Clev —3F 62
Kelvin Rd. T Clev —5D 62
Kelvin St. Dar —6N 157

Kelwood Av.—Knowle Av.

Kelwood Av. Bury —8B 202
Kemble Clo. Hor —8C 196
Kem Mill La. Whit W —7D 154
Kemp Av. Roch —8A 204
Kemp Ct. B'brn —6N 119
Kemple Vw. Clith —5J 81
Kemp St. Fltwd —8H 41
Kempton Av. Blac —7E 88
Kempton Pk. Fold. South —2M 187
Kempton Pk. Rd. Liv —7D 222
Kempton Ri. B'brn —5N 139
Kempton Rd. Lanc —3M 29
Kenbury Clo. Liv —6M 223
Kenbury Rd. Liv —6M 223
Kendal Av. Barfd —7H 85
Kendal Av. Blac —1F 88
Kendal Av. Roch —3J 203
Kendal Av. T Clev —8D 54
Kendal Clo. Hell —1D 52
Kendal Clo. Rainf —9K 219
Kendal Dri. Liv —9C 216
Kendal Dri. More —4F 22
Kendal Dri. Rainf —9J 219
Kendal Ho. Pres —1K 135
Kendalmans. Garg —3M 53
(off West St.)
Kendalmans. Gigg —3N 35
Kendal Rd. Hell —1D 52
Kendal Rd. K Lon —6E 8
Kendal Rd. Lyth A —8D 108
Kendal Rd. Ram —3F 200
Kendal Rd. W. Ram —3E 200
Kendal Row. Belt —1F 158
Kendal St. B'brn —2M 139
Kendal St. Clith —2M 81
Kendal St. Nels —1H 105
Kendal St. Pres —9H 115
(in two parts)
Kendal Way. South —1B 206
Kenford Dri. Wins —9N 221
Kenilworth. Roch —7B 204
Kenilworth Av. Fltwd —1E 54
Kenilworth Clo. Pad —1J 123
Kenilworth Ct. Fltwd —1D 54
Kenilworth Ct. Lyth A —2F 128
Kenilworth Dri. Clith —5J 81
Kenilworth Dri. Earby —4D 78
Kenilworth Gdns. Blac —2B 108
Kenilworth Pl. Fltwd —1D 54
Kenilworth Pl. Lanc —2L 29
Kenilworth Rd. Lyth A —2F 128
Kenilworth Rd. More —5B 22
Kenilworth Rd. South —8B 186
Kenion Rd. Roch —7M 203
Kenion St. Roch —6C 204
Kenlis Rd. Bncr —8C 60
Kenmay Wlk. Liv —7M 223
Kenmure Pl. Pres —7J 115
Kennedy Clo. Lanc —1H 29
Kennelwood Av. Liv —7L 223
Kennessee Clo. Liv —2D 222
Kennesse Green. —2C 222
Kennet Dri. Ful —1J 115
Kennett Dri. Ley —5L 153
Kennington Rd. Ful —5K 115
Kensington Av. Pen —2E 134
Kensington Clo. G'mnt —4E 200
Kensington Clo. Miln —7K 205
Kensington Ct. More —2E 22
Kensington Ho. Lanc —2K 29
(off Kensington Rd.)
Kensington Ind. Est. South —8J 167
Kensington Pl. Burn —5B 124
Kensington Rd. Blac —6D 88
Kensington Rd. Chor —7D 174
Kensington Rd. Lanc —2K 29
Kensington Rd. Lyth A —4K 129
Kensington Rd. More —3B 22
Kensington Rd. South —7J 167
Kensington Rd. T Clev —9C 54
Kensington Rd. Wig —6N 221
Kensington St. Nels —3G 104
Kensington St. Roch —9B 204
Kent Av. Form —2A 214
Kent Av. T Clev —8E 54
Kent Av. Walt D —5N 135
Kent Ct. Barfd —7H 85
Kent Dri. B'brn —4E 140
Kent Dri. Ley —5N 153
Kentmere Av. Far —4K 153
Kentmere Av. Roch —2E 204
Kentmere Av. Walt D —6N 135
Kentmere Clo. Burn —1N 123
Kentmere Clo. Fltwd —1D 54
Kentmere Dri. B'brn —8F 138
Kentmere Dri. Blac —9J 89
Kentmere Dri. Longt —8M 133
Kentmere Gro. More —4D 22
Kentmere Rd. Lanc —7L 23
Kenton Clo. Form —6A 206
Kent Rd. Blac —6B 88
Kent Rd. Liv —2A 214
Kent Rd. South —1G 187
Kent's Clo. Wesh —2K 111
Kent St. B'brn —4N 139
Kent St. Burn —2D 124
Kent St. Fltwd —8H 41
Kent St. Lanc —6K 23
Kent St. Pres —7J 115
Kent St. Roch —7C 204
Kent Wlk. Has —7F 160
Kent Way. More —5F 22
Kenway. Rainf —4L 225
Kenwood Av. More —4A 22
Kenworthy's Flats. South —6H 167
Kenworthy St. B'brn —2N 139
Kenworthy St. Roch —6F 204
Kenworthy Ter. Roch —6F 204
Kenwyn Av. Blac —7E 88
Kenyon Clo. Liv —4L 223
Kenyon Clough. Ross —1G 180
Kenyon Fold. —8J 203
Kenyon Fold. Roch —8J 203
Kenyon La. Dink —5N 99
Kenyon La. H'pey —8H 155
Kenyon Rd. Brier —3E 104
Kenyon Rd. More —3F 22
Kenyon Rd. Stand —2N 213
Kenyons La. Form —9A 206
Kenyons La. Lyd & Mag —7C 216
Kenyon's Lodge. Liv —8D 216
Kenyon St. Acc —2B 142
Kenyon St. Bacup —7M 163
Kenyon St. B'brn —3C 140
Kenyon St. Bury —9M 201
Kenyon St. Ram —7H 181
Kenyon St. Ross —4M 161
Kenyon Way. Tot —8E 200
Keppel Pl. Burn —4C 124
Kepple La. Gars —6L 59
Kerenhappuch St. Ram —9G 181
(off Buchanan St.)
Kerfoots La. Skel —3G 218
Kermoor Av. Bolt —7E 198
Kerr Pl. Pres —9G 114
Kersey Rd. Liv —9L 223
Kersey Wlk. Liv —9L 223
Kershaw Clo. Ross —9M 143
(off Burnley Rd.)
Kershaw Pas. L'boro —1H 205
Kershaw Rd. Todm —6K 165
Kershaw St. Bacup —5K 163
(off Union St.)
Kershaw St. Bolt —8J 199
Kershaw St. Chor —5G 174
Kershaw St. Chu —1L 141
Kershaw St. Orr —5L 221
Kerslake Way. Liv —7A 214
Kerslea Av. Blac —2K 89
Kerton Row. South —1F 186
Keston Gro. Blac —4C 108
Kestor La. L'rdge —3J 97
Kestrel Clo. B'brn —9L 119
Kestrel Clo. H'pey —3J 175
Kestrel Clo. T Clev —7F 54
Kestrel Ct. South —7K 167
Kestrel Dri. Bury —9N 201
Kestrel Dri. Dar —4L 157
Kestrel M. Roch —6K 203
Kestrel M. Skel —8N 211
Kestrel Pk. Skel —8N 211
Keswick Clo. Acc —8C 122
Keswick Clo. Liv —9D 216
Keswick Clo. South —1C 206
Keswick Clo. Todm —9J 147
Keswick Ct. Lanc —7M 23
(off Keswick Wlk.)
Keswick Dri. B'brn —8F 138
Keswick Gro. Hey —2K 27
Keswick Gro. Kno S —8M 41
Keswick Rd. Blac —7C 88
Keswick Rd. Burn —8E 104
Keswick Rd. Lanc —7L 23
Keswick Rd. Lyth A —9E 108
Keswick Wlk. Lanc —7M 23
Keswick Way. Rainf —9K 219
Kettering Rd. South —8B 186
Kevin Av. Poul F —6M 63
Kevin Gro. Over —6B 28
Kew Gdns. Far —4L 153
Kew Gdns. Pen —3E 134
Kew Gro. T Clev —2D 62
Kew Rd. Nels —9K 85
Kew Rd. South —2G 187
Keynsham Gro. Burn —2B 124
Key Sike La. Todm —2M 165
Key Vw. Dar —1C 178
Khyber St. Col —7N 85
Kibble Cres. Burn —7G 105
Kibble Gro. Brier —6H 105
Kibbles Brow. Brom X —5H 199
Kibboth Crew. Ram —7G 180
Kidbrooke Av. Blac —5B 108
Kidder St. B'brn —8L 139
Kiddrow La. Burn —2L 123
Kidlington Clo. Los H —8M 135
Kidsgrove. Ing —4C 114
Kielder Ct. Lyth A —4B 130
Kielder Dri. Burn —2C 124
Kilbane St. Fltwd —3F 54
Kilburn Dri. Shev —5K 213
Kilburn Gro. Wig —8N 221
Kilburn Rd. Orr —6F 220
Kilcrash La. Nate —5G 58
Kildale Clo. Liv —9B 216
Kildare Av. T Clev —8G 55
Kildare Rd. Blac —8D 62
Kildonan Av. Blac —3F 108
Kilgrimol Gdns. Lyth A —8C 108
Kilkerran Clo. Chor —6F 174
Killer St. Ram —7H 181
Killiard La. B'brn —3F 138
Killingbeck Clo. Burs —9B 190
Killington St. Burn —8G 105
Kilmory Pl. Blac —6F 62
Kilmuir Clo. Ful —4M 115
Kiln Bank. Whitw —4N 183
(off Tong End)
Kilnbank Av. More —3A 22
Kiln Bank La. Whitw —4N 183
Kiln Brow. Brom X —5J 199
Kiln Clo. Clith —1N 81
Kilncroft. Clay W —4D 154
Kilnerdeyne Ter. Roch —7B 204
Kilnfield. Brom X —5F 198
Kilngate. Los H —5M 135
Kiln Hill. High —4L 103
Kilnhouse La. Lyth A —8F 108
Kiln Ho. Way. Osw —5N 141
Kilnhurst. —3M 165
Kilnhurst Av. Todm —2M 165
Kilnhurst La. Todm —3M 165
Kilnhurst Mt. Todm —2N 165
Kilnhurst Rd. Todm —2M 165
Kiln La. Gis —1K 75
Kiln La. Hamb —1A 64
Kiln La. Miln —7J 205
Kiln La. Pay —6A 52
Kiln La. Skel —1J 219
Kiln La. Wray —7D 18
Kiln Mt. Miln —7J 205
Kilns, The. Burn —6F 124
Kiln St. Nels —2H 105
Kiln St. Ram —9G 180
Kiln Ter. Bacup —7H 163
(off Holme St.)
Kiln Wlk. Roch —3B 204
Kilruddery Rd. Pres —3H 135
Kilsby Clo. Walt D —5A 136
Kilshaw St. Pem & Wig —6M 221
Kilshaw St. Pres —9J 115
Kilworth Height. Ful —4F 114
Kilworth St. Roch —9A 204
Kimberley Av. Blac —4D 108
Kimberley Clo. Brclf —7K 105
Kimberley Rd. Ash R —7F 114
Kimberley Rd. Bolt —8E 198
Kimberley St. Bacup —8E 162
Kimberley St. Brclf —7K 105
Kimberley St. Cop —4A 194
Kimberly Clo. Frec —2N 131
Kimble Bank. Brier —6H 105
Kimble Clo. G'mnt —3E 200
Kimble Gro. Brier —6H 105
Kime St. Burn —3A 124
Kincardine Av. Blac —3G 108
Kincraig Ct. Blac —7F 62
Kincraig Pl. Blac —5F 62
Kincraig Rd. Blac —5F 62
Kinder Corner. Poul F —8H 63
Kinders Fold. L'boro —7J 185
Kineton Av. Todm —1M 165
King Edward Av. Blac —1B 88
King Edward Av. Lyth A —4G 128
King Edward St. Osw —5J 141
King Edward Ter. Barfd —9H 85
Kingfisher Bank. Burn —5N 123
Kingfisher Clo. B'brn —9M 119
Kingfisher Clo. Kirkby —3K 223
Kingfisher Ct. Cat —3H 25
Kingfisher Ct. Osw —5L 141
Kingfisher Ct. Roch —1F 204
Kingfisher Ct. South —6K 167
Kingfisher Dri. Bury —9N 201
Kingfisher Dri. Poul F —9H 63
Kingfisher M. Poul F —9H 63
Kingfisher Pk. Skel —8N 211
Kingfisher St. Pres —7L 115
King George Av. Blac —1B 88
King Henry M. Bolt B —9K 51
King La. Clith —3L 81
Kings Arc. Lanc —8K 23
(off King St.)
Kings Arms Clo. Lanc —8J 23
Kings Av. Ross —6M 161
King's Bri. Clo. B'brn —7J 139
Kingsbridge Clo. Pen —7H 135
King's Bri. St. B'brn —7J 139
Kingsbridge Wharf. B'brn —7J 139
Kingsbury Clo. South —9B 186
Kingsbury Ct. Skel —8N 211
Kingsbury Pl. Burn —7H 105
King's Causeway. Brier —5H 105
Kings Clo. Arns —2F 4
King's Clo. Poul F —8L 63
King's Clo. Stain —5L 89
Kingscote Dri. Blac —3E 88
(in two parts)
Kings Ct. K Lon —6F 8
(off Market St.)
Kings Ct. Ley —6K 153
King's Cres. Hey —5M 21
Kings Cres. Ley —6K 153
King's Cft. Walt D —3N 135
King's Cft. M. Walt D —3N 135
Kingsdale Av. Burn —7F 104
Kingsdale Av. Hey —7L 21
Kingsdale Av. Rib —4N 115
Kingsdale Clo. Ley —9L 153
Kingsdale Clo. Walt D —3B 136
Kingsdale Rd. Lanc —9H 23
King's Dri. Carn —9B 12
Kings Dri. Ful —4G 115
Kings Dri. Hodd —6F 158
Kings Dri. Pad —3J 123
Kingsfield Rd. Liv —3B 222
Kingsfold. —6H 135
Kingsfold Dri. Pen —6F 134
King's Gardens. —7G 167
Kings Gro. Roch —1F 204
Kingshaven Dri. Pen —6H 135
Kings Hey Dri. South —5M 167
King's Highway. Acc —8E 122
(in two parts)
King's Highway. Stone & Has —5G 142
Kingshotte Gdns. Barfd —8G 84
Kingsland Gro. Blac —7D 88
Kingsland Gro. Burn —5F 124
Kingsland Rd. Burn —6F 124
Kingsland Rd. Roch —9M 203
Kings Lea. Adl —5H 195
Kingsley Av. Pad —2K 123
Kingsley Clo. Chu —1M 141
Kingsley Clo. Liv —6B 216
Kingsley Clo. T Clev —9G 54
Kingsley Dri. Chor —9C 174
Kingsley Rd. Blac —8H 89
Kingsley Rd. Cot —3B 114
Kingsley Rd. Lane —5G 87
Kingsley St. Nels —9K 85
Kingsmead. B'brn —4D 140
Kingsmead. Chor —9E 174
Kings Mdw. Ains —1D 206
Kingsmede. Blac —3K 108
Kingsmere Av. Lyth A —8F 108
Kingsmill Av. Whal —2G 101
Kings Mill La. Set —3N 35
Kingsmuir Av. Ful —5N 115
Kingsmuir Clo. Hey —9K 21
King's Rd. Acc —9A 122
King's Rd. B'brn —8J 139
King's Rd. Lyth A —3E 128
Kings Rd. Roch —8E 204
Kings Rd. T Clev —1C 62
King's Sq. Blac —5C 88
Kingston Av. Acc —4N 141
Kingston Av. Blac —4C 108
Kingston Clo. Kno S —7M 41
Kingston Cres. Ross —8E 160
Kingston Cres. South —1B 168
Kingston Dri. Lyth A —2K 129
Kingston M. T Clev —9H 55
(off Crabtree Orchard)
Kingston Pl. Lwr D —9M 139
King St. Acc —2A 142
King St. Bacup —5K 163
King St. Barn —2M 77
King St. Ben —6L 19
(off Main St.)
King St. B'brn —4L 139
King St. Blac —5C 88
King St. Brad —8K 199
King St. Brclf —7K 105
King St. Brier —5E 104
King St. Brom X —5F 198
King St. Carn —9A 12
King St. Chor —8F 174
King St. Chu —2L 141
King St. Clay M —7M 121
King St. Clith —3L 81
King St. Col —6B 86
King St. Fltwd —9G 41
King St. Gt Har —4J 121
King St. Has —3G 160
King St. Hor —9B 196
King St. Lanc —8K 23
King St. Ley —6K 153
King St. L'rdge —3K 97
King St. Los H —9L 135
King St. More —3B 22
King St. Pad —1H 123
King St. Ram —8H 181
King St. South —8G 167
King St. Todm —1N 165
King St. Waterf —7C 162
King St. Whal —6J 101
King St. Whitw —3A 184
King St. E. Roch —8C 204
King St. S. Roch —8B 204
(in two parts)
King St. Ter. Brier —5E 104
King's Wlk. T Clev —7D 54
Kingsway. Acc —8E 122
Kingsway. Ash R —7C 114
Kingsway. Bam B —8A 136
Kingsway. Blac —2C 108
Kingsway. Burn —3E 124
Kingsway. Chu —9N 121
Kingsway. Eux —4A 174
Kingsway. Gt Har —3M 121
Kingsway. Hap —6H 123
Kingsway. Hey —9L 21
Kingsway. Lanc —7L 23
Kingsway. Ley —8H 153
Kingsway. Lwr D —9A 140
Kingsway. Lyth A —4J 129
Kingsway. Pen —2E 134
Kingsway. Roch —8E 204
Kingsway. South —7G 166
Kingsway. T Clev —1C 62
Kingsway Av. Brough —7F 94
Kingsway Ct. Hey —7M 21
Kingsway Retail Pk. Roch —6G 204
Kingsway W. Pen —2D 134
Kingswood Clo. Lyth A —4L 129
Kingswood Ct. Liv —6L 223
Kingswood Rd. Ley —6K 153
Kingswood St. Pres —1H 135
King William St. B'brn —3M 139
Kingwood Cres. Wig —5N 221
Kinlet Rd. Wig —7M 221
Kinloch Way. Orm —7J 209
Kinnerton Pl. T Clev —3F 62
Kinnical La. Hale —1C 6
Kinross Clo. B'brn —4A 140
Kinross Clo. Ram —3F 200
Kinross Cres. Blac —9G 88
Kinross St. Burn —4B 124
Kinross Wlk. B'brn —4A 140
(off William Hopwood St.)
Kinsway W. Ind. Est. Roch —8E 204
Kintbury Rd. Lyth A —4F 128
Kintour Rd. Lyth A —2L 129
Kintyre Clo. Blac —2F 108
Kintyre Way. Hey —9K 21
Kipling Ct. Blac —8H 89
Kipling Dri. Blac —8H 89
Kipling Mnr. Blac —8H 89
Kipling Pl. Gt Har —5H 121
Kirby Dri. Frec —2N 131
Kirby Rd. B'brn —7L 139
Kirby Rd. Blac —8B 88
Kirby Rd. Nels —2F 104
Kirk Av. Clith —3J 81
Kirkbeck Clo. Brook —2K 25
Kirkburn Vw. Bury —8H 201
Kirkby. —7H 223
Kirkby Av. Ley —6A 154
Kirkby Av. T Clev —8E 54
Kirkby Bank Rd. Know I —8N 223
Kirkby Lonsdale. —6E 8
Kirkby Lonsdale Golf Course. —3F 8
Kirkby Lonsdale Rd. Halt —1C 24
Kirkby Lonsdale Rd. Over K —9F 12
Kirkby Park. —7H 223
Kirkby Pool. —8K 223
Kirkby Rank La. Know I —9C 224
Kirkby Row. Liv —7H 223
Kirkby Sports Cen. —9H 223
Kirkby Stadium. —9H 223
Kirkdale Av. Lyth A —1F 128
Kirkdale Av. Ross —6C 162
Kirkdale Clo. Dar —9C 158
Kirkdale Gdns. Skel —4D 220
Kirkdale Rd. Lang —1C 120
Kirkdene Av. Foul —2A 86
Kirkdene M. Foul —2A 86
(off Dene Av.)
Kirkes Rd. Lanc —9L 23
Kirkfell Dri. Burn —1A 124
Kirkfield. Chip —5F 70
Kirkgate. Burn —5E 124
Kirkgate. K'ham —4N 111
Kirkgate. Set —3N 35
Kirkgate Cen. K'ham —4N 111
Kirkgate La. Tew —3F 12
Kirkham. —4N 111
Kirkham & Wesham By-Pass. K'ham —4K 111
Kirkham Av. Blac —8E 88
Kirkham By-Pass. K'ham —5L 111
Kirkham Clo. Ley —6G 152
Kirkham Rd. Frec —7M 111
Kirkham Rd. South —2N 167
Kirkham Rd. Trea —3B 112
Kirkham Rd. Weet —8E 90
Kirkham St. Pres —9H 115
Kirkham St. Weet —4D 90
Kirkham Trad. Pk. K'ham —5N 111
Kirk Head. Much H —5J 151
Kirkhill Av. Has —5H 161
Kirk Hill Rd. Has —4H 161
Kirk Ho. Chu —2L 141
Kirkland Pl. Ash R —9B 114
Kirklands. Chip —5G 70
Kirklands. Hest B —8J 15
Kirklands Rd. Over K —1F 16
Kirklees Clo. Tot —6F 200
Kirklees Ind. Est. Tot —7F 200
Kirklees Rd. South —4F 186
Kirklees St. Tot —6E 200
Kirkmoor Clo. Clith —2K 81
Kirkmoor Rd. Clith —2K 81
Kirk Rd. Chu —1L 141
Kirkstall. Roch —5B 204
(off Spotland Rd.)
Kirkstall Av. Blac —8E 88
Kirkstall Av. Heyw —9G 202
Kirkstall Av. L'boro —8K 185
Kirkstall Av. S'stne —9C 102
Kirkstall Clo. Chor —9F 174
Kirkstall Dri. Barn —1N 77
Kirkstall Dri. Chor —9F 174
Kirkstall Dri. Liv —1B 214
Kirkstall Rd. Chor —9F 174
Kirkstall Rd. South —3F 186
Kirkstile Cres. Wig —9N 221
Kirkstone. Wig —4M 221
Kirkstone Av. B'brn —8F 138
Kirkstone Av. Fltwd —3D 54
Kirkstone Dri. More —3D 22
Kirkstone Dri. T Clev —4C 62
Kirkstone Rd. Lyth A —8D 108
Kirk Vw. Ross —6E 162
Kirstead Wlk. Liv —7G 223
Kirton Cres. Lyth A —2J 129
Kirton Pl. T Clev —2E 62
Kit Brow La. Ellel —1N 37
Kitchen St. Roch —5D 204
Kitson Wood Rd. Todm —8H 147
Kitter St. Roch —2E 204
Kitt Green. —3L 221
Kitt Grn. Rd. Wig —2L 221
Kittiwake Clo. T Clev —2F 62
Kittiwake Rd. H'pey —3J 175
Kittlingbourne Brow. High W —5C 136
Kittygill La. K Lon —6E 8
Kitty La. Blac —5G 109
Knacks La. Roch —9L 183
Knaresboro Av. Blac —7F 88
Knaresborough Clo. Poul F —6J 63
Knebworth Clo. Clay W —5E 154
Kneps Farm Holiday Home & Touring Pk. T Clev —9L 55
Knightbridge Wlk. Liv —3J 223
Knight Cres. Lwr D —1A 158
Knighton Av. B'brn —9K 119
Knightsbridge Av. Blac —3D 108
Knightsbridge Av. Col —6M 85
Knightsbridge Clo. Lyth A —2K 129
Knightsbridge Clo. Wesh —3K 111
Knightscliffe Cres. Shev —6G 213
Knights Clo. T Clev —2F 62
Knitting Row. —9F 56
Knitting Row. Out R —8F 56
Knob Hall Gdns. South —3M 167
Knob Hall La. South —3M 167
Knoll La. L Hoo —3K 151
Knoll, The. Slyne —9J 15
Knot Acre. New L —8D 134
Knot La. News —6C 52
Knot La. Walt D —3A 136
Knott End Golf Course. —9K 41
Knott End-on-Sea. —8L 41
Knott Hill. Shawf —9A 164
Knott Hill St. Shawf —9B 164
Knott La. Arns —2E 4
Knott Mt. Col —8N 85
Knotts. —4H 51
Knotts Dri. Col —8N 85
Knotts La. Bolt B —3H 51
Knotts La. Burn —3K 123
Knotts La. Col —7N 85
Knotts Rd. Todm —8G 146
Knott St. Dar —6A 158
Knowe Hill Cres. Lanc —4M 29
Knowl Clo. Ram —2H 201
Knowle Av. Blac —1B 88
Knowle Av. South —7C 186
Knowle Av. T Clev —2E 62

Lawrence Ct.—Linley Clo.

Lawrence Ct. Lanc —2K 29
Lawrence Dri. Arns —2E 4
Lawrence La. E'ston —7F 172
Lawrence Rd. Chor —7D 174
Lawrence Rd. Pen —3E 134
Lawrence Row. Fltwd —9G 40
Lawrence St. B'brn —4K 139
(in two parts)
Lawrence St. Blac —9B 88
Lawrence St. Ful —6G 115
Lawrence St. Pad —9J 103
Lawrence St. Ross —3D 162
Lawrie Av. Ram —9G 180
Lawson Av. Hor —9D 196
Lawson Clo. Lanc —4K 29
Lawson Gdns. Slyne —9J 15
Lawson Pl. Slyne —9J 15
Lawson Rd. Blac —7F 88
Lawson Rd. Lyth A —7G 108
Lawsons Ct. T Clev —2J 63
Lawsons Rd. T Clev —1J 63
Lawson St. Bolt —9E 198
Lawson St. Chor —6G 174
Lawson St. Pres —9J 115
Lawson St. Ross —8M 143
Lawson St. South —7N 167
Laws Ter. L'boro —9J 185
Law St. Roch —9N 203
Law St. Ross —6D 162
Law St. Todm —7E 146
Law St. W'den —8L 165
Lawswood. T Clev —2J 63
Lawton Clo. Wheel —6K 155
Lawton St. Roch —4D 204
Lawton St. South —6J 167
Laxey Gro. Pres —6N 115
Laxey Rd. B'brn —7M 139
Laycock Ga. Blac —4D 88
Laycock St. Roch —2F 204
Layfield Clo. Tot —6C 200
Laythe Barn Clo. Miln —7H 205
Layton. —4E 88
Layton Rd. Ash R —8B 114
Layton Rd. Blac —3E 88
Lazenby Av. Fltwd —2C 54
Lea. —7A 114
Lea Bank. Ross —5B 162
Leach Clo. Roch —3F 204
Leach Ct. Roch —8C 204
Leach Cres. Lyth A —7F 108
Leaches Rd. Ram —5J 181
Leachfield Clo. Gal —2L 37
Leachfield Ind. Est. Gars —3M 59
Leachfield Rd. Gal —2K 37
Leach La. Lyth A —7E 108
Leach Pl. Bam B —8D 136
Leach's Pas. L'boro —1J 205
Leach St. B'brn —6M 139
Leach St. Col —7N 85
Leach St. Miln —8J 205
Leach St. Roch —7E 204
Lea Cres. Orm —5K 209
Leacroft. Lwr D —1A 158
Leadale. Lea —7A 114
Leadale Clo. Stand —3N 213
Leadale Grn. Ley —6G 153
Leadale Rd. Ley —6G 153
Leader St. Pem —5M 221
Lea Dri. B'brn —1L 157
Leaford Av. Blac —2E 88
Leaf Ter. Roch —1A 204
Leafy Clo. Ley —8L 153
Lea Ga. Clo. Bolt —8K 199
Leagram Cres. Rib —6B 116
League St. Roch —8D 204
Leah St. L'boro —9L 185
Lea La. A'ton —6A 18
Lea La. Hey —1K 27
Lea La. Lea T —6K 113
Leamington Av. Burn —9G 105
Leamington Av. Bury —5K 201
Leamington Av. South —8D 186
Leamington Rd. B'brn —2J 139
Leamington Rd. Blac —5C 88
Leamington Rd. Lyth A —2F 128
Leamington Rd. More —5D 22
Leamington Rd. South —8C 186
Leamington St. Nels —3J 105
Leamington St. Roch —5B 204
Lea Mt. Dri. Bury —9B 202
Leander Gdns. Poul F —9K 63
Leapers Vw. Over K —1F 16
Lea Rd. Cot & Lea T —5N 113
Lea Rd. Whit W —1E 174
Leaside Clo. Roch —3A 204
Leatherbarrows La. Liv —3E 222
Leathercote. Gars —6N 59
Leathwood. Liv —1D 222
Lea Town. —6K 113
Leavengreave Ct. Whitw —2A 184
Leaverholme Clo. Cliv —1L 145
Leaver St. Burn —4M 123
Leavesley Rd. Blac —2C 88
Lea Way Clo. T Clev —4K 63
Lebanon St. Burn —4G 124
Leck. —8J 9
Leckhampton Rd. Blac —2B 88
Leckonby St. Gt Ecc —6N 65
Leckwith Rd. Boot —8A 222
Ledburn. Skel —9M 211
Ledbury Av. Lyth A —3H 129
Ledbury Rd. Blac —3G 89
Ledsham Rd. Liv —8H 223
Ledsham Wlk. Liv —8H 223
Ledson Gro. Augh —4G 217
Ledson Pk. Liv —4L 223
Lee. —2A 48
Lee Brook Clo. Ross —3M 161
Leebrook Rd. Ross —3L 161
Lee Ct. Dar —3M 157
Leeds Clo. B'brn —4A 140
Leeds Rd. Blac —5D 88
Leeds Rd. Nels —2J 105
(in two parts)
Lee Ga. Bolt —8K 199
Lee Grn. St. Burn —1E 124
(off North St.)
Lee Gro. Burn —5K 125
Leek St. Pres —9A 116
Lee La. Bis —6N 191
Lee La. Hor —9B 196
Lee La. Rish —6G 120
Leemans Hill St. Tot —8F 200
Leeming La. Burt L —3K 19
Lee Rd. Bacup —7J 163
Lee Rd. Blac —1H 109
Lee Rd. Nels —9K 85
Lees. —4L 71
Leesands Clo. Ful —4N 115
Lees Ct. Hey —9K 21
Leeside Av. Liv —9K 223
Leeside Clo. Liv —9L 223
Lees La. Dal & Roby M —4N 211
Leeson Av. Char R —1N 193
(in two parts)
Lees Rd. And —5K 195
Lees Rd. Know I —9N 223
Lee's St. Bacup —7N 163
Lees, The. Cliv —1L 145
Lee St. Acc —2B 142
Lee St. Bacup —5K 163
Lee St. Barfd —8H 85
Lee St. Burn —1E 124
Lee St. Bury —5L 201
Lee St. L'boro —8L 185
Lee St. L'rdge —3H 97
Lee St. Ross —3M 161
Leeswood. Skel —9M 211
Leet Rd. High —5L 103
Leeward Clo. Lwr D —1N 157
Leeward Rd. Ash R —9C 114
Legh La. Tar —3M 169
Leicester Av. Gars —5M 59
Leicester Av. Hor —9B 196
Leicester Av. T Clev —9D 54
Leicester Ga. T Clev —9E 54
Leicester Lodge. Rib —5B 116
(off Grange Av.)
Leicester Rd. B'brn —3C 140
Leicester Rd. Blac —5D 88
Leicester Rd. Pres —8K 115
Leicester St. Roch —8D 204
Leicester St. South —5H 167
Leicester Wlk. Has —7G 160
Leigh Brow. Bam B —6L 135
Leigh Clo. Tot —6D 200
Leigh Pk. Hap —6H 123
Leigh Row. Chor —7E 174
Leighs Hey Cres. Liv —9L 223
Leigh St. Chor —7E 174
Leigh St. Firg —6G 205
Leigh St. Wals —9E 200
Leighton Av. Fltwd —1D 54
Leighton Av. L'boro —3J 205
Leighton Av. Liv —9C 216
Leighton Beck Rd. Beet —3M 5
Leighton Clo. Sla H —1M 5
Leighton Ct. More —5A 22
Leighton Dri. Lanc —1H 29
Leighton Dri. Sla H —1M 5
Leighton Hall. —1N 11
Leighton Moss Nature Reserve & Vis. Cen. —9K 5
Leighton St. Pres —9H 115
Leinster Ct. Lanc —2L 29
(off Leinster Rd.)
Leinster Rd. Lanc —2L 29
Leith Av. T Clev —1D 62
Lemonius St. Acc —4B 142
Lemon Tree Ct. Lyth A —5B 108
Lenches. —7A 86
Lenches Fold. Col —8A 86
Lenches Rd. Col —8A 86
Lench Rd. Ross —7B 162
Lench St. Ross —7D 162
Lennon St. Chor —7E 174
Lennox Ct. Blac —3D 108
Lennox Ga. Blac —2D 108
Lennox Rd. Todm —7C 146
(in two parts)
Lennox St. Pres —1K 135
Lennox St. Wors —3L 125
Lentworth Av. Blac —6D 62
Lentworth Dri. Lanc —3L 29
Lentworth Ho. Lanc —4L 29
(off Lentworth Dri.)
Leo Case Ct. Pres —9N 115
Leonard St. Bacup —7G 163
(off Booth Rd.)
Leonard St. Bacup —7F 162
(off West Vw.)
Leonard St. Barn —2M 77
Leonard St. Nels —3J 105
Leonard Ter. Waters —4E 158
Leopold Gro. Blac —5B 88
Leopold Rd. B'brn —2J 139
Leopold St. Col —7M 85
Leopold St. Roch —6A 204
Leopold St. Wig & Pem —6L 221
Leopold Way. B'brn —8A 140
Lepp Cres. Bury —7H 201
Lesley Rd. South —7L 167
Leslie Av. Cat —3H 25
Leslie Av. T Clev —1J 63
Letchworth Av. Roch —8D 204
Letchworth Dri. Chor —8D 174
Letchworth Pl. Chor —8D 174
Lethbridge Rd. South —9K 167
Levant St. Pad —2H 123
Leven Av. Fltwd —2D 54
Leven Gro. Dar —3M 157
Levens Clo. Banks —1F 168
Levens Clo. B'brn —8N 139
Levens Clo. Lanc —9H 23
Levens Clo. Poul F —2K 89
Levens Ct. Blac —8C 88
Levens Ct. Hey —6M 21
Levens Dri. Hey —6M 21
Levens Dri. Ley —5N 153
Levens Dri. Poul F —1K 89
Levensgarth Av. Ful —1J 115
Levens Gro. Blac —8C 88
Levens Pl. Wig —4M 221
Levens St. Pres —8N 115
Leven St. Burn —5F 124
Levens Wlk. Wig —4M 221
Levens Way. Silv —8G 5
Lever Ct. Lyth A —1G 129
Lever Ho. La. Ley —5M 153
Lever Pk. —5B 196
Lever Pk. Av. Hor —8B 196
Lever St. Blac —6E 88
Lever St. Heyw —9H 203
Lever St. Ram —8H 181
Lever St. Ross —5N 161
Lever St. Todm —2L 165
Levine Av. Blac —9G 88
Lewis Clo. Adl —7G 195
Lewis St. Gt Har —4K 121
Lewtas St. Blac —4B 88
Lewth. —4L 93
Lewth La. Wood —4J 93
Lexington Way. Liv —4K 223
Lex St. Pres —9M 115
Lexton Dri. South —3A 168
Leybourne Av. South —6F 186
Leyburn Av. Blac —6C 62
Leyburn Av. Fltwd —2E 54
Leyburn Clo. Acc —3D 142
Leyburn Clo. Rib —4A 116
Leyburn Rd. B'brn —9J 139
Leyburn Rd. Lanc —5K 23
Leycester Dri. Lanc —5G 22
Ley Ct. Lanc —8H 23
Leyfield. Pen —6G 135
Leyfield Clo. Blac —1G 88
Leyfield Ct. K Lon —6F 8
Leyfield Rd. Ley —6J 153
Leyfield Rd. Miln —7G 205
Leyland. —7K 153
Leyland Clo. South —1D 168
Leyland Clo. Traw —8E 86
Leyland Golf Course. —7N 153
Leyland La. Ley —4F 172
Leyland Mans. South —6K 167
Leyland Rd. Burn —3F 124
Leyland Rd. Pen & Los H —3G 135
Leyland Rd. Rainf —4K 225
Leyland Rd. South —5J 167
Leylands, The. Lyth A —5M 129
Leyland St. Acc —3M 141
Leyland Way. Ley —6L 153
Leyland Way. Orm —7L 209
Leys Clo. Elsw —1M 91
Leys Clo. Wis —2M 101
Leys Rd. Blac —1D 88
Leyster St. More —3C 22
Ley St. Acc —6D 142
Leyton Av. Ley —8G 153
Leyton Clo. Wig —6N 221
Leyton Grn. Ley —8H 153
Leyton St. Roch —3C 204
Libby La. Pil —7H 43
Library Av. Lanc —8L 29
Library M. Blac —2E 108
Library Rd. Clay W —3D 154
Library St. Chor —7E 174
Library St. Chu —2L 141
Library St. Pres —1K 135
Lichen Clo. Char R —1N 193
Lichfield Av. More —2D 22
Lichfield Dri. Bury —9J 201
Lichfield Rd. Ash R —7C 114
Lichfield Rd. Blac —2C 88
Lichfield Rd. Chor —8D 174
Lichfield St. Wig —6M 221
Lichfield Ter. Roch —9F 204
Liddell Av. Liv —6F 222
Liddesdale Rd. Nels —9M 85
Liddington Clo. B'brn —8A 140
Liddington Hall Dri. Ram —1G 201
Lidgate Clo. Liv —5L 223
Lidgate Clo. Wig —8N 221
Lidget Av. Lea —8N 113
Lidgett. Col —6D 86
Lidun Pk. Ind. Est. Lyth A —3D 130
Liege Rd. Ley —7K 153
Lifton Rd. Liv —8L 223
Liggard Ct. Lyth A —4B 130
Lightbown Av. Blac —7E 88
Lightbown Cotts. Dar —5L 157
(off Sunnyhurst La.)
Lightbown St. Dar —4A 158
Lightburn Av. L'boro —1H 205
Lightburne Av. Lyth A —4F 128
Lightfoot Clo. Ful —1G 115
Lightfoot Grn. La. L Grn —1E 114
Lightfoot La. High B & Ful —2C 114
(in three parts)
Lighthorne Dri. South —9A 186
Lighthouse. L'boro —5M 185
Lighthouse Clo. Fltwd —8H 41
(off Kent St.)
Lighthurst Av. Chor —8E 174
Lighthurst La. Chor —9F 174
Lightowlers La. L'boro —7N 185
Lightwood Av. Blac —1C 108
Lightwood Av. Lyth A —5K 129
Lilac Av. Blac —8D 88
Lilac Av. Has —4G 161
Lilac Av. Lyth A —3A 130
Lilac Av. Miln —9K 205
Lilac Av. Pen —6J 135
Lilac Av. South —2D 206
Lilac Clo. W'ton —3J 131
Lilac Cres. Whar —6D 92
Lilac Gro. Abb V —5C 156
Lilac Gro. Clith —4J 81
Lilac Gro. Dar —4B 158
Lilac Gro. Pres —6M 115
Lilac Gro. Skel —2J 219
Lilac Rd. B'brn —9A 120
Lilac St. Col —5C 86
Lilac Ter. Bacup —7H 163
Lilburn Clo. Ram —1H 201
Liley St. Roch —6D 204
Lilford Clo. Tar —1E 170
Lilford Rd. B'brn —2L 139
Lily Gro. Lanc —2L 29
Lily Gro. Pres —6M 115
Lily St. Bacup —5K 163
Lily St. Blac —5C 88
Lily St. Dar —6B 158
Lily St. Miln —7J 205
Lily St. Nels —4K 105
Lily St. Todm —8H 147
Lima Rd. Lyth A —2G 129
Lima St. Bury —9N 201
Limbrick. —9H 175
Limbrick. B'brn —2M 139
Limbrick Rd. Chor —7G 175
Lime Av. Gal —2L 37
Lime Av. K'ham —5N 111
Lime Av. Osw —6K 141
Lime Av. Todm —1K 165
Limebrest Av. T Clev —3K 63
Lime Chase. Ful —1F 114
Limechase Clo. Blac —3G 109
Lime Clo. Pen —4D 134
Lime Ct. Liv —5K 223
Lime Ct. Lyth A —9D 108
Lime Ct. Skel —2J 219
Limefield. —7L 201
Limefield. Roch —6H 205
Limefield Av. Brier —4G 104
Limefield Av. Whal —5J 101
(in two parts)
Limefield Brow. Bury —6L 201
Limefield Clo. Bolt —9B 198
Limefield Ct. B'brn —3J 139
Limefield Dri. Skel —4B 220
Limefield Rd. Bolt —9A 198
Limefield St. Acc —3C 142
Lime Gro. Ash R —7C 114
Lime Gro. Blac —9E 62
Lime Gro. Bury —6L 201
Lime Gro. Chor —9E 174
Lime Gro. Gars —4M 59
Lime Gro. Heyw —9G 202
Lime Gro. Lanc —8H 23
Lime Gro. L'boro —8J 185
Lime Gro. L'rdge —2J 97
Lime Gro. Lyth A —9C 108
Lime Gro. Poul F —9L 63
Lime Gro. Rainf —4K 225
Lime Gro. Ram —7J 181
Lime Gro. Skel —2H 219
Lime Gro. T Clev —2J 63
Limerick Rd. Blac —8D 62
Lime Rd. Acc —1A 142
Lime Rd. Has —4H 161
Limers Ga. Shawf —7D 164
Limers Ga. Todm —2B 164
Limers Ga. Whitw —9C 184
Limers La. Gt Har —4G 121
Limes Av. Dar —7N 157
Limes Av. Eux —2M 173
Limes Av. Hey —5M 21
Limes, The. Pres —8L 115
Lime St. B'brn —2M 139
Lime St. Bury —7L 201
Lime St. Clith —2M 81
Lime St. Col —5B 86
Lime St. Gt Har —3J 121
Lime St. Nels —2G 105
Lime St. South —8L 167
Lime St. Todm —1K 165
Lime Tree Gro. Ross —3M 161
Limewood Clo. Acc —2C 142
Limey La. Dunn —2C 144
Limont Rd. South —8D 186
Linacre La. Liv —3G 215
Linaker Dri. Hals —4A 208
Linaker St. South —9H 167
Lina St. Acc —2M 141
Linby St. Burn —4F 124
Lincoln Av. Fltwd —1E 54
Lincoln Av. T Clev —9E 54
Lincoln Chase. Lea —8N 113
Lincoln Clo. B'brn —4B 140
Lincoln Clo. More —5D 22
Lincoln Clo. Roch —7D 204
Lincoln Clo. Ind. Est. Roch —7D 204
Lincoln Ct. Blac —6C 88
Lincoln Ct. Chu —1N 141
Lincoln Dri. L'boro —2K 205
Lincoln Dri. Liv —7C 222
Lincoln Grn. Liv —2A 222
Lincoln Gro. Bolt —9M 199
Lincoln Ho. Pres —1L 135
(off Arundel Pl.)
Lincoln Leach Ct. Roch —8C 204
Lincoln Pl. Has —4F 160
Lincoln Pl. Wig —2M 221
Lincoln Rd. B'brn —4B 140
Lincoln Rd. Blac —5C 88
Lincoln Rd. Earby —2E 78
Lincoln Rd. Lanc —8J 23
Lincoln Rd. South —4G 186
Lincoln St. Burn —5E 124
Lincoln St. Has —4F 160
Lincoln St. Pres —8L 115
Lincoln St. Roch —7D 204
Lincoln St. Todm —7E 146
Lincoln Wlk. Pres —8L 115
Lincoln Way. Clith —1N 81
Lincoln Way. Gars —5M 59
Lindadale Av. Acc —5N 141
Lindadale Av. T Clev —1H 63
Lindadale Clo. Acc —5N 141
Lindale Av. Grims —9G 96
Lindale Clo. Arns —1F 4
Lindale Cres. Burn —8E 104
Lindale Gdns. Blac —3E 108
Lindale Rd. Ful —5K 115
Lindale Rd. L'rdge —5H 97
Lindbeck Ct. Blac —1J 109
Lindbeck Rd. Blac —9J 89
Lindby Rd. Liv —9M 223
Lindel La. Pre —2N 55
Lindel Rd. Fltwd —2E 54
Linden Av. B'brn —2L 139
Linden Av. Orr —5H 221
Linden Av. Ram —8J 181
Linden Av. T Clev —9F 54
Linden Av. Todm —1K 165
Linden Clo. Barfd —1F 104
Linden Clo. Los H —7L 135
Linden Clo. Ram —4J 181
Linden Clo. T Clev —1F 62
Linden Ct. Earby —3D 78
(off Linden Rd.)
Linden Ct. Orr —5H 221
(off Linden Gro.)
Linden Cres. Dar —5B 158
Linden Dri. Clith —4M 81
Linden Dri. Los H —8L 135
Linden Fold. Elsw —1M 91
Linden Grn. T Clev —9F 54
Linden Gro. Chor —3F 174
Linden Gro. Gars —4N 59
Linden Gro. Orr —5H 221
(in two parts)
Linden Gro. Rib —6A 116
Linden Lea. B'brn —8G 138
Linden Lea. Raw —7L 161
Linden M. Lyth A —7F 108
Linden Pl. Blac —8E 62
Linden Rd. Col —6A 86
Linden Rd. Earby —3D 78
Lindens. Skel —9M 211
Lindens, The. Liv —3B 222
Linden St. Burn —4F 124
Linden St. Wig —6M 221
Linden Wlk. Bolt —8H 199
Linden Wlk. Orr —5H 221
Lindenwood. Liv —9L 223
Lindeth Clo. Neth K —3C 16
Lindeth Clo. Silv —9G 4
Lindeth Gdns. Lanc —5K 23
Lindeth Rd. Silv —9G 4
Lindholme. Skel —9N 211
Lindisfarne. Roch —5B 204
(off Spotland Rd.)
Lindisfarne Av. B'brn —7N 139
Lindisfarne Clo. Burn —2C 124
Lindle Av. Hut —6B 134
Lindle Clo. Hut —6B 134
Lindle Cres. Hut —6B 134
Lindle La. Hut —5B 134
Lindley Av. Orr —6F 220
Lindley Cft. T Clev —1L 63
Lindley Dri. Parb —1N 211
Lindley St. B'brn —6J 139
Lindley St. Los H —8K 135
Lindon Pk. Rd. Has —8H 161
Lindow Clo. Bury —7G 201
Lindow Clo. Lanc —9K 23
(off Lindow St.)
Lindow Sq. Lanc —9J 23
Lindow St. Lanc —9K 23
Lindred Rd. Brier —3E 104
Lindsay Av. Blac —7E 88
Lindsay Av. Ley —6L 153
Lindsay Av. Lyth A —2H 129
Lindsay Av. Poul F —9K 63
Lindsay Ct. Lyth A —5B 108
Lindsay Ct. More —6C 22
Lindsay Dri. Chor —7C 174
Lindsay Pk. Burn —4K 125
Lindsay St. Burn —3E 124
Lindsey Ho. Chu —1N 141
Linedred La. Brier —3F 104
Lineholme Av. Todm —8H 147
Lines St. More —3B 22
Line St. Bacup —7J 163
Linfield Clo. Bolt —9K 199
Linfield Ter. Blac —3E 108
Lingart La. Bncr —3A 60
Lingdales. Liv —6B 206
Lingfield Av. Clith —5L 81
Lingfield Clo. Bury —6H 201
Lingfield Clo. Lanc —4M 29
Lingfield Ct. Fen —8D 138
Lingfield Rd. Fltwd —2E 54
Lingfield Way. B'brn —8E 138
Linghaw La. Ben —7N 19
Lingmoor Dri. Burn —1M 123
Lingmoor Rd. Lanc —7M 23
Lingtree Rd. Liv —8G 223
Lingwell Clo. Whit W —1E 174
Links Av. South —4L 167
Links Dri. Ben —6L 19
Linksfield. Ful —6F 114
Links Ga. Ful —6F 114
Links Ga. Lyth A —2F 128
Links Ga. T Clev —4K 63
Linkside Av. Nels —2M 105
Links La. Pleas —8D 138
Links Lodge. Lyth A —2G 128
Links Rd. Blac —1C 88
Links Rd. Bolt —9N 199
Links Rd. Kirkby —9M 223
Links Rd. Kno S —8K 41
Links Rd. Lyth A —3E 128
Links Rd. Pen —2E 134
Links, The. T Clev —8C 54
Links Vw. Lyth A —3J 129
Links Vw. Roch —7M 203
Linley Clo. Stand L —8M 213

Linley Gro.—Lower Fold

Linley Gro. Ram —3F 200
Linley Rd. Wig —6N 221
Linnell Dri. Roch —5J 203
Linnet Clo. Blac —4H 89
Linnet Dri. Bury —9N 201
Linnet Hill. Roch —7N 203
Linnet La. Lyth A —1L 129
Linnet St. Pres —7L 115
Linnet Way. Liv —3K 223
Linslade Clo. Liv —6L 223
Linslade Cres. Liv —6L 223
Linton Av. Bury —8L 201
Linton Av. Hey —7L 21
Linton Dri. Burn —6B 124
Linton Gdns. Barfd —8G 85
Linton Gro. Pen —3D 134
Linton St. Ful —6G 115
Lion Ct. Chu —2L 141
Lionel St. Burn —2A 124
Lion St. Chu —1L 141
Lion St. Todm —4K 165
Liptrott Rd. Chor —9C 174
Lisbon Dri. Burn —4C 124
Lisbon Dri. Dar —6C 158
Lisbon St. Roch —5N 203
Liskeard Clo. Roch —4F 204
Lisle St. Roch —5D 204
Lister Cft. Thorn C —9J 53
Lister Gro. Hey —8L 21
Lister St. Acc —2N 141
Lister St. B'brn —5M 139
Lister Well Rd. Barn —8K 77
Lit. Acre. Liv —2D 222
Lit. Acre. Longt —8L 133
Lit. Acre. T Clev —3K 63
Little Altcar. —2A 214
Lit. Banks Clo. Bam B —1D 154
Little Bispham. —3C 62
Littleborough. —9L 185
Littleborough Ind. Est. L'boro —9K 185
Littlebourne Wlk. Bolt —7G 198
Lit. Brewery La. Liv —6A 206
Lit. Brook La. Liv —9J 223
Lit. Brow. Brom X —6G 198
Little Carleton. —1F 88
Lit. Carr La. Chor —9F 174
Lit. Church St. Wig —5L 221
Little Clegg. —3J 205
Lit. Clegg Rd. L'boro —3H 205
Little Clo. Pen —5F 134
Littledale. —8M 25
Littledale Av. Hey —8M 21
Littledale M. Slyne —2M 23
Littledale Rd. Brook —3K 25
Littledale Rd. Quer —1C 30
Littledale St. Roch —5B 204
(in two parts)
Little Eccleston. —7K 65
Lit. Fell La. Lanc & Quer —6A 30
Lit. Fell Rd. Brook —9C 24
Lit. Flatt. Roch —4M 203
Little Harwood. —1A 140
Lit. Hey La. Liv —8B 206
Littleholme St. Todm —4K 165
Little Hoole Moss Houses. —3M 151
Little Hoole Much. —3A 152
Little Howarth Way. Roch —1F 204
Little Knowley. —3H 175
Little La. Banks —8G 149
Little La. L'rdge —3J 97
Little La. South —4A 168
Little La. Wig —6N 221
Little Layton. —2F 88
Little Marsden. —3G 105
Little Marton. —9K 89
Lit. Meadow. Eger —6F 198
Lit. Meadow La. Maw —1H 191
Little Moor. —5L 81
Littlemoor. Clith —5L 81
Littlemoor Clo. Sab —2F 102
Lit. Moor Clough. Eger —3E 198
Little Moor End. —5J 141
Littlemoor Houses. Sab —3F 102
Littlemoor Rd. Clith —5L 81
Lit. Moor Vw. Clith —5L 81
Lit. Peel St. B'brn —3L 139
Little Plumpton. —3C 110
Little Poulton. —7M 63
Lit. Poulton La. Poul F —8M 63
Lit. Queen St. Col —7N 85
Little Singleton. —7C 64
Lit. Stones Rd. Eger —3E 198
Little St. Acc —2N 141
Little Thornton. —4L 63
Lit. Toms La. Burn —7H 105
Lit. Tongues La. Pre —9A 42
Little Town. —6G 99
Lit. Twining. Longt —9L 133
Littlewood. —8K 201
Littlewood. Fltwd —1E 54
Littlewood Av. Bury —8L 201
Littondale Gdns. B'brn —9E 138
Liverpool Av. South —8D 186
Liverpool Castle. —6A 196
Liverpool Municipal Golf Course. —9F 222
Liverpool New Rd. L Hoo & Much H —3K 151
Liverpool Old Rd. Much H & Tar —7G 150
Liverpool Old Rd. Tar —4E 170
Liverpool Old Rd. Walm B —1K 151
Liverpool Rd. Ains —1G 186
Liverpool Rd. Augh —1G 216
Liverpool Rd. Bic —7L 217
Liverpool Rd. Blac —5D 88
Liverpool Rd. Breth & Much H —1G 170
Liverpool Rd. Burn —3M 123
Liverpool Rd. Form —1A 214
Liverpool Rd. Hut & Pen —7M 133
Liverpool Rd. Longt —1K 151
Liverpool Rd. Lyd —8B 216
Liverpool Rd. Ruf —6E 170
Liverpool Rd. Skel —3G 218
(in two parts)
Liverpool Rd. South —2C 206
Liverpool Rd. Tar & Much H —2E 170
Liverpool Rd. N. Burs —9C 190
Liverpool Rd. N. Liv —8B 216
Liverpool Rd. S. Burs —3N 209
Liverpool Rd. S. Liv —1B 222
Liverpool Way, The. Liv —9M 223
Livesey Branch Rd. B'brn & Fen —8E 138
Livesey Ct. B'brn —6K 139
Livesey Fold. —5N 157
Livesey Fold. Dar —5N 157
Livesey Fold. Withn —6B 156
Livesey Hall Clo. B'brn —7F 138
Livesey St. Lyth A —5N 129
Livesey St. Pad —1H 123
Livesey St. Pres —1L 135
Livesey St. Rish —7G 121
(in two parts)
Livesleys La. Form —1F 214
Livet Av. Blac —2D 108
Livingstone Rd. Acc —9A 122
Livingstone Rd. B'brn —4J 139
Livingstone Rd. Blac —6C 88
Livingstone St. Brier —5F 104
Livingstone Wlk. Brier —4F 104
Livsey St. Roch —6D 204
Lloyd Clo. Lanc —7H 23
Lloyd Clo. Nels —2J 105
Lloyd's Av. More —4A 22
Lloyd St. Bacup —7G 162
Lloyd St. Dar —4N 157
Lloyd St. Roch —9A 204
Lloyd St. Todm —1L 165
Lloyd St. Whitw —5N 183
Lloyd Wlk. Nels —3J 105
Lobden Cres. Whitw —7N 183
Lobden Golf Course. —7B 184
Lobley Clo. Roch —3E 204
Lochinch Clo. Blac —3G 108
Loch St. Orr —5L 221
Locka La. Ark —4N 13
Locka La. Lanc —4J 23
Lockerbie Av. T Clev —2D 62
Lockerbie Pl. Wig —9N 221
Lockfield Dri. Barn —10G 52
Lock Ga. Ross —6D 161
Lockhart Rd. Pres —7J 115
Lockhart St. Roch —8E 204
Lockhurst Av. T Clev —3F 62
Lock La. Tar —4F 170
Lockside. B'brn —6L 139
Lockside Rd. Ash R —1C 134
Lock St. Osw —4L 141
Lock St. Todm —4K 165
Lockwood Av. Poul F —7K 63
Lockyer Av. Burn —3N 123
Lodge Bank. Brins —8N 155
Lodge Bank Rd. L'boro —2J 205
Lodge Clo. Bam B —7B 136
Lodge Clo. Frec —1N 131
Lodge Clo. Holme —1F 6
Lodge Clo. T Clev —4C 62
Lodge Ct. Stain —6K 89
Lodge Ct. T Clev —4C 62
Lodge La. Bacup —6K 163
Lodge La. Bic —1G 225
Lodge La. Elsw —1M 91
Lodge La. Far M —9G 135
Lodge La. Lyth A & W'ton —3E 130
Lodge La. Mllng —4E 18
Lodge La. Sing —8C 64
Lodge Mill La. Ram —5M 181
Lodge Pk. Catt —9A 60
Lodge Rd. Clau B —3D 68
Lodge Rd. Orr —7H 221
Lodge Rd. Set —4N 35
Lodges Gro. More —2E 22
Lodgeside. Clay M —6M 121
Lodge St. Acc —2B 142
Lodge St. Bury —9M 201
Lodge St. Lanc —8K 23
Lodge St. L'boro —8L 185
Lodge St. Pres —9G 115
(in two parts)
Lodge St. Ram —6K 181
(Bye Rd.)
Lodge St. Ram —8H 181
(Kay Brow)
Lodge St. Ward —8F 184
Lodge Ter. Acc —3L 141
Lodge Vw. Far M —9H 135
Lodge Vw. L'rdge —4J 97
Lodge Vw. Pen —5J 135
Lodgings, The. Ful —3M 115
Lodore Rd. Blac —3C 108
Loen Cres. Bolt —9C 198
Lofthouse Way. Fltwd —9G 40
Loftos Av. Blac —1D 108
Logan St. Bolt —8E 198
Lognor Rd. Liv —8H 223
Lognor Wlk. Liv —8H 223
Logwood Av. Bury —9J 201
Logwood Av. Wig —4N 221
Logwood St. B'brn —1N 139
Loisine Clo. Roch —9M 203
Lois Pl. B'brn —3K 139
Lomas La. Ross —6L 161
Lomax Sq. Gt Har —4K 121
Lomax St. Dar —5A 158
Lomax St. Gt Har —4J 121
Lomax St. G'mnt —4E 200
Lombard St. Roch —5A 204
Lomeshaye. —2F 104
Lomeshaye Bus. Village. Nels —2G 104
Lomeshaye Ind. Est. Nels —1F 104
(Churchill Way)
Lomeshaye Ind. Est. Nels —2E 104
(Lindred Rd.)
Lomeshaye Pl. Nels —2G 104
Lomeshaye Rd. Nels —2G 105
Lomeshaye Way. Nels —2G 104
Lomond Av. Blac —7F 88
Lomond Av. Lyth A —2H 129
Lomond Dri. Bury —9G 200
Lomond Gdns. B'brn —7G 139
Lomond Ter. Roch —9F 204
London Clo. Wig —3N 221
Londonderry Rd. Hey —2K 27
London La. South —6J 187
London Rd. B'brn —2M 139
London Rd. Blac —4D 88
London Rd. Pres —9L 115
London Sq. South —7H 167
London St. Fltwd —8G 41
London St. South —7H 167
London Ter. Dar —5B 158
London Wlk. B'brn —2M 139
London Way. Walt D —4M 135
Long Acre. Bam B —2E 154
Longacre. Longt —8K 133
Longacre. South —3M 167
Long Acre Clo. Carn —1N 15
Longacre Pl. Lyth A —4N 129
Longacres Dri. Whitw —4A 184
Longacres La. Whitw —4A 184
Long Bank La. Halt W —3A 52
Long Barn Brow. Hogh —6N 137
Longber La. Burt L —2H 19
Longbrook. Shev —5L 213
Longbrook Av. Bam B —6A 136
Long Building. Saw —3E 74
Long Butts. Pen —6G 134
Long Causeway. Gis —9A 52
Long Causeway, The. Blkhd —4M 147
Long Causeway, The. Cliv —7L 125
Longcliffe Dri. South —9B 186
Long Clo. Clith —1M 81
Long Clo. Ley —7D 152
Long Copse. Chor —5B 174
Longcroft. Brtn —2E 94
Long Cft. Longt —7L 133
Long Cft. Mdw. Chor —3D 174
Longdale Av. Set —3N 35
Long Dales La. Neth K —6C 16
Long Dike. Ross & Acc —7H 143
Longendale Rd. Stand —4N 213
Longfield. Bury —8M 201
Longfield. Ful —1H 115
Longfield. Liv —7B 206
Longfield. Pen —3E 134
Longfield Av. Cop —3A 194
Longfield Av. Poul F —7K 63
Longfield Clo. Todm —3L 165
Longfield Ct. Barn —3M 77
Longfield Dri. Carn —1N 15
Longfield Gro. Todm —3L 165
Longfield La. Barn —3M 77
Longfield La. Todm —4L 165
Longfield Mnr. Chor —9C 174
Longfield Pl. Poul F —7K 63
Longfield Ri. Todm —3L 165
Longfield Rd. Roch —5N 203
Longfield Rd. Todm —3L 165
Longfield Ter. Cliv —9J 125
Longfield Ter. Todm —3L 165
Longfield Way. Todm —3L 165
Longfold. Liv —1D 222
Longford Av. Blac —6E 62
Longford Rd. South —3G 187
Long Grn. Earby —2F 78
Longhey. Skel —8N 211
Long Hey La. Pick B —6F 158
Long Hey La. Todm —4M 165
Long Heys La. Dal —8B 212
Long Hill. Roch —9A 204
Longhirst Clo. Bolt —9B 198
Longholme Rd. Raw —5M 161
Longhouse La. Poul F —2K 89
Long Ing. —2N 77
Long Ing La. Barn —2N 77
Longlands Av. Hey —8K 21
Longlands Cres. Hey —8L 21
Longlands La. Hey —9K 21
Longlands Rd. Lanc —5J 23
Long La. Abb —3A 48
Long La. Augh & Bic —9H 209
Long La. Bncr —4D 46
Long La. Bury —6K 201
Long La. Ellel & Quer —8C 30
Long La. Hth C —9J 175
Long La. Lane —3G 86
Long La. L Bent —7H 19
Long La. Pleas —6B 138
Long La. Scor —4D 60
Long La. South —9G 148
Long La. Thor —9H 215
Long La. Toc —4G 157
Long La. Todm —1N 165
Long La. Uph —8B 220
Long La. End. Ellel —3B 30
Long Level. Cast —6G 9
Longley Clo. Ful —1J 115
Long Lover La. Rim —4A 76
Long Marsh La. Lanc —7H 23
Long Mdw. Brom X —6J 199
Long Mdw. Chor —9C 174
Long Mdw. Col —6D 86
Long Mdw. K'ham —4K 111
Long Mdw. L Hoo —3K 151
Long Mdw. Mel B —7C 118
Longmeadow La. Hey —9M 21
Longmeadow La. Red M —9J 55
Longmeanygate. Midg H & Ley —5D 152
Long Meanygate. South —6E 168
Longmere Cres. Carn —1N 15
Longmire Way. More —3A 22
Longmoor La. Nate —7F 58
Long Moss. Ley —7D 152
Long Moss La. New L & Wstke —1B 152
Longridge. —3J 97
Longridge. Brom X —5J 199
Longridge Av. Blac —4E 108
Longridge Golf Course. —9G 71
Longridge Heath. Brier —6H 105
Longridge Rd. Chip —7G 70
Longridge Rd. Hur G —2H 99
Longridge Rd. L'rdge —1J 97
Longridge Rd. Rib & Grims —5B 116
Long Row. Blkhd —5N 147
Long Row. Cald V —4H 61
Long Row. Mel —7J 119
Longroyd Rd. Earby —3E 78
Longsands La. Ful —4M 115
Longshaw. —7M 139
Longshaw Clo. Ruf —9E 170
Longshaw Ford Rd. Bolt —8M 197
Longshaw La. B'brn —6L 139
Longshaw St. B'brn —7L 139
Longshoot. —4H 161
Longsight. Bolt —8L 199
Longsight Av. Acc —9D 122
Longsight Av. Clith —2M 81
Longsight Golf Course. —9K 199
Longsight Rd. Lang —8D 100
Longsight Rd. Mel B & Clay D —6C 118
Longsight Rd. Ram & G'mnt —2F 200
Longton. —8K 133
Longton Av. T Clev —1H 63
Longton By-Pass. L Hoo & Longt —3K 151
Longton Clo. B'brn —3C 140
Longton Ct. South —6K 167
Longton Dri. Liv —6A 206
Longton Dri. More —4E 22
Longton Rd. Blac —5C 88
Longton Rd. Burn —1C 124
Longtons La. Toss —1H 51
Longton St. B'brn —3B 140
Longton St. Chor —6G 174
Longway. Blac —1F 108
Long Wham La. Much H —6N 151
Longwood Clo. Lyth A —5L 129
Longwood Clo. Rainf —9M 225
Longworth Av. Burn —3H 125
Longworth Av. Cop —3B 194
(in two parts)
Longworth Clough. Eger —3D 198
Longworth La. Eger —4D 198
Longworth Rd. Bill —6H 101
Longworth Rd. Hor —9D 196
Longworth Rd. N. Bel —9K 177
Longworth St. Bam B —6A 136
Longworth St. Chor —8D 174
Longworth St. Pres —8M 115
Lonmore. Walt D —5N 135
Lonmore Clo. Banks —1F 168
Lonsdale Av. Fltwd —1E 54
Lonsdale Av. Lanc —8L 29
Lonsdale Av. More —4E 22
Lonsdale Av. Orm —5L 209
Lonsdale Av. Roch —8E 204
Lonsdale Chase. Los H —8K 135
Lonsdale Clo. Ley —9K 153
Lonsdale Cres. Fltwd —1E 54
Lonsdale Dri. Crost —3M 171
Lonsdale Gdns. Barfd —8H 85
Lonsdale Gro. More —4E 22
Lonsdale Pl. Lanc —1L 29
Lonsdale Ri. K Lon —6F 8
(off Lunefield Dri.)
Lonsdale Rd. Blac —8B 88
Lonsdale Rd. Hest B —8H 15
Lonsdale Rd. More —4E 22
Lonsdale Rd. Pres —8M 115
Lonsdale Rd. South —1K 187
Lonsdale St. Acc —3M 141
Lonsdale St. Burn —2A 124
Lonsdale St. Nels —2K 105
Lonsdale Wlk. Orr —3L 221
Lonworth Clough Nature Reserve. —1A 198
Lord Av. Bacup —7G 162
Lord Nelson Wharf. Ash R —9E 114
Lord's Av. Los H —9L 135
Lord's Clo. Rd. Lowg —2M 33
Lord's Cres. Lwr D —1A 158
Lords Cft. Clay W —5C 154
Lord Sefton Way. Liv —1D 214
Lords Fold. Rainf —3J 225
Lordsgate Dri. Burs —1C 210
Lordsgate La. Burs —2A 210
Lord's La. Chip —10E 70
Lord's La. Pen —7H 135
Lord's Lot Rd. Over K —1H 17
Lordsome Rd. Hey —6M 21
Lord Sq. B'brn —3M 139
Lord's Stile La. Brom X —6H 199
Lord St. Acc —2A 142
Lord St. Bacup —5K 163
Lord St. B'brn —3M 139
Lord St. Blac —4B 88
Lord St. Brier —5F 104
Lord St. Burs —8C 190
Lord St. Chor —7F 174
Lord St. Col —6N 85
Lord St. Craw —9L 143
Lord St. Dar —5A 158
Lord St. E'ston —9F 172
Lord St. Fltwd —9G 41
Lord St. Gt Har —5J 121
Lord St. Hor —9C 196
Lord St. Lanc —7K 23
Lord St. L'boro —9M 185
Lord St. Lyth A —1E 128
Lord St. More —2B 22
Lord St. Osw —4L 141
Lord St. Pres —9K 115
Lord St. Raw —5M 161
Lord St. Rish —8H 121
Lord St. South —8G 166
(in two parts)
Lord St. Todm —6K 165
Lord St. Whit W —6E 154
Lord St. Mall. B'brn —3M 139
(off Lord Sq.)
Lord St. W. B'brn —3M 139
Lord St. W. South —8G 166
Lord's Wlk. Pres —9K 115
Lorne Rd. Blac —9D 62
Lorne St. Chor —7E 174
Lorne St. Dar —5N 157
Lorne St. Lyth A —4C 130
Lorne St. Roch —2E 204
Lorraine Av. Ful —6H 115
Lorton Clo. Burn —1N 123
Lorton Clo. Ful —3J 115
Lostock Ct. Los H —9L 135
Lostock Dri. Bury —7L 201
Lostock Gdns. Blac —3D 108
Lostock Hall. —9K 135
Lostock La. Los H & Bam B —9M 135
Lostock Mdw. Clay W —6C 154
Lostock Rd. Crost —3N 171
Lostock Sq. Los H —9L 135
Lostock Vw. Los H —9K 135
Lothersdale Clo. Burn —7H 105
Lothian Av. Fltwd —1D 54
Lothian Pl. Blac —6E 62
Lottice La. B'brn & Osw —7F 140
Lotus Dri. Blac —3N 109
Lotus St. Bacup —4K 163
(off Burnley Rd.)
Loud Bri. Back La. Goos —7C 70
Loudbridge Rd. Goos —8C 70
Loughlin Dri. Liv —5L 223
Loughrigg Clo. Burn —2N 123
Loughrigg Ter. Blac —9J 89
Louis Av. Bury —9L 201
Louise Clo. Roch —2E 204
Louise Gdns. Roch —2E 204
Louise St. Blac —7B 88
Louise St. Roch —2E 204
(in three parts)
Louis St. Ram —1J 181
Louis Tussaud's Waxworks. —6B 88
Louis William St. Guide —8D 140
Loupsfell Dri. More —4C 22
Lourdes Av. Los H —7K 135
Louvaine Av. Bolt —9N 197
Louvain St. Barn —1L 77
Lovat Rd. Pres —7J 115
Love Clough. —5M 143
Loveclough Rd. Ross —6L 143
Love La. Ram —5K 181
Lovely Hall La. Sale —1K 119
Lovers La. Has —3G 160
Lover's Wlk. Acc —5M 141
Lovers Wlk. Todm —2K 165
Loves Cotts. Orm —6J 209
Low Bank. Burn —3K 123
Low Bank. Roch —2F 204
Low Bentham. —6J 19
Low Bentham Rd. Ben & L Bent —6K 19
Low Biggins. —6E 8
Lwr. Burgh Way. Chor —2D 194
Lowcroft. Skel —9N 211
Low Cft. Wood —7E 94
Lowcross Rd. Poul F —9L 63
Lwr. Abbotsgate. K Lon —6E 8
(off Abbotsgate)
Lwr. Alt Rd. Liv —7A 214
Lwr. Antley St. Acc —3M 141
Lwr. Ashworth Clo. B'brn —4K 139
Lwr. Aspen La. Osw —3J 141
Lower Audley. —4N 139
Lwr. Audley Ind. Est. B'brn —4M 139
Lwr. Audley St. B'brn —4M 139
Lower Ballam. —6A 110
Lwr. Bank Rd. Ful —6J 115
Lwr. Bank St. Withn —6B 156
Lwr. Barnes St. Clay M —5L 121
Lwr. Barn St. Dar —8C 158
Lower Bartle. —2N 113
Lower Baxenden. —7E 142
Lwr. Beacon La. Dal —7L 211
Lwr. Beechwood. Roch —8A 204
Lwr. Burgh Way. Chor —1C 194
Lwr. Calderbrook. L'boro —5M 185
Lwr. Carr La. Liv —4H 215
(in two parts)
Lwr. Chapel La. Grin —4A 74
Lwr. Chesham. Bury —9N 201
Lower Cloughfold. —5A 162
Lwr. Clough St. Barfd —9G 85
Lwr. Clowes. Ross —7L 161
Lwr. Clowes Rd. Ross —7K 161
Lwr. Cockcroft. B'brn —3M 139
Lower Copthurst. —7G 155
Lwr. Copthurst La. Whit W —8G 155
Lwr. Cribden Av. Ross —5J 161
Lwr. Crimble. Roch —9J 203
Lwr. Croft. Pen —6G 134
Lowercroft Dri. Bury —9E 200
Lwr. Croft St. Earby —2E 78
Lwr. Croft St. Set —3N 35
(off Albert Hill)
Lwr. Cross St. Dar —6A 158
Lower Darwen. —9N 139
Lwr. East Av. Barn —1M 77
Lwr. Eccleshill Rd. Dar —2A 158
Lwr. Faling. Roch —5B 204
Lwr. Ferney Lee. Todm —1K 165
Lwr. Field. Far M —1J 153
Lowerfield. Lang —1C 120
Lowerfields. Burn —3L 123
Lower Fold. —2A 142
(Accrington)

Manley Ter.—Mayfield St.

Manley Ter. Bolt —9E 198
Manner Sutton St. B'brn —3N 139
Manning Rd. Pres —8A 116
(in two parts)
Manning Rd. South —8L 167
Manor Av. Burs —2B 210
Manor Av. Ful —5L 115
Manor Av. Pen —4E 134
Manor Av. Ribch —7E 98
Manor Av. Slyne —9J 15
Manor Brook. Acc —2B 142
Manor Clo. Burt L & I'ton —3K 19
Manor Clo. Hogh —5H 137
Manor Clo. Slyne —9J 15
Manor Ct. Blac —3C 88
(FY1)
Manor Ct. Blac —1E 108
(FY4)
Manor Ct. Bolt —9K 199
Manor Ct. Ful —2E 114
Manor Ct. South —4N 167
Manor Ct. T Clev —9C 54
Manor Courtyard. Hey —8K 21
Manor Cres. Burs —2B 210
Manor Cres. Slyne —9K 15
Manorcroft. Longt —8L 133
Manor Dri. Boot —7A 222
Manor Dri. Burs —2B 210
Manor Dri. K'ham —5A 112
Manor Dri. Poul F —7L 63
Manor Dri. Slyne —9J 15
Manor Dri. T Clev —9D 54
Manor Farm. Whit —8D 8
Manor Fields. Whal —5J 101
Manor Gdns. Burs —2B 210
Manor Gro. Hey —6N 21
Manor Gro. Liv —8G 222
Manor Gro. Orr —3L 221
Manor Gro. Pen —4D 134
Manor Gro. Skel —2K 219
Mnr. Ho. Clo. Ley —7E 152
Mnr. Ho. Clo. Liv —1B 222
Mnr. Ho. Cres. Pres —6L 115
Mnr. Ho. Dri. Skel —8B 220
Mnr. Ho. La. Pres —6L 115
Mnr. Ho. Pk. T Clev —9C 54
Manor La. Pen —4D 134
Manor La. Slyne —8J 15
Manor Pk. Ful —6M 115
Manor Pl. Chu —1M 141
Manor Ri. Thorn C —9J 53
Manor Rd. B'brn —3J 139
Manor Rd. Blac —6D 88
Manor Rd. Burn —2N 123
Manor Rd. Burs —2B 210
Manor Rd. Clay W —4D 154
Manor Rd. Clith —4K 81
Manor Rd. Col —4B 86
Manor Rd. Dar —7N 157
Manor Rd. Fltwd —8E 40
Manor Rd. Gars —3N 59
Manor Rd. Hor —9E 196
Manor Rd. Ins —2G 92
Manor Rd. Shev —6J 213
Manor Rd. Slyne —9J 15
Manor Rd. South —4N 167
Manor Rd. Whal —5J 101
Manor Rd. W Grn —5G 111
Manor St. Acc —1B 142
Manor St. Bacup —6K 163
Manor St. Nels —3K 105
Manor St. Ram —7G 180
(in two parts)
Manor Way. W Grn —6G 111
Manorwood. Fltwd —9E 40
Manor Wood. Wesh —2N 111
Manse Av. Wrigh —8J 193
Mansergh. —2E 8
Mansergh High La. Man —1E 8
Mansergh St. Burn —8G 105
Mansfield Av. Ram —3G 200
Mansfield Cres. Brier —4G 104
Mansfield Dri. Hogh —5G 137
Mansfield Grange. Roch —7N 203
Mansfield Gro. Brier —4G 104
Mansfield Rd. Blac —3D 88
Mansfield Rd. Roch —6J 203
Mansion St. S. Acc —2C 142
Manston Gro. Chor —7C 174
Manx Jane's La. South —2N 167
Manxman Rd. B'brn —7M 139
Maple Av. Blac —5D 88
Maple Av. Brins —8A 156
Maple Av. Burs —9C 190
Maple Av. Clith —4K 81
Maple Av. Fltwd —4F 54
Maple Av. Has —4H 161
Maple Av. Hey —5M 21
Maple Av. T Clev —3J 63
Maple Bank. Burn —2G 124
Maplebank. Lea —8N 113
Maple Clo. Clay D —3M 119
Maple Clo. Newt —7D 112
Maple Clo. Whal —4K 101
Maple Ct. Gars —3N 59
Maple Cres. Rish —9H 121
Maple Dri. Bam B —7B 136
Maple Dri. Osw —5M 141
Maple Dri. Poul F —9L 63
Maple Gro. Chor —3F 174
Maple Gro. Grims —9G 96
Maple Gro. Lanc —8H 23
(off Sycamore Gro.)
Maple Gro. Pen —4E 134
Maple Gro. Ram —9J 181
Maple Gro. Rib —5C 116
Maple Gro. Tot —8F 200
Maple Gro. W'ton —2J 131
Maple Rd. Gars —4N 59
Maples, The. Ley —9C 152
Maple St. B'brn —1A 140
Maple St. Bolt —8J 199
Maple St. Clay M —7M 121
Maple St. Gt Har —3K 121
Maple St. Rish —8H 121
Maple St. South —8L 167
Maple St. Todm —8K 165
Maple Towers. Liv —7L 223
Maplewood. Skel —8L 211
Maplewood. South —4M 167
Maplewood Av. Pre —8N 41
Maplewood Clo. Ley —7H 153
Maplewood Clo. Lyth A —4M 129
Maplewood Dri. T Clev —3C 62
Maplewood Gdns. Lanc —5L 29
Marabou Dri. Dar —4L 157
Marathon Pl. Ley —4F 152
Marble Av. T Clev —4F 62
Marble Pl. Shop. Cen. South —7H 167
Marble St. Osw —4L 141
Marbury Gro. Stand —4N 213
Marbury Rd. Liv —8H 223
Marc Av. Liv —6G 223
Marchbank Rd. Skel —2H 219
March Dri. Bury —8J 201
March St. Burn —1D 124
March St. Roch —6D 204
Marchwood Rd. Blac —2H 89
Marcliffe Dri. Roch —7M 203
Marcroft Av. Blac —2E 108
Marcroft Pl. Roch —9D 204
Mardale Av. Blac —9J 89
Mardale Av. More —3D 22
Mardale Clo. South —9B 186
Mardale Cres. Ley —8L 153
Mardale Rd. Lanc —7L 23
Mardale Rd. L'rdge —5H 97
Mardale Rd. Pres —8C 116
Mardyke. Roch —5B 204
Maresfield Rd. Pres —3G 135
Margaret Av. Roch —6F 204
Margaret Av. Stand L —8M 213
Margaret Rd. Pen —4H 135
Margaret St. B'brn —4D 140
Margaret St. Osw —6J 141
Margaret St. Pres —9K 115
Margaret St. Ross —3L 161
Margaret Ward Ct. Roch —8D 204
Margate Av. Blac —3E 108
Margate Rd. Ing —5D 114
Margate Rd. Lyth A —9F 108
Margroy Clo. Roch —3D 204
Maria Ct. Burn —5E 124
(off Glebe St.)
Marians Dri. Orm —4K 209
Maria Sq. Bel —1L 197
Maria St. Dar —9B 158
Maricourt Av. B'brn —3D 140
Marigold St. Roch —8C 204
(in two parts)
Marigold St. Wig —4N 221
Marilyn Av. Los H —8L 135
Marina Av. Blac —8D 88
Marina Av. Stain —2K 89
Marina Clo. Los H —7K 135
Marina Cres. Boot —9A 222
Marina Dri. Ful —2H 115
Marina Dri. Los H —7K 135
Marina Dri. Wig —6N 221
Marina Gro. Los H & Pen —7K 135
Marina M. Fltwd —1H 55
Marina Rd. Liv —2A 214
Marine Av. Burn —5A 124
Marine Dri. Hest B —9G 14
Marine Dri. Lyth A —5K 129
Marine Dri. South —7F 166
Marine Ga. Mans. South —6H 167
Marine Pde. Fltwd —3C 54
Marine Pde. South —6G 166
Marine Rd. Central. More —3N 21
Marine Rd. E. More —2B 22
Marine Rd. W. More —4M 21
Mariners Clo. Fltwd —3E 54
Mariners Way. Ash R —9D 114
Marino Clo. T Clev —3K 63
Maritime Ct. South —7H 167
Maritime St. Fltwd —2F 54
Maritime Way. Ash R —1C 134
Mark Clo. Pen —7J 135
Market Av. B'brn —3M 139
Market Ga. Lanc —8K 23
Market Hall. Lanc —8K 23
(off King St.)
Market Pl. Adl —6J 195
Market Pl. Chor —6E 174
Market Pl. Clith —3L 81
Market Pl. Col —6B 86
Market Pl. Fltwd —9J 41
Market Pl. Gars —5N 59
Market Pl. L'rdge —3K 97
Market Pl. Poul F —8K 63
Market Pl. Pres —1J 135
Market Pl. Ram —7G 181
Market Pl. Roch —6C 204
Market Pl. Set —3N 35
Mkt. Promenade. Burn —3E 124
Market Sq. Burn —3E 124
Market Sq. Kirkby —8K 223
(off St Chads Pde.)
Market Sq. K Lon —6F 8
(off Main St.)
Market Sq. K'ham —4N 111
Market Sq. Lyth A —5N 129
Market Sq. Nels —2H 105
Market Sq. Pres —9J 115
Market St. Adl —7J 195
Market St. Bacup —6K 163
Market St. Barn —2M 77
(off Brook St.)
Market St. Blac —5B 88
Market St. Brit & Shawf —8A 164
Market St. Carn —8A 12
Market St. Chor —6E 174
Market St. Chu —3L 141
Market St. Col —6B 86
Market St. Dar —6A 158
Market St. Hamb —1B 64
Market St. K Lon —6F 8
Market St. Lanc —8J 23
Market St. More —3A 22
Market St. Nels —2H 105
Market St. Ram —2J 181
Market St. Ross —7C 162
Market St. South —7G 167
Market St. Stand —3N 213
Market St. Todm —4K 165
(off Rochdale Rd.)
Market St. Wesh —3K 111
Market St. La. B'brn —4M 139
Market St. W. Pres —9J 115
Market Wlk. Chor —6E 174
Market Way. B'brn —3M 139
(off Blackburn Shop. Cen.)
Market Way. Orm —7K 209
Market Way. Roch —6C 204
Markham Dri. South —3L 187
Markham Rd. B'brn —5J 139
Markham St. Ash R —8F 114
Mark Ho. La. Garg —2L 53
Markland St. Pres —1H 135
Markland St. Ram —8G 181
Mark La. Todm —9J 147
Markross St. Ross —5M 161
Mark's Av. Far M —2H 153
Marksbury Shop. Cen. Fltwd —3C 54
Mark Sq. Tar —9E 150
Mark St. Bacup —7G 162
Mark St. Burn —9F 104
Mark St. Roch —4E 204
Marland. —9M 203
Marland. Skel —8L 211
Marland Av. Roch —9M 203
Marland Clo. Roch —8M 203
Marland Fold. Roch —9M 203
Marland Grn. Roch —9M 203
Marland Hill Rd. Roch —8N 203
Marland Old Rd. Roch —9M 203
Marland Tops. Roch —9M 203
Marl Av. Pen —4E 134
Marlborough. Skel —8L 211
Marlborough Av. Liv —8C 216
Marlborough Av. T Clev —7C 54
Marlborough Av. W'ton —2J 131
Marlborough Clo. Ram —2H 201
Marlborough Clo. Whitw —7N 183
Marlborough Ct. Skel —8L 211
Marlborough Ct. South —7J 167
Marlborough Dri. Ful —2G 115
Marlborough Dri. Walt D —4N 135
Marlborough Gdns. Skel —8L 211
Marlborough Gdns. South —6J 167
Marlborough Rd. Acc —9A 122
Marlborough Rd. Blac —6D 88
Marlborough Rd. Hey —5M 21
Marlborough Rd. Lyth A —8E 108
Marlborough Rd. South —7J 167
Marlborough St. Burn —4D 124
Marlborough St. Chor —5G 174
Marlborough St. Roch —4N 203
Marlborough Ter. South —7J 167
(off Marlborough Rd.)
Marl Cop. Breth —9L 151
Marl Cft. Pen —6G 134
Marles Ct. Burn —1F 124
(off Pheasantford Grn.)
Marley Hey. Tur —9K 179
Marlfield. L Hoo —3K 151
Marlfield Clo. Ing —4C 114
Marl Gro. Orr —7G 220
Marl Hill Cres. Rib —7C 116
Marl Hill La. Loth —5L 79
Marlhill Rd. Blac —2G 89
Marlin St. Nels —9K 85
Marlow Ct. Adl —7H 195
Marlowe Av. Acc —6D 142
Marlowe Av. Pad —2K 123
Marlowe Cres. Gt Har —5H 121
Marl Pits. Ross —4N 161
Marl Rd. Boot —7A 222
Marl Rd. Know I —7A 224
Marlton Rd. B'brn —6L 139
Marlton Way. Lanc —1J 29
Marne Cres. Roch —6N 203
Marnwood Rd. Liv —9H 223
Marnwood Wlk. Liv —9H 223
Marple Av. Bolt —9G 198
Marple Clo. Stand —2L 213
Marquis Av. Bury —9K 201
Marquis Clo. Lwr D —9N 139
Marquis Dri. Frec —1A 132
Marquis St. K'ham —4L 111
Marron Clo. Ley —7H 153
Marsden Clo. E'ston —7E 172
Marsden Ct. Burn —7G 104
Marsden Cres. Nels —2L 105
Marsden Dri. Brier —4H 105
Marsden Gro. Brier —5G 105
Marsden Hall Rd. Nels —2L 105
Marsden Hall Rd. N. Nels —1L 105
Marsden Hall Rd. S. Nels —2L 105
Marsden Height. —5J 105
Marsden Height Clo. Brier —5J 105
Marsden Pk. Golf Course. —2N 105
Marsden Pl. Nels —2L 105
Marsden Rd. Blac —1D 108
Marsden Rd. Burn —7G 105
Marsden Rd. South —7L 167
Marsden Sq. Has —3G 161
Marsden's Sq. L'boro —8L 185
(off Sutcliffe St.)
Marsden St. Acc —4A 142
Marsden St. B'brn —6J 139
Marsden St. Has —4F 160
Marsden St. K'ham —4M 111
Marsett Clo. Roch —4L 203
Marsett Pl. Rib —4A 116
Marsh. —8H 23
Marshall Av. Acc —7E 122
Marshall Clo. Kirkby —5L 223
Marshall Gro. Ing —5D 114
Marshall Ho. Pres —9J 115
(off Ring Way)
Marshallsay. Liv —1A 214
Marshall's Brow. Pen —5H 135
Marshall's Clo. Lyd —7B 216
Marshall's Clo. Pen —4H 135
Marshall St. Roch —6F 204
Marsham Clo. Gars —6A 60
Marsham Gro. Dar —6C 158
Marshaw Pl. Gars —6L 59
Marshaw Rd. Lanc —6H 23
Marsh Clo. C'ham —1F 44
Marsh Ct. T Clev —1G 63
Marsh Cres. More —4F 22
Marshdale Rd. Blac —2F 108
Marsh Dri. Frec —1B 132
Marshes La., The. Mere B —4L 169
Marsh Farm Cvn. Pk. Carn —9L 11
Marshfield Rd. Set —3N 35
Marsh Gates. Frec —1B 132
Marsh Green. —2N 221
Marsh Grn. Wig —2N 221
Marsh House. —6C 158
Marsh Ho. La. Dar —6B 158
Marsh Houses. —1F 44
Marsh Houses. C'ham —1F 44
Marsh La. Brin —4J 155
Marsh La. C'ham —2E 44
Marsh La. Glas D —3A 36
Marsh La. Hamb —2B 64
Marsh La. Liv —5C 214
Marsh La. Longt —9F 132
Marsh La. Pres —1G 134
Marsh La. Scar —4J 209
Marsh La. Withn —2K 155
Marsh Mill Village. T Clev —1G 63
Marsh Moss La. Burs —6N 189
Marsh Rd. Banks —7G 148
Marsh Rd. Hesk B —3D 150
Marsh Rd. T Clev —1G 63
Marshside. —3N 167
Marshside Rd. South —1L 167
Marsh St. B'brn —2M 139
Marsh St. Hor —9B 196
Marsh St. Lanc —8H 23
Marsh Ter. Dar —5A 158
Marsh Vw. Newt —7D 112
Marsh Way. Pen —6F 134
Mars St. Tur —8L 179
Marston Clo. Ful —2F 114
Marston Cres. Liv —9A 214
Marston Moor. Ful —2F 114
Martha's Ter. Roch —2F 204
Martholme. —1N 121
Martholme Av. Clay M —6N 121
Martholme La. Gt Har —1M 121
Martin Av. Lyth A —5C 108
Martin Cft. Rd. Has —2F 160
Martindale Av. Fltwd —2C 54
Martindale Clo. B'brn —6C 140
Martindales, The. Clay W —4C 154
Martin Dri. Dar —9C 158
Martine Clo. Liv —6G 223
Martinfield. Ful —1J 115
Martinfield Rd. Pen —6G 135
Martinfields. Burn —6G 104
Martinique Dri. Lwr D —1N 157
Martin La. Burs —5K 189
(in two parts)
Martin La. Roch —4M 203
Martins Av. Hth C —3G 195
Martins Fields. Roch —4K 203
Martins La. Skel —4A 220
Martin St. Burn —9F 104
Martin St. Bury —9B 202
Martin St. Tur —1K 199
Martin Top La. Rim —4A 76
Martland Av. Liv —7D 222
Martland Av. Shev —7J 213
Martland Bus. Pk. Wig —1N 221
Martland Cres. Wig —9N 213
Martland Mill. —1N 221
Martland Mill Ind. Est. Wig —1M 221
Martland Mill La. Wig —1N 221
(in two parts)
Mart La. Burs —8C 190
Martlett Av. Roch —6J 203
Marton Clo. Garg —3L 53
Marton Dri. Blac —1D 108
Marton Dri. Burn —6C 124
Marton Dri. More —2F 22
Marton Fold. —5F 108
Marton Moss Side. —1G 109
Marton Pl. More —2F 22
Marton Rd. Ash R —9C 114
Marton Rd. Garg —4L 53
Marton St. Lanc —9K 23
Marton Vw. Blac —6E 88
Marton Wlk. Dar —9B 158
Marwick Clo. Stand —2N 213
Mary Av. South —7E 186
Marybank Clo. Ful —3M 115
Maryland. Blac —3N 109
(off Preston New Rd.)
Maryland Cvn. Pk. Blac —3N 109
Maryland Clo. Silv —9H 5
Maryport Clo. B'brn —8N 139
Mary St. B'brn —4A 140
Mary St. Burn —4F 124
Mary St. Carn —7A 12
Mary St. Col —7N 85
Mary St. Dar —7B 158
Mary St. Lanc —8K 23
Mary St. Ram —9G 180
Mary St. Rish —8H 121
Mary St. Roch —1G 205
Mary St. E. Hor —9C 196
Mary St. W. Hor —9B 196
Mary St. W. L'rdge —2J 97
Masbury Clo. Bolt —6E 198
Masefield Av. Orr —5K 221
Masefield Av. Pad —2K 123
Masefield Av. T Clev —9G 54
Masefield Clo. Gt Har —5H 121
Masefield Pl. Walt D —6N 135
Mason Clo. Frec —2A 132
Masonfield. Bam B —2D 154
Masongill. —9L 9
Mason Hill Vw. Ful —5K 115
Mason Ho. Cres. Ing —4D 114
Mason Row. Eger —3D 198
Mason St. Acc —2B 142
Mason St. Chor —4G 175
Mason St. Col —6A 86
Mason St. Eger —4E 198
Mason St. Osw —5K 141
Mason St. Roch —6C 204
Masons Way. Barn —1M 77
Masonwood. Ful —3K 115
Massey Cft. Whitw —7N 183
Massey La. Brier —5E 104
Massey St. Brier —6E 104
Massey St. Burn —3E 124
(in two parts)
Massey St. Bury —9N 201
Masterson Av. Read —8C 102
Matcham Ct. Blac —5B 88
Matchmoor La. Hor —9G 197
Mather Av. Acc —9A 122
Mather Rd. Bury —6L 201
Mather St. Blac —3D 88
Matheson Dri. Wig —3N 221
Matlock Av. South —1H 187
Matlock Clo. South —1H 187
Matlock Cres. South —1H 187
Matlock Gro. Burn —8G 105
Matlock Pl. Ing —4D 114
Matlock Rd. South —2H 187
Matlock St. Dar —5M 157
Matshead. —5E 68
Matterdale Rd. Ley —8L 153
Matthew Clo. Col —7B 86
Matthew Moss La. Roch —9M 203
Matthews Ct. Blac —2D 108
Matthew St. B'brn —6J 139
Matthias St. More —2B 22
Mattock Cres. More —3F 22
Maudland Bank. Pres —9H 115
Maudland Rd. Blac —8C 88
Maudland Rd. Pres —9H 115
Maudlands. —8G 115
Maudsley St. Acc —2B 142
Maudsley St. B'brn —3N 139
Maud St. Barfd —9H 85
Maud St. Bolt —8J 199
Maud St. Chor —8D 174
Maureen Av. Los H —8L 135
Maureen St. Roch —3D 204
Maurice Gro. Blac —9E 62
Maurice Rd. Roch —7C 204
Maurice St. Nels —2G 105
Mavis Dri. Cop —4A 194
Mavis Gro. Miln —7K 205
Mavis Rd. B'brn —3H 139
Mawdesley. —3N 191
Mawdsley Clo. Liv —9B 206
Mawdsley Ter. Orm —4L 209
Mawson Clo. Blac —7F 88
Maxwell Gro. Blac —9E 62
Maxwell St. Bolt —9E 198
Maybank Clo. South —5N 167
Maybell Av. T Clev —9F 54
Maybury Av. Burn —2N 123
Maycroft Av. Poul F —6H 63
Mayfair Clo. Form —9A 214
Mayfair Clo. Lyth A —2K 129
Mayfair Clo. Ross —8F 160
Mayfair Cres. Wilp —4N 119
Mayfair Dri. T Clev —3J 63
Mayfair Gdns. Roch —8A 204
Mayfair Gdns. T Clev —2J 63
Mayfair Rd. Blac —8E 88
Mayfair Rd. Burn —4J 125
Mayfair Rd. Nels —1L 105
Mayfayre Av. Liv —6B 216
Mayfield. —4E 204
Mayfield. Bolt —8K 199
Mayfield Av. Adl —6J 195
Mayfield Av. Blac —3C 108
Mayfield Av. Clith —4M 81
Mayfield Av. Has —6F 160
Mayfield Av. Holme —1F 6
Mayfield Av. Ing —4D 114
(in two parts)
Mayfield Av. K'ham —4L 111
Mayfield Av. Lanc —5J 23
Mayfield Av. Los H —8M 135
Mayfield Av. Osw —4L 141
Mayfield Av. T Clev —8F 54
Mayfield Clo. Ram —3F 200
Mayfield Ct. Wig —2L 221
Mayfield Dri. More —2E 22
Mayfield Flats. Dar —8B 158
Mayfield Fold. Burn —6F 124
Mayfield Gdns. Osw —4M 141
Mayfield Pl. Fltwd —2F 54
Mayfield Rd. Ash R —8E 114
Mayfield Rd. Ben —7L 19
Mayfield Rd. Chor —5F 174
Mayfield Rd. Ley —8K 153
Mayfield Rd. Lyth A —1E 128
Mayfield Rd. Orr —3L 221
Mayfield Rd. Ram —3F 200
Mayfield Rd. Rams —5M 119
Mayfield Rd. Uph —4D 220
Mayfield St. B'brn —5M 139
Mayfield St. Roch —4E 204
(in two parts)

Mayfield Ter.—Miller Rd.

Mayfield Ter. Roch —4E 204
Mayfield Ter. Sam —2M 137
Mayflower Av. Pen —5D 134
Mayflower Ind. Est. Liv —2A 214
Mayflower St. B'brn —6J 139
Maylands Pl. Barfd —9G 84
Maylands Sq. More —4C 22
May La. Clau B —4E 68
Maynard St. Ash R —7G 114
Mayo Dri. Tar —9E 150
Mayor Av. Blac —8C 88
Mayor St. Bury —9H 201
Maypark. Bam B —2C 154
May Pl. L'boro —1H 205
May Pl. Roch —9D 204
(off Oldham Rd.)
Mayson St. B'brn —4M 139
May St. Barfd —9H 85
May St. B'brn —4A 140
May St. Burn —5F 124
May St. Nels —9K 85
May St. Tur —8L 179
May Ter. Bill —6G 101
(off Whalley New Rd.)
Maytree Wlk. Skel —8M 211
Mayville Rd. Brier —4F 104
Mead Av. Ley —7L 153
Meadland Gro. Bolt —9F 198
Meadow Av. Fltwd —4E 54
Meadow Av. Pre —7N 41
Meadow Av. South —1J 187
Meadoway. Chu —1M 141
Meadoway. Longt & Tar —8K 133
Meadoway. Tar —1E 170
Meadow Bank. Acc —1B 142
Meadowbank. Arns —2F 4
(off Orchard Rd.)
Meadow Bank. Bam B —3D 154
Meadow Bank. Liv —9A 216
(Airegate)
Meadow Bank. Liv —6G 223
(Beldale Pk.)
Meadow Bank. Orm —8L 209
Meadow Bank. Pen —5F 134
Mdw. Bank Av. Burn —5F 104
Mdw. Bank Rd. Nels —2H 105
Meadowbarn Clo. Cot —4B 114
Mdw. Bottom Rd. Todm —1L 165
Meadowbridge Clo. W'head —8C 210
Meadowbrook. Blac —8J 89
Meadow Brook. Burs —2B 210
Meadowbrook Clo. Bury —9A 202
Meadow Brow. South —1C 168
Meadow Clo. Bill —7G 100
Meadow Clo. Burn —6F 104
Meadow Clo. Clift —7H 113
Meadow Clo. Foul —2A 86
Meadow Clo. Hun —8E 122
Meadow Clo. Uph —4A 220
Meadow Clo. W'head —8C 210
Meadow Clo. W Grn —6G 111
Meadow Clough. Skel —8M 211
Meadow Cotts. Whitw —3A 184
Meadow Ct. Osw —4L 141
(off Haworth St.)
Meadow Ct. Pres —2H 135
Meadow Ct. Trea —9D 92
Mdw. Court Rd. More —4C 22
Meadow Cres. Poul F —8G 62
Meadow Cres. Wesh —3K 111
Meadowcroft. Eux —3L 173
Meadow Cft. Garg —3M 53
Meadow Cft. Hell —1D 52
(off Hammerton Dri.)
Meadowcroft. Liv —1A 214
Meadowcroft. Lwr D —1A 158
Meadowcroft. Lyth A —8G 108
Meadow Cft. Neth K —5C 16
Meadowcroft. Skel —8M 211
Meadow Cft. W Brad —7L 73
Mdw. Croft Av. Catt —9A 60
Meadowcroft Av. Hamb —2B 64
Meadowcroft Av. T Clev —1E 62
Meadowcroft Clo. Raw —2M 161
Meadowcroft Gro. Hey —7M 21
Meadowcroft La. Roch —7K 203
Meadowcroft Rd. Ley —8G 152
Meadow Dri. Augh —1H 217
Meadow Dri. Bolt S —3L 15
Meadow Dri. W'ton —3H 131
Meadowfield. Ful —1J 115
Meadowfield. Pen —6H 135
Meadowfield Clo. Halt —1B 24
Meadowfields. B'brn —9L 139
Meadowfields. Halt —1B 24
Meadow Gdns. Rish —8H 121
Meadow Ga. Dar —5B 158
Meadowhead. Rish —8H 121
Mdw. Head Av. Whitw —8N 183
Mdw. Head Clo. B'brn —7H 139
Meadowhead Dri. Rish —8J 121
Mdw. Head La. Dar —3K 157
Mdw. Head La. Longt —9K 133
Mdw. Head La. Roch —3E 202
Meadowlands. Char R —1N 193
Meadowlands. Clith —3J 81
Meadow La. Bam B —3D 154
Meadow La. Crost —6G 171
Meadow La. Hesk B —3D 150
Meadow La. Kno S —9L 41
Meadow La. Lath —1G 210
Meadow La. Lyth A —4D 130
Meadow La. Mag —1D 222
Meadow La. Maw —1H 191
Meadow La. Ruf —5F 190
Meadow La. South —1C 206
Meadow Pk. Cabus —3M 59
Meadow Pk. Gal —2K 37
Meadow Pk. Ram —2H 181
(in three parts)
Meadow Pk. Stain —5K 89
Meadow Pk. Wesh —3K 111
Meadow Reach. Pen —5E 134
Meadow Ri. B'brn —8H 139
Meadow Ri. Gigg —2N 35
Meadows Av. Bacup —3K 163
Meadows Av. Has —5H 161
Meadows Av. T Clev —1F 62
Meadows Clo. Yeal R —7B 6
Meadowside. Clau —9A 18
Meadowside. Crost —4M 171
Meadowside. Grin —4B 74
Meadowside. Lanc —9K 23
Meadowside. Miln —9M 205
Meadowside. Walm B —2L 151
Meadowside Av. Clay M —6L 121
Meadowside Dri. Hogh —7G 136
Meadowside Dri. Liv —5L 223
Meadowside Rd. More —5B 22
Meadows La. Bolt —9M 199
Meadows, The. Arns —3F 4
Meadows, The. Bill —6G 100
Meadows, The. Burn —1B 124
Meadows, The. Col —5A 86
Meadows, The. Dar —2M 157
Meadows, The. Elsw —1L 91
Meadows, The. Hesk —3H 193
Meadows, The. Osw —5M 141
Meadows, The. T Clev —1F 62
Meadows, The. Whitw —5N 183
Meadows, The. Yeal R —7B 6
Meadow St. Acc —2B 142
Meadow St. Adl —7J 195
Meadow St. Barn —10F 52
Meadow St. Burn —3D 124
Meadow St. Dar —8B 158
Meadow St. Gt Har —5J 121
Meadow St. Ley —6K 153
Meadow St. Pad —9H 103
Meadow St. Pres —9K 115
Meadow St. Todm —1L 165
(off Meadow Bottom)
Meadow St. Wheel —8J 155
Meadow, The. Ley —6E 152
Meadow Va. B'brn —1M 157
Meadow Va. Ley —7D 152
Meadowvale Dri. Pem —5M 221
Meadow Vw. Clith —3J 81
Meadow Vw. Farl —9B 18
Meadow Vw. Gt Plu —2E 110
Meadow Vw. Lanc —5H 23
Meadow Vw. Roch —4L 203
Meadow Vw. South —1K 187
Meadow Vw. Todm —1L 165
Meadow Wlk. L'boro —9J 185
Meadow Way. Ark —3C 18
Meadow Way. Bacup —5K 163
Meadow Way. Barn —10G 53
Meadow Way. Cop —5N 193
Meadow Way. S'seat —3H 201
Meadow Way. Tot —7D 200
Meadow Way. Tur —8K 179
Meads Rd. Ash R —8E 114
Meadup Ct. More —6A 22
Meadway. Blac —9F 88
Meadway. Clay W —4D 154
Meadway. Hesk B —5D 150
Meadway. Mag —3A 222
Meadway. Pen —3D 134
Meadway. Ram —5H 181
Meagles La. L Ecc —8K 65
Meagles Rd. L Ecc —7K 65
Mealhouse La. Chor —6E 174
Mealrigg La. Hut R —8A 8
Meanwood Av. Blac —1F 108
Meanwood Brow. Roch —5A 204
(in two parts)
Meanwood Fold. Roch —5A 204
Meanygate. Bam B —8A 136
Meanygate. Banks —9G 149
Mearbeck. —6N 35
Mearbeck Pl. Lanc —6H 23
(off Browgill Pl.)
Mearley Brook Fold. Clith —4M 81
Mearley Rd. Rib —5A 116
Mearley St. Clith —4L 81
Mearley Syke. Clith —3M 81
Meath Rd. Pres —2G 135
Mede, The. Frec —7N 111
Medina Clo. Acc —3A 142
Medlar Clo. Wesh —2K 111
Medlar Ct. Wesh —3M 111
Medlar Ga. Wesh —3M 111
Medlar La. K'ham —6K 91
Medley St. Roch —4C 204
Medlock Av. Fltwd —1C 54
Medlock Pl. Fltwd —2D 54
Medway. Ful —3J 115
Medway Av. Fltwd —4D 54
Medway Clo. Hor —9E 196
Medway Clo. Los H —7L 135
Medway Dri. Hor —9E 196
Medway Ho. Pres —9N 115
(off Leo Case Ct.)
Medway Pl. Wig —4N 221
Medway, The. Heyw —9F 202
Medway Wlk. Wig —4N 221
Meeting Ho. La. Lanc —8J 23
Meins Cft. B'brn —3H 139
Meins Rd. B'brn & Pleas —2E 138
Melba Rd. Rib —6A 116
Melbert Av. Ful —6F 114
Melbourne Av. Fltwd —4D 54
Melbourne Av. T Clev —4F 62
Melbourne Clo. Hor —9D 196
Melbourne Ct. T Clev —3F 62
Melbourne Gro. Hor —9D 196
Melbourne Rd. Lanc —8L 23
Melbourne Rd. Todm —6K 165
Melbourne St. Clay M —5K 141
Melbourne St. Dar —9B 158
Melbourne St. Osw —8N 121
Melbourne St. Pad —2J 123
Melbourne St. Pres —9J 115
Melbourne St. Ross —6D 162
Melbreck. Skel —8L 211
Meldon Grange. Hey —8M 21
Meldon Rd. Hey —8M 21
(in two parts)
Melford Clo. Chor —3G 175
Melford Dri. Bil —8G 220
Melfort Clo. B'brn —7G 139
Melia Clo. Ross —5L 161
Melita St. Dar —7B 158
Melksham Rd. Weet —4D 90
Mellalieu St. Heyw —9G 203
Mellia Dri. Ley —5A 154
Melling. —4D 18
(Carnforth)
Melling. —5E 222
(Liverpool)
Melling Ct. Col —6N 85
Melling Ct. More —5A 22
Melling Dri. Liv —7K 223
Melling Ho. Lanc —4L 29
(off Hala Rd.)
Melling La. Liv —3D 222
Melling Mount. —3H 223
Melling Rd. Horn —6C 18
Melling Rd. South —6L 167
Mellings Fold. Pres —2M 135
Melling's La. Lyth A —8G 109
Melling St. Pres —9J 115
Mellings Wood. Lyth A —8G 109
Melling Way. Liv —7K 223
Melling Way. Wins —9N 221
Mellishaw La. More —6C 22
Mellishaw Pk. Heat O —7E 22
Mellor. —7F 118
Mellor Brook. —6C 118
Mellor Brow. Mel —6D 118
Mellor Clo. Burn —6B 124
Mellor Ct. L'rdge —3K 97
Mellor La. Mel —7F 118
Mellor Pl. Pres —1L 135
Mellor Rd. K'ham —4M 111
Mellor Rd. Ley —5G 153
Mellor St. Roch —5A 204
Mellor St. Todm —8H 147
Mellwood Av. Blac —1F 88
Melrose. Roch —5B 204
(off Spotland Rd.)
Melrose Av. Blac —2E 88
Melrose Av. Burn —5B 124
Melrose Av. Ful —4L 115
Melrose Av. Heyw —9G 203
Melrose Av. L'boro —7K 185
Melrose Av. More —3C 22
Melrose Av. Osw —5M 141
Melrose Av. South —1A 168
Melrose Dri. Wig —8M 221
Melrose Gdns. Crost —4N 171
Melrose Rd. Kirkby —4J 223
Melrose St. Bury —3G 201
Melrose St. Dar —5N 157
Melrose St. Lanc —9L 23
Melrose Ter. Bacup —9L 145
Melrose Way. Chor —8F 174
Melton Gro. Lyth A —5L 129
Melton Pl. Ley —6L 153
Melton Pl. T Clev —3C 62
Melverley Rd. Liv —8G 222
Melville Av. Barn —1L 77
Melville Av. Dar —8A 158
Melville Dri. B'brn —3L 139
Melville Gdns. Dar —7A 158
Melville Rd. Blac —7C 62
Melville Rd. Hey —2K 27
Melville St. Burn —9G 104
Melville St. Dar —7A 158
Memory Clo. Frec —1N 131
Menai Dri. Ful —2G 114
Mendip Av. Wig —8M 221
Mendip Clo. Hor —8D 196
Mendip Clo. Lyth A —3D 130
Mendip Cres. Bury —9F 200
Mendip Dri. Miln —7K 205
Mendip Rd. Ley —6N 153
Menivale Clo. South —9A 148
Mentmore Rd. Roch —6G 204
Meols Cop Cen., The. South —1N 187
Meols Cop Rd. South —9M 167
Meols Ct. South —9F 148
Meolsgate Av. Tar —8E 150
Meols Hall. —5A 168
Mercer Av. Liv —8H 223
Mercer Ct. Hth C —4H 195
Mercer Cres. Has —7F 160
Mercer Heights. Liv —9H 223
Mercer La. Roch —5J 203
Mercer Rd. Los H —7K 135
Mercer's La. Bic —7M 217
Mercer St. Burn —2L 123
Mercer St. Clay M —6M 121
Mercer St. Gt Har —4K 121
Mercer St. Pres —9M 115
Merchant Clo. Boot —9A 222
Merchants Ho. B'brn —5N 139
(off Merchants Quay)
Merchants Landing. B'brn —5N 139
Merchants Quay. B'brn —5N 139
Merclesden Av. Nels —1M 105
Mere Av. Burs —7C 190
Mere Av. Fltwd —3D 54
Merebank Clo. Roch —5J 203
Mere Brook. Stain —5L 89
Merebrook Gro. Liv —5L 223
Mere Brow. —4L 169
Mere Brow La. Mere B —4L 169
Mere Clo. Brough —7F 94
Mere Clo. Skel —1K 219
Mereclough. —8L 125
Mere Ct. Burn —5N 123
Mere Ct. Burs —7C 190
Meredith St. Nels —3J 105
Merefell Rd. Bolt S —3L 15
Merefield. Chor —5C 174
Merefield Av. Roch —8B 204
Merefield St. Roch —8B 204
Merefield Ter. Roch —8B 204
Mere Fold. Char R —2N 193
Mereland Clo. Orr —5H 221
Mereland Rd. Blac —8G 88
Mere La. Hals —4A 208
Mere La. Mere B —6L 169
Mere La. Roch —8C 204
Mere La. Ruf —2B 190
Mere La. South —3F 168
Mere Meanygate. Mere B —5K 169
Mere Pk. Ct. Blac —8G 89
Merepark Dri. South —2A 168
(in two parts)
Mere Rd. Blac —5D 88
Mere Sands Wood Nature Reserve. —1D 190
Mereside. —9J 89
Mere Side. —9A 170
Mereside Clo. Longt —9K 133
Mereside Lodge. Blac —9H 89
Mere St. Roch —7C 204
(in three parts)
Mere Syke. —3L 51
Merewood. Skel —8L 211
Meriden Clo. South —9B 186
Merinall Clo. Roch —6F 204
Merlecrest Dri. Tar —7E 150
Merlewood. Ram —3K 181
Merlewood Av. South —3A 168
Merlin Clo. H'pey —3J 175
Merlin Clo. L'boro —3K 205
Merlin Ct. Osw —5K 141
Merlin Dri. Osw —5K 141
Merlin Fold. Burn —2K 123
Merlin Gro. Ley —7F 152
Merlin Rd. B'brn —2J 139
Merlin Rd. Miln —7J 205
Merlyn Rd. T Clev —2E 62
Merrick Av. Pres —9B 116
Merrilox Av. Liv —8C 216
Merriman Hall. Roch —3E 204
Merrybents St. Todm —2N 165
Merryburn Clo. Ful —5K 115
Merry Trees La. Cot —4A 114
Merscar La. Scar —7J 189
Mersey Av. Dar —4L 157
Mersey Av. Mag —9E 216
Mersey Rd. Blac —1B 108
Mersey Rd. Fltwd —9E 40
Mersey Rd. Orr —4J 221
Mersey St. Ash R —9F 114
Mersey St. Bacup —6L 163
Mersey St. Burn —3M 123
Mersey St. L'rdge —3K 97
Merton Av. Ful —3J 115
Merton Gro. Chor —3H 175
Merton Rd. Wig —7L 221
Merton St. Burn —2D 124
Merton St. Bury —9J 201
Merton St. Nels —1H 105
Messenger St. Nels —3K 105
Meta St. B'brn —6M 139
Metcalf Dri. Alt —3C 122
Metcalfe St. Burn —4N 123
Metcalfe St. Firg —6G 205
Mete St. Pres —9N 115
Methuen Av. Ful —3H 115
Methuen Av. Hogh —5G 137
Methuen Clo. Hogh —5G 137
Methuen Dri. Hogh —5H 137
Metropole Bldgs. Blac —4B 88
Metropolitan Bus. Pk. Blac —8H 89
Metropolitan Dri. Blac —8H 89
Mettle Cote. Bacup —6L 163
Mewith. —8N 19
Mewith La. Ben —8H 19
Mews, The. Lyth A —9H 109
Mews, The. More —3E 22
Mews, The. Pad —9H 103
Mexford Av. Blac —1D 88
Meyler Av. Blac —2E 88
Miall St. Roch —7C 204
Michael Pl. More —3D 22
Michael's La. Hals —1H 207
Michaelson Av. More —4E 22
Michael Wife La. Ram —2K 181
(in two parts)
Mickering La. Augh —5G 217
Mickleden Av. Ful —2J 115
Mickleden Rd. Blac —9J 89
Micklegate. T Clev —4C 62
Micklehurst Cres. Burn —7B 124
Mickleton Dri. South —8A 186
Middle Calderbrook. L'boro —5M 185
Middlecot Clo. Orr —6H 221
Middlefield. Ley —7D 152
Middle Fld. Roch —4J 203
Middle Fold. Tur —7K 179
Middleforth Green. —5G 135
Middleforth Grn. Pen —4H 135
Middlegate. Whi L —6E 22
(in two parts)
Middle Ga. Grn. Ross —7M 143
Middleham Clo. Liv —9H 223
Middle Healey. —1A 204
Middle Hey. Much H —4J 151
Middle Hill. Roch —1C 204
Middle Holly. Fort —9K 37
Middle Holly Rd. Fort —5N 45
Middle Meanygate. Tar —9M 149
Middle Moss La. Form —9F 206
Middlesex Av. Burn —2M 123
Middle St. Blac —7B 88
Middle St. Col —7N 85
Middle St. Lanc —8K 23
Middle St. Whitw —5N 183
Middleton. —5M 27
Middleton Av. Fltwd —3D 54
Middleton Dri. Barfd —5J 85
Middleton Rd. Hey —2K 27
Middleton Way. Hey —1K 27
Middle Wlk. Blac —3B 88
Middle Withins La. Liv —4F 214
Middlewood. Skel —8L 211
Middlewood Clo. Augh —4H 217
Middlewood Clo. E'ston —8F 172
Middlewood Dri. Augh —4H 217
Middle Wood La. Roch —8H 185
Middlewood Rd. Augh —3H 217
Midfield. Lang —1C 120
Midford Dri. Bolt —6E 198
Midge Hall. —4E 152
Midge Hall Dri. Roch —7L 203
Midge Hall La. Midg H —2B 152
Midge Hall La. South —1G 189
Midgeland Rd. Blac —2G 108
Midgeland Ter. Blac —4J 109
Midgery La. Brough & Ful —9K 95
(in two parts)
Midgley St. Col —7B 86
Midhurst Dri. South —9B 186
Midhurst St. Roch —8C 204
Midland St. Acc —3B 142
Midland St. Nels —1J 105
Midland Ter. Carn —7A 12
Midland Ter. Hell —1D 52
(off Station Rd.)
Midsummer St. B'brn —3K 139
Midville Pl. Dar —6A 158
Milbanke Av. K'ham —3M 111
Milbeck Clo. L'rdge —5H 97
Milbourne Rd. Bury —7L 201
Milbourne St. Blac —5C 88
Milbrook Clo. Burn —4N 123
Milbrook Cres. Liv —7K 223
Milbrook Dri. Liv —7K 223
Milbrook Wlk. Liv —7K 223
Milburn Av. T Clev —7F 54
Milbury Dri. L'boro —3K 205
Mildred Clo. T Clev —9G 55
Mile End Clo. Foul —2A 86
Mile End Row. B'brn —2J 139
Mile Rd. Sing —1E 90
Miles Av. Bacup —7H 163
Miles La. App B & Shev —4G 213
(in two parts)
Miles St. Pres —7J 115
Milestone Ho. K Lon —6F 8
(off Main St.)
Milestone Mdw. Eux —2N 173
Milestone Pl. Cat —3H 25
Miles Wlk. Pres —7H 115
Miletas Pl. Lyth A —5J 129
Milford Av. Blac —1D 88
Milford Clo. Catt —1A 68
Milford Cres. L'boro —8L 185
Milford Rd. Harw —9M 199
Milford St. Col —6N 85
Milford St. Roch —4C 204
Milking La. Lwr D —1N 157
(in two parts)
Milking Stile La. Lanc —8H 23
Milkstone Pl. Roch —7C 204
Milkstone Rd. Roch —7C 204
(in two parts)
Milk St. Ram —9G 181
Milk St. Roch —7C 204
Mill Acre Ct. Cat —2G 24
Millar Barn La. Ross —7C 162
Millar Ct. Lanc —2J 29
Millard Clo. Hey —2L 27
Millar's Pace. South —1A 168
Millbank. App B —5G 212
Millbank. Ful —6F 114
Millbank. Pres —9L 115
Millbank Brow. Burs —1D 210
Millbank Cotts. Liv —8D 216
Millbank La. Liv —8E 216
Millbeck Cres. Pem —6M 221
Mill Brook. Catt —9A 60
Millbrook. Fence —2C 104
Millbrook Bank. Roch —4H 203
Millbrook Bus. Pk. Rainf —7N 225
Millbrook Clo. Skel —1J 219
Millbrook Clo. Wheel —8J 155
Millbrook Ct. W Brad —7L 73
Millbrook M. Lyth A —4B 130
Mill Brook Pl. Barr —1K 101
Millbrook Row. Hth C —4K 195
Millbrook St. Lwr D —9N 139
Millbrook Way. Pen —6E 134
Mill Brow. K Lon —6F 8
Mill Brow. Wray —3J 33
Mill Brow Rd. Earby —2F 78
Mill Clo. Ins —2G 93
Mill Clo. Set —3N 35
Millcombe Way. Walt D —5A 136
Mill Cotts. Salt —5B 78
(off Moor Vw.)
Mill Ct. L'rdge —2K 97
Millcroft. Chor —4C 174
Mill Cft. Ful —5F 114
Millcroft Av. Orr —6G 220
Mill Cft. Clo. Roch —3G 203
Mill Dam. —8N 19
Mill Dam Clo. Burs —2A 210
Mill Dam La. Burs —2A 210
Mill Dyke Clo. Blac —3F 108
Mill Entrance. Clay M —7M 121
Miller Arc. Pres —1K 135
Miller Av. Abb V —5C 156
Miller Clo. Osw —3J 141
Miller Cres. Sing —1D 90
Miller Fld. Lea —6B 114
Miller Fold Av. Acc —5A 142
Millergate. Cot —5B 114
Miller La. Catf —8H 93
Miller La. Cot —3B 114
Miller Rd. Pres & Rib —8N 115

Miller's Brow—Mosber La.

Miller's Brow. Fort —3A 46
Millers Clo. Lyth A —1K 129
Millers Ct. Orm —7L 209
Millers Ct., The. Ben —6L 19
(off Main St.)
Millerscroft. Liv —7H 223
Millersdale Clo. T Clev —3K 63
Miller's La. Ley —4E 152
Miller St. Blac —9B 88
Miller St. Bolt —9E 198
Miller St. Bury —3H 201
Miller St. Pres —9M 115
Millet St. Ram —7J 181
Millett Ter. Bury —6C 202
Mill Fld. Clay M —5M 121
Millfield. Parb —3N 211
Millfield Clo. W'ton —2L 131
Millfield Gro. Roch —7E 204
Millfield Rd. Blac —3F 108
Millfield Rd. Chor —5D 174
Mill Fold. Pres —8J 115
Millfold. Whitw —4A 184
Mill Gap St. Dar —7A 158
Mill Gdns. Orm —7L 209
Millgate. Eger —3D 198
Millgate. Eux —6N 173
Mill Ga. Ful —6G 114
Mill Ga. Roch —3E 204
Mill Ga. Ross —4M 161
Millgate Rd. Ross —4M 161
Millgate Ter. Whitw —1B 184
Mill Grn. Col —7A 86
Millham St. B'brn —2M 139
Millhaven. Ful —5G 114
Millhead. —7A 12
Mill Hey Av. Poul F —1L 89
Mill Hey La. Ruf —2G 190
Mill Hill. —7J 139
(Blackburn)
Mill Hill. —7F 150
(Preston)
Mill Hill. Osw —4K 141
Mill Hill. Pres —9H 115
Mill Hill Bri. St. B'brn —6J 139
Mill Hill Gro. M'ton —5M 27
Mill Hill La. Garg —4M 53
Mill Hill La. Gigg —2M 35
Mill Hill La. Hap —7F 122
Mill Hill St. B'brn —6J 139
Millholme Dri. Ben —7L 19
(off Wenning Av.)
Mill Ho. Clo. Roch —1G 204
Mill Ho. La. Brin —8G 137
Mill Ho. La. L'rdge —2B 98
Mill House Lodge. South —8D 186
Mill Ho. M. Moor —8L 23
(off Moor Clo.)
Millhouse St. Ram —6K 181
Mill Ho. Vw. Uph —4F 220
Millington Av. Blac —1E 108
Mill La. App B —5F 212
Mill La. Augh —2E 216
Mill La. B'brn —4M 139
Mill La. Bolt S —3K 15
Mill La. Burr —9F 8
Mill La. Burs —9C 190
(Junction La.)
Mill La. Burs —8C 190
(Liverpool Rd. N.)
Mill La. Bury —9G 201
Mill La. Cat —2G 24
Mill La. Char R —3K 193
Mill La. Chip & Goos —7E 70
Mill La. Clay W & Whit W —6E 154
Mill La. Cop —4A 194
Mill La. Earby —3F 78
Mill La. E'ston —9F 172
Mill La. Elsw —1M 91
Mill La. Eux —5K 173
(in two parts)
Mill La. Far M —4H 153
Mill La. Fltwd —9H 41
Mill La. Ful —5F 114
Mill La. Garg —3M 53
Mill La. Gis —8A 52
Mill La. Goos —1N 95
Mill La. Gt Har —3M 121
Mill La. Halt —2B 24
Mill La. Hamb —3C 64
Mill La. Hell —3D 52
Mill La. Hesk B —5D 150
Mill La. Hor —9E 196
Mill La. Hut R —6B 8
Mill La. Kirkby —7H 223
Mill La. K Lon —6E 8
Mill La. Ley —7G 153
Mill La. L Bent —6J 19
Mill La. Parb —3N 211
Mill La. Rainf —7M 225
Mill La. Rath —6K 35
Mill La. Set —3N 35
Mill La. South —5N 167
(in three parts)
Mill La. Stain —4K 89
Mill La. Stalm —5C 56
Mill La. Uph —2D 220
Mill La. Walt D —3N 135
Mill La. W'ton —2L 131
Mill La. War —6N 11
Mill La. W Grn —6E 110
Mill La. Cres. Chtwn & South —5N 167
Mill Leat Clo. Parb —2N 211
Mill Leat M. Parb —2N 211
Millom Av. Blac —7D 62
Millom Clo. Fltwd —4C 54
Millom Clo. Roch —4F 204
Millom Ct. Arns —2F 4
Millrace Ct. Lanc —6K 23
Mill Rd. Orr —6G 220
Mill Rd. South —8D 186
Mill Rd. Walm & Bury —5L 201
Millrose Clo. Skel —1K 219
Mill Row. Pen —5J 135
Mill Row. Ross —2L 161
Mills Fold. Ross —6C 162
Mill Sq. Liv —8D 222
Mills St. Whitw —5A 184
Millstone Clo. Cop —4B 194
Mill St. Acc —2M 141
Mill St. Adl —5J 195
Mill St. Bacup —4K 163
Mill St. Barn —2L 77
Mill St. Barfd —7H 85
Mill St. Brom X —5F 198
Mill St. Chu —7D 142
Mill St. Clay M —7M 121
Mill St. Cop —4A 194
Mill St. Dar —8B 158
Mill St. Far —4L 153
Mill St. Gt Har —4J 121
Mill St. Has —3G 160
Mill St. K'ham —4M 111
Mill St. Lanc —8L 23
Mill St. Ley —7G 152
Mill St. L'boro —2J 205
Mill St. Nels —1J 105
Mill St. Orm —8L 209
Mill St. Osw —5K 141
Mill St. Pad —1H 123
Mill St. Pre —1A 56
Mill St. Pres —9G 115
Mill St. Ram —1F 200
Mill St. South —8J 167
Mill St. Tot —6E 200
Mill St. W Brad —7L 73
Mill St. Wheel —8J 155
Millthorne Av. Clith —4K 81
Mill Vw. Frec —1N 131
Mill Vw. Kirkby —6H 223
Mill Vw. Ct. Bic —5B 218
Millwood. —2M 165
Millwood Clo. B'brn —7H 139
Mill Wood Clo. Withn —4L 155
Millwood Glade. Chor —5D 174
Millwood La. Todm —2N 165
Millwood Rd. Los H —5L 135
Milman Clo. Orm —9J 209
Milner Av. Bury —8L 201
Milner Rd. Dar —3M 157
Milner Rd. Lyth A —4L 129
Milner St. Burn —1E 124
Milner St. Pres —7J 115
Milner St. Whitw —6N 183
Milne St. Ram —1H 181
Milnrow. —7H 205
Milnrow Rd. L'boro —3J 205
Milnshaw. —1A 142
Milnshaw Gdns. Acc —1N 141
Milnshaw La. Acc —2A 142
Milnthorpe Av. T Clev —7D 54
Milnthorpe Rd. Holme —1F 6
Milton Av. Blac —5E 88
Milton Av. Clith —2L 81
Milton Av. T Clev —9G 54
Milton Clo. Dar —6C 158
Milton Clo. Gt Har —5H 121
Milton Clo. Ross —8F 160
Milton Clo. Walt D —6N 135
Milton Ct. Cop —4A 194
Milton Cres. Poul F —2K 89
Milton Dri. Orm —8M 209
Milton Gro. Barn —1L 77
Milton Gro. Orr —5K 221
Milton Rd. Col —6A 86
Milton Rd. Cop —5A 194
Milton St. Acc —2A 142
Milton St. Barfd —7H 85
Milton St. B'brn —3A 140
Milton St. Brclf —7J 105
Milton St. Brier —5F 104
Milton St. Clay M —6M 121
Milton St. Fltwd —8G 40
Milton St. Nels —1H 105
Milton St. Osw —4L 141
Milton St. Pad —2J 123
Milton St. Ram —8G 180
Milton St. Roch —5C 204
Milton St. South —7M 167
Milton Ter. Chor —4F 174
Milton Way. Liv —9A 216
Mimosa Clo. Chor —3C 174
Mimosa Rd. Rib —7A 116
Mincing La. B'brn —4M 139
Minden Rd. Weet —5D 90
Minehead Av. Burn —8H 105
Minerva Ter. L'boro —9K 185
(off William St.)
Mine St. Heyw —9G 203
Miniature Railway. —7G 166
Minnie St. Whitw —4A 184
Minnie Ter. B'brn —2K 139
Minorca Clo. Roch —5J 203
Minor St. Ross —9M 143
Minstead Av. Liv —8L 223
Minster Cres. Dar —7C 158
Minster Dri. Heat O —6B 22
Minster Pk. Cot —4B 114
Minstrel Wlk. Poul F —7K 63
Mint Av. Barfd —7H 85
Mintholme Av. Hogh —6G 137
Mintor Rd. Liv —8M 223
Mint St. Ram —4H 181
Minverva Rd. Lanc —8G 22
Mire Ash Brow. Mel —8E 118
Mire Ridge. Col —7D 86
Mirfield Gro. Blac —9D 88
Miry La. Parb —2A 212
Mitcham Rd. Blac —1H 109
Mitchelgate. K Lon —6E 8
Mitchell Hey. —6B 204
Mitchell Hey. Roch —6B 204
Mitchell St. Burn —3A 124
Mitchell St. Bury —9H 201
Mitchell St. Clith —4K 81
Mitchell St. Col —6A 86
Mitchell St. Roch —2F 204
Mitchell St. Todm —9H 147
Mitella St. Burn —4G 124
Mitre St. Bolt —9E 198
Mitre St. Burn —3C 124
Mitten's La. Liv —8A 206
(in two parts)
Mitton Av. Barfd —5K 85
Mitton Av. Ross —3M 161
Mitton Cres. K'ham —4M 111
Mitton Dri. Rib —6C 116
Mitton Gro. Burn —4H 125
Mitton La. Loth —3L 79
Mitton Rd. Whal —9F 80
Mitton St. B'brn —1N 139
Mizpah St. Burn —4G 124
Mizzy Rd. Roch —4B 204
Moira Cres. Rib —5A 116
Moleside Clo. Acc —2C 142
Molesworth St. Roch —6D 204
Mollington Rd. B'brn —1J 139
Mollington Rd. Liv —8H 223
Molly Wood La. Burn —4L 123
Molyneux Ct. Pres —9K 115
Molyneux Dri. Blac —2D 108
Molyneux Pl. Lyth A —4N 129
Molyneux Rd. Augh —4H 217
Molyneux Rd. Mag —3E 222
Molyneux St. Roch —5A 204
Molyneux Way. Liv —7B 222
Mona Pl. Pres —9H 115
Monarch Cres. Lyth A —9J 109
Monarch St. Osw —4L 141
Mona Rd. B'brn —7M 139
Monash Clo. Liv —4K 223
Mona's Ter. Todm —5J 165
Money Clo. Gro. Hey —2J 27
Money Clo. La. Hey —4J 27
(in two parts)
Monk Hall St. Burn —2E 124
Monkroyd. —4K 87
Monkroyd Av. Barn —2L 77
Monks Carr La. Liv —5G 214
Monks Clo. Liv —2A 214
Monks Clo. Miln —7H 205
Monks Cotts. Barn —2M 77
(off Walmsgate)
Monks Dri. Liv —2A 214
Monks Dri. L'rdge —4J 97
Monks Dri. Withn —6B 156
Monks Ga. Lyth A —1K 129
Monk's La. Burs —7B 190
Monk's La. Pre —3M 55
Monk St. Acc —2N 141
Monk St. Clith —4K 81
Monks Wlk. Pen —2F 134
Monkswell Av. Bolt S —4L 15
Monkswell Dri. Bolt S —4L 15
Monkswood Av. More —3E 22
Monmouth Av. Bury —8L 201
Monmouth Dri. Liv —9E 222
Monmouth Rd. B'brn —3C 140
Monmouth St. Burn —3B 124
(off Shale St.)
Monmouth St. Col —6D 86
Monmouth St. Roch —7C 204
Monroe Dri. Fltwd —1D 54
Mons Av. Roch —5N 203
Mons Rd. Todm —9J 147
Montague Clo. B'brn —4L 139
Montague Rd. Burn —4C 124
Montague St. B'brn —3L 139
Montague St. Blac —1B 108
Montague St. Brier —5F 104
Montague St. Clith —3K 81
Montague St. Col —5B 86
Montbegon. Horn —7C 18
Montcliffe. —8F 196
Montcliffe Rd. Chor —5G 175
Monteagle Dri. Horn —7C 18
Monteagle Sq. Horn —7C 18
(off Monteagle Dri.)
Montfieldhey. Brier —5E 104
Montford Rd. Brier —4D 104
Montford Rd. Rdly —3B 104
Montgomery. Roch —7B 204
Montgomery Av. South —8N 167
Montgomery Clo. Bax —6D 142
Montgomery Gro. Burn —2A 124
Montgomery St. Bam B —8B 136
Montgomery St. Roch —9N 203
(off Manchester Rd.)
Monthall Ri. Lanc —7M 23
(off Patterdale Rd.)
Montjoly St. Pres —1M 135
Monton Rd. Dar —3M 157
Montpelier Av. Blac —6C 62
Montreal Av. Blac —6D 88
Montreal Rd. B'brn —9K 119
Montreal St. Todm —6K 165
Montrose Av. Blac —7C 88
Montrose Av. Ram —3F 200
Montrose Av. Wig —3L 221
Montrose Clo. Chor —8G 174
Montrose Cres. Hey —9K 21
Montrose Dri. Brom X —6H 199
Montrose Dri. South —5M 167
Montrose St. B'brn —5K 139
Montrose St. Brier —5F 104
Montrose St. Burn —5D 124
Montrose Ter. Barn —2M 77
(off Leonard St.)
Moody La. Maw —4B 192
Moon Av. Blac —8B 88
Moon St. Bam B —8A 136
Moor Av. App B —4H 213
Moor Av. Pen —5C 134
Moor Bank La. Miln —9G 204
Moorber La. Con C —4H 53
Moorbottom Rd. Holc —7C 180
Moorbrook St. Pres —8H 115
Moor Clo. Dar —7D 158
Moor Clo. Lanc —8L 23
Moor Clo. South —2C 206
Moor Clo. La. Over K —9F 12
Moorcock Rd. Blkhd —2M 147
Moorcroft. Brough —8E 94
Moorcroft. Lwr D —1A 158
Moorcroft. Ram —4J 181
Moorcroft. Roch —9C 204
Moorcroft Cres. Rib —6N 115
Moor Dri. Skel —4A 220
Moor Edge. Whal —4H 101
Moore Dri. High —5L 103
Moor End. —6C 56
Moor End. Clith —4M 81
Moores La. Stand —2N 213
Moore St. Blac —9B 88
Moore St. Burn —2L 123
(in two parts)
Moore St. Col —6N 85
Moore St. Nels —3K 105
Moore St. Pres —1M 135
Moore St. Roch —6C 204
Moore Tree Dri. Blac —1G 108
Mooreview Ct. Blac —2F 108
Moorfield. Liv —5L 223
Moor Fld. New L —9D 134
Moorfield. Tur —8K 179
Moor Fld. Whal —4H 101
Moorfield Av. Acc —9E 122
Moorfield Av. Blac —4E 88
Moorfield Av. L'boro —7K 185
Moorfield Av. Poul F —6H 63
Moorfield Av. Rams —6M 119
Moorfield Clo. Acc —6A 122
Moorfield Clo. Ful —1H 115
Moorfield Clo. Pen —5D 134
Moorfield Dri. Blac —6A 122
Moorfield Dri. Lyth A —4N 129
Moorfield Dri. Rib —6A 116
Moorfield Ind. Est. Alt —6A 122
Moorfield La. Scar —1G 209
Moorfield Pl. Roch —4B 204
Moorfield Rd. Ley —7F 152
Moorfields. Blac —7F 62
Moorfields. Chor —5G 175
Moorfields Av. Ful —1H 115
Moorfield Shop. Cen. Liv —4L 223
Moorfield Vw. L'boro —8K 185
Moorfield Way. Acc —6A 122
Moorfoot Way. Liv —4J 223
Moorgate. —7K 139
Moorgate. Acc —6A 142
Moorgate. Blac —3F 108
Moorgate. Bolt —8K 199
Moorgate. Ful —4J 115
Moor Ga. Lanc —8L 23
Moorgate. Orm —8K 209
Moor Ga. Todm —4M 165
Moorgate Av. Roch —6L 203
Moorgate Gdns. B'brn —7K 139
Moor Ga. La. L'boro —7H 185
Moorgate Rd. Know I —9M 223
Moorgate St. B'brn —7K 139
Moor Hall La. Newt —5D 112
Moor Hall St. Pres —7H 115
Moorhead Gdns. W'ton —1K 131
Moorhead St. Col —6N 85
Moorhen Pl. T Clev —2F 62
Moorhey Cres. Bam B —8C 136
Moorhey Cres. Pen —3E 134
Moorhey Dri. Pen —3E 134
Moorhey Rd. Liv —4B 222
Moor Hill. Roch —4K 203
Moorhouse Av. Acc —4N 141
Moorhouse Clo. Acc —4N 141
Moorhouse Fold. Miln —7H 205
Moorhouse St. Acc —4N 141
Moor Ho. St. Blac —3B 88
Moorhouse St. Burn —4A 124
Moorings, The. Burn —2C 124
Moorings, The. Chor —6G 175
Moorings, The. Hest B —8H 15
(off Hest Bank La.)
Moorings, The. Liv —7A 216
Moorland Av. B'brn —9E 138
Moorland Av. Clith —1M 81
Moorland Av. Dar —5L 157
Moorland Av. Earby —3F 78
Moorland Av. Miln —7K 205
Moorland Av. Poul F —7L 63
Moorland Av. Rib —4N 115
Moorland Av. Roch —5K 203
Moorland Av. Whitw —7N 183
Moorland Clo. Barfd —5K 85
Moorland Ct. Poul F —7L 63
Moorland Cres. Clith —1M 81
Moorland Cres. Rib —4N 115
Moorland Cres. Whitw —7N 183
Moorland Dri. Brier —6H 105
Moorland Gdns. Poul F —7L 63
Moorland Ga. Chor —8H 175
Moorland Ri. Has —5H 161
Moorland Rd. B'brn —9K 139
Moorland Rd. Burn —6C 124
Moorland Rd. Clith —1M 81
Moorland Rd. Lang —9C 100
Moorland Rd. Liv —4B 222
Moorland Rd. Lyth A —1G 129
Moorland Rd. Poul F —7L 63
Moorlands. —9L 23
Moorlands. Pres —6H 115
Moorlands Gro. Hey —5M 21
Moorlands Ter. Bacup —6L 163
Moorlands, The. Bacup —8L 145
Moorland St. Roch —4B 204
Moorlands Vw. Ram —1J 181
Moorland Ter. Roch —4L 203
Moorland Vw. Dunn —3N 143
Moorland Vw. Nels —4J 105
Moor La. Clith —4L 81
Moor La. C'den —1M 147
(in two parts)
Moor La. Dar —4A 158
Moor La. Elsl —8M 53
Moor La. Has —1D 160
Moor La. Horn —8C 18
Moor La. Hut —7A 134
Moor La. Ince B —7D 214
(in two parts)
Moor La. Lanc —8K 23
Moor La. Pad —9H 103
Moor La. Pres —9J 115
Moor La. Roch —2K 203
Moor La. Salt —6N 77
Moor La. South —2C 206
Moor La. Todm —4L 165
Moor La. W Brad —2H 73
Moor La. Whal —4H 101
Moor La. Wis —3M 101
Moor Pk. Av. Blac —8D 62
Moor Pk. Av. Pres —7J 115
Moor Pk. Ind. Est. Blac —7F 62
Moor Rd. Ang —5L 175
Moor Rd. Chor —9C 174
Moor Rd. Crost —3M 171
Moor Rd. Holc —8F 180
Moor Rd. L'boro —5M 185
Moor Rd. Orr —6G 221
Moor Side. —9B 92
(Preston)
Moor Side. —6N 93
(Woodplumpton)
Moorside. L'boro —8N 185
Moorside. Mllng —4E 18
Moorside. Roch —9C 204
Moorside. Trea —1B 112
Moorside Av. B'brn —4D 140
Moorside Av. Brier —6H 105
Moorside Av. Hor —9D 196
Moorside Av. Rib —6B 116
Moorside Clo. Mllng —5E 18
Moorside Cres. Bacup —3L 163
Moorside Dri. Pen —5E 134
Moor Side La. Ram —7M 181
Moor Side La. Wis —2M 101
Moorside La. Wood —6M 93
Moorside Rd. Brook —3K 25
Moorside Rd. Tot —7D 200
Moorside Rd. Tur —5J 179
Moorside Wlk. Orr —3L 221
Moor St. Clay M —6M 121
Moor St. K'ham —4M 111
Moor St. Lanc —8K 23
(off Mary St.)
Moor St. Orm —7K 209
(in two parts)
Moors Vw. Ram —8G 180
Moorthorpe Clo. Dar —9A 158
Moorthwaite La. Barb —2G 9
Moor Vw. Bacup —3M 163
Moor Vw. Salt —5A 78
Moorview Clo. Burn —8J 105
Moor Vw. Clo. Roch —4K 203
Moor Way. Hawk —2A 200
Moorway. Poul F —7L 63
Moray Clo. Ram —1F 200
Morecambe. —2B 22
Morecambe F.C. —4D 22
(Christie Pk.)
Morecambe Golf Course. —9F 14
Morecambe Lodge Cvn. Pk. Bolt S —6J 15
Morecambe Rd. B'brn —7N 139
Morecambe Rd. More & Lanc —4E 22
Morecambe St. E. More —2B 22
Morecombe St. W. More —2B 22
Moresby Av. Blac —3H 89
Moreton Dri. Poul F —9K 63
Moreton Dri. Stain —5K 89
Moreton Grn. Hey —9L 21
Moreton St. Acc —2A 142
Morewood Dri. Burt —5H 7
Morgan St. L'boro —9L 185
Morland Av. Los H —9K 135
Morland Av. Wesh —2L 111
Morley Av. B'brn —7H 139
Morley Clo. Lanc —5J 23
Morley Rd. Blac —1E 108
Morley Rd. Lanc —5J 23
Morley Rd. South —5L 167
Morley St. Burn —5F 124
Morley St. Pad —1H 123
Morley St. Roch —4E 204
Morningside. Lanc —9J 23
(off Carr Ho. La.)
Morningside Clo. Roch —7E 204
Mornington Rd. Adl & And —5K 195
Mornington Rd. Lyth A —4D 130
Mornington Rd. Pen —3E 134
Mornington Rd. Pres —8B 116
Mornington Rd. South —7J 167
Morris Clo. Ley —7K 153
Morris Ct. Rib —7N 115
Morris Cres. Rib —7N 115
Morris Hey. Hals —1C 208
Morris La. Hals —1C 208
Morrison St. Chor —4F 174
Morris Rd. Chor —5G 174
Morris Rd. Rib —7N 115
Morris Rd. Uph —4D 220
Morse St. Burn —4G 125
Morston Av. Blac —1E 88
Morston Av. Liv —9K 223
Morston Cres. Liv —9K 223
Morston Wlk. Liv —9K 223
Mortimer Gro. Hey —8M 21
Morton Clo. Wig —9M 221
Morton Ct. B'brn —3M 139
Morton St. Roch —6D 204
Mort St. Hor —9C 196
Morven Gro. South —7L 167
Mosber La. Garg —4L 53

Moscow Mill St.—New Cut La.

Moscow Mill St. Osw —3L 141
Moscow Pl. Osw —4L 141
(off Union Rd.)
Mosedale Dri. Burn —1N 123
Moseley Av. Earby —3C 78
Moseley Clo. Burn —7E 124
Moseley Rd. Burn —7E 124
Mosley Av. Bury —8L 201
Mosley Av. Ram —3G 200
Mosley St. Barn —2M 77
Mosley St. B'brn —6M 139
Mosley St. Ley —6K 153
Mosley St. Nels —2H 105
Mosley St. Pres —9M 115
Mosley St. South —1H 187
Mosman Pl. Barfd —8G 84
Moss Acre Rd. Pen —5H 135
Moss Av. Ash R —7D 114
(in two parts)
Moss Av. Bil —8G 221
Moss Av. Roch —7F 204
Moss Bank. Augh —1J 217
Mossbank. B'brn —2A 140
Mossbank. Cop —4A 194
Moss Bank. Cop —4A 194
Moss Bank. Rainf —3J 225
Moss Bank Clo. Bolt —9D 198
Moss Bank Ct. Augh —1J 217
(in two parts)
Mossbank Gro. Heyw —9G 202
Moss Bank Pl. Blac —1F 108
Mossborough Hall La. Rainf —8F 224
Mossborough Rd. Rainf —8H 225
Mossbourne Rd. Poul F —9J 63
Moss Bridge. —2M 157
Moss Bri. La. Lath —2G 211
Moss Bri. Pk. Los H —8M 135
Moss Bri. Rd. Roch —8E 204
Mossbrook Dri. Cot —4C 114
Moss Brow. Rainf —4L 225
Moss Clo. Chor —6G 174
Moss Clo. Has —7F 160
Mossdale. B'brn —2A 140
Mossdale Av. Rib —5N 115
Mossdale Rd. Liv —5L 223
Moss Delph La. Augh —1G 217
Moss Edge. —6A 44
Moss Edge La. Lyth A —6G 108
(in two parts)
Moss Edge La. Poul F —5G 57
Moss End Way. Know I —7B 224
Mossfield Clo. Bury —9A 202
Mossfield Clo. Los H —8L 135
Mossfield Rd. Chor —6G 174
Moss Fold Rd. Dar —2M 157
Moss Ga. B'brn —2A 140
Mossgiel Av. South —9B 186
Moss Grn. Liv —9A 206
Moss Hall La. Blkhd —4N 147
Moss Hall La. Lyth A —1K 129
Moss Hall Rd. Acc —9A 122
Moss Hey La. Mere B —3M 169
Mosshill Clo. Liv —8B 216
Moss Ho. La. Much H —5J 151
Moss Ho. La. Pre —3B 56
Moss Ho. La. West —3N 109
Moss Ho. Rd. Blac —4F 108
Moss Ho. Rd. Wood —8E 94
Moss Houses Rd. Foul —3E 86
Moss Ind. Est. Roch —8E 204
Mosslands. Ley —6G 153
Moss La. Banks —9H 149
Moss La. Bic & Down —9D 218
Moss La. Bils —8B 68
Moss La. Breth —7M 151
Moss La. Burs —7D 190
Moss La. Burt —3D 6
Moss La. Catf —5G 92
Moss La. Chip —6G 71
Moss La. Chtwn —6N 167
Moss La. C'ham —5A 36
Moss La. Cop —4A 194
Moss La. Crost —6L 171
Moss La. Far M —2F 152
(in two parts)
Moss La. Form —8D 206
Moss La. Gars —5L 59
Moss La. H'twn & Cros —6A 214
Moss La. Holme —1E 6
Moss La. H End —7M 149
Moss La. Ins —8F 66
Moss La. Know I —7N 223
Moss La. Ley —5L 153
(Station Brow)
Moss La. Ley —9C 152
(Willow Rd.)
Moss La. L Hoo —3M 151
Moss La. Los H —8L 135
Moss La. Lyd —6A 216
Moss La. Mag —9D 216
Moss La. More —4A 22
Moss La. New L —8A 134
Moss La. Osw & B'brn —5F 140
Moss La. Over —4A 28
Moss La. Pen —8H 135
Moss La. Roch —7D 204
Moss La. St M —3F 66
Moss La. Silv —7K 5
Moss La. Sim —2L 223
(in two parts)
Moss La. Skel —5K 219
Moss La. Tar —6D 170
Moss La. Whit W —1E 174
Moss La. Whitw —7M 183
Moss La. Wrigh —9F 192
Moss La. Yeal R —6B 6
Moss La. E. Trea —1E 112
Moss La. Vw. Skel —5K 219
Moss La. W. Trea —3C 112
Mosslawn Rd. Liv —9M 223
Moss Lea. Bolt —9D 198
Moss Lea. Tar —8E 150
Mosslea Dri. Brtn —2E 94
Moss Mill St. Roch —8E 204
Moss Nook. Augh —1H 217
Moss Nook. Burs —7C 190
Moss Nook La. Liv —2F 222
Moss Nook La. Rainf —4J 225
(in two parts)
Mossock Hall Golf Course. —8J 217
Mossom La. T Clev —4D 62
Moss Pl. Lanc —4L 23
Moss Rd. Bil —8G 220
Moss Rd. Crost —8M 151
Moss Rd. Heat O —9A 22
Moss Rd. South —3H 187
Moss Row. Roch —4H 203
Moss Side. —6E 152
(Leyland)
Moss Side. —8C 110
(Lytham St Annes)
Moss Side. —9D 216
(Maghull)
Moss Side. —8L 43
(Preston)
Moss Side. Barn —2N 77
Moss Side. Bury —8F 200
Moss Side. Form —8B 206
Moss Side Ind. Est. Ley —7E 152
Moss Side La. Gt Ecc —6C 66
Moss Side La. Lyth A —7E 110
Moss Side La. Mere B —2K 169
Moss Side La. Miln —8F 204
Moss Side La. Stalm —5C 56
Moss Side St. Shawf —1B 184
Moss Side Way. Ley —8E 152
Moss St. B'brn —2A 140
Moss St. Clith —3K 81
Moss St. Gt Har —5J 121
Moss St. Los H —8L 135
Moss St. Pem —5L 221
Moss St. Pres —9H 115
Moss St. Roch —7E 204
Moss St. S'seat —3J 201
Moss Ter. Roch —7E 204
Moss Ter. Whit W —1G 174
Moss Ter. Wig —6L 221
Moss Vw. Burs —6E 190
Moss Vw. Mag —1E 222
Moss Vw. Orm —7K 209
Moss Vw. South —8E 186
Moss Way. Blac —2F 108
Mossway. New L —1C 152
Moss Wood Cvn. Pk. C'ham —5F 44
Mossy Lea. —7J 193
Mossy Lea Fold. Shev —1K 213
Mossy Lea Rd. Wrigh —6H 193
Mostyn Av. Bury —8L 201
Mostyn Av. Earby —3E 78
Mostyn Av. Old R —7B 222
Mostyn St. Dar —3M 157
Motherwell Cres. South —2M 187
Moth Hole La. Hept —9N 127
Mottram Clo. Liv —8L 223
Mottram Clo. Whit W —1E 174
Mottram M. Hor —9C 196
Mottram St. Hor —9C 196
Moulden Brow. Fen —9C 138
Moulding Clo. B'brn —4J 139
Mounsey Rd. Bam B —8B 136
Mountain Ash. Roch —2M 203
Mountain Ash Clo. Roch —2M 203
Mountain La. Acc —4B 142
Mountain Rd. Cop —5A 194
Mt. Apartments. Fltwd —8G 40
Mount Av. Lanc —5K 23
Mount Av. L'boro —7K 185
Mount Av. More —1E 22
Mount Av. Roch —1H 205
Mount Av. Ross —7D 162
Mountbatten Rd. Chor —8D 174
Mount Clo. Liv —6H 223
Mount Cres. Cliv —9L 125
Mount Cres. Liv —6G 223
Mount Cres. Orr —5J 221
Mount Dri. Parb —8N 191
Mountfield Ct. Orr —4J 221
Mount Gdns. More —1E 22
Mt. House Clo. Liv —7B 206
Mt. House Rd. Liv —7B 206
Mount La. Cliv —8K 125
Mount La. Todm —5F 146
Mount Pl. Roch —5B 204
Mt. Pleasant. Adl —5J 195
Mt. Pleasant. Arns —3G 4
Mt. Pleasant. Bacup —7G 163
(off Plantation St.)
Mt. Pleasant. Ben —6L 19
Mt. Pleasant. B'brn —3N 139
Mt. Pleasant. Chat —7C 74
Mt. Pleasant. Pres —9J 115
Mt. Pleasant. Ross —5K 161
Mt. Pleasant. Sab —3F 102
Mt. Pleasant. Todm —2L 165
Mt. Pleasant. Tur —9K 179
Mt. Pleasant. Whit W —7E 154
Mt. Pleasant. Withn —7B 156
Mt. Pleasant. Wors —4L 125
Mt. Pleasant La. Bolt S —5M 15
Mt. Pleasant St. Burn —4D 124
Mt. Pleasant St. Osw —4L 141
Mt. Pleasant St. Todm —7D 146
Mount Rd. Burn —5D 124
Mount Rd. Fltwd —8G 41
Mount Rd. Liv —7G 223
(in two parts)
Mt. St James. B'brn —4F 140
Mountside Clo. Roch —3C 204
Mount St. Acc —4A 142
Mount St. Barfd —8H 85
Mount St. Blac —4B 88
Mount St. Brier —5F 104
Mount St. Clay M —7N 121
Mount St. Fltwd —9G 41
Mount St. Gt Har —3J 121
Mount St. Pres —1J 135
Mount St. Ram —7G 180
Mount St. Ross —5K 161
Mount St. South —7K 167
Mount Ter. Ross —5M 161
Mount Ter. South —7K 167
Mount, The. Ross —8D 162
Mount, The. Skel —3M 219
Mount, The. Todm —1M 165
Mountwood. Skel —8L 211
Mountwood Lodge. South —8C 186
Mowbray Av. B'brn —6N 139
Mowbray Dri. Blac —1F 88
Mowbray Dri. Burt —6H 7
Mowbray Pl. Fltwd —9E 40
Mowbray Rd. Fltwd —9E 40
Mowbreck. —2N 111
Mowbreck Cvn. Pk. Wesh —2N 111
Mowbreck Ct. Wesh —3M 111
Mowbreck Hall Cvn. Pk. Wesh —2N 111
Mowbreck La. Wesh —2L 111
Mowbrick La. Hest B —8H 15
Mowgrain Vw. Bacup —4K 163
Moyse Av. Wals —9E 200
Mt Pleasant. Burn —3D 124
(off Bethesda St.)
Much Hoole. —4J 151
Much Hoole Moss Houses. —5L 151
Much Hoole Town. —6J 151
Mucky La. Salt —4B 78
Muirfield. Pen —2D 134
Muirfield Clo. Ful —3E 114
Muirfield Dri. South —9C 186
Mulberry Av. Pen —5D 134
Mulberry Clo. Clift —8G 113
Mulberry Clo. Liv —4L 223
Mulberry Clo. Roch —8B 204
Mulberry Clo. Wig —5N 221
Mulberry La. Lanc —5L 29
Mulberry M. Blac —5F 62
Mulberry St. B'brn —3B 140
Mulberry Wlk. B'brn —3B 140
Mulgrave Av. Ash R —8D 114
Mullion Clo. South —1A 168
Mullions, The. Todm —8J 165
Muncaster Dri. Rainf —3L 225
Muncaster Rd. Pres —7J 115
Municipal Golf Links. —4J 167
Munro Av. Orr —5H 221
Munro Cres. Rib —6A 116
Munster Av. Blac —8D 62
Murchison Gro. T Clev —2E 62
Murdock Av. Ash R —7G 114
Murdock St. B'brn —4J 139
Muriel St. Roch —8E 204
Murray Av. Far M —2H 153
Murrayfield. Roch —7J 203
Murray St. Burn —9F 104
Murray St. Ley —6L 153
Murray St. Pres —8H 115
Murton Ter. Bolt —9F 198
(off Holly St.)
Musbury Cres. Ross —6M 161
Musbury Rd. Ross —8D 160
Musbury Vw. Has —6E 160
Musden Av. Ross —8F 160
Museum of Craven Life. —3N 35
Museum of Lancashire. —9L 115
Museum of Yorkshire Dales Lead Mining. —2E 78
Museum St. B'brn —3M 139
Myerscough Av. Blac —4F 108
Myerscough Av. Lyth A —9D 108
Myerscough Planks. Bils —9D 68
Myerscough Smithy. —6M 117
Myerscough Smithy Rd. Bald —6M 117
(in two parts)
Myers St. Barn —3M 77
Myndon St. Lanc —5K 23
Myra Av. More —4C 22
Myra Rd. Lyth A —4H 129
Myrtle Av. Blac —5D 88
Myrtle Av. Burn —5B 124
Myrtle Av. Poul F —6L 63
Myrtle Av. T Clev —7F 54
Myrtle Bank Rd. Bacup —4K 163
Myrtle Bank Rd. B'brn —8L 139
Myrtle Dri. K'ham —5A 112
Myrtle Gro. Barn —2N 77
Myrtle Gro. Burn —5K 125
Myrtle Gro. Has —6F 160
Myrtle Gro. Hey —5N 21
Myrtle Gro. South —8L 167
Myrtle St. Todm —2L 165
Mystic M. Orm —7K 209
(off Burscough St.)
Mythop. —8N 89
Mythop Av. Lyth A —4B 130
Mythop Clo. Lyth A —4B 130
Mythop Ct. Blac —9K 89
Mythop Pl. Ash R —8C 114
Mythop Rd. Blac —9K 89
Mythop Rd. Lyth A —4B 130
Mythop Rd. Weet —8D 90
Mythop Village. Blac —8M 89
Mytton Fold Golf Course. —9E 100
Mytton Rd. Bolt —9B 198
Mytton St. Pad —1H 123
Mytton Vw. Clith —4J 81

Nabbs Fold. G'mnt —2E 200
Nabbs Way. G'mnt —4F 200
Nab La. B'brn —3L 139
(in two parts)
Nab La. Osw —4H 141
Nab Rd. Chor —5G 175
Nab's Head. —1N 137
Nab's Head La. Sam —8N 117
Nairn Av. Skel —7M 211
Nairn Clo. Blac —2G 108
Nairn Clo. Stand —3N 213
Nairne St. Burn —4B 124
Nairn M. Liv —9D 216
Nall St. Miln —7H 205
Nancy St. Dar —6B 158
Nanny's Rake. Clau B —1K 69
Nansen Rd. B'brn —5J 139
Nansen Rd. Fltwd —1G 54
Nantwich Av. Roch —2C 204
Napier Av. Blac —3B 108
Napier Av. Tar —7D 150
Napier Clo. Lyth A —8E 108
Napier Ho. Todm —7K 165
(off Scott St.)
Napier St. Acc —3B 142
Napier St. Nels —4J 105
Napier Ter. South —9G 167
Naples Av. Burn —5B 124
Naples Rd. Dar —6C 158
Nappa. —4D 52
Naptha La. Wstke —2F 152
(in two parts)
Narcissus Av. Has —7E 160
Nares Rd. B'brn —5J 139
Nares St. Ash R —8F 114
Narrow Cft. Rd. Augh —2G 216
Narrowgate Cotts. B'ley —6B 84
Narrow La. Augh —2G 216
Narrow La. Hals & Clie H —5C 208
Narrow La. Midg H —5C 152
Narrow Moss. —3K 209
Narrow Moss La. Scar —2J 209
Narvik Av. Burn —5N 123
Nateby. —6G 59
Nateby Av. Blac —4E 108
Nateby Clo. L'rdge —2H 97
Nateby Clo. Liv —1H 129
Nateby Ct. Blac —3B 108
Nateby Crossing La. Nate —5L 59
Nateby Hall La. Nate —2K 59
Nateby Pl. Ash R —8C 114
Nathan Gro. Liv —6L 223
National Football Mus. —7L 115
Nave Clo. Dar —7C 158
Navena Clo. Fltwd —2E 54
Naventi Ct. Blac —7B 88
(off Shannon St.)
Navigation Bus. Cen. Ash R —9C 114
Navigation Way. Ash R —9C 114
Navigation Way. B'brn —5N 139
Naylorfarm Av. Shev —7J 213
Naylor's Ter. Bel —9K 177
Naze Ct. Frec —2N 131
Naze Ct. Ross —6C 162
Naze La. Frec —2N 131
Naze La. E. Frec —3A 132
Naze La. Ind. Est. Frec —4N 131
Naze Rd. Ross —6C 162
Naze Rd. Todm —5J 165
Naze Vw. Todm —4J 165
Naze Vw. Av. Ross —5D 162
Neals Fold. South —1C 168
Neapsands Clo. Ful —4N 115
Neare Mdw. Brin —4E 154
Neargates. Char R —2N 193
Neath Clo. B'brn —1M 139
Neath Clo. Walt D —5A 136
Neddy Hill. Burt —5G 7
Neddy La. Bill —6G 101
Nedens Gro. Liv —8B 216
Nedens La. Liv —8B 216
Ned's La. Pil —8E 42
Ned's La. Stalm —7B 56
Needham Av. More —5A 22
Needham Ri. More —5A 22
Needham Way. Skel —7M 211
Needless Hall La. Hell —5D 52
Nell Carrs. Ram —6K 181
Nell La. Ley —3N 153
Nell's La. Augh —6E 216
Nell St. Bolt —9E 198
Nelson. —3H 105
Nelson Av. Ley —6L 153
Nelson Ct. Fltwd —1F 54
Nelson Cres. Lea —7A 114
Nelson Dri. Lea —7A 114
Nelson Gdns. Ins —2G 93
Nelson Golf Course. —6J 105
Nelson Rd. Blac —8B 88
Nelson Rd. Brclf —5K 105
Nelson Rd. Chor —7E 174
Nelson Rd. Fltwd —1F 54
Nelson Sq. Burn —4D 124
Nelson St. Acc —3B 142
Nelson St. Bacup —7N 163
Nelson St. Bam B —8A 136
Nelson St. Clith —3H 81
Nelson St. Col —6A 86
Nelson St. Dar —5N 157
Nelson St. Gt Har —3K 121
Nelson St. Hor —9E 196
Nelson St. K'ham —4L 111
Nelson St. Lanc —8K 23
Nelson St. L'boro —9L 185
Nelson St. Lyth A —5C 130
Nelson St. More —3A 22
Nelson St. Roch —6C 204
Nelson St. South —8G 166
Nelson St. Todm —7K 165
Nelson Ter. Acc —2M 141
(off India St.)
Nelson Ter. Pres —9G 115
Nelson Way. Ash R —1B 134
Nene Clo. Ley —8L 153
Neps La. Pay —6B 52
Neptune St. Burn —3D 124
Nero St. Ram —7K 181
Nesbit St. Bolt —9H 199
Ness Gro. Liv —8H 223
Nesswood Av. Blac —3E 108
Neston Av. Bolt —8F 198
Neston Rd. Roch —9F 204
Neston Rd. Wals —9E 200
Neston St. Pres —9A 116
Netherbeck. Carn —7C 12
Netherbeck Holiday Home Pk. Carn —7C 12
Nether Burrow. —9F 8
Netherby St. Burn —5B 124
Nether Cft. Roch —4J 203
Netherfield Clo. Burn —2B 124
Netherfield Gdns. Nels —2J 105
Netherfield Rd. Nels —3H 105
Netherheys Clo. Col —6M 85
Nether Kellet. —4B 16
Nether Kellet Rd. Over K —1F 16
Netherlands Rd. More —4C 22
Netherley Rd. Cop —5A 194
Netherton Grange. Boot —7A 222
Nethertown. —4G 101
Nethertown Clo. Whal —4H 101
Nether Vw. Wenn —5F 18
Netherwood Rd. Burn —1G 124
Netherwood St. Burn —8J 105
Nethway Av. Blac —4F 88
Netley Av. Roch —2C 204
Network 65 Bus. Pk. Hap —5L 123
Neverstitch Clo. Skel —1K 219
Neverstitch Rd. Skel —2G 219
Nevett St. Pres —9N 115
Neville Av. T Clev —3E 62
Neville Cres. Garg —3L 53
Neville Dri. T Clev —3H 63
Neville Rd. Garg —3L 53
Neville St. L'rdge —3J 97
Nevill St. South —6H 167
Nevis Gro. Bolt —8D 198
New Acres. Carn —8C 12
New Acres. Newb —2L 211
Newall St. L'boro —8L 185
Newall St. Todm —7K 165
Newark Clo. Boot —5A 222
Newark Pl. Ash R —7B 114
Newark Pl. Ful —1G 114
Newark Rd. Roch —2C 204
Newark Sq. Roch —2C 204
Newark St. Acc —3M 141
Newarth La. Hesk B —4C 150
New Bank Rd. B'brn —2J 139
New Barn Clo. Ross —9F 160
New Barn Ct. B'brn —6N 139
(off Yates Fold)
New Barn La. Roch —8B 204
New Barn La. Ross —7M 161
New Barns Clo. Arns —3D 4
New Barns Rd. Arns —3D 4
New Barn St. Roch —8D 204
New Bath St. Col —6B 86
Newbiggin. —5A 8
Newbigging Av. Ross —5D 162
Newbiggin La. N'bgn —5A 8
Newbold. —6F 204
Newbold Brow. —5E 204
Newbold Moss. Roch —5E 204
Newbold St. Roch —5F 204
New Bonny St. Blac —6B 88
Newbridge. —9G 84
Newbridge Gdns. Bolt —9L 199
New Briggs Fold. Eger —3E 198
New Brighton. Garg —4L 53
New Brighton. Ross —3C 162
New Brighton Cotts. Whitw —5A 184
(off Ruth St.)
New Brook Ho. Pres —9M 115
New Brown St. Nels —1H 105
New Brunswick St. Hor —9C 196
New Bldgs. Pl. Roch —5C 204
Newburgh. —3L 211
Newburn Clo. Skel —7M 211
Newbury Av. Blac —1D 108
Newbury Clo. Ful —1F 114
New Bury Clo. Osw —5J 141
Newbury Grn. Ful —1F 114
Newbury Rd. Lyth A —4F 128
Newbury Rd. Skel —7M 211
Newby. —3M 75
Newby Av. Fltwd —3D 54
Newby Av. Poul F —1K 89
Newby Back La. Rim —4N 75
Newby Clo. Burn —7C 124
Newby Clo. South —1B 206
Newby Dri. Lanc —5K 23
Newby Dri. Ley —5N 153
Newby La. Rim —4M 75
Newby Pl. Blac —9H 89
Newby Pl. Rib —5N 115
(in two parts)
Newby Rd. Acc —9C 122
Newby Sq. Wig —6L 221
New Carr La. Liv —4L 215
Newcastle Av. Blac —6D 88
Newcastle Av. T Clev —8E 54
Newcastle St. B'brn —5K 139
New Cateaton St. Bury —9L 201
New Causeway. Liv —3B 214
New Chapel St. B'brn —6J 139
Newchurch. —6C 162
Newchurch Clo. B'brn —6N 139
New Chu. Clo. Clay M —6M 121
Newchurch in Pendle. —8A 84
New Chu. M. Burn —9F 104
Newchurch Old Rd. Bacup —6H 163
(in two parts)
Newchurch Rd. Bacup —7E 162
Newchurch Rd. Ross —4M 161
Newcock Yd. Pres —1J 135
Newcombe Rd. Ram —4F 200
New Ct. Dri. Eger —2D 198
New Ct. Way. Orm —7L 209
Newcroft. War —4B 12
New Cut Clo. South —5G 186
New Cut La. Liv —9E 224

264 A-Z Lancashire

New Cut La.—Nutter Rd.

New Cut La. *South & Hals* —5G **187**
Newell Ter. *Roch* —4B **204**
New England Cvn. Pk. *Cap* —5G **13**
Newfield Clo. *Roch* —5F **204**
Newfield Ct. *Lyth A* —2F **128**
Newfield Dri. *B'brn* —8A **140**
Newfield Dri. *Nels* —2J **105**
Newfield Head La. *Miln* —8L **205**
Newfield Rd. *Bam B* —9C **136**
Newfield Vw. *Miln* —7K **205**
(in three parts)
New Fold. *Orr* —7F **220**
New Garden Fields. *Ross* —9D **144**
New Garden St. *B'brn* —5M **139**
Newgate. —4D 220
New Gate. —8F 134
Newgate. *Ful* —5H **115**
Newgate. *Roch* —6B **204**
Newgate. *Whi L* —6E **22**
Newgate Av. *App B* —4H **213**
Newgate La. *Wstke* —8F **134**
Newgate Rd. *Uph* —4C **220**
New Grn. *Bolt* —7L **199**
New Ground Ct. *Burn* —7G **105**
New Hall Av. *Blac* —3H **109**
New Hall Av. N. *Blac* —3H **109**
New Hall Hey. —6L 161
New Hall Hey Bus. Pk. *Ross* —6L **161**
New Hall Hey Rd. *Ross & Raw* —6L **161**
New Hall La. *Pres* —9L **115**
New Hall Rd. *Bury* —9C **202**
New Hall St. *Burn* —9E **104**
Newhaven Clo. *Bury* —6H **201**
Newhaven Dri. *Catt* —1A **68**
Newhey. —9K 205
New Hey La. *Newt* —5B **112**
Newhey Rd. *Miln* —8K **205**
(in two parts)
New Heys Way. *Bolt* —7K **199**
Newholme Cvn. Site. *Blac* —8J **89**
Newhouse Clo. *Ward* —8F **184**
Newhouse Cres. *Roch* —5J **203**
New Ho. La. *Winm* —8J **45**
Newhouse Rd. *Blac* —8F **88**
Newhouse Rd. *Hun I* —9C **122**
New Houses. —9M 221
New Ho. St. *Col* —6B **86**
Newhouse St. *Ward* —8F **184**
(in two parts)
Newick Rd. *Liv* —9H **223**
Newington Av. *B'brn* —6N **119**
New Inn Yd. More —2B 22
(off Poulton Rd.)
New Inn Yd. *Roch* —1H **205**
Newland Av. *Wig* —6N **221**
Newlands. *E'ston* —8F **172**
Newlands Av. *Blac* —8E **88**
Newlands Av. *Burs* —9D **190**
Newlands Av. *Clith* —4J **81**
Newlands Av. *Lanc* —2M **29**
Newlands Av. *Pen* —4D **134**
Newlands Av. *Roch* —2C **204**
Newlands Clo. *B'brn* —8F **138**
Newlands Clo. *Roch* —2C **204**
Newlands Rd. *Lanc* —3M **29**
Newlands Rd. *Lyth A* —3J **129**
Newlands Rd. *More* —4C **22**
Newlands Rd. *Quer* —1A **30**
Newland Way. *Poul F* —1J **89**
New Lane. —7N 189
New La. *Augh* —1K **217**
New La. *Burs* —6N **189**
New La. *Burt* —6G **6**
New La. *Clau B* —3C **68**
New La. *Down* —8J **207**
(in two parts)
New La. *Eag H* —5A **58**
New La. *E'ston* —4D **172**
New La. *Osw* —6J **141**
New La. *Pen* —5H **135**
New La. *Pil* —1G **56**
New La. *South* —2B **168**
New La. *Tar* —9B **150**
New La. *T Clev* —4H **63**
New La. *W'gll* —6D **80**
New La. Pace. *Banks* —7G **148**
New Line. *Bacup* —7K **163**
New Line Ind. Est. *Bacup* —7L **163**
New Links Av. *Ing* —3D **114**
New Longton. —8C 134
Newlyn Av. *Blac* —4E **108**
Newlyn Av. *Mag* —1D **222**
Newlyn Ct. *Blac* —4E **108**
Newlyn Dri. *Skel* —4A **220**
Newlyn Pl. *Ing* —4C **114**
Newman Gro. *T Clev* —7E **54**
Newman Rd. *Blac* —2D **88**
Newman St. *Burn* —9F **104**
Newman St. *Roch* —2F **204**
Newmarket Av. *Lanc* —3M **29**
New Mkt. St. *B'brn* —3M **139**
New Mkt. St. *Chor* —6E **174**
New Mkt. St. *Clith* —3L **81**
New Mkt. St. *Col* —6A **86**
Newmarket St. *More* —2D **22**
Newmeadow Clo. *B'brn* —8A **140**
New Mdw. La. *Liv* —3E **214**
New Miles La. *Shev* —6J **213**
New Mill. *Roch* —3F **204**
New Mill St. *B'brn* —2N **139**
New Mill St. *E'ston* —8F **172**
New Mill St. *L'boro* —9K **185**
New Moss La. *Whit W* —1E **174**
Newnham St. *Bolt* —9E **198**
New Oxford St. *Col* —5B **86**
New Pk. St. *B'brn* —3L **139**
New Pastures. *Los H* —8M **135**
Newport St. *Nels* —1J **105**
Newport St. *Tot* —8F **200**
New Quay Rd. *Lanc* —9F **22**
New Rd. *And* —3L **195**
New Rd. *Cop* —3B **194**
New Rd. *Crost* —7M **171**
New Rd. *Earby* —2E **78**
New Rd. *Form* —7A **206**
New Rd. *Hamb* —9N **55**
New Rd. *I'ton & K Lon* —2M **19**
New Rd. *K Lon* —6E **8**
New Rd. *Lanc* —8K **23**
New Rd. *Los H* —7L **135**
New Rd. *Lyth A* —5B **108**
New Rd. *Ross* —5D **162**
New Rd. *Ruf* —2F **190**
New Rd. *Silv* —9J **5**
New Rd. *T Clev* —4J **63**
New Rd. *Todm* —3F **146**
New Rd. *War* —2K **11**
New Rd. *Whitw* —5M **183**
New Rough Hey. *Ing* —3C **114**
New Row. *Alt* —3D **122**
New Row. *K'ham* —4N **111**
New Row. *Traw* —7F **86**
New Scotland Rd. *Nels* —1J **105**
Newsham. —5D 94
Newsham Hall La. *Wood* —7C **94**
Newsham Lodge La. *Wood* —7B **94**
Newsham Pl. *Lanc* —2L **29**
Newsham Rd. *Lanc* —2L **29**
Newsham St. *Ash R* —8G **114**
Newsholme. —6C 52
News La. *Rainf* —8J **219**
Newsome St. *Ley* —6K **153**
New S. Promenade. *Blac* —3A **108**
New Springs. *Bolt* —9B **198**
Newstead. Roch —5B 204
(off Spotland Rd.)
Newstead Dri. *Skel* —7M **211**
Newstet Rd. *Know I* —8N **223**
New St. *Brins* —7A **156**
New St. *Brook* —2K **25**
New St. *Carn* —8A **12**
New St. *Col* —8M **85**
New St. *E'ston* —8F **172**
New St. *Hals* —5A **208**
New St. *Halt* —1B **24**
New St. *Has* —4G **160**
New St. *Lanc* —8K **23**
New St. *L'clif* —1N **35**
New St. *L'boro* —1J **205**
New St. *Maw* —3N **191**
New St. *Miln* —8K **205**
New St. *More* —3A **22**
New St. *Nels* —1K **105**
New St. *Pad* —1G **123**
New St. *Pem & Wig* —6L **221**
New St. *Tot* —7E **200**
New Taylor Pde. *Brclf* —7K **105**
Newton. —4J 89
(Blackpool)
Newton. —7A 50
(Clitheroe)
Newton. —6L 23
(Lancaster)
Newton. —7D 112
(Preston)
Newton. —10D 8
(Whittington)
Newton Av. *Poul F* —9J **63**
Newton Av. *Pres* —9C **116**
Newton Clo. *Frec* —1A **132**
Newton Clo. *Ley* —7E **152**
Newton Ct. *Ash R* —8E **114**
Newton Dri. *Acc* —5C **142**
Newton Dri. *Blac* —5D **88**
Newton Dri. *Cliv* —1L **145**
Newton Dri. *G'mnt* —4F **200**
Newton Dri. E. *Blac* —3H **89**
New Tong Fld. *Brom X* —6F **198**
Newton Gro. *T Clev* —4H **63**
Newton Gro. *Todm* —9J **147**
Newton Pl. *Blac* —3G **89**
Newton Rd. *Ash R* —7E **114**
Newton Rd. *Lyth A* —1G **129**
Newton St. *B'brn* —3B **140**
Newton St. *Burn* —2A **124**
Newton St. *Bury* —7L **201**
Newton St. *Clith* —4K **81**
Newton St. *Dar* —5A **158**
Newton St. *Osw* —3H **141**
Newton St. *Pres* —9K **115**
(in two parts)
Newton St. *Roch* —8D **204**
Newton St. *South* —7M **167**
Newton Ter. *Lanc* —5L **23**
Newtown. —4D 172
New Town. —4J 97
Newtown. *Barn* —2M **77**
Newtown Gdns. *Liv* —8K **223**
Newtown St. *Col* —6B **86**
(in two parts)
New Vernon St. *Bury* —9L **201**
New Way. *Bic* —9N **217**
New Way. *Whitw* —5N **183**
New Wellington Clo. *B'brn* —7K **139**
New Wellington Gdns. *B'brn* —7K **139**
New Wellington St. *B'brn* —7K **139**
Nib La. *Pen* —8H **135**
Nicholas St. *Brclf* —7J **105**
Nicholas St. *Burn* —4E **124**
Nicholas St. *Col* —7N **85**
Nicholas St. *Dar* —6N **157**
Nicholl St. *Burn* —1E **124**
Nicholson Cres. *More* —3D **22**
Nicholson St. *Roch* —8C **204**
Nichol St. *Chor* —5E **174**
Nickey La. *Mel* —7G **118**
Nick Hiltons La. *Hth C* —2M **195**
Nickleton Brow. *Hth C* —3L **195**
Nick Rd. La. *Ward* —7C **184**
Nickson's La. *Pre* —9A **42**
Nicola Clo. *Bacup* —9L **145**
Nicola St. *Eger* —5E **198**
Nigher Moss Av. *Roch* —7F **204**
Nightfield La. *Bald* —1A **118**
Nightingale Clo. *Kirkby* —7G **223**
Nightingale Cres. *Burn* —5A **124**
Nightingale Dri. *Poul F* —9H **63**
Nightingale St. *Adl* —5J **195**
Nile St. *Lanc* —8K **23**
Nile St. Nels —1H 105
(off Clayton Clo.)
Nile St. *Roch* —5D **204**
Nimes St. *Pres* —9N **115**
Nine Elms. *Ful* —3F **114**
Nineteen Acre La. *Yeal R* —7C **6**
Nipe La. *Skel* —6L **219**
Nip Hill. Lanc —8J 23
(off Castle Hill)
Nithside. *Blac* —9J **89**
Niton Clo. *Has* —6H **161**
Nixon Ct. *Ley* —7C **152**
Nixon Hillock. —2K 173
Nixon La. *Ley* —7C **152**
Nixons La. *Skel* —4A **220**
Nixon's La. *South* —6E **186**
Noble Mdw. *Roch* —9G **184**
Noble St. *Dar* —7A **158**
Noble St. *Gt Har* —5J **121**
Noble St. *Rish* —8H **121**
Noblett Ct. *Fltwd* —2F **54**
Noblett St. *B'brn* —3N **139**
Noel Ga. *Augh* —2G **216**
Noel Jones Ct. *Lyth A* —1E **128**
Noel Rd. *Lanc* —5J **23**
Noel Sq. *Rib* —8A **116**
Noggarth Rd. *Fence* —2B **104**
Nog Now. —2C 114
Nolan St. *South* —9J **167**
Nook. —9L 59
Nook Cres. *Grims* —9E **96**
Nook Cft. *Earby* —2F **78**
Nook Farm Av. *Roch* —2C **204**
Nook Fld. *Goos* —4N **95**
Nookfield. *Ley* —6D **152**
Nookfield Clo. *Lyth A* —4N **129**
Nook Glade. *Grims* —9E **96**
Nooklands. —5G 114
Nooklands. *Ful* —5H **115**
Nook La. *Bam B* —9N **135**
Nook La. *B'brn* —7G **139**
Nook La. *Chur* —9L **59**
Nook La. *Maw* —9B **172**
Nook La. *Osw* —6G **141**
Nook Side. *Roch* —2C **204**
Nook Ter. *B'brn* —7H **139**
Nook Ter. *Roch* —2C **204**
Nook, The. *App B* —5H **213**
Nook, The. *Augh* —3H **217**
Nook, The. *Blac* —5K **89**
Nook, The. *Bolt S* —5L **15**
Noon La. *Burs* —3C **190**
Noon Sun St. *Roch* —4C **204**
(in two parts)
Noor St. *Pres* —8K **115**
Nora St. *Barfd* —8H **85**
Norbreck. —5C 62
Norbreck Clo. *B'brn* —8N **139**
Norbreck Ct. *Blac* —5C **62**
Norbreck Dri. *Ash R* —8B **114**
Norbreck Rd. *T Clev* —5C **62**
Norburn Cres. *Liv* —1A **214**
Norbury Clo. *Liv* —8J **223**
Norbury Clo. *South* —1B **168**
Norbury Gro. *Bolt* —9G **198**
Norbury Rd. *Liv* —8J **223**
Norbury St. *Roch* —9E **204**
Norbury Wlk. *Liv* —8J **223**
Norcliffe Rd. *Blac* —5C **62**
Norcross Brow. *Withn* —7B **156**
Norcross La. *T Clev* —4J **63**
Norcross Pl. *Ash R* —8C **114**
Nordale Pk. *Roch* —3J **203**
Norden. —7G 121
(Blackburn)
Norden. —4H 203
(Rochdale)
Norden Clo. *Roch* —3G **203**
Norden Rd. *Roch* —8H **203**
Norden Way. *Roch* —3G **203**
Norfield. *Orm* —7L **209**
Norfolk Av. *Blac* —8B **62**
Norfolk Av. *Burn* —2N **123**
Norfolk Av. *Hey* —5M **21**
Norfolk Av. *Pad* —3J **123**
Norfolk Av. *T Clev* —9E **54**
Norfolk Clo. *Clay M* —6M **121**
Norfolk Clo. *Ley* —8H **153**
Norfolk Clo. *L'boro* —5M **185**
Norfolk Gro. *Chu* —1N **141**
Norfolk Gro. *South* —4F **186**
Norfolk Rd. *Blac* —8G **89**
Norfolk Rd. *Liv* —3B **222**
Norfolk Rd. *Lyth A* —3A **130**
Norfolk Rd. *Pres* —8K **115**
Norfolk Rd. *South* —4F **186**
Norfolk Rd. *Walt D* —4N **135**
Norfolk St. *Acc* —1C **142**
Norfolk St. *B'brn* —6K **139**
Norfolk St. *Col* —6B **86**
Norfolk St. *Dar* —6B **158**
Norfolk St. *Lanc* —6K **23**
Norfolk St. *Nels* —2H **105**
Norfolk St. *Rish* —8G **121**
Norfolk St. *Roch* —7B **204**
Norfolk Ter. Glas D —1C 36
(off West Vw.)
Norford Way. *Roch* —6J **203**
Norham Clo. *Burn* —2C **124**
Norkeed Rd. *T Clev* —4C **62**
Norland Dri. *Hey* —8L **21**
Norley. —4M 221
Norley Hall Av. *Wig* —4M **221**
Norley Rd. *Wig* —4L **221**
Normanby St. *Wig* —5L **221**
Norman Clo. *T Clev* —2F **62**
Normandie Av. *Blac* —8D **62**
Normandy Rd. *Wood* —7E **94**
Norman Hays. *Burs* —4L **209**
Normanhurst. *Orm* —8M **209**
Norman Rd. *Osw* —3J **141**
Norman Rd. *Roch* —7A **204**
Norman St. *B'brn* —5K **139**
Norman St. *Burn* —2E **124**
Norman St. *Bury* —9N **201**
Normanton Clo. *Stand L* —8N **213**
Normington Clo. *Liv* —7B **216**
Normoss. —3H 89
Normoss Av. *Blac* —3G **89**
Normoss Rd. *Blac* —3H **89**
Norreys St. *Roch* —5D **204**
Norris Ho. Dri. *Augh* —3H **217**
Norris St. *Chor* —8E **174**
Norris St. *Dar* —6B **158**
Norris St. *Ful & Pres* —6G **115**
(in two parts)
Norris Way. *Form* —9B **206**
N. Albert St. *Fltwd* —8H **41**
N. Albion St. *Fltwd* —9G **40**
Northall. *Much H* —5J **151**
Northam Clo. *South* —1N **167**
Northam Clo. *Stand* —3N **213**
North Av. *Ain* —8D **222**
North Av. *Barn* —2M **77**
North Av. *Blac* —3D **88**
North Av. *G'mnt* —4E **200**
N. Bank Av. *B'brn* —8M **119**
Northbrook Gdns. *Ley* —6H **153**
Northbrook Rd. *Ley* —5H **153**
(in two parts)
N. Church St. *Fltwd* —8H **41**
Northcliffe. *Gt Har* —2H **121**
N. Cliff St. *Pres* —2H **135**
N. Clifton St. *Lyth A* —5A **130**
Northcote Rd. *Lang* —6C **100**
Northcote Rd. *Pres* —1G **135**
Northcote St. *Dar* —9B **158**
Northcote St. *Has* —5G **161**
Northcote St. *Ley* —6K **153**
North Ct. *T Clev* —7D **54**
Northcroft. *Gars* —4N **59**
Northdene. *Parb* —2M **211**
Northdene Dri. *Roch* —7K **203**
North Dri. *App B* —2F **212**
North Dri. *Ins* —1G **92**
North Dri. *T Clev* —5D **62**
(in two parts)
North Dri. *Wesh* —3L **111**
North End. —5C 214
Northenden Rd. *Cop* —4A **194**
N. End La. *H'twn* —5A **214**
Northern Av. *Much H* —5H **151**
Northern Perimeter Rd. *Boot* —5A **222**
Northfield. *Uph* —8M **211**
Northfield Av. *Blac* —2B **88**
Northfield Clo. *Liv* —6M **223**
Northfield Rd. *Acc* —8F **142**
Northfield Rd. *B'brn* —1M **139**
Northfield Rd. *Bury* —7L **201**
Northfields Av. *Set* —2N **35**
Northfields Cres. *Set* —2N **35**
Northfleet Av. *Fltwd* —2E **54**
Northgate. *B'brn* —3M **139**
Northgate. *Blac* —7C **62**
Northgate. *Goos* —4N **95**
Northgate. *Ley* —5L **153**
Northgate. *Lyth A* —2D **128**
Northgate. *Whi L* —5D **22**
Northgate. *Whitw* —7N **183**
Northgate Dri. *Chor* —4G **174**
North Gro. *Los H* —8M **135**
N. Highfield. *Ful* —3A **116**
North Houses. —1K 129
N. Houses La. *Lyth A* —1K **129**
Northland Rd. *Bolt* —7F **198**
Northlands. *Ful* —3H **115**
Northlands. *Ley* —8F **152**
North La. *Roch* —5C **204**
Northleach Av. *Pen* —6J **135**
Northleach Dri. *South* —8A **186**
North Meade. *Liv* —9A **216**
N. Meadowside. *Walm B* —1L **151**
N. Mersey Bus. Cen. *Know I* —6A **224**
North Moor. —2D 208
N. Moor La. *Hals* —2C **208**
N. Moss La. *Liv* —6C **206**
N. Mount Rd. *Liv* —6G **223**
N. Nook La. *Goos* —5A **70**
North Pde. *Barn* —1M **77**
North Pde. *Kirkby* —8K **223**
North Pde. *Miln* —9M **205**
North Pk. Av. *Barfd* —1G **105**
North Pk. Dri. *Blac* —5E **88**
N. Park Rd. *Liv* —6G **223**
N. Perimeter Rd. *Liv* —6A **224**
N. Promenade. *Lyth A* —9C **108**
N. Ribble St. *Walt D* —2M **135**
North Rd. *B'brn* —4B **140**
North Rd. *Breth* —9H **151**
North Rd. *Carn* —9A **12**
North Rd. *Holme* —1F **6**
North Rd. *Lanc* —8K **23**
North Rd. *Pres* —8J **115**
North Rd. *Ross* —5A **162**
North Rd. *South* —2A **168**
North Shore. —2B 88
North Shore Golf Course. —8C 62
Northside. *Eux* —3M **173**
North Sq. *Blac* —4D **88**
North Sq. *T Clev* —7C **54**
North St. *Barn* —3M **77**
North St. *Brclf* —7K **105**
North St. *Burn* —9E **104**
North St. *Chor* —4E **174**
North St. *Clith* —2M **81**
North St. *Col* —5B **86**
North St. *Fltwd* —8H **41**
North St. *Garg* —3M **53**
North St. *Hap* —4H **123**
North St. *Has* —6H **161**
North St. *More* —3B **22**
North St. *Nels* —1H **105**
North St. *Pad* —9H **103**
North St. *Pres* —9J **115**
North St. *Ram* —4H **181**
North St. *Raw* —5M **161**
North St. *Roch* —5D **204**
North St. *Ross* —6C **162**
North St. *South* —6J **167**
North St. *Water* —8E **144**
North St. *Whitw* —5N **183**
N. Syke Av. *Lea* —8M **113**
Northumberland Av. *Blac* —1B **88**
Northumberland Av. *T Clev* —8E **54**
Northumberland Ho. *Pres* —9J **115**
Northumberland St. *Chor* —7F **174**
Northumberland St. *More* —3A **22**
North Va. *Hth C* —4H **195**
N. Valley Rd. *Col* —6N **85**
North Vw. *Bury* —3G **201**
North Vw. *K'ham* —4L **111**
North Vw. *Ley* —7J **153**
North Vw. *Ram* —4H **181**
North Vw. *Ross* —8M **143**
North Vw. *Traw* —9E **86**
North Vw. *Whitw* —5A **184**
N. View Clo. *Gt Ecc* —6A **66**
N. Warton St. *Lyth A* —5B **130**
North Way. *Bolt* —9H **199**
Northway. *Brough* —7F **94**
Northway. *Fltwd* —3D **54**
Northway. *Ful* —3G **115**
Northway. *Mag & Augh* —3B **222**
(in three parts)
Northway. *Skel* —9M **211**
Northways. *Stand* —2N **213**
Northwold Clo. *Wig* —8N **221**
Northwood. —7L 223
Northwood. *Bolt* —9K **199**
Northwood Clo. *Burn* —1B **124**
Northwood Clo. *Lyth A* —4L **129**
Northwood Way. *Poul F* —9K **63**
Norton Av. *Hey* —5L **21**
Norton Ct. *Lyth A* —4F **128**
Norton Dri. *Hey* —6M **21**
Norton Gro. *Hey* —6L **21**
Norton Gro. *Liv* —4C **222**
Norton Pl. *Hey* —6L **21**
Norton Rd. *Cabus* —2N **59**
Norton Rd. *Hey* —6L **21**
Norton Rd. *Roch* —2C **204**
Norton St. *Hap* —5H **123**
Norwich Av. *Roch* —6L **203**
Norwich Dri. *Bury* —9J **201**
Norwich Pl. *Blac* —6D **62**
Norwich Pl. *Pres* —1K **135**
Norwich St. *B'brn* —1N **139**
Norwich St. *Roch* —8D **204**
Norwich Way. *Kirkby* —8K **223**
Norwood Av. *B'brn* —6M **139**
Norwood Av. *Blac* —2E **88**
Norwood Av. *Hesk B* —5D **150**
Norwood Av. *Nels* —9K **85**
Norwood Av. *South* —6L **167**
Norwood Clo. *Adl* —5J **195**
Norwood Cres. *South* —7L **167**
Norwood Dri. *More* —4E **22**
Norwood Gdns. *South* —7M **167**
Norwood Gro. *Rainf* —4L **225**
Norwood Rd. *Lyth A* —9C **108**
Norwood Rd. *South* —7M **167**
Notre Dame Gdns. *B'brn* —2N **139**
Nottingham Rd. *Pres* —8K **115**
Nottingham St. *B'brn* —4A **140**
Novak Pl. *More* —4F **22**
Nova Scotia. —5M 139
Nowell Gro. *Read* —8C **102**
Nowell St. *Gt Har* —4J **121**
Noyna Av. *Foul* —2B **86**
Noyna Rd. *Foul* —2B **86**
Noyna St. *Col* —5B **86**
Noyna Vw. *Col* —4B **86**
Nun Hills. —7G 162
Nun St. *Lanc* —8L **23**
Nurseries, The. *Form* —1A **214**
Nursery Av. *Orm* —6M **209**
Nursery Clo. *Char R* —1A **194**
Nursery Clo. *Ley* —7J **153**
Nursery Dri. *Tar* —6D **150**
Nursery Gdns. *Roch* —5F **204**
Nursery La. *New L* —8B **134**
Nursery Nook. *E'hill* —2D **158**
Nursery Rd. *Liv* —7B **216**
Nutfield St. *Todm* —1L **165**
Nutgill La. *Ben* —6N **19**
Nuthall Rd. *South* —2M **187**
Nuttall. —1H 201
Nuttall Av. *Gt Har* —5J **121**
Nuttall Clo. *Ram* —9H **181**
Nuttall Hall Cotts. *Ram* —9J **181**
Nuttall Hall Rd. *Ram* —1J **201**
Nuttall Lane. —9H 181
Nuttall La. *Ram* —9G **181**
Nuttall Rd. *Blac* —9D **88**
Nuttall St. *Acc* —9C **122**
(Burnley Rd.)
Nuttall St. *Acc* —3B **142**
(Mount St.)
Nuttall St. *Bacup* —4M **163**
Nuttall St. *B'brn* —7L **139**
Nuttall St. *Burn* —5F **124**
Nuttall St. *For H* —9E **144**
Nuttall St. *Ross* —4N **161**
Nuttall St. M. Acc —3B 142
(off Nuttall St.)
Nutter Cres. *High* —5L **103**
Nutter Rd. *Acc* —1B **142**
Nutter Rd. *Pres* —1H **135**
Nutter Rd. *T Clev* —1D **62**

Nutter's Platt—Oulder Hill Dri.

Nutter's Platt. —7F 134
Nye Bevan Pool. —2M 219

Oak Av. Acc —8F 142
Oak Av. Blac —1D 108
Oak Av. Eux —3N 173
Oak Av. Gal —2K 37
Oak Av. K'ham —5N 111
Oak Av. L'rdge —3J 97
Oak Av. More —2E 22
Oak Av. Newt —7D 112
Oak Av. Orm —8J 209
Oak Av. Pen —5E 134
Oak Av. Ram —3F 200
Oak Av. T Clev —3J 63
Oak Av. Todm —9K 147
Oak Bank. Acc —7C 122
Oakbank Dri. Bolt —7D 198
Oak Bank Ter. Barfd —8G 84
Oakcliffe Rd. Roch —1F 204
Oak Clo. Barr —1K 101
Oak Clo. Rish —9H 121
Oak Clo. Whitw —2A 184
Oak Cres. Skel —2H 219
Oak Cft. Clay W —5D 154
Oakdale. Bolt —9K 199
Oakdene Av. Acc —8D 122
Oak Dri. Chor —3E 174
Oak Dri. Frec —3M 131
Oak Dri. Halt —1C 24
Oaken Bank. Burn —7J 105
Oaken Clo. Bacup —4M 163
Oakenclough. —9H 47
Oakenclough Rd. Bacup —4M 163
Oakenclough Rd. Goos —5A 70
Oakenclough Rd. Scor —2F 46
Oakeneaves Av. Burn —7B 124
Oakengate. Ful —2M 115
Oakenhead Clo. W'chpl —4N 69
Oakenhead St. Pres —8A 116
Oakenhead Wood. —4K 161
Oakenhead Wood Old Rd. Ross —4J 161
Oakenhurst Rd. B'brn —4L 139
Oakenrod Hill. Roch —7A 204
Oakenshaw. —6L 121
Oakenshaw Av. Whitw —8N 183
Oakenshaw Vw. Whitw —8N 183
Oakfield. Ash R —8E 114
Oakfield. Ful —2J 115
Oakfield Av. Acc —8D 122
Oakfield Av. Barn —1L 77
Oakfield Av. Clay M —6L 121
Oakfield Cres. Osw —4M 141
Oakfield Dri. Ley —7E 152
Oakfield Rd. B'brn —9L 139
Oakfield Rd. Form —9A 214
Oakfields. Orm —7M 209
Oakfield Ter. Roch —5N 203
Oakford Clo. Banks —1G 168
Oakgate Clo. Tar —1D 170
Oak Gates. Eger —4E 198
Oak Grn. Orm —7L 209
Oakgrove. Blac —3D 108
Oak Gro. Dar —5B 158
Oak Gro. New L —1D 152
Oakham Clo. Bury —8J 201
Oakham Ct. Pres —1K 135
Oakham Ct. South —6J 167
Oakham Dri. Liv —9E 222
Oak Hill. L'boro —9J 185
Oak Hill Clo. Acc —4B 142
Oakhill Clo. Mag —9C 216
Oakhill Cottage La. Liv —7C 216
Oakhill Dri. Liv —7C 216
Oakhill Rd. Mag —9C 216
Oakhurst Av. Acc —8D 122
Oakland Av. T Clev —5D 62
Oakland Glen. Walt D —5K 135
Oaklands Av. Barfd —8H 85
Oaklands Av. Tar —8E 150
Oaklands Ct. Ald —2G 29
Oaklands Dri. Pen —4D 134
Oaklands Dri. Ross —5K 161
Oaklands Gro. Ash R —8B 114
Oaklands Rd. Ram —4J 181
Oakland St. Bam B —7A 136
Oakland St. Nels —2J 105
Oak La. Acc —3C 142
Oak La. Newt —7D 112
Oaklea. Stand —2K 213
Oakleaf Clo. Goos —4M 95
Oakleaf Ct. T Clev —8D 54
Oakleaf Way. Blac —9K 89
Oaklee Gro. Liv —6M 223
Oakleigh. Skel —9A 220
Oakleigh Ter. Todm —7E 146
Oakley Rd. Hey —6L 21
Oakley Rd. Ross —5L 161
Oakley St. L'boro —1H 205
Oakley St. Ross —6K 161
Oakmere. Brin —4E 154
Oakmere Av. Withn —5M 155
Oakmere Clo. B'brn —1L 157
Oakmoor Av. Blac —7E 62
Oak Mt. Todm —1L 165
Oak Ridge. W Brad —5K 73
Oakridge Clo. Ful —2J 115
Oak Rd. Gars —4M 59
Oakroyd Clo. Arns —1F 4
Oaks Av. Bolt —8J 199
Oaks Brow. Clay D —2K 119
Oaksfield. Dar —2M 157
Oakshaw Dri. Roch —4L 203
Oakshott Pl. Bam B —9D 136
Oaks La. Bolt —8H 199
Oaks, The. Chor —1D 194
Oaks, The. Poul F —6K 63
Oaks, The. St M —4G 67
Oaks, The. Walt D —5L 135
Oak St. Acc —3B 142
Oak St. Bacup —4L 163
Oak St. B'brn —9N 119
Oak St. Brier —4F 104
Oak St. Burn —3A 124
Oak St. Clay M —7M 121
Oak St. Col —5B 86
Oak St. Dunn —4N 143
Oak St. Fltwd —9G 40
Oak St. Gt Har —3J 121
Oak St. Heyw —9F 202
Oak St. L'boro —9M 185
Oak St. Miln —9K 205
Oak St. Nels —1J 105
Oak St. Osw —5K 141
Oak St. Pres —1K 135
Oak St. Ram —9G 181
Oak St. S'bri —2J 205
Oak St. South —8L 167
Oak St. Todm —3K 165
Oak St. Whitw & Shawf —2A 184
Oak Ter. Barn —1N 77
Oak Ter. L'boro —4N 185
Oak Towers. Liv —7L 223
Oaktree Av. Ing —5D 114
Oak Tree Av. Ley —3N 153
Oaktree Clo. Ing —5D 114
Oak Tree Ct. Skel —9A 212
Oak Vw. Ley —5H 153
Oak Vw. Whitw —2A 184
Oakville Rd. Hey —2K 27
Oak Way. L'rdge —2J 97
Oakwood. Skel —9A 212
Oakwood Av. B'brn —8A 120
Oakwood Av. Lyth A —4L 129
Oakwood Av. Shev —7J 213
Oakwood Av. South —7D 186
Oakwood Av. Walt D —4M 135
Oakwood Clo. Blac —5F 108
Oakwood Clo. Burn —7H 105
Oakwood Clo. Dar —2M 157
Oakwood Clo. T Clev —1K 63
Oakwood Dri. Ful —1G 114
Oakwood Dri. South —8E 186
Oakwood Gdns. Lanc —5L 29
Oakwood Gro. Bolt S —7K 15
Oakwood Rd. Acc —5C 142
Oakwood Rd. Chor —8D 174
Oakwood Rd. Cop —3B 194
Oakwood Vw. Chor —1D 194
Oakworth Av. Rib —4B 116
Oakworth Clo. Liv —6K 223
Oakworth Dri. Bolt —8D 198
Oasis Clo. Ruf —2F 190
Oatlands Rd. Liv —8H 223
Oat St. Pad —2J 123
Oban Ct. Grims —9F 96
Oban Cres. Pres —6N 115
Oban Dri. B'brn —5C 140
Oban Gro. Bolt —8E 198
Oban Pl. Blac —5E 62
Oban St. Burn —1G 124
Oberlin St. Roch —8A 204
Observatory Rd. B'brn —6A 140
Occupation La. Poul F —7C 64
Occupation Rd. T Clev —1H 63
Occupation Rd. War —3L 11
Ocean Boulevd. Blac —2A 108
Ocean Ct. Kno S —8K 41
Ocean Edge Cvn. Pk. Hey —5J 27
Ocean Way. T Clev —9C 54
Oddies Yd. Roch —3D 204
Odell Way. Walt D —5A 136
O'er the Bridge. Hodd —6F 158
(off Hoddlesden Rd.)
Off Botanic Rd. South —5N 167
Offerton St. Hor —9B 196
Office Rd. Bacup —8L 145
Off Mt. Pleasant St. Osw —4L 141
(off Chapel St.)
Ogden Clo. Helm —8F 160
Ogden Dri. Helm —8F 160
Ogden La. Miln —9N 205
O'Hagan Ct. Brier —4F 104
Old Acre. Liv —8A 214
Old Back La. Wis —3L 101
Old Bank La. B'brn —6A 140
(in two parts)
Old Bank St. B'brn —4M 139
Old Barn Pl. Brom X —5G 199
Old Bent La. Ward —7D 184
Old Birtle. —6C 202
Old Boundary Way. Orm —6L 209
Old Bri. La. Hamb —4A 64
Old Bri. Way. Chor —5F 174
Old Brow La. Roch —2F 204
Old Brown La. Bam B —5C 136
Old Buckley La. K Grn —3E 98
Oldbury Pl. T Clev —3F 62
Old Carr Mill St. Ross —2G 160
Old Clay Dri. Roch —1G 204
Old Clay La. Chip —1H 97
Old Clitheroe Rd. Dutt —1L 97
Oldcock Yd. Pres —1K 135
Old Cft. Ful —1G 115
Old Cross Stone Rd. Todm —2M 165
Old Dawber's La. Eux —5L 173
Old Delph Rd. Roch —4J 203
Old Doctors St. Tot —6E 200
Old Eagley M. Bolt —7F 198
Old Engine La. Ram —8J 181
Old Engine La. Skel —1G 218
Olde Stoneheath Ct. Hth C —1K 195
Old Farmside. B'brn —9L 139
Oldfield. L Hoo —3K 151
Oldfield. Pen —6G 134
Oldfield Av. Blac —7C 62
Oldfield Av. Dar —4M 157
Old Fld. Carr La. Poul F —1K 89
Oldfield Clo. Poul F —1L 89
Oldfield Cres. Poul F —8L 63
Oldfield Rd. Bam B —9C 136
Old Fold. Wig —5L 221
Old Gates Dri. B'brn —7G 138
Old Greaves Town La. Lea —8A 114
Old Grn. Bolt —7L 199
Old Green. G'mnt —4E 200
Old Ground St. Ram —8H 181
Old Hall Clo. Bam B —8A 136
Old Hall Clo. Bury —6G 201
Old Hall Clo. Liv —3C 222
Old Hall Clo. More —4F 22
Old Hall Clo. R'lee —6E 84
Old Hall Cft. Garg —3M 53
Old Hall Dri. Bam B —8A 136
Old Hall Dri. Hun —8E 122
Old Hall Gdns. Rainf —3L 225
Old Hall La. Char R —8L 173
Old Hall La. Liv —8J 223
Old Hall La. Pleas —6D 138
Old Hall Pk. Cvn. Pk. Cap —8H 13
Old Hall Rd. Liv —3C 222
Old Hall Sq. Wors —4L 125
Old Hall St. Burn —1E 124
Oldham Rd. Roch —6C 204
(in two parts)
Oldhams La. Bolt —8D 198
Oldham St. Burn —5D 124
Oldham St. More —2B 22
Oldham Ter. Bolt —8D 198
(in three parts)
Old Hey Cft. Pen —6G 135
Old Hive. Chip —5F 70
Old Ho. La. Blac —2J 109
Old Kiln. Bacup —7H 163
Old Lancaster La. Pres —8G 114
Old Lancaster Rd. Catt —1M 67
Old La. Bis —6N 191
Old La. Brou —6M 53
Old La. Bury —5L 201
Old La. Earby —2E 78
(in two parts)
Old La. Hask —8K 207
Old La. Kel —8C 78
Old La. Liv —6A 206
(Lit. Brewery La.)
Old La. Liv —7D 216
(Moss La.)
Old La. Rainf —3K 225
Old La. Salt —5L 77
(in two parts)
Old La. Shawf —8A 164
Old La. Shev —6L 213
Old La. Thorn C —9J 53
Old La. Todm —4K 165
Old Langho. —6C 100
Old Langho Rd. Old L —7B 100
Old Laund St. Fence —2C 104
Old Links Clo. South —6A 168
Old Links Golf Course. —9M 197
Old Lodge La. Clau B —3D 68
Old Lord's Cres. Hor —8C 196
Old Mains La. Poul F —5M 63
Old Mkt. Ct. More —2B 22
(off Green St.)
Old Meadow Ct. Blac —7E 88
Old Meadows La. Blac —7E 88
Old Meadows Rd. Bacup —2K 163
Old Mill Ct. Walm B —2K 151
Old Mill Dri. Col —7C 86
Old Mill Hill. Orm —9J 209
Old Mill La. Bis —7C 192
Old Millstones. Pres —1G 135
Old Mill St. B'brn —2N 139
Oldmill St. Roch —5C 204
Old Mill Ter. Chor —5G 174
Old Moor Rd. Wenn —6F 18
Old Moss La. Augh —7G 206
Old Nab Rd. Lang & Whal —1E 120
Old Nursery Fold. Bolt —9L 199
Old Oak Gdns. Walt D —5L 135
Old Pk. La. South —7N 167
Old Parsonage La. Pad —1G 123
Old Pepper La. Stand —2L 213
Old Pope La. Wstke —8E 134
Old Prescot Clo. Liv —9H 217
Old Quarry La. Eger —4F 198
Old Racecourse Rd. Liv —2A 222
Old Rake. Hor —8E 196
Old Rectory Grn. Augh —4F 216
Old Riggs Yd. Burt —6H 7
Old Rd. Bolt —9E 198
Old Roman Rd. Whal & Read —6N 101
Old Rough La. Liv —7K 223
Old Row. Barr —9K 81
Old Row. K'ham —5N 111
Old Row. Ross —6K 161
Oldroyd. —2N 165
Oldroyd Rd. Todm —2N 165
Old Sawmill, The. Rath —6L 35
Old School Clo. Ley —7D 152
Old School Ho., The. L'boro —8J 185
(off Shore Rd.)
Old School La. Adl —8G 195
Old School La. Eux —3N 173
(in two parts)
Old School La. Los H —1M 153
Old School La. Toc —5G 157
Old School M. Stac —7G 163
Old Scotch Rd. Man —1D 8
Old Sta. Clo. Grims —9F 96
Old Sta. Ct. Clith —3L 81
(off Station Rd.)
Old Sta. Ct. Clith —3L 81
(off Station Rd.)
Old Stone Brow. Kel —8D 78
Old Stone Trough. —7D 78
Old Stone Trough La. Kel —7D 78
Old St. Ross —6C 162
Old Swan Clo. Eger —3E 198
Old Swan Cotts. Eger —3E 198
Old Tom's La. Stalm —5C 56
Old Town. —2D 8
Old Towns Clo. Tot —6E 200
Old Tram Rd. Bam B —8A 136
(in two parts)
Old Tram Rd. Pen & Walt D —4K 135
(in three parts)
Old Vicarage. Pres —9K 115
Old Will's La. Hor —7C 196
Olivant St. Burn —2A 124
Olive Bank. Bury —9G 201
Olive Clo. Liv —8F 222
Olive Clo. Whit W —1E 174
Olive Gro. Blac —5E 88
Olive Gro. Boot —9A 222
Olive Gro. Skel —2J 219
Olive Gro. South —7L 167
Olive Gro. W'ton —2J 131
Olive La. Blac —5A 158
Oliver Clo. L'boro —9J 185
Olive Rd. Lanc —6K 23
Oliver Pl. Ful —8B 12
Olivers Pl. Ful —1K 115
Oliver St. Bacup —7G 163
Olive St. Bacup —7J 163
Olive Ter. Ross —2L 161
Ollerton. Roch —5B 204
(off Spotland Rd.)
Ollerton Fold. —3M 155
Ollerton La. Withn —3M 155
Ollerton Rd. Lyth A —3K 129
Ollerton St. Adl —4J 195
Ollerton St. Bolt —7F 198
Ollerton Ter. Bolt —7F 198
(off Ollerton St.)
Ollerton Ter. Withn —4N 155
Ollery Grn. Boot —6A 222
Olney. Roch —7B 204
Olympia St. Burn —4G 124
Onchan Dri. Bacup —6M 163
Onchan Rd. B'brn —7M 139
One Ash Clo. Roch —3C 204
Onslow Cres. South —3G 186
Onslow Rd. Blac —3E 88
Onslow St. Roch —9N 203
Ontario Clo. B'brn —9H 119
Oozebooth Ter. B'brn —1M 139
Oozehead La. B'brn —3J 139
Opal Clo. T Clev —4F 62
Opal St. B'brn —7M 119
Openshaw Dri. B'brn —8M 119
Oporto Clo. Burn —4C 124
Oram Rd. Brin —8H 137
Oram St. Bury —9M 201
(in two parts)
Orange St. Acc —9A 122
Orchan Rd. Todm —9J 147
Orchard Av. Blac —3C 108
Orchard Av. Bolt —9F 198
Orchard Av. Bolt S —3L 15
Orchard Av. New L —9D 134
Orchard Av. Poul F —1L 89
Orchard Bri. Burn —3D 124
(off Active Way)
Orchard Clo. B'brn —1L 157
Orchard Clo. Burt —5H 7
Orchard Clo. Eux —2N 173
Orchard Clo. Frec —2M 131
Orchard Clo. Grin —4A 74
Orchard Clo. Hesk B —4D 150
Orchard Clo. Ing —4D 114
Orchard Clo. Shev —5K 213
Orchard Clo. Silv —9F 4
Orchard Clo. Slyne —9K 15
Orchard Clo. T Clev —8H 55
Orchard Clo. W Grn —6G 111
Orchard Ct. Liv —1D 222
Orchard Cres. Arns —1F 4
Orchard Cft. Los H —8K 135
Orchard Dri. Fltwd —3E 54
Orchard Dri. Osw —3M 141
Orchard Dri. Whit W —1E 174
Orchard End. Gt Ecc —6A 66
(off N. View Clo.)
Orchard Hey. Boot —6A 222
Orchard Hey. Liv —2D 222
Orchard La. Ains & South —9D 186
Orchard La. Lanc —9H 23
Orchard La. Longt —8K 133
Orchard Mill St. Dar —5N 157
Orchard Rd. Arns —1F 4
Orchard Rd. Lyth A —2E 128
Orchards, The. Barn —1N 77
(off Skipton Rd.)
Orchards, The. Poul F —6H 63
Orchard St. Barn —2M 77
Orchard St. Gt Har —5J 121
Orchard St. Ley —6L 153
Orchard St. Pres —9J 115
Orchard Ter. Traw —9E 86
Orchard, The. Burn —5A 124
(off Heather Bank)
Orchard, The. Crost —3N 171
Orchard, The. L Ecc —6M 65
Orchard, The. Orm —7J 209
Orchard, The. W'ton —2K 131
Orchard, The. Wood —9B 94
Orchard Vw. Augh —2J 217
Orchard Wlk. G'mnt —4E 200
(off Lomax St.)
Orchard Wlk. Grims —8E 96
Orchid Way. Roch —2A 204
Ord Av. Blac —8F 88
Orders La. K'ham —5M 111
Ordnance St. B'brn —3A 140
Ord Rd. Ash R —7F 114
Oregon Av. Blac —2E 88
Oriel Clo. Old R —7C 222
Oriel Dri. Liv —7B 222
Oriel St. Roch —8C 204
Oriole Clo. B'brn —2N 139
Orkney Clo. B'brn —5C 140
Orkney Rd. Blac —8C 88
Orme Ho. Orm —7M 209
Ormerod Rd. Burn —3E 124
Ormerod St. Acc —4N 141
Ormerod St. Burn —4D 124
Ormerod St. Col —7N 85
Ormerod St. Has —9G 142
Ormerod St. Nels —2K 105
Ormerod St. Raw —5M 161
Ormerod St. T Clev —8H 55
Ormerod St. Water —8E 144
Ormerod St. Wors —5L 125
Ormerod Ter. Barr —2K 101
(off Whiteacre La.)
Ormerod Ter. Foul —2B 86
Ormerod Vw. Wors —4M 125
(off Ormerod St.)
Orme St. Blac —7C 88
Ormond Av. Blac —2B 88
Ormond Av. W'head —8C 210
Ormonde Av. Liv —3B 222
Ormonde Cres. Liv —8M 223
Ormonde Dri. Liv —2B 222
Ormont Av. T Clev —1E 62
Ormrod Pl. Blac —8B 88
Ormrods, The. Bury —8D 202
Ormrod St. Brad —9J 199
Ormskirk. —7K 209
Ormskirk Bus. Pk. Orm —6L 209
Ormskirk Cricket Club Ground. —8L 209
Ormskirk Golf Course. —6C 210
Ormskirk Old Rd. Bic —4D 218
Ormskirk Rd. Bic —9H 219
(Rainford Rd.)
Ormskirk Rd. Bic —2N 217
(St Helens Rd.)
Ormskirk Rd. Liv —9A 222
Ormskirk Rd. Pres —9K 115
Ormskirk Rd. Rainf —1H 225
Ormskirk Rd. Skel —2G 218
(Blaguegate La.)
Ormskirk Rd. Skel —3M 219
(Spencers La.)
Ormskirk Rd. Uph —4C 220
Ormskirk Rd. Wig —5L 221
Ormskirk Swimming Pool. —7K 209
Ormston Av. Hor —8C 196
Ormstons La. Hor —7E 196
Ornatus St. Bolt —8F 198
Orpen Av. Burn —6D 124
Orpington Sq. Burn —7G 105
Orpington St. Wig —5M 221
Orrell. —6G 221
Orrell Clo. Ley —6G 153
Orrell Gdns. Orr —5J 221
Orrell Hall Clo. Orr —3L 221
Orrell Hill La. Liv —7C 214
Orrell La. Burs —8B 190
Orrell M. Burs —8C 190
Orrell Rd. Orr —4G 220
Orrell R.U.F.C. —6H 221
(Edge Hall Rd.)
Orrell Water Pk. —7H 221
Orrel Post. —5H 221
Orrest Rd. Pres —8C 116
Orron St. L'boro —9K 185
Ortner. —5H 39
Orton Ct. Barfd —7H 85
Orwell Clo. Bury —9J 201
Osbaldeston. —5E 118
Osbaldeston Green. —3E 118
Osbaldeston La. Osb —2E 118
Osbert Cft. Longt —7L 133
Osborne Cres. More —5N 21
Osborne Dri. Clay W —5E 154
Osborne Gro. More —5A 22
Osborne Gro. T Clev —7D 54
Osborne Pl. Todm —2M 165
(off Halifax Rd.)
Osborne Rd. B'brn —2J 139
Osborne Rd. Blac —1B 108
Osborne Rd. Hey & More —5N 21
Osborne Rd. Lyth A —3F 128
Osborne Rd. South —7B 186
Osborne Rd. T Clev —7D 54
Osborne Rd. Walt D —5N 135
Osborne St. Pres —1H 135
Osborne St. Roch —8B 204
Osborne Ter. Bacup —7H 163
Osborne Ter. Dar —5M 157
Osborne Ter. Newc P —9B 84
Osborne Ter. Raw —5K 161
Osborne Ter. Waterf —3D 162
Osborne Way. Has —6F 160
Osbourne Av. T Clev —1F 62
Oscar St. Blac —8F 88
Oslo Rd. Burn —4N 123
Osprey Clo. B'brn —9L 119
Osprey Clo. H'pey —3J 175
Osprey Pl. Ley —5F 152
Osprey's, The. Wig —7M 221
Oswald Clo. Liv —4K 223
Oswald Rd. Ash R —8F 114
Oswald Rd. Lyth A —4C 130
Oswald St. Acc —2B 142
Oswald St. B'brn —2M 139
Oswald St. Burn —1D 124
Oswald St. Osw —5J 141
Oswald St. Rish —7J 121
Oswald St. Roch —5D 204
Oswaldtwistle. —5K 141
Oswestry Clo. G'mnt —5D 200
Otley Rd. Lyth A —1H 129
Ottawa Clo. B'brn —9J 119
Otterburn Clo. Blac —1H 89
Otterburn Gro. Burn —3H 125
Otterburn Rd. B'brn —9K 139
Otters Clo. Rib —7B 116
Ottershaw Gdns. B'brn —9M 119
Otterwood Sq. Wig —1M 221
Ottery Clo. South —1N 167
Otway St. Pres —7H 115
Oulder Hill. Roch —6L 203
Oulder Hill Dri. Roch —6M 203

Ouldfield Clo.—Pavilion Clo.

Ouldfield Clo. Roch —7E 204
Oulton Clo. Liv —7A 216
Oulton St. Bolt —8G 198
Oundle Dri. Liv —7B 222
Ousby Av. More —6B 22
Ousby Rd. More —6B 22
Ouseburn Rd. B'brn —8K 139
Outer Promenade. Fltwd —8D 40
Outer Promenade. Lyth A —5H 129
(in two parts)
Out La. Crost —4M 171
Outlet La. Liv & Bic —1K 223
Out Moss La. More —4B 22
Outram La. B'brn —8M 119
Outram Way. Bam B —8A 136
Out Rawcliffe. —3H 65
Outterside St. Adl —7J 195
Outwood Gro. Bolt —8E 198
Outwood Rd. Burn —5F 124
Oval, The. Frec —9D 112
Oval, The. Shev —7J 213
Ovangle Rd. Heat O & Lanc —7E 22
Over Burrow. —9F 8
Overdale Gro. Blac —1G 89
Overdell Dri. Roch —2N 203
Overdene Wlk. Liv —9L 223
Overfield Way. Roch —3C 204
Overhill Way. Wig —8N 221
Overhouses. Tur —8H 179
Over Kellet. —1F 16
Overshores Rd. Tur —7G 179
Overton. —7B 28
Overton Clo. Liv —9J 223
Overton Grn. Liv —9J 223
Overton Rd. Ash R —9B 114
Overtown. —8G 9
Over Town. —8L 125
Over Town La. Roch —2E 202
Overt St. Roch —8C 204
Ovington Dri. South —2L 187
Owen Av. Orm —6L 209
Owen Ct. Clay M —6M 121
Owen Rd. Lanc —6K 23
Owen's La. Down —1K 215
Owens Row. Hor —9D 196
(off Bk. Chapel St.)
Owens St. Chor —7G 175
Owen St. Acc —1A 142
Owen St. Burn —4M 123
Owen St. Dar —4A 158
Owen St. Pres —9L 115
Owlerbarrow Rd. Bury —9F 200
Owlers Wlk. Todm —8J 147
Owlet Hall Rd. Dar —5M 157
Owtram St. Pres —9M 115
Oxcliffe Av. Hey —7L 21
Oxcliffe Gro. Hey —7L 21
Oxcliffe Rd. Hey & Heat O —7L 21
Ox Clo. La. Pil —9H 43
Oxendale Rd. T Clev —1K 63
Oxenholme Av. T Clev —8D 54
Oxenhurst Rd. Blac —2G 89
Oxford Av. Clay M —6N 121
Oxford Av. Roch —7L 203
Oxford Clo. B'brn —4N 139
Oxford Clo. Pad —3J 123
Oxford Ct. Lyth A —4K 129
Oxford Ct. South —1F 186
Oxford Dri. B'brn —4E 140
Oxford Dri. K'ham —5A 112
Oxford Gdns. South —1E 186
Oxford Pl. Burn —4F 124
Oxford Pl. Lanc —5J 23
Oxford Pl. Roch —8D 204
Oxford Rd. Ans —4K 129
Oxford Rd. Bam B —8B 136
Oxford Rd. Blac —5D 88
Oxford Rd. Burn —4F 124
Oxford Rd. Fltwd —1E 54
Oxford Rd. Ful —5G 115
Oxford Rd. Lyth A —9E 108
Oxford Rd. Nels —9L 85
Oxford Rd. Orr —4J 221
Oxford Rd. Skel —2J 219
Oxford Rd. South —9E 166
Oxford Rd. T Clev —9C 54
Oxford Sq. Blac —8E 88
Oxford St. Acc —2A 142
Oxford St. Adl —7J 195
Oxford St. Brier —5F 104
Oxford St. Carn —9A 12
Oxford St. Chor —7E 174
Oxford St. Col —6B 86
Oxford St. Dar —3N 157
Oxford St. Lanc —5J 23
Oxford St. More —2B 22
Oxford St. Pres —1K 135
Oxford St. Todm —3L 165
Oxford Way. Fltwd —1E 54
Ox Ga. Bolt —8K 199
Ox Hey. Clay M —5M 121
Ox Hey Av. Lea —7N 113
Oxhey Clo. Burn —3K 125
Oxhey Clo. Ram —7H 181
Oxheys Ind. Est. Pres —7G 115
Oxheys St. Pres —7G 115
Oxhill Pl. T Clev —4E 62
Oxhouse Rd. Orr —7G 220
Oxlands. Holme —1F 6
Oxley Clo. K'ham —4L 111
Oxley Rd. Pres —8N 115
(in two parts)
Ox St. Ram —9G 181
Oystercatcher Ga. Lyth A —1L 129

Paa La. Pay —5B 52
Packer St. Roch —6C 204
Packet La. Bolt S —5L 15
Paddington Av. St M —4G 66
Paddock Av. Ley —7D 152
Paddock Dri. Blac —8J 89
Paddock Head. L'boro —1H 205
Paddock La. B'brn —4D 140
Paddock Rd. Skel —6N 219
Paddock St. Osw —4L 141
Paddock, The. Augh —9H 209
Paddock, The. B'brn —9H 119
Paddock, The. Burn —7F 104
Paddock, The. Form —7A 206
Paddock, The. Ful —3K 115
Paddock, The. Osw —4L 141
Paddock, The. Over —7B 28
(off Main St.)
Paddock, The. Pen —6H 135
Paddock, The. Poul F —6J 63
Paddock, The. Ram —7G 181
Paddock, The. Ruf —1G 190
Paddock, The. Saw —3E 74
Paddock, The. South —9B 186
Paddock, The. T Clev —3H 63
Padgate Pl. Burn —5N 123
Padiham. —1K 123
Padiham Rd. Burn —2L 123
(in two parts)
Padiham Rd. Sab —3E 102
Padstow Clo. South —1N 167
Padway. Pen —6G 135
Pagefield Cres. Clith —4N 81
Pagen St. Roch —5C 204
Pages Ct. Los H —9L 135
Paignton Rd. B'brn —1L 139
Painley Clo. Lyth A —4N 129
Painter Wood. Bill —6H 101
Paisley St. Burn —4B 124
Palace Gdns. Burn —2N 123
Palace Rd. South —9E 166
Palace St. Burn —2A 124
Palais Bldgs. Burs —8C 190
Palatine Av. Lanc —2L 29
Palatine Av. Roch —5L 203
Palatine Clo. Stain —4J 89
Palatine Dri. Bury —5L 201
Palatine Rd. B'brn —3K 139
Palatine Rd. Blac —6C 88
Palatine Rd. Roch —5L 203
Palatine Rd. South —9F 166
Palatine Rd. T Clev —8D 54
Palatine Sq. Burn —4C 124
Palatine St. Ram —8H 181
Palatine St. Roch —6F 204
Palatine Ter. Roch —5L 203
Pale Ditch La. Burs —6D 170
Pale Ditch La. Tar —5B 170
Paley Grn. La. Gigg —4L 35
Paley Rd. Pres —1G 135
Palfrey Clo. Poul F —5H 63
Palladium Arc. More —3A 22
(off Marine Rd. Central)
Pall Mall. B'brn —3F 138
Pall Mall. Chor —8E 174
Pallotine Wlk. Roch —8A 204
Palmaston Clo. Lanc —1J 29
Palma St. Todm —7E 146
Palm Ct. Skel —1J 219
Palm Dri. Poul F —5H 63
Palmer Av. Blac —8C 88
Palmer Gro. More —2E 22
Palmerston Clo. Ram —1G 201
Palmerston Rd. South —8M 167
Palmerston St. Pad —2J 123
Palmer St. B'brn —2L 139
Palm Gro. South —8L 167
Palm Gro. Wig —5N 221
Palm St. B'brn —1A 140
Palm St. Bolt —9E 198
Palm St. Burn —4B 124
(off Burdett St.)
Pansy St. N. Acc —1A 142
Pansy St. S. Acc —1A 142
Paper Mill Rd. Brom X —6G 198
Parade, The. Carn —9M 11
Parade, The. Has —7F 160
Paradise Clo. Whit W —7D 154
Paradise La. B'brn —4M 139
Paradise La. Ley —6E 152
Paradise La. Liv —6A 206
Paradise St. Acc —3A 142
Paradise St. Barfd —6J 85
Paradise St. B'brn —4L 139
Paradise St. Burn —3D 124
Paradise St. Chor —3H 175
Paradise St. Ram —7H 181
Paradise St. Ross —5D 162
Paradise Ter. B'brn —4M 139
Paragon Way. Lanc —8G 23
Parbold. —2N 211
Parbold Clo. Blac —1F 88
Parbold Clo. Burs —1C 210
Parbold Hill. Parb —2A 212
Parbrook La. Shev —5L 213
Pardoe Clo. Hesk B —4C 150
Pardoe Ct. Burs —1D 210
Pares Land Wlk. Roch —7E 204
Paris. Rams —5M 119
Paris Av. Wins —8M 221
Parish St. Pad —9H 103
Park Av. Barn —3M 77
Park Av. Barfd —1G 104
Park Av. B'brn —2L 139
Park Av. Bolt —9E 198
Park Av. Burn —5C 124
Park Av. Chat —7C 74
Park Av. Clith —2L 81
Park Av. Eux —4N 173
Park Av. Fltwd —1F 54
Park Av. Gt Har —3K 121
Park Av. Has —6G 160
Park Av. Hell —1D 52
Park Av. Lanc —9M 23
Park Av. Lyd —8C 216
Park Av. Lyth A —5L 129
Park Av. Much H —5J 151
Park Av. New L —7B 134
Park Av. Orm —7K 209
Park Av. Pres —7L 115
Park Av. Ram —8J 181
Park Av. Salt —4B 78
Park Av. Shev —5L 213
Park Av. South —5L 167
Parkbourn. Liv —9F 216
Parkbourn Dri. Liv —9F 216
Parkbourn N. Liv —9F 216
Parkbourn Sq. Liv —9F 216
Pk. Bridge Rd. Burn —6H 125
Pk. Brow Dri. Liv —9L 223
Park Clo. Kirkby —6G 223
Park Clo. Parb —1N 211
Park Clo. Pen —3G 135
Park Cotts. Bolt —9C 198
Park Cotts. Traw —3G 107
Park Ct. Kirkby —7H 223
Park Ct. Lanc —4K 29
Park Ct. Roch —7B 204
(Castle Av.)
Park Ct. Roch —7C 204
(Suffolk St.)
Park Ct. South —6K 167
Park Ct. Todm —9J 147
Park Cres. Acc —4N 141
Park Cres. Bacup —7K 163
Park Cres. B'brn —2K 139
Park Cres. Has —6G 161
(Park Av.)
Park Cres. Has —8M 207
(Riding La.)
Park Cres. Hell —1D 52
Park Cres. More —1E 22
Park Cres. South —5K 167
Pk. Crescent Ct. South —5L 167
Parkdale Gdns. B'brn —1L 157
Parkdene Clo. Bolt —9K 199
Park Dri. Brier —5G 104
Park Dri. Lea —8A 114
Park Dri. Nels —3K 105
Parke M. Withn —4L 155
Parker Av. Clith —5L 81
Parker Clo. Boot —9A 222
Parker Cres. Orm —5K 209
Parker La. Burn —4E 124
Parker La. Wstke —1F 152
(in two parts)
Parke Rd. Brins —7N 155
Parkers Fold. Catt —1N 67
Parker St. Acc —6D 142
(Hollins La.)
Parker St. Acc —9D 122
(South St.)
Parker St. Ash R —7G 114
Parker St. Barn —1L 77
Parker St. Blac —5C 88
Parker St. Brclf —7K 105
Parker St. Burn —3E 124
(off Barnes St.)
Parker St. Burn —3E 124
(Kingsway, in two parts)
Parker St. Chor —5E 174
Parker St. Col —6N 85
Parker St. Lanc —8L 23
Parker St. Nels —9K 85
Parker St. Rish —7H 121
Parkers Yd. Gigg —2N 35
(off Church St.)
Park Farm Clo. Longt —8K 133
Pk. Farm Rd. B'brn —9E 138
Parkfield. Shev —5L 213
Parkfield Av. Ash R —7E 114
Parkfield Av. Boot —9A 222
Parkfield Clo. Lea —8N 113
Parkfield Clo. Ley —7F 152
Parkfield Clo. Orm —9H 209
Parkfield Cres. Lea —9N 113
Parkfield Dri. Lanc —1L 29
Parkfield Dri. Lea —9N 113
Parkfield Gro. Liv —1B 222
Parkfield Vw. Lea —9N 113
Park Gate. —7J 123
Parkgate. Goos —4N 95
Parkgate. Wals —8D 200
Parkgate Dri. Bolt —8F 198
Parkgate Dri. Lanc —8N 23
Parkgate Dri. Ley —8H 153
Park Ga. Rd. Sale —9L 99
Pk. Hall Rd. Char R & Hesk —1H 193
Parkhead. Whal —8M 101
Parkhead La. Bncr —4C 60
Pk. Hey Dri. App B —5H 213
Park Hill. —9H 219
Pk. Hill. Barn —3N 77
Park Hill. Roch —4C 204
Parkhill Dri. Todm —7E 146
(off Parkside Rd.)
Park Hill Rd. Gars —5N 59
Park Ho. La. L Bent —9H 19
Parkin La. Todm —1G 165
Parkinson Av. Blac —9C 88
Parkinson Fold. Has —9H 161
Parkinson La. Chip —7E 70
Parkinson St. B'brn —6J 139
Parkinson St. Burn —5E 124
Parkinson St. Bury —8L 201
Parkinson St. Foul —2A 86
Parkinson St. Has —4F 160
Parkinson Ter. Traw —9E 86
Parkinson Way. Blac —9C 88
Parkland Clo. T Clev —2C 62
Parklands. Has —6G 161
Parklands. Rainf —3K 225
Parklands. Skel —1A 220
Parklands. South —6L 167
Parklands Av. Pen —4D 134
Parklands Clo. Pen —4D 134
Parklands Dri. Ful —1H 115
Parklands Gro. Ful —1H 115
Parklands Gro. Hey —6M 21
Parklands, The. Catt —1A 68
Parklands Way. B'brn —8J 139
Parkland Vw. Burn —6C 124
Park La. Brier —5G 104
Park La. Fort & Winm —4K 45
Park La. Gis —9B 52
Park La. Gt Har —3J 121
Park La. Halt —1E 24
Park La. Hor —9E 196
Park La. Mag —8E 216
Park La. Osw —5L 141
Park La. Pen —5H 135
Park La. Pre —9N 41
Park La. Roch —5C 204
Park La. Tar —4N 169
Park La. Wenn —6F 18
Park La. Wesh —2M 111
Park La. Dri. Liv —9F 216
Pk. Lee Rd. B'brn —7M 139
Park Link. Augh —2G 216
Park M. Gis —9A 52
(off Park Rd.)
Pk. Mill Pl. Pres —8K 115
Park Place. —5N 139
Park Pl. B'brn —5J 139
(off Spring La.)
Park Pl. Fen —9E 138
Park Pl. Hell —1D 52
Park Pl. Pres —1J 135
(off Glovers Ct.)
Park Pl. Walt D —4A 136
Park Rd. Acc —2N 141
Park Rd. Adl —7H 195
Park Rd. Bacup —6K 163
Park Rd. Barn —2M 77
Park Rd. B'brn —5M 139
Park Rd. Blac —5C 88
Park Rd. Bury —9K 201
Park Rd. Chor —5E 174
Park Rd. Cliv —8J 125
Park Rd. Cop —4A 194
Park Rd. Dar —9B 158
Park Rd. Ful —5K 115
Park Rd. Gis —9A 52
Park Rd. Gt Har —3K 121
Park Rd. Helm —7D 160
Park Rd. Kirkby —7G 223
Park Rd. K'ham —5L 111
Park Rd. Lanc —8L 23
Park Rd. Ley —8K 153
Park Rd. L'boro —8L 185
Park Rd. Lyth A —2E 128
Park Rd. Mel B —8N 117
Park Rd. Orm —7K 209
Park Rd. Orr —5K 221
Park Rd. Pad —2H 123
Park Rd. Poul F —7L 63
Park Rd. Pres —4G 135
(in two parts)
Park Rd. Ram —2E 200
Park Rd. Rish —8J 121
Park Rd. Silv —7H 5
Park Rd. South —5K 167
Park Rd. T Clev —3H 63
Park Rd. Todm —1L 165
Park Rd. Tur —9L 179
Park Rd. Waterf —6D 162
Park Rd. Ind. Est. Bacup —6K 163
Park Rd. W. South —5J 167
Park Row. Bolt —7F 198
Parkside. Lea —7A 114
Parkside. More —5C 22
Parkside. Pres —6L 115
Pk. Side. Sough —4D 78
Parkside. Whitw —4A 184
Parkside Av. Chor —6E 174
Parkside Clo. Todm —7E 146
Parkside Ct. More —5C 22
(off Parkside)
Parkside Cres. Orr —5J 221
Parkside Dri. Arns —2E 4
Parkside Dri. Whit W —9D 154
Parkside Dri. S. Whit W —9D 154
Parkside La. Nate —5L 59
Parkside Rd. Lyth A —1G 129
Pk. Side Rd. Nels —2M 105
Parkside Rd. Todm —7E 146
Parkside Vw. T Clev —8G 54
Park Sq. Lanc —8L 23
Parkstone Av. Poul F —6H 63
Parkstone Av. T Clev —3K 63
Park Stone Rd. Brough —7F 94
Park St. Acc —2B 142
Park St. Barn —3M 77
Park St. Barfd —7H 85
Park St. Chor —5E 174
Park St. Clith —5L 81
Park St. E'ston —8F 172
Park St. Gt Har —4K 121
Park St. Has —4G 160
Park St. Helm —8E 160
Park St. Lyth A —5A 130
Park St. More —1D 22
Park St. Roch —7C 204
Park St. E. Barfd —7J 85
Parksway. Kno S —8K 41
Park Ter. B'brn —1L 139
Park Ter. Bolt —7F 198
Park Ter. Heyw —9H 203
Park Ter. Stand —1N 213
Park Ter. W Grn —6G 110
Parkthorn Rd. Lea —9N 113
Park Vw. Arns —2F 4
Park Vw. Bolt —7F 198
(in two parts)
Park Vw. Brier —3F 104
(off Pk View. Clo.)
Park Vw. Carn —7A 12
Park Vw. Chu —1N 141
Park Vw. Eger —3E 198
Park Vw. H'pey —3J 175
Park Vw. L'boro —8L 185
Park Vw. Pad —1H 123
Park Vw. Pen —4G 135
Park Vw. Ross —2M 161
Park Vw. Waterf —6D 162
Pk. View Av. Ash R —7E 114
Pk. View Clo. Brier —3F 104
Parkview Clo. More —5B 22
Pk. View Ct. Blac —3C 108
Pk. View Rd. Lyth A —3A 130
Park Vw. Ter. Abb V —6D 156
Park Vw. Ter. Salt —5A 78
Park Wlk. Ful —6K 115
Pk. Wall Rd. Liv —8F 214
Parkway. Blac —4G 88
Park Way. Col —5N 85
Park Way. Pen —4G 135
Parkway. Roch —5M 203
Parkway. Stand —2K 213
Park Way Cvn. Site. Pen —4G 135
Parkway E. Liv —7G 223
Parkway W. Liv —7G 223
Parkwood. Eger —3D 198
Parkwood Av. Burn —2B 124
Pk. Wood Dri. Ross —5K 161
Parkwood Rd. B'brn —4B 140
Parliament St. Burn —5E 124
Parliament St. Col —6B 86
Parliament St. Dar —6A 158
Parliament St. Lanc —7K 23
Parliament St. More —4M 21
Parliament St. Uph —3F 220
Parlick Av. L'rdge —2K 97
Parlick Rd. Gars —6L 59
Parlick Rd. Rib —7C 116
Parox La. Nwtn —6C 112
Parramatta St. Ross —5M 161
Parr Cottage Clo. E'ston —7F 172
Parr La. E'ston —7F 172
Parrock Clo. Pen —5H 135
Parrock Rd. Barfd —9F 84
Parrock St. Barn —2M 77
Parrock St. Nels —1J 105
Parrock St. Ross —9M 143
Parrox Fold. Pre —8N 41
Parrox Hall. —9N 41
Parr's La. Augh —3J 217
Parry's Way. Poul F —7K 63
Parsonage Av. Ribch —7E 98
Parsonage Brow. Uph —3C 220
Parsonage Clo. Heat O —6C 22
Parsonage Clo. Uph —4D 220
Parsonage Dri. Brier —5G 104
Parsonage Gdns. Tar —1E 170
Parsonage La. Chip —7E 70
Parsonage Rd. B'brn —5N 119
Parsonage Rd. Uph —4D 220
Parsonage St. Chu —3L 141
Parsonage St. Col —7N 85
Parsonage Ter. Miln —6J 205
(off Parsonage Wlk.)
Parsonage Wlk. Roch —6J 205
Parson La. Clith —3L 81
Parsons Brow. Chor —7E 174
Parson's Brow. Rainf —4J 225
Partington St. Wig —3N 221
Partridge Av. T Clev —8F 54
Partridge Clo. Roch —6K 203
Partridge Dri. Acc —7E 142
Partridge Hill. Pad —9J 103
Partridge Hill St. Pad —1J 123
Partridge Rd. Kirkby —7G 223
Partridge Wlk. Burn —4A 124
Part St. South —9G 167
Passmonds. —4M 203
Passmonds Cres. Roch —5M 203
Passmonds Way. Roch —5M 203
Pass, The. Roch —5D 204
Past La. Bolt B —5G 50
Pasture Clo. Barn —10G 52
Pasture Clo. Burn —6C 124
Pasture Dri. Foul —2A 86
Pasture Fld. Poul F —5H 63
Pasture Fld. Clo. Ley —6F 152
Pasturegate. Burn —5B 124
Pasturegate Av. Burn —5B 124
Pasturelands Dri. Bill —7G 100
Pasture La. Barfd —6E 84
Pasture La. Bolt S —4J 15
Pasture La. Liv —6C 206
Pasture La. Rainf —6L 225
Pastures, The. B'brn —9H 119
Pastures, The. Grims —9E 96
Pastures, The. South —1C 168
Pateley Clo. Liv —9H 223
Paterson St. B'brn —5M 139
Pathfinders Dri. Lanc —3J 29
Patience St. Roch —4N 203
Patmos St. Ram —8J 181
Paton St. Roch —2A 204
Patrick Av. Read —8C 102
Patrick Cres. Ross —5A 162
Patten St. B'brn —3C 140
Patten St. Col —7A 86
Patten St. Pres —9J 115
Patterdale Av. B'brn —5C 140
Patterdale Av. Blac —8F 88
Patterdale Av. Fltwd —4D 54
Patterdale Av. Osw —3K 141
Patterdale Av. T Clev —9H 55
Patterdale Clo. Burn —6G 105
Patterdale Clo. Roch —9M 203
Patterdale Clo. South —1B 206
Patterdale Cres. Liv —9D 216
Patterdale Rd. Bolt —9M 199
Patterdale Rd. Lanc —7L 23
Pattison Clo. Roch —2A 204
Paulhan St. Burn —8F 104
Paul Row. L'boro —5M 185
Paul's La. Hamb —1B 64
Paul's La. South —3M 167
Pave La. Traw —9E 86
Pavey Clo. Blac —1F 108
Pavilion Clo. Roch —3C 204

Pavilions, The—Pitsmead Rd.

Pavilions, The. Ash R —1F 134
Pavilion Vw. Crost —4M 171
Paxton Pl. Skel —7N 219
Paxton St. Acc —2A 142
Paynter Clo. Barr —1K 101
Paythorne. —6B 52
Paythorne Av. Burn —4H 125
Paythorne Clo. Blac —1H 89
Peabody St. Dar —5A 158
Peacehaven. Skel —2J 219
Peace St. Burn —4B 124
Peach Gro. Liv —6G 222
Peachtree Clo. Ful —3N 115
Peacock Cres. Hest B —8J 15
Peacock Dri. Gars —4A 60
Peacock Hall Rd. Ley —8G 152
Peacockhill Clo. Pres —2D 116
Peacock La. Hest B —8J 15
Peahall La. Pil —9M 43
Peanock La. L'boro —3J 205
Pearfield. Ley —5K 153
Pearl Av. Blac —1E 88
Pearl Brook Ind. Est. Hor —9C 196
Pearl St. Acc —3M 141
Pearl St. B'brn —8N 119
Pearl St. Roch —5N 203
Pear Pl. Todm —7E 146
Pearson Clo. Miln —6J 205
Pearson St. B'brn —4L 139
Pearson St. Bury —9N 201
Pearson St. Roch —5F 204
Pear St. Todm —7E 146
Pear Tree Av. Cop —2A 194
Pear Tree Clo. Walt D —6A 136
Pear Tree Cres. Walt D —6A 136
Pear Tree Cft. Longt —8L 133
Pear Tree La. Eux —3A 174
Pear Tree Rd. Clay W —4D 154
Pear Tree Rd. Crost —3M 171
Pear Tree St. Bam B —6A 136
Peart St. Burn —8F 104
Pechell St. Ash R —8F 114
Pedder Av. Over —6A 28
Pedder Dri. Over —6A 28
Pedder Gro. Over —6B 28
Pedder La. Hamb —2A 64
Pedder Rd. Over —6A 28
Pedder's Gro. Ash R —9D 114
Pedder's La. Ash R —9D 114
Pedder's La. Blac —2D 108
Pedder St. Ash R —9G 115
Pedder St. More —3A 22
Pedder's Way. Ash R —9D 114
Pedler Brow La. Roch —8H 185
Peebles Clo. Liv —4J 223
Peebles Gro. Burn —6B 124
Peel Av. Blac —3D 88
Peel Av. Hey —1K 27
Peel Av. Lanc —6K 23
Peel Av. Ram —9F 180
Peel Bank. —2M 141
Peelbank Rd. Osw —4H 141
Peel Brow. —7J 181
Peel Brow. Ram —8H 181
Peel Clo. B'brn —8M 139
Peel Cottage. Liv —9A 216
Peel Cottage Rd. Todm —6K 165
Peel Cottage St. Todm —7K 165
Peel Cres. Lanc —8H 23
Peel Dri. Bacup —6L 163
Peel Gdns. Col —6N 85
Peel Grn. Hell —1D 52
Peel Hall Rd. S'seat —3G 201
Peel Hall St. Pres —8L 115
Peel Hill. —2L 109
Peel Hill. Blac —2L 109
Peel Mt. B'brn —4E 140
Peel Mt. Ram —1F 200
Peel Mt. Clo. B'brn —4F 140
Peel Pk. Av. Acc —1C 142
Peel Pk. Av. Clith —4M 81
Peel Pk. Clo. Acc —1C 142
Peel Pk. Clo. Clith —4M 81
Peel Pl. Barfd —5K 85
Peel Retail Pk. B'brn —1D 140
Peel Rd. Blac —3M 109
Peel Rd. Col —7M 85
Peel Rd. Fltwd —1F 54
Peel Rd. Skel —6A 220
Peel St. Acc —2B 142
Peel St. Adl —6K 195
Peel St. Ash R —9H 115
Peel St. B'brn —6K 139
Peel St. Chor —7E 174
Peel St. Clith —3M 81
(in two parts)
Peel St. Has —4F 160
Peel St. L'boro —9L 185
Peel St. Osw —5K 141
Peel St. Pad —1J 123
Peel St. Raw —5A 162
Peel St. Roch —5B 204
Peel St. South —8M 167
Peel Tower. —9E 180
Peel Vw. Tot —7F 200
Peel Wlk. Liv —9A 216
Peers Clough Rd. Ross —8D 144
Peers Dri. Tot —8E 200
Peet Av. Orm —8J 209
Peets La. South —5N 167
Pegasus Ct. Roch —7N 203
Pegbank La. Hut R —7B 8
Peg's La. Lyth A —9N 109
Peg Way. W'ton —2L 131
Pelham Av. Blac —2E 88
Pelham St. B'brn —2A 140
Pellon St. Todm —5J 165
Pemberton. —6N 221
Pemberton Bus. Cen. Wig —5M 221
Pemberton Dri. More —3F 22
Pemberton Pl. More —3F 22
Pemberton St. B'brn —8M 119
Pemberton St. Bolt —9E 198
Pembroke Av. Blac —8B 62
Pembroke Av. More —2D 22
Pembroke Clo. Hor —9B 196
Pembroke Ct. Blac —8B 62
Pembroke Ct. Roch —4C 204
Pembroke Pl. Chor —8D 174
Pembroke Pl. Ley —7K 153
Pembroke Pl. Pres —1K 135
Pembroke Rd. Lyth A —4K 129
Pembroke Rd. Wig —2N 221
Pembroke St. Acc —2C 142
Pembroke St. Bacup —6K 163
Pembroke St. B'brn —5M 139
Pembroke St. Burn —9F 104
Pembroke St. L'boro —8L 185
Pembury Av. Pen —5J 135
Penda Dri. Liv —4K 223
Pendennis. Roch —7B 204
Pendle Av. Bacup —4L 163
Pendle Av. Bolt —7E 198
Pendle Av. Chat —7D 74
Pendle Av. Clay M —5M 121
Pendle Av. Lanc —9M 29
Pendle Clo. Bacup —5L 163
Pendle Clo. Blac —1F 88
Pendle Clo. Bury —9G 200
Pendle Clo. Wig —6N 221
Pendle Ct. Barn —1N 77
Pendle Ct. Bolt —9D 198
Pendle Ct. Clith —3M 81
Pendle Ct. L'rdge —3J 97
Pendle Ct. Wesh —3M 111
Pendle Dri. B'brn —6N 139
Pendle Dri. Hor —8D 196
Pendle Dri. Orm —6M 209
Pendle Dri. Whal —3G 100
Pendle Fields. Fence —3A 104
Pendle Heritage Cen. —7J 85
Pendle Hill Clo. Pres —2E 116
Pendle Ho. B'brn —3N 139
Pendlehurst St. Burn —5C 124
Pendle Ind. Est. Nels —3K 105
Pendlemist Vw. Col —8N 85
Pendle Mt. Clith —3M 81
Pendle Pl. Lyth A —4B 130
Pendle Pl. Skel —7A 220
Pendle Rd. Brier —5E 104
Pendle Rd. Clith —3M 81
Pendle Rd. D'ham —7G 74
Pendle Rd. Gt Har —3L 121
Pendle Rd. Lanc —5H 23
Pendle Rd. Ley —6N 153
Pendle Row. B'ley —6A 84
Pendleside. Brier —2E 104
Pendleside Clo. Sab —3E 102
Pendle St. Acc —3N 141
Pendle St. Barfd —9G 85
Pendle St. B'brn —3A 140
Pendle St. Nels —1H 105
Pendle St. Pad —2J 123
(in two parts)
Pendle St. E. Sab —3E 102
Pendle St. W. Sab —3E 102
Pendleton. —7A 82
Pendleton Av. Acc —4M 141
Pendleton Av. Ross —3M 161
Pendleton Rd. Wis —3L 101
Pendle Trad. Est. Chat —8B 74
Pendle Vw. Alt —6N 121
Pendle Vw. B'ley —5A 84
Pendle Vw. Foul —2B 86
Pendle Vw. Grin —5A 74
Pendle Vw. High —4L 103
Pendle Vw. Old L —4C 100
Pendle Vw. Traw —7F 86
Pendle Vw. W Brad —5K 73
Pendle Way. Burn —1B 124
Penfold. Liv —1D 222
Penfold Ct. Hell —1D 52
(off Hammerton Dri.)
Pengarth Rd. Hor —9D 196
Pengle Bri. Burn —7D 104
Penguin St. Pres —7L 115
Penhagen St. Roch —5D 204
Penhale Clo. Hey —1K 27
Penhale Ct. Hey —1K 27
Penhale Gdns. Hey —1K 27
Penhill Clo. Blac —2D 88
Penistone Av. Roch —7F 204
Penistone St. Burn —3B 124
(off Shale St.)
Penketh Pl. Skel —6M 219
Penley Cres. Liv —8G 223
Pennine Av. Eux —5N 173
Pennine Av. Wig —8M 221
Pennine Clo. Blac —6C 88
Pennine Clo. Hor —8D 196
Pennine Cres. Brier —5G 105
Pennine Dri. Miln —6K 205
Pennine Dri. Ward —8F 184
Pennine Gdns. Gars —5L 59
Pennine Gro. Pad —8H 103
(in two parts)
Pennine Gro. Todm —1M 165
Pennine Ho. Has —4G 160
Pennine Pl. Skel —5M 219
Pennine Precinct. Miln —8J 205
Pennine Rd. Bacup —6L 163
Pennine Rd. Chor —6G 174
Pennine Rd. Hor —8D 196
Pennines, The. Ful —2K 115
Pennine Vw. Doph —6E 38
Pennine Vw. Glas D —2C 36
Pennine Vw. Gt Ecc —6A 66
Pennine Vw. K'ham —4A 112
Pennine Vw. L'boro —4N 185
Pennine Vw. More —4B 22
Pennine Way. Barn —2L 77
Pennine Way. Brier —5G 105
Pennine Way. Gt Ecc —6A 66
Pennine Way. Liv —6H 223
Pennine Way. Stalm —5B 56
Pennington Av. Orm —6K 209
Pennington Ct. Orm —6K 209
(in two parts)
Pennington St. Wals —9D 200
Penn St. Roch —5C 204
Pennyfarthing La. T Clev —1G 63
Penny Grn. Set —3N 35
Penny Ho. La. Acc —1B 142
Pennylands. —2H 219
Penny's Plat. —6E 56
Pennystone Rd. Blac —7B 62
Penny Stone Rd. Halt —1B 24
Penny St. B'brn —3M 139
Penny St. Lanc —8K 23
Penny St. Pres —9K 115
Penrhos Av. Fltwd —3E 54
Penrhyn Rd. Lanc —6G 22
Penrith Av. Hey —8L 21
Penrith Av. South —1C 206
Penrith Av. T Clev —8D 54
Penrith Cres. Col —8M 85
Penrith Cres. Liv —9D 216
Penrith Rd. Col —8L 85
Penrith St. Roch —8C 204
Penrod Way. Hey —2J 27
Penrose Av. Blac —9F 88
Penrose Pl. Skel —7B 220
Pensford Ct. Bolt —7L 199
Penshaw Clo. B'brn —8M 119
Penswick Av. T Clev —2E 62
Pentland Ho. Has —4G 160
(off Pleasant St.)
Pentland Rd. Liv —6M 223
Penty Pl. South —8H 167
Penwortham Ct. Pen —4G 134
Penwortham Golf Course. —1E 134
Penwortham Hall Gdns. Pen —5H 135
Penwortham Lane. —6J 135
Penwortham Way. Pres —6E 134
Penwortham Way. Wstke —7F 134
Pen-y-Ghent Way. Barn —2L 77
Pen-y-Ghent Way. Ley —5M 153
Penzance St. B'brn —6J 139
Peplow Rd. Hey —8M 21
Peplow Rd. Kirkby —8G 222
Pepper La. Stand —1L 213
Peppermint Clo. Miln —9M 205
Perch Pool La. South —2E 188
Percival Ct. South —8G 167
(off Lord St.)
Percival St. Acc —2M 141
Percival St. B'brn —1N 139
Percival St. Dar —4N 157
Percy Rd. Lanc —1K 29
Percy St. Acc —2C 142
Percy St. B'brn —6J 139
Percy St. Blac —3C 88
Percy St. Bury —9M 201
Percy St. Chor —7F 174
Percy St. Col —5B 86
Percy St. Fltwd —9F 40
Percy St. Nels —3H 105
Percy St. Osw —3H 141
Percy St. Pres —9K 115
Percy St. Ram —9G 180
Percy St. Roch —8E 204
Percy St. Shawf —9B 164
Peregrine Dri. Dar —4L 157
Peregrine Pl. Ley —5G 152
Peridot Clo. B'brn —7N 119
Perimeter Rd. Know I & Liv —9B 224
Peronne Cres. B'brn —3D 140
Perpignon Way. Lanc —8K 23
(off St Nicholas Arch)
Perry Gro. Roch —8A 204
Perry St. Dar —5A 158
Pershore. Roch —5B 204
(off Spotland Rd.)
Pershore Gdns. Blac —2H 89
Pershore Gro. South —9A 186
Pershore Rd. Lyth A —4H 129
Persia St. Acc —2M 141
Perth Clo. Liv —4J 223
Perth Clo. T Clev —4F 62
Perth St. Acc —3N 141
Perth St. B'brn —5K 139
Perth St. Burn —4B 124
Perth St. Lanc —9L 23
Perth St. Nels —1K 105
Peter Birtwistle Clo. Col —6B 86
Peterfield Rd. Pen —6G 135
Peter Grime Row. Acc —7E 122
Peter La. Yeal C —2A 12
Peter Martin St. Hor —9C 196
Petersan Ct. Chor —3E 174
Peters Av. Burs —9C 190
Petersbottom La. Lowg —1M 33
Peters Bldgs. Blac —4D 88
(off Coleridge Rd.)
Peter's Rd. Lanc —9L 23
Peter St. Acc —3N 141
Peter St. Barfd —7H 85
Peter St. B'brn —2A 140
Peter St. Blac —5C 88
Peter St. Bury —9L 201
Peter St. Chor —6E 174
Peter St. Col —7B 86
Peter St. Lanc —9K 23
Peter St. Orr —3L 221
Peter St. Ross —5M 161
Petre Cres. Rish —9H 121
Petrel Clo. B'brn —9H 119
Petrel Clo. Roch —6K 203
Petre Rd. Clay M —8L 121
Petrie St. Roch —5C 204
Petros Ho. Lyth A —1E 128
Pettis Cres. L'boro —8K 185
Petunia Clo. Ley —5A 154
Petworth Av. Wig —9M 221
Petworth Rd. South —7B 186
Pexwood Rd. Todm —4J 165
Pharos Ct. Fltwd —8H 41
Pharos Gro. Fltwd —8H 41
Pharos Pl. Fltwd —8H 41
Pharos St. Fltwd —8H 41
Pheasantford Grn. Burn —1F 124
Pheasantford St. Burn —1F 124
Pheasant Wood Dri. T Clev —7F 54
Philip Av. K'ham —5N 111
Philip Clo. Wig —6N 221
Philip Dri. South —7F 186
Philips Rd. Bacup —9L 145
Philips Rd. B'brn —1B 140
(in two parts)
Philip St. Barn —2M 77
Philip St. Dar —6B 158
Philip St. Roch —8C 204
Phillips La. Col —7M 85
Phillip's La. Liv —1A 214
Phillipstown. Ross —3C 162
Phillip St. Blac —8F 88
Phoenix Ct. Todm —1N 165
Phoenix Pk. B'brn —1B 140
Phoenix St. Lanc —7K 23
Phoenix St. L'boro —8L 185
Phoenix St. Roch —4N 203
Phoenix St. Todm —1N 165
Phoenix Way. Burn —4A 124
Phyllis St. Roch —4M 203
Physics Av. Lanc —7M 29
Piazza, The. Lanc —9N 23
Piccadilly. Lanc —4K 29
Piccadilly Clo. Scot —4K 29
Piccadilly Ct. Lanc —4K 29
(off Piccadilly)
Piccadilly Rd. Burn —4C 124
Piccadilly Sq. Burn —4C 124
Piccadilly St. Has —4G 161
Pickard Clo. Barn —10G 53
(off Coates La.)
Pickard St. Lanc —1K 29
Pickering Clo. Bury —8G 200
Pickering Clo. Lyth A —1H 129
Pickering Fold. B'brn —9B 140
Pickerings, The. Los H —8M 135
Pickering St. Brier —5F 104
Picker St. Todm —8H 147
Pickhill. —8L 53
Pickles Ct. Todm —1L 165
Pickles Dri. Burs —9B 190
Pickles St. Burn —2B 124
Pickmere Av. Blac —1E 108
Pickmere Clo. T Clev —8G 54
Pickthall Ter. Todm —2N 165
Pickthorn Clo. Lanc —4H 23
Pickup Bank. —5G 158
Pickup Fold. Dar —8C 158
Pickup Fold Rd. Dar —8C 158
Pickup Rd. Rish —9G 121
Pickup St. Acc —4M 141
(in two parts)
Pickup St. Bacup —5K 163
Pickup St. B'brn —3A 140
Pickup St. Clay M —6M 121
Pickup St. Roch —6D 204
Pickworth Way. Liv —8G 222
Picton St. B'brn —8J 139
Pierce Clo. Lanc —9H 23
Pierce Clo. Pad —9H 103
Piercefield Rd. Liv —7A 206
Piercy. —4D 162
Piercy Higher Mt. Ross —4D 162
Piercy Mdw. Ross —4D 162
Piercy Mt. Ross —4D 162
(off Piercy Rd.)
Piercy Rd. Ross —4D 162
Piercy Ter. Ross —4D 162
(off Piercy Rd.)
Pier La. Arns —1F 4
(off Promenade, The)
Pierston Av. Blac —1C 88
Pier St. Blac —7B 88
Piethorne Clo. Miln —9M 205
Pigot St. Wig —5L 221
Pike Ct. Fltwd —3C 54
Pike Hill. —4K 125
Pike La. Burs —4A 190
Pike La. L'clif —1N 35
Pikelaw Pl. Skel —6N 219
Pike Lowe. —6N 155
Pikestone Ct. Chor —7G 175
Pike St. Roch —8C 204
Pike Vw. Hor —9E 196
Pilgrim St. Nels —4K 105
Pilkington Dri. Clay M —6N 121
Pilkington Rd. South —9K 167
Pilkington St. B'brn —4M 139
Pilkington St. Rainf —4K 225
Pilkington St. Ram —9G 181
Pilling. —7H 43
Pilling Av. Acc —6D 142
Pilling Av. Lyth A —2H 129
Pilling Barn La. Ross & Bacup —4F 162
Pilling Clo. Chor —8F 174
Pilling Clo. South —1M 167
Pilling Cres. Blac —1G 89
Pilling Fld. Eger —4E 198
Pilling Lane. —7A 42
Pilling La. Chor —9E 174
Pilling La. Liv —6N 215
Pilling La. Pre —8N 41
Pilling Pl. Skel —6N 219
Pilling St. Bury —9H 201
Pilling St. Has —1G 160
Pilling St. Roch —5A 204
Pilling St. Ross —7D 162
Pilmuir Rd. B'brn —6M 139
Pilot St. Acc —1A 142
Pilsley Clo. Orr —2K 221
Pimbley Gro. E. Liv —4B 222
Pimbley Gro. W. Liv —4B 222
Pimbo Ind. Est. Uph —6N 219
Pimbo La. Uph —9C 220
Pimbo Rd. Skel —6N 219
Pimlico. —9M 73
Pimlico Ind. Area. Clith —9L 73
Pimlico Link Rd. Clith —9M 73
Pimlico Rd. Clith —2M 81
Pimlott Rd. Bolt —9H 199
Pinch Clough Rd. Ross —2D 162
Pincock. —6M 173
Pincock Brow. Eux —6M 173
Pincock St. Eux —5M 173
Pincroft La. Adl —7J 195
Pinder Clo. Wadd —8H 73
Pinders La. Holme —1F 6
Pinder St. Nels —9K 85
Pine Av. Blac —8E 88
Pine Av. L Hoo —3H 151
Pine Av. Orm —5L 209
Pine Clo. Halt —2B 24
Pine Clo. Kirkby —7H 223
Pine Clo. Newb —3L 211
Pine Clo. Rib —5B 116
Pine Clo. Rish —9H 121
Pine Clo. Skel —2K 219
Pine Cres. Osw —6M 141
Pine Cres. Poul F —9L 63
Pine Crest. Augh —1G 217
Pine Dale. Rainf —3J 225
Pine Dri. Orm —6L 209
Pine Gro. Chor —3F 174
Pine Gro. Clith —4K 81
Pine Gro. Gars —3N 59
Pine Gro. Orm —5L 209
Pine Gro. South —7K 167
Pine Rd. Todm —9J 147
Pines Clo. Bam B —3E 154
Pines, The. Ley —7C 152
Pine St. Bacup —6L 163
Pine St. B'brn —1A 140
Pine St. Burn —4F 124
Pine St. Dar —7B 158
Pine St. Has —4H 161
Pine St. Lanc —7J 23
Pine St. L'boro —8L 185
Pine St. Miln —9L 205
Pine St. More —4C 22
Pine St. Nels —2K 105
Pine Vw. Wins —9L 221
Pine Walks. Lea —8N 113
Pineway. Ful —5F 114
Pinewood. B'brn —8G 138
Pinewood. Skel —9A 212
Pinewood Av. Blac —7E 62
Pinewood Av. Bolt S —7K 15
Pinewood Av. Brook —3J 25
Pinewood Av. Brough —7F 94
Pinewood Av. More —2F 22
Pinewood Av. Pre —8N 41
Pinewood Av. T Clev —3H 63
Pinewood Clo. Lanc —5J 29
Pinewood Clo. South —4B 188
Pinewood Cres. Ley —7H 153
Pinewood Cres. Lyth A —4K 129
Pinewood Cres. Orr —5H 221
Pinewood Cres. Ram —3G 200
Pinewood Dri. Acc —1C 142
Pinewood Gdns. Liv —5K 223
Pinfold. —1E 208
Pinfold. Brier —6J 85
Pinfold. Longt —8L 133
Pin Fold. Ram —1J 181
Pinfold. Roch —7B 204
Pinfold Clo. Ful —4A 116
Pinfold Clo. South —1B 206
Pinfold Ct. Garg —3M 53
Pinfold Cres. Liv —9M 223
Pinfold La. Ins —1F 92
Pinfold La. Lanc —6K 23
Pinfold La. L'rdge —6J 97
Pinfold La. Scar —2D 208
Pinfold La. South —1A 206
(in two parts)
Pinfold Pl. Nels —1M 105
Pinfold Pl. Skel —7A 220
Pinfold St. Pres —9N 115
Pingle Cft. Clay W —5C 154
Pingwood La. Liv —4M 223
Pink Pl. B'brn —5J 139
Pink St. Burn —3A 124
Pinnacle Dri. Eger —3D 198
Pinner La. Ross —9L 143
Pinners Clo. Ram —7G 181
Pinner Sq. Ross —9L 143
Pintail Clo. Ley —6C 152
Pintail Clo. Roch —3M 203
Pintail Way. Lyth A —1L 129
Pioneer Clo. Hor —9C 196
Pioneer St. Hor —9C 196
Pioneer St. Roch —7D 204
Pioneer St. Todm —8K 165
Pioneers Yd. Miln —8J 205
Piper Lea. Ross —6E 162
Pipers Clo. Roch —5H 203
Piper's Height Camping And Cvn. Pk. Blac —3L 109
Pipers La. Claw —2J 7
Pippin St. —1G 155
Pippin St. Bacup —6K 163
Pippin St. Brin —3G 154
Pippin St. Burs —2L 209
Pitcombe Clo. Bolt —6D 198
Pitfield La. Bolt —9M 199
Pit Hey Pl. Skel —6N 219
Pit La. K Lon —6D 8
Pitman Ct. Ful —1L 115
Pitman Way. Ful —1L 115
(in two parts)
Pits Farm Av. Roch —6N 203
Pitshouse. Roch —3J 203
Pitshouse La. Roch —3J 203
Pitsmead Rd. Liv —9K 223

Pittsdale Av.—Prospect Gro.

Pittsdale Av. Blac —8G 88
Pitts Ho. La. South —6A 168
Pitt St. Lanc —8K 23
Pitt St. Pad —1J 123
Pitt St. Pres —1H 135
Pitt St. Roch —5C 204
Pitt St. South —8M 167
Pitt St. Todm —2N 165
Pitville St. Dar —4N 157
Pixmore Av. Bolt —9H 199
Place De Criel. Nels —2H 105
(off Manchester Rd.)
Plainmoor Dri. T Clev —4F 62
Plain Pl. B'brn —5M 139
Plane St. Bacup —3K 163
Plane St. B'brn —1A 140
Plane St. Todm —9H 147
Plane Tree Clo. Burn —7B 124
Plane Tree Hill. Burn —8H 105
(off Marsden Rd.)
Plane Tree Rd. B'brn —1A 140
Plantain Wlk. More —6B 22
Plantation Av. Arns —2G 4
Plantation Av. Kno S —8L 41
Plantation Gro. Arns —3G 5
Plantation La. Abb —4L 39
Plantation Mill. Bacup —6K 163
Plantation Rd. Acc —2C 142
Plantation Rd. B'brn —7J 139
Plantation Rd. Burs I —9N 189
Plantation Rd. Tur —6L 179
Plantation Sq. Acc —2C 142
Plantation St. Acc —3B 142
Plantation St. Bacup —7G 163
Plantation St. Burn —2E 124
Plantation St. Nels —1K 105
Plantation St. Ross —5N 161
Plantation, The. Toss —1H 51
Plantation Vw. Bacup —1K 163
Plantation Vw. Bury —2H 201
Planters, The. Boot —6A 222
Plant St. Ash R —8F 114
Plant St. Osw —5K 141
Platt Clo. Acc —3N 141
Platt Clo. Miln —8K 205
Platting La. Roch —9D 204
Platt La. Stand —9D 194
Platton Gro. More —3C 22
Platts La. Burs —2B 210
Platts La. Ind. Est. Burs —2B 210
Platt St. Blac —4C 88
Play Fair St. Bolt —7F 198
Pleasant Gro. T Clev —1H 63
Pleasant Pl. Burn —4D 124
Pleasant St. Blac —3B 88
Pleasant St. Lyth A —5A 130
Pleasant St. Wals —9E 200
Pleasant Vw. Bacup —8G 162
Pleasant Vw. B'brn —6A 140
Pleasant Vw. Blac —5G 109
Pleasant Vw. Cop —3B 194
Pleasant Vw. Earby —3F 78
Pleasant Vw. Foul —2B 86
Pleasant Vw. Hodd —6F 158
Pleasant Vw. Nwtn —7E 112
Pleasant Vw. Ross —6D 162
Pleasant Vw. Withn —6B 156
Pleasant Vw. Ind. Est. Blac —5H 109
Pleasington. —7D 138
Pleasington Av. Gars —6A 60
Pleasington Clo. B'brn —4J 139
Pleasington Clo. Blac —1G 109
Pleasington Golf Course. —8C 138
Pleasington Gro. Burn —4H 125
Pleasington La. Pleas —7D 138
Pleasington Priory. —6D 138
Pleasington St. B'brn —4J 139
Pleasure Beach. —2B 108
Pleasureland. —7F 166
(Southport)
Pleck Farm Av. B'brn —9M 119
Pleckgate. —8L 119
Pleckgate Fold. B'brn —8L 119
Pleckgate Rd. B'brn —9M 119
Pleck Pl. Poul F —5H 63
Pleck Rd. Acc —2B 142
Plessington Ct. L'rdge —3K 97
(off Brewery St.)
Plevna Rd. Pres —9M 115
Plex La. Hals —5N 207
Plex Moss La. Hals —3D 206
Plock Grn. Chor —9E 174
Ploughlands, The. Ash R —8B 114
Plough La. Lath —9D 210
Plover Clo. Roch —6K 203
Plover Clo. T Clev —7G 54
Plover Dri. Bury —9N 201
Plover Dri. Hey —2L 27
Plover St. Burn —3B 124
Plover St. Pres —7L 115
Plovers Way. Blac —3H 89
Plover Vw. Burn —3B 124
(off Plover St.)
Plox Brow. Tar —9E 150
Plumbe St. Burn —4E 124
Plumpton Av. Blac —4F 108
Plumpton Dri. Bury —7K 201
Plumpton Fld. Wood —8B 94
Plumpton La. Gt Plu —2D 110
Plumpton La. Hals —3L 207
Plumpton Rd. Ash R —7F 114
Plumtree Clo. Ful —3M 115
Plunge Rd. Ram —3K 181
Plungington Rd. Ful & Pres —6G 115
Plymouth Av. Fltwd —4C 54
Plymouth Gro. Chor —6G 175
Plymouth Rd. Blac —1E 88
Poachers Trail. Lyth A —1K 129
Poachers Way. T Clev —8G 55
Pochard Pl. T Clev —2F 62
Pocklington St. Acc —6C 142
Poets Rd. Burn —2L 123
Pointer Ct. Lanc —1K 29
Pointer Gro. Halt —1C 24
Pointer, The. Lanc —1K 29
Poke St. Wig —5L 221
Poland St. Acc —2M 141
Polefield. Ful —2H 115
Pole La. Dar —8C 158
Pole St. Pres —9K 115
Pole St. Stand —3N 213
Police St. Dar —6N 157
Pollard Gro. L'boro —6M 185
Pollard Pl. Lanc —4L 23
Pollard Row. Fence —1D 104
Pollard's La. S'seat —3H 201
Pollard St. Acc —1B 142
Pollard St. Burn —4B 124
Pollard St. Pres —9H 115
Pollard St. Todm —9H 147
Pollux Gа. Lyth A —4J 129
Polly Grn. Roch —2C 204
Polperro Dri. Frec —2M 131
Pomfret St. B'brn —5L 139
Pomfret St. Burn —3C 124
Pomona St. Roch —8C 204
Pompian Brow. Breth —9J 151
Pond Clo. Tar —1E 170
Pond Gdns. Poul F —5H 63
Pond St. Carn —8A 12
Pond Ter. Carn —8A 12
Pont St. Nels —3H 105
Poole Ct. Fltwd —3C 54
Poole End. Whal —5J 101
Poole Rd. Ful —5K 115
Poole St. B'brn —3C 140
Pool Foot La. Sing —7C 64
Pool Hey. —2A 188
Pool Hey La. South —3N 187
Poolhill Clo. T Clev —4E 62
Pool Ho Ct. Ing —3D 114
Pool Ho. La. Ing —4C 114
Pool La. Frec —4M 131
Poolside. —3A 132
Poolside Wlk. South —2B 168
Pool St. South —1B 168
Poot Hall. Roch —2C 204
Pope La. Rib —7B 116
Pope La. Wstke & Pen —9E 134
Pope Wlk. Pen —5G 135
Poplar Av. Bam B —7B 136
Poplar Av. Blac —5D 88
Poplar Av. Bolt —9F 198
Poplar Av. Brad —7J 199
Poplar Av. Eux —2M 173
Poplar Av. Gt Har —3K 121
Poplar Av. K'ham —5M 111
Poplar Av. Longt —8M 133
Poplar Av. Poul F —9L 63
Poplar Av. Todm —9K 147
Poplar Av. W'ton —2J 131
Poplar Av. Wig —5N 221
Poplar Clo. Bam B —7B 136
Poplar Clo. Osw —5M 141
Poplar Clo. Rish —9H 121
Poplar Ct. Lyth A —3E 128
Poplar Dri. Frec —3M 131
Poplar Dri. Kirkby —7H 223
Poplar Dri. L'rdge —2J 97
Poplar Dri. Pen —3F 134
Poplar Dri. Skel —2K 219
Poplar Gdns. Catt —2B 68
Poplar Gro. Bam B —7B 136
Poplar Gro. Ram —7J 181
Poplar Gro. Rib —5C 116
Poplars, The. Adl —7H 195
Poplar St. B'brn —1N 139
Poplar St. Chor —8F 174
Poplar St. Has —4G 161
Poplar St. Nels —1K 105
Poplar St. South —8L 167
Poplar Ter. Ross —1L 161
Poppy Av. Chor —4F 174
Poppyfield. Cot —3C 114
Poppyfields. Hesk B —3C 150
Poppyfield Vw. Roch —5J 203
Poppy La. Bic —2N 217
Porritt Av. Lanc —8H 23
Porritt Clo. Roch —7J 203
Porritt St. Bury —9M 201
(in two parts)
Porritt Way. Ram —7H 181
Portal Gro. Burn —3N 123
Porter Pl. Pres —2K 135
Porter St. Acc —2M 141
Porter St. Bury —9L 201
Porter St. Pres —8L 115
Porter St. E. Wesh —3L 111
Porters Wood Clo. Orr —4L 221
Portfield La. Whal —7M 101
Portfield Rd. Whal —6L 101
Portland Ct. Lyth A —8G 109
Portland Dri. More —6B 22
Portland Ind. Est. Bury —9M 201
(off Portland St.)
Portland Pl. Lanc —9K 23
Portland Pl. Roch —9D 204
(off Oldham Rd.)
Portland Rd. Blac —6D 88
Portland Rd. Lang —1C 120
Portland St. Acc —2N 141
Portland St. Barfd —8H 85
Portland St. B'brn —5K 139
Portland St. Bury —9M 201
Portland St. Chor —6F 174
Portland St. Col —6C 86
Portland St. Dar —9B 158
Portland St. Lanc —9K 23
Portland St. Nels —2H 105
Portland St. Pem —5N 221
Portland St. Pres —1G 135
Portland St. South —7G 167
Portman St. Pres —8L 115
Port of Heysham. Hey —2H 27
Port of Heysham Ind. Est. Hey —1J 27
Porton Rd. Liv —9H 223
Portree Clo. Ful —4M 115
Portree Cres. B'brn —5D 140
Portree Rd. Blac —5E 62
Port Royal Av. Lanc —9G 22
Portsmouth. —7C 146
Portsmouth Av. Burn —8J 105
Portsmouth Clo. T Clev —8F 54
Portsmouth Dri. Chor —6G 175
Port Way. Ash R —9F 114
Portway. Blac —5E 62
Port Way. Hey —1J 27
Postern Ga. Rd. Brook —7D 24
Post Horse La. Horn —7C 18
Post La. W'ton —2L 131
Post Office Av. South —7H 167
Post Office Bldgs. Barn —2M 77
(off Station Rd.)
Post Office Row. I'ton —1M 19
Post Office St. Ross —9M 143
(off Major St.)
Post Office Yd. Col —6B 86
(off Market Pl.)
Pot House. —4C 158
Pot Ho. La. Dar —4C 158
Pot Ho. La. Osw —7L 141
Pot Ho. La. Ward —9C 184
Potter La. High W —2E 136
Potter La. Sam —8G 116
Potter Pl. Skel —6A 220
Potters Brook. —9M 37
Poulton Av. Acc —9N 121
Poulton Av. Lyth A —9G 109
Poulton Ct. South —7M 167
Poulton Cres. Hogh —5F 136
Poulton Gro. Fltwd —9G 41
Poulton-le-Fylde. —8K 63
Poulton-le-Fylde Golf Course. —6K 63
Poulton Old Rd. Blac —1F 88
Poulton Rd. Blac —2E 88
Poulton Rd. Fltwd —1E 54
Poulton Rd. More —3B 22
Poulton Rd. Poul F —6H 63
Poulton Rd. South —7M 167
Poulton Sq. More —2B 22
Poulton St. Ash R —8F 114
Poulton St. Fltwd —9G 41
Poulton St. K'ham —4M 111
Poverty La. Liv —2D 222
Powderhouse La. Lanc —5G 23
Powder Works La. Liv —8H 217
Powell Av. Blac —1D 108
Powell St. Barn —1M 77
Powell St. Burn —5C 124
Powell St. Dar —5A 158
Powis Dri. Tar —7E 150
Powis Rd. Ash R —9D 114
Powys Clo. Has —6G 161
Poynter St. Pres —8M 115
Prairie Cres. Burn —8F 104
Pratt St. Burn —9E 104
Precinct, The. Ram —2E 200
Preece Gdns. Elsw —1M 91
Preesall. —1A 56
Preesall Clo. Ash R —8B 114
Preesall Clo. Lyth A —1H 129
Preesall Clo. South —1M 167
Preesall Mill Ind. Est. Pre —2A 56
Preesall Moss La. Pre —2C 56
Preesall Park. —3B 56
Preesall Rd. Ash R —8B 114
Prefect Pl. Wig —3M 221
Premier Bus. Pk. Gt Har —3K 121
Premier Ho. Poul F —8M 63
Premier Way. Poul F —8M 63
Prenton Gdns. T Clev —4F 62
Prenton Way. Wals —8E 200
Prescot Grn. Orm —9J 209
Prescot Pl. Blac —8G 89
Prescot Pl. T Clev —1J 63
Prescot Rd. Augh —8H 217
Prescot Rd. Mag & Mell —6H 223
Prescot Rd. Orm —1J 217
Prescott Av. Ruf —2E 190
Prescott La. Orr —3L 221
Prescott Rd. Skel —6C 220
Prescott St. Burn —4G 124
Prescott St. Roch —3E 204
Press Rd. Lyth A —9D 108
Prestbury Av. Blac —4C 108
Prestbury Av. South —8B 186
Prestbury Dri. More —6B 22
Prestbury Rd. Bolt —8G 198
Preston. —9K 115
Preston Beck. Earby —2E 78
(off Aspen La.)
Preston Ent. Cen. Pres —8J 115
Preston Golf Course. —3L 115
Preston Grasshoppers R.U.F.C. (Lightfoot Grn. La.) —1E 114
Preston Lancaster New Rd. Gars —5L 59
Preston Lancaster Rd. Ellel & Gal —8L 29
(in two parts)
Preston Lancaster Rd. Fort —9N 37
Preston New Rd. Blac —8F 88
(FY3)
Preston New Rd. Blac —2L 109
(FY4)
Preston New Rd. Frec —1A 132
Preston New Rd. Sam & Mel B —8D 116
(in two parts)
Preston New Rd. South —4N 167
Preston Nook. E'ston —9F 172
Preston North End F.C. —7L 115
(Deepdale)
Preston Old Rd. B'brn —9D 138
Preston Old Rd. Blac —8E 88
Preston Old Rd. Clift —8G 112
Preston Old Rd. Frec —1A 132
Preston Rd. Bam B & Clay W —1C 154
Preston Rd. Char R —2L 193
Preston Rd. Cop & Stand —4M 193
Preston Rd. Grims —1E 116
Preston Rd. Ins —1B 92
Preston Rd. Ley —5L 153
Preston Rd. L'rdge —4J 97
Preston Rd. Lyth A —5C 130
Preston Rd. Ribch —3M 97
(in two parts)
Preston Rd. South —6L 167
Preston Sports Arena. —6A 114
Preston St. Carn —8A 12
Preston St. Chor —4E 174
Preston St. Dar —4N 157
Preston St. Fltwd —9H 41
Preston St. K'ham —4N 111
Preston St. Roch —5N 203
Preston Technology Cen. Pres —9G 114
Prestwich St. Burn —5B 124
Prestwood Pl. Skel —7C 220
Pretoria St. Bam B —8A 136
Pretoria St. Roch —4N 203
Price Clo. Lanc —5J 23
Price St. Blac —9B 88
Prickshaw La. Whitw —8L 183
Priestfield. T Clev —4G 62
Priestfield Av. Col —6M 85
Priesthouse Clo. Liv —9A 206
Priesthouse La. Liv —9A 206
Priest Hutton. —2H 13
Priestley Nook. Acc —3B 142
(off Royds St.)
Priestwell. —1M 165
Priestwell St. Todm —1M 165
Primative Ter. Ross —9L 143
Primet Bridge. —8N 85
Primet Bri. Col —7N 85
Primet Bus. Cen. Col —7M 85
Primet Heights. Col —8M 85
(off Wackersall Rd.)
Primet Hill. Col —7N 85
Primet St. Col —7N 85
Primrose. —5K 81
(Clitheroe)
Primrose. —9L 23
(Lancaster)
Primrose Av. Blac —3D 108
Primrose Bank. Bacup —7G 162
(off Tunstead Rd.)
Primrose Bank. Bacup —7F 162
(off Waterbarn La.)
Primrose Bank. B'brn —2N 139
Primrose Bank. Blac —5F 62
Primrose Bank. Tot —6D 200
Primrose Clo. B'brn —6J 139
Primrose Clo. Bolt —9N 199
Primrose Clo. Hesk B —3C 150
Primrose Clo. Liv —7B 206
Primrose Clo. South —9B 148
Primrose Cotts. Cald V —5H 61
Primrose Ct. B'brn —3N 139
(off Primrose Dri.)
Primrose Ct. More —3B 22
Primrose Dri. B'brn —3N 139
Primrose Dri. Bury —9B 202
Primrose Gro. Pres —6M 115
Primrose Gro. Wig —4N 221
Primrose Hill. —4E 208
Primrose Hill. Col —6C 86
Primrose Hill. Mel —6H 119
Primrose Hill. Pres —1L 135
Primrose Hill Cotts. Heyw —9L 203
Primrose Hill Rd. Eux —3L 173
Primrose La. Pres —6M 115
Primrose La. Stand —2N 213
Primrose Rd. Clith —5K 81
Primrose Rd. Pres —6M 115
Primrose St. Acc —4N 141
Primrose St. Bacup —7G 162
Primrose St. Bolt —9F 198
Primrose St. Brier —5F 104
(off Halifax Rd.)
Primrose St. Burn —9G 104
Primrose St. Chor —6F 174
Primrose St. Clith —4K 81
Primrose St. Dar —7B 158
Primrose St. Lanc —9L 23
Primrose St. More —3B 22
Primrose Ter. B'brn —6J 139
Primrose Ter. Blac —5G 108
Primrose Ter. Dar —7B 158
Primrose Ter. Lang —9C 100
(off Whalley New Rd.)
Primrose Way. Chu —1L 141
Primrose Way. Poul F —5H 63
Primula Dri. Lwr D —9A 140
Primula St. Bolt —9F 198
Prince Av. Carn —9B 12
Prince Charles Gdns. South —9F 166
Prince Lee Meadows. Dar —7B 158
Princes Ct. Lyth A —1D 128
Princes Ct. Pen —2E 134
Princes Cres. More —1E 22
Princes Dri. Ful —3H 115
Princes Pk. —6F 166
Prince's Pk. Shev —8J 213
Princes Reach. Ash R —9D 114
Princes Rd. Lyth A —4K 129
Princes Rd. Pen —2E 134
Prince's Rd. Walt D —3A 136
Princess Alexandra Way. Hey —2J 27
Princess Av. Clith —2M 81
Princess Av. Lanc —2K 29
Princess Av. Poul F —8K 63
Princess Av. Roch —1F 204
Princess Av. Wesh —3L 111
Princess Ct. Blac —7B 88
Princess Gdns. B'brn —9E 138
Princess Pde. Blac —4B 88
Princess Rd. And —5K 195
Princess Rd. Roch —6G 205
Princess Rd. Stand L —8M 213
Princess Rd. T Clev —1C 62
Princess St. Acc —2M 141
Princess St. Bacup —5K 163
Princess St. Bam B —8B 136
Princess St. B'brn —6K 139
Princess St. Blac —7B 88
Princess St. Chor —8F 174
Princess St. Chu —2L 141
Princess St. Col —6N 85
Princess St. Gt Har —4K 121
Princess St. Has —5G 161
Princess St. Ley —6L 153
Princess St. Los H —9L 135
Princess St. Nels —3H 105
Princess St. Pad —1G 122
Princess St. Pres —1L 135
Princess St. Roch —5C 204
(in two parts)
Princess St. Whal —5J 101
Prince's St. B'brn —4L 139
Princes St. Rish —8H 121
Princes St. South —8G 167
Princess Way. Burn —2D 124
Princess Way. Eux —4N 173
Prince St. Bacup —8A 164
Prince St. Burn —4C 124
Prince St. Dar —6N 157
Prince St. Ram —8H 181
Prince St. Roch —8D 204
Princes Way. Fltwd —2C 54
Princes Way. T Clev —3C 62
Princeway. Blac —2C 108
Pringle Bank. War —4A 12
Pringle St. B'brn —5N 139
Pringle Wood. Brough —8F 94
Prinny Hill Rd. Has —4F 160
Printers Ct. Tur —1K 199
Printers Fold. Burn —3K 123
Printers La. Bolt —7J 199
Printshop La. Dar —9A 158
Prior's Clo. B'brn —2H 139
Priorsgate. Heat O —6C 22
Prior's Oak Cotts. Pen —3F 134
Priors Wlk. Saw —3D 74
Priorswood Pl. Skel —7C 220
Priory Clo. B'brn —4E 140
Priory Clo. Burs —8B 190
Priory Clo. Form —1B 214
Priory Clo. Heat O —6C 22
Priory Clo. Lanc —8J 23
(off Church St.)
Priory Clo. Ley —5M 153
Priory Clo. Pen —2F 134
Priory Clo. Ross —5C 162
Priory Clo. Tar —9E 150
Priory Clo. Wig —6L 221
Priory Ct. Blac —5C 88
Priory Ct. Burn —7F 124
Priory Ct. Lyth A —1E 128
Priory Ct. Pleas —6D 138
Priory Ct. South —8F 166
Priory Cres. Pen —2F 134
Priory Dri. Dar —6C 158
Priory Gdns. South —1F 186
Priory Ga. Blac —4C 108
Priory Grange. Dar —7C 158
Priory Grange. South —1G 186
Priory Gro. Orm —8J 209
Priory La. Horn —7B 18
Priory La. Pen —3E 134
Priory M. Lyth A —1K 129
Priory M. South —8F 166
Priory Nook. Uph —4F 220
Priory Pl. Dar —7C 158
Priory Rd. Uph —4F 220
Priory St. Ash R —9G 115
Priory St. Nels —1K 105
Priory Vw. Todm —1L 165
(off Nutfield St.)
Priory Wlk. Lanc —8L 23
(off Wolseley St.)
Priory Way. Barn —2L 77
Pritchard St. B'brn —6L 139
Pritchard St. Burn —5C 124
Private La. Has —7H 161
Private Rd. Hogh —7J 137
Procter Moss Rd. Abb —6A 30
Procter St. B'brn —5N 139
Proctor Clo. Brier —5K 105
Proctor Clo. Wig —2N 221
Proctor Cft. Traw —9E 86
Proctor Moss Rd. Ellel —9D 30
Proctor's Brow. Halt —9J 19
Proctors Row. Set —3N 35
(off Mill Clo.)
Progress Av. B'brn —1A 140
Progress Bus. Pk. K'ham —5M 111
Progress Ct. Blac —2G 89
Progress Rd. Whit I —8K 85
Progress St. Chor —6G 174
Progress St. Dar —6B 158
Progress Way. Blac —4F 108
Promenade. Ains —7A 186
Promenade. Blac —2A 108
Promenade. Kno S —7L 41
Promenade. South —7G 167
Promenade. T Clev —4C 62
Promenade N. T Clev —8C 54
Promenade Rd. Fltwd —8G 40
Promenade S. T Clev —1C 62
Promenade, The. Arns —1E 4
Prospect Av. Bolt —9M 199
Prospect Av. Dar —5M 157
Prospect Av. Hest B —8J 15
Prospect Av. Los H —8L 135
Prospect Ct. L'rdge —4K 97
Prospect Ct. Tot —6E 200
Prospect Dri. Hest B —8J 15
Prospect Gro. More —4C 22

Prospect Hill—Redeswood Av.

Prospect Hill. Has —5F 160
Prospect Hill. Raw —4M 161
(off Prospect Rd.)
Prospect Ho. Dri. Wheel —7J 155
Prospect Pl. Ash R —8E 114
Prospect Pl. Pen —4H 135
Prospect Pl. Skel —6C 220
Prospect Rd. Ross —4M 161
Prospect St. Gt Har —4K 121
Prospect St. Lanc —9L 23
Prospect St. Roch —9B 204
Prospect St. Ross —6D 162
Prospect Ter. Bacup —8J 163
Prospect Ter. Barfd —7H 85
Prospect Ter. Bury —9J 201
Prospect Ter. Dunn —4N 143
Prospect Ter. Hun —7D 122
(off Enfield Rd.)
Prospect Ter. Ross —6D 162
(off Prospect St.)
Prospect Ter. Ross —2L 161
(off East St.)
Prospect Ter. Withn —7B 156
Prospect Vw. Los H —9L 135
Prospect Way. Boot —7A 222
Providence St. B'brn —9A 120
Providence St. Todm —8K 165
Prudy Hill. Poul F —7K 63
Prunella Dri. Lwr D —9A 140
Pudding La. Todm —6F 146
Pudding Pie Nook La. Goos —6J 95
Puddle Ho. La. Sing —2M 89
Pudsey. —7E 146
Pudsey Rd. Todm —7E 146
Pulborough Clo. Bury —6G 201
Pullman St. Roch —8C 204
Pump Ho. La. Ley —9C 152
Pump St. B'brn —4K 139
Pump St. Burn —3C 124
Pump St. Clith —3K 81
Pump St. Pres —9K 115
Punnell's La. Liv —6M 215
Punstock La. Dar —7N 157
Punstock Rd. Dar —6N 157
Purbeck Dri. Bury —7H 201
Purdon St. Bury —7L 201
Pye Busk. Ben —6M 19
Pye Busk Clo. Ben —6M 19
Pyes Bri. La. Hale —1C 6
Pygon's Hill La. Liv —4C 216

Quaile Holme Rd. Kno S —8K 41
Quakerfields. Dar —5A 158
Quaker La. Dar —5A 158
Quaker's Brook La. Hogh —5J 137
Quakers Fld. Tot —5E 200
Quakers Pl. Stand —3N 213
Quakers Ter. Stand —1M 213
Quantock Clo. Wig —9M 221
Quarlton Dri. Hawk —2A 200
Quarry Bank. Gars —6N 59
Quarry Bank. Has —6E 160
Quarry Bank. Liv —7L 223
Quarry Bank. T Clev —3F 62
Quarry Bank St. Burn —2A 124
Quarry Clo. Kirkby —7L 223
Quarry Dale. Liv —7L 223
Quarry Dri. Augh —3H 217
Quarry Farm Ct. Chat —7C 74
Quarry Grn. Liv —7L 223
Quarry Grn. Flats. Liv —7L 223
Quarry Hey. Liv —7L 223
Quarry Hill. Roch —1B 204
Quarry Hill Nature Reserve. —4K 105
Quarry Mt. Orm —6M 209
Quarry Mt. M. Lanc —9L 23
Quarry Rd. Brook —3L 25
Quarry Rd. Chor —8G 175
Quarry Rd. Lanc —9K 23
Quarryside Dri. Liv —7M 223
Quarry St. Acc —3B 142
Quarry St. Bacup —5L 163
Quarry St. B'brn —3N 139
Quarry St. Hap —7H 123
Quarry St. Pad —9J 103
Quarry St. Ram —8J 181
(in three parts)
Quarry St. Shawf —9B 164
Quarry Vw. Roch —2B 204
Quayle Av. Blac —1E 108
Quayside. Fltwd —1H 55
Quay West. Lyth A —3E 128
Quebec Av. Blac —8D 62
Quebec Rd. B'brn —9J 119
Quebec St. Todm —6K 165
Queen Anne St. Has —4F 160
Queen Anne St. South —7H 167
(off Market St.)
Queenby Clo. Bolt —8D 198
Queen Elizabeth Ct. More —3A 22
Queen Elizabeth Cres. Acc —3B 142
Queen Mary Av. Lyth A —3G 129
Queen Mary Ter. Whal —3H 101
Queen's Av. Brom X —6G 198
Queens Av. Roch —1F 204
Queensberry Rd. Burn —4C 124
Queensborough Rd. Acc —1A 142
Queensbury Rd. T Clev —1C 62
Queens Clo. Clith —4L 81
Queen's Clo. Poul F —8L 63
Queens Ct. Blac —9B 62
Queens Ct. Ful —6H 115
(off Queens Rd.)
Queenscourt Av. Pen —6H 135
Queens Cres. K'ham —5N 111
Queensdale Clo. Walt D —4A 136
Queens Dri. Arns —2F 4
Queen's Dri. Carn —9B 12
Queen's Dri. Ful —3G 115
Queens Dri. L'rdge —3J 97
Queens Dri. More —2E 22
Queen's Dri. Osw —5M 141
Queens Dri. Roch —9B 204
Queens Dri. Stain —5L 89
Queens Gth. Thorn C —9J 53
Queensgate. Chor —7D 174
Queensgate. Nels —3G 105
Queens Grn. Hask —7M 207
Queen's Gro. Chor —6E 174
Queen's Lancashire Regiment Mus.
(off Watling St. Rd.) —5L 115
Queen's Lancashire Way. Burn —3D 124
Queen's Park. —5B 140
Queen's Pk. Rd. B'brn —4A 140
Queen's Pk. Rd. Burn —1F 124
Queen's Pk. Rd. Heyw —9H 203
Queens Pl. Bury —3H 201
Queens Pl. Wesh —2L 111
Queen's Promenade. Blac & T Clev —1B 88
Queen Sq. Blac —5B 88
Queen Sq. Lanc —9K 23
Queens Retail Pk. Pres —1L 135
Queen's Rd. Acc —1A 142
Queen's Rd. B'brn —5B 140
Queen's Rd. Burn —8F 104
Queen's Rd. Chor —6D 174
Queens Rd. Clith —4L 81
Queen's Rd. Dar —1B 178
Queens Rd. Ful —6G 115
Queen's Rd. L'boro —9L 185
Queens Rd. Lyth A —3F 128
Queens Rd. Orr —6F 220
Queen's Rd. South —6J 167
Queen's Rd. Walt D —3A 136
Queen's Rd. Ter. L'boro —9L 185
(off Queen's Rd.)
Queens Rd. W. Chu —9M 121
Queen's Sq. Hodd —6F 158
Queen's Sq. K Lon —6F 8
Queens Sq. Poul F —8K 63
Queen's Sq. Ross —5M 161
Queen's St. L'rdge —4J 97
Queen's Ter. Bacup —7J 163
Queen's Ter. B'brn —7J 139
Queen's Ter. Fltwd —8H 41
Queen's Ter. Pad —1H 123
Queen's Ter. Ross —5M 161
(off Queen St.)
Queenstown. —3D 88
Queen St. Acc —2B 142
Queen St. Bacup —5K 163
Queen St. Barn —3L 77
Queen St. Barfd —7H 85
Queen St. Blac —5B 88
Queen St. Brclf —7K 105
Queen St. Burn —4D 124
Queen St. Carn —9N 11
Queen St. Clay M —6M 121
Queen St. Clith —3J 81
Queen St. Col —7N 85
Queen St. Dar —5N 157
Queen St. Fltwd —9G 41
Queen St. Gt Har —4J 121
Queen St. Hodd —6F 158
Queen St. Hor —9B 196
Queen St. Lanc —9K 23
Queen St. L'boro —9L 185
Queen St. Los H —9L 135
Queen St. Lyth A —5N 129
Queen St. More —3B 22
Queen St. Nels —1J 105
Queen St. Orm —8K 209
Queen St. Orr —5K 221
Queen St. Osw —4L 141
Queen St. Pad —1H 123
Queen St. Pres —1L 135
Queen St. Ram —8G 180
Queen St. Roch —5C 204
Queen St. Ross —5M 161
Queen St. Stac —7G 163
Queen St. Todm —2L 165
Queen St. Tot —8F 200
Queen St. Whal —6J 101
Queen St. Wig —6N 221
Queen St. E. Chor —8F 174
Queens Vw. L'boro —2K 205
Queens Wlk. Gt Har —4K 121
Queen's Wlk. T Clev —8D 54
Queensway. Ash R —7C 114
Queensway. Bam B —7A 136
Queensway. B'brn —9H 139
Queensway. Blac —2C 108
Queensway. Brins —8A 156
Queensway. Chu —1M 141
Queensway. Clith —4L 81
Queensway. Eux —4A 174
Queensway. Ley —8H 153
Queensway. Lyth A —6G 109
Queensway. Pen —2E 134
Queens Way. Poul F —8K 63
Queensway. Rainf —5L 225
Queensway. Ross —6C 162
Queensway. Shev —8J 213
Queensway. Wadd —8H 73
Queensway. W'ton —1K 131
Queensway Clo. Pen —2E 134
Queensway Ct. Lyth A —8G 109
Queensway Lodge. Poul F —8K 63
Queen Vera Rd. Blac —5B 88
Queen Victoria Rd. Blac —7C 88
Queen Victoria Rd. Burn —9F 104
(Briercliffe Rd.)
Queen Victoria Rd. Burn —2F 124
(Ormerod Rd.)
Queen Victoria St. B'brn —6J 139
Queen Victoria St. Roch —9D 204
Quenby Corner. Poul F —8H 63
Quernmore. —4F 30
Quernmore Av. Blac —7G 89
Quernmore Brow. Quer —4F 30
Quernmore Dri. Glas D —2C 36
Quernmore Dri. Kel —7D 78
Quernmore Ind. Est. Frec —2A 132
Quernmore Rd. Cat —2G 25
(off Caton)
Quernmore Rd. Lanc —8M 23
(off Moorlands)
Quernmore Rd. Liv —7M 223
Quernmore Wlk. Liv —7M 223
Quin St. Ley —6K 153
Quinton. Roch —5B 204
(off Spotland Rd.)
Quinton Clo. South —9A 186

Rabbit La. Bas E —4N 71
Rabbit La. Burs —1L 209
Rabbit Wlk. Burn —6F 124
Raby St. More —3B 22
Raby St. Ross —5M 161
Radburn Brow. Clay W —4D 154
Radburn Clo. Clay W —4D 154
Radcliffe Rd. Fltwd —3F 54
Radeclyffe St. Clith —2L 81
Radfield Av. Dar —7A 158
Radfield Head. Dar —7N 157
Radfield Rd. Dar —7N 157
Radford. —7A 158
Radford Bank Gdns. Dar —7A 158
Radford Gdns. Dar —8A 158
Radford St. Dar —7A 158
Radley Av. Blac —2E 88
Radley Dri. Liv —7B 222
Radnor Av. Burn —2M 123
Radnor Av. T Clev —2F 62
Radnor Clo. Osw —4J 141
Radnor Dri. South —3L 167
Radnor St. Acc —1A 142
Radnor St. Pres —9H 115
Radshaw Ct. Liv —5L 223
Radstock Clo. Bolt —6E 198
Radway Clo. T Clev —4F 62
Radworth Cres. Blac —9H 89
Raeburn Av. Burn —6C 124
Raedale Av. Burn —6F 104
Raglan Rd. Ash R —7G 115
(off Raglan St.)
Raglan Rd. Burn —4C 124
Raglan Rd. Hey —5M 21
Raglan St. Ash R —7G 114
Raglan St. Col —7A 86
Raglan St. Nels —1H 105
Raglan St. Todm —2L 165
Raikes Hill. Blac —5C 88
Raikeshill Dri. Hest B —9H 15
Raikes M. Blac —5C 88
Raikes Pde. Blac —5C 88
Raikes Rd. Gt Ecc —6N 65
Raikes Rd. Pres —8M 115
Raikes Rd. T Clev —2L 63
Rail Clo. Rainf —9K 219
Railgate. Bacup —7N 163
Railton Av. B'brn —8H 139
Railway App. Orm —7L 209
Railway Av. South —1E 168
Railway Cotts. Hesk B —5G 112
Railway Crossing La. Lanc —2F 28
Railway Gro. B'brn —1A 140
Railway Path. Orm —9K 209
Railway Pl. Glas D —1D 36
Railway Rd. Adl —6J 195
Railway Rd. B'brn —3M 139
Railway Rd. Brins & Withn —8A 156
Railway Rd. Chor —5F 174
Railway Rd. Dar —6A 158
Railway Rd. Has —3G 160
Railway Rd. Orm —7L 209
Railway Rd. Skel —2G 219
Railway St. Bacup —7F 162
Railway St. Barn —2M 77
Railway St. Brier —5F 104
Railway St. Burn —2D 124
Railway St. Bury —3H 201
Railway St. Chor —7F 174
Railway St. Foul —2A 86
Railway St. Lanc —1K 29
Railway St. Ley —5L 153
Railway St. L'boro —9L 185
Railway St. Miln —9L 205
Railway St. Nels —2J 105
Railway St. Ram —8H 181
Railway St. Roch —6D 204
Railway St. South —9G 167
Railway St. Todm —1L 165
Railway St. W. Bury —3G 201
Railway Ter. Brier —5E 104
Railway Ter. Cop —4B 194
Railway Ter. Gt Har —5J 121
Railway Ter. Ross —6L 161
Railway Ter. S'stne —1E 122
Railway Ter. South —9G 167
Railway Ter. S'seat —3H 201
(off Miller St.)
Railway Ter. Wesh —3L 111
Railway Vw. Acc —2A 142
Railway Vw. Adl —6J 195
Railway Vw. Bill —6H 101
Railway Vw. B'brn —6J 139
Railway Vw. Brier —4F 104
(off Wesley St.)
Railway Vw. Crost —4L 171
Railway Vw. Liv —7H 223
Railway Vw. Todm —6K 165
Railway Vw. Av. Clith —2L 81
Railway Vw. Rd. Clith —2L 81
Rainbow Dri. Mell —6G 222
Raines Crest. Miln —7K 205
Raines Rd. Gigg —3N 35
Rainford. —4K 225
Rainford By-Pass. Rainf —1H 225
Rainford Ind. Est. Rainf —6N 225
Rainford Junction. —9K 219
Rainford Rd. Bic —5E 218
Rainford St. Bolt —7J 199
Rainhall. —1A 78
Rainhall Cres. Barn —2A 78
Rainhall Rd. Barn —2M 77
Rainshaw St. Bolt —9F 198
Rain Shore. —1G 202
Rake. Roch —6H 203
Rake Foot. Has —3G 161
Rake Foot. —9M 143
Rake Head. —8E 162
Rake Head Barn La. Todm —7J 165
Rakehead La. Bacup —7F 162
Rakehouse Brow. Abb —2A 48
Rake La. W'ton —3J 131
Rakes Bri. Lwr D —9A 140
Rakes Head La. Slyne —1G 23
Rakes Ho. Rd. Nels —9J 85
Rakes La. Hort —7D 52
Rakes La. Rim —3A 76
Rakes Rd. Brook —1M 25
Rake St. Bury —9L 201
Rake Ter. L'boro —8M 185
Rake, The. Abb —5N 39
Rake, The. Ram —8G 180
Rake Top. Roch —4M 203
Rake Top Av. High —4L 103
Rakewood. —4M 205
Rakewood Rd. L'boro —2L 205
Raleigh Av. Blac —4B 108
Raleigh Clo. Lyth A —8D 108
Raleigh Gdns. L'boro —5M 185
Raleigh Rd. Ful —3H 115
Raleigh St. Pad —2J 123
Ralph Sherwin Ct. Roch —1G 204
Ralph St. Acc —9B 122
Ralph St. Roch —4D 204
Ralph's Wife's La. South —9D 148
Ramparts, The. Lanc —6L 23
Ramper Ga. T Clev —1D 62
Ramsay Ct. Kno S —8K 41
Ramsay Pl. Roch —5D 204
Ramsay St. Bolt —9E 198
Ramsay St. Roch —5D 204
Ramsay Ter. Roch —5D 204
Ramsbottom. —9G 180
Ramsbottom La. Ram —7H 181
Ramsbottom Rd. Tur & Hawk —3M 199
Ramsbottom St. Acc —1A 142
Ramsbottom St. Ross —7C 162
Rams Clough La. Osw —9N 141
Ramsden La. Todm —8H 165
Ramsden Rd. Ward —7F 184
(in two parts)
Ramsden St. Carn —8A 12
Ramsden St. Todm —8K 165
Ramsden Wood Rd. Todm —8J 165
Ramsey Av. Bacup —6L 163
Ramsey Av. Blac —3D 88
Ramsey Av. Pres —6N 115
Ramsey Clo. Lyth A —8D 108
Ramsey Gro. Burn —8G 105
Ramsey Rd. B'brn —7L 139
Ramsgate Clo. W'ton —1K 131
Ramsgate Rd. Lyth A —9F 108
Ramsgreave. —6M 119
Ramsgreave Av. B'brn —7L 119
Ramsgreave Dri. B'brn —8K 119
Ramsgreave Rd. Rams —6L 119
Ramshill Av. Poul F —6H 63
Ramson Ct. More —6B 22
(off Yarrow Wlk.)
Ramwells Brow. Brom X —5F 198
Ramwells Ct. Brom X —5H 199
Ramwells M. Brom X —5H 199
Ranaldsway. Ley —7G 152
Randall Av. Shev —7K 213
Randall St. Burn —9F 104
Randal St. B'brn —2M 139
Randle Av. Rainf —2J 225
Randle Brook Ct. Rainf —2J 225
Randolph St. B'brn —4A 140
Random Row. Bacup —7G 162
Ranelagh Dri. South —6F 186
Ranger St. Acc —3N 141
Rangeway Av. Blac —2C 108
Ranglet Rd. Bam B —9D 136
Rangletts Av. Chor —8E 174
Ranglit Av. Lea —8N 113
Rankin Av. Hesk B —5D 150
Rankin Clo. Barn —2N 77
Rankin Dri. Hodd —7E 158
Ranlea Av. More —2G 22
Ranleigh Dri. Newb —3L 211
Rann. —1E 158
Rannoch Dri. B'brn —7G 139
Ranslett Ct. Liv —9A 206
Ransom Ct. More —3F 22
(off Buseph Barrow)
Rantree Rd. Halt —9K 19
Ranworth Clo. Bolt —7G 198
Rapley La. Wood —1K 93
Ratcliffe Fold. Has —4G 160
Ratcliffe St. Dar —6B 158
Ratcliffe St. Has —4G 160
Ratcliffe Wharf La. Fort —4K 45
Rathbone Rd. H'twn —7A 214
Rathbone St. Roch —6F 204
Rathlyn Av. Blac —3E 88
Rathmell. —7M 35
Rathmell Clo. Blac —1H 89
Rathmill Sike. Grin —3C 74
Rathmore Cres. South —3A 168
Ratten La. Hut —5M 133
Ratten Row. —3A 66
Raveden Clo. Bolt —9C 198
Raven Av. Ross —8G 160
Raven Cft. Has —7G 160
Ravendale Clo. Roch —4L 203
Ravenglass Av. Liv —9C 216
Ravenglass Clo. B'brn —7A 140
Ravenglass Clo. Blac —2E 108
Ravenglass Clo. Wesh —2M 111
Ravenhead Dri. Uph —4D 220
Ravenhead Way. Uph —5C 220
Ravenhill Dri. Chor —5E 174
Raven Meols La. Liv —1A 214
Ravenoak La. Wors —4M 125
Raven Pk. Has —7G 160
Raven Rd. B'brn —3J 139
Ravens Clo. Blac —3H 89
Ravens Clo. Lanc —5J 23
Ravens Clo. Brow. Wenn —5G 18
Ravenscroft Av. Orm —8K 209
Ravenscroft Clo. B'brn —8A 120
Ravenscroft Way. Barn —1N 77
Ravens Gro. Burn —6G 104
Ravens, The. Liv —2A 214
Ravensthorpe. Chor —5C 174
Raven St. Bury —9L 201
Raven St. Nels —1K 105
Raven St. Pres —7M 115
Ravenswing Av. B'brn —1J 139
Ravens Wood. B'brn —3J 139
Ravenswood. Gt Har —3H 121
Ravenswood. Rib —7A 116
Ravenswood Av. Blac —3H 89
Ravenswood Av. Wig —8N 221
Ravenwood Av. Blac —4D 108
Rawcliffe Dri. Ash R —9B 114
Rawcliffe Rd. Chor —7E 174
Rawcliffe Rd. Out R & St M —4M 65
Rawcliffe St. Blac —1B 108
Rawcliffe St. Burn —3E 124
Rawlinson Ct. South —6K 167
(off Rawlinson Rd.)
Rawlinson Gro. South —5L 167
Rawlinson La. Hth C —3G 195
Rawlinson Rd. South —6K 167
Rawlinson St. Dar —9B 158
Rawlinson St. Hor —9C 196
Rawlinson St. Wesh —3L 111
Raws Ct. Burn —3E 124
(off Bank Pde.)
Rawson Av. Acc —4N 141
Rawsons Rake. Ram —8F 180
Rawson St. Burn —9F 104
Rawsthorne Av. Has —5G 160
Rawsthorne Av. Ram —4J 181
Rawstorne Clo. Frec —2M 131
Rawstorne Rd. Pen —3E 134
Rawstorne St. B'brn —4K 139
Raw St. Burn —3E 124
(off Bank Pde.)
Rawstron St. Whitw —5N 183
Rawtenstall. —6L 161
Rawtenstall Rd. Has —6H 161
Rawthey Rd. Lanc —6H 23
Raybourne Av. Poul F —8J 63
Ray Bridge La. Garg —2M 53
Raygarth. K Lon —5E 8
Raygarth La. K Lon —5E 8
Raygill Av. Burn —6B 124
Raygill La. Loth —4M 79
Raygill Pl. Lanc —6H 23
Ray La. Bncr —8C 60
Raylees. Ram —1H 201
Raymond Av. Blac —2D 88
Raymond Av. Boot —9A 222
Raymond Av. Bury —8L 201
Raynor St. B'brn —3L 139
Rays Dri. Lanc —4K 29
Ray St. Brier —5E 104
Read. —8C 102
Reading Clo. B'brn —4A 140
Read's Av. Blac —6C 88
Reads Ct. Blac —6C 88
Read St. Clay M —8N 121
Reaney Av. Blac —2E 108
Reapers Way. Boot —6A 222
Record St. Barn —3M 77
Recreation St. Brad —8L 199
Rectory Clo. Chor —6E 174
Rectory Clo. Crost —4M 171
Rectory Clo. Dar —7C 158
Rectory Clo. Ross —6C 162
Rectory Gdns. C'ham —9G 37
Rectory Gdns. Tar —1E 170
Rectory Hill. Bury —9B 202
Rectory La. Bury —9B 202
Rectory Paddock. Halt —2B 24
Rectory Rd. Blac —9E 88
Rectory Rd. Burn —2D 124
Rectory Rd. South —5M 167
Red Bank. —9F 174
Redbank. Bury —7C 202
Red Bank. Chor —9F 174
Red Bank Rd. Blac —7B 62
Red Bri. La. Silv —7J 5
Red Brook St. Roch —6A 204
Redbrow Way. Liv —6K 223
Redcar Av. Ing —5C 114
Redcar Av. T Clev —7E 54
Redcar Clo. South —2M 187
Redcar Rd. Blac —2B 88
Redcar Rd. Bolt —9B 198
Redcar Rd. Lanc —4M 29
Redcar St. Roch —5B 204
Red Cat La. Burs —5C 190
Redcliffe Gdns. Augh —9K 209
Red Cross St. Pres —1H 135
Redcross St. Roch —5C 204
Redcross St. N. Roch —4B 204
Red Cut La. Liv —9C 224
Red Delph La. Rainf —1H 225
Reddish Clo. Bolt —7L 199
Reddyshore Brow. L'boro —6M 185
Reddyshore Scout Ga. Todm —1L 185
Redearth Rd. Dar —6A 158
Redearth St. Dar —7A 158
Rede Av. Fltwd —2C 54
Redeswood Av. T Clev —3E 62

270 A-Z Lancashire

Rivington Clo.—Rufford Dri.

Rivington Clo. Tar —7D 150
Rivington Country Pk. —4B 196
Rivington Dri. Burs —1C 210
Rivington Dri. Uph —4F 220
Rivington Hall Clo. Ram —1H 201
Rivington Ho. Hor —9C 196
Rivington La. And —7M 195
Rivington La. Hor —4A 196
Rivington Pl. Cop —7N 193
Rivington Rd. Bel —1F 196
Rivington Rd. Chor —5G 174
Rivington St. B'brn —4B 140
Rivington St. Roch —4C 204
Roach Pl. Roch —5D 204
Roach Rd. Sam —1G 137
Roach Va. Roch —3F 204
Roading Brook Rd. Bolt —9A 200
Road La. Roch —1A 204
Roads Ford Av. Miln —6J 205
Robert Saville Ct. Roch —7M 203
(off Half Acre M.)
Roberts Ct. War —4A 12
Roberts Pas. L'boro —4N 185
Roberts Pl. L'boro —2J 205
Roberts St. Chor —7E 174
Roberts St. Nels —2K 105
Roberts St. Raw —4M 161
Robert St. Acc —1B 142
Robert St. Barn —2M 77
Robert St. B'brn —5M 139
Robert St. Bolt —8L 199
Robert St. Col —6B 86
Robert St. Dar —5N 157
Robert St. Gt Har —3K 121
Robert St. Lanc —8K 23
Robert St. Osw —5K 141
Robert St. Ram —5H 181
Robert St. Roch —5D 204
Robert St. Waterf —5D 162
Robin Bank Rd. Dar —5A 158
Robin Clo. Char R —2N 193
Robin Cft. Horn —5B 18
Robin Hey. Ley —6E 152
Robin Hill Dri. Stand —2L 213
Robin Hill La. Stand —1L 213
Robin Hood. —9F 192
Robin Hood La. Wrigh —1E 212
Robin Ho. Pres —9H 115
(off Rodney St.)
Robin Ho. La. Brclf —7N 105
Robin La. Ben —6L 19
Robin La. Parb —8N 191
Robin La. Rim —3A 76
Robin Rd. Bury —2G 201
Robins Clo. Poul F —7G 62
Robins La. Poul F —6F 62
Robinson La. Brier —6D 104
Robinson St. B'brn —1A 140
Robinson St. Burn —9E 104
Robinson St. Chat —7D 74
Robinson St. Col —6N 85
Robinson St. Foul —2A 86
Robinson St. Ful —6G 115
Robinson St. Hor —9C 196
Robinson St. Roch —6D 204
Robin St. Pres —8N 115
Robinwood Ter. Todm —8H 147
Robraine. K Lon —6F 8
Robson St. Brier —4F 104
Robson Way. Blac —9G 62
Roby Mill. —9E 212
Roby Mill. Roby M —9E 212
Rochbury Clo. Roch —7K 203
Rochdale. —6D 204
Rochdale F.C. —5N 203
(Spotland)
Rochdale Golf Course. —5L 203
Rochdale Hornets R.L.F.C. —5N 203
(Spotland)
Rochdale Ind. Cen. Roch —7A 204
Rochdale Old Rd. Bury —9A 202
Rochdale Pioneers Mus. —5C 204
Rochdale Rd. Bacup —6L 163
Rochdale Rd. Ram —3K 181
Rochdale Rd. Todm & W'den —4K 165
Rochester Av. More —5C 22
Rochester Av. T Clev —8F 54
Rochester Clo. Bacup —9L 145
Rochester Dri. Burn —7G 105
Rochford Av. T Clev —2E 62
Roch Mills Cres. Roch —8N 203
Roch Mills Gdns. Roch —8N 203
Roch St. Roch —4E 204
Roch Valley Way. Roch —7N 203
Rock Bri. Fold. Ross —2C 162
Rock Brow. Thorn —7H 71
Rockburgh Cres. Walm B —2L 151
Rockcliffe. —6K 163
Rockcliffe Av. Bacup —6J 163
Rockcliffe Dri. Bacup —6J 163
Rockcliffe Rd. Bacup —6K 163
Rockcliffe St. B'brn —6M 139
Rockfield Gdns. Liv —9B 216
Rockfield Rd. Acc —2C 142
Rockfield St. B'brn —5M 139
Rock Fold. Eger —4F 198
Rock Hall Rd. Has —3G 161
Rockhaven Av. Hor —9D 196
Rockingham Ct. Liv —6L 223
Rockingham Rd. Blac —8D 62
Rock La. Burn —6F 124
Rock La. Liv —4E 222
Rock La. Toc —4H 157
Rock La. Traw —9F 86
(Church St.)
Rock La. Traw —8F 86
(Keighley Rd.)
Rockliffe. Ross —4M 161
Rockliffe La. Bacup —6L 163
Rockm' Jock. Cat —3G 25
(off Copy La.)
Rock Nook. L'boro —5N 185
Rock St. Clith —3L 81
Rock St. Has —4G 161
Rock St. Hor —9C 196
Rock St. Ram —7K 181
Rock St. T Clev —8H 55
Rock Ter. Arns —1F 4
Rock Ter. Eger —4F 198
Rock Ter. Ross —9M 143
Rock Ter. Todm —5K 165
Rock Ter. Wig —6J 193
Rock Vw. Mag —6F 222
Rock Vw. Ross —7C 162
Rock Villa Rd. Whit W —7E 154
Rockville. Barfd —6J 85
Rockville Av. T Clev —3F 62
Rockwater Bird Conservation Cen. —6N 125
Rockwood Clo. Burn —7J 105
Roddlesworth. —7F 156
Roddlesworth La. Withn —7E 156
Rodhill La. Bolt B —9G 51
Rodmell Clo. Brom X —6F 198
Rodney Av. Lyth A —8E 108
Rodney St. B'brn —5K 139
Rodney St. Pres —9H 115
Rodwell Wlk. Blac —2F 88
Roebuck Clo. B'brn —5L 139
Roebuck St. Ash R —7F 114
Roeburndale Cres. Hey —8M 21
Roeburndale Rd. Brook —5M 25
Roeburn Dri. More —6F 22
Roeburn Hall. Pres —9H 115
Roeburn Pl. Lanc —6J 23
Roedean Av. More —4F 22
Roedean Clo. Mag —9C 216
Roedean Clo. T Clev —1G 62
Roefield. Roch —5N 203
Roefield Ter. Roch —5N 203
Roe Greave Rd. Osw —5K 141
Roehampton Clo. T Clev —1G 62
Roe Hey Dri. Cop —3B 194
Roe La. South —6K 167
Roe Lee. —8N 119
Roe Lee Pk. B'brn —7N 119
Roe Pk. M. South —6K 167
Roe St. Roch —4N 203
Rogerley Clo. Lyth A —4N 129
Rogersfield. Lang —9B 100
Roleton Clo. Boot —6A 222
Rollesby Clo. Bury —8J 201
Rolleston Rd. B'brn —4J 139
Roman Cres. Cat —3H 25
Roman Rd. B'brn —6A 140
Roman Rd. Hodd —8E 158
Roman Rd. Pres —1L 135
Roman Rd. W. Ind. Est. B'brn —1B 158
Roman Way. Clith —3M 81
Roman Way. K'ham —5A 112
Roman Way. Rib —3E 116
Roman Way. T Clev —2F 62
Roman Way Ind. Est. Rib —3E 116
Rome Av. Burn —5A 124
Romford Rd. Pres —7M 115
Romford St. Burn —2A 124
Romiley Dri. Skel —1K 219
Romney Av. Barfd —8H 85
Romney Av. Blac —9D 88
Romney Av. Burn —6C 124
Romney Av. Fltwd —1E 54
Romney St. Nels —3H 105
Romney Wlk. B'brn —4C 140
Romsey. Roch —5B 204
(off Spotland Rd.)
Romsey Av. Liv —1B 214
Romsey Gro. Wig —9N 221
Ronald St. B'brn —3C 140
Ronald St. Burn —4M 123
Ronaldsway. Ley —7G 152
Ronaldsway. Nels —9M 85
Ronaldsway. Pres —6M 115
Ronaldsway Clo. Bacup —6L 163
Ronaldway. Blac —1E 108
Ronbury Clo. Barfd —1G 105
Roney St. B'brn —3K 139
Ronwood Clo. Elsw —1L 91
Ronwood Ct. Ash R —9E 114
Roods La. Roch —4G 202
Roods, The. War —4B 12
Rookery Av. App B —4H 213
Rookery Clo. Chor —8C 174
Rookery Clo. Pen —6J 135
Rookery Dri. Pen —6J 135
Rookery Dri. Rainf —4L 225
Rookery La. Rainf —5L 225
Rookery Rd. Barn —2N 77
Rookery Rd. South —5L 167
Rook Hill Rd. Bacup —7F 162
Rook St. Barn —2M 77
Rook St. Col —6A 86
Rook St. Nels —1H 105
Rook St. Pres —7L 115
Rook St. Ram —8H 181
Rookswood Dri. Roch —9M 203
Rookwood. E'ston —8E 172
Rookwood Av. Chor —4E 174
Rookwood Av. T Clev —3D 62
Rooley Moor Rd. Bacup —8F 162
Rooley Moor Rd. Roch —5H 183
(in two parts)
Rooley St. Roch —4N 203
Rooley Ter. Roch —5N 203
Rooley Vw. Bacup —6J 163
Roomfield Ct. Todm —2L 165
(off Halifax Rd.)
Roomfield St. Todm —2L 165
Roosevelt Av. Lanc —9H 23
Roots La. Catf —7J 93
Ropefield Way. Roch —2B 204
Rope St. Roch —5C 204
Rope Wlk. Gars —5N 59
Rosary Av. Blac —9E 88
Roscoe Lowe Brow. Grim V —6M 195
Roseacre. Blac —4C 108
Roseacre Clo. Ross —3D 162
(off Foxhill Dri.)
Roseacre Clo. Ross —6B 162
(off Bacup Rd.)
Roseacre Dri. Elsw —1M 91
Rose Acre La. Yeal C —9B 6
Roseacre Pl. Ash R —8B 114
Roseacre Pl. Lyth A —9H 109
Roseacre Rd. Elsw —1M 91
Rose Av. Ash R —6F 114
Rose Av. Blac —8D 88
Rose Av. Burn —5C 124
Rose Av. L'boro —2J 205
Rose Av. Roch —3H 203
Rosebank. Clay M —6N 121
Rosebank. Lea —8N 113
Rosebank. Ram —5J 181
Rose Bank. Ross —4M 161
Rosebank Av. Blac —4C 108
Rose Bank Rd. Todm —2K 165
Rose Bank St. Bacup —4K 163
Rosebay Av. B'brn —8E 138
Rosebay Clo. Liv —9A 206
Roseberry Av. Cot —4B 114
Roseberry Clo. Ram —2H 201
Roseberry St. Burn —8F 104
Roseberry St. Todm —7F 146
Rosebery Av. Blac —3B 108
Rosebery Av. Lanc —2L 29
Rosebery Av. Lyth A —4H 129
Rosebery Av. More —4C 22
Rosebery St. South —8N 167
Rose Clo. Ley —5A 154
Rose Cotts. Brclf —8L 105
Rose Cotts. Whit W —1F 174
Rose Cres. Skel —2J 219
Rose Cres. South —2C 206
Rosecroft Clo. Orm —6K 209
Rosedale Av. Blac —8G 88
Rosedale Av. Bolt —8E 198
Rosedale Av. Hey —8M 21
Rosedale St. Ross —2L 161
(off Holmes, The)
Rosedene Clo. Cot —4B 114
Rose Dri. Rainf —5L 225
Rosefield Cres. Roch —6F 204
Rose Fold. Pen —4G 135
Rose Gdns. Hesk B —3C 150
Rosegarth. Slyne —1K 23
Rose Gro. Blac —2D 108
Rose Gro. Gal —2K 37
Rosegrove Cvn. Pk. Pre —7N 41
Rosegrove La. Burn —4M 123
Rose Hill. —5C 124
(Burnley)
Rosehill. —8C 158
(Darwen)
Rose Hill. —5M 221
(Wigan)
Rose Hill. B'brn —3A 140
Rose Hill. Eux —2M 173
Rose Hill. Ram —8G 181
Rose Hill. South —8K 167
Rose Hill Av. B'brn —4A 140
Rosehill Av. Burn —6C 124
Rosehill Av. Nels —1K 105
Rose Hill Av. Wig —5M 221
Rose Hill Clo. Brom X —6G 199
Rosehill Dri. Augh —1H 217
Rose Hill Dri. Brom X —6G 199
Rosehill Mt. Burn —5C 124
Rosehill Rd. Burn —5C 124
Rosehill Rd. Col —9L 85
Rose Hill Rd. Pleas —7D 138
Rose Hill St. Bacup —5K 163
Rose Hill St. Dar —7B 158
Rose Hill St. Ross —7M 143
Roseland Av. Brier —4G 104
Roseland Clo. Liv —7A 216
Rose La. Pres —6M 115
Rose Lea. Bolt —9L 199
Rose Lea. Ful —3N 115
Roselea Dri. South —2B 168
Roselyn Av. Blac —4C 108
Rosemary Av. Blac —4C 108
Rosemary Av. T Clev —9F 54
Rosemary Ct. Pen —6F 134
Rosemary Dri. L'boro —8J 185
Rosemary La. Btle —8L 93
Rosemary La. Down —7N 207
Rosemary La. Lanc —8K 23
Rosemeade Av. Los H —8L 135
Rosemede Av. Blac —8F 88
Rosemount. Bacup —3L 163
Rose Mt. Blac —5G 108
Rosemount. Ross —6D 162
Rosemount Av. Barn —1L 77
Rosemount Av. Burn —5C 124
Rosemount Av. Pre —8N 41
Rosendale Clo. Bacup —4M 163
Rosendale Cres. Bacup —4L 163
Rose Pl. Acc —4A 142
Rose Pl. Augh —1J 217
Rose Pl. Rainf —5L 225
Rose St. Acc —4A 142
Rose St. Bacup —5K 163
Rose St. B'brn —5M 139
Rose St. Dar —6B 158
Rose St. Far —4L 153
Rose St. More —2B 22
Rose St. Pres —1K 135
Rose St. Ross —5C 162
Rose St. Todm —2L 165
Rose Ter. Ash R —8E 114
Rose Va. St. Ross —5N 161
Roseway. Ash R —8D 114
Roseway. Blac —4C 108
Roseway. Brier —3E 104
Roseway. Lyth A —2H 129
Roseway. Poul F —8J 63
Rosewood. Cot —4B 114
Rosewood. Roch —4J 203
Rosewood Av. B'brn —8M 119
Rosewood Av. Burn —6C 124
Rosewood Av. Has —4H 161
Rosewood Av. High W —5E 136
Rosewood Av. Tot —8F 200
Rosewood Bus. Pk. B'brn —9M 119
Rosewood Clo. Lyth A —4L 129
Rosewood Clo. T Clev —2K 63
Rosewood Ct. Burn —4M 123
(off Owen St.)
Rosewood Dri. High W —5D 136
Rosewood Flats. South —4M 167
Roshaw. Grims —9F 96
Rosklyn Rd. Chor —7G 174
Rosley St. Traw —6E 86
Rossall Av. Liv —7C 222
Rossall Beach. —7D 54
Rossall Clo. Fltwd —4D 54
Rossall Clo. Hogh —4G 136
Rossall Clo. Pad —3J 123
Rossall Ct. Fltwd —1E 54
Rossall Ct. T Clev —7C 54
Rossall Dri. Ful —5F 114
Rossall Gdns. T Clev —8D 54
Rossall Ga. Fltwd —4C 54
Rossall Grange La. Fltwd —1D 54
Rossall La. Fltwd —5D 54
Rossall Promenade. T Clev —7C 54
Rossall Rd. Blac —3D 88
Rossall Rd. Chor —5G 174
Rossall Rd. Ful —5F 114
Rossall Rd. Lanc —6G 23
Rossall Rd. Lyth A —4J 129
Rossall Rd. Roch —3D 204
Rossall Rd. T Clev —1D 62
Rossall St. Ash R —8F 114
Rossall Ter. B'brn —7M 139
Rossendale Av. Burn —7B 124
Rossendale Av. Lanc —7M 29
Rossendale Av. More —2C 22
Rossendale Av. N. T Clev —1H 63
Rossendale Av. S. T Clev —2H 63
Rossendale Golf Course. —8G 161
Rossendale Mus. —5K 161
Rossendale Rd. Burn —4N 123
Rossendale Rd. Lyth A —1G 128
Rossendale Rd. Ind. Est. Burn —5N 123
Rossendale Valley. —6J 163
Rosser Ct. Nels —2J 105
Rosset Clo. Wig —9N 221
Rossett Av. Blac —9J 89
Rossetti Av. Burn —7D 124
Rossington Av. Blac —6E 62
Rosslyn Av. Liv —2A 222
Rosslyn Av. Pre —7N 41
Rosslyn Cres. Pre —8N 41
Rosslyn Cres. E. Pre —8A 42
Rossmere Av. Roch —7N 203
Rossmoyne Rd. Lanc —3K 29
Ross St. Brier —5F 104
Ross St. Dar —9A 158
Rostle Top Rd. Earby —3D 78
Rostrevor Clo. Ley —6E 152
Rostron Rd. Ram —8G 181
Rostron's Bldgs. Ross —6B 162
(off Bacup Rd.)
Rothay Av. Fltwd —2D 54
Rothbury Pl. Lyth A —4B 130
Rotherwick Av. Chor —7D 174
Rothesay Cres. Hey —2J 27
Rothesay Rd. B'brn —6C 140
Rothesay Rd. Brier —4G 104
Rothesay Rd. Hey —2J 27
Rothesay Ter. Roch —9F 204
Rothley Av. South —9A 186
Rothwell Av. Acc —4B 142
Rothwell Clo. Orm —7J 209
Rothwell Ct. Ley —5K 153
Rothwell Cres. Rib —5B 116
Rothwell Dri. Augh —1G 217
Rothwell Dri. Fltwd —1D 54
Rothwell Dri. South —8A 186
Rothwell Lodge. Rib —5B 116
(off Grange Av.)
Rothwell Rd. And —6K 195
Rothwell St. Ram —8G 181
Rotten Row. Brook —2K 25
Rotten Row. South —9E 166
Rough Bank. Whitw —9N 183
Rough Hey. Acc —6M 141
Rough Hey La. C'den —9M 127
Rough Hey La. Todm —6J 165
Rough Hey Pl. Ful —2D 116
Rough Hey Rd. Grims —2D 116
Rough Heys La. Blac —2E 108
Rough Hey Wlk. Roch —7E 204
Rough Hill La. Bury —9B 202
Rough La. Form —3D 206
Rough Lea Rd. T Clev —1C 62
Roughlee. —6F 84
Roughlee Gro. Burn —4H 125
Rough Lee Rd. Acc —4B 142
Roughlee St. Barfd —9H 85
Roughlee Ter. Dunn —4N 143
Rough Side La. Todm —3M 165
Roughwood Dri. Liv —7L 223
Round Acre. Pen —7K 135
Round Acre. Sam —1N 137
Roundell Rd. Barn —1N 77
Roundell Ter. Barn —1N 77
(off Roundell Rd.)
Roundel St. Burn —8F 104
Roundhay. Blac —1G 108
Roundhill. —1E 160
Roundhill La. Has —1E 160
Round Hill Pl. Cliv —8J 125
Roundhill Rd. Acc & Has —9C 142
Roundhill Vw. Acc —8F 142
Round Meade, The. Liv —9A 216
Round Mdw. Ley —6F 152
Roundway. Fltwd —4C 54
Roundway Down. Ful —1F 114
Round Wood. Pen —1E 134
Roundwood Av. Burn —6E 104
Rouse St. Roch —9N 203
Rowan Av. Osw —6K 141
Rowan Av. Rib —5C 116
Rowan Bank. Halt —1B 24
Rowan Clo. B'brn —8A 120
Rowan Clo. Gars —6A 60
Rowan Clo. Pen —5E 134
Rowan Clo. Roch —2L 203
Rowan Cft. Clay W —6C 154
Rowan Dri. Liv —7H 223
Rowangate. Ful —2M 115
Rowan Gro. Burn —3G 124
Rowan Gro. Chor —3E 174
Rowan La. Skel —8M 211
Rowan Pl. Lanc —8H 23
Rowans St. Bury —9H 201
Rowans, The. Augh —4F 216
Rowans, The. Poul F —9H 63
Rowan Tree Clo. Acc —1D 142
Rowberrow Clo. Ful —3N 115
Rowen Pk. B'brn —9J 119
Rowland Av. Nels —2L 105
Rowland Clo. T Clev —1F 62
Rowland Ct. Roch —7E 204
Rowland La. T Clev —1F 62
Rowlands. —3J 201
Rowlands Rd. Bury —3H 201
Rowland St. Acc —3N 141
Rowland St. Roch —7E 204
Rowntree Av. Fltwd —1F 54
Roworth Clo. Walt D —5A 136
Rowsley Rd. Lyth A —1D 128
Row, The. —7J 5
Row, The. H'pey —3M 175
Row, The. Silv —7J 5
Rowton Heath. Ful —2F 114
Rowton St. Bolt —9H 199
Roxburgh Rd. Blac —3G 108
Roxton Clo. Hor —8C 196
Royal Av. Blac —7E 88
Royal Av. Bury —8L 201
Royal Av. Ful —3H 115
Royal Av. K'ham —5N 111
Royal Av. Ley —8H 153
Royal Bank Rd. Blac —7E 88
Royal Beach Ct. Lyth A —1D 128
Royal Birkdale Golf Course. —4D 186
Royal Clo. Liv —2A 214
Royal Ct. Brclf —7K 105
Royal Cres. Liv —2A 214
Royal Fold. Hey —9K 21
Royal Lytham St Anne's Golf Course. —3G 129
Royal Oak. —7L 217
Royal Oak Av. B'brn —8M 119
Royal Oak Mdw. Horn —6C 18
Royal Pennine Trad. Est. Roch —9A 204
Royal Pl. Lyth A —9J 109
Royal Rd. More —2C 22
Royal St. Roch —2F 204
Royal Ter. South —7G 167
Royal Troon Ct. K'ham —5M 111
Royalty Av. New L —8D 134
Royalty Gdns. New L —8C 134
Royalty La. New L —8C 134
Royal Umpire Touring Pk. Crost —3B 172
Royd La. Todm —9L 147
Royd Mills Ind. Pk. Hey —2L 27
Royd Rd. Todm —9K 147
Royds Av. Acc —4B 142
Royds Av. Hey —6L 21
Royds Clo. Tot —8F 200
Royds Gro. Hey —7L 21
Royds Pl. Roch —8D 204
Royds Rd. Bacup —8E 162
Royds St. Acc —3B 142
Royds St. L'boro —9M 185
Royds St. Lyth A —3E 128
Royds St. Tot —6E 200
Royds St. W. Roch —8D 204
Royd St. Bury —9B 202
Royd St. Todm —1K 165
Roylelands Bungalows. Roch —9N 203
Roylen Av. Poul F —6H 63
Royle Rd. Burn —2D 124
(in three parts)
Royle Rd. Chor —6D 174
Royles Brook Clo. T Clev —9H 55
Royles Ct. T Clev —1H 63
Royle St. Blac —9B 88
Roynton Rd. Hor —7C 196
Royshaw Av. B'brn —9M 119
Royshaw Clo. B'brn —9M 119
Royston Clo. G'mnt —4E 200
Royston Rd. Poul F —6M 63
Roy St. Todm —7D 146
Royton Dri. Whit W —1E 174
Ruby St. B'brn —7N 119
Ruby St. Bury —2H 201
Ruby St. Pas. Roch —7B 204
Ruddington Rd. South —2L 187
Rudd St. Has —4F 160
Rudgwick Dri. Bury —6H 201
Rudman St. Roch —3B 204
Rudyard Dri. Dar —7D 158
Rudyard Pl. Blac —3F 88
Rudyard Pl. Lyth A —9E 108
Ruff La. Orm & W'head —8L 209
Rufford. —1G 191
Rufford Av. Liv —8D 216
Rufford Av. Roch —9A 204
Rufford Clo. Chor —2D 194
Rufford Clo. Liv —9E 222
Rufford Dri. South —1E 168

Rufford Old Hall—St Mary's Rd.

Rufford Old Hall. —9G 171
Rufford Pk. La. Ruf —9E 170
Rufford Rd. Bis —3J 191
Rufford Rd. Lyth A —3J 129
Rufford Rd. Rainf —3K 225
Rufford Rd. South —3B 168
Rufus St. Pres —7M 115
Rugby Av. Acc —9B 122
Rugby Dri. Liv —9D 222
Rugby Dri. Orr —3J 221
Rugby Rd. Roch —4D 204
Rugby Rd. Ind. Est. Roch —4D 204
Rugby St. Blac —9D 88
Ruins. —9L 199
Ruins La. Bolt —9L 199
Rumley's Fold. Burn —7C 124
Runcorn Av. Blac —9F 62
Rundle Rd. Ful —6G 115
Runley Mill. Set —4N 35
Runnell Vs. Blac —2G 109
Runnel, The. Hals —2A 208
Runnymede Av. T Clev —1D 62
Runshaw Av. App B —4H 213
Runshaw Hall La. Eux —1K 173
Runshaw La. Eux —4G 173
Runshaw Moor. —2J 173
Rupert St. Carn —7A 12
Rupert St. Nels —3G 105
Rupert St. Roch —4N 203
Rush Bed. —1M 161
Rushbed Dri. Ross —1M 161
Rushden Rd. Liv —9M 223
Rushes Farm Clo. Osw —5J 141
Rushey Clo. Raw —1M 161
Rushey Fld. Brom X —5F 198
Rushey Hey Rd. Liv —8K 223
Rushford Gro. Bolt —9F 198
Rushlake Gdns. Roch —5J 203
Rushley Dri. Hest B —8H 15
Rushley Way. Hest B —8H 15
Rushmere Dri. Bury —8H 201
Rushton Av. Earby —3E 78
Rushton Clo. Nels —9M 85
Rushton St. Bacup —7J 163
Rushton St. Barfd —8H 85
Rushton St. Gt Har —5H 121
Rushworth St. Burn —9F 104
Rushworth St. E. Burn —9F 104
Rushy Fld. Clay M —4M 121
Rushy Hey. Los H —8K 135
Rushy Hill Vw. Roch —4N 203
Ruskin Av. Blac —8B 88
Ruskin Av. Col —5A 86
Ruskin Av. Ley —6K 153
Ruskin Av. Osw —3J 141
Ruskin Av. Pad —2K 123
Ruskin Av. T Clev —9G 54
Ruskin Clo. Tar —9D 150
Ruskin Dri. K Lon —6F 8
Ruskin Dri. More —2E 22
Ruskin Gro. Bolt S —4L 15
Ruskin Gro. Hap —5H 123
Ruskin Pl. Nels —9K 85
Ruskin Rd. Frec —2N 131
Ruskin Rd. Lanc —5K 23
Ruskin St. Burn —8E 104
Ruskin St. Pres —2L 135
Rusland Av. Blac —9K 89
Rusland Dri. Hogh —4G 136
Rusland Gdns. More —4B 22
Russell Av. Col —5B 86
Russell Av. Ley —7M 153
Russell Av. Pres —8C 116
Russell Av. South —7N 167
Russell Av. T Clev —3D 62
Russell Ct. Burn —5F 124
Russell Ct. Lyth A —2F 128
Russell Dri. More —4F 22
Russell Pl. Gt Har —4H 121
Russell Rd. Carn —9B 12
Russell Rd. South —7N 167
Russell Sq. Chor —5F 174
Russell Sq. W. Chor —5F 174
Russell St. Acc —3B 142
Russell St. Bacup —3K 163
Russell St. B'brn —5M 139
Russell St. Bury —9L 201
Russell St. Lanc —8K 23
Russell St. Nels —2H 105
Russell St. Todm —2M 165
Russell Ter. Pad —2J 123
Russet Wlk. Bolt —9E 198
Russia St. Acc —2M 141
Rutherford Pl. Blac —5B 108
Rutherford Rd. Mag —3D 222
Ruthin Clo. B'brn —1M 139
Ruthin Dri. T Clev —1K 63
Ruth St. Bury —9L 201
Ruth St. Ram —4J 181
Ruth St. Whitw —5N 183
Rutland. Roch —7B 204
Rutland Av. B'brn —4E 140
Rutland Av. Burn —3M 123
Rutland Av. Fltwd —1F 54
Rutland Av. Frec —1A 132
Rutland Av. Lanc —3L 29
Rutland Av. Poul F —8J 63
Rutland Av. T Clev —9E 54
Rutland Av. Walt D —5N 135
Rutland Clo. Clay M —6M 121
Rutland Clo. Gars —4M 59
Rutland Ct. Ans —3K 129
Rutland Cres. Orm —5J 209
Rutland Ga. Blac —3B 88
Rutland Pl. Pad —2J 123
Rutland Rd. Lyth A —3K 129
Rutland Rd. South —9K 167
Rutland St. Acc —3M 141
Rutland St. B'brn —5J 139
Rutland St. Col —6C 86
Rutland St. Nels —1J 105
Rutland St. Pres —9M 115
Rutland Wlk. Has —7F 160
Ryan Clo. Ley —6H 153
Ryburn Av. B'brn —1H 139
Ryburn Av. Blac —9E 88
Ryburn Rd. Orm —9J 209
Ryburn Sq. Roch —7J 203
Rycliffe St. Pad —9H 103
Rydal Av. Blac —7C 88
Rydal Av. Dar —7A 158
Rydal Av. Fltwd —9E 40
Rydal Av. Frec —2L 131
Rydal Av. Orr —4J 221
Rydal Av. Pen —5F 134
Rydal Av. Poul F —8K 63
Rydal Av. T Clev —2H 63
Rydal Av. Walt D —7N 135
Rydal Clo. Acc —8C 122
Rydal Clo. Ain —8E 222
Rydal Clo. Burn —6G 104
Rydal Clo. Ful —5M 115
Rydal Clo. Kirkby —6J 223
Rydal Clo. Pad —9H 103
Rydal Ct. More —3B 22
Rydal Gro. Hey —6L 21
Rydal Gro. Kno S —7M 41
Rydal Lodge. Blac —8E 88
Rydal Mt. Belt —1F 158
Rydal Pl. Chor —8D 174
Rydal Pl. Col —6D 86
Rydal Rd. B'brn —1A 140
Rydal Rd. Bolt S —5K 15
Rydal Rd. Hamb —1B 64
Rydal Rd. Has —7H 161
Rydal Rd. Hey —6L 21
Rydal Rd. Lanc —8L 23
Rydal Rd. Lyth A —9E 108
Rydal Rd. Pres —7N 115
Rydal St. Burn —8E 104
Rydal Wlk. Wig —4L 221
Ryddingwood. Pen —2E 134
Ryde Clo. Has —6H 161
Ryden Av. Ley —6M 153
Ryden Av. T Clev —9D 54
Ryden Rd. B'brn —3L 119
Ryder Clo. Augh —1H 217
Ryder Cres. Augh —2H 217
Ryder Cres. South —5E 186
Rydinge, The. Liv —6A 206
Ryding's La. South —6J 149
Rydings La. Ward —8D 184
Rydings Rd. Roch —1E 204
Rydings, The. Lang —1A 120
Ryeburn Dri. Bolt —8H 199
Ryecroft. H'pey —8J 155
Ryecroft Av. Hamb —2B 64
Ryecroft Av. Tot —7E 200
Ryecroft La. Bel —9K 177
Ryecroft Pl. Hamb —1B 64
Ryefield. H'pey —8H 155
Ryefield Av. Has —5G 160
Ryefield Av. Pen —6G 134
Ryefield Av. W. Has —5F 160
Ryefield Pl. Has —5G 160
Ryefields. Roch —1G 205
Rye Gdns. B'brn —1L 157
Ryeground La. Liv —7A 206
Rye Gro. Pad —2J 123
Rye Hey Rd. Liv —8K 223
Ryeheys Rd. Lyth A —9E 108
Ryelands Clo. Roch —9E 204
Ryelands Cres. Ash R —9B 114
Ryelands Rd. Lanc —6J 23
Rye Moss La. Liv —3G 215
Rye St. Pres —8K 115
Ryknild Way. More —5E 22
Ryland Av. Poul F —8J 63
Rylands Rd. Chor —7D 174
Rylands St. Burn —9F 104
Ryldon Pl. Blac —8G 88
Rylstone Dri. Barn —2L 77
Rylstone Dri. Hey —8L 21
Rysdale Cres. More —4C 22
Ryson Av. Blac —9F 88
Ryton Rd. Liv —9J 223

S

Sabden. —3E 102
Sabden Brook Ct. Sab —3F 102
Sabden Clo. Bury —6L 201
Sabden Pl. Lyth A —1J 129
Sabden Rd. High —4L 103
Sabden Rd. Pad & High —4G 102
Sabden Rd. Whal —6M 101
Sabden Wlk. B'brn —6N 139
Saccary La. Mel —4H 119
Sackville Av. Blac —3C 108
Sackville Gdns. Brier —5E 104
Sackville St. Barn —3M 77
Sackville St. Brier —5F 104
Sackville St. Burn —4D 124
Sackville St. Chor —7G 174
Sackville St. Nels —4K 105
Sackville St. Todm —2L 165
Saddleback Cres. Wig —5L 221
Saddleback Rd. Wig —4L 221
Saddlers M. Clith —3L 81
Saddlers Nook La. H Big —8D 8
Sadler St. Chu —3L 141
Saer Clo. Fltwd —1D 54
Saffron Clo. Barfd —1G 104
Sagar Dri. Frec —2M 131
Sagar Fold. Augh —3J 217
Sagar Holme Ter. Ross —2C 162
Sagar St. E'ston —8F 172
Sagar St. Nels —2J 105
Sage Ct. Pen —6F 134
Sage La. Pres —6L 115
Sahara Fold. B'brn —1A 140
(off Warmden Gdns.)
St Aidans Av. B'brn —7K 139
(in two parts)
St Aidan's Av. Dar —7B 158
St Aidan's Clo. B'brn —7K 139
St Aidan's Clo. Roch —8M 203
St Aidan's Ct. B'brn —2N 139
St Aidan's Pk. Bam B —6A 136
St Aidan's Rd. Bam B —6A 136
St Alban's Ct. B'brn —2N 139
St Albans Ct. Roch —7B 204
St Albans Ho. Roch —7B 204
(off St Albans St.)
St Albans Pl. Chor —9F 174
St Alban's Rd. Blac —6D 88
St Alban's Rd. Dar —4M 157
St Albans Rd. Lyth A —1F 128
St Albans Rd. More —2F 22
St Albans Rd. Rish —9G 120
St Albans St. Roch —7B 204
St Alban's Ter. Roch —7B 204
St Ambrose Ter. Ley —5L 153
St Andrew's Av. Ash R —7D 114
St Andrew's Av. T Clev —1D 62
St Andrews Clo. Col —8N 85
St Andrews Clo. Eux —2N 173
St Andrew's Clo. Ley —8K 153
St Andrews Clo. Osw —4K 141
St Andrews Clo. Ram —9H 181
St Andrews Ct. Lyth A —1D 128
St Andrews Ct. Osw —5K 141
St Andrew's Ct. South —8H 167
St Andrews Gro. More —2D 22
St Andrew's Pl. B'brn —2L 139
St Andrew's Pl. South —8H 167
St Andrews Rd. Old L —4C 100
St Andrew's Rd. Pres —7K 115
St Andrew's Rd. N. Lyth A —9D 108
St Andrew's Rd. S. Lyth A —2E 128
St Andrew's St. B'brn —2L 139
St Andrew's St. Burn —9F 104
St Andrews Vw. Liv —4K 223
St Andrews Way. Ley —7K 153
St Anne's. —2E 128
St Anne's Av. More —2F 22
St Annes Clo. B'brn —5N 139
St Anne's Clo. Brook —3K 25
St Anne's Clo. Chu —3L 141
(off Blackpool St.)
St Anne's Clo. Liv —6A 206
St Anne's Ct. Blac —9C 88
St Annes Ct. Shev —7J 213
St Anne's Cres. Ross —4D 162
St Anne's Dri. Fence —3B 104
St Anne's Dri. Shev —7K 213
St Annes M. W. Tot —6E 200
St Anne's Old Links Golf Course. —7C 108
St Anne's Path. Liv —6A 206
St Anne's Pl. Lanc —8K 23
(off Moor La.)
St Anne's Rd. Blac —9C 88
St Anne's Rd. Chor —7G 174
St Annes Rd. Gt Ecc —6A 66
St Annes Rd. Hor —9D 196
St Anne's Rd. Ley —4M 153
St Anne's Rd. Orm —8J 209
St Anne's Rd. South —2M 167
St Anne's Rd. E. Lyth A —1E 128
St Anne's Rd. W. Lyth A —2D 128
St Anne's St. Bury —9L 201
St Anne's St. Pad —2H 123
St Anne's St. Pres —7K 115
St Anne's Way. Burn —3B 104
St Ann's Ct. Clith —3H 81
St Ann's Rd. Roch —5F 204
St Anns Sq. Clith —3J 81
St Ann's St. B'brn —5M 139
St Anthony's Clo. Ful —5F 114
St Anthony's Cres. Ful —5F 114
St Anthony's Dri. Ful —5F 114
St Anthony's Pl. Blac —3C 88
St Anthony's Pl. K'ham —5M 111
St Anthony's Rd. Pres —7K 115
St Austell Dri. G'mnt —3E 200
St Austell Pl. Carn —1N 15
St Austin's Pl. Pres —1K 135
St Austin's Rd. Pres —1K 135
St Barnabas Dri. L'boro —8K 185
St Barnabas Pl. Pres —8K 115
St Barnabas St. B'brn —3K 139
St Barnabas St. Dar —9B 158
St Bede's Av. Blac —9B 88
St Bedes Clo. Orm —9J 209
St Bede's Pk. Dar —2M 157
St Bee's Clo. B'brn —7N 139
St Bernard Av. Blac —3F 88
St Bernard's Rd. Kno S —8L 41
St Brides Clo. Hor —9B 196
St Catherine Clo. Blac —1H 89
St Catherines Clo. Ley —5M 153
St Catherines Ct. Lanc —8K 23
(off Moor La.)
St Catherine's Dri. Ful —5F 114
St Cecilia St. Gt Har —4K 121
(in two parts)
St Celia's Way. More —2E 22
St Chad's Av. Chat —7C 74
St Chads Clo. Poul F —9K 63
St Chad's Clo. Roch —6C 204
St Chads Ct. Roch —6C 204
St Chad's Dri. Kirkby & Liv —8K 223
St Chad's Dri. Lanc —5H 23
St Chads Pde. Liv —8K 223
St Chad's Rd. Blac —8B 88
St Chad's Rd. Pres —8M 115
St Charles Rd. Rish —8G 121
St Christine's Av. Far —3M 153
St Christopher Ct. Stand L —8M 213
St Christopher's Rd. Pres —7K 115
St Christopher's Way. More —2D 22
St Clair Dri. South —5N 167
St Clair Rd. G'mnt —2E 200
St Clares Av. Ful —3K 115
St Clement's Av. Blac —5E 88
St Clements Av. Far —4M 153
St Clements Clo. B'brn —4B 140
St Clements Ct. Barfd —8H 85
St Clement St. B'brn —3B 140
St Crispin Way. Has —5F 160
St Cuthbert's Clo. Dar —4M 157
St Cuthbert's Clo. Ful —6G 114
St Cuthbert's Clo. Lyth A —5N 129
St Cuthbert's Clo. South —4N 167
St Cuthberts Rd. Los H —7K 135
St Cuthbert's Rd. Pres —7K 115
St Cuthbert's Rd. South —4N 167
St Cuthbert St. Burn —8F 104
St David's Av. B'brn —9F 138
St David's Av. T Clev —1D 62
St David's Gro. Lyth A —9D 108
St David's Rd. Ley —5M 153
St David's Rd. Pres —7K 115
St David's Rd. N. Lyth A —8D 108
St David's Rd. S. Lyth A —2E 128
St David's Wood. Acc —1C 142
St Denys Cft. Clith —2L 81
St Edmund Hall Clo. Ram —1H 201
St Edmund's Rd. Blac —9E 88
St Edmund St. Gt Har —4K 121
St Frances Clo. B'brn —5N 139
St Francis Clo. Ful —2K 115
St Francis Rd. B'brn —6H 139
St Gabriel Clo. Roby M —9E 212
St Gabriel's Av. B'brn —6N 119
St George Ct. Blac —4D 88
St George's Av. B'brn —7J 139
St George's Av. Lyth A —1D 128
St George's Av. T Clev —2D 62
St Georges Clo. Col —8N 85
St Georges Ct. Chor —7F 174
(off Halliwell St.)
St George's La. Lyth A —2D 128
St George's La. T Clev —1D 62
St Georges Pk. K'ham —3K 111
St George's Pl. South —7H 167
St George's Quay. Lanc —7H 23
St George's Rd. Blac —3C 108
St George's Rd. H'twn —6A 214
St George's Rd. Lyth A —2D 128
St George's Rd. Nels —3K 105
St George's Rd. Pres —7J 115
St George's Rd. Roch —5K 203
St George's Shop. Cen. Pres —1J 135
St George's Sq. Lyth A —1D 128
St Georges St. Chor —7E 174
St Georges Ter. Dar —5N 157
(off Harwood St.)
St Georges Ter. Ross —9E 162
St Gerrard's Rd. Los H —7K 135
St Giles St. Pad —9H 103
St Giles Ter. Pad —9H 103
(off East St.)
St Gregory Rd. Pres —7L 115
St Gregory's Pl. Chor —9E 174
St Helen's Clo. Chur —1L 67
St Helens Clo. Osw —5M 141
St Helen's Ct. T Clev —9D 54
St Helens Rd. Orm —7L 209
St Helen's Rd. Over —7B 28
St Helens Rd. Rainf —8M 225
St Helen's Rd. Whit W —6E 154
St Helens Well. Tar —1F 170
St Helier Clo. B'brn —8J 139
St Helier's Pl. Brtn —3D 94
St Heliers Rd. Blac —8C 88
St Hilda's Clo. Chor —1E 194
St Hilda's Rd. Lyth A —9D 108
St Hubert's Rd. Gt Har —5J 121
St Hubert's St. Gt Har —4K 121
St Ignatius Pl. Pres —9K 115
St Ignatius Sq. Pres —9K 115
St Ives Av. Blac —7D 88
St Ives Av. Frec —2M 131
St Ives Cres. Pres —5D 114
St Ives Rd. B'brn —4D 140
St James Av. Bury —9G 201
St James Clo. Chu —1L 141
St James Clo. Has —4G 160
St James Clo. Los H —8L 135
St James Clo. W'head —9A 210
St James Ct. B'brn —1M 139
St James Ct. Hey —9K 21
St James Ct. Lanc —8J 23
(off Wheatfield St.)
St James Ct. Los H —8L 135
St James Ct. Stand —2N 213
St James Cres. Dar —5B 158
St James Gdns. Ley —7D 152
St James Lodge. Ley —7E 152
St James Lodge. Lyth A —3G 128
St James M. Chu —1L 141
St James Pl. Pad —1J 123
St James Rd. Barn —2M 77
(off Bessie St.)
St James Rd. Blac —3C 108
St James' Rd. Chu —1L 141
St James Rd. Orr —7G 220
St James' Rd. Pres —7J 115
St James Row. Ross —4M 161
St James's Dri. Burt —5G 7
St James's La. Burn —3E 124
(off St James Row)
St James's Pl. B'brn —1M 139
(off St James's Rd.)
St James's Pl. Chor —7G 175
St James Sq. Bacup —4K 163
St James' Sq. Barn —2M 77
St James's Rd. B'brn —1M 139
St James's Row. Burn —3E 124
St James's St. Burn —3D 124
(in two parts)
St James's St. Chor —7G 175
St James St. Acc —3A 142
St James St. Bacup —5K 163
St James St. B'brn —7K 139
St James St. Brier —5F 104
St James St. Clith —4L 81
St James St. Miln —7J 205
St James St. Raw —4M 161
St James St. South —9H 167
St James' St. Waterf —7C 162
St James Ter. Sam —1N 137
St John Av. Fltwd —2D 54
St John's. B'brn —2L 139
St John's Av. Dar —7B 158
St John's Av. Hey —6M 21
St John's Av. K'ham —5L 111
St Johns Av. Pil —8H 43
St John's Av. Poul F —6L 63
St John's Av. Silv —8G 5
St Johns Av. T Clev —2K 63
St John's Clo. Acc —6D 142
St John's Clo. Craw —9M 143
St John's Clo. Read —8C 102
St John's Clo. Whit W —8D 154
St John's Ct. Bacup —4K 163
St Johns Ct. Burn —3A 124
(off Gannow La.)
St John's Ct. Roch —7E 204
St John's Dri. Roch —7E 204
St John's Grn. Ley —6H 153
St John's Gro. Hey —6M 21
St John's Gro. Silv —8G 5
St Johns M. Lanc —7K 23
St Johns Pl. Nels —2L 105
St John's Pl. Pres —1K 135
St John's Rd. Burn —3A 124
St John's Rd. Hey —6L 21
St John's Rd. Pad —3H 123
St John's Rd. South —4F 186
St John's Rd. Walt D —3N 135
St Johns Row. L'clif —2N 35
St John's Shop. Cen. Pres —9K 115
(off Lancaster Rd.)
St John's St. Dar —7B 158
St John's St. Gt Har —5J 121
St John's St. Lyth A —5B 130
St John's St. Ross —7D 162
St John's Ter. More —6C 22
St John St. Bacup —4K 163
St John St. Hor —9C 196
St John St. Lyth A —5L 221
St John's Wlk. Blac —5B 88
St Johns Wood. Lyth A —5L 129
St Joseph's Clo. Blac —5E 88
St Joseph's Dri. Roch —9E 204
St Joseph's Pl. Chor —5F 174
St Joseph's Ter. Pres —8M 115
St Jude's Av. Far —3M 153
St Jude's Av. Walt D —7N 135
St Kitts Clo. Lwr D —1M 157
St Laurence Gro. Liv —9L 223
St Lawrence Av. B'brn —9J 119
St Lawrence's Av. Brtn —2E 94
St Lawrence St. Gt Har —4J 121
St Leger Ct. Acc —3B 142
(off Plantation St.)
St Leger Ct. Acc —3B 142
(off Midland St.)
St Leonard's Clo. Ing —6D 114
St Leonard's Ct. Lyth A —9D 108
St Leonard's Ga. Lanc —8K 23
St Leonard's Rd. Blac —8F 88
St Leonard's Rd. E. Lyth A —9D 108
St Leonard's Rd. W. Lyth A —1D 128
St Leonard's St. Pad —9H 103
St Louis Av. Blac —3F 88
St Lucia Clo. Lwr D —1N 157
St Lukes Ct. Roch —8C 204
St Luke's Dri. Orr —7G 221
St Luke's Gro. South —7L 167
St Luke's Pl. Pres —8M 115
St Luke's Rd. Blac —3C 108
St Luke's Rd. South —7K 167
St Luke St. Roch —8C 204
St Margarets Clo. Ing —5D 114
St Margaret's Ct. B'brn —3B 140
St Margarets Ct. Fltwd —9G 41
(off Queen St.)
St Margaret's Gdns. Hap —5H 123
St Margaret's Rd. Bolt S —3L 15
St Margarets Rd. Ley —5M 153
St Margaret's Rd. More —2D 22
St Margaret's Way. B'brn —3B 140
St Mark's Pl. B'brn —4J 139
St Mark's Pl. Blac —2E 88
St Mark's Pl. E. Pres —9G 114
St Mark's Pl. W. Pres —9G 114
St Mark's Rd. B'brn —4J 139
St Mark's Rd. Pres —9G 114
St Marks Sq. Bury —9L 201
St Marlowes Av. Ley —4M 153
St Martins Clo. Poul F —6H 63
St Martin's Ct. T Clev —1F 62
St Martin's Dri. B'brn —8E 138
St Martin's Rd. Blac —3C 108
St Martin's Rd. Lanc —1L 29
St Martin's Rd. Pres —7K 115
St Mary's Av. Barn —1A 78
St Mary's Av. Walt D —7N 135
St Mary's Clo. B'brn —3B 140
St Marys Clo. Blac —1H 89
St Marys Clo. L'rdge —2J 97
St Marys Clo. Pres —9M 115
St Mary's Clo. Roch —9E 204
St Mary's Clo. Walt D —7N 135
St Mary's Ct. Clay M —7M 121
St Mary's Ct. Mel —7F 118
St Mary's Ct. Pres —9L 115
St Mary's Ct. Raw —5L 161
St Mary's Dri. Lang —1C 120
St Mary's Gdns. Mel —7F 118
St Mary's Gdns. South —6F 186
St Mary's Ga. Burn —4F 124
St Mary's Ga. Eux —3M 173
St Marys Ga. Lanc —8J 23
St Mary's Ga. Roch —6B 204
St Mary's Pde. Lanc —8J 23
St Mary's Pl. Ross —5L 161
St Mary's Rd. Bam B —7A 136

St Mary's Rd.—School La.

St Mary's Rd. Gt Ecc —6N 65
St Mary's Rd. Hey —8K 21
St Mary's St. Clith —2L 81
St Mary's St. Nels —2G 105
St Mary's St. Pres —9L 115
St Mary's St. N. Pres —9L 115
St Mary's Ter. Ross —5M 161
St Mary's Wlk. Chor —6E 174
St Mary's Way. Ross —5M 161
St Mary's Wharf. B'brn —5N 139
St Matthew's Clo. Wig —7M 221
St Matthew's Ct. Burn —4C 124
(off Harriet St.)
St Matthew's Ct. Burn —4B 124
(off Colin St.)
St Matthew St. Burn —4C 124
St Michael Rd. Augh —4E 216
St Michael's Clo. B'brn —9F 138
(in two parts)
St Michael's Clo. Bolt S —4L 15
St Michael's Clo. Chor —5D 174
St Michael's Clo. South —3M 167
St Michael's Ct. Barfd —9G 85
St Michael's Ct. B'brn —2N 139
St Michael's Cres. Bolt S —4L 15
St Michael's Gro. Bolt S —5L 15
St Michael's Gro. More —4D 22
St Michael's La. Bolt S —4K 15
St Michael's on Wyre. —4G 66
St Michaels Pk. Augh —4F 216
St Michael's Pl. Brtn —5E 94
St Michael's Pl. Bolt S —5L 15
St Michael's Rd. Blac —8D 62
St Michael's Rd. K'ham —4A 112
St Michael's Rd. Ley —4M 153
St Michael's Rd. Pres —7K 115
St Michael's Rd. S'by & Bils —6K 67
St Michael's St. B'brn —1N 139
St Mildred's Way. Hey —1K 27
St Monica's Way. Blac —9K 89
St Nicholas Arcades. Lanc —8K 23
St Nicholas Av. Sab —2E 102
St Nicholas Cres. Bolt S —3M 15
St Nicholas Gro. W Grn —5G 110
St Nicholas La. Bolt S —3L 15
St Nicholas M. Sab —2E 102
(off St Nicholas Av.)
St Nicholas Rd. Blac —4G 109
St Nicholas Rd. Chu —1M 141
St Ogg's Rd. More —5C 22
St Oswald's Clo. B'brn —4E 140
St Oswald's Clo. Pres —7M 115
St Oswald's Rd. B'brn —4E 140
St Oswald St. Lanc —1L 29
St Patrick's Clo. Liv —5K 223
St Patrick's Pl. Walt D —4A 136
St Patrick's Rd. N. Lyth A —9E 108
St Patrick's Rd. S. Lyth A —1F 128
St Patrick's Wlk. Hey —9K 21
St Paul's Av. B'brn —3L 139
St Paul's Av. Lyth A —4H 129
St Paul's Av. Pres —8K 115
St Paul's Clo. Adl —5J 195
St Pauls Clo. Clith —3J 81
St Paul's Clo. Far M —9J 135
St Pauls Clo. Liv —5J 223
St Paul's Clo. Wheel —8J 155
St Pauls Ct. Burn —4D 124
St Pauls Ct. Bury —9M 201
St Paul's Ct. Osw —4L 141
(off Union Rd.)
St Paul's Ct. Pres —9K 115
St Paul's Dri. Brook —3K 25
St Paul's Dri. Lanc —2K 29
St Paul's Pas. South —8G 167
St Paul's Rd. Blac —2B 88
St Paul's Rd. Lanc —2K 29
St Paul's Rd. Nels —3H 105
St Paul's Rd. Pres —7K 115
St Paul's Rd. Rish —8G 121
St Pauls Sq. Pres —9K 115
St Paul's Sq. South —8G 166
St Paul's St. B'brn —3L 139
St Paul's St. Clith —3J 81
St Paul's St. Osw —4L 141
St Paul's St. Ram —7H 181
St Paul's St. South —8G 166
St Pauls Ter. Clith —3J 81
St Paul's Ter. Hodd —5E 158
St Pauls Wlk. Lyth A —4J 129
St Peter's Av. Has —5G 160
St Peter's Clo. Clay D —3L 119
St Peter's Clo. Dar —7B 158
St Peters Clo. Kirkby —5J 223
St Peter's Clo. Pres —9J 115
(off St Peter's St.)
St Peter's Ga. Todm —7K 165
St Peter's M. Lanc —8L 23
St Peter's Pl. Fltwd —9H 41
St Peter's Pl. Has —5G 161
St Peter's Rd. Lanc —9L 23
St Peter's Rd. Ross —5C 162
St Peter's Rd. South —2B 186
St Peters Row. Liv —4C 222
St Peter's Sq. Pres —9H 115
St Peter's St. Chor —5G 174
St Peter's St. Pres —9J 115
St Peter's St. Roch —7E 204
St Peter St. B'brn —4L 139
St Peter St. Rish —8G 121
St Philip's Rd. Pres —7K 115
St Philip's St. B'brn —5J 139
St Philip St. Burn —9E 104
St Phillips St. Nels —1J 105
St Saviour's Clo. Bam B —9B 136
St Saviours Ct. Bacup —6K 163
(off Park Rd.)
St Silas's Rd. B'brn —3J 139
St Stephen's Av. B'brn —1A 140
St Stephen's Av. Blac —9B 62
St Stephen's Rd. B'brn —1A 140
St Stephens Rd. K'ham —5L 111
St Stephen's Rd. Pres —7K 115
St Stephens Rd. Stand —3M 213
St Stephen's St. Burn —5F 124
St Stephen's Way. Col —5C 86
St Teresa's Av. T Clev —2D 62
St Theresa's Dri. Ful —5F 114
St Thomas Clo. Blac —1H 89
St Thomas Clo. Ross —8F 160
St Thomas More Wlk. Lanc —8H 23
St Thomas' Pl. Pres —8J 115
St Thomas Rd. K'ham —5M 111
St Thomas Rd. Lyth A —2F 128
St Thomas Rd. Pres —7J 115
St Thomas's Ct. Uph —5F 220
St Thomas's Rd. Chor —6D 174
St Thomas's Rd. Ross —9M 143
St Thomas St. B'brn —4B 140
St Thomas St. Pres —8J 115
St Vincent Av. Blac —7E 88
St Vincent Clo. Lwr D —1N 157
St Vincents Rd. Ful —4H 115
St Vincent's Way. South —1G 186
St Walburga's Rd. Blac —2F 88
St Walburge Av. Ash R —9H 115
St Walburge's Gdns. Ash R —9G 115
St Wilfred's Dri. Roch —2A 204
St Wilfrid's Pk. Halt —1B 24
St Wilfrid's Ter. L'rdge —3J 97
St Wilfrid St. Pres —1J 135
Salcombe Av. Blac —9E 62
Salcombe Dri. South —1N 167
Salcombe Rd. Lyth A —8C 108
Salem M. Hey —8K 21
Salem St. Has —4G 160
Salesbury. —3L 119
Salesbury Hall Rd. Ribch —6H 99
Salesbury Vw. Wilp —5N 119
Sales's La. Bury —4M 201
Sale St. L'boro —8L 185
Salford. —3K 165
Salford. B'brn —3M 139
Salford. Todm —2K 165
Salford Rd. Gal —3L 37
Salford Rd. South —8C 186
Salford St. Bury —9M 201
Salford Way. Todm —2K 165
Salik Gdns. Roch —8C 204
Salisbury Av. Kno S —8L 41
Salisbury Clo. Heat O —6B 22
Salisbury Ct. Kno S —8L 41
Salisbury Rd. Blac —6D 88
Salisbury Rd. Brins —7A 156
Salisbury Rd. Dar —4M 157
Salisbury Rd. Lanc —8H 23
Salisbury Rd. Pres —1G 135
Salisbury St. Chor —7F 174
Salisbury St. Col —6B 86
Salisbury St. Gt Har —3K 121
Salisbury St. Has —4G 160
Salisbury St. Pres —8N 115
Salisbury St. South —8N 167
Salkeld St. Roch —8C 204
Salley St. L'boro —4M 185
Sallowfields. Wig —6G 221
Sally's La. Chtwn —4N 167
Salmesbury Av. Blac —9E 62
Salmesbury Hall Clo. Ram —1G 201
Salmon St. Pres —1M 135
Salop Av. Blac —7C 62
Saltash Rd. T Clev —7H 55
Salt Ayre La. Lanc —7F 22
(in two parts)
Saltburn St. Burn —3N 123
Saltcotes. —4C 130
Saltcotes Pl. Lyth A —4C 130
Saltcotes Rd. Lyth A —8B 110
Salter Fell Rd. Lanc —6H 23
Salterford La. Cliv —6L 125
Salterforth. —5A 78
Salterforth La. Barn —1A 78
Salterforth La. Salt —6A 78
Salterforth Rd. Earby —3D 78
Salter Rake Ga. Todm —5L 165
(in two parts)
Salter St. Pres —8J 115
Salthill Ind. Est. Clith —1N 81
Salthill Rd. Clith —2M 81
Salthill Vw. Clith —2M 81
Salthouse Av. Blac —7C 88
Salthouse Clo. Bury —7H 201
Salt Marsh Clo. Hamb —2A 64
Salt Marsh La. Hamb —2A 64
Salt Pie La. K Lon —6F 8
Saltpit La. Liv —1D 222
Salt Pit La. Maw —1C 192
Saltram Rd. Wig —7M 221
Salts Dri. L'boro —8K 185
Salus St. Burn —9F 104
Salvia Way. Liv —5J 223
Salwick. —6H 113
Salwick Av. Blac —6D 62
Salwick Clo. South —1M 167
Salwick Pl. Ash R —8B 114
Salwick Pl. Lyth A —9G 109
Salwick Rd. Whar —6E 92
Sambourn Fold. South —9A 186
Samlesbury. —8F 116
Samlesbury Aerodrome. —6A 118
Samlesbury Bottom. —1M 137
Samlesbury Hall. —7N 117
Samson St. Roch —5F 204
Samuel St. Bury —9M 201
Samuel St. Pres —9N 115
Sandbank Gdns. Whitw —4N 183
Sand Banks. Bolt —7F 198
Sandbeds La. Horn —7B 18
Sand Beds La. Ross —2L 181
Sandbrook Gdns. Orr —6G 220
Sandbrook Pk. Roch —9B 204
Sandbrook Rd. Orr —6F 220
Sandbrook Rd. South —1D 206
(in two parts)
Sandbrook Way. South —1C 206
Sanderling Clo. Lyth A —1L 129
Sanderling Clo. T Clev —2F 62
Sanderling Rd. Liv —7M 223
Sanders Gro. More —4A 22
Sanderson La. Hesk —4D 192
Sanderson M. Hesk —4D 192
Sandersons Way. Blac —1F 108
Sanderson Way. Cop —4B 194
Sandfield. T Clev —1G 63
Sandfield Cotts. Augh —1J 217
Sandfield Ho. Lanc —4L 29
(off Hala Rd.)
Sandfield Rd. Bacup —6L 163
Sandfield Rd. Roch —8E 204
Sandfield St. Ley —6L 153
Sandford Clo. Bolt —9L 199
Sandford Dri. Liv —9C 216
Sandford Rd. Orr —6F 220
Sandgate. Blac —4D 108
Sandgate. Chor —9F 174
Sandgate. Lyth A —1C 128
Sandham's Green. —1K 109
Sandham St. Chor —6F 174
Sandheys Dri. South —5M 167
Sandhills Av. Blac —4B 108
Sandhills Clo. Salt —4B 78
Sandhill St. Dar —1B 178
Sand Hole La. Roch —8J 203
Sandholme Clo. Gigg —3N 35
Sandholme Dri. Gigg —3N 35
(off Station Rd.)
Sandholme La. Bncr —7D 60
Sandholme Vs. Earby —3D 78
Sandhurst Av. Blac —6B 62
Sandhurst Av. Lyth A —1E 128
Sandhurst Clo. K'ham —4L 111
Sandhurst Ct. Lyth A —2D 128
Sandhurst Dri. Liv —8C 222
Sandhurst Grange. Lyth A —1E 128
Sandhurst St. Burn —3F 124
Sandhurst Way. Liv —6A 216
Sandicroft Av. Hamb —2B 64
Sandicroft Pl. Pre —9A 42
Sandicroft Rd. Blac —1C 88
Sandilands Gro. Liv —8A 214
Sandiway Ct. South —6L 167
Sandiway Dri. Brclf —7K 105
Sandiways. Mag —1D 222
Sandiways Clo. T Clev —3J 63
Sand La. War —7M 11
Sandlewood Gro. Liv —6L 223
Sandon Gro. Rainf —4L 225
Sandon Pl. Blac —5C 108
Sandon Rd. South —4F 186
Sandon St. B'brn —5K 139
Sandon St. Dar —5B 158
Sandon Ter. B'brn —5K 139
Sandown Clo. K'ham —4K 111
Sandown Ct. Pres —1K 135
Sandown Ct. South —6J 167
Sandown Pk. Rd. Liv —7D 222
Sandown Rd. Bolt —9L 199
Sandown Rd. Has —5H 161
Sandown Rd. Lanc —4M 29
Sandown Rd. T Clev —2H 63
Sandpiper Clo. B'brn —2N 139
Sandpiper Clo. Blac —4H 89
Sandpiper Clo. Roch —6K 203
Sandpiper Ct. T Clev —1C 62
Sandpiper Pl. T Clev —2F 62
Sandpiper Rd. Wig —7L 221
Sandpiper Sq. Burn —4A 124
Sandridge Av. Chor —7D 174
Sandridge Ct. Kno S —7L 41
(off Arnside Vw.)
Sandridge Pl. Blac —5B 108
Sandringham Av. Ley —6M 153
Sandringham Av. T Clev —2H 63
Sandringham Clo. Adl —7G 195
Sandringham Clo. Barfd —1G 104
Sandringham Clo. B'brn —8M 119
Sandringham Clo. Liv —5K 223
Sandringham Clo. Tar —9E 150
Sandringham Clo. Wig —6N 221
Sandringham Ct. Lyth A —4K 129
Sandringham Ct. More —4A 22
Sandringham Ct. South —6J 167
Sandringham Dri. Brins —7A 156
Sandringham Dri. G'mnt —4F 200
Sandringham Dri. Miln —7K 205
Sandringham Gro. Has —6F 160
Sandringham Lodge. T Clev —1C 62
Sandringham Pk. Dri. New L —8D 134
Sandringham Rd. Ains —8C 186
Sandringham Rd. Chor —7D 174
Sandringham Rd. Dar —3M 157
Sandringham Rd. E'ston —7F 172
Sandringham Rd. Liv —2B 222
Sandringham Rd. Lyth A —3G 129
Sandringham Rd. More —4A 22
Sandringham Rd. South & Bkdle —2E 186
Sandringham Rd. Walt D —5N 135
Sandringham Way. Cot —3B 114
Sands Clo. Rish —7H 121
Sandsdale Av. Ful —4M 115
Sand Side. —3B 44
Sandside Cvn. Pk. Bolt S —4K 15
Sandside Dri. More —5C 22
Sandside Rd. Arns —1G 4
Sands La. Over K —1F 16
Sands Rd. Rish —7H 121
Sands, The. Whal —5H 101
Sandstone Rd. Miln —6J 205
Sandstone Rd. Wig —9N 221
Sands Way. Blac —7C 88
Sandwash Clo. Rainf —6M 225
Sandwich Clo. B'brn —4C 140
Sandwick Clo. Ful —2J 115
Sandy Bank Rd. Tur —9K 179
Sandy Bank Ter. Ross —6B 162
Sandy Bay Cvn. Pk. Pre —6N 41
Sandybeds Clo. Acc —6C 142
Sandybrook Clo. Ful —4A 116
Sandybrook Clo. Tot —7E 200
Sandy Brow La. Liv —9C 224
Sandy Clo. T Clev —9C 54
Sandycroft. Rib —7B 116
Sandyfields. Cot —3B 114
Sandyforth Av. T Clev —9H 55
Sandyforth La. L Grn —2D 114
Sandyforth La. Loth —1N 87
Sandygate. Burn —3C 124
Sandygate La. Brough —8E 94
Sandyhall La. Barfd —8D 84
Sandyland Arc. Hey —5L 21
Sandylands. —6N 21
Sandylands Promenade. Hey —5L 21
Sandy La. Acc —3B 142
(in two parts)
Sandy La. Adl —6F 194
(in two parts)
Sandy La. Augh —5G 216
Sandy La. Barfd —9H 85
Sandy La. Blac —5G 109
Sandy La. Brin —1K 155
Sandy La. Brins —7N 155
Sandy La. Clay W —6E 154
Sandy La. Dar & Lwr D —1M 157
Sandy La. Fltwd —5D 54
Sandy La. Hamb —2B 64
Sandy La. H'twn —7A 214
Sandy La. H'wd —8A 170
(in two parts)
Sandy La. Lath —5A 210
Sandy La. Ley —7K 153
Sandy La. Lwr B & Cot —1A 114
Sandy La. Lyd —5A 216
Sandy La. Maw —3K 191
Sandy La. Mell —5F 222
Sandy La. Newb —3K 211
Sandy La. Orr —7G 220
Sandy La. Out R —1L 65
Sandy La. Pleas —6C 138
Sandy La. Roch —6N 203
Sandy La. Skel —2H 219
Sandy La. Cen. Uph —2H 219
Sandy Pl. Ley —7K 153
Sanfield Clo. Orm —6K 209
Sangara Dri. Lwr D —1N 157
Sangness Dri. South —2L 187
Sankey Rd. Liv —3C 222
Sansbury Cres. Nels —9L 85
Santon Clo. Wesh —2M 111
Sanvino Av. South —8D 186
Sanworth St. Todm —2M 165
Sapphire Dri. Liv —5K 223
Sapphire St. B'brn —8N 119
Sarah Butterworth Ct. Roch —7E 204
Sarah Butterworth St. Roch —7E 204
Sarah Jane St. Miln —7J 205
Sarah La. Breth —1K 171
Sarah St. Bacup —7N 163
Sarah St. Dar —6B 158
Sarah St. Ram —3K 181
Sarah St. Roch —7D 204
Sarmatian Fold. Ribch —7E 98
Sarscow La. Ley —5B 172
Saswick Ct. Elsw —3N 91
Satinwood Cres. Liv —7F 222
Sation Rd. Hell —1D 52
Sauls Dri. Arns —4E 4
Saul St. Pres —9J 115
Saunder Bank. Burn —4D 124
Saunder Height La. Ross —4C 162
Saunders Clo. Hut —6A 134
Saunders Clo. Ross —9M 143
Saunder's La. Hut —7B 134
Saunders M. Chor —2E 194
Saunders Rd. B'brn —3K 139
Saunders St. South —5H 167
Savick Av. Lea —8A 114
Savick Clo. Bam B —8B 136
Savick Ct. Ful —5G 115
Savick Rd. Ful —5G 114
Savick Way. Ash R & Lea —6B 114
Saville Av. Poul F —5H 63
Saville Rd. Blac —8C 88
Saville Rd. Lyd —8B 216
Saville St. Chor —9E 174
Savon Hook. Liv —2A 214
Savoy Av. More —5C 22
Savoy Bldgs. T Clev —1C 62
Savoy St. Acc —3M 141
Savoy St. Pres —1H 135
Savoy St. Roch —5N 203
Sawdon Av. South —1L 187
Sawley. —3D 74
Sawley Abbey. —3E 74
Sawley Av. Acc —1C 142
Sawley Av. Blac —4D 108
Sawley Av. L'boro —7K 185
Sawley Av. Lyth A —2J 129
Sawley Av. S'stne —9C 102
Sawley Clo. Dar —7C 158
Sawley Cres. Rib —7B 116
Sawley Dri. Gt Har —3L 121
Sawley Rd. Chat —7D 74
Sawley Rd. Grin —4A 74
Sawrey Ct. Clay M —7L 121
Sawthorpe Wlk. Poul F —8H 63
Sawyer St. Bury —9G 200
Saxby Av. Brom X —5F 198
Saxby Gro. Blac —9F 88
Saxenholme. South —9F 166
Saxifield St. Burn —7J 105
Saxon Clo. Osw —3J 141
Saxon Clo. T Clev —3H 63
Saxon Heights. Hey —2L 27
Saxon Hey. Ful —6F 114
Saxon Ho. L'boro —9M 185
Saxon Rd. South —9F 166
Saxon St. Burn —2E 124
Saxon St. Roch —6A 204
Saxon St. Todm —6K 165
Saxon Way. Liv —4K 223
Saxthorpe Clo. Wig —8N 221
Saxwood Clo. Roch —4K 203
Scafell Av. More —3D 22
Scafell Clo. Burn —1A 124
Scafell Dri. Wig —5L 221
Scafell Rd. Lanc —6L 23
Scafell Rd. Queen I —7G 108
Scaffold La. Liv —4B 214
Scaitcliffe. —3A 142
Scaitcliffe St. Acc —2A 142
Scaitcliffe Vw. Todm —9J 147
Scaleber La. Barb —3F 8
Scale Farm Rd. Lanc —6G 22
Scale Hall La. Lanc —6H 23
Scale Hall La. Newt —7E 112
Scale Hill. —6G 23
Scales. —7E 112
Scarborough Rd. B'brn —7A 140
Scarborough Rd. Lyth A —8G 108
Scarfes La. Ben —8L 19
Scarfield Dri. Roch —4J 203
Scargill Rd. Halt & Neth K —9B 16
Scarisbrick. —6C 188
Scarisbrick Av. Parb —2N 211
Scarisbrick Av. South —7G 167
Scarisbrick Clo. Liv —8D 216
Scarisbrick Ct. South —8J 167
Scarisbrick New Rd. South —8J 167
Scarisbrick Pk. Scar —7F 188
Scarisbrick Rd. Rainf —3K 225
Scarisbrick St. Orm —6K 209
Scarisbrick St. South —7H 167
Scarlet St. Chor —7G 174
Scarlett St. Burn —4C 124
Scarr Dri. Roch —2C 204
Scarr La. B'brn —1G 139
(in two parts)
Scar Rd. I'ton —8M 9
Scar Rd. W Mar —6G 52
Scarr St. Bacup —4K 163
Scarr Ter. Whitw —4A 184
Scarsdale Av. Blac —4C 108
Scar St. B'brn —5J 139
Scarth Hill. —1N 217
Scarth Hill La. Augh & Lath —2K 217
Scarth Hill La. W'head —1N 217
Scarth La. Hap —5G 123
Scarth Pk. Skel —4N 219
Scarthwood Clo. Bolt —8L 199
Scawfell Rd. Chor —9D 174
Sceptre Way. Bam B —1D 154
Schleswig St. Pres —9K 115
Schleswig Way. Ley —6F 152
Schofield Av. Blac —3H 89
Schofield Clo. Ross —5L 161
Schofield Hall Rd. L'boro —4N 205
Schofield Pl. L'boro —4N 185
Schofield Rd. Ross —5L 161
Schofield St. Dar —5N 157
Schofield St. L'boro —8M 185
Schofield St. Miln —8K 205
Schofield St. Roch —9D 204
Schofield St. Ross —9F 160
Schofield St. Todm —1L 165
Schofield St. Waterf —7C 162
Schola Grn. La. More —4B 22
(in two parts)
Scholars Grn. Lea —8N 113
Scholefield Av. Nels —4J 105
Scholefield La. Nels —5J 105
Scholes Bank. Hor —8B 196
Scholes St. Dar —6N 157
Scholey Head La. Cliv —9L 125
School Av. Liv —9A 206
School Clo. Augh —2G 217
School Clo. South —3H 187
School Cotts. Cald V —4H 61
School Ct. Eger —3E 198
(off Bk. Water St.)
School Ct. Ram —4J 181
School Fld. Bam B —2D 154
School Fields. Earby —1E 78
Schoolfold. Hesk B —3C 150
School Hill. Set —3N 35
(off Castleburgh La.)
School Ho. Fold. Hap —6H 123
School Ho. Grn. Orm —7L 209
School Ho. Gro. Burs —8B 190
School Ho. La. Acc —7A 142
Schoolhouse La. Halt —1C 24
School Ho. M. Chor —7G 175
School Lane. —6B 136
School La. Ain —8C 222
School La. Bam B —6A 136
School La. Brins —7M 155
School La. Burn —3E 124
School La. Burs —8C 190
School La. Bury —5K 201
School La. Catf —7L 93
School La. Cliv —8L 125
School La. Col & Lane —5H 87
School La. Down —9M 207
School La. Earby —2E 78
School La. Eux —3N 173
School La. Form —9A 206
School La. Fort —1L 45
School La. Frec —1A 132
School La. Guide —8D 140
School La. Ins —2G 93
School La. K'ham —4N 111
School La. Ley —5J 153
School La. Longt —9K 133
School La. Los H —8J 135
School La. Lyth A —5N 129
School La. Mag —9F 216
School La. Maw —4M 191
School La. Mell —5F 222
School La. M Side —6D 152

School La.—Shore Mt.

School La. Newt —7D 112
School La. Out R —1L 65
School La. Over K —1F 16
School La. Pil —8H 43
School La. Pre —1A 56
School La. Roby M —9E 212
School La. S'stne —9D 102
School La. Skel —1H 219
(Neverstitch Rd.)
School La. Skel —4B 220
(Ormskirk Rd.)
School La. Slai —10E 34
School La. Stand —4N 213
School La. Todm —2L 165
School La. Tur —6K 179
School La. Uph —4F 220
School La. W'head —1B 218
School La. Whit W —8D 154
School La. Winm —8J 45
School La. Withn —3A 156
School La. Wray —8E 18
School Rd. Blac —5G 108
School Rd. Hey —9K 21
School Rd. Liv —7A 214
School Rd. T Clev —2J 63
School St. Acc —2A 142
School St. Bacup —7F 162
School St. Bam B —6B 136
School St. Brom X —6F 198
School St. Col —7A 86
School St. Dar —6A 158
School St. Far —5L 153
School St. Good —8M 143
School St. Gt Har —5J 121
School St. Hor —9D 196
School St. Kel —6D 78
School St. L'boro —9H 185
School St. Nels —2G 105
School St. Pres —1H 135
School St. Ram —9G 180
School St. Rish —8H 121
School St. Roch —5C 204
School St. Walm B —2K 151
School St. Whit B —3D 162
School Ter. Salt —4A 78
School Ter. Whitw —5N 183
(off Lloyd St.)
School Vs. Ellel —1M 37
School Way. Wig —5M 221
Schwartzman Dri. South —9F 148
Scobell St. Tot —8E 200
Scope o' th' La. Bolt —9J 199
Scorton. —7A 46
Scorton Av. Blac —3F 88
Scorton Hall Pk. Scor —7B 46
Scotch Grn. La. Ingle —6J 69
Scoter Rd. Liv —8L 223
Scotforth. —4K 29
Scotforth Ct. Lanc —4L 29
(off Lentworth Dri.)
Scotforth Rd. Lanc —5K 29
Scotforth Rd. Pres —9M 115
Scotland Bank Ter. B'brn —8J 139
Scotland La. Bury —5A 202
Scotland Pl. Ram —8H 181
Scotland Rd. Carn —8B 12
Scotland Rd. Nels —9H 85
Scot La. Wig —1N 221
(in two parts)
Scotshaw Brook Ind. Est. B'brn —9M 139
Scotswood Av. Blac —3D 108
Scott Av. Acc —6D 142
Scott Av. More —5N 21
Scott Av. S'stne —8D 102
Scott Clo. Blac —1F 108
Scott Clo. Mag —1C 222
Scott Clo. Osw —3K 141
Scott Dri. Orm —5L 209
Scott Gro. More —4A 22
Scott Ho. Todm —7K 165
(off Scott St.)
Scott Laithe La. Bolt B —8L 51
Scott M. Blac —1F 108
Scott Pk. Rd. Burn —5C 124
Scott Rd. More —5N 21
Scott's Ter. Burn —3B 124
Scott St. Burn —2L 123
Scott St. Clay M —6M 121
Scott St. Miln —9J 205
Scott St. Nels —1H 105
Scott St. South —7N 167
Scott St. Todm —7K 165
Scott's Wood. Ful —3G 114
Scout. —4C 162
Scout Rd. Bolt —5B 198
Scout Rd. Ram —4L 181
Scout Rd. Ross —4D 162
Scout Vw. Tot —7F 200
Scowcroft Dri. More —3E 22
Scow Cft. La. H'pey —2L 175
Scrapers La. Todm —8L 147
Scriffen La. Ellel —3M 37
Scronkey. —1J 57
Scudamore Cres. Blac —9D 88
Scythes, The. Boot —6A 222
Seabank Rd. Fltwd —8G 41
Seabank Rd. South —6H 167
Seaborn Dri. More —2D 22
Seaborn Gro. More —2D 22
Seaborn Rd. More —2D 22
Seabourne Av. Blac —2B 108
Seabrook Dri. T Clev —3E 62
Seacrest Av. Blac —2C 88
Seacroft Cres. South —1A 168
Seafield. Liv —1A 214
Seafield Rd. Blac —2B 88
Seafield Rd. Lyth A —5M 129
Seafield Rd. South —7C 186
Seaford Rd. Bolt —7K 199
Seafore Clo. Liv —7A 216
Seaforth Rd. Bolt —8E 198
Seaham Dri. Bury —8H 201
Sealford La. N'bgn —5A 8
Sea Life Cen. —6B 88
Seascale Clo. B'brn —7A 140
Seaside Way. Blac —6B 88
Seathwaite Av. Blac —9J 89
Seathwaite Av. Hey —6M 21
Seathwaite Cres. Liv —6J 223
Seatoller Pl. Wig —4L 221
Seaton Av. T Clev —8E 54
Seaton Ct. B'brn —8N 139
Seaton Cres. Lyth A —8C 108
Seaton Pl. Uph —9J 211
Seaton Way. South —1N 167
Seattle Av. Blac —8E 62
Sea Vw. Bay H —6B 38
Sea Vw. Walm B —2K 151
Seaview Cvn. Site. W'ton —4H 131
Sea Vw. Clo. Hest B —9H 15
Sea Vw. Dri. Hest B —9H 15
Seaview Way. Fltwd —1H 55
Seawell Av. Hey —6L 21
Second Av. Blac —2C 108
Second Av. Bury —9B 202
Second Av. Chu —9N 121
Second St. Bolt —9N 197
Second Ter. Sun P —7D 26
Sedbergh Av. Blac —8F 88
Sedbergh Av. Liv —7B 222
Sedberg St. Ful —6G 115
Sedburgh Clo. Acc —3C 142
Sedburgh St. Burn —8G 105
Seddon Pl. Skel —9J 211
Sedge Ct. More —6B 22
Sedgefield. Longt —8J 133
Sedgefield Clo. Blac —3F 108
Sedgefield Dri. Bolt —9B 198
Sedgefield Dri. Wig —9N 213
Sedgeley M. Frec —2M 131
Sedgewick Vw. L'clif —1N 35
Sedgley Av. Frec —2M 131
Sedgley Av. Roch —9E 204
Sedgwick St. Pres —8K 115
Sedum Gro. Liv —5J 223
Sedwell Clo. Lyth A —4M 129
Seedall Av. Clith —3K 81
Seedfield. —8K 201
Seedfield Rd. Bury —8L 201
Seedhill La. Todm —2N 165
Seed Lee. —9E 136
Seedlee Rd. Bam B —1C 154
Seed St. Blac —4C 88
Seed St. Pres —9J 115
Sefton Av. Burn —4C 124
Sefton Av. Orr —6G 220
Sefton Av. Poul F —1K 89
Sefton Bus. Pk. Boot —9A 222
Sefton Clo. Clay M —6N 121
Sefton Clo. Dar —9C 158
Sefton Clo. Liv —7G 223
(in three parts)
Sefton Clo. Orr —6G 220
Sefton Ct. Lyth A —1D 128
Sefton Dri. Ain —8C 222
Sefton Dri. Bury —7M 201
Sefton Dri. Kirkby —7H 223
Sefton Dri. Lanc —6H 23
Sefton Dri. Mag —2A 222
Sefton Gdns. Augh —4J 217
Sefton La. Liv —2A 222
Sefton La. Ind. Est. Liv —2A 222
Sefton Rd. Hey —4M 21
Sefton Rd. Lyth A —1F 128
Sefton Rd. Orr —6G 220
Sefton Rd. Walt D —5N 135
Sefton St. Brier —5F 104
Sefton St. Bury —7L 201
Sefton St. Col —6C 86
Sefton St. Nels —2J 105
Sefton St. South —1H 187
Sefton Ter. Burn —4C 124
Sefton Vw. Orr —6G 220
Segars La. South —8D 186
Segar St. Gt Har —4J 121
Segar St. Wesh —3L 111
Selborne M. B'brn —5J 139
(off Selborne St.)
Selborne St. B'brn —5J 139
Selborne St. Pres —2K 135
Selbourne Rd. Blac —4D 88
Selbourne Ter. Earby —2F 78
Selby Av. Blac —4D 108
Selby Av. Lanc —4K 23
Selby Av. T Clev —8F 54
Selby Clo. Acc —5D 142
Selby Clo. Miln —7H 205
Selby Dri. Liv —1B 214
Selby Dri. Wig —7M 221
Selby Pl. Stan I —9H 211
Selby Rd. K'ham —4L 111
Selby St. Col —6N 85
Selby St. Nels —3J 105
Selby St. Pres —8G 115
Selby St. Roch —5E 204
Seldon St. Col —7A 86
Seldon St. Nels —1J 105
Selkirk Clo. B'brn —4A 140
Selkirk Dri. Walt D —6N 135
Selkirk Gro. Wig —3L 221
Selkirk Rd. Bolt —8D 198
Selkirk St. Burn —5B 124
Sellers St. Pres —8M 115
Selous Rd. B'brn —5J 139
Selside Dri. More —5B 22
Selworthy Rd. South —2D 186
(in two parts)
Senior Av. Blac —9F 88
Seniors Dri. T Clev —9F 54
Sennen Rd. Liv —9L 223
Sentinel Way. Boot —9A 222
Sephton Dri. Orm —5L 209
(in two parts)
Sephton St. Los H —8K 135
Serenade Rd. Liv —4L 223
Sergeant St. Bam B —8B 136
Serpentine Rd. Burn —5D 124
Serpentine, The. Augh —3J 217
Serpentine, The. Lyth A —5N 129
Serpentine Wlk. Lyth A —5N 129
Sett End Rd. B'brn —7C 140
Settle. —3N 35
Settle Ct. Lyth A —1J 129
Settle La. Pay —4A 52
Settle Pl. Lyth A —1J 129
Settle Ter. Burn —8G 104
Seven Acres. Bam B —2E 154
Seven Acres La. Roch —3J 203
Sevenoaks. Chor —1E 194
Sevenoaks Av. South —8B 186
Sevenoaks Dri. T Clev —4F 62
Seven Sands. Longt —7K 133
Seven Stars. —7G 152
Seven Stars Rd. Ley —8G 153
Seventh Av. Blac —2C 108
Seven Trees Av. B'brn —9A 120
Severn Av. Fltwd —4D 54
Severn Clo. Bury —6L 201
Severn Ct. More —6F 22
Severn Dri. Miln —7K 205
Severn Dri. Walt D —6N 135
Severn Dri. Wig —4M 221
Severn Hill. Ful —1F 114
Severn Ho. Pres —9N 115
(off Cliffe Ct.)
Severn Rd. Blac —2B 108
Severn Rd. Liv —4L 223
Severn St. L'rdge —3J 97
Seville Ct. Lyth A —5K 129
Seymour Av. Hey —9L 21
Seymour Ct. Pres —7G 115
Seymour Dri. Bolt —7J 199
Seymour Dri. Liv —8D 216
Seymour Gro. Hey —9L 21
Seymour Rd. Ash R —6F 114
Seymour Rd. Blac —8C 88
Seymour Rd. Bolt —9E 198
Seymour Rd. Lyth A —4K 129
Seymour St. Bolt —7J 199
Seymour St. Chor —7F 174
Seymour St. Fltwd —9F 40
Seymour St. Lanc —8L 23
Shacklady Rd. Liv —6M 223
Shackleton Rd. Frec —7N 111
Shackleton St. Burn —1F 124
Shackleton St. Todm —7F 146
Shaddock Av. Roch —4K 203
Shade. —4K 165
Shade La. Chor —3F 194
Shade Row. Pre —1A 56
Shade St. Todm —4K 165
Shadsworth. —5D 140
Shadsworth Clo. B'brn —4C 140
Shadsworth Ind. Est. B'brn —7C 140
Shadsworth Ind. Pk. B'brn —6C 140
Shadsworth Rd. B'brn —7C 140
Shady La. Bam B & Ley —2N 153
Shady La. Brom X —7H 199
Shady La. Slyne —9J 15
Shaftesbury Av. Blac —9B 62
Shaftesbury Av. Burn —5D 124
Shaftesbury Av. Dar —4M 157
Shaftesbury Av. Gt Har —3L 121
Shaftesbury Av. L'boro —2J 205
Shaftesbury Av. New L —8C 134
Shaftesbury Av. Pen —2E 134
Shaftesbury Av. South —5G 186
Shaftesbury Av. Stain —4H 89
Shaftesbury Av. T Clev —7C 54
Shaftesbury Clo. Lyth A —3K 129
Shaftesbury Ct. Blac —9C 62
Shaftesbury Dri. Ward —8G 184
Shaftesbury Gro. South —4G 186
Shaftesbury Pl. Chor —6D 174
Shaftesbury Pl. Lanc —3K 29
Shaftesbury Rd. South —5G 186
Shaftsbury Av. Liv —5K 223
Shaftsbury Rd. Orr —3K 221
Shakeshaft St. B'brn —4A 140
Shakespeare Av. Gt Har —5H 121
Shakespeare Av. Todm —1N 165
Shakespeare Clo. L'boro —5M 185
Shakespeare Rd. Fltwd —9E 40
Shakespeare Rd. Lanc —4H 23
Shakespeare Rd. Pres —8N 115
(in two parts)
Shakespeare St. Pad —2J 123
(in two parts)
Shakespeare St. South —9H 167
Shakespeare Ter. Chor —4F 174
Shakespeare Way. B'brn —5K 139
Shalbourn Rd. Lyth A —4G 128
Shale St. Burn —3B 124
Shalfleet Clo. Bolt —8L 199
Shalgrove Fld. Ful —2F 114
Shannon Clo. Heyw —9E 202
Shannon Sq. Burn —8G 105
Shannon St. Blac —7B 88
Shap Clo. Acc —5D 142
Shap Clo. Barfd —7H 85
Shap Ct. Fltwd —3D 54
Shap Ga. Wig —4L 221
Shap Gro. Burn —7E 104
Sharde Green. —3J 115
Shard La. Hamb —5A 64
Shard Rd. Hamb —6N 63
Sharley Fold. L'rdge —3K 97
(off Dixon Rd.)
Sharman Av. Lyth A —8F 108
Sharneyford. —2N 163
Sharoe Bay Ct. Ful —3J 115
Sharoe Grn. La. Ful —2H 115
Sharoe Grn. La. S. Ful —5K 115
Sharoe Grn. Pk. Ful —4K 115
Sharoe Mt. Av. Ful —2J 115
Sharpe's Av. Lanc —2L 29
Sharphaw Vw. Garg —3M 53
Sharples. —9D 198
Sharples Av. Bolt —7E 198
Sharples Ct. L'rdge —2J 97
(off Berry La.)
Sharples Dri. Bury —9E 200
Sharples Grn. Tur —8K 179
Sharples Hall. Bolt —7F 198
Sharples Hall Dri. Bolt —7F 198
Sharples Hall Fold. Bolt —8F 198
Sharples Hall M. Bolt —7F 198
Sharples La. Nate —9F 58
Sharples Mdw. Tur —8K 179
Sharples Pk. Bolt —9D 198
Sharples St. Acc —3M 141
Sharples St. B'brn —5L 139
Sharp St. Barfd —8H 85
Sharp St. Burn —9F 104
Sharratt's Path. Char R —1B 194
Sharrock St. South —7H 167
Sharrow Gro. Blac —8D 88
Shawbridge Ct. Clith —3M 81
Shaw Bri. St. Clith —3M 81
Shawbrook Clo. Eux —1M 173
Shawbrook Clo. Rish —9G 121
Shaw Brook Rd. Ley —9G 153
Shaw Brow. Whit W —8D 154
Shawcliffe La. Gt Har —1G 121
Shaw Clo. B'brn —3K 139
Shaw Clo. Hals —7M 187
Shawclough. —3B 204
Shawclough Clo. Roch —2A 204
Shawclough Dri. Roch —2N 203
Shawclough Rd. Roch —1N 203
Shaw Clough Rd. Ross —4D 162
Shaw Clough St. Ross —4D 162
Shawclough Way. Roch —2N 203
Shaw Cres. Liv —8B 206
Shawes Dri. And —6L 195
Shawfield. —3K 203
Shawfield. Ross —6L 161
Shawfield Gro. Roch —3K 203
Shawfield La. Roch —4J 203
Shawforth. —9B 164
Shaw Green. —4G 173
Shaw Hill. Whit W —9D 154
Shaw Hill Dri. Whit W —9D 154
Shaw Hill Golf & Country Club. —9C 154
Shaw Hill St. Chor —7E 174
Shaw La. Bar —6K 207
Shaw La. Neth K —4B 16
Shaw La. Roch —4K 205
Shaw La. Todm —5F 146
Shaw Rd. Blac —9B 88
Shaw Rd. Hor —8C 196
Shaw Rd. Miln —9L 205
Shaw's Av. South —4G 187
Shaws Gth. Shir H —7M 187
Shaw's La. Pil —1F 56
Shaw's La. South —6H 187
Shaw Sq. Earby —2E 78
Shaw's Rd. South —4G 186
Shaw St. B'brn —3L 139
Shaw St. Col —7N 85
Shaw St. Has —1G 160
Shaw St. Lanc —8L 23
(off De Vitre St.)
Shaw St. Pres —8K 115
Shaw St. Roch —3E 204
Shay La. L'rdge —5H 97
Shay La. Slai —5B 50
Shay La. Ind. Est. L'rdge —4H 97
Shays Dri. Clith —4M 81
Shay, The. T Clev —4F 62
Shear Bank Clo. B'brn —2L 139
Shear Bank Gdns. B'brn —2L 139
Shear Bank Rd. B'brn —1L 139
Shear Brow. B'brn —1L 139
Shearing Av. Roch —4K 203
Shearwater Dri. B'brn —2N 139
Sheddon Gro. Burn —4J 125
Shed St. Col —7N 85
Shed St. Osw —5K 141
Shed St. Whitw —5A 184
Sheep Gap. Roch —4M 203
Sheepgate Dri. Tot —8D 200
Sheep Grn. Has —4G 161
Sheep Hey. Ram —5J 181
Sheep Hill La. Clay W —5B 154
(in two parts)
Sheep Hill La. New L —9C 134
Sheep Ho. La. Hor —3A 196
Sheernest. Holme —2G 6
Sheernest La. Holme —2F 6
Shefferland's La. Halt —2N 23
Sheffield Dri. Lea —7A 114
Shefford Cres. Wig —9M 221
Sheldon Av. Stand —2N 213
Sheldon Ct. Pres —8J 115
(off Thorpe Clo.)
Shelfield. Roch —4K 203
Shelfield Clo. Roch —5K 203
Shelfield La. Roch —4J 203
Shelfield La. S'fld —3B 106
Shelfield Rd. Nels —1M 105
Shelley Clo. Bolt S —4L 15
Shelley Clo. Cop —5B 194
Shelley Dri. Acc —6D 142
Shelley Dri. E'ston —9G 172
Shelley Dri. Orm —6J 209
Shelley Dri. Orr —5K 221
Shelley Gdns. Gt Har —5H 121
Shelley Gro. Dar —6C 158
Shelley Gro. South —7M 167
Shelley Gro. T Clev —3D 62
Shelley M. Ash R —8F 114
Shelley Rd. Ash R —7F 114
Shellfield Rd. South —3N 167
Shellingford Clo. Shev —5G 213
Shelton Dri. South —9A 186
Shenley Way. South —1C 168
Shenstone Rd. Blac —3F 88
Shepherd Ct. Roch —7E 204
Shepherd Rd. Lyth A —9G 108
Shepherd Rd. N. Lyth A —9G 108
Shepherd's Av. Bowg —8A 60
Shepherds Clo. G'mnt —4E 200
Shepherds Grn. Ross —8E 144
Shepherd's La. Crost —6H 171
Shepherd's La. Hals —7C 208
Shepherd St. Bacup —4K 163
Shepherd St. Dar —8A 158
Shepherd St. G'mnt —5E 200
Shepherd St. Lyth A —5A 130
Shepherd St. Pres —1K 135
Shepherds Way. Chor —6F 174
Sheppard St. Blac —5B 88
Shepton Clo. Bolt —6D 198
Sheraton Clo. Orr —2L 221
Sheraton Pk. Ing —3D 114
Sherborne Lodge. Rib —5B 116
(off Grange Av.)
Sherborne Rd. Orr —3K 221
Sherbourne Av. K'ham —4L 111
Sherbourne Clo. Poul F —6J 63
Sherbourne Ct. Poul F —6J 63
Sherbourne Cres. Pres —6L 115
Sherbourne Rd. Acc —5D 142
Sherbourne Rd. Blac —2B 88
Sherbourne Rd. Hamb —1B 64
Sherbourne St. Chor —7F 174
Sherburn Rd. Pen —5H 135
Sherdley Rd. Los H —9L 135
Sherfin. —9G 143
Sheridan Rd. Lane —5G 86
Sheridan St. Burn —8J 105
(off Stanbury Dri.)
Sheridan St. Nels —9K 85
Sheriff St. Miln —8K 205
Sheriff St. Roch —5B 204
Sheringham Av. T Clev —4D 62
Sheringham Dri. Bury —8J 201
Sheringham Way. Poul F —8L 63
Sherrat St. Skel —2H 219
Sherringham Rd. South —3E 186
Sherwood Av. Augh —1H 217
Sherwood Av. Blac —2E 88
Sherwood Clo. Tot —6E 200
Sherwood Ct. Blac —2E 88
(off Sherwood Av.)
Sherwood Ct. Burn —4G 125
Sherwood Cres. Wig —4N 221
Sherwood Dri. Skel —9A 212
Sherwood Dri. Wig —5N 221
Sherwood Gro. Wig —4N 221
Sherwood Ho. South —8C 186
Sherwood Pl. Chor —6F 174
Sherwood Pl. T Clev —2F 62
Sherwood Rd. B'brn —4B 140
Sherwood Rd. Lyth A —2J 129
Sherwood's La. Liv —9E 222
Sherwood St. Bolt —9F 198
Sherwood Way. Acc —8N 121
Sherwood Way. Ful —3K 115
Shetland Clo. B'brn —5C 140
Shetland Clo. Wilp —2N 119
Shetland Rd. Blac —8C 88
Shevington. —6K 213
Shevington Causeway. Crost —4L 171
Shevington La. Shev —6K 213
Shevington Moor. —2L 213
Shevington Moor. Stand —2K 213
Shevington's La. Liv —5J 223
Shevington Vale. —5G 213
Shillingstone Clo. Bolt —9M 199
Shilton St. Ram —9G 180
Ship All. Burn —4E 124
(off Parker La.)
Shipley Clo. Blac —1H 89
Shipley Rd. Lyth A —1H 129
Shipper Bottom La. Ram —9J 181
(in two parts)
Shipston Clo. Bury —9G 200
Shirburn. Roch —7B 204
Shirdley Cres. South —1C 206
Shirdley Hill. —7N 187
Shire Bank Cres. Ful —4H 115
Shireburn Av. Clith —4J 81
Shireburn Cotts. Hur G —1M 99
Shire La. Hur G —2L 99
Shireshead. —2B 46
Shireshead Cres. Lanc —5L 29
Shires, The. B'brn —1L 157
Shirewell Rd. Orr —6H 221
Shirley Cres. Blac —5D 62
Shirley Gdns. Toc —5G 157
Shirley Heights. Poul F —6K 63
Shirley La. Longt —7L 133
Shoebroad La. Todm —3L 165
Shop La. Acc —3C 142
Shop La. High W —4D 136
Shop La. Liv —1B 222
Shoppers Wlk. Lyth A —5A 130
(off Clifton St.)
Shore. —8J 185
(Littleborough)
Shore. —6F 146
(Todmorden)
Shore Av. Burn —8K 105
Shore Clo. Silv —9F 4
Shorefield Clo. Miln —6J 205
Shorefield Mt. Eger —5E 198
Shore Fold. L'boro —8J 185
Shore Grn. Silv —9F 4
Shore Grn. T Clev —9F 54
Shore Grn. Todm —6F 146
Shoreham Clo. Bury —6H 201
Shore Hill. L'boro —8M 185
Shore La. Bolt S —6J 15
Shore La. L'boro —9M 185
Shore Lea. L'boro —8J 185
Shore Mt. L'boro —8J 185

South St.—Station Clo.

South St. *Newc* —6C **162**
South St. *Ram* —8J **181**
South St. *Raw* —4M **161**
South Ter. *Eux* —2N **173**
South Ter. *Orm* —8K **209**
South Ter. *Ram* —4H **181**
S. Terrace Ct. *Roch* —8D **204**
S. Valley Dri. *Col* —8N **85**
South Vw. *Bel* —9K **177**
South Vw. *Gt Har* —4J **121**
South Vw. *Has* —4G **161**
South Vw. *K'ham* —5M **111**
South Vw. *Los H* —9K **135**
(School La.)
South Vw. *Los H* —9L **135**
(Watkin La.)
South Vw. *Nels* —3H **105**
South Vw. *S'stne* —7D **102**
Southview Rd. *Roch* —1H **205**
S. View St. *Todm* —7F **146**
S. View Ter. *Ley* —7K **153**
S. View Ter. *Roch* —1H **205**
Southward Bottom. —9L 125
Southwark. Burn —3A 124
(off Woodbine Rd.)
S. Warton St. *Lyth A* —5B **130**
Southway. *Fltwd* —3D **54**
Southway. *Skel* —2M **219**
S. Westby St. *Lyth A* —5A **130**
Southwood Av. *Fltwd* —1E **54**
Southwood Clo. *Lyth A* —4L **129**
Southwood Dri. *Acc* —5D **142**
Southworth Av. *Blac* —2E **108**
Southworth St. *B'brn* —6L **139**
Southworth Way. *T Clev* —7E **54**
Sovereign Ga. *Blac* —4F **108**
Sowarth Fld. *Set* —3N **35**
Sowarth Light Ind. Est. *Gigg* —3N **35**
Sow Clough Rd. *Bacup* —6H **163**
Sowerbutt's Green. —9N 117
Sowerby Av. *Blac* —1D **108**
Sowerby Rd. *S'by* —7J **67**
Sowerby St. *Pad* —1H **123**
Sower Carr. —8C 56
Sower Carr La. *Hamb* —8B **56**
Spa Fold. *Lath* —8E **210**
Spa Gth. *Clith* —3M **81**
Spa La. *Lath* —8E **210**
Spark La. *Ruf* —8F **170**
Spa Rd. *Pres* —9G **115**
Sparrow Hill. *App B* —2C **212**
Sparrow Hill. *Roch* —6B **204**
Sparth Av. *Clay M* —6M **121**
Sparth Bottoms Rd. *Roch* —7A **204**
Sparthfield Av. *Roch* —8B **204**
Sparth Rd. *Clay M* —6L **121**
Spa St. *Burn* —2C **124**
Spa St. *Pad* —1J **123**
Spa St. *Pres* —9G **114**
Spa Well La. *Crost* —7K **171**
Speakman Dri. *App B* —6F **212**
Speedwell Clo. *T Clev* —7F **54**
Speedwell St. *B'brn* —6J **139**
Speke St. *B'brn* —6J **139**
Spelding Dri. *Stand L* —8N **213**
Spen Brook. —9B 84
Spenbrook Rd. *Newc P* —8A **84**
Spen Brow Rd. *L Bent* —8H **19**
Spencer Ct. *Blac* —3C **88**
Spencer Dri. *Tar* —7E **150**
Spencer La. *Roch* —8J **203**
Spencer La. *Ruf* —1E **190**
Spencer's La. *Hals* —1H **207**
Spencer's La. *Liv* —8D **222**
Spencer's La. *Orr* —4G **221**
Spencers La. *Skel* —3M **219**
Spencer St. *Acc* —2C **142**
Spencer St. *Bacup* —7G **162**
Spencer St. *Burn* —9E **104**
Spencer St. *L'boro* —8M **185**
Spencer St. *Ram* —9G **181**
Spencer St. *Ross* —8M **143**
Spendmore. *Cop* —3B **194**
Spendmore La. *Cop* —5N **193**
Spen Fold. *L'boro* —1K **205**
Spen La. *Trea* —3C **112**
Spenleach La. *Hawk* —1B **200**
Spen Pl. *Blac* —1F **108**
Spenser Clo. *Wors* —5N **125**
Spenser Gro. *Gt Har* —4H **121**
Spenser St. *Pad* —2J **123**
Spenwood Rd. *L'boro* —9J **185**
Spey Clo. *Ley* —7H **153**
Spey Clo. *Stand* —3N **213**
Speyside. *Blac* —2D **108**
Spicer Gro. *Liv* —8K **223**
Spindle Berry Ct. *Acc* —4B **142**
Spinners Ct. Lanc —9K 23
(off Queen St.)
Spinners Gdns. *Ward* —1F **204**
Spinners Grn. *Roch* —3C **204**
Spinners Sq. *Bam B* —9A **136**
Spinney Brow. *Rib* —5N **115**
Spinney Clo. *New L* —8C **134**
Spinney Clo. *Orm* —9J **209**
Spinney Clo. *Whit W* —9D **154**
Spinney Dri. *Bury* —7K **201**
Spinney La. *Arns* —3G **4**
Spinney, The. *Arns* —3G **4**
Spinney, The. *B'brn* —9H **119**
Spinney, The. *Burn* —1B **124**
Spinney, The. *Chor* —3E **174**
Spinney, The. *Form* —7A **206**
Spinney, The. *Grin* —5A **74**
Spinney, The. *Hey* —9M **21**
Spinney, The. *Lanc* —2M **29**
Spinney, The. *Pen* —5C **134**
Spinney, The. *Poul F* —7L **63**
Spinney, The. *Rainf* —3K **225**
Spinney, The. *Tar* —8E **150**
Spinney, The. *T Clev* —4F **62**
(in two parts)
Spinney, The. *Tur* —3J **199**
Spinnings, The. *S'seat* —2H **201**
Spire Clo. *Dar* —7D **158**
Spires Gro. *Cot* —4B **114**
Spodden Cotts. *Whitw* —4A **184**
Spodden Fold. *Whitw* —6N **183**
Spodden St. *Roch* —5A **204**
Spod Rd. *Roch* —4N **203**
Spokeshave Way. *Roch* —3F **204**
Spotland Bridge. —5A 204
Spotland Fold. —4N 203
Spotland Rd. *Roch* —5A **204**
Spotland Tops. *Roch* —4M **203**
Spout Ho. La. *Acc* —8E **122**
Spout La. *Wenn* —5F **18**
Spread Eagle St. *Osw* —3J **141**
Spring Av. *Gt Har* —3J **121**
Spring Bank. —5N 221
Spring Bank. *App B* —4F **212**
Springbank. *Barfd* —6J **85**
Springbank. *Gars* —6N **59**
Springbank. *Heal* —1A **204**
Spring Bank. *Pres* —1H **135**
Spring Bank. *Silv* —8G **5**
Spring Bank. *Whitw* —5A **184**
Springbank Av. *T Clev* —1J **63**
Springbank Gdns. *Good* —6L **143**
Spring Bank La. *Roch* —5J **203**
(in two parts)
Spring Bank Ter. *B'brn* —6K **139**
Spring Bottom. *Todm* —8J **165**
Springbrook Av. *T Clev* —3E **62**
Spring Brook Ho. Clay M —7M 121
(off Canal St.)
Spring Clo. *Liv* —5L **223**
Spring Clo. *Ram* —8G **181**
Spring Clo. *South* —9G **166**
Spring Clo. *Tot* —7D **200**
Spring Ct. Col —6A 86
(off Derby St.)
Spring Ct. *Roch* —4C **204**
Springcroft. *Far* —4M **153**
Springdale Rd. *Lang* —1C **120**
Springfield. *Arns* —2F **4**
Springfield. *Ben* —6M **19**
Springfield. *Black* —3G **85**
Springfield. *Rainf* —9J **219**
Springfield Av. *Acc* —4M **141**
Springfield Av. *Bacup* —4L **163**
Springfield Av. *B'brn* —7F **138**
Springfield Av. *Earby* —3F **78**
Springfield Av. *K'ham* —4K **111**
Springfield Av. *L'boro* —7K **185**
Springfield Bank. *Burn* —4E **124**
Springfield Clo. *Burs* —2B **210**
Springfield Clo. *Whal* —4K **101**
Springfield Ct. Bacup —4L 163
(off Springfield Av.)
Springfield Ct. *Blac* —7E **88**
Springfield Cres. *Ben* —6M **19**
Springfield Dri. *Ross* —6C **162**
Springfield Dri. *T Clev* —8H **55**
Springfield Flats. *Dar* —7A **158**
Springfield Gdns. *Scor* —7B **46**
Springfield Ind. Est. Pres —8H 115
(off Eastham St.)
Springfield La. *Roch* —2G **204**
Springfield Public Golf Course. —8L 203
Springfield Rd. *Adl* —5J **195**
Springfield Rd. *Augh* —6E **216**
Springfield Rd. *Blac* —4B **88**
Springfield Rd. *Bolt* —6E **198**
Springfield Rd. *Burn* —5E **124**
(in two parts)
Springfield Rd. *Chor* —6E **174**
Springfield Rd. *Cop* —5A **194**
Springfield Rd. *Gt Har* —5H **121**
Springfield Rd. *Ley* —8G **153**
Springfield Rd. *Lyth A* —2E **128**
Springfield Rd. *Nels* —4J **105**
Springfield Rd. *Ram* —3F **200**
Springfield Rd. *Ross* —4N **161**
Springfield Rd. N. *Cop* —4A **194**
Springfield St. *B'brn* —5J **139**
Springfield St. *Dar* —7A **158**
Springfield St. *Lanc* —9K **23**
Springfield St. *More* —4N **21**
Springfield St. *Osw* —5K **141**
Springfield St. *Pres* —8H **115**
Springfield Ter. Ben —6M 19
(off Springfield)
Springfield Ter. *B'brn* —7H **139**
Springfield Ter. *Fltwd* —6G **54**
Springfield Ter. *Hth C* —4K **195**
Springfield Vw. *Dunn* —3A **144**
Spring Gdns. *Acc* —3B **142**
Spring Gdns. *Bacup* —4L **163**
Spring Gdns. *Bolt* —9L **199**
Spring Gdns. *Dar* —7A **158**
Spring Gdns. *Frec* —9N **111**
Spring Gdns. *Hor* —9C **196**
Spring Gdns. *Ley* —7J **153**
Spring Gdns. *Liv* —2D **222**
Spring Gdns. *Lyth A* —8F **108**
Spring Gdns. *Pen* —6J **135**
Spring Gdns. *Roch* —6B **204**
Spring Gdns. Ross —9M 143
(off Lord St.)
Spring Gdns. *Ross* —9D **162**
(Springside)
Spring Gdns. *Wadd* —8H **73**
Spring Gdns. Rd. *Col* —7A **86**
Spring Gdns. St. *Ross* —7D **162**
Spring Gdns. Ter. *Pad* —9H **103**
Spring Garden St. *Lanc* —8K **23**
Spring Gro. *Col* —5F **86**
Spring Hall. *Acc* —4M **121**
Spring Hill. —3N 141
Spring Hill. B'brn —3M 139
(off Lord Sq.)
Spring Hill. *Frec* —1B **132**
Spring Hill. *Roch* —9E **204**
Springhill. *Ross* —5A **162**
Springhill Av. *Bacup* —7H **163**
Spring Hill Rd. *Acc* —4M **141**
Spring Hill Rd. *Burn* —4D **124**
Springhill Vs. *Bacup* —7G **163**
Spring La. *B'brn* —5J **139**
(in two parts)
Spring La. *Col* —6A **86**
Spring La. *Has* —3G **160**
Spring La. *Sam* —8J **117**
Spring Mdw. *Ley* —6A **154**
Spring Meadows. *Dar* —8D **158**
Spring M. *Whit W* —9G **154**
Spring Mill Wlk. *Roch* —2F **204**
Springmount. *Earby* —3F **78**
Springmount Dri. *Parb* —8N **191**
Spring Pl. *Col* —6A **86**
Spring Pl. *Whitw* —4A **184**
Springpool. *Wins* —9L **221**
Spring Rd. *Orr* —3J **221**
Springs. *Roch* —6J **203**
Springsands Clo. *Ful* —4A **116**
Springs Brow. *Wrigh* —8N **193**
Springs Cres. *Whit W* —1G **174**
Springside. —4N 161
Spring Side. *Roch* —2A **184**
Springside. *Ross* —9D **162**
Spring Side La. *Ward* —8D **184**
Springside Rd. *Bury* —5J **201**
(in two parts)
Springside Vw. *Bury* —6G **201**
Springside Vw. Cotts. *Bury* —6H **201**
Springs Rd. *Chor* —4F **174**
Springs Rd. *L'rdge* —2K **97**
Spring St. *Acc* —4M **141**
Spring St. *Bacup* —6K **163**
Spring St. *Hor* —9C **196**
Spring St. *Ley* —6L **153**
Spring St. *Nels* —3G **105**
Spring St. *Osw* —4L **141**
Spring St. *Ram* —7J **181**
Spring St. *Rish* —7H **121**
Spring St. *Ross* —8M **143**
Spring St. *Todm* —7F **146**
Spring St. *Tot* —6D **200**
Spring St. *Wals* —9E **200**
Spring Ter. *Bacup* —7H **163**
Spring Ter. Lang —9D 100
(off Clayton Row)
Spring Ter. L'rdge —3H 97
(off Whittingham Rd.)
Spring Ter. *Roch* —5L **203**
Spring Ter. *Ross* —6L **143**
Spring Ter. S. *Ross* —5K **161**
Springthorpe St. *Dar* —9B **158**
Spring Vale. —8C 158
(Darwen)
Spring Vale. —5F 160
(Haslingden)
Springvale. *Acc* —4M **141**
Spring Va. *Fort* —2M **45**
Springvale Bus. Pk. *Dar* —9B **158**
Springvale Dri. *Tot* —6D **200**
Spring Vale Garden Village. —9C 158
Spring Va. Rd. *Dar* —8B **158**
Spring Va. St. *Tot* —7D **200**
Spring Va. Ter. L'boro —9L 185
(off Victoria St.)
Spring Vw. *B'brn* —3K **139**
Spring Vw. *Cliv* —9L **125**
Spring Vs. *Corn* —7E **146**
Springwater Av. *Ram* —2F **200**
Springwood Clo. *Walt D* —5K **135**
Springwood Dri. *Chor* —9G **175**
Springwood Dri. *Ruf* —8E **170**
Spring Wood Nature Trail. —5L 101
Springwood Rd. *Burn* —4J **125**
Spring Wood St. *Ram* —7G **181**
Spring Yd. *Col* —6A **86**
Sprodley Dri. *App B* —2E **212**
Spruce Av. *Lanc* —3K **29**
Spruce Ct. *Acc* —9D **122**
Spruce Cres. *Bury* —6L **201**
Spruce St. *Ram* —9F **180**
Spruce St. *Roch* —7E **204**
Spruce Wlk. *Todm* —7K **165**
Sprucewood Clo. *Acc* —2C **142**
Spurriers La. *Liv* —2H **223**
Spurrier St. *Ley* —3K **153**
Spymers Cft. *Liv* —6A **206**
Square Ho. La. *Banks* —8G **149**
Square La. *Burs* —1C **210**
Square La. *Catf* —6K **93**
Square Rd. *Todm* —7K **165**
Square St. *Ram* —8H **181**
Square, The. *Blac* —8G **89**
Square, The. *Brins* —8A **156**
Square, The. *Burt* —6G **7**
Square, The. *Far* —5L **153**
Square, The. *T Clev* —7D **54**
Square, The. *Wadd* —8H **73**
Square, The. *Walt D* —3B **136**
Square, The. *W'ham* —5B **96**
Square, The. Wors —4M 125
(off Water St.)
Square Vw. *Todm* —7L **165**
Squire Rd. *Nels* —2K **105**
Squires Clo. *Hogh* —6G **136**
Squires Ct. *Blac* —4D **108**
Squires Ga. Ind. Est. *Blac* —5E **108**
Squires Ga. La. *Blac* —5B **108**
Squires Ga. Rd. *Ash R* —6F **114**
Squires Rd. *Pen* —2F **134**
Squires Wood. *Ful* —3N **115**
Squirrel Chase. *Lanc* —2J **29**
Squirrel Fold. *Rib* —7B **116**
Squirrel La. *Hor* —9B **196**
Squirrels Chase. *Clift* —8H **113**
Squirrel's Chase. *Los H* —9K **135**
Squirrels Clo. *Acc* —9D **122**
Stable Clo. Gis —9A 52
(off Park Rd.)
Stable Clo. *Wesh* —3M **111**
Stable La. *Wheel* —8J **155**
Stables Clo. *Ross* —1M **161**
Stables, The. *Hap* —4H **123**
Stackcroft. *Clay W* —5C **154**
Stackhills Rd. *Todm* —2M **165**
Stackhouse La. *Gigg* —2N **35**
Stackhouses, The. Burn —3E 124
(off Bank Pde.)
Stack La. *Bacup* —7M **163**
Stacksteads. —7F 162
Stadium Av. *Blac* —4D **108**
Staffa Cres. *B'brn* —4D **140**
Stafford Av. *Poul F* —1K **89**
Stafford Ct. *Roch* —1H **205**
Stafford Moreton Way. *Liv* —1B **222**
Stafford Rd. *Pres* —8K **115**
Stafford Rd. *South* —4G **186**
Stafford St. *Burn* —2E **124**
Stafford St. *Bury* —9J **201**
Stafford St. *Dar* —3N **157**
Stafford St. *Nels* —2K **105**
Stafford St. *Skel* —1H **219**
Staghills. —6B 162
Staghills Rd. *Ross* —5B **162**
Stag La. *Boot* —8A **222**
Stainburn Clo. *Shev* —6G **213**
Stainforth Av. *Blac* —6E **62**
Stainforth La. *L'clif* —1N **35**
Stainforth Rd. *L'clif* —1N **35**
Staining. —5K 89
Staining Av. *Ash R* —8C **114**
Staining Old Rd. *Blac* —3K **89**
Staining Old Rd. W. Blac —5K 89
(off Nook, The)
Staining Ri. *Stain* —5K **89**
Staining Rd. *Blac* —3H **89**
Stainton Dri. *Burn* —1C **124**
Stainton Gro. *More* —4E **22**
Stainton St. *Carn* —7A **12**
Stake Pool. —9K 43
Stakepool Dri. *Pil* —9K **43**
Stakes Hall Pl. *B'brn* —6K **139**
Stalls Rd. *Hey* —5L **27**
Stalmine. —5B 56
Stalmine Moss Side. —5C 56
Stambourne Dri. *Bolt* —9F **198**
Stamford Av. *Blac* —2D **108**
Stamford Ct. Lyth A —9D 108
(off St Leonards Rd. W.)
Stamford Dri. *Whit W* —1E **174**
Stamford Pl. *Clith* —2M **81**
Stamford Rd. *Skel* —1H **219**
Stamford Rd. *South* —2H **187**
Stamford St. *Roch* —7E **204**
Stanagate. *Clift* —8G **113**
Stanah. —1L 63
Stanah Gdns. *T Clev* —1L **63**
Stanah Rd. *T Clev* —2K **63**
Stanalea La. *Goos* —3K **69**
Stanbury Clo. *Burn* —8J **105**
Stanbury Dri. *Burn* —8J **105**
Stancliffe St. *B'brn* —5J **139**
Stancliffe St. Ind. Est. *B'brn* —5K **139**
Standedge Clo. *Ram* —2H **201**
Standen Hall Clo. *Burn* —7J **105**
Standen Hall Dri. *Burn* —8H **105**
Standen Pk. Ho. *Lanc* —8N **23**
Standen Rd. *Clith* —4M **81**
Standen Rd. Bungalows. *Clith* —4M **81**
Standhouse La. *Augh* —1H **217**
Standing Stone La. *Foul* —1L **85**
Standish Cricket Club Ground. —4N 213
Standish Dri. *Rainf* —3L **225**
Standish Lower Ground. —9N 213
Standish St. *Burn* —3E **124**
Standish St. *Chor* —7F **174**
Standridge Clough La. *Earby* —2G **79**
Standroyd Dri. *Col* —6D **86**
Standroyd Rd. *Col* —6D **86**
Stanfield Ct. Todm —1L 165
(off Stanfield Hall Rd.)
Stanford Gdns. *B'brn* —7A **140**
Stanford Hall Cres. *Ram* —1G **200**
Stangate. *Liv* —9A **216**
Stang Top Rd. *R'lee* —4D **84**
Stanhill. —4H 141
Stanhill La. *Osw* —4H **141**
Stanhill Rd. *B'brn & Osw* —4E **140**
Stanhill St. *Osw* —5J **141**
Stanhope Av. *More* —5E **22**
Stanhope Ct. *More* —5F **22**
Stanhope Rd. *Blac* —3C **88**
Stanhope St. *Burn* —2D **124**
Stanhope St. *Dar* —5A **158**
Stanhope St. *Pres* —7G **115**
Stanhope St. *Roch* —8C **204**
Stanifield Clo. *Far* —4L **153**
Stanifield La. *Far & Los H* —5L **153**
Stankelt Rd. *Silv* —9G **4**
Stanley. —3G 71
(Preston)
Stanley. —9J 211
(Skelmersdale)
Stanley Av. *Far* —3M **153**
Stanley Av. *Hut* —6A **134**
Stanley Av. *Pen* —3H **135**
Stanley Av. *Poul F* —8J **63**
Stanley Av. *Rainf* —3J **225**
Stanley Av. *South* —2F **186**
Stanley Av. *T Clev* —1D **62**
Stanley Clo. *L'rdge* —3K **97**
Stanley Ct. *Acc* —1C **142**
Stanley Ct. *Burs* —8C **190**
Stanley Ct. *K'ham* —5N **111**
Stanley Cft. *Wood* —7E **94**
Stanley Dri. *Dar* —1B **178**
Stanley Dri. Horn —7C 18
(off Monteagle Dri.)
Stanleyfield Clo. *Pres* —8K **115**
Stanleyfield Rd. *Pres* —8K **115**
Stanley Fold. *Los H* —8J **135**
Stanley Gate. —4C 218
Stanley Ga. *Fltwd* —1D **54**
Stanley Ga. *Mel* —7F **118**
Stanley Gro. *Pen* —4D **134**
Stanley Ind. Est. *Uph* —9J **211**
Stanley Mt. *Bacup* —4K **163**
Stanley Pk. Clo. *Blac* —7F **88**
Stanley Pl. *Chor* —6E **174**
Stanley Pl. *Lanc* —8H **23**
Stanley Pl. *Pres* —1H **135**
Stanley Pl. *Roch* —5B **204**
Stanley Range. *B'brn* —6J **139**
Stanley Rd. *Blac* —6C **88**
Stanley Rd. *Far* —3M **153**
Stanley Rd. *Fltwd* —1F **54**
Stanley Rd. *Hey* —5M **21**
Stanley Rd. *Lyth A* —5K **129**
Stanley Rd. *Mag* —4B **222**
Stanley Rd. *Uph* —4D **220**
Stanley Rd. *Wesh* —2L **111**
Stanley St. *Acc* —2B **142**
Stanley St. *Bacup* —3K **163**
Stanley St. *B'brn* —2A **140**
Stanley St. *Brier* —5F **104**
Stanley St. *Burn* —4D **124**
Stanley St. *Carn* —9A **12**
Stanley St. *Chor* —7G **174**
Stanley St. *Col* —6A **86**
Stanley St. *K'ham* —5N **111**
Stanley St. *Ley* —6L **153**
Stanley St. *L'rdge* —2J **97**
Stanley St. More —2B 22
(off Bk. Morcambe St.)
Stanley St. *Nels* —2H **105**
Stanley St. *Orm* —7L **209**
Stanley St. *Osw* —5K **141**
Stanley St. *Pres* —9L **115**
Stanley St. *Ram* —9G **181**
Stanley St. *South* —7H **167**
Stanley Ter. *Pres* —1H **135**
Stanley Way. *Skel & Stan I* —9J **211**
Stanmere Ct. *Hawk* —2A **200**
Stanmore Av. *Blac* —3E **108**
Stanmore Dri. *Lanc* —2J **29**
Stannally St. *Todm* —8H **147**
Stannanought Rd. *Skel* —9N **211**
(in two parts)
Stanneybrook Clo. *Roch* —5E **204**
Stanney Clo. *Miln* —8H **205**
Stanney Rd. *Roch* —5E **204**
Stanning Clo. *Ley* —7H **153**
Stanning St. *Ley* —7K **153**
Stanrose Clo. *Eger* —4E **198**
Stansfeld St. *B'brn* —5K **139**
Stansfield Av. *Liv* —1E **222**
Stansfield Clo. *Barfd* —7H **85**
Stansfield Dri. *Roch* —4J **203**
Stansfield Hall. *L'boro* —5M **185**
Stansfield Hall Rd. *Todm* —1L **165**
Stansfield Rd. *Ross* —7C **162**
Stansfield Rd. *Todm* —2L **165**
Stansfield St. *Bacup* —7G **163**
Stansfield St. *Blac* —9C **88**
Stansfield St. *Burn* —4N **123**
Stansfield St. *Dar* —7A **158**
Stansfield St. *Nels* —2J **105**
Stansfield St. *Todm* —1L **165**
Stansfield Ter. *Todm* —7E **146**
Stansford Ct. *Pen* —4G **135**
Stansted Rd. *Chor* —7C **174**
Stansy Av. *Hey* —7M **21**
Stanthorpe Wlk. *Burn* —9E **104**
Stanton Cres. *Liv* —8H **223**
Stanworth. —3D 156
Stanworth Rd. *Nels* —2H **105**
Stanworth St. *Wors* —4M **125**
Stanworth Ter. *Withn* —3C **156**
Stanzaker Hall Dri. *Catt* —4M **67**
Star Bank. *Bacup* —8H **163**
Starbeck Av. *Blac* —1D **108**
Starfield Av. *L'boro* —3J **205**
Starfield Clo. *Lyth A* —4N **129**
Star Inn Cotts. *Rainf* —5L **225**
Starkie Ind. Est. *Ash R* —7G **115**
Starkie St. *B'brn* —3N **139**
Starkie St. *Burn* —4C **124**
Starkie St. *Dar* —7B **158**
Starkie St. *Ley* —6L **153**
Starkie St. *Pad* —1H **123**
Starkie St. *Pres* —1J **135**
Starr Ga. *Blac* —5B **108**
Starrgate Dri. *Ash R* —8B **114**
Starr Hills Nature Reserve. —6B 108
Starring Gro. L'boro —9J 185
(off Starring Rd.)
Starring La. *L'boro* —9H **185**
Starring Rd. *L'boro* —9H **185**
(in two parts)
Starring Way. *L'boro* —9J **185**
Stars Brow. *Wig* —8N **193**
Star St. *Acc* —3M **141**
Star St. *Dar* —6B **158**
Startifants La. *Chip* —5D **70**
Startley Nook. *Wstke* —1E **152**
State Mill Cen. *Roch* —8E **204**
States Rd. *Lyth A* —2H **129**
Statham Rd. *Uph* —9H **211**
Statham Way. *Orm* —8K **209**
Station App. *Burs* —8C **190**
(in two parts)
Station App. *Orm* —7L **209**
Station App. *Todm* —2L **165**
Station App. Bus. Cen. Roch —7C 204
(off Station Rd.)
Station Av. *Orr* —6G **221**
Station Brow. *Ley* —5L **153**
Station Clo. *Horn* —7C **18**
Station Clo. *Rish* —9G **121**
Station Clo. *Wilp* —5N **119**

Stationers Entry—Surrey Rd.

Stationers Entry. Roch —6C 204
(off Walk, The)
Station La. Burt —4F 6
Station La. Nate —3F 58
Station La. Scor —6N 45
Station La. Wood —4B 94
Station M. Liv —7H 223
Station Pde. Todm —7C 146
Station Rd. Acc —7D 122
Station Rd. Adl —7H 195
Station Rd. Ains —8C 186
Station Rd. Arns —1F 4
Station Rd. Bam B —9A 136
(in two parts)
Station Rd. Banks —1D 168
Station Rd. Barn —2M 77
Station Rd. Bar —5K 207
Station Rd. Ben —7L 19
Station Rd. Blac —1B 108
Station Rd. Burn —2E 124
Station Rd. Cat —2H 25
Station Rd. Clith —3L 81
Station Rd. Cop —4B 194
Station Rd. Crost —3M 171
Station Rd. Fltwd —9G 41
Station Rd. Foul —2A 86
Station Rd. Gigg —3N 35
Station Rd. Gt Har —4K 121
Station Rd. G'mnt —4E 200
Station Rd. Has —3G 160
Station Rd. Helm —8E 160
Station Rd. Hesk B —3C 150
Station Rd. Hest B —8H 15
Station Rd. Hogh —6K 137
Station Rd. Holme —1F 6
Station Rd. Horn —7C 18
Station Rd. Lanc —8J 23
Station Rd. L'boro —9L 185
Station Rd. L Hoo —2G 150
Station Rd. Lyd —5N 215
Station Rd. Lyth A —5A 130
Station Rd. Mag —2D 222
Station Rd. Mell —7F 222
Station Rd. Midg H —4D 152
Station Rd. More —3B 22
Station Rd. New L —8C 134
Station Rd. Orm —6L 209
Station Rd. Pad —1H 123
Station Rd. Parb —2N 211
Station Rd. Poul F —7L 63
Station Rd. Poul F & Sing —3A 90
Station Rd. Rim —3K 75
Station Rd. Rish —9G 121
Station Rd. Roch —7C 204
Station Rd. Ruf —1H 191
Station Rd. Salw & Hesk B —4G 112
Station Rd. T Clev —2J 63
Station Rd. Todm —7F 146
Station Rd. Tur —1J 199
Station Rd. Wesh & K'ham —3L 111
(in two parts)
Station Rd. Whal —5J 101
Station Rd. Whitw —3A 184
Station Rd. W Grn —5G 110
Station Sq. Lyth A —5N 129
Station Ter. Abb V —5D 156
Station Ter. Blac —1B 108
Station Ter. Burt —4F 6
Station Way. Gars —4N 59
Station Way. Horn —8C 18
Staveley Av. Bolt —7E 198
Staveley Av. Burs —9C 190
Staveley Gro. Fltwd —2D 54
Staveley Pl. Ash R —7B 114
Staveley Rd. South —9D 186
Staveley Rd. Uph —9J 211
Staverton Pk. Liv —9H 223
Stavordale. Roch —5B 204
(off Spotland Rd.)
Staynall. —8M 55
Staynall La. Hamb —8M 55
Stead St. Ram —8H 181
Sted Ter. B'brn —2L 139
Steeley La. Chor —7F 174
Steeple Vw. Ash R —9G 114
Steeple Vw. Liv —5K 223
Steer St. Burn —9F 104
Steeton Rd. Blac —1H 89
Stefano Rd. Pres —9M 115
Steiner's La. Chu —1L 141
(off York St.)
Steiner St. Acc —2N 141
Stephendale Av. Bam B —8D 136
Stephens Gro. Over —7B 28
Stephenson Dri. Burn —2N 123
Stephenson St. Chor —6G 174
Stephenson Way. Form —9B 206
Stephen St. B'brn —6J 139
Stephen St. Lyth A —1E 128
Step Row. Bacup —2K 163
Steps Mdw. Roch —1F 204
Sterndale Av. Stand —2N 213
Stevenson Av. Far —4M 153
Stevenson Sq. Roch —2F 204
Stevenson St. E. Acc —3N 141
Stevenson St. W. Acc —4M 141
Steward Av. Lanc —2M 29
Stewart Clo. Arns —3F 4
Stewart St. B'brn —8L 139
Stewart St. Burn —5F 124
Stewart St. Bury —9G 201
(in two parts)
Stewart St. Miln —9L 205
Stewart St. Pres —9G 115
Stile Moor Ri. Todm —9K 147
Stile Rd. Todm —9K 147
Stiles Av. Hut —7N 133
Stiles Rd. Liv —4L 223
Stiles, The. Orm —7K 209
Stirling Clo. Chor —7G 174
Stirling Clo. Clith —5J 81
Stirling Clo. Ley —6M 153
Stirling Ct. Brclf —6M 105
Stirling Ct. South —4N 167
Stirling Dri. B'brn —4N 139
Stirling Rd. Blac —4D 88
Stirling Rd. Bolt —8E 198
Stirling Rd. Lanc —9L 23
Stirling St. B'brn —7J 139
Stiups La. Roch —9E 204
Stock. —8E 52
Stockbridge Dri. Pad —1K 123
Stockbridge Rd. Pad —1J 123
Stockclough La. Fen —9E 138
Stockdale Cres. Bam B —9B 136
Stockdove Way. T Clev —9D 54
Stockdove Wood. T Clev —9E 54
(in two parts)
Stock Gro. Miln —6J 205
Stockholm St. Burn —4N 123
Stockley Cres. Bic —5C 218
Stockley Dri. App B —4H 213
Stockpit Rd. Know I —8A 224
Stock Rd. Roch —3D 204
Stocks Clo. Wheel —6K 155
Stocks Ct. Poul F —8K 63
Stocks Ga. Roch —3M 203
Stocks La. Hesk —2H 193
Stocks La. Poul F —7G 62
Stocks La. Rim —5E 76
Stocks Rd. Ash R —7F 114
Stocks Rd. Poul F —8F 62
Stocks St. Pres —9H 115
Stock St. Bury —8K 201
Stockton Dri. Bury —8G 201
Stockton St. L'boro —9K 185
Stockwell Clo. Wig —8N 221
Stockwood Clo. B'brn —9H 119
Stockydale Rd. Blac —3G 109
Stodday. —5G 29
Stoke Av. Blac —8D 88
Stokes Hall Av. Ley —7K 153
Stokesley Av. Liv —8H 223
Stoke St. Roch —7E 204
Stoneacre Dri. Adl —4J 195
Stonebarn Dri. Liv —8B 216
Stonebridge Clo. Los H —8M 135
Stone Bri. La. Osw —5K 141
Stonebridge Ter. Col —6B 86
Stonebridge Ter. L'rdge —4J 97
Stonechat Clo. Blac —4H 89
Stone Clo. Ram —1F 200
Stone Cft. Barfd —5J 85
Stone Cft. Pen —6G 134
Stonecroft Rd. Ley —8G 152
Stone Cross Gdns. Catt —1A 68
Stonedross La. Barb —3G 83
Stone Edge Rd. Barfd —5J 85
Stonefield. Longt —8K 133
Stonefield. Pen —4H 135
Stonefield St. Miln —8J 205
Stoneflat Ct. Roch —5A 204
Stone Fold. —7G 143
Stonefold Av. Hut —7N 133
Stonegate. L Bent —6K 19
(off Doctor's Hill)
Stonegate Fold. Hth C —4K 195
Stone Hall La. Uph —8C 212
Stonehaven. Wig —9N 221
Stone Head La. Loth —8N 79
Stonehey Rd. Liv —9K 223
Stone Hey Wlk. Liv —9K 223
Stonehill Cres. Roch —2L 203
Stone Hill Dri. B'brn —8A 120
Stonehill Dri. Roch —2L 203
Stone Hill La. Roch —3L 203
Stonehill Rd. Roch —2L 203
Stoneholme Ind. Est. Ross —8M 143
Stoneholme Rd. Ross —8M 143
Stone Holme Ter. Ross —8M 143
Stonehouse. Brom X —6H 199
Stonehouse Grn. Clay W —4D 154
Stone House Rd. Wig —1N 221
Stoneleigh Clo. South —9C 186
Stoneleigh Ct. Silv —8G 4
Stonely Dri. Todm —8K 165
Stonemoor Bottom. Pad —3H 123
Stone Pits. Ram —3K 181
Stone Row Head. Lanc —8N 23
Stones Bank Rd. Eger —9N 177
Stones La. Catt —1A 68
Stones La. Todm —2H 165
Stones Rd. Todm —3J 165
Stonesteads Dri. Brom X —5G 199
Stonesteads Way. Brom X —5G 198
Stones Ter. Todm —5J 165
Stone St. Bacup —8F 162
Stone St. Miln —8J 205
Stone St. Ross —5E 160
(Hutch Bank Rd.)
Stone St. Ross —7D 162
(Townsend St.)
Stone Trough Brow. Kel —9C 78
Stoneway Rd. T Clev —2E 62
Stonewell. Lanc —8K 23
Stoney Bank Rd. Earby —2F 78
Stoneyboyd. Whitw —5A 184
Stoney Brow. Roby M —9E 212
(in two parts)
Stoneybutts. B'brn —3M 139
(off Lord Sq.)
Stoney Butts. Lea —9A 114
Stoney Ct. Foul —2B 86
Stoneycroft. Wors —4L 125
Stoneycroft Av. Hor —9E 196
Stoneycroft Clo. Hor —8E 196
Stoney Cft. Dri. War —4B 12
Stoneyfield. —9C 204
Stoneygate. Pres —1K 135
Stoneygate. T Clev —2F 62
Stoneygate La. App B —2E 212
Stoneygate La. K Grn & Ribch —2D 98
Stoneyholme. —2C 124
Stoney Holt. Ley —6A 154
Stoneyhurst Av. Liv —7B 222
Stoneyhurst Av. T Clev —3K 63
Stoneyhurst Height. Brier —6H 105
Stoney La. Adl —9G 195
Stoney La. Foul —2B 86
Stoney La. Frec —3N 131
Stoney La. Gal & Ellel —3L 37
Stoney La. Goos —8B 70
Stoney La. Hamb —1B 64
Stoney La. Los H —1M 153
Stoney Royd La. Todm —8J 147
Stoney St. Burn —5F 124
Stoneyvale Ct. Roch —9C 204
Stonie Heys Av. Roch —3E 204
Stonor Rd. Adl —6H 195
Stony Bank. Brin —2J 155
Stonycroft Av. Blac —4C 108
Stonycroft Dri. Arns —2F 4
Stonycroft Pl. Blac —4C 108
Stony Head. L'boro —4M 185
(off Higher Calderbrook Rd.)
Stony Hill. —4B 108
Stony Hill. Todm —6H 147
Stony Hill Av. Blac —4B 108
Stonyhurst. —8B 80
Stonyhurst. Chor —1E 194
Stonyhurst Av. Bolt —8E 198
Stonyhurst Av. Burn —4H 125
Stonyhurst Clo. B'brn —4L 139
Stonyhurst Clo. Pad —3K 123
Stonyhurst College. —8A 80
Stonyhurst Pk. Golf Course. —9N 71
Stonyhurst Rd. B'brn —4L 139
Stony La. Fort —2A 46
(Hollins La.)
Stony La. Fort —4K 45
(Ratcliffe Wharf La.)
Stony La. Parb —9N 191
Stony Rake. Has —5M 159
Stoopes Hill. Earby —2F 78
Stoops Fold. Mel —6F 118
Stoop St. Burn —4A 124
Stopes Brow. Lwr D —9A 140
Stopford Av. Blac —9E 62
Stopford Av. L'boro —1H 205
Stopford Ct. Clay M —6M 121
Stopgate La. Sim —4M 223
Stopper Lane. —4M 75
Stopper La. Rim —4M 75
Store Pas. L'boro —9K 185
Store St. Has —4G 161
Store St. Hor —9D 196
Store St. Lwr D —9A 140
Storey Av. Lanc —8H 23
Stork Clo. T Clev —2F 62
Stork Street. —7D 158
Stormer Hill Fold. Tot —5E 200
Storrs La. Silv —8K 5
Storth Rd. Carr B —2J 5
Stott St. Hur & Roch —2G 205
Stott St. Nels —2H 105
Stott St. Roch —4C 204
Stour Lodge. Ful —3F 114
Stourton Rd. South —9C 186
Stourton St. Rish —7G 121
Stout St. B'brn —4L 139
Stow Clo. Bury —8J 201
Stowe Av. Liv —8D 222
Straight Up La. South —6B 168
Straitgate Cotts. R'lee —6E 84
Strait La. Abb —3A 48
Straits. Osw —4L 141
Straits La. Read —8C 102
Straits, The. Hogh —5J 137
Strand Rd. Pres —1G 134
Strand St. W. Ash R —9F 114
Strand, The. Blac —5B 88
Strand, The. Fltwd —4C 54
Strange St. Burn —5F 124
Strang St. Ram —8H 181
Stranraer Rd. Wig —2M 221
Stransdale Clo. Gars —5M 59
Stratfield Pl. Ley —6L 153
Stratford Av. Bury —5K 201
Stratford Clo. Lanc —5J 23
Stratford Clo. South —7A 186
Stratford Dri. Ful —5G 115
Stratford Pl. Blac —7E 88
Stratford Pl. Fltwd —9E 40
Stratford Rd. Chor —6F 174
Stratford Rd. Lyth A —2H 129
Stratford Way. Acc —1N 141
Stratford Way. Col —6C 86
Strathclyde Rd. B'brn —4A 140
Strathdale. Blac —2F 108
Strathmore Clo. Ram —1H 201
Strathmore Gro. Chor —7D 174
Strathmore Rd. Ful —5H 115
Strathyre Clo. Blac —6F 62
Stratton Gro. Hor —8C 196
Stratton Rd. Liv —9H 223
Stratton Wlk. Liv —9H 223
Strawberry Bank. B'brn —3L 139
Strawberry M. Hey —8L 21
Stray, The. Bolt —9H 199
Streatly Wlk. B'brn —8A 140
Strellas La. Halt —8N 15
Stretford Clo. Liv —5K 223
Stretford Pl. Roch —2B 204
Stretton Av. Blac —1E 108
Stretton Clo. Stand —4N 213
Stretton Dri. South —6M 167
Stretton Rd. Ram & G'mnt —3F 200
Strickens La. Bncr —6D 60
Strickland Dri. More —4E 22
Stricklands La. Pen —4G 135
Strickland's La. Stalm —6B 56
Strike La. Frec —9N 111
(in two parts)
Strines St. Todm —8K 165
Strine, The. Ruf —6E 170
Strongstry. —4H 181
Strongstry Rd. Ram —4H 181
Stronsay Pl. Blac —5F 62
Stroops La. Rim —4L 75
Stroyan St. Burn —4G 125
Strutt St. Pres —8L 115
Stryands. Hut —7N 133
Stuart Av. Bacup —7H 163
Stuart Av. More —2D 22
Stuart Clo. Dar —6A 158
Stuart Clo. Rib —6A 116
Stuart Pl. Blac —1G 89
Stuart Rd. Mell —7G 222
Stuart Rd. Rib —6A 116
Stuart Rd. T Clev —1J 63
Stuart St. Acc —1A 142
Stuart St. Barn —2N 77
Stuart St. Roch —7D 204
(in two parts)
Stubbins. —1B 68
(Preston)
Stubbins. —5G 180
(Ramsbottom)
Stubbins La. Clau B —1B 68
Stubbins La. Ram —7H 181
Stubbins La. Sab —3F 102
Stubbins St. Ram —5H 181
Stubbins Va. Cvn. Pk. Sab —3F 102
Stubbins Va. Rd. Ram —4H 181
Stubbins Va. Ter. Ram —5G 181
Stubbylee La. Bacup —7K 163
Stub La. Burs —2M 209
Stubley. —9K 185
Stubley Gdns. L'boro —9K 185
Stubley Holme. Todm —7D 146
Stubley La. L'boro —9J 185
Stubley La. Todm —7D 146
Stubley Mill Rd. L'boro —1H 205
(in two parts)
Studfold. Chor —4D 174
Studholme Av. Pen —6H 135
Studholme Clo. Pen —6H 135
Studholme Cres. Pen —5H 135
Stump Cross La. Bolt B —7M 51
Stump Hall Rd. High —3K 103
Stump La. Chor —6F 174
Stunstead Rd. Traw —8F 86
Sturgess Clo. Orm —5L 209
Sturminster Clo. Pen —6H 135
Styan St. Fltwd —9G 41
(in two parts)
Stydd. —6F 98
Stydd La. Ribch —6F 98
Sudden. —9N 203
Sudden St. Roch —9N 203
Sudell Av. Liv —9E 216
Sudell Clo. Dar —6C 158
Sudell Cross. B'brn —3M 139
(off Limebrick)
Sudell La. Liv —5C 216
Sudell Nook. Guide —8C 140
Sudell Rd. Dar —6A 158
Sudellside St. Dar —6B 158
Sudley Rd. Roch —8N 203
Sudlow St. Roch —3E 204
Sudren St. Bury —9E 200
Suffolk Av. Burn —3M 123
Suffolk Clo. Ley —9H 153
Suffolk Rd. Blac —8G 89
Suffolk Rd. Pres —8K 115
Suffolk Rd. South —5G 186
Suffolk St. B'brn —6K 139
Suffolk St. Roch —7C 204
Suffton Pk. Liv —9H 223
Sugar Ho. All. Lanc —8K 23
(off Phoenix St.)
Sugar La. Todm —6G 147
Sugar Stubbs La. South —2H 169
Sugham La. Hey —8L 21
Sulby Clo. South —2F 186
Sulby Dri. Lanc —1K 29
Sulby Dri. Rib —4B 116
Sulby Gro. More —2E 22
Sulby Gro. Rib —4C 116
Sulby Rd. B'brn —7M 139
Sullivan Dri. B'brn —7A 140
Sullom Side La. Bncr —7F 60
Sullom Vw. Gars —6N 59
Sulphur Wells. Brou —6M 53
Sultan St. Acc —2B 142
Sulyard St. Lanc —8K 23
Summer Brook. Nels —3G 104
Summer Castle. Roch —6C 204
Summerdale Dri. Ram —3G 200
Summerer Gro. Weet —4D 90
Summerfield. Ley —4J 153
Summerfield. Thorn C —9J 53
Summerfield Clo. Walt D —6L 135
Summerfield Dri. Slyne —1J 23
Summerfield Rd. Todm —2M 165
Summerfield Rd. W. Todm —2M 165
Summerfields. Cop —5B 194
Summerfields. Lyth A —9C 108
Summerhill. Ben —7L 19
Summer Hill Clo. Bolt —7D 198
Summerhill Dri. Liv —3E 222
Summersales Ind. Est. Wig —7L 221
Summers Barn. Ful —3A 116
Summerseat. —3H 201
Summerseat La. Ram —2F 200
(in two parts)
Summerseat Rd. Ram —3G 201
Summersgill Rd. Lanc —6H 23
Summer St. Hor —9C 196
Summer St. Nels —3G 104
Summer St. Roch —6D 204
Summer St. Skel —8K 211
Summerton Wlk. Dar —5A 158
(off Allerton Clo.)
Summer Trees Av. Lea —6A 114
Summerville. Blac —3C 108
Summerville Av. Stain —5K 89
Summerville Wlk. B'brn —3L 139
Summerwood Clo. Blac —1D 88
Summerwood La. Hals —3B 208
Summit. —4N 185
Summit Clo. Bury —9D 202
Summit Dri. Frec —2A 132
Summit Works. Burn —7C 124
Sumner Av. Hask —8M 207
Sumner Gro. Liv —5L 223
Sumner Rd. Liv —9A 206
Sumners La. Crost —7K 171
Sumner St. B'brn —5L 139
(in two parts)
Sumner St. Ley —6K 153
Sumpter Ct. Pen —6J 135
Sumpter Cft. Pen —6H 135
Sunacre Ct. Hey —6M 21
Sunbank Clo. Roch —3A 204
Sunbury Av. Pen —5G 134
Sunbury Dri. South —9B 186
Suncliffe Rd. Brier —6H 105
Sunderland Av. Hamb —1C 64
Sunderland Av. T Clev —8E 54
Sunderland Dri. More —6A 22
Sunderland Pl. Wig —2N 221
Sunderland St. Burn —3N 123
Sunfield Clo. Blac —2G 108
Sun Ga. L'boro —4J 205
Sunnindale Av. Ross —6E 162
Sunningdale. Wood —7E 94
Sunningdale Av. Blac —8G 88
Sunningdale Av. Fltwd —5D 54
Sunningdale Av. Hest B —8H 15
Sunningdale Clo. K'ham —5M 111
Sunningdale Ct. St A —2G 129
Sunningdale Cres. Hest B —9H 15
Sunningdale Dri. T Clev —3K 63
Sunningdale Gdns. Burn —7H 105
Sunningdale Pl. Ins —2G 93
Sunny Av. Bury —8L 201
Sunny Bank. K'ham —4L 111
(in two parts)
Sunnybank. Ross —8M 143
Sunny Bank Av. Blac —7C 62
Sunny Bank Av. Newt —7E 112
Sunnybank Clo. Pen —4H 135
Sunnybank Clo. Ross —9F 160
Sunny Bank Cotts. Ross —1E 180
Sunnybank Dri. Osw —6J 141
Sunny Bank Farm Ind. Est. Hamb —2C 64
Sunny Bank Rd. B'brn —7L 139
Sunnybank Rd. Bolt S —4L 15
Sunny Bank Rd. Helm —9E 160
Sunnybank St. Dar —6A 158
Sunnybank St. Has —4F 160
Sunny Bank Ter. Todm —7E 146
Sunny Bower. —8B 120
Sunny Bower Clo. B'brn —8B 120
Sunny Bower Rd. B'brn —8B 120
Sunny Bower St. Tot —7D 200
Sunny Brow. Cop —3C 194
Sunnycliff Retail Pk. Heat O —7D 22
Sunny Dri. Orr —5J 221
Sunnyfield Av. Cliv —9L 125
Sunnyfield Av. More —2E 22
Sunnyfield La. Hodd —6F 158
Sunnyfields. Orm —7M 209
Sunnyfields. Wins —9M 221
Sunnyhill. Ful —4M 115
Sunnyhill Clo. Dar —5L 157
Sunnyhurst. —5M 157
Sunnyhurst Av. Blac —3D 108
Sunnyhurst Clo. Dar —5L 157
Sunnyhurst La. Dar —5L 157
Sunnyhurst Pk. Blac —3D 108
Sunnyhurst Rd. B'brn —4L 139
Sunnyhurst Wood & Vis. Cen. —5L 157
Sunny Lea St. Ross —2L 161
Sunnymead Av. Bolt —9F 198
Sunnymede Dri. Liv —8C 216
Sunnymede Va. Ram —2F 200
Sunnymere Dri. Dar —5M 157
Sunny Rd. South —4N 167
Sunnyside. Augh —4H 217
Sunnyside. South —2F 186
Sunnyside. Todm —2K 165
Sunnyside Av. Bill —6H 101
Sunnyside Av. Cher T —8F 138
Sunnyside Av. Ribch —7E 98
Sunnyside Av. W'ton —2J 131
Sunnyside Av. Wilp —2A 120
Sunnyside Camp Site. More —6A 22
Sunnyside Clo. Frec —1N 131
Sunnyside Clo. Lanc —9J 23
Sunnyside Clo. Ross —1M 161
Sunny Side Cotts. Roch —3F 202
Sunnyside Ct. South —5J 167
Sunnyside La. Lanc —9H 23
Sunnyside Ter. Pre —1B 56
Sunny Vw. Abb V —5D 156
Sunnywood Dri. Tot —7F 200
Sunnywood La. Tot —7F 200
Sunrise Vw. L'boro —5N 185
Sunset Clo. Liv —5L 223
Sunset Holiday Hamlet. Hamb —8C 56
Sun Set Well La. War —5B 12
Sun St. Col —6B 86
Sun St. Lanc —8K 23
Sun St. Nels —2G 104
Sun St. Osw —4L 141
Sun St. Ram —7G 180
Sun Ter. Todm —7E 146
Sun Vale Av. Todm —8L 165
Super St. Clay M —5L 121
Surgeon's Ct. Pres —1J 135
Surma Clo. Roch —8E 204
Surrey Av. Burn —2N 123
Surrey Av. Dar —4N 157
Surrey Clo. South —1B 168
Surrey Rd. B'brn —3D 140
Surrey Rd. Nels —9H 85

Surrey St.—Thorn Dri.

Surrey St. Acc —1C 142
Surrey St. Pres —9M 115
Surrey St. Todm —1L 165
Sussex Clo. Chu —1M 141
Sussex Dri. B'brn —4A 140
Sussex Dri. Gars —4M 59
Sussex Dri. Has —7G 160
Sussex Rd. Blac —4E 88
Sussex Rd. Liv —3C 222
Sussex Rd. Rish —8F 120
Sussex Rd. South —7J 167
Sussex St. Barn —2M 77
Sussex St. Burn —5F 124
Sussex St. Nels —1J 105
Sussex St. Pres —8K 115
Sussex St. Roch —7C 204
Sussex Wlk. B'brn —4A 140
Sutch La. Lath —9F 190
Sutcliffe St. Bacup —7N 163
Sutcliffe St. Brclf —7K 105
Sutcliffe St. Burn —3D 124
Sutcliffe St. Chor —7F 174
Sutcliffe St. L'boro —8L 185
Sutherland Clo. Wilp —2A 120
Sutherland Rd. Blac —3C 88
Sutherland St. Col —7N 85
Sutherland Vw. Blac —3C 88
Sutton Av. Burn —8H 105
Sutton Av. Tar —7E 150
Sutton Clo. Weet —4D 90
Sutton Cres. Hun —8E 122
Sutton Dri. Lea —9A 114
Sutton Gro. Chor —2H 175
Sutton La. Adl —4J 195
(in two parts)
Sutton La. Tar —1D 170
Sutton Pl. Blac —6C 88
Sutton's La. Liv —1E 214
Sutton St. B'brn —8E 138
Swainbank St. Burn —4F 124
Swaine St. Nels —2G 105
Swainson St. Blac —4C 88
Swainson St. Lyth A —5M 129
Swain St. Roch —4B 204
Swaledale. Gal —2M 37
Swaledale Av. Burn —6F 104
Swalegate. Liv —9B 216
Swallow Av. Pen —4H 135
Swallow Bank Dri. Roch —9M 203
Swallow Clo. Kirkby —3K 223
Swallow Clo. T Clev —8G 54
Swallow Ct. Clay W —6E 154
Swallow Dri. B'brn —2M 139
Swallow Dri. Bury —9N 201
Swallow Fld. Much H —4J 151
Swallowfields. B'brn —9L 119
Swallowfold. Grims —9F 96
Swallow Pk. Burn —4A 124
Swanage Av. Blac —3B 108
Swanage Clo. Bury —7H 201
Swanage Rd. Burn —9G 104
Swan All. Orm —7K 209
(off Burscough St.)
Swan Courtyard. Clith —3L 81
Swan Delph. Augh —1H 217
Swan Dri. T Clev —2F 62
Swan Farm Clo. Lwr D —9N 139
Swanfield Ct. Col —6D 86
Swanfield Ter. Col —6D 86
Swanhey. Liv —3D 222
Swan La. Augh —5D 216
Swan Mdw. Clith —2K 81
Swan Pl. Col —6B 86
(off Market St.)
Swanpool La. Augh —2H 217
Swan Rd. G'mnt —3E 200
Swansea St. Ash R —8F 114
Swansey La. Clay W & Whit W —6E 154
Swan St. B'brn —5M 139
Swan St. Dar —9B 158
Swan St. Pres —9M 115
Swan Wlk. Liv —3D 222
Swan Yd. Lanc —8L 23
Swarbrick Clo. Blac —3D 88
Swarbrick Ct. L'rdge —3K 97
Swarbrick St. K'ham —5M 111
Swarthdale. —3H 17
Sweet Briar Clo. Roch —3B 204
Sweet Briar La. Roch —3B 204
Sweet Clough Dri. Burn —3L 123
Sweetlove's Gro. Bolt —8E 198
Sweetlove's La. Bolt —8E 198
Swift Clo. B'brn —3N 139
Swift Rd. Roch —6K 203
Swifts Fold. Skel —3H 219
Swilkin La. Poul F —6D 56
Swill Bk. La. Pres —2M 135
Swillbrook. —8M 93
Swinburne Clo. Acc —6D 142
Swinden. —3D 52
Swinden Hall Rd. Nels —9J 85
Swinden La. Col —9L 85
Swinderby Dri. Liv —7G 222
Swindon Av. Blac —1D 108
Swindon St. Burn —4B 124
Swineshead La. Todm —4L 165
Swineshead Rd. Todm —4K 165
Swinless St. Burn —9F 104
Swinnate Rd. Arns —2G 4
Swinshaw Clo. Ross —6M 143
Swire Cft. Rd. Garg —3M 53
Swiss St. Acc —2M 141
Switch Island. Boot —5A 222
Swithemby St. Hor —9B 196
Sword Meanygate. Tar —1N 169
Sybil St. L'boro —8K 185
Sycamore Av. Blac —4F 108
Sycamore Av. Burn —2M 123
Sycamore Av. Eux —3N 173
Sycamore Av. Gars —4M 59
Sycamore Av. Miln —9K 205
Sycamore Av. Todm —9K 147
Sycamore Clo. B'brn —9N 119
Sycamore Clo. Burn —3A 124
Sycamore Clo. Elsw —1M 91
Sycamore Clo. Ful —3M 115
Sycamore Clo. L'boro —9J 185
Sycamore Clo. Maw —3N 191
Sycamore Clo. Rish —9H 121
Sycamore Ct. Chor —9D 174
Sycamore Cres. Brook —2J 25
Sycamore Cres. Clay M —4N 121
Sycamore Cres. Ross —6L 161
Sycamore Dri. Bury —7L 201
Sycamore Dri. Pen —5H 135
Sycamore Dri. Skel —1J 219
Sycamore Dri. Wins —9L 221
Sycamore Gdns. Foul —2A 86
Sycamore Gdns. Hey —1K 27
Sycamore Gro. Acc —5D 142
Sycamore Gro. Dar —5B 158
Sycamore Gro. Lanc —8H 23
Sycamore Ri. Foul —2A 86
Sycamore Rd. Bils —6D 68
Sycamore Rd. B'brn —9N 119
Sycamore Rd. Brook —2J 25
Sycamore Rd. Chor —4F 174
Sycamore Rd. Rib —7A 116
(in two parts)
Sycamore Rd. Tot —8E 200
Sycamore Trad. Est. Blac —4E 108
Sycamore Way. Barn —3L 77
Syd Brook La. Maw —6A 172
Sydenham Ter. Roch —2A 204
Sydney Av. Whal —5K 101
Sydney Gdns. L'boro —5M 185
Sydney St. Acc —2B 142
Sydney St. Burn —3D 124
Sydney St. Clay M —8N 121
Sydney St. Dar —8B 158
Sydney St. Hodd —6F 158
Sydney St. Lyth A —2F 128
Sydney Ter. Traw —8F 86
Syke. —1C 204
Sykefield. Brier —5E 104
Syke Hill. Pres —1K 135
Syke Ho La. Goos —9A 70
Sykelands Av. Halt —1C 24
Sykelands Gro. Halt —1C 24
Syke La. Roch —1C 204
Syke Rd. L'boro —3M 205
Syke Rd. Roch —1C 204
Sykes Ct. Roch —7E 204
Sykes Cres. Wins —9M 221
Syke Side Dri. Alt —3D 122
Sykes St. Miln —9K 205
Sykes St. Roch —7E 204
Syke St. Has —6H 161
Syke St. Pres —1K 135
Sylvancroft. Ing —4D 114
Sylvan Gro. Bam B —6C 136
Sylvan Pl. Hey —1K 27
Sylvester St. Lanc —9J 23
Symonds Rd. Ful —6H 115

Tabby Nook. Mere B —5L 169
Tabby's Nook. Newb —3L 211
Tabley La. High B —9A 94
Tabor St. Burn —2B 124
Tadema Gro. Burn —7D 124
Tag Cft. Ing —4C 114
Tag Farm Ct. Ing —4C 114
Tag La. High B & Ing —3C 114
Tailor's La. Liv —2D 222
Talaton Clo. South —1N 167
Talbot Av. Clay M —7M 121
Talbot Clo. Clith —4M 81
Talbot Clo. Ross —7K 161
Talbot Ct. Bolt —9F 198
Talbot Ct. Lyth A —9G 109
Talbot Dri. Brclf —8K 105
Talbot Dri. Eux —4N 173
Talbot Dri. South —8H 167
Talbot Gro. Bury —7M 201
Talbot Ho. Chor —4E 174
(off Lancaster Ct.)
Talbot Rd. Acc —9N 121
Talbot Rd. Blac —5B 88
Talbot Rd. Ley —5H 153
Talbot Rd. Lyth A —4B 130
Talbot Rd. Pen —3H 135
Talbot Rd. Pres —1G 135
Talbot Row. Eux —5N 173
Talbot Sq. Blac —5B 88
Talbot St. Brclf —7K 105
Talbot St. Burn —3F 124
Talbot St. Chip —5G 70
Talbot St. Chor —5G 174
Talbot St. Col —5A 86
Talbot St. Ful —6G 114
Talbot St. Rish —8J 121
Talbot St. Roch —7C 204
Talbot St. South —8G 167
Talbot Ter. Lyth A —5A 130
Tallarn Rd. Liv —8G 223
Tamar Clo. Ley —8L 153
Tamar St. Pres —9A 116
Tamar Way. Heyw —9E 202
Tame Barn Clo. Miln —7K 205
Tamneys, The. Skel —2K 219
Tamworth Dri. Bury —8H 201
Tancaster. Skel —2J 219
Tanfield Nook. Parb —2N 211
Tanfields. Skel —2K 219
Tanglewood. Ful —4L 115
Tan Hill Dri. Lanc —5K 23
Tanhouse. —2A 220
Tanhouse. Gal —2L 37
Tan Ho. Clo. Parb —1N 211
Tan Ho. Dri. Wig —9M 221
Tanhouse La. H'pey —9H 155
Tan Ho. La. Parb —2N 211
Tan Ho. La. Wig —9M 221
Tanhouse Rd. Skel —3N 219
Tanners. —8G 180
Tanners Cft. Ram —8G 180
Tannersmith La. Maw —9C 172
Tanners St. Ram —8G 180
Tanner St. Burn —3D 124
Tan Pit Cotts. Heyw —9H 203
Tan Pit La. Wig —9N 221
Tanpits La. Burt —5G 7
Tanpits Rd. Chu —2L 141
Tansley Av. Cop —4N 193
Tansley Sq. Wig —6N 221
Tansy La. Fort —1K 45
Tanterton Hall Rd. Ing —3C 114
Tanyard Clo. Cop —4N 193
Tan Yard La. L'rdge —2L 97
Taper St. Ram —8G 180
Tape St. Ram —8G 180
Tapestry St. B'brn —7L 139
Tarbert Cres. B'brn —4D 140
Tarbet St. Lanc —9L 23
Tardy Gate. —8H 135
Tardy Ga. Trad. Cen. Los H —8K 135
Tarleton. —9E 150
Tarleton Av. Burn —5F 124
Tarleton Moss. —8N 149
Tarleton Rd. South —6N 167
Tarleton St. Burn —5F 124
Tarlscough. —4B 190
Tarlscough La. Burs —4A 190
Tarlswood. Skel —2K 219
Tarnacre La. St M —2H 67
Tarnacre Vw. Gars —6N 59
Tarn Av. Clay M —5M 121
Tarnbeck Dri. Maw —2N 191
Tarnbrick Av. Frec —1A 132
Tarnbrook Clo. Bolt S —7K 15
Tarnbrook Clo. Carn —9N 11
Tarn Brook Clo. Hun —8E 122
Tarnbrook Ct. More —3B 22
Tarnbrook Dri. Blac —3G 89
Tarnbrook Rd. Hey —8L 21
Tarnbrook Rd. Lanc —6H 23
Tarn Brow. Orm —9H 209
Tarn Clo. Pen —4C 134
Tarn Ct. Fltwd —3D 54
Tarnhows Clo. Chor —9D 174
Tarn La. Yeal R —7D 6
Tarnrigg Clo. Wig —8N 221
Tarn Rd. T Clev —4K 63
Tarnside. Blac —9H 89
Tarnside Clo. Roch —2F 204
Tarnside Rd. Orr —5H 221
Tarnsyke Rd. Lanc —6H 23
Tarnwater La. Ash S —7H 29
Tarnway Av. T Clev —3K 63
Tarradale. Longt —7K 133
Tarrant Clo. Wig —9N 221
Tarry Barn La. Pend —8N 81
Tarves Wlk. Liv —8L 223
Tarvin Clo. Brclf —7K 105
Tarvin Clo. South —1C 168
Tarzan's Adventureland. —8C 56
Taskers Cft. Wis —2M 101
Tasker St. Acc —2B 142
Tatham. —6E 18
Tatham Ct. Fltwd —3C 54
Tatham Gro. Wins —9N 221
Tatham St. Roch —6D 204
Tatterhorn Rd. Ben —6M 19
Tattersall Sq. Ross —4D 162
Tattersall St. B'brn —4M 139
Tattersall St. Osw —4K 141
Tattersall St. Pad —1J 123
Tattersall St. Ross —1G 160
Tatton St. Chor —7F 174
Tatton St. Col —8M 85
Taunton Av. Roch —6M 203
Taunton Dri. Liv —8D 222
Taunton Rd. B'brn —3J 139
Taunton St. Blac —9D 88
Taunton St. Pres —8N 115
Tavistock Dri. South —7B 186
Tavistock St. Nels —2K 105
Tawd Bridge. —4N 219
Tawd Brow. Uph —3L 219
Tawd Rd. Skel —3N 219
Tawd Valley Park. —1L 219
Taybank Av. Blac —2D 108
Taylor Av. Orm —7M 209
Taylor Av. Roch —5K 203
Taylor Av. Ross —5D 162
Taylor Clo. B'brn —5L 139
Taylor Gro. More —2F 22
Taylor Holme Ind. Est. Bacup —7F 162
Taylor Ho. Bury —8H 201
Taylor's Bldgs. Lang —9C 100
(off Whalley New Rd.)
Taylors Clo. Poul F —6J 63
Taylors Ind. Est. Pil —8K 43
Taylor's La. Pil —7J 43
Taylor's La. Tar —3B 170
Taylor's Meanygate. H End & Tar —7L 149
Taylors Pl. Roch —4C 204
Taylor St. Barn —2L 77
Taylor St. B'brn —5L 139
Taylor St. Brier —4F 104
Taylor St. Burn —1E 124
Taylor St. Bury —9L 201
Taylor St. Chor —9D 174
Taylor St. Clith —3M 81
Taylor St. Dar —7A 158
Taylor St. Hor —9C 196
Taylor St. Pres —2G 135
Taylor St. Ross —4M 161
(Greenfield St.)
Taylor St. Ross —1G 160
(Pilling St.)
Taylor St. Skel —2G 219
Taylor St. Whitw —6A 184
Taylor St. W. Acc —2A 142
Taylor Ter. L'boro —9M 185
(off Ealees Rd.)
Taymouth Rd. Blac —3G 108
Tay St. Burn —4B 124
Tay St. Pres —2G 135
Taywood Clo. Poul F —7M 63
Taywood Rd. T Clev —8G 55
Teal Clo. Augh —1H 217
Teal Clo. B'brn —9L 119
Teal Clo. Ley —8G 152
Teal Clo. T Clev —8G 54
Teal Clo. Wig —7L 221
Teal Ct. Blac —4H 89
Teal Ct. Roch —6K 203
Teal La. Lyth A —1L 129
Teanlowe Cen. Poul F —8K 63
Tears La. Newb —4J 211
Teasel Wlk. More —6B 22
Tebay Av. K'ham —4A 112
Tebay Av. T Clev —8D 54
Tebay Clo. Liv —9E 216
Tebay Ct. Lanc —4J 23
Tedder Av. Burn —3N 123
Tedder Av. South —7N 167
Teenadore Av. Blac —2E 108
Tees Ct. Fltwd —2D 54
Teesdale. Gal —2L 37
Teesdale Av. Blac —2D 88
Tees St. Pres —7M 115
Tees St. Roch —7E 204
Teil Grn. Ful —3A 116
Telegraph Way. Liv —8K 223
Telford St. Burn —2A 124
Tell St. Roch —6A 204
Temperance St. Chor —6G 174
Temple Clo. B'brn —4B 140
Templecombe Dri. Bolt —6D 198
Temple Ct. B'brn —3M 139
Temple Ct. Pres —1J 135
(off Cannon St.)
Temple Dri. B'brn —4B 140
Temple La. L'boro —5M 185
Templemartin. Skel —1K 219
Temple St. Blac —5B 88
Temple St. Burn —4F 124
Temple St. Col —5B 86
Temple St. Nels —2K 105
Templeton Clo. Dar —5A 158
Temple Way. Chor —2E 174
Tems Side. Gigg —3N 35
Tems St. Gigg —3N 35
Tenby. Skel —1J 219
Tenby Clo. B'brn —1M 139
Tenby Gro. Roch —4N 203
Tenby Rd. Pres —2K 135
Tenby St. Roch —4N 203
Tennis St. Burn —1E 124
Tennyson Av. Chor —8E 174
Tennyson Av. Lyth A —4C 130
Tennyson Av. Osw —4J 141
Tennyson Av. Pad —2K 123
Tennyson Av. Read —8C 102
Tennyson Av. T Clev —9G 54
Tennyson Av. Todm —1N 165
Tennyson Av. W'ton —2J 131
Tennyson Clo. Bolt S —4L 15
Tennyson Dri. Bil —9G 220
Tennyson Dri. Orm —6J 209
Tennyson Pl. Gt Har —5H 121
Tennyson Pl. Walt D —6N 135
Tennyson Rd. Blac —2F 88
Tennyson Rd. Col —6N 85
Tennyson Rd. Fltwd —9G 40
Tennyson Rd. Pres —8N 115
(in three parts)
Tennyson St. Brclf —7K 105
Tennyson St. Burn —4B 124
Tennyson St. Hap —5H 123
Tennyson St. Roch —8D 204
Ten Row. Glas D —1C 36
Tensing Av. Blac —6D 62
Tensing Rd. Liv —1C 222
Tentercroft. Roch —6B 204
Tenterfield St. Pres —9J 115
Tenterfield St. Ross —7D 162
Tenterfield Ter. Todm —1N 165
Tenterheads. Ross —8D 162
Tenterhill La. Roch —3H 203
Terance Rd. Blac —1E 108
Tern Clo. Liv —3K 223
Tern Clo. Roch —6K 203
Terrace Row. Bill —6J 101
Terrace St. Pres —8M 115
Terry St. Nels —9L 85
Tetbury Clo. B'brn —8F 138
Tetlows Yd. L'boro —4N 185
Teven St. Bam B —7A 136
Teversham. Skel —1K 219
Teviot. Skel —1J 219
Teviot Av. Fltwd —1D 54
Tewitfield. —2E 12
Tewkesbury. Skel —1J 219
Tewkesbury Av. Blac —4D 108
Tewkesbury Clo. Acc —5D 142
Tewkesbury Dri. Lyth A —3C 130
Tewksbury St. B'brn —7J 139
Thames Av. Burn —7G 104
Thames Clo. Bury —5L 201
Thames Dri. Orr —4J 221
Thames Ho. Pres —9N 115
(off Cliffe Ct.)
Thames Rd. Blac —2B 108
Thames Rd. Miln —7L 205
Thames St. Newt —7E 112
Thames St. Roch —7E 204
Thanet. Skel —1K 219
Thanet Lee Clo. Cliv —8J 125
Thealby Clo. Skel —1J 219
Theatre St. Pres —1J 135
Thelma St. Ram —8G 180
Thermdale Clo. Gars —5M 59
Thetford. Roch —5B 204
(off Spotland Rd.)
Thetford Clo. Bury —8J 201
Thetis Rd. Lanc —8G 22
Thickrash Brow. Ben —7L 19
Thickwood Moss La. Rainf —5K 225
Thimble Clo. Roch —1G 204
Thimbles, The. Roch —1G 204
Third Av. Blac —2C 108
Third Av. Bury —9B 202
Third St. Bolt —9N 197
Thirlmere Av. Burn —8E 104
Thirlmere Av. Col —5C 86
Thirlmere Av. Fltwd —4C 54
Thirlmere Av. Form —1A 214
Thirlmere Av. Has —7H 161
Thirlmere Av. Orr —3J 221
Thirlmere Av. Pad —8H 103
Thirlmere Av. Poul F —7H 63
Thirlmere Av. Uph —4E 220
Thirlmere Clo. Acc —8C 122
Thirlmere Clo. Adl —5K 195
Thirlmere Clo. B'brn —2N 139
Thirlmere Clo. Kno S —7M 41
Thirlmere Clo. Liv —9D 216
Thirlmere Clo. Longt —8M 133
Thirlmere Ct. Lanc —7M 23
(off Thirlmere Rd.)
Thirlmere Dri. Dar —5C 158
Thirlmere Dri. L'rdge —5H 97
Thirlmere Dri. More —3A 22
Thirlmere Dri. South —1B 206
Thirlmere Dri. Withn —5M 155
Thirlmere Gdns. More —4B 22
Thirlmere Rd. Blac —1C 108
Thirlmere Rd. Burn —4J 125
Thirlmere Rd. Chor —8C 174
Thirlmere Rd. H'twn —7A 214
Thirlmere Rd. Lanc —7M 23
Thirlmere Rd. Pres —8B 116
Thirlmere Rd. Roch —9M 203
Thirlmere Rd. Wig —4L 221
Thirlmere Wlk. Liv —6J 223
Thirlmere Way. Ross —7M 143
Thirlspot Clo. Bolt —7E 198
Thirnby Ct. K Lon —6F 8
(off Lunefield Dri.)
Thirsk. Skel —1K 219
Thirsk Av. Lyth A —1H 129
Thirsk Clo. Bury —8G 201
Thirsk Gro. Blac —8D 88
Thirsk Rd. Lanc —3M 29
Thirty Acre La. Form —7D 206
Thistle Break. Hey —9M 21
Thistle Clo. Chor —6G 175
Thistle Clo. Hesk B —3C 150
Thistle Clo. T Clev —7F 54
Thistlecroft. Ing —4D 114
Thistlemount Av. Ross —6D 162
Thistle St. Bacup —5K 163
Thistleton. —2H 91
Thistleton M. South —6J 167
Thistleton Rd. Ash R —8B 114
Thistleton Rd. This —1H 91
Thistleyfield. Miln —1N 205
Thistley Hey Rd. Liv —8L 223
Thomas Gro. More —3B 22
Thomas Henshaw Ct. Roch —9N 203
Thomason Fold. Tur —8K 179
Thomason Sq. L'boro —9K 185
Thomas St. B'brn —4L 139
Thomas St. Blac —3C 88
Thomas St. Burn —4E 124
Thomas St. Col —7N 85
Thomas St. Has —4F 160
Thomas St. L'boro —1H 205
Thomas St. Nels —5E 104
(Clitheroe Rd.)
Thomas St. Nels —3J 105
(Duerden St.)
Thomas St. Osw —5K 141
Thomas St. Pres —1M 135
Thomas St. Todm —7F 146
Thomas St. Whitw —4A 184
Thomas Weind. Gars —5N 59
Thompson Av. Orm —7M 209
Thompson St. B'brn —4K 139
Thompson St. Dar —8B 158
Thompson St. Hor —9B 196
Thompson St. Pad —1H 123
Thompson St. Pres —7N 115
Thompson St. Wesh —3L 111
Thompson St. Ind. Est. B'brn —4K 139
(off Thompson St.)
Thonock Rd. More —5D 22
Thorburn Dri. Whitw —7M 183
Thorburn Ho. Wig —4M 221
(off Green, The)
Thorburn La. Wig —4N 221
Thorburn Rd. Wig —5M 221
Thorn Bank. Bacup —5L 163
Thornbank. Blac —3H 89
Thornbank Dri. Catt —1A 68
Thornbeck Av. Liv —7A 214
(in two parts)
Thornber Clo. Burn —9G 104
Thornber Gro. Blac —7D 88
Thornber St. B'brn —5K 139
Thornbridge Av. Burs —1C 210
Thornbury. Roch —7B 204
Thornbury. Skel —1K 219
Thornbush Way. Roch —5F 204
Thornby. Skel —1K 219
Thorncliffe Dri. Dar —7D 158
Thorncliffe Rd. Bolt —8E 198
Thorn Clo. Bacup —5L 163
Thorn Clo. Heyw —9F 202
Thorn Cres. Bacup —5L 163
Thorndale. Skel —1K 219
Thorndale St. Hell —1D 52
Thorn Dri. Bacup —5L 163

Thorndyke Av.—Trinity Pl.

Thorndyke Av. Bolt —8E 198
Thorne St. Nels —9L 85
Thorneybank Ind. Est. Hap —7H 123
Thorneybank St. Burn —4D 124
Thorneycroft Clo. Poul F —6H 63
Thorney Holme. —6C 84
Thorneyholme Rd. Acc —1B 142
Thorneyholme Sq. Rou —6C 84
Thorneylea. Whitw —5A 184
Thornfield. Much H —4J 105
Thornfield Av. L'rdge —2J 97
Thornfield Av. Rib —6B 116
Thornfield Av. Ross —6C 162
Thornfield Av. T Clev —3K 63
Thornfield Rd. Tot —6D 200
Thornfield Ter. Traw —6E 86
(off Rosley St.)
Thorn Gdns. Bacup —5L 163
Thorngate. Pen —4E 134
Thorngate Clo. Pen —4E 134
Thorn Gro. Blac —8E 88
Thorn Gro. Col —5C 86
Thornham Clo. Bury —7H 201
Thornham Ct. Blac —5E 88
(off Hollywood Av.)
Thornham Dri. Bolt —7F 198
Thornhill. Augh —2G 217
Thornhill Av. Pre —8N 41
Thornhill Av. Rish —9G 120
Thornhill Clo. Augh —3G 217
Thorn Hill Clo. B'brn —3A 140
Thornhill Clo. Blac —4F 108
Thornhill Rd. Chor —4F 174
Thornhill Rd. Ley —7G 152
Thornhill Rd. Ram —4F 200
Thornhill St. Burn —3M 123
Thorn La. Als —8J 97
Thorn Lea. Bolt —9K 199
Thornlea Dri. Roch —3M 203
Thornleigh Clo. T Clev —1G 62
Thornleigh Dri. Burt —6H 7
Thornley Av. B'brn —2C 140
Thornley Pl. Rib —6C 116
Thornley Rd. Rib —6C 116
Thornpark Dri. Lea —9A 114
Thorn Pl. Todm —2M 165
(off Beaconsfield St.)
Thorns Av. Bolt —9D 198
Thorns Av. Hest B —8H 15
Thorns Clo. Bolt —9D 198
Thorns Rd. Bolt —9D 198
Thorns, The. Liv —9A 216
Thorn St. Bacup —5L 163
Thorn St. Burn —1E 124
Thorn St. Clith —3K 81
Thorn St. Gt Har —3K 121
Thorn St. Pres —7M 115
Thorn St. Ross —2L 161
Thorn St. Sab —3F 102
Thorn St. S'seat —2H 201
Thornton. —2J 63
Thornton. Skel —1K 219
Thornton Av. Ful —5E 114
Thornton Av. Lyth A —9H 109
Thornton Av. More —2C 22
Thornton Cen. T Clev —2J 63
Thornton Clo. Acc —9N 121
Thornton Clo. B'brn —8N 139
Thornton Clo. Ruf —1G 190
Thornton Cres. Burn —4J 125
Thornton Cres. More —3C 22
Thornton Dri. Far M —3H 153
Thornton Dri. Hogh —5F 136
Thornton Ga. T Clev —8C 54
Thornton Gro. More —3C 22
Thornton-in-Craven. —9H 53
Thornton in Lonsdale. —2N 19
Thornton La. I'ton —2N 19
Thornton La. More —2C 22
Thornton Mnr. Ct. Thorn C —9J 53
(off Colne & Broughton Rd.)
Thornton Rd. Burn —4J 125
Thornton Rd. More —3C 22
Thornton Rd. South —7M 167
Thornton St. Roch —8C 204
Thorntree Pl. Roch —5B 204
Thorntrees Av. Brtn —5E 94
Thorntrees Av. Lea —8A 114
Thorn Vw. Bury —9A 202
Thornview Rd. Hell —1D 52
Thornway Av. T Clev —3K 63
Thornwood. Skel —1K 219
Thornwood Clo. B'brn —8M 119
Thornwood Clo. Lyth A —4L 129
Thoroughfare, The. War —5A 12
Thoroughgood Clo. Burs —2B 210
Thorough Way. Winm —7H 45
Thorpe. Skel —1K 219
Thorpe Av. More —4F 22
Thorpe Clo. Pres —8J 115
Thorpe Green. —3G 154
Thorpe St. Ram —9G 180
Thorsby Clo. Brom X —5F 198
Thrang Brow La. Yeal R —6N 5
Threagill La. War —4C 12
Threefields. Ing —4D 114
Three Nooks. Bam B —2E 154
Three Oaks Clo. Lath —2F 210
Three Pools. South —3B 168
(in two parts)
Three Rivers Cvn. Site. W Brad —5K 73
Three Tuns La. Liv —9A 206
Threlfall. Chor —4B 174
Threlfall Rd. Blac —8D 88
Threlfalls Clo. South —3M 167
(off Threlfalls La.)
Threlfalls La. South —4M 167
Threlfall St. Ash R —8F 114
Threlkeld Rd. Bolt —7D 198
Threshers Ct. Fort —3N 45
Threshers, The. Boot —6A 222
Threshfield Av. Hey —8L 21
Threshfield Clo. Bury —6L 201
Thrimby Ct. More —4B 22
Thrimby Pl. More —4B 22
Thropps La. Longt —9N 133
Throstle Clo. Burn —2E 124
Throstle Gro. Bury —8H 201
Throstle Gro. Slyne —1J 23
Throstle Nest La. Winm —8G 45
Throstle St. B'brn —4K 139
Throstle St. Nels —9J 85
Throstle Wlk. Slyne —9K 15
Throstle Way. T Clev —2F 62
Throup Pl. Nels —9J 85
Thrum Fold. Roch —2A 204
Thrum Hall La. Roch —2B 204
(in three parts)
Thrush Dri. Bury —9N 201
Thrushgill Dri. Halt —1C 24
Thrush St. Roch —4N 203
Thurcroft Dri. Skel —1J 219
Thurland Castle. —2F 18
Thurland Ct. More —5A 22
Thurnham Moss. —4C 36
Thurnham Rd. Ash R —9B 114
Thurnham St. Lanc —9K 23
Thursby Av. Blac —3D 108
Thursby Clo. Liv —9L 223
Thursby Clo. South —1B 206
Thursby Cres. Liv —9L 223
Thursby Ho. Wig —4M 221
Thursby Pl. Nels —9K 85
Thursby Rd. Burn —9F 104
Thursby Rd. Nels —9K 85
Thursby Sq. Burn —1E 124
Thursby St. Burn —9F 104
Thursby Wlk. Liv —9L 223
Thursden Av. Brclf —7K 105
Thursden Pl. Nels —1M 105
Thursfield Av. Blac —1E 108
Thursfield Rd. Burn —4F 124
Thursgill Av. More —5C 22
Thurston. Skel —1J 219
Thurston Rd. Ley —6K 153
Thurston St. Burn —3F 124
Thwaite Brow La. Bolt S —3M 15
Thwaite La. Halt —9J 19
Thwaites Av. Mel —7F 118
Thwaites Rd. Osw —5J 141
Thwaites St. Osw —5J 141
Tiber Av. Burn —5A 124
Tiber St. Pres —1L 135
Tibicar Dri. E. Hey —7L 21
Tibicar Dri. W. Hey —7L 21
Tib St. Ram —9G 181
Tideswell Av. Orr —2K 221
Tiflis St. Roch —5B 204
Tilbury Gro. Shev —5G 213
Tilcroft. Skel —1J 219
Tile St. Bury —9L 201
Tillman Clo. Set —3N 35
Tilston Rd. Kirkby —8H 223
Timberbottom. Bolt —9J 199
Timber Brook. Chor —4C 174
Timbercliffe. —5N 185
Timbercliffe. L'boro —5N 185
Timber St. Acc —3B 142
Timber St. Bacup —6K 163
Timber St. Brier —4F 104
Timbrills Av. Sab —2E 102
Tim's Ter. Miln —7J 205
Tincklers La. Maw & E'ston —9C 172
Tinedale Vw. Pad —9J 103
Tinkerfield. Ful —2H 115
Tinker's La. Scor —8F 38
Tinklers La. Slai —5E 50
Tinkler's Rd. Chor —8H 175
Tinniswood. Ash R —8E 114
Tinsley Av. South —2L 187
Tinsley's La. Pil —7H 57
Tinsley's La. South —4M 187
Tintagel. Skel —1H 219
Tintagell Clo. Fen —9D 138
Tintern Av. Chor —9F 174
Tintern Av. Heyw —9G 202
Tintern Av. L'boro —7K 185
Tintern Clo. Acc —6D 142
Tintern Clo. S'stne —9C 102
Tintern Cres. B'brn —9B 120
Tintern Dri. Liv —1B 214
Tintern Pl. Heyw —9G 202
Tippet Clo. B'brn —7A 140
Titan Way. Ley —5F 152
Tithe Barn Clo. Roch —1G 204
Tithe Barn Cres. Bolt —9H 199
Tithebarn Ga. Poul F —7K 63
Tithebarn Hill. Glas D —2C 36
Tithe Barn La. H'pey —3J 175
Tithe Barn La. Kirkby —9J 223
Tithe Barn La. Ley & Eux —1J 173
Tithebarn La. Mag —5E 222
Tithe Barn La. Scor —7B 46
Tithebarn Pl. Poul F —7K 63
Tithebarn Rd. South —8K 167
Tithebarn St. Poul F —7J 63
Tithe Barn St. Pres —9K 115
(in three parts)
Tithebarn St. Uph —4E 220
Tiverton Av. Skel —1J 219
Tiverton Clo. Ful —1J 115
Tiverton Dri. B'brn —8K 139
Tiverton Dri. Brclf —7K 105
Toad La. Roch —5C 204
(in two parts)
Tockholes. —5H 157
Tockholes Rd. Dar —5M 157
Tockholes Rd. Toc —5H 157
Todber Cvn. Pk. Rim —2C 76
Todd Carr Rd. Ross —6D 162
Todd Hall Rd. Has —4F 160
Todd La. N. Los H —5M 135
Todd La. S. Los H —8M 135
Todd's La. South —9F 148
Todd St. Bury —9K 201
Todd St. Roch —6D 204
Toddy Fold. B'brn —8M 119
Tod Holes La. Wigg —9L 35
Todmanhaw La. Wigg —1A 52
Todmorden. —2L 165
Todmorden Golf Course. —9M 147
Todmorden Old Rd. Bacup —4L 163
Todmorden Rd. Bacup —4L 163
Todmorden Rd. Brclf —7L 105
Todmorden Rd. Burn —4F 124
Todmorden Rd. L'boro —3N 185
Todmorden Rd. Lyth A —9C 108
Toll Bar Bus. Pk. Bacup —7G 163
Tollbar Cres. Lanc —4K 29
Tollgate. Pen —4H 135
Tollgate Rd. Burs —2N 209
Tollgate Way. Roch —5F 204
Tolsey Dri. Hut —6A 134
Tom Benson Way. Ash R —6C 114
Tom La. Loth —7M 79
Tom La. Ross —5D 162
Tomlinson Rd. Ash R —7F 114
Tomlinson Rd. Hey —1L 27
Tomlinson Rd. Ley —5J 153
Tomlinson St. Hor —9C 196
Tomlinson St. Roch —9N 203
Tonacliffe. —8N 183
Tonacliffe Rd. Whitw —9N 183
Tonacliffe Ter. Whitw —7N 183
Tonacliffe Way. Whitw —8N 183
Tonbridge Clo. Bury —6H 201
Tonbridge Dri. Liv —7C 222
Tongbarn. Skel —1J 219
Tong Clough. Brom X —5F 198
(in two parts)
Tonge Fold Cotts. Bury —2B 200
Tonge Hey. Liv —9L 223
Tonge Moor Rd. Bolt —9H 199
Tong End. Whitw —4N 183
Tonge St. Roch —7D 204
Tong Fields. Eger —5F 198
Tong Head Av. Bolt —9H 199
Tong La. Bacup —4L 163
Tong La. Whitw —5N 183
Tongues La. Pre —7B 42
Tontine. —6F 220
Tontine. Orr —6F 220
Tontine Rd. Uph —5F 220
Tontine St. B'brn —3M 139
Toogood La. Wrigh —6G 192
Toon Cres. Bury —7H 201
Tootell St. Chor —8D 174
Tootle La. Ruf —2D 190
Tootle Rd. L'rdge —2K 97
Top Acre. Hut —7N 133
Top Acre Rd. Skel —4N 219
Topaz St. B'brn —7N 119
Top Barn La. Ross —6B 162
Topham Dri. Ain R —8A 222
Top Of Fawna Rd. K Grn —1E 98
Top of Town. —3A 74
Top of Wallsuches. Hor —9G 196
Top o' th Clo. Rd. Todm —9M 165
Top o' th' Cft. B'brn —8L 139
Top o' the Hill Rd. W'den —6K 165
Top o' th' Lane. —4H 155
Top o' th' La. Brin —4G 155
Top o' th' Wood. —8F 202
Topping Fold Rd. Bury —9A 202
Toppings. —6H 199
Toppings Grn. Brom X —6G 199
Toppings, The. Gars —6N 59
Topping St. Blac —5B 88
Topping St. Bury —9L 201
Top Rd. Pen —5D 134
Top Row. Sab —2E 102
Top St. Todm —8J 165
Tor Av. G'mnt —4E 200
Torcross Clo. South —1N 167
Tor End Rd. Ross —9E 160
Torentum Ct. T Clev —2J 63
Tor Hey M. G'mnt —3E 200
Tormore Clo. H'pey —4J 175
Toronto Av. Blac —8E 62
Toronto Av. Fltwd —2D 54
Toronto Rd. B'brn —9K 119
Torquay Av. Blac —8G 88
Torquay Av. Burn —8G 105
Torra Barn Clo. Eger —2E 198
Torridon Clo. B'brn —7G 139
Torrisholme. —4F 22
Torrisholme Rd. Lanc —5G 22
Torrisholme Sq. More —4F 22
Torside Gro. Poul F —8H 63
Torsway Av. Blac —4F 88
Torver Clo. Burn —1N 123
Tor Vw. Ross —6M 161
Tor Vw. Rd. Has —6H 161
Tosside. —2J 51
Totnes Clo. Poul F —6J 63
Totnes Dri. South —1N 167
Tottenham Rd. Lwr D —9N 139
Tottington. —7D 200
Tottington Fold. Bolt —8L 199
Tottington Rd. Bolt —8L 199
Tottington Rd. Tur —3M 199
Tottleworth. —6J 121
Tottleworth Rd. B'brn —6J 121
Toulmin Clo. Catt —1A 68
Tourist Info. Cen. —2B 142
(Accrington)
Tourist Info. Cen. —2M 77
(off Fernlea Av., Barnoldswick)
Tourist Info. Cen. —3M 139
(Blackburn)
Tourist Info. Cen. —5B 88
(Blackpool)
Tourist Info. Cen. —4D 124
(Burnley)
Tourist Info. Cen. —2K 193
(Charnock Richard Services)
Tourist Info. Cen. —1D 62
(Cleveleys)
Tourist Info. Cen. —2L 165
(Clitheroe)
Tourist Info. Cen. —8J 41
(Fleetwood)
Tourist Info. Cen. —5N 59
(Garstang)
Tourist Info. Cen. —6F 8
(Kirkby Lonsdale)
Tourist Info. Cen. —8J 23
(Lancaster)
Tourist Info. Cen. —2E 128
(Lytham St Anne's)
Tourist Info. Cen. —3N 21
(Morecambe)
Tourist Info. Cen. —2H 105
(Nelson)
Tourist Info. Cen. —1K 135
(Preston)
Tourist Info. Cen. —5M 161
(off Kay St., Rawtenstall)
Tourist Info. Cen. —6C 204
(Rochdale)
Tourist Info. Cen. —3N 35
(off Cheapside, Settle)
Tourist Info. Cen. —7H 167
(Southport)
Tourist Info. Cen. —2L 165
(Todmorden)
Tower Av. Lanc —8M 29
Tower Av. Ram —9F 180
Tower Causeway. Todm —8E 146
Tower Clo. T Clev —8G 55
Tower Ct. G'mnt —5E 200
Tower Ct. Lanc —9K 23
Tower Ct. Tur —1J 199
Tower Dri. Tur —2J 199
Tower Grn. Ful —2J 115
Tower Hill. —5L 223
Tower Hill. Clith —2M 81
Tower Hill. Orm —7M 209
Tower Hill Rd. Uph —6C 220
Tower La. Ful —2J 115
Tower Nook. Uph —6D 220
Tower Rd. B'brn —6E 138
Tower Rd. Dar —7B 158
Towers Av. Liv —9B 216
Tower St. Bacup —5K 163
Tower St. Blac —5B 88
Tower St. Osw —3H 141
Tower St. Todm —7D 146
Tower St. Tur —1J 199
Tower Ter. G'mnt —5E 200
Tower Vw. Belt —2G 158
Tower Vw. Dar —6C 158
Tower Vw. Pen —1F 134
Tower World. —5B 88
(Aquarium, Circus & Ballroom)
Town Bent. —6K 141
Town Brook Ho. Pres —8H 115
Town Brow. Ley —5B 154
Towneley Av. Acc —7E 122
Towneley Av. Blac —1E 108
Towneley Golf Course. —5G 124
Towneley Hall. —7G 125
(Art Gallery & Mus.)
Towneley 9 Hole Golf Course. —5H 125
Towneley Pde. L'rdge —2J 97
Towneley Rd. L'rdge —3J 97
Towneley Rd. W. L'rdge —3J 97
Towneley St. Burn —9F 104
Town End. —3G 9
(Carnforth)
Town End. —3H 65
(Preston)
Town End. Bolt S —6L 15
Town End. K'ham —4M 111
Town End. Out R —3H 65
Town End. Slai —5B 50
Town End. T Clev —1G 63
Townfield Av. Burn —3K 125
Townfield Clo. Longt —9K 133
Townfield La. Slyne —1H 23
Towngate. —2B 192
Towngate. E'ston —6E 172
Towngate. Gt Har —4J 121
(off Church St.)
Towngate. Ley —7K 153
Towngate Ct. E'ston —7E 172
Towngate M. Foul —2A 86
Town Green. —3H 217
Town Grn. Ct. Augh —3H 217
Town Grn. La. Augh —3H 217
Town Hall Sq. Gt Har —4J 121
(off Blackburn Rd.)
Town Hall Sq. Roch —6C 204
(off Packer St.)
Town Hall St. B'brn —3M 139
Town Hall St. Gt Har —4J 121
(off Curate St.)
Town Head. —3L 77
(Barnoldswick)
Town Head. —5B 204
(Rochdale)
Townhead. Set —3N 35
Town Head Av. Set —2N 35
Townhead Ct. Set —3N 35
(off Townhead)
Town Head Way. Set —2N 35
Town Hill Bank. Pad —9J 103
Town Ho. Rd. L'boro —8L 185
(in three parts)
Town Ho. Rd. Nels —2M 105
Town La. Char R —5L 193
Town La. Hesk —4F 192
Town La. Much H —5H 151
Town La. Roch —2G 202
Town La. South —1K 187
(in two parts)
Town La. Whit W & H'pey —8E 154
Townlea Clo. Pen —5D 134
Townley Clo. Lanc —9H 23
Townley La. Pen —4N 133
Townley Rd. Miln —7J 205
Townley St. Brclf —7K 105
Townley St. Brier —5F 104
Townley St. Chor —7F 174
Townley St. Col —5B 86
Townley St. More —2B 22
Town Mill Brow. Roch —6B 204
Town Rd. Crost —4M 171
Townsend Fold. —7K 161
Townsend St. Has —4F 160
Townsend St. Waterf —7D 162
Townsfield. Silv —7G 4
Townshill Wlk. Wesh —3M 111
Townsley St. Nels —4J 105
Town's Moor. —5M 139
Townsway. Los H —8M 135
Town Top. Foul —2B 86
Town Vw. B'brn —4N 139
Town Wlk. B'brn —4N 139
(off Town Vw.)
Towpath Wlk. Carn —9A 12
Toy and Teddy Bear Mus. —1D 128
(off Clifton Dri. N.)
Tracks La. Bil —8G 220
Trafalgar Clo. Ash R —6G 114
Trafalgar Rd. Blac —8B 88
Trafalgar Rd. Lanc —2L 29
Trafalgar Rd. South —3E 186
Trafalgar Sq. Roch —5D 204
Trafalgar St. Burn —3C 124
Trafalgar St. Chor —5F 174
Trafalgar St. Lyth A —1F 128
Trafalgar St. Roch —5D 204
Trafford Gdns. Barr —1K 101
Trafford St. Pres —7G 115
Trafford St. Roch —8B 204
Tram La. K Lon —6F 8
Tramway La. Bam B —1D 154
(in two parts)
Tranmere Av. Hey —7L 21
Tranmere Cres. Hey —7L 21
Tranmere Rd. Blac —9D 88
Tranmoor. Longt —1K 151
Trans Britannia Enterprise Cen. Burn —6N 123
Trans-Pennine Trad. Est. Roch —9A 204
Trapp La. S'stne —5E 102
Trash La. Rim —3A 76
Trash La. Toc —5J 157
Travellers Ct. Gis —9B 52
Travers Lodge. Rib —5B 116
(off Grange Av.)
Travers Pl. Ash R —9F 114
Travers St. Ash R —9F 114
Travis Dri. Liv —5L 223
Travis Ho. Todm —8K 165
(off Beswick St.)
Travis St. Burn —1E 124
Travis St. Miln —9L 205
Trawden. —9F 86
Trawden Clo. Acc —4B 142
Trawden Cres. Rib —5A 116
Trawden Dri. Bury —5K 201
Trawden Hill. Traw —9F 86
(off Colne Rd.)
Trawden Rd. Col —6E 86
Traylen Way. Roch —4L 203
Treales. —3B 112
Treales Rd. Trea & Salw —3C 112
Trecastle Rd. Liv —6M 223
Treen Clo. South —9A 148
Treesdale Clo. South —1F 186
Tree Tops. Brom X —7J 199
Treetops Av. Ram —2F 200
Treetop Vs. South —2M 167
Tree Vw. Ct. Liv —2D 222
Trefoil Clo. T Clev —7G 54
Trefoil Way. L'boro —8J 185
Tremellen St. Acc —2N 141
Trengrove St. Roch —4N 203
Trent Av. Heyw —9E 202
Trent Av. Mag —9E 216
Trent Av. Miln —7K 205
Trent Clo. Burs —8D 190
Trent Clo. More —6F 22
Trent Dri. Bury —5L 201
Trentham Rd. Liv —9H 223
Trentham Wlk. Liv —9H 223
Trent Rd. Blac —2B 108
Trent Rd. Nels —2L 105
(in two parts)
Trent Rd. Wig —4M 221
Trent Row. Foul —1B 86
Trent St. L'rdge —3H 97
Trent St. Lyth A —5C 130
Trent St. Roch —7E 204
Tresco Clo. B'brn —7J 139
Tretower Way. T Clev —1K 63
Treviot Clo. Liv —4J 223
Trevor Clo. B'brn —1M 139
Trevor Rd. Burs —9B 190
Trevor Rd. South —9C 186
Triangle, The. Ful —5H 115
Trigge Ho. Chor —4E 174
(off Lancaster Ct.)
Trigg La. H'pey —1M 175
Trimingham Dri. Bury —8H 201
Trimmer La. Blkhd —4N 147
Trinity Clo. Frec —2N 131
Trinity Clo. Pad —3J 123
Trinity Ct. B'brn —2N 139
Trinity Dri. Holme —1F 6
Trinity Fold. Pres —9J 115
Trinity Gdns. South —8G 167
Trinity Gdns. T Clev —9G 55
Trinity Grn. Ram —3G 200
Trinity M. South —7J 167
Trinity Pl. Pres —9J 115

Trinity Rd.—Victoria Ter.

Trinity Rd. Chor —7D 174
Trinity St. Bacup —7G 163
Trinity St. B'brn —3N 139
Trinity St. Osw —5K 141
Trinity St. Roch —3J 203
Trinity Towers. Burn —3C 124
(off Accrington Rd.)
Trinity Walks. Tar —1E 170
Trinket La. Wray —8F 18
Tristan Av. Walm B —2L 151
Troon Av. B'brn —5C 140
Troon Av. T Clev —3K 63
Troon Ct. Pen —2D 134
Trough Gate. —8A 164
Trough Rd. Scor —9F 38
Troughton Cres. Blac —1E 108
Trout Beck. Clay M —5M 121
Troutbeck Av. Fltwd —2D 54
Troutbeck Av. Fort —2M 45
Troutbeck Av. Liv —9D 216
Troutbeck Clo. Burn —1N 123
Troutbeck Clo. Hawk —3A 200
Troutbeck Cres. Blac —9K 89
Troutbeck Dri. Ram —6H 181
Troutbeck Pl. Rib —4A 116
Troutbeck Ri. Wig —5L 221
Troutbeck Rd. Chor —9D 174
Troutbeck Rd. Lanc —7L 23
Troutbeck Rd. Lyth A —8D 108
Troutbeck Way. Roch —9M 203
Trout St. Burn —1E 124
(off Grey St.)
Trout St. Pres —1M 135
Trower St. Pres —2L 135
Troy St. B'brn —1N 139
(in two parts)
Trumacar La. Hey —2K 27
Trumacar Ter. Hey —2K 27
(off Westmoor Gro.)
Truman Av. Lanc —9G 23
Trumley Ct. More —6A 22
Trundle Pie La. Hals —5B 208
(in two parts)
Trunnah. —9H 55
Trunnah Gdns. T Clev —9H 55
Trunnah Rd. T Clev —9H 55
Truro Av. South —1A 168
Truro Clo. Bury —9J 201
Truro Pl. Pres —8N 115
Truro St. Blac —9D 88
Truscott Rd. Burs —9B 190
Tucker Hill. Clith —2L 81
Tudor Av. Lea —7N 113
Tudor Av. Pres —9B 116
Tudor Clo. Ash R —8A 114
Tudor Clo. Dar —5A 158
Tudor Clo. Lang —9D 100
Tudor Clo. Poul F —7G 63
Tudor Clo. Rainf —2J 225
Tudor Clo. T Clev —2F 62
Tudor Ct. Roch —4E 204
Tudor Cft. Los H —9M 135
Tudor Dri. Frec —7N 111
Tudor Gro. More —2E 22
Tudor Gro. Wig —9N 221
Tudor Mans. South —8F 166
Tudor Pl. Blac —3B 108
Tudor Rd. Lyth A —9D 108
Tudor Rd. South —7B 186
Tudor Vw. Liv —5K 223
(in two parts)
Tuer St. Ley —5J 153
Tulip Gro. Roch —2B 204
Tulketh Av. Ash R —8E 114
Tulketh Brow. Ash R —7F 114
Tulketh Cres. Ash R —8F 114
Tulketh Rd. Ash R —8E 114
Tulketh St. South —7H 167
Tunbridge Pl. Pres —8N 115
Tunbridge St. Pres —8N 115
Tunbrook Av. Grims —9G 96
Tunley Holme. Bam B —2D 154
Tunley La. Wrigh —8G 193
Tunley Moss. Wrigh —9H 193
Tunnel St. Burn —3B 124
Tunnel St. Dar —8C 158
Tunshill Golf Course. —7L 205
Tunshill Gro. Miln —7K 205
Tunshill La. Miln —6L 205
Tunstall. —2E 18
Tunstall Dri. Acc —8A 122
Tunstall La. Wig —6N 221
Tunstall St. More —3A 22
Tunstead. —6G 162
Tunstead Av. S'stne —1D 122
Tunstead Cres. Bacup —6G 163
Tunstead La. Bacup —6E 162
(in two parts)
Tunstead Mill Ter. Bacup —7F 162
(off Newchurch Rd.)
Tunstead Rd. Bacup —7G 163
Tunstill Fold. Fence —1D 104
Tunstill Sq. Brier —5F 104
Tunstill St. Burn —9F 104
Turbary, The. Ful —6F 114
Turbary Wlk. Miln —7G 205
Turf Hill. —9E 204
Turf Hill Rd. Roch —8E 204
Turf Ho. Clo. L'boro —7J 185
Turflands. Crost —5M 171
Turf St. Burn —4E 124
Turf Ter. L'boro —8K 185
Turkey St. Acc —1C 142
Turkey St. Out R —1F 64
Turks Head Yd. Pres —1K 135
Turn. —5M 181
Turnacre. Form —6B 206
Turnberry. Skel —1H 219
Turnberry Av. T Clev —3K 63
Turnberry Clo. K'ham —5M 111
Turnberry Clo. More —3D 22
Turnberry Way. South —1C 168
Turnbridge Rd. Liv —8B 216
Turnbury Clo. Eux —2N 173
Turncroft Rd. Dar —7B 158
Turner Av. Los H —9K 135
Turner Fold. Read —7C 102
Turnerford Clo. Eger —4E 198
Turner Green. —7L 117
Turner Rd. Nels —2F 104
Turners Pl. Roch —2B 204
Turner St. Bacup —7G 163
Turner St. Barn —2N 77
Turner St. B'brn —4K 139
Turner St. Clith —4L 81
Turner St. Pres —8K 115
Turner St. Roch —4B 204
Turney Crook M. Col —6A 86
Turnfield. Ing —3C 114
Turnfield Clo. Roch —2G 204
Turnhill Rd. Roch —9E 204
Turning La. South —5N 187
Turn La. Dar —6M 157
Turnough Rd. Miln —6J 205
Turnpike. Ross —6C 162
Turn Pike Fold. Slyne —3K 23
Turnpike Gro. Osw —3H 141
Turnpike Rd. Augh —1F 216
Turnpike, The. Ful —3G 114
Turn Rd. Ram —6K 181
Turnstone. Blac —4H 89
Turpin Grn. La. Ley —6L 153
Turton. —8H 179
Turton Bottoms. —1K 199
Turton Dri. Chor —5G 175
Turton Golf Course. —3G 198
Turton Gro. Burn —3G 125
Turton Heights. Bolt —7H 199
Turton Hollow Rd. Ross —8M 143
Turton Rd. Bolt —7H 199
Turton Rd. Tur —3N 199
Turton Tower. —2J 199
Tuscan Av. Burn —4A 124
Tuson Cft. Longt —8K 133
Tuson Dri. Ash R —9H 115
Tuson Ho. Pen —6H 135
Tustin Ct. Ash R —9F 114
Tuxbury Dri. T Clev —3K 63
Tuxford Rd. Lyth A —2J 129
Tweedale St. Roch —7B 204
Tweed St. Ben —6L 19
(off Main St.)
Tweed St. Lyth A —2E 128
Tweed St. Pres —9G 114
Tweed St. Ct. Ben —6L 19
(off Main St.)
Tweedys Ct. Chip —5F 70
Twemlow Pde. Hey —7L 21
(in two parts)
Twenty Acre La. Much H —6L 151
Twickenham Pl. Lyth A —2K 129
Twigden Clo. Liv —9E 222
Twig La. Liv —1D 222
Twinegate. Roch —2B 204
Twine Wlk. Burt L —3K 19
Twin Lakes Ind. Est. Crost —3L 171
Twistfield Clo. South —9F 166
Twist Moor La. Withn —7B 156
Twiston. —8M 75
Twiston La. D'ham & Twis —7G 74
Twitter La. Bas E & Wadd —1F 80
Two Acre La. Pen —7F 134
Two Bridges Rd. Miln —9L 205
Two Brooks La. Hawk —3A 200
Two Gates Dri. Dar —5B 158
Two Gates Wlk. Dar —6B 158
Two Saints Retail Pk. Orm —7K 209
Twyford Clo. Liv —1D 222
Tydeman Wlk. Miln —8K 205
Tyldesley Rd. Blac —7B 88
Tyne Av. Blac —6D 88
Tyne Clo. T Clev —7E 54
Tynedale Pl. Blac —1H 89
Tynedale Rd. Blac —1G 89
Tyne St. Bam B —7B 136
Tyne St. Pres —2G 135
Tynwald Rd. B'brn —7M 139
Tyrer Rd. Orm —5L 209
Tyrers Av. Liv —6A 216
Tyrone Av. Blac —9D 62
Tyrone Dri. Roch —8J 203
Tyseley Gro. Earby —3D 78
Tythebarn St. Dar —6B 158

Udale Pl. Lanc —6J 23
Uggle La. Lanc —4K 29
Uldale Clo. Nels —4J 105
Uldale Clo. South —1B 206
Ullesthorpe. Roch —5B 204
(off Spotland Rd.)
Ullswater Av. Acc —8C 122
Ullswater Av. Fltwd —4D 54
Ullswater Av. More —4D 22
Ullswater Av. Orr —4J 221
Ullswater Av. Roch —4N 203
Ullswater Av. T Clev —2H 63
Ullswater Clo. B'brn —2N 139
Ullswater Clo. Hamb —1B 64
Ullswater Clo. Liv —6J 223
Ullswater Clo. Rish —8G 121
Ullswater Cres. Carn —1B 16
Ullswater Cres. T Clev —2H 63
Ullswater Rd. Blac —1C 108
Ullswater Rd. Burn —4K 125
Ullswater Rd. Chor —8D 174
Ullswater Rd. Ful —5M 115
Ullswater Rd. Lanc —8L 23
Ullswater Way. Ross —7M 143
Ulnes Walton La. Ley —2C 172
Ulpha Clo. Burn —1N 123
Ulster Av. Roch —8B 204
Ulster Rd. Lanc —2L 29
Ulster St. Burn —4B 124
Ulverston Clo. B'brn —7A 140
Ulverston Clo. Liv —9D 216
Ulverston Cres. Lyth A —1J 129
Ulverston Dri. Rish —8G 120
Uncouth Rd. Roch —6H 205
Underbank Clo. Bacup —4K 163
Underbank Cotts. Acc —9F 142
Underbank Rd. Ris B —9F 142
Underbank Rd. Ross —4E 160
Underbank Rd. T Clev —1M 63
Underbank Way. Has —4F 160
Under Billinge La. B'brn —4F 138
Underley St. Burn —7G 105
Underwood. Ful —6F 114
Underwood. Roch —6B 204
Underwood Vs. L'boro —1H 205
(off Oakley St.)
Union Ct. Bacup —7G 163
(off Old School M.)
Union La. Pil —7F 56
Union Pas. K'ham —4M 111
(off Marsden St.)
Union Rd. Osw —5K 141
Union Rd. Roch —1H 205
Union Rd. Ross —5J 161
Union Sq. Bacup —5K 163
(off Union St.)
Union St. Acc —2A 142
Union St. Bacup —7G 163
(Church St.)
Union St. Bacup —5K 163
(Market St.)
Union St. B'brn —5M 139
Union St. Brier —5F 104
Union St. Chor —6E 174
Union St. Clith —3J 81
Union St. Col —6B 86
Union St. Dar —6A 158
Union St. Eger —3D 198
Union St. Has —4F 160
Union St. More —3A 22
Union St. Pres —9J 115
Union St. Ram —8H 181
Union St. Raw —4M 161
Union St. Roch —5C 204
Union St. South —6J 167
Union St. Todm —2L 165
Union St. Whit W —7E 154
Union St. Whitw —6N 183
Union St. S. Todm —2L 165
Union Ter. Raw —5A 162
Unit Rd. South —8D 186
Unity St. B'brn —6M 139
Unity St. Dar —6B 158
Unity St. Kel —6D 78
Unity St. Todm —7K 165
Unity Way. Raw —4L 161
Unsworth Av. Pre —9N 41
Unsworth St. Bacup —8H 163
Up Brooks. Clith —2M 81
(in two parts)
Up Brooks Ind. Est. Clith —2N 81
Up Holland. —4E 220
Upholland Rd. Bil —7G 220
Uplands Chase. Ful —3E 114
Uplands Dri. Fence —3B 104
Up. Ashmount. Ross —6A 162
Up. Aughton Rd. South —9G 167
Up. Cliffe. Gt Har —3J 121
Up. George St. Roch —4C 204
Up. Hayes Clo. Roch —5F 204
Up. Hill. Salt —5M 77
Up. Hill Way. Salt —5M 77
Upper La. Todm —7M 147
Up. Lune St. Fltwd —8H 41
Up. Mead. Eger —4F 198
Up. Passmonds Gro. Roch —5M 203
Up. Raglan St. Todm —1L 165
Upper Settle. —3N 35
Upper Stone Dri. Miln —7G 205
Upper Thurnham. —4F 36
Up. Westby St. Lyth A —5N 129
Upphall La. P Hut —2H 13
Uppingham. Skel —2H 219
Uppingham Av. Liv —8D 222
Uppingham Dri. Ram —7G 181
Upton. Roch —7B 204
Upton Av. South —7B 186
Upton Barn. Liv —9B 216
Upton Way. Wals —8E 200
Upwood Clo. Blac —6E 62
Urban Vw. Brins —7A 156
Ushers Mdw. Lanc —9J 23
Usk Av. T Clev —1K 63
Uttley St. Roch —9N 203

Vale. —7F 146
Vale Clo. App B —4H 213
Vale Coppice. Ram —2H 201
Vale Cotts. L'boro —9K 185
Vale Ct. Hun —8E 122
Vale Cres. South —2C 206
Vale Gro. Liv —9M 223
Vale Ho. Clo. Whal —5J 101
Vale La. Lath —8H 211
(in two parts)
Valentia Rd. Blac —8D 62
Valentine Gro. Liv —9D 222
Valentines La. Cot —5B 114
Valentines Mdw. Cot —5B 114
Valentines Way. Ain R —8B 222
Vale Rd. Lanc —5J 23
Va. Rock Gdns. Hodd —6F 158
Vale Royal. K'ham —4A 112
Vale St. Bacup —4L 163
Vale St. B'brn —6M 139
Vale St. Dar —6N 157
Vale St. Has —3G 160
Vale St. Nels —2K 105
Vale St. Todm —2L 165
Vale St. Tur —1K 199
Vale Ter. Cald V —4H 61
Vale Ter. Ross —4D 162
Vale, The. App B —4G 213
Vale, The. Ful —4J 115
Vale Vw. Brom X —6F 198
Valeway Av. T Clev —3D 62
Valiant Rd. Wig —3N 221
Valley Av. Bury —9G 201
Valley Cen., The. Ross —5M 161
Valley Clo. Ain —9E 222
Valley Clo. Nels —1L 105
Valley Dri. Barn —10G 53
Valley Dri. Pad —1J 123
Valley Gdns. Earby —2E 78
(off Valley Rd.)
Valley Gdns. Hap —5L 123
Valley Rd. Barn —2N 77
Valley Rd. Earby —2E 78
Valley Rd. Hogh —5A 138
Valley Rd. L'rdge —3L 97
Valley Rd. Pen —3F 134
Valley Rd. Roch —9B 204
Valley Rd. Wig —6N 221
Valley Rd. Wilp —4N 119
Valley St. Burn —5N 123
Valley Ter. S'stne —9D 102
Valley Vw. Brom X —6G 198
Valley Vw. Chor —7G 175
Valley Vw. Ful —5K 115
Valley Vw. Grin —4B 74
Valley Vw. Walt D —5K 135
Valley Vw. Whitw —2A 184
Valli Ga. B'brn —1B 140
Valpy Av. Bolt —9H 199
Vanbrugh Gro. Orr —2L 221
Vance Rd. Blac —6B 88
Vancouver Cres. B'brn —9K 119
Vandyck Av. Burn —7C 124
Vandyke St. Roch —4K 203
Vantomme St. Bolt —9E 198
Vardon Rd. B'brn —5J 139
Varley St. Col —5B 86
Varley St. Dar —6A 158
Varley St. Pres —7K 115
Varlian Clo. W'head —9A 210
Vaughan Rd. South —1H 187
Vaughan St. Nels —3K 105
Vauxhall St. B'brn —5J 139
Vavasour Ct. Roch —7E 204
Vavasour St. Roch —7E 204
(in two parts)
Vaynor. Roch —5B 204
(off Spotland Rd.)
Veevers St. Brier —5E 104
Veevers St. Burn —3D 124
(off Calder St.)
Veevers St. Pad —1J 123
Venables Av. Col —5C 86
Venice Av. Burn —5A 124
Venice St. Burn —4B 124
Ventnor Av. Bolt —9F 198
Ventnor Pl. Ful —5D 114
Ventnor Rd. Blac —3B 108
Ventnor Rd. Chor —8D 174
Ventnor Rd. Has —6H 161
Ventnor St. Roch —8C 204
Venture Ct. Alt —4C 122
Venture Rd. Fltwd —6G 54
Venture St. Bacup —4L 163
Verax St. Bacup —6K 163
Verdun Cres. Roch —5N 203
Vermont Clo. Liv —3J 223
Vermont Gro. T Clev —3E 62
Verna St. Ram —8H 181
Vernon Av. Blac —7E 88
Vernon Av. W'ton —2K 131
Vernon Ct. South —9K 167
Vernon Cres. Gal —2L 37
Vernon Pk. Gal —2K 37
Vernon Rd. G'mnt —4E 200
Vernon Rd. Lane —5G 87
Vernon Rd. Lyth A —8E 108
Vernon Rd. South —6N 167
Vernon St. B'brn —4M 139
Vernon St. Bury —9L 201
Vernon St. Dar —6B 158
Vernon St. Nels —3J 105
Vernon St. Pres —8J 115
Vernon St. Todm —4K 165
Verona Av. Burn —4A 124
(off Florence Av.)
Verona Ct. T Clev —1G 63
Veronica St. Dar —3M 157
Verulam Rd. South —3A 168
Vesta St. Ram —8G 181
Vevey St. Ley —6K 153
Viaduct Rd. Hogh —6A 138
Vicarage Av. Brook —3J 25
Vicarage Av. Pad —1G 123
Vicarage Av. T Clev —9D 54
Vicarage Clo. Adl —5J 195
Vicarage Clo. Burt —5H 7
Vicarage Clo. Bury —5K 201
Vicarage Clo. Eux —3N 173
Vicarage Clo. Ful —5J 115
Vicarage Clo. Heat O —6C 22
Vicarage Clo. Lyth A —9F 108
Vicarage Clo. W'head —9N 209
Vicarage Clo. W Grn —5G 110
Vicarage Dri. Dar —7C 158
Vicarage Dri. Roch —2F 204
Vicarage Fold. Wis —3L 101
Vicarage Gdns. Burs —8B 190
Vicarage Gdns. Orr —7G 220
Vicarage La. Acc —7D 142
Vicarage La. Blac —9E 88
Vicarage La. Burt —5H 7
Vicarage La. Ful —5J 115
Vicarage La. K Lon —6F 8
Vicarage La. Lanc —8J 23
Vicarage La. Mart —9E 88
Vicarage La. Newt —6E 112
Vicarage La. Sam —8G 116
(in two parts)
Vicarage La. Shev —7K 213
Vicarage La. South —8E 148
Vicarage La. W'head —9N 209
Vicarage La. Wilp —3M 119
Vicarage Rd. Barn —1N 77
Vicarage Rd. Kel —6D 78
Vicarage Rd. Nels —3H 105
Vicarage Rd. Orr —7G 221
Vicarage Rd. Poul F —8K 63
Vicarage St. Chor —5F 174
Vicarage Ter. Lanc —7J 23
(off Vicarage La.)
Vicarage Wlk. Orm —7K 209
Vicar La. Mllng —4D 18
Vicars Dri. Roch —7C 204
Vicarsfields Rd. Ley —8K 153
Vicars Ga. Roch —6C 204
Vicar St. B'brn —3N 139
Vicar St. Gt Har —5J 121
Viceroy Ct. South —8G 167
(off Lord St.)
Victor Av. Bury —9K 201
Victor Av. More —3E 22
Victor Clo. Wig —3N 221
Victoria Apartments. Pad —9H 103
(off Habergham St.)
Victoria Av. Bax —6C 142
Victoria Av. B'brn —7F 138
Victoria Av. Brier —4F 104
Victoria Av. Chat —7D 74
Victoria Av. Lanc —2K 29
Victoria Bri. Rd. South —8J 167
Victoria Bldgs. Waters —4E 158
Victoria Bus. & Ind. Cen. Acc —3A 142
Victoria Ct. Barn —1M 77
(off Bairstow St.)
Victoria Ct. B'brn —3M 139
(off Blackburn Shop. Cen.)
Victoria Ct. Brough —8F 94
Victoria Ct. Chat —7C 74
Victoria Ct. Ful —6H 115
Victoria Ct. Pad —2K 123
Victoria Ct. Skel —2G 219
Victoria Ct. South —1F 186
(in two parts)
Victoria Dri. Has —5F 160
Victoria Gdns. Barfd —9G 85
Victoria Ho. B'brn —5B 140
Victoria Lodge. Read —8C 102
Victoria Mans. Ash R —9D 114
Victoria M. More —2C 22
Victorian Lanterns. Bury —3H 201
Victoria Pde. Ash R —8E 114
Victoria Pde. More —2C 22
Victoria Pde. Ross —7C 162
Victoria Pk. —8C 190
(Burscough)
Victoria Pk. —8F 166
(Southport)
Victoria Pk. Skel —2G 219
Victoria Pk. Av. Lea —8A 114
Victoria Pk. Av. Ley —8G 152
Victoria Pk. Dri. Lea —8A 114
Victoria Pl. Halt —2B 24
Victoria Pl. Lanc —9K 23
Victoria Quay. Ash R —1D 134
Victoria Rd. Augh —9H 209
Victoria Rd. B'brn —7D 138
Victoria Rd. Earby —2E 78
Victoria Rd. Ful —6H 115
Victoria Rd. Hor —9D 196
Victoria Rd. Ince B —8E 214
Victoria Rd. K'ham —4L 111
Victoria Rd. Lyth A —3F 128
Victoria Rd. Pad —1J 123
Victoria Rd. Poul F —7L 63
Victoria Rd. Todm —1L 165
Victoria Rd. Walt D —2M 135
Victoria Rd. E. T Clev —2F 62
Victoria Rd. W. T Clev —1C 62
(in two parts)
Victoria Sq. T Clev —1D 62
Victoria St. Acc —3A 142
Victoria St. Bacup —7H 163
Victoria St. Barfd —8H 85
Victoria St. B'brn —3M 139
Victoria St. Blac —5B 88
Victoria St. Burn —4D 124
Victoria St. Burs —8C 190
Victoria St. Carn —9A 12
Victoria St. Chor —7F 174
Victoria St. Chu —2L 141
Victoria St. Clay M —7M 121
Victoria St. Clith —4K 81
Victoria St. Dar —6A 158
Victoria St. Earby —2E 78
Victoria St. Fltwd —8H 41
Victoria St. Gt Har —4K 121
Victoria St. Has —4F 160
Victoria St. L'boro —9L 185
Victoria St. L'rdge —3J 97
Victoria St. Los H —8L 135
Victoria St. Lyth A —5B 130
Victoria St. More —3A 22
Victoria St. Nels —2G 105
Victoria St. Osw —5K 141
Victoria St. Pres —8H 115
Victoria St. Rainf —3K 225
Victoria St. Ram —8G 181
Victoria St. Raw —6A 162
Victoria St. Rish —8H 121
Victoria St. Ross —7C 162
Victoria St. Set —3N 35
Victoria St. South —6H 167
Victoria St. Todm —7F 146
Victoria St. Tot —6D 200
Victoria St. Wheel —8J 155
Victoria St. Whitw —6N 183
Victoria Ter. Abb V —5C 156

Victoria Ter.—Watt St.

Victoria Ter. Bill —6G 101
(off Whalley New Rd.)
Victoria Ter. *Cald V* —4H **61**
Victoria Ter. *Chor* —5F **174**
Victoria Ter. *Glas D* —1D **36**
Victoria Ter. *Heyw* —9G **202**
Victoria Ter. *Ley* —7K **153**
Victoria Ter. Los H —8K 135
(off Watkin La., in two parts)
Victoria Ter. *Miln* —8K **205**
Victoria Ter. *Toc* —5G **157**
Victoria Way. *Raw* —5A **162**
Victoria Way. *South* —7F **166**
Victor St. *Clay M* —6M **121**
Victory Av. *South* —7N **167**
Victory Cen, The. *Nels* —2J **105**
Victory Clo. *Nels* —2J **105**
Victory Rd. *Barn* —2N **77**
Victory Rd. *Blac* —4C **88**
Victory Wharf. *Ash R* —9E **114**
View Rd. *Dar* —2M **157**
View St. *E'ston* —7F **172**
Vihiers Clo. *Whal* —4J **101**
Viking Pl. *Burn* —2E **124**
Viking St. *Roch* —5N **203**
Viking Way. *Hey* —2L **27**
Village Ct. Whitw —5N 183
(off North St.)
Village Cft. *Eux* —3N **173**
Village Dri. *Rib* —7B **116**
Village Grn. La. *Ing* —3C **114**
Village Nook. *Ain* —8D **222**
Village, The. *Sing* —1D **90**
Village Walks. *Poul F* —8K **63**
Village Way. *Blac* —6D **62**
Village Way. *Liv* —7A **214**
Villas Rd. *Liv* —1G **222**
Villas, The. *Cot* —4B **114**
Villa Way. *Gars* —6N **59**
Villiers Ct. *Pres* —7G **115**
(in two parts)
Villiers St. *Burn* —4A **124**
Villiers St. *Bury* —9M **201**
Villiers St. *Pad* —2J **123**
Villiers St. *Pres* —7G **115**
(in three parts)
Vincent Ct. *B'brn* —8L **139**
Vincent Rd. *Nels* —2K **105**
Vincent St. *B'brn* —8L **139**
Vincent St. *Col* —5C **86**
Vincent St. *Lanc* —9L **23**
Vincent St. *L'boro* —8K **185**
Vincent St. *Roch* —8D **204**
Vincent Way. *Wig* —3N **221**
Vincit St. *Burn* —1F **124**
Vine Cvn. Pk. *W'ton* —4H **131**
Vine Ct. Blac —1C 88
(off Gosforth Rd.)
Vine Ct. *Roch* —6E **204**
Vine Pl. *Roch* —8C **204**
Vinery, The. *New L* —8C **134**
Vine St. *Acc* —2N **141**
Vine St. *Brier* —5F **104**
Vine St. *Chor* —5E **174**
Vine St. *Lanc* —1K **29**
Vine St. *Osw* —5J **141**
Vine St. *Pres* —9G **115**
Vine St. *Ram* —1F **200**
(in two parts)
Vineyard Clo. *Ward* —7F **184**
Vineyard Cotts. *Roch* —7F **184**
Vineyard Ho. Roch —7F 184
(off Knowl Syke St.)
Viola Clo. *Liv* —5J **223**
Viola Clo. *Stand* —2N **213**
Violet St. *Burn* —9E **104**
Virginia Av. *Liv* —8B **216**
Virginia Gro. *Liv* —8B **216**
Virginia St. *Roch* —9B **204**
Virginia St. *South* —8J **167**
Virginia Way. *Wig* —3M **221**
Viscount Av. *Lwr D* —1A **158**
Viscount Rd. *Wig* —3N **221**
Vivary Way. *Col* —7M **85**
Vivian Dri. *South* —3G **186**
Vivian St. *Roch* —8B **204**
Voce's La. *Augh* —8N **217**
Vulcan Ct. *South* —7J **167**
Vulcan Rd. *Frec* —8N **111**
Vulcan Rd. *Wig* —3N **221**
Vulcan St. *Burn* —3D **124**
Vulcan St. *Nels* —1K **105**
Vulcan St. *South* —7J **167**
Vulcan St. *Todm* —6K **165**
Vulcan Ter. *L'boro* —9J **185**

Wackersall Rd. *Col* —8M **85**
Waddicar. —6F 222
Waddicar La. *Liv* —7F **222**
Waddington. —8H 73
Waddington Av. *Burn* —3H **125**
Waddington Ct. *Lyth A* —2J **129**
Waddington Hospital. *Wadd* —7H **73**
Waddington Rd. *Acc* —1C **142**
Waddington Rd. *Clith* —1K **81**
Waddington Rd. *Lyth A* —1H **129**
Waddington Rd. *Rib* —7C **116**
Waddington Rd. *W Brad* —7K **73**
Waddington St. *Earby* —2E **78**
Waddington St. *Pad* —1J **123**
Waddow Grn. *Clith* —3J **81**
Waddow Gro. *Wadd* —8J **73**
Waddow Vw. *Wadd* —8H **73**
Wade Brook Rd. *Ley* —9C **152**
Wade Hall. —8G 153
Wades Ct. *Blac* —1F **88**
Wades Cft. *Frec* —2A **132**
Wade St. *Pad* —9J **103**
Wadham Rd. *Pres* —2L **135**
Wadsworth Av. Todm —4K 165
(off Lion St.)
Wagg Fold. *L'boro* —7J **185**
Wagon Rd. *Doph & Low D* —6E **38**
Waidshouse Clo. *Nels* —4J **105**
Waidshouse Rd. *Nels* —4J **105**
Wain Ct. *B'brn* —4J **139**
Wainfleet Clo. *Wig* —8N **221**
Waingap Cres. *Whitw* —6A **184**
Waingap Ri. *Roch* —1C **204**
Waingap Vw. *Whitw* —7A **184**
Waingate. *Grims* —9E **96**
Waingate Clo. *Ross* —4N **161**
Waingate Ct. *Grims* —9E **96**
Waingate La. *Ross* —4N **161**
Waingate Rd. *Ross* —4N **161**
Waithlands Rd. *Roch* —7E **204**
Waitholme La. *Yeal R* —5D **6**
Wakefield Av. *More* —2D **22**
Wakefield Dri. *Lanc* —3L **29**
Wakefield Rd. *Blac* —7E **62**
Wakefield Rd. *Boot* —8A **222**
Walden Rd. *B'brn* —5N **119**
Waldon St. *Pres* —8A **116**
Waldorf Clo. *Wig* —9N **221**
Waldron. *Skel* —3H **219**
Walesby Pl. *Lyth A* —3K **129**
Wales Rd. *Ross* —6D **162**
Wales St. *Ross* —5D **162**
Wales Ter. *Ross* —6D **162**
Walgarth Dri. *Chor* —7C **174**
Walkdale. *Hut* —6A **134**
Walkden St. *Roch* —4C **204**
Walker Av. *Acc* —4N **141**
Walker Fold. —8L 197
(Bolton)
Walker Fold. —7M 71
(Clitheroe)
Walker Gro. *Hey* —8L **21**
Walker La. *Ful* —2D **114**
Walker Pk. *Guide* —9C **140**
Walker Pl. *Pres* —1L **135**
Walker Rd. *Guide* —9C **140**
Walker's Hill. —2G 109
Walker's Hill. *Blac* —2G **108**
Walker St. *B'brn* —4N **139**
Walker St. *Blac* —4B **88**
Walker St. *Clith* —3M **81**
Walker St. *Pres* —9J **115**
Walker St. *Roch* —6D **204**
Walker Way. *T Clev* —8H **55**
Walk Mill. —8K 125
Walk Mill Clo. *Roch* —1G **204**
Walk Mill Pl. *Cliv* —8J **125**
Walk, The. *Hesk B* —3A **150**
Walk, The. *Roch* —6C **204**
Walk, The. *South* —1G **186**
Wallace La. *Fort* —9M **37**
Wallbank. —7M 183
Wallbank Dri. *Whitw* —7M **183**
Wall Bank La. *Whitw* —7M **183**
Wallbank St. *Tot* —6E **200**
Wallcroft St. *Skel* —3J **219**
Walleach Fold Cotts. *Tur* —8L **179**
Walled Garden, The. *Whit W* —9D **154**
Wallend Rd. *Ash R* —1A **134**
Waller Av. *Blac* —6C **62**
Waller Clo. *South* —6J **167**
Waller Hill. *Foul* —2A **86**
Walletts Rd. *Chor* —8D **174**
Wallgarth Clo. *Wig* —9N **221**
Wall Head Rd. *Roch* —6F **204**
Wallhurst Clo. *Wors* —4M **125**
(in two parts)
Wallings La. *Silv* —7F **4**
Wall La. *L Ecc* —6K **65**
Wallstreams La. *Wors* —4M **125**
Wall St. *Blac* —3C **88**
Wall St. *Ross* —5C **162**
Wallsuches. —9F 196
Wallsuches La. *Hor* —9F **196**
Wallwork Clo. *Roch* —4J **203**
Walmer Bridge. —2K 151
Walmer Ct. *South* —1F **186**
Walmer Grn. *Walm B* —2K **151**
Walmer Rd. *Lyth A* —9F **108**
Walmer Rd. *South* —2G **186**
Walmersley. —5K 201
Walmersley Dri. *Rainf* —5L **225**
Walmersley Golf Course. —5N 201
Walmersley Old Rd. *Bury* —5L **201**
Walmersley Rd. *Bury* —3K **201**
Walmesley Ct. *Clay M* —8M **121**
Walmsgate. *Barn* —3M **77**
Walmsley Av. *L'boro* —2J **205**
Walmsley Av. *Rish* —9G **121**
Walmsley Bri. La. *Clau B* —2H **69**
Walmsley Brow. *Bill* —6H **101**
Walmsley Clo. *Chu* —2L **141**
Walmsley Clo. *Gars* —5N **59**
Walmsley St. *Bury* —9G **201**
Walmsley St. *Dar* —5B **158**
Walmsley St. *Fltwd* —9G **41**
Walmsley St. *Gt Har* —4J **121**
Walmsley St. *Rish* —8H **121**
Walney Gdns. *B'brn* —7N **139**
Walney Pl. *Blac* —3G **89**
Walney Rd. *Wig* —9N **221**
Walnut Av. *Has* —4H **161**
Walnut Clo. *Pen* —5E **134**
Walnut Gro. *Liv* —7F **222**
Walnut St. *Bacup* —4K **163**
Walnut St. *B'brn* —1N **139**
Walnut St. *South* —1J **187**
Walpole Av. *Blac* —4B **108**
Walpole St. *B'brn* —4N **139**
Walpole St. *Burn* —9F **104**
Walpole St. *Roch* —6D **204**
Walro M. *South* —3N **167**
Walsden. —6K 165
Walsden Est. *Todm* —8L **165**
Walsden Gro. *Burn* —3G **125**
Walshaw. —9E 200
Walshaw Brook Clo. *Bury* —9E **200**
Walshaw La. *Burn* —8H **105**
Walshaw La. *Bury* —9E **200**
Walshaw Rd. *Bury* —9E **200**
Walshaw St. *Burn* —1F **124**
Walshaw Wlk. *Tot* —8E **200**
Walshaw Way. *Tot* —8E **200**
Walsh St. *B'brn* —6M **139**
Walsh St. *Hor* —9C **196**
Walter Av. *Lyth A* —7G **108**
Walter Pl. *Lyth A* —7G **108**
Walter Robinson Ct. *Blac* —4D **88**
Walter St. *Acc* —2N **141**
Walter St. *B'brn* —4A **140**
Walter St. *Brier* —6F **104**
Walter St. *Dar* —1B **178**
Walter St. *Hun* —7D **122**
Walter St. *Osw* —5K **141**
Walter St. *Wig* —5N **221**
Waltham Av. *Blac* —4D **108**
Waltham Clo. *Acc* —5D **142**
Waltham Ct. *Halt* —1B **24**
Walthew Green. —9F 212
Walthew Ho. La. *Wig* —2L **221**
(in two parts)
Walthew La. *Wig* —1M **221**
Walthew Pk. —1E 220
Waltho Av. *Liv* —1D **222**
Walton Av. *Garg* —3L **53**
Walton Av. *More* —3E **22**
Walton Av. *Pen* —5E **134**
Walton Clo. *Bacup* —6L **163**
Walton Clo. *Garg* —4L **53**
Walton Cottage Homes. Nels —1L 105
(off Broadway Pl.)
Walton Cres. *B'brn* —7A **140**
Walton Dri. *Alt* —3D **122**
Walton Dri. *Bury* —5K **201**
Walton Fold. Todm —1N 165
(off Millwood La.)
Walton Grn. *Walt D* —4N **135**
Walton Gro. *More* —3F **22**
Walton La. *Nels* —9K **85**
Walton-le-Dale. —4N 135
Walton-le-Dale. *Bam B* —9N **135**
Walton's Pde. *Pres* —1H **135**
Walton St. *Acc* —8N **121**
Walton St. *Adl* —7J **195**
Walton St. *Barfd* —7J **85**
Walton St. *Col* —6A **86**
(in two parts)
Walton St. *Nels* —1J **105**
Walton St. *South* —6J **167**
Walton Summit. —9D 136
Walton Summit Ind. Est. *Bam B* —9D **136**
Walton Summit Rd. *Bam B* —1C **154**
Walton Vw. *Pres* —9N **115**
Walverden Av. *Blac* —1D **108**
Walverden Cres. *Nels* —2K **105**
Walverden Rd. *Brclf* —6M **105**
Walverden Rd. *Brier* —5H **105**
Walverden Ter. *Nels* —3K **105**
Wandales La. *Cast* —5G **9**
Wanes Blades Rd. *Lath* —9J **191**
Wango La. *Liv* —9D **222**
Wanishar La. *Down* —7N **207**
Wansbeck Av. *Fltwd* —2D **54**
Wansbeck Ho. *Fltwd* —2E **54**
Wansfell Rd. *Clith* —4J **81**
Wanstead Cres. *Blac* —9E **88**
Wanstead St. *Pres* —9A **116**
Wapping. —3L 77
Warbreck. —1D 88
Warbreck Ct. *Blac* —1B **88**
Warbreck Dri. *Blac* —1B **88**
Warbreck Hill. *Blac* —9E **62**
Warbreck Hill Rd. *Blac* —2B **88**
Warburton Bldgs. *Has* —6F **160**
Warburton St. *Has* —6E **160**
Warbury St. *Pres* —8A **116**
Warcock La. *Bacup* —4M **163**
Warcock La. *Blkhd* —4N **147**
Ward Av. *Osw* —5J **141**
Ward Av. *T Clev* —9D **54**
Warden Hall. —9J 153
(Arts & Craft Cen.)
Ward Grn. La. *L'rdge* —2A **98**
Wardle. —8F 184
Wardle Clo. *Whit W* —9E **154**
Wardle Dri. *T Clev* —9F **54**
Wardle Edge. *Roch* —2E **204**
Wardle Fold. —7F 184
Wardle Fold. *Ward* —7F **184**
Wardle Gdns. *Roch* —2F **204**
Wardle Rd. *Roch* —9F **184**
Wardle St. *Bacup* —7H **163**
Wardle St. *L'boro* —8K **185**
Wardley's La. *Hamb* —8N **55**
Wardley St. *Wig* —6L **221**
Wardlow Av. *Orr* —2K **221**
Ward's End. *Pres* —1K **135**
Ward's La. *Ben* —8M **19**
Wards New Row. *Los H* —9K **135**
Ward St. *Bel* —9K **177**
Ward St. *Blac* —9B **88**
Ward St. *Burn* —3C **124**
Ward St. *Chor* —7G **174**
Ward St. *Gt Har* —4J **121**
Ward St. *K'ham* —5M **111**
Ward St. *Los H* —9L **135**
Ward St. *Nels* —2J **105**
Wareham Clo. *Acc* —8A **122**
Wareham Rd. *Blac* —1F **88**
Wareham Rd. Ind. Est. *Blac* —1F **88**
Wareham St. *B'brn* —1A **140**
Warehouse La. *Foul* —2A **86**
Wareings Yd. *Roch* —9D **204**
Waring Dri. *T Clev* —9G **55**
Warings, The. *Hesk* —1G **193**
Warings, The. *Nels* —4J **105**
Warkworth Ter. Bacup —4L 163
(off Venture St.)
Warlands End Ga. *Todm* —1N **185**
Warley Av. *More* —5E **22**
Warley Dri. *More* —4E **22**
Warley Rd. *Blac* —2B **88**
Warley St. *L'boro* —8L **185**
Warley Wise La. *Lane* —9K **79**
Warmden Av. *Acc* —5D **142**
Warmden Gdns. *B'brn* —1A **140**
Warminster Gro. *Wig* —9N **221**
Warncliffe St. *Wig* —6N **221**
Warne Pl. *Lanc* —7H **23**
Warner Rd. *Pres* —8N **115**
Warner St. *Acc* —3B **142**
Warner St. *Has* —4G **160**
War Office Rd. *Roch* —7J **203**
Warper's Moss Clo. *Burs* —8D **190**
Warper's Moss La. *Burs* —8D **190**
Warren Av. N. *Fltwd* —9F **40**
Warren Av. S. *Fltwd* —9F **40**
Warren Clo. *Slyne* —9J **15**
Warren Ct. *South* —9E **166**
Warren Dri. *Bacup* —7N **163**
Warren Dri. *Barfd* —8G **84**
Warren Dri. *Slyne* —9J **15**
Warren Dri. *T Clev* —3D **62**
Warren Fold. *Hur G* —2N **99**
Warren Gro. *Hey* —2K **27**
Warren Gro. *T Clev* —3E **62**
Warrenhouse Rd. *Kirkby* —6M **223**
Warrenhurst Rd. *Fltwd* —9G **40**
Warren Rd. *Hey* —1K **27**
Warren Rd. *South* —6N **167**
Warrenside Clo. *B'brn* —5A **120**
Warren St. *Fltwd* —8H **41**
Warren, The. *B'brn* —1H **139**
Warren, The. *Ful* —3A **116**
Warrington St. *B'brn* —9A **120**
Warrington Ter. Barr —2K 101
(off Whiteacre La.)
Warth La. *I'ton* —3N **19**
Warth Old Rd. *Ross* —7C **162**
Warton. —4A 12
(Carnforth)
Warton. —2K 131
(Preston)
Warton Aerodrome. *W'ton* —4J **131**
Warton Av. *Hey* —1K **27**
Warton Crag Nature Reserve. —4N 11
Warton Old Rectory. —5A 12
Warton Pl. *Chor* —6C **174**
Warton Rd. *Carn* —7A **12**
Warton St. *Lyth A* —5B **130**
Warton St. *Pres* —2G **135**
Wartonwoods Vw. *Carn* —9A **12**
Warwick Av. *Acc* —1N **141**
Warwick Av. *Clay M* —6M **121**
(in two parts)
Warwick Av. *Dar* —4M **157**
Warwick Av. *Lanc* —2L **29**
Warwick Av. *More* —2F **22**
Warwick Av. *T Clev* —8F **54**
Warwick Clo. *Bury* —9G **200**
Warwick Clo. *Chu* —1M **141**
Warwick Clo. *Ful* —5H **115**
Warwick Clo. *G'mnt* —4F **200**
Warwick Clo. *South* —1H **187**
Warwick Dri. *Brier* —5H **105**
Warwick Dri. *Clith* —1M **81**
Warwick Dri. *Earby* —3C **78**
Warwick Dri. *Pad* —2J **123**
Warwick Ho. *Pres* —2K **135**
Warwick Pl. *Blac* —2H **89**
Warwick Pl. *Fltwd* —8G **41**
Warwick Rd. *Blac* —3D **88**
Warwick Rd. *E'ston* —7F **172**
Warwick Rd. *Ley* —8H **153**
Warwick Rd. *Lyth A* —2F **128**
Warwick Rd. *Walt D* —4N **135**
Warwick St. *Adl* —7H **195**
Warwick St. *Bolt* —9E **198**
Warwick St. *Chu* —1M **141**
Warwick St. *Has* —4G **161**
Warwick St. *L'rdge* —3J **97**
Warwick St. *Nels* —3J **105**
Warwick St. *Pres* —9J **115**
Warwick St. *South* —1H **187**
Wasdale Av. *B'brn* —5C **140**
Wasdale Av. *Liv* —9D **216**
Wasdale Clo. *Ley* —9L **153**
Wasdale Clo. *Pad* —9H **103**
Wasdale Gro. *L'rdge* —5H **97**
Wasdale Rd. *Blac* —1G **108**
Washbrook Clo. *Barr* —1K **101**
Washbrook Way. *Orm* —8K **209**
Wash Brow. *Bury* —8G **200**
Washburn Ct. *Heat O* —6F **22**
Wash Fold. *Bury* —8G **200**
Washington Av. *Blac* —9E **62**
Washington Clo. *Lanc* —9H **23**
Washington Ct. *Blac* —9E **62**
Washington Ct. *Bury* —9L **201**
Washington Dri. *Liv* —4J **223**
Washington Dri. *War* —4B **12**
Washington La. *Eux* —4A **174**
Washington St. *Acc* —2B **142**
Wash Ter. *Bury* —8G **200**
Waste La. *Doph* —8J **39**
Wastwater Dri. *More* —4E **22**
Watchwood Dri. *Lyth A* —3A **130**
Watchyard La. *Liv* —9A **206**
Water. —8E 144
Waterbarn. —7E 162
Waterbarn La. *Bacup* —7F **162**
Waterbarn St. *Burn* —9F **104**
Watercroft. *Roch* —4H **203**
Waterdale. *Blac* —6E **62**
Waterfall. —6K 139
Waterfall Ind. Est. B'brn —6K 139
(off Dimmock St.)
Waterfall Ter. *Bel* —9K **177**
Waterfield Av. *Dar* —9B **158**
Waterfield Clo. *Bury* —6L **201**
Water Fold. *Ross* —8E **144**
Waterfoot. —7D 162
Waterfoot Av. *Blac* —4E **88**
Waterfoot Av. *South* —1B **206**
Waterford Clo. *Ful* —4M **115**
Waterford Clo. *Hth C* —4J **195**
Waterford St. *Nels* —1K **105**
Waterfront Marine Bus. Pk. *Lyth A* —4D **130**
Water Head. *Ful* —6E **114**
Waterhead Cres. *T Clev* —5C **62**
Waterhouse Clo. *Ward* —9F **184**
Waterhouse Grn. *Whit W* —8D **154**
Waterhouse St. *Roch* —5C **204**
Watering Pool La. *Los H* —6L **135**
Water La. *Ash R* —8F **114**
Water La. *Miln* —8K **205**
Water La. *Ram* —4J **181**
Water La. *South* —1C **168**
Waterloo. —8J 139
Waterloo. *Acc* —1A **142**
Waterloo Clo. *B'brn* —8J **139**
Waterloo Rd. *Ash R* —7E **114**
Waterloo Rd. *Blac* —9B **88**
Waterloo Rd. *Burn* —4F **124**
(in two parts)
Waterloo Rd. *Clith* —3M **81**
Waterloo Rd. *Kel* —6D **78**
Waterloo Rd. *South* —3E **186**
Waterloo St. *Chor* —5E **174**
Waterloo St. *Clay M* —8N **121**
Waterloo Ter. *Ash R* —8F **114**
Watermans Clo. *Hor* —9D **196**
Waterman Vw. *Roch* —5F **204**
Water Meadows. *B'brn* —9L **139**
Watermede. *Bil* —8H **221**
Watermill Clo. *Roch* —7G **205**
Watermillock Gdns. *Bolt* —9F **198**
Waters Edge. *B'brn* —5N **139**
Water's Edge. *Ing* —6C **114**
Watershed Mill Bus. Cen. *Gigg* —2N **35**
Waterside. —4D 104
(Burnley)
Waterside. —7B 86
(Colne)
Waterside. —4E 158
(Darwen)
Waterside Clo. *Gars* —5M **59**
Waterside Ind. Est. *Col* —7B **86**
Waterside La. *Roch* —5E **204**
Waterside M. *Pad* —1H **123**
Waterside Pl. *More* —5B **22**
Waterside Rd. *Bury & S'seat* —3G **201**
Waterside Rd. *Col* —7A **86**
Waterside Rd. *Has* —5F **160**
Waterside Ter. Bacup —4K 163
(off Myrtle Bank Rd.)
Waterside Ter. *Waters* —4E **158**
Waterslack Rd. *Silv* —5J **5**
Waters Reach. *Lyth A* —5K **129**
Waters Reach. *T Clev* —9C **54**
Water St. *Acc* —2B **142**
(in two parts)
Water St. *Adl* —7J **195**
Water St. *Bam B* —6A **136**
Water St. *Barfd* —7H **85**
Water St. *Brin* —2H **155**
Water St. *Chor* —6E **174**
Water St. *Clay M* —4M **121**
Water St. *Col* —6B **86**
Water St. *Craw* —8E **144**
(Ash Gro)
Water St. *Craw* —8M **143**
(Burnley Rd.)
Water St. *Earby* —2E **78**
Water St. *Eger* —3D **198**
Water St. Garg —3M 53
(off Hellfield Rd.)
Water St. *Gt Har* —4J **121**
Water St. *Hap* —5H **123**
Water St. *Hth C* —1L **195**
Water St. *Lanc* —7K **23**
Water St. *Nels* —2J **105**
Water St. *Ram* —9G **180**
Water St. *Ribch* —7F **98**
Water St. *Roch* —7J **205**
Water St. *Todm* —2L **165**
Water St. *Whitw* —6N **183**
Water St. *Wors* —4M **125**
Waterview Clo. *Miln* —9L **205**
Waterway Av. *Boot* —7A **222**
Waterworks Rd. *Orm* —6M **209**
Watery Ga. La. *Gt Ecc* —9B **66**
Watery La. *Ash R* —9D **114**
Watery La. *Barb* —2G **9**
Watery La. *Bncr* —3B **60**
Watery La. *Dar* —9B **158**
Watery La. *Gigg* —4M **35**
Watery La. *Lanc* —5H **23**
Watery La. *Pres* —9N **115**
Watford St. *B'brn* —2M **139**
Watkin Clo. *Boot* —9A **222**
Watkin La. *Los H* —8K **135**
Watkin Rd. *Clay W* —7D **154**
Watkins Clo. *Brier* —6G **105**
Watkin St. *Roch* —9D **204**
Watling Clo. *B'brn* —8A **140**
Watling Clo. *More* —5E **22**
Watling St. *Aff* —3M **199**
Watling St. Rd. *Ful* —6H **115**
Watling St. Rd. Rib —5M 115
(off Churchill Rd.)
Watson Gdns. *Roch* —3A **204**
Watson Rd. *Blac* —2B **108**
Watson St. *B'brn* —6J **139**
Watson St. *Osw* —5L **141**
Watton Beck Clo. *Liv* —9E **216**
Watts Clo. *Liv* —6M **223**
Watts St. *Roch* —5D **204**
Watt St. *Burn* —2A **124**
Watt St. *Sab* —3E **102**

Watty La.—Wham Brook Clo.

Watty La. Todm —4J 165
Watty Ter. Todm —4J 165
Wavell Av. South —7A 168
Wavell Clo. Acc —7E 142
Wavell Clo. South —7A 168
(in two parts)
Wavell St. Burn —3A 124
Waverledge. —5H 121
Waverledge Bus. Pk. Gt Har —5H 121
Waverledge Rd. Gt Har —5H 121
Waverledge St. Gt Har —5J 121
Waverley. Roch —5B 204
(off Spotland Rd.)
Waverley. Skel —2H 219
Waverley Av. Blac —2C 88
Waverley Av. Fltwd —1D 54
Waverley Clo. Brier —6H 105
Waverley Clo. S'stne —9C 102
Waverley Ct. Wig —8N 221
Waverley Dri. New L —9C 134
Waverley Dri. Tar —1E 170
Waverley Gdns. Rib —7A 116
Waverley Pl. B'brn —3J 139
Waverley Rd. Acc —5D 142
Waverley Rd. Int —4E 140
Waverley Rd. Pres —8N 115
Waverley Rd. Rams —5M 119
Waverley St. Burn —3C 124
Waverley St. South —7G 167
Waxy La. Frec —1A 132
Wayfarers Arc. South —7H 167
Way Ga. T Clev —7D 54
Wayman Rd. Blac —4D 88
Wayoh Cft. Tur —8K 179
Wayoh Nature Reserve. —8J 179
Wayside. Kno S —8K 41
Way, The. More —5F 22
Weald, The. Cot —4A 114
Weasel La. Hogh —6N 137
Weasel La. Toc —4H 157
Weatherhill Cres. Brier —5J 105
Weaver Av. Burs —8D 190
Weaver Av. Liv —4L 223
Weaver Dri. Bury —5L 201
Weavers Brow. Chor —8H 175
Weavers Cft. Bill —6G 100
Weavers La. Cabus —7N 45
Weavers La. Liv —4E 222
Weavers Row. Lyth A —1K 129
Weavers' Triangle Vis. Cen. —4D 124
Webber Ct. Burn —6M 123
Webber Rd. Know I —9N 223
Weber St. Ross —6B 162
Webster Av. Blac —2E 108
Webster Dri. Liv —8K 223
Webster Gro. More —2G 22
Webster St. Ash R —8F 114
Webster St. Roch —4B 204
Wedgewood Ct. Lyth A —1G 129
Wedgewood Dri. Stand L —9N 213
Wedgewood Rd. Acc —8E 122
Weedon St. Roch —5E 204
Weeton. —8D 90
Weeton Av. Blac —4E 108
Weeton Av. Lyth A —9G 108
Weeton Av. T Clev —9D 54
Weeton Camp. —4E 90
Weeton Pl. Ash R —8B 114
Weeton Rd. Sing —2D 90
Weeton Rd. Weet & Wesh —7E 90
Weets Vw. Barn —1N 77
Weind, The. Gt Ecc —6N 65
Weir. —9L 145
Weirden Clo. Pen —7F 134
Weir La. Bacup —9L 145
Weir Rd. Miln —6H 205
Weir St. B'brn —4M 139
Weir St. Roch —6C 204
Weir St. Todm —4K 165
Welbeck Av. B'brn —9B 120
Welbeck Av. Blac —9E 88
Welbeck Av. Fltwd —9F 40
Welbeck Av. L'boro —8K 185
Welbeck Clo. Miln —7H 205
Welbeck Gdns. Fltwd —1F 54
Welbeck Ho. Fltwd —9F 40
Welbeck Rd. Roch —9E 204
Welbeck Rd. South —1F 186
Welbeck Ter. South —1G 186
Welbourne. Skel —3H 219
Welburn St. Roch —8C 204
Welbury Clo. Earby —2E 78
Weld Av. Chor —9E 174
Weld Bank. —9E 174
Weldbank La. Chor —9E 174
Weldbank St. Chor —9E 174
Weld Blundell Av. Liv —6A 216
Weldon Dri. Orm —8L 209
Weldon St. Burn —4C 124
Weld Pde. South —1F 186
Weld Rd. South —9E 166
Welland Clo. Blac —7E 62
Well Bank. —4F 160
Wellbank St. Tot —7E 200
Wellbank Vw. Roch —4K 203
Wellbrow Dri. L'rdge —2K 97
Well Brow Ter. Roch —3B 204
Well Ct. Clith —2M 81
(off Causeway Cft.)
Wellcross Rd. Uph —5E 220
Wellesley Clo. Wig —3N 221
Wellesley St. Burn —3L 123
Wellfield. Clay M —7N 121
Wellfield. Longt —7K 133
Wellfield. Rainf —6L 225
Wellfield Av. Ley —6J 153
Wellfield Av. Liv —9K 223
Wellfield Bus. Pk. Pres —9G 115
Wellfield Dri. Burn —1A 124
Wellfield La. W'head —9A 210
Wellfield Pl. Roch —8D 204
Wellfield Rd. B'brn —2K 139
Wellfield Rd. Los H —9K 135
Wellfield Rd. Pres —9G 115
Wellfield St. Roch —8D 204
Wellfield Ter. Todm —3L 165
Well Fold. Clith —3M 81
Wellgate. Clith —3L 81
Well Grn. L'boro —9L 185
Well Head Rd. Newc P —9M 83
Wellhouse Rd. Barn —1M 77
Wellhouse Sq. Barn —2M 77
(off Wellhouse Rd.)
Wellhouse St. Barn —2M 77
Wellington Av. Ley —7L 153
Wellington Clo. Liv —7B 222
Wellington Ct. Acc —3B 142
Wellington Ct. Burn —4F 124
Wellington Fold. Dar —6A 158
Wellington Lodge. L'boro —8L 185
(off Lodge St.)
Wellington M. Tur —1K 199
Wellington Pl. Roch —5D 204
Wellington Pl. Walt D —6N 135
Wellington Rd. Ash R —8E 114
Wellington Rd. B'brn —5K 139
Wellington Rd. Blac —8B 88
Wellington Rd. Lanc —2L 29
Wellington Rd. Todm —1L 165
Wellington Rd. Tur —1J 199
Wellington St. Acc —3B 142
Wellington St. Barn —3M 77
Wellington St. B'brn —2L 139
Wellington St. Chor —5E 174
Wellington St. Clay M —7M 121
Wellington St. Gt Har —5J 121
Wellington St. K'ham —4L 111
Wellington St. Lyth A —4C 130
Wellington St. Miln —7K 205
Wellington St. Nels —1H 105
Wellington St. Pres —9G 114
Wellington St. Roch —4C 204
Wellington St. South —8G 167
Wellington Ter. More —3B 22
Well i' th' La. Roch —8D 204
Well La. Bar —6L 207
Well La. Brins —8A 156
Well La. Cast —6G 9
Well La. Hut R —6C 8
Well La. Lar —5J 65
Well La. Todm —2L 165
Well La. War —5B 12
Well La. Yeal C —8B 6
Wellogate Gdns. Blac —3D 108
Well Orchard. Bam B —2D 154
Wellow Pl. Lyth A —3J 129
Wells Clo. Heat O —6B 22
Wells Clo. T Clev —1G 62
Wells Fold Clo. Clay W —6E 154
Wells St. Has —4G 161
Wells St. Pres —8M 115
Well St. Pad —9G 103
Well St. Rish —7H 121
Well St. Roch —8D 204
Well St. Todm —3L 165
Well St. Waterf —4D 162
Well St. N. Ram —4H 181
Well St. W. Ram —9G 180
(off Holt St. W.)
Well Ter. Clith —2M 81
Welsby Rd. Ley —7G 153
Welwyn Av. South —7E 186
Welwyn Pl. T Clev —2E 62
Wembley Av. Blac —2E 88
Wembley Av. Pen —3E 134
Wembley Av. Poul F —8L 63
Wembley Rd. T Clev —8H 55
Wemyss Clo. Hey —9K 21
Wendover Rd. Poul F —5G 63
Wenlock Clo. Hor —7D 196
Wenning Av. Ben —7L 19
Wenning Av. Liv —9D 216
Wenning Ct. More —6F 22
Wenning Pl. Lanc —6J 23
Wenning St. Nels —3K 105
Wennington. —5F 18
Wennington Rd. South —6M 167
Wennington Rd. Wray —8E 18
Wensley Av. Fltwd —3E 54
Wensley Clo. Burn —6C 124
Wensleydale Av. Blac —3G 88
Wensleydale Clo. Liv —9A 216
Wensleydale Clo. T Clev —3K 63
Wensley Dri. Acc —2C 142
Wensley Dri. Lanc —5K 23
Wensley Fold. —4K 139
Wensley Pl. Rib —5N 115
Wensley Rd. B'brn —4J 139
Wensley Way. Roch —7E 204
Wentcliffe Dri. Earby —3E 78
Wentworth Av. Bury —9G 200
Wentworth Av. Fltwd —5D 54
Wentworth Av. Ins —2G 93
Wentworth Clo. Pen —2D 134
Wentworth Clo. South —9C 186
Wentworth Ct. K'ham —5M 111
Wentworth Cres. More —6B 22
Wentworth Dri. Brough —7F 94
Wentworth Dri. T Clev —3J 63
Wentworth M. St A —2G 129
Wentworth Pl. Brough —7F 94
Werneth Clo. Pen —7J 135
Wervin Rd. Liv —9J 223
Wervin Way. Liv —9H 223
Wescoe Clo. Orr —6H 221
Wesham. —2L 111
Wesham Hall Clo. Wesh —3M 111
Wesham Hall Rd. Wesh —3M 111
Wesleyan Row. Clith —3L 81
Wesley Clo. Ben —6L 19
Wesley Clo. Roch —2E 204
Wesley Ct. Fltwd —8H 41
Wesley Ct. Tot —6D 200
Wesley Dri. Hey —9L 21
Wesley Gro. Burn —2B 124
Wesley Ho. Tot —6D 200
Wesley Pl. Bacup —6J 163
Wesley St. Bam B —8B 136
Wesley St. B'brn —1N 139
Wesley St. Brier —4F 104
Wesley St. Brom X —5G 198
Wesley St. Chu —2M 141
Wesley St. Osw —3L 141
Wesley St. Pad —1J 123
Wesley St. Roch —2E 204
(off Rhodes St.)
Wesley St. Sab —2E 102
Wesley St. South —7H 167
Wesley St. Tot —6D 200
Wesley St. Wig —7N 221
Wesley Ter. Bacup —8L 145
Wessex Clo. Acc —9D 122
Wessex Rd. Wig —2N 221
West Av. Barn —2M 77
West Av. Ing —3D 114
West Av. Roch —2F 204
West Bank. Chor —6E 174
Westbank Av. Blac —2G 108
W. Bank Av. Lyth A —5L 129
West Beach. Lyth A —5M 129
Westborough Clo. Hey —7L 21
Westbourne. Ross —7F 160
Westbourne Av. Blac —9C 88
Westbourne Av. Burn —5B 124
Westbourne Av. W Grn —6G 111
Westbourne Av. S. Burn —6C 124
Westbourne Ct. Kno S —8K 41
Westbourne Dri. Lanc —9H 23
Westbourne Gdns. South —1D 186
Westbourne Pl. Lanc —8H 23
Westbourne Rd. Chor —8D 174
Westbourne Rd. Kno S —8K 41
Westbourne Rd. Lanc —9G 23
Westbourne Rd. M'ton —5M 27
Westbourne Rd. South —1D 186
Westbourne Rd. T Clev —7C 54
Westbourne Rd. War —6N 11
West Bradford. —7L 73
W. Bradford Rd. Clith —8M 73
W. Bradford Rd. Wadd —8H 73
Westbrook Cres. Ing —5D 114
Westbury Av. Wig —9N 221
Westbury Clo. Burn —8J 105
Westbury Clo. T Clev —4C 62
Westbury Gdns. B'brn —4C 140
Westby. —5D 110
Westby Av. Blac —4E 108
Westby Ct. Poul F —9K 63
Westby Gro. Fltwd —8H 41
Westby Pl. Ash R —8C 114
Westby Rd. Lyth A —9E 108
Westby Rd. West —3C 110
Westby St. Lyth A —5A 130
Westby Way. Poul F —9K 63
West Cliff. Pres —2H 135
Westcliffe. Gt Har —3H 121
West Cliffe. Lyth A —5B 130
Westcliffe Dri. Blac —3E 88
Westcliffe Dri. More —6A 22
Westcliffe Ho. Roch —1G 205
Westcliffe Rd. Bolt —7F 198
Westcliffe Rd. South —9E 166
Westcliffe Wlk. Nels —3H 105
W. Cliff Ter. Pres —2H 135
(in two parts)
W. Close Av. High —5L 103
West Clo. Rd. Barn —1M 77
Westcombe Dri. Bury —9H 201
Westcote St. Dar —9B 158
Westcott Clo. Bolt —9L 199
Westcott Dri. Wig —7M 221
West Ct. T Clev —7C 54
West Cres. Acc —9A 122
West Cres. Brough —7F 94
Westcroft. Much H —4J 151
Westdene. Parb —2M 211
West Dri. Bury —8K 201
(in three parts)
West Dri. Ins —2G 92
West Dri. Lanc —6H 23
West Dri. Ley —4N 153
West Dri. T Clev —9D 54
West Dri. Wesh —2K 111
West Dri. Whal —3G 100
West Dri. W. T Clev —9D 54
West End. —3J 141
(Accrington)
West End. —4A 22
(Morecambe)
West End. Gt Ecc —6M 65
West End. Pen —2D 134
Westend Av. Cop —4N 193
W. End Bus. Pk. Osw —3H 141
W. End La. W'ton —2G 130
W. End Rd. More —4N 21
W. End Ter. South —7G 167
Westerdale Dri. Banks —1G 168
Westerham Clo. Bury —6H 201
Westerlong. Lea —8A 114
Western Av. Burn —5C 124
Western Ct. Bacup —7G 162
Western Dri. Ley —6G 152
Western Rd. Bacup —7G 162
Westfield. Los H —8K 135
Westfield. Nels —1H 105
Westfield Av. Blac —1F 88
Westfield Av. Fltwd —2E 54
Westfield Av. Read —9C 102
Westfield Av. Stain —3H 89
Westfield Clo. Roch —4K 203
Westfield Ct. T Clev —8H 55
Westfield Dri. Bolt S —3L 15
Westfield Dri. Hogh —7F 136
Westfield Dri. Ley —6G 153
Westfield Dri. Rib —5N 115
Westfield Dri. W'ton —3L 131
Westfield Dri. W Brad —6L 73
Westfield Gro. More —4A 22
West Fld. Rd. Barn —10F 52
Westfield Rd. Blac —8D 88
Westfields. Crost —4L 171
Westfield Villa. Whal —3F 100
Westfield Wlk. Liv —8G 222
West Gdns. Bacup —7F 162
(off West Vw.)
Westgate. Barn —3L 77
Westgate. Burn —3C 124
Westgate. Fltwd —9D 40
Westgate. Ful —4G 115
Westgate. Ley —7J 153
Westgate. More —5A 22
Westgate. Read —9B 102
Westgate. Skel —2H 219
Westgate. Whitw —7M 183
Westgate Av. More —6B 22
Westgate Av. Ram —3F 200
Westgate Cvn. Pk. More —6A 22
Westgate Clo. Whitw —7M 183
Westgate Dri. Orr —6G 221
Westgate Ind. Est. Uph —3H 219
Westgate La. I'ton —1M 19
Westgate Pk. Rd. More —5C 22
Westgate Rd. Lyth A —5C 108
Westgate Trad. Cen. Burn —3D 124
(off Wiseman St.)
West Gillibrands. —3G 218
Westgrove Av. Bolt —7E 198
W. Hall La. Whit —9C 8
Westham St. Lanc —9L 23
Westhaven Cres. Augh —2H 217
Westhead. —8C 210
Westhead Av. Liv —8L 223
Westhead Clo. Liv —9M 223
Westhead Rd. Crost —4L 171
Westhead Wlk. Fltwd —2E 54
Westhead Wlk. Liv —8L 223
(in two parts)
West Hill. Barfd —7H 85
West Hill. Roch —7B 204
Westholme Ct. South —5J 167
Westhoughton Rd. Adl & Hth C —4H 195
Westhouse. —2M 19
West Ing La. Hort —7C 52
West Lancashire Light Railway. —5D 150
Westland Av. Dar —7N 157
Westlands. Ley —8F 152
Westlands Ct. T Clev —3H 63
West La. D'ham —9F 74
Westleigh M. Cot —5N 113
Westleigh Rd. Ash R —8C 114
W. Leigh Rd. B'brn —9K 119
Westley St. Miln —7H 205
West Marton. —7H 53
West Meade. Liv —9A 216
W. Meadow. Lea —6B 114
Westminster Av. More —4N 21
Westminster Clo. Acc —5D 142
Westminster Clo. Dar —4N 157
Westminster Clo. Heat O —6B 22
Westminster Clo. S'stne —9C 102
Westminster Dri. South —8A 186
Westminster Pl. E'ston —6D 172
Westminster Pl. Hut —7A 134
Westminster Rd. Blac —2C 88
Westminster Rd. Bolt —8E 198
Westminster Rd. Chor —7E 174
Westminster Rd. Dar —4M 157
Westminster Rd. More —5M 21
Westminster St. Roch —8A 204
Westmoor Gro. Hey —2K 27
Westmoreland Rd. South —9J 167
Westmorland Av. Blac —7C 88
Westmorland Av. T Clev —8D 54
Westmorland Clo. Ley —8H 153
Westmorland Clo. Pen —4E 134
Westmorland Dri. Ward —8G 184
Westmorland Ho. Pres —9J 115
Westmorland St. Burn —4B 124
Westmorland St. Nels —2G 105
W. Moss La. Lyth A —7K 109
West Mt. Orr —5J 221
Weston Av. Roch —9E 204
Weston Gro. Mag —4C 222
Weston Pk. Stand L —9N 213
Weston Pl. Blac —9D 88
Weston St. Ash R —9G 115
Weston St. Miln —7H 205
(in two parts)
Westover Av. War —5B 12
Westover Clo. Liv —1B 222
Westover Gro. War —5B 12
Westover Rd. Liv —1B 222
Westover Rd. War —5B 12
Westover St. More —3B 22
W. Paddock. Ley —7H 153
W. Park Av. Ash R —7B 114
W. Park Dri. Blac —6E 88
W. Park La. Ash R —7D 114
W. Park Rd. B'brn —2K 139
West Pimbo. —7A 220
Westridge Ct. South —6K 167
West Rd. Ful —6J 115
West Rd. Lanc —8H 23
Westside. Blac —1F 108
West Sq. Longt —7L 133
W. Strand. Pres —9F 114
West St. Blac —5B 88
West St. Burn —1G 124
West St. Chor —7E 174
West St. Col —7B 86
West St. Garg —3M 53
West St. Gt Har —5J 121
West St. Lanc —2K 29
West St. L'boro —9M 185
West St. More —4M 21
West St. Nels —1H 105
West St. Pad —1G 123
West St. Ram —9G 180
West St. Roch —5D 204
West St. Roch & Firg —6G 205
West St. Ross —7C 162
West St. South —7G 167
West St. Todm —1K 165
West Ter. Eux —2N 173
Westvale. —8H 223
West Vw. Bam B —9A 136
West Vw. B'brn —4J 139
West Vw. Blac —7C 88
West Vw. Carn —6A 12
West Vw. Clith —4K 81
West Vw. Cliv —9L 125
West Vw. Fort —2N 45
West Vw. Glas D —1C 36
West Vw. Has —3G 160
West Vw. Helm —8F 160
West Vw. Longt —8L 133
West Vw. Orm —7L 209
West Vw. Osw —4L 141
West Vw. Parb —2M 211
West Vw. Pres —7M 115
West Vw. Ram —4H 181
West Vw. Stac —7F 162
West Vw. Todm —1L 165
West Vw. Waterf —6D 162
(off Pleasant Vw.)
West Vw. Wesh —2L 111
West Vw. Wheel —8J 155
W. View Av. Blac —8B 88
W. View Pl. B'brn —2J 139
W. View Rd. More —3A 22
W. View Rd. Ross —3D 162
(in two parts)
W. View Ter. Pad —2H 123
W. View Ter. Pres —9F 114
W. View Ter. Toc —5H 157
West Wlk. Eger —3D 198
Westward Ho. Miln —7J 205
West Way. Bolt —9H 199
West Way. Burn —3B 124
West Way. Chor —5B 174
West Way. Fltwd —4C 54
Westway. Frec —2M 131
Westway. Ful —5K 115
Westway. Mag —9B 216
Westway Ct. Ful —5K 115
Westwell Gro. Blac —6C 88
Westwell Rd. Chor —5F 174
Westwell St. Dar —3M 157
Westwell St. Gt Har —4J 121
Westwood. Ley —5K 153
Westwood Av. Blac —6E 88
Westwood Av. Fltwd —1E 54
Westwood Av. Poul F —8L 63
Westwood Av. Rish —8G 121
Westwood Clo. South —2L 187
Westwood Ct. B'brn —2A 140
Westwood M. Lytham —5N 129
Westwood Rd. Bam B —3E 154
Westwood Rd. B'brn —4B 140
Westwood Rd. Burn —1A 124
Westwood Rd. Lyth A —5N 129
Westwood St. Acc —1A 142
Wetherall St. Ash R —8G 114
Wetherby Av. Blac —4B 108
Wetherfield Clo. Lanc —4L 23
Weybourne Gro. Bolt —9H 199
Weymouth Rd. Blac —7F 88
Weythorne Dri. Bolt —9F 198
Weythorne Dri. Bury —8D 202
Whalley. —5J 101
Whalley Abbey. —5J 101
Whalley Av. L'boro —8K 185
Whalley Av. Rainf —4K 225
Whalley Banks. —7J 101
Whalley Banks. B'brn —4L 139
Whalley Banks Trad. Est. B'brn —4L 139
Whalley Clo. Miln —7H 205
Whalley Cres. Dar —6B 158
Whalley Cres. Stain —5L 89
Whalley Dri. Augh —3H 217
Whalley Dri. Form —1A 214
Whalley Dri. Ross —3M 161
Whalley Gdns. Roch —4M 203
Whalley Golf Course. —6L 101
Whalley Ind. Pk. Barr —2K 101
Whalley La. Blac —1G 108
Whalley New Rd. B'brn & Rams —6M 119
Whalley New Rd. Lang —1C 120
(in two parts)
Whalley Old Rd. B'brn —2N 139
Whalley Old Rd. Lang & Bill —1E 120
Whalley Pl. Lyth A —2H 129
Whalley Range. B'brn —2M 139
Whalley Rd. Barr —2K 101
Whalley Rd. Clay M & Acc —8N 121
Whalley Rd. Clith —6K 81
Whalley Rd. Gt Har & Clay M —1M 121
Whalley Rd. Hesk —1G 193
Whalley Rd. Hur G —2N 99
Whalley Rd. Lanc —4K 23
Whalley Rd. Mel B —6D 118
Whalley Rd. Ram —4J 181
Whalley Rd. Read & S'stne —8M 101
Whalley Rd. Sam —8K 117
Whalley Rd. Whal & Sab —5A 102
Whalley Rd. Wilp —5N 119
Whalleys. —7L 211
Whalleys Rd. Dal —7L 211
Whalley St. Bam B —6B 136
Whalley St. B'brn —2M 139
Whalley St. Burn —9E 104
Whalley St. Chor —7E 174
Whalley St. Clith —3K 81
Whalley Ter. Live —1J 157
Wham Bottom La. Roch —1A 204
Wham Brook Clo. Osw —3H 141

A-Z Lancashire 283

Wham Hey—Wilton St.

Wham Hey. New L —9D 134
Wham La. L Hoo —3N 151
Wham La. New L & Wstke —9D 134
Whams La. Bay H —7N 37
Wharfe Ct. More —6F 22
Wharfedale. Blac —2F 108
Wharfedale. Gal —2M 37
Wharfedale Av. Burn —6F 104
Wharfedale Av. Rib —4A 116
Wharfedale Av. T Clev —9H 55
Wharfedale Clo. B'brn —9E 138
Wharfedale Ct. Poul F —8J 63
Wharfedale Rd. Lanc —8H 23
Wharfedale Rd. Ley —8K 153
Wharf St. B'brn —3N 139
Wharf St. Lyth A —5B 130
Wharf St. Rish —8J 121
Wharf St. Todm —6K 165
Wharles. —6D 92
Wharton Av. T Clev —2K 63
Whave's La. Withn —2M 155
Wheatacre. Skel —3J 219
Wheatcroft Av. Fence —2B 104
Wheatfield. Ley —7D 152
Wheatfield Clo. Boot —7A 222
Wheatfield Clo. Bury —6L 201
Wheatfield Clo. T Clev —4F 62
Wheatfield Ct. Lanc —8J 23
(off Wheatfield St.)
Wheatfield St. Lanc —8J 23
Wheatfield St. Rish —7H 121
Wheathead La. Black —3D 84
Wheathill St. Roch —9D 204
Wheatholme St. Ross —5N 161
Wheatlands Cres. Blac —8J 89
Wheat La. Lath —1E 210
Wheatley Clo. Burn —2B 124
Wheatley Clo. Fence —3B 104
Wheatley Dri. L'rdge —2K 97
Wheatley Gro. Barfd —8G 84
Wheatley Lane. —2C 104
Wheatley La. Rd. Barfd —9F 84
Wheatley La. Rd. Fence —3B 104
Wheatsheaf Av. L'rdge —3J 97
Wheatsheaf Cen., The. Roch —5C 204
Wheatsheaf Wlk. Orm —7K 209
(off Burscough St.)
Wheatsheaf Wlk. Stand —3N 213
Wheat St. Acc —2N 141
Wheat St. Pad —2J 123
Wheeler Dri. Liv —7G 222
Wheel La. Pil —8F 42
Wheelton. —8J 155
Wheelton La. Far —5K 153
Wheelwright Clo. Roch —9M 203
Wheelwright Dri. Roch —2F 204
Wheelwrights Clo. Gis —9A 52
(off Bentlea Rd.)
Wheelwrights Ct. Hell —1D 52
(off Hammerton Dri.)
Wheelwrights Wharf. Scar —9E 188
Whelmar Ho. Uph —2N 219
Whernside. Blac —2F 108
Whernside Clo. Barn —2L 77
Whernside Cres. Rib —4N 115
Whernside Gro. Carn —8C 12
Whernside Rd. Lanc —5H 23
Whernside Way. Ley —6M 153
Whewell Row. Osw —3J 141
Whimberry Clo. Chor —5G 175
Whimbrel Dri. T Clev —8G 54
Whin Av. Bolt S —3M 15
Whinberry Av. Ross —6M 161
Whinberry Vw. Ross —5N 161
Whin Dri. Bolt S —3M 15
Whinfell Dri. Lanc —4L 29
Whinfield Av. Chor —5F 174
Whinfield Av. Fltwd —2E 54
Whinfield La. Ash R —9C 114
Whinfield Pl. Ash R —9C 114
Whinfield Pl. B'brn —2H 139
Whinfield St. Clay M —8N 121
Whin Gro. Bolt S —3M 15
Whin La. Out R —3F 64
Whin Lane End. —3F 64
Whinney Brow. Fort —2N 45
Whinney Gro. E. Liv —4B 222
Whinney Gro. W. Liv —4B 222
Whinney Heys Rd. Blac —4G 88
Whinney Hill Rd. Acc & Hun I —8N 121
Whinney La. Lang —9D 100
Whinney La. Mel & B'brn —7H 119
Whinnyfield La. Wood —8N 93
Whinny Heights. —7A 140
Whinny La. Eux —2A 174
Whinny La. Kno S —9K 41
Whinny La. Wadd —5E 72
Whinnysty La. Hey —7L 21
Whinpark Av. Blac —4G 88
Whinsands Clo. Ful —4N 115
Whins Av. Sab —3D 102
Whinsfell Vw. More —3B 22
Whins La. Read —8B 102
Whins La. Wheel —7J 155
Whins, The. Sab —3D 102
Whipney La. G'mnt —3C 200
Whipp Av. Clith —4K 81
Whirlaw Av. Todm —9K 147
Whirlaw La. Todm —8K 147
Whitakers La. W Brad —5M 73
Whitaker St. Acc —1A 142
Whitbarrow Sq. Lanc —8L 23
(off Wolseley St.)
Whitburn. Skel —2H 219
Whitburn Dri. Bury —8H 201
Whitburn Rd. Liv —6M 223
Whitby Av. Heyw —9G 202
Whitby Av. Ing —4C 114
(in three parts)
Whitby Av. South —9B 148
Whitby Dri. B'brn —7N 139
Whitby Pl. Ing —4C 114
Whitby Rd. Lyth A —9G 108
Whitby Rd. More —3C 22
Whitby St. Roch —8D 204
Whiteacre. Stand —2K 213
Whiteacre La. Barr & Wis —2K 101
White Acre Rd. Acc —6E 142
White Ash. Bury —8C 202
White Ash Est. Osw —4J 141
White Ash La. Osw —5K 141
White Ash Ter. Bury —8C 202
Whitebeam Clo. Liv —4L 223
Whitebeam Clo. Miln —9K 205
Whitebeam Clo. Pen —5E 134
Whitebeam Clo. T Clev —8F 54
Whitebeck La. Tew —1F 12
Whitebirk. —2C 140
White Birk Clo. G'mnt —3E 200
Whitebirk Dri. B'brn —9B 120
Whitebirk Ind. Est. B'brn —8C 120
(in two parts)
Whitebirk Rd. B'brn —2D 140
White Bull St. Burn —3A 124
(off Keith St.)
White Carr La. Fort —2B 46
White Carr La. T Clev —4F 62
White Carr La. Trea —7A 92
Whitechapel. —4N 69
White Coppice. —3M 175
Whitecotes Dri. Lyth A —4C 130
Whitecrest Av. T Clev —8F 54
Whitecroft Av. Has —5G 160
Whitecroft Clo. Has —5G 161
Whitecroft La. Mel —7F 118
Whitecroft Meadows. Has —5G 160
White Cft. Rd. Acc —7H 141
Whitecroft Vw. Acc —6D 142
White Cross Ind. Est. Lanc —9K 23
White Cross St. Lanc —9K 23
Whitefield. —2G 104
Whitefield Av. Roch —5K 203
Whitefield Clo. Liv —9A 214
Whitefield Clo. Ruf —2G 190
Whitefield Dri. Liv —8G 223
Whitefield Mdw. Bam B —6B 136
Whitefield Pl. More —6C 22
Whitefield Rd. Pen —4D 134
Whitefield Rd. E. Pen —4D 134
Whitefield Rd. W. Pen —4D 134
Whitefield Sq. Liv —8H 223
Whitefield St. Hap —5H 123
Whitefield Ter. Burn —5F 124
(off Somerset St.)
Whitefriar Clo. Ing —4D 114
Whitegate. L'boro —1H 205
Whitegate. Whi L —6D 22
Whitegate Clo. Pad —2K 123
Whitegate Dri. Blac —5D 88
Whitegate Dri. Bolt —8F 198
Whitegate Fold. Char R —2A 194
Whitegate Gdns. Pad —2K 123
Whitegate Mnr. Blac —7E 88
White Gro. Col —5N 85
Whitehalgh La. Lang —9B 100
Whitehall Av. App B —4H 213
Whitehall La. Grin —3N 73
Whitehall Rd. B'brn —1J 139
Whitehall Rd. Dar —1A 178
Whitehall St. Dar —1B 178
Whitehall St. Nels —2K 105
Whitehall St. Roch —4C 204
(in two parts)
White Hart Fold. Todm —2L 165
(off Station App.)
Whitehaven Clo. B'brn —7A 140
Whitehaven Clo. South —1B 206
Whitehaven St. Burn —4B 124
Whitehead Clo. Stain —5K 89
Whitehead Cres. Bury —8H 201
Whitehead St. B'brn —3K 139
Whitehead St. Miln —9N 205
(Bethany La.)
Whitehead St. Miln —7H 205
(Rochdale Rd.)
Whitehead St. Ross —4M 161
Whitehey. Skel —3J 219
Whitehey Rd. Uph —3J 219
Whitehill Clo. Roch —1A 204
Whitehill Cotts. Bolt —7D 198
Whitehill La. Bolt —7D 198
White Hill La. Loth —3N 79
Whitehill Rd. Blac —4K 109
Whiteholme Dri. Poul F —5H 63
Whiteholme Pl. Ash R —8B 114
Whiteholme Rd. T Clev —5E 62
(in two parts)
White Horse Clo. Hor —8D 196
White Horse La. Brtn —1A 94
Whitehough Pl. Nels —1M 105
Whitehouse Av. Liv —9A 206
White Ho. La. Gt Ecc —7B 66
Whitehouse La. Liv —9A 206
White Ho. La. Scar —4H 189
White La. Pil —1E 56
White Lea. Cabus —3N 59
Whiteledge Rd. Uph —4M 219
White Lee Av. Traw —9F 86
White Lee La. Clau B —9L 61
Whitelees M. L'boro —9K 185
Whitelees Rd. L'boro —9K 185
Whitelees Way. Poul F —9K 63
Whitelegge St. Bury —9G 201
Whitelens Av. Lea —8N 113
Whiteley Av. B'brn —7H 139
Whiteley's La. W'head —1B 218
Whiteleys Pl. Roch —5B 204
Whiteley St. Has —6H 161
Whitelow Rd. Bury —8K 181
White Lund. —6C 22
White Lund Av. More —6C 22
White Lund Rd. More —6C 22
White Lund Trad. Est. Whi L —6D 22
(in two parts)
Whitely Gro. Liv —5M 223
White Mdw. Lea —6B 114
White Moss. —4J 219
White Moss. Roch —3M 203
Whitemoss Av. Blac —3H 89
White Moss La. Hamb —8D 56
White Moss Pk. —3H 219
White Moss Rd. Skel —4G 218
White Moss Rd. S. Skel —4G 218
Whitendale. Lanc —6G 23
Whitendale Cres. B'brn —5N 139
Whitendale Dri. Bam B —8B 136
Whitepits La. Halt —9K 19
Whiteplatts St. Todm —1L 165
Whiterails Dri. Orm —6J 209
Whiteray Rd. Lanc —6H 23
White Rd. B'brn —2J 139
Whiteside Fold. Roch —4L 203
Whiteside St. Blac —4C 88
Whiteside Way. T Clev —9D 54
White Slack Ga. Todm —9J 165
White Stake. —8E 134
Whitestocks. Skel —3J 219
White St. Burn —3N 123
White St. Col —8M 85
White St. Pem —5L 221
Whitethorn Clo. Clay W —5C 154
Whitethorne M. T Clev —3H 63
Whitethorn M. Lyth A —7G 108
Whitethorn Sq. Lea —8A 114
Whitewalls Clo. Col —8L 85
White Walls Dri. Col —8L 85
Whitewalls Ind. Est. Col —8K 85
Whitewell. —2K 71
Whitewell Bottom. —3D 162
Whitewell Clo. Catt —9A 60
Whitewell Clo. Roch —5F 204
Whitewell Dri. Clith —4J 81
Whitewell Pl. B'brn —2N 139
(off Ribble St.)
Whitewell Rd. Acc —9C 122
Whitewell Va. Ross —5D 162
(off Burnley Rd.)
Whitewood Clo. Lyth A —4L 129
Whitfield Brow. L'boro —7M 185
Whitfield Dri. Miln —8H 205
Whitley Av. Blac —5D 88
Whitley Av. T Clev —7E 54
Whitley Rd. Roby M —9F 212
Whitmoor Clo. More —3B 22
Whitmore Dri. Rib —7C 116
Whitmore Gro. Rib —7C 116
Whitmore Pl. Rib —7C 116
Whitprick Hill. —9G 90
Whitsters Hollow. Bolt —9B 198
Whitstone Dri. Skel —4A 220
Whittaker. —1N 205
Whittaker Av. Blac —3D 88
Whittaker Clo. Burn —1N 123
Whittaker Dri. L'boro —3J 205
Whittaker Golf Course. —1N 205
Whittaker La. Roch —4H 203
Whittaker St. B'brn —3K 139
Whittaker St. Roch —4J 203
Whittam Av. Blac —9E 88
Whittam Ct. Wors —3M 125
(off Showfield)
Whittam Cres. Whal —4H 101
Whittam Rd. Chor —9D 174
Whittam Rd. Whal —4G 101
Whittam St. Burn —4D 124
Whittendale Hall. Pres —8J 115
Whittenhall Dri. Hest B —7K 15
Whitter's La. Winm —1G 58
Whittingham Dri. Ram —1H 201
Whittingham La. Brough & Goos —7G 94
Whittingham La. Haig & Grims —7D 96
Whittingham Rd. L'rdge —3H 97
Whittington. —8E 8
Whittle Brow. Cop —4M 193
Whittle Clo. Clith —2M 81
Whittle Dri. Orm —5K 209
Whittlefield. —1B 124
Whittle Grn. Wood —7B 94
Whittle Hill. Eger —2E 198
Whittle Hill. Wood —7B 94
Whittle La. Wrigh —8B 192
Whittle-le-Woods. —8E 154
Whittle Pk. Clay W —5D 154
Whittles St. Bacup —7M 163
Whittles St. Roch —2A 184
Whittles Ter. Miln —9L 205
Whittle St. Bury —9H 201
Whittle St. Has —5F 160
Whittle St. L'boro —9J 185
Whittle St. Raw —4M 161
Whittlewood Ct. Liv —6L 223
Whitton M. Hor —9C 196
Whittycroft Av. Barfd —5J 85
Whittycroft Dri. Barfd —5J 85
Whitwell Av. Blac —4C 108
Whitwell Clo. Stand —2N 213
Whitwell Gdns. Hor —8C 196
Whitworth. —5N 183
Whitworth Dri. Chor —7C 174
Whitworth Rake. Whitw —6A 184
Whitworth Rd. Miln —7J 205
Whitworth Rd. Roch —1A 204
Whitworth Sq. Whitw —6A 184
Whitworth St. Miln —3F 204
Whitworth St. Wesh —3L 111
Whitworth Way. Barn —10G 52
Wholesome La. New L —1B 152
Wholesome La. South —3H 189
Whorleys La. Neth K —3A 16
Whytha Rd. Rim —6A 76
Wicken Gro. Ross —8M 143
Wickentree Holt. Roch —4L 203
Wicken Tree Row. S'stne —7E 102
Wickliffe Pl. Roch —7C 204
Wickliffe St. Nels —1J 105
Wicklow Av. Lyth A —3D 130
Wickworth St. Nels —3K 105
Widgeon Clo. T Clev —8F 54
Widow Hill Ct. Burn —9H 105
Widow Hill Rd. Burn —9G 105
Wigan La. Chor & Hth C —7E 194
Wigan Lwr. Rd. Stand L —8M 213
Wigan Rd. Eux —1M 173
Wigan Rd. Ley & Bam B —8M 153
Wigan Rd. Orm —7L 209
Wigan Rd. Shev —6L 213
Wigan Rd. Skel —3K 219
Wigan Rd. W'head —8C 210
Wiggins La. H'wd —9M 169
Wigglesworth. —10M 35
Wight Moss Way. South —2K 187
Wignalls Mdw. Liv —8A 214
Wignall St. Pres —8M 115
Wigston Clo. South —9B 186
Wigton Av. Ley —8G 153
Wilbraham St. Pres —8M 115
Wilby Clo. Bury —8J 201
Wilcove. Skel —2K 219
Wilderswood. —7E 196
Wilderswood Av. Hor —9D 196
Wilderswood Clo. Whit W —5E 154
Wilderswood Ct. Hor —9D 196
Wildflower Dri. Ley —5A 154
Wildfowl Trust Martin Mere & Vis. Cen., The. —4N 189
Wildhouse Ct. Miln —5J 205
Wild Ho. La. Miln —5J 205
Wilding's La. Lyth A —9H 109
Wild La. Blac —4K 109
Wildman St. Blac —3D 88
Wildman St. Pres —6H 115
Wildoaks Dri. T Clev —3K 63
Wilds Bldgs. Roch —6G 205
Wild's Pas. L'boro —1H 205
(New Rd.)
Wild's Pas. L'boro —4N 185
(Todmorden Rd.)
Wilds Pl. Ram —9G 181
Wildwood Clo. Ram —1F 200
Wilfield St. Burn —3C 124
Wilford St. Blac —3E 88
Wilfred Dri. Bury —9N 201
(off Huntley Mt. Rd.)
Wilfred St. Acc —4B 142
Wilfred St. Brom X —6G 198
Wilkesley Av. Stand —4N 213
Wilkie Av. Burn —7C 124
Wilkin Bri. Clith —3L 81
Wilkinson Av. Blac —6E 88
Wilkinson Mt. Earby —2E 78
(off Aspen La.)
Wilkinson Mt. Earby —3E 78
(off Cowgill St.)
Wilkinson Rd. Bolt —8D 198
Wilkinson St. Burn —7H 105
Wilkinson St. Dunn —4N 143
Wilkinson St. Has —3G 160
Wilkinson St. High —5L 103
Wilkinson St. Los H —8L 135
Wilkinson St. Nels —8G 85
Wilkinson Way. Pre —8M 41
Wilkin Sq. Clith —3L 81
Willacy La. Catt —7J 93
Willacy Pde. Hey —7L 21
Willard Av. Bil —8G 221
Willaston Av. Black —3J 85
Willbutts La. Roch —5N 203
William Griffiths Ct. B'brn —6J 139
(off Mill Hill Bri. St.)
William Henry St. Pres —9M 115
William Henry St. Roch —9D 204
William Herbert St. B'brn —2N 139
William Hopwood St. B'brn —4A 140
William Roberts Av. Liv —8H 223
Williams Av. More —2G 22
Williams La. Ful —2M 115
Williamson Rd. Lanc —8L 23
Williams Pl. Nels —2K 105
Williams Rd. Burn —9F 104
William St. Acc —1B 142
William St. Bacup —7N 163
William St. B'brn —6M 139
William St. Blac —3E 88
William St. Brier —4F 104
William St. Carn —7A 12
William St. Chor —8E 174
William St. Clay M —8N 121
William St. Col —7B 86
William St. Dar —6A 158
William St. Earby —3E 78
William St. Hor —9B 196
William St. Hur —1G 205
William St. L'boro —9K 185
William St. Los H —8K 135
William St. Nels —2J 105
William St. Ram —5H 181
William St. Roch —7C 204
William St. Whitw —5N 183
William Young Clo. Pres —7M 115
Willingdon Clo. Bury —6H 201
Willis Rd. B'brn —6G 139
Willis St. Burn —6A 124
Willoughby Av. T Clev —1D 62
Willoughby St. B'brn —2M 139
Willow Av. Kirkby —7H 223
Willow Av. Ross —3M 161
Willowbank. Blac —4J 89
Willow Bank. Dar —9A 158
Willowbank. Lyth A —1E 128
Willow Bank. Todm —1L 165
Willow Bank. W'head —9N 209
Willowbank Av. Blac —4E 108
Willow Bank La. Dar —6N 157
Willow Brook. Acc —2A 142
Willow Brook. Hals —3B 208
Willowbrook Dri. Shev —5L 213
Willow Clo. And —5K 195
Willow Clo. Barfd —1F 104
Willow Clo. Clay M —6L 121
Willow Clo. Fort —2M 45
Willow Clo. Hogh —7G 136
Willow Clo. Los H —8K 135
Willow Clo. Pres —4D 134
Willow Clo. T Clev —2K 63
Willow Coppice. Lea —6B 114
Willow Ct. T Clev —2K 63
Willow Cres. Burs —7D 190
Willow Cres. Frec —3M 131
Willow Cres. Ley —4N 153
Willow Cres. Rib —7N 115
Willowcroft Dri. Hamb —2A 64
Willow Dale. T Clev —2K 63
Willowdene. T Clev —2E 62
Willowdene Clo. Brom X —5F 198
Willow Dri. Barr —2K 101
Willow Dri. Char R —2N 193
Willow Dri. Frec —3M 131
Willow Dri. Gars —3N 59
Willow Dri. Poul F —2K 89
Willow Dri. Skel —2J 219
Willow Dri. W Grn —5H 111
Willow End. Burs —9D 190
Willowfield. Clay W —4E 154
Willowfield Chase. Hogh —6K 137
Willowfield Rd. Hey —9M 21
Willow Grn. Ash R —9D 114
Willow Grn. Orm —7L 209
Willow Grn. Ruf —2E 190
Willow Grn. South —2B 168
Willow Gro. Blac —1G 88
Willow Gro. Form —8A 206
Willow Gro. Goos —4N 95
Willow Gro. Hamb —1A 64
Willow Gro. Lanc —8M 23
Willow Gro. More —2F 22
Willow Gro. South —7L 167
Willow Gro. W Brad —5K 73
Willow Hey. Brom X —6J 199
Willow Hey. Liv —3D 222
Willow Hey. Skel —2K 219
Willowhey. South —2M 167
Willow Hey. Tar —8E 150
Willow La. Lanc —9G 23
Willow Lodge. Lyth A —1J 129
Willowmead Pk. Mos S —7E 110
Willowmead Way. Roch —3L 203
Willow Mill. Cat —3H 25
Willow Mt. B'brn —6N 119
Willow Pk. Osw —6J 141
Willow Pl. Elsw —1L 91
Willow Ri. L'boro —2J 205
Willow Rd. Chor —4G 174
Willow Rd. Ley —9C 152
Willows Av. Lyth A —5L 129
Willows Av. T Clev —2E 62
Willows Cotts. Miln —6H 205
Willows La. Acc —3N 141
Willows La. K'ham —4L 111
Willows La. Roch —7G 205
Willows Pk. La. L'rdge —2K 97
Willows, The. Cop —5A 194
Willows, The. Lyth A —5L 129
Willows, The. Maw —3N 191
Willows, The. Mel B —6D 118
Willows, The. South —8F 166
(off Beechfield Gdns.)
Willows, The. Whitw —9N 183
(off Tonacliffe Rd.)
Willow St. Acc —2A 142
Willow St. B'brn —1A 140
Willow St. Burn —3C 124
Willow St. Clay M —6L 121
Willow St. Dar —6N 157
Willow St. Fltwd —9G 40
Willow St. Gt Har —5J 121
Willow St. Has —4G 161
Willow St. Ross —7C 162
Willow Tree Av. Brough —7G 94
Willow Tree Av. Ross —5K 161
Willow Tree Cres. Ley —6G 152
Willow Tree Gdns. T Clev —2K 63
Willow Trees Dri. B'brn —9K 119
Willow Wlk. Skel —8M 211
Willow Way. New L —9C 134
Wills Av. Liv —9B 216
Willsford Av. Liv —7G 222
Willshaw Rd. Blac —1B 88
Willy La. C'ham —9H 37
Wilmar Rd. Ley —5M 153
Wilmcote Gro. South —9B 186
Wilmers. L'boro —4N 185
Wilmore Clo. Col —6N 85
Wilmot Rd. Rib —6A 116
Wilmslow Av. Bolt —8E 198
Wilpshire. —4N 119
Wilpshire Banks. Wilp —5N 119
Wilpshire Golf Course. —4A 120
Wilpshire Rd. Rish —5D 120
Wilsham Rd. Orr —6H 221
Wilson Clo. Tar —8D 150
Wilson Clo. Todm —9K 147
Wilson Dri. Elsw —1M 91
Wilson Gro. Hey —8K 21
Wilson Sq. T Clev —4C 62
Wilson St. B'brn —6L 139
Wilson St. Clith —4K 81
Wilson St. Foul —2A 86
Wilson St. Hor —9B 196
Wilson St. Roch —5C 204
Wilton Clo. Lanc —4L 23
Wilton Gro. Pen —4D 134
Wilton Pde. Blac —3B 88
Wilton Pl. Ley —6L 153
Wilton Rd. Bolt —8E 198
Wilton Rd. Shev —6K 213
Wilton St. Barfd —8H 85
Wilton St. Bolt —9F 198
Wilton St. Brier —5F 104
Wilton St. Burn —9F 104

Wilton Ter.—Woodvale

Wilton Ter. Roch —5B 204
Wiltshire Av. Burn —2N 123
Wiltshire Dri. Has —7G 161
Wiltshire M. Cot —4A 114
Wiltshire Pl. Wig —5M 221
Wilvere Ct. T Clev —4C 62
Wilvere Dri. T Clev —3C 62
Wilworth Cres. B'brn —8M 119
Wimberley Banks. B'brn —1N 139
(off Wimberley St.)
Wimberley Gdns. B'brn —2M 139
Wimberley Pl. B'brn —2M 139
Wimberley St. B'brn —2M 139
Wimbledon Av. T Clev —5D 62
Wimbledon Ct. T Clev —5D 62
(off Wimbledon Av.)
Wimbledon Dri. Roch —8A 204
Wimborne Rd. Orr —3K 221
Wimbourne Pl. Blac —3A 108
Wimbrick Clo. Orm —8J 209
Wimbrick Cres. Orm —9J 209
Winby St. Roch —9D 204
Wincanton Dri. Bolt —6D 198
Winchcombe Rd. T Clev —4E 62
Winchester Av. Acc —1B 142
Winchester Av. Ain —7C 222
Winchester Av. Blac —9D 88
Winchester Av. Chor —2G 194
Winchester Av. Lanc —3M 29
Winchester Av. More —2D 22
Winchester Clo. Bury —6H 201
Winchester Clo. Heat O —6B 22
Winchester Clo. Orr —4J 221
Winchester Dri. Poul F —5G 63
Winchester Rd. Bil —9G 221
Winchester Rd. Pad —3J 123
Winchester St. B'brn —5A 140
Winckley Ct. Pres —1J 135
Winckley Gdns. Pres —1J 135
Winckley Rd. Clay M —7M 121
Winckley Rd. Pres —2G 135
Winckley Sq. Pres —1J 135
Winckley St. Pres —1J 135
Winder Gth. Over K —9G 12
Winder La. Fort —4M 45
Windermere Av. Acc —8C 122
Windermere Av. Burn —8E 104
Windermere Av. Clith —4J 81
Windermere Av. Col —5C 86
Windermere Av. Far —4K 153
Windermere Av. Fltwd —4D 54
Windermere Av. More —4D 22
Windermere Clo. B'brn —2N 139
Windermere Ct. More —4D 22
(off Windermere Av.)
Windermere Cres. South —1C 206
Windermere Dri. Adl —4K 195
Windermere Dri. Dar —4C 158
Windermere Dri. Kirkby —6J 223
Windermere Dri. Mag —9D 216
Windermere Dri. Rainf —9K 219
Windermere Dri. Ram —7H 181
Windermere Dri. Rish —8G 120
Windermere Rd. Bacup —4L 163
Windermere Rd. Blac —1C 108
Windermere Rd. Bolt S —4L 15
Windermere Rd. Carn —1B 16
Windermere Rd. Chor —7G 174
Windermere Rd. Ful —5M 115
Windermere Rd. Lanc —8M 23
Windermere Rd. Liv —7A 214
Windermere Rd. Orr —3J 221
Windermere Rd. Pad —9H 103
Windermere Rd. Pres —8C 116
Windermere Sq. Lyth A —7F 108
Windermere St. Roch —3C 204
Windfield Clo. Liv —4M 223
Windgate. Much H —5J 151
Windgate. Skel —3K 219
Windgate. Tar —1E 170
Windgate Fold. Tar —1E 170
Windham Pl. Lanc —5G 22
Windham St. Roch —2F 204
Windhill La. Rim —5L 75
Windholme. Lanc —6G 22
Windle Ash. Liv —9B 216
Windle Clo. Blac —5B 108
Windmill Animal Farm. —1N 189
Windmill Av. K'ham —5A 112
Windmill Av. Orm —7L 209
Windmill Cvn. Pk. Blac —1L 109
Windmill Clo. Liv —5K 223
Windmill Clo. Stain —5L 89
Windmill Ct. Lanc —4L 29
Windmill Ct. Roch —7E 204
Windmill Heights. Uph —3D 220
Windmill La. Brin —9K 137
Windmill Pl. Blac —3F 108
Windmill Rd. Uph —4C 220
Windmill St. Roch —7E 204
Windmill Vw. Wesh —3M 111
Windrows. Skel —2K 219
Windrush Av. Ram —3F 200
Windrush, The. Roch —1N 203
Windsor Av. Adl —7H 195
Windsor Av. Ash R —7E 114
Windsor Av. Blac —1B 108
Windsor Av. Chu —9N 121
Windsor Av. Clith —4J 81
Windsor Av. Helm —6F 160
Windsor Av. Lanc —2M 29
Windsor Av. L'rdge —3H 97
Windsor Av. More —5N 21
Windsor Av. New L —7D 134
Windsor Av. Pen —5F 134
Windsor Av. Ross —6C 162
Windsor Av. T Clev —1H 63
Windsor Clo. B'brn —5B 140
Windsor Clo. Burs —1C 210
Windsor Clo. Chor —7D 174
Windsor Clo. G'mnt —4F 200
Windsor Clo. Read —8C 102
Windsor Ct. Poul F —8L 63
Windsor Ct. South —1E 186
Windsor Dri. Brins —7N 155
Windsor Dri. Ful —3G 115
Windsor Gdns. Gars —5M 59
Windsor Gro. More —5A 22
Windsor Lodge. Ans —4K 129
Windsor Pk. Rd. Liv —7D 222
Windsor Pl. Barn —1A 78
Windsor Pl. Fltwd —8H 41
Windsor Rd. Ans —4K 129
Windsor Rd. B'brn —3E 140
(Blackburn Rd.)
Windsor Rd. B'brn —2J 139
(Revidge Rd.)
Windsor Rd. Blac —3H 89
Windsor Rd. Brom X —6G 198
Windsor Rd. Chor —7D 174
Windsor Rd. Chor & E'ston —7F 172
Windsor Rd. Dar —4N 157
Windsor Rd. Gars —5M 59
Windsor Rd. Gt Har —4K 121
Windsor Rd. K'ham —4L 111
Windsor Rd. Lyth A —3G 128
Windsor Rd. Mag —1B 222
Windsor Rd. More —5N 21
Windsor Rd. South —8K 167
Windsor Rd. Todm —1K 165
Windsor Rd. Uph —3D 220
Windsor Rd. Walt D —5N 135
Windsor St. Acc —2B 142
Windsor St. Burn —3A 124
Windsor St. Col —6B 86
Windsor St. Nels —3K 105
Windsor St. Roch —8D 204
Windsor Ter. Fltwd —8H 41
Windsor Ter. Miln —7H 205
Windsor Ter. Roch —6F 204
Windy Bank. Col —6B 86
Windycroft. Brom X —5H 199
Windy Harbour Cvn. Pk. Sing —6E 64
Windy Harbour La. Brom X —5H 199
Windy Harbour La. Todm —7L 147
Windy Harbour Rd. Sing —7F 64
Windy Harbour Rd. South —6E 186
Windy Hill. Ben —6N 19
Windyhill. Lanc —8K 23
Windy St. Chip —5G 70
Winery La. Walt D —3M 135
Winewall. —7F 86
Winewall La. Traw —6E 86
Winewall Rd. Col —6E 86
Wingate Av. More —5C 22
Wingate Av. T Clev —3D 62
Wingate Pl. T Clev —3D 62
Wingate Rd. Kirkby —6L 223
Wingates. Pen —5F 134
Wingate-Saul Rd. Lanc —8J 23
Wingate St. Roch —4J 203
Wingate Wlk. Liv —7L 223
Wingfield Vs. L'boro —7M 185
Wingrove Rd. Fltwd —2F 54
Winifred Av. Bury —9D 202
Winifred La. Augh —2F 216
Winifred St. Blac —6B 88
Winifred St. Ram —9G 181
Winmarleigh. —9J 45
Winmarleigh Rd. Ash R —8E 114
Winmarleigh Rd. Lanc —5L 29
Winmarleigh St. B'brn —4C 140
Winmarleigh Wlk. B'brn —4B 140
Winmoss Dri. Liv —5L 223
Winnipeg Clo. B'brn —9J 119
Winnipeg Pl. Blac —8D 62
Winscar Wlk. Poul F —8H 63
Winsford Cres. T Clev —3C 62
Winsford Dri. Roch —8K 203
Winsford Wlk. Burn —4N 123
Winsham Clo. Liv —9K 223
Winslow Av. Poul F —6H 63
Winslow Clo. Pen —6H 135
Winsor Av. Ley —7L 153
Winstanley. —8N 221
Winstanley Gro. Blac —5C 88
Winstanley Rd. Orr —7H 221
Winster Clo. Hogh —4G 136
Winster Ct. Clay M —7L 121
Winster Ho. Wig —4M 221
Winster Pk. Lanc —6G 22
Winster Pl. Blac —9K 89
Winsters, The. Skel —2K 219
Winster Wlk. Lanc —6G 22
Winston Av. Lyth A —2H 129
Winston Av. Roch —7J 203
Winston Av. T Clev —1F 62
Winston Cres. South —3L 187
Winston Rd. B'brn —1L 139
Winterburn Av. Bolt —7H 199
Winterburn La. E'tn —1M 53
Winterburn Rd. B'brn —9K 139
Winterbutlee Gro. Todm —6K 165
Winterbutlee Rd. Todm —6K 165
Winter Gap La. Loth —4L 79
Winter Gardens. —5B 88
Winter Gdns. Arc. More —3A 22
Winter Hey La. Hor —9C 196
Winter Hill Clo. Pres —2E 116
Winterley Dri. Acc —8D 122
Winterton Rd. Dar —5A 158
Winthorpe Av. More —4D 22
Winton Av. Blac —9G 88
Winton Av. Ful —3J 115
Winton Av. Wig —6N 221
Winton St. L'boro —9L 185
Winward Clo. Lwr D —1N 157
Wirral Dri. Wig —9M 221
Wiseman Clo. More —4C 22
Wiseman St. Burn —3C 124
Wisp Hill Gro. Halt —1C 24
Wisteria Dri. Lwr D —9A 140
Wiswell. —3M 101
Wiswell Clo. Burn —8J 105
Wiswell Clo. Ross —3M 161
Wiswell La. Whal —4K 101
Witham Clo. Stand —3N 213
Witham Rd. Skel —2G 219
Withens New Rd. Todm —4N 165
(in two parts)
Withens Rd. Liv —8C 216
Witherslack Clo. More —5B 22
Withers St. B'brn —4N 139
Withgill Fold. W'gll —5D 80
Within Grove. —8C 122
Within Gro. Acc —8C 122
Withington La. Hesk —3H 193
Withins Fld. Liv —8A 214
Withins La. Liv —4F 214
Withnell. —6B 156
Withnell Fold. —4L 155
Withnell Fold. Withn —4L 155
Withnell Fold Old Rd. Brins —5N 155
Withnell Gro. Chor —5G 175
Withnell Rd. Blac —1B 108
Withy Ct. Ful —6H 115
Withy Gro. Clo. Bam B —7B 136
Withy Gro. Cres. Bam B —7B 136
Withy Gro. Rd. Bam B —7B 136
Withy Pde. Ful —5H 115
Withy Trees Av. Bam B —8B 136
Withy Trees Clo. Bam B —7B 136
Witley Rd. Roch —6E 204
Witney Av. B'brn —8F 138
Wittlewood Dri. Acc —8A 122
Witton. —5J 139
Witton Av. Fltwd —3E 54
Witton Country Pk. & Vis. Cen. —5G 139
Witton Gro. Fltwd —3E 54
Witton Pde. B'brn —5K 139
Witton St. Pres —9L 115
Witton Way. Rainf —3K 225
Woborrow Rd. Hey —9K 21
Woburn Clo. Acc —5D 142
Woburn Clo. Miln —7H 205
Woburn Grn. Ley —5L 153
Woburn Rd. Blac —3C 88
Woburn Way. Catt —1A 68
Wold, The. H'pey —3J 175
Wolfenden Grn. Ross —7D 162
Wollaton Dri. South —2M 187
Wolseley Clo. Ley —7K 153
Wolseley Pl. Pres —1K 135
Wolseley Rd. Pres —3H 135
Wolseley St. B'brn —7L 139
Wolseley St. Lanc —8L 23
Wolseley St. Miln —9L 205
Wolsey Clo. T Clev —9E 54
Wolsley Rd. Blac —9B 88
Wolsley Rd. Fltwd —9F 40
Wolstenholme. —4G 202
Wolstenholme Av. Bury —7L 201
Wolstenholme Coalpit La. Roch —3F 202
Wolstenholme La. Roch —3G 202
(in two parts)
Wolverton. Skel —3K 219
Wolverton Av. Blac —9B 62
Wolvesey. Roch —7B 204
Woodacre La. Scor —1A 60
Woodacre Rd. Rib —well
Woodale Laithe. Barfd —8G 85
Woodale Rd. Clay W —3D 154
Wood Bank. Pen —5F 134
Wood Bank. Ross —9E 160
Woodbank Av. Dar —5M 157
Woodbank Dri. Bury —9H 201
Woodcar Rd. L'boro —2K 205
Woodberry Clo. Liv —4L 223
Woodbine Gdns. Burn —2N 123
Woodbine Pas. L'boro —9K 185
(off William St.)
Woodbine Rd. B'brn —2J 139
Woodbine Rd. Burn —3A 124
Woodbine St. Roch —8D 204
(in two parts)
Woodbine St. E. Roch —8E 204
Woodbine Ter. Todm —7E 146
Woodbridge Gdns. Roch —3N 203
Woodbrook Dri. Wig —7N 221
Woodburn Clo. B'brn —9H 119
Woodburn Dri. Bolt —9B 198
Woodbury Av. B'brn —6L 139
Woodbury Av. Fence —3B 104
Wood Clo. Arns —1F 4
Wood Clo. Liv —8J 223
Wood Clo. R'lee —6E 84
Woodclose Cvn. Pk. K Lon —6F 8
Wood Clough Flats. Brier —5E 104
Woodcock Clo. Roch —6K 203
Woodcock Clo. T Clev —7G 54
Woodcock Est. Los H —1L 153
Woodcock Fold. E'ston —7F 172
Woodcock Hill Rd. Pleas —5C 138
Woodcock La. Char R —1H 193
Woodcock's Ct. Pres —1J 135
Woodcote Clo. Liv —6M 223
Woodcott Bank. Bolt —9E 198
Woodcourt Av. Burn —6B 124
Woodcrest. Wilp —4N 119
Woodcroft. Shev —6H 213
Woodcroft. Skel —3K 219
Woodcroft Av. Ross —2L 161
Woodcroft Clo. Pen —6F 134
Woodcroft St. Ross —2L 161
Wooded Clo. Bury —8L 201
Wood End. Burn —7D 104
Wood End. Pen —7F 134
Woodend Av. Mag —3B 222
Woodend La. Ward —8G 185
Wood End Rd. Clay W —4C 154
Woodfall. Chor —5D 174
Woodfield. Bam B —1E 154
Woodfield Av. Acc —5C 142
Woodfield Av. Blac —8B 88
Woodfield Av. Roch —3B 204
Woodfield Rd. Blac —8B 88
Woodfield Rd. Chor —5E 174
Woodfield Rd. Orm —9J 209
Woodfield Rd. T Clev —2K 63
Woodfield St. Todm —1K 165
(off Buckley Vw.)
Woodfield Ter. Brier —5G 104
Woodfield Vw. Whal —5J 101
Wood Fold. Brom X —7J 199
Woodfold Clo. Mel B —6D 118
Woodfold La. Cabus —8N 45
Woodfold Pl. B'brn —3J 139
Woodford Copse. Chor —7B 174
Woodford St. Wig —5L 221
Woodgate. Whi L —6F 22
Woodgate Av. Bury —9B 202
Woodgate Hill. —9B 202
Woodgate Hill Rd. Bury —9A 202
(in two parts)
Woodgates Rd. B'brn —3F 138
Woodgreen. Ley —5H 153
Woodgreen. Wesh —2N 111
Wood Grn. Dri. T Clev —3F 62
Woodgrove Rd. Burn —6F 124
Woodhall Clo. Bury —8J 201
Woodhall Cres. Hogh —4G 136
Woodhall Gdns. Hamb —1B 64
Woodhart La. E'ston —9F 172
Woodhead Clo. Ram —1H 201
Woodhead Clo. Ross —6E 162
Woodhead Rd. Read —8C 102
Woodhey. —2F 200
Wood Hey Gro. Roch —1B 204
Woodhey Rd. Ram —2F 200
Woodheys Rd. L'boro —3K 205
Woodhill. —9H 201
Woodhill Av. More —5A 22
Woodhill Clo. More —5A 22
Woodhill Fold. —9J 201
Woodhill Fold. Bury —9J 201
Woodhill Ho. More —4A 22
Woodhill La. More —4A 22
Woodhill Rd. Bury —9J 201
Woodhill St. Bury —9J 201
Wood House. —4B 50
Wood Ho. Ct. Todm —1N 165
Woodhouse Dri. Wig —9N 213
Woodhouse Farm Cotts. Roch —3H 203
Woodhouse Gro. Pres —1H 135
Woodhouse Gro. Todm —2N 165
Woodhouse La. Roch —3H 203
Wood House La. Slai —3A 50
Woodhouse La. Wig —1N 221
(in two parts)
Woodhouse Rd. T Clev —3L 63
Woodhouse Rd. Todm —2N 165
Woodhouse St. Burn —5F 124
Woodhurst Dri. Stand —3N 213
Woodland. Brins —8A 156
Woodland Av. Bacup —2K 163
Woodland Av. Scar —6E 188
Woodland Av. T Clev —1H 63
Woodland Clo. Hamb —2C 64
Woodland Clo. W Grn —6G 111
Woodland Cres. Pre —7N 41
Woodland Dri. Clay M —4M 121
Woodland Dri. Poul F —1L 89
Woodland Dri. Stand —2N 213
Woodland Grange. Pen —5G 135
Woodland Gro. Blac —6E 88
Woodland Gro. Eger —3D 198
Woodland Gro. Pen —3E 134
Woodland Mt. Bacup —7G 162
Woodland Pl. Lwr D —9N 139
Woodland Rd. Mell —6F 222
Woodland Rd. Roch —3N 203
Woodlands. Roch —2F 204
Woodlands Av. Bam B —6C 136
Woodlands Av. B'brn —7F 138
Woodlands Av. K'ham —4L 111
Woodlands Av. Pen —5G 135
Woodlands Av. Rib —7A 116
Woodlands Av. Roch —7L 203
Woodlands Av. Todm —1L 165
Woodlands Clo. Newt —6D 112
Woodlands Clo. Orm —8M 209
Woodlands Clo. South —6K 167
Woodlands Clo. W Brad —5K 73
Woodlands Ct. Lyth A —4K 129
Woodlands Cres. Brtn —5E 94
Woodlands Dri. Ful —1H 115
Woodlands Dri. Hey —6M 21
Woodlands Dri. Ley —6J 153
Woodlands Dri. Shev —8J 213
Woodlands Dri. Silv —7G 5
Woodlands Dri. W'ton —3H 131
Woodlands Dri. Wesh —2N 111
Woodlands Dri. W Brad —5K 73
Woodlands Dri. Whal —5J 101
Woodlands Gro. Bury —9G 200
Woodlands Gro. Dar —5L 157
Woodlands Gro. Grims —9G 96
Woodlands Gro. Hey —6M 21
Woodlands Gro. Pad —1G 122
Woodlands Mdw. Chor —2E 194
Woodlands Pk. Whal —5J 101
Woodlands Rd. Lanc —4L 23
Woodlands Rd. Lyth A —4K 129
Woodlands Rd. Miln —8H 205
Woodlands Rd. Nels —2K 105
Woodlands Rd. Ram —4J 181
Woodlands, The. Ash R —8B 114
Woodlands, The. Bury —8J 201
Woodlands, The. Gars —4M 59
Woodlands, The. Old L —4C 100
Woodlands, The. South —8C 186
Woodland St. Roch —3D 204
Woodlands Vw. Over K —1F 16
Woodlands Vw. Ram —8H 181
Woodlands Vw. Roch —5F 204
Woodlands Way. Brtn —4E 94
Woodlands Way. Longt —8K 133
Woodland Ter. Bacup —3K 163
Woodland Vw. Bacup —3K 163
Woodland Vw. Brom X —5H 199
Woodland Vw. Gt Har —3J 121
Wood La. Form & Liv —2J 215
Wood La. Hesk —1G 193
Wood La. Lath —8H 191
Wood La. Maw —9A 172
Wood La. Parb —2A 212
Wood Lea. Todm —8H 147
Wood Lea Bank. Ross —7D 162
(off Wood Lea Rd.)
Woodlea Chase. Dar —3C 178
Woodlea Clo. South —1C 168
Woodlea Gdns. Brier —5H 105
Woodlea Rd. B'brn —4B 140
Woodlea Pl. Ley —7J 153
Wood Lea Rd. Ross —7C 162
Woodlee Rd. Hesk B —5D 150
Woodleigh Clo. Liv —6A 216
Woodley Av. Acc —4B 142
Woodley Av. T Clev —2K 63
Woodley Pk. Rd. Skel —8M 211
Woodley Rd. Liv —4B 222
Woodman Cote. Chor —4D 174
Woodman Dri. Bury —7K 201
Woodman La. Burr —9F 8
Woodmoss La. Scar —2C 188
Woodnook. —4A 142
Wood Nook. Ross —9M 143
Woodnook Rd. App B —4H 213
Wood Pk. Rd. Blac —9E 88
Woodpecker Hill. Burn —4A 124
(off Nightingale Cres.)
Woodplumpton. —8B 94
Woodplumpton La. Brough —7E 94
Woodplumpton Rd. Burn —7D 124
Woodplumpton Rd. Ful & Ash R —5E 114
Wood Plumpton Rd. Wood —6B 94
Woodridge Av. T Clev —3C 62
Wood Road. —4H 201
Wood Rd. La. Bury —3H 201
Woodrow. Skel —3J 219
Woodrow Dri. Newb —3K 211
Woodruff Clo. T Clev —7F 54
Woodrush. More —2F 22
Woodrush Rd. Stand L —9N 213
Woods Brow. Bald —4M 117
Wood's Brow. K Grn —4B 98
Woods Clo. Hask —8N 207
Woodsend Clo. B'brn —8A 140
Woodsfold. —4J 93
Woods Grn. Pres —3H 135
Woodside. Chor & Eux —3M 173
Woodside. Far —3M 153
Woodside. Has —5H 161
Woodside. Miln —8M 205
Woodside Av. Clay W —6D 154
Woodside Av. Ful —5H 115
Woodside Av. New L —9C 134
Woodside Av. Rib —6A 116
Woodside Av. Rish —9F 120
Woodside Av. South —1B 206
Woodside Clo. Acc —8E 122
Woodside Clo. Uph —3F 220
Woodside Cres. Ross —6B 162
Woodside Dri. Blac —5G 88
Woodside Dri. Ram —9F 180
Woodside Gro. B'brn —8H 139
Woodside Pk. Cvn. Pk. Pre —3B 56
Woodside Pl. Chor —1G 195
Woodside Rd. Acc —9D 122
(Bolton Av., in two parts)
Woodside Rd. Acc —8E 122
(Sutton Cres.)
Woodside Rd. S'stne —8D 102
Woodside Ter. Nels —2G 105
Woodside Way. Clay M —5M 121
Woodside Way. Liv —5L 223
Wood's La. Eag H —5E 58
Woods La. Wood —3J 93
Woodsley St. Burn —4N 123
Woods Pas. L'boro —9J 185
Woods, The. Roch —9N 203
Woodstock Av. T Clev —3J 63
Woodstock Clo. Los H —8M 135
Woodstock Cres. B'brn —8F 138
Woodstock Dri. South —5F 186
Woodstock Dri. Tot —6C 200
Woodstock Gdns. Blac —2B 108
Woodstock St. Roch —4N 203
Wood St. Blac —5B 88
(in two parts)
Wood St. Brier —5F 104
Wood St. Burn —1E 124
Wood St. Col —7B 86
Wood St. Dar —5N 157
(Alexandra Rd.)
Wood St. Dar —6N 157
(Vale Rd.)
Wood St. Fltwd —4E 54
Wood St. Gt Har —4L 121
Wood St. Hap —5H 123
Wood St. Hor —9D 196
Wood St. Lanc —8K 23
Wood St. L'boro —9L 185
Wood St. Lyth A —2E 128
Wood St. Osw —3L 141
Wood St. Poul I —8M 63
Wood St. Ram —9G 180
Wood St. Roch —9M 205
(Huddersfield Rd.)
Wood St. Roch —7D 204
(Oldham Rd.)
Wood St. Todm —1L 165
Wood Ter. Chat —7D 74
Wood Top. —6K 161
Wood Top Av. Roch —8K 203
Woodvale. —1B 206

Woodvale. *Dar* —6N **157**
Woodvale. *Ley* —7D **152**
Woodvale Airfield. —4A 206
Woodvale Ct. *Banks* —1F **168**
Woodvale Rd. *South* —2C **206**
Wood Vw. *B'brn* —7G **139**
Wood Vw. *Heyw* —9G **202**
Wood Vw. *Shev* —6L **213**
Wood Vw. *Stalm* —5B **56**
Woodville Rd. *B'brn* —1A **140**
Woodville Rd. *Brier* —4F **104**
Woodville Rd. *Chor* —6E **174**
Woodville Rd. *Hth C* —4H **195**
Woodville Rd. *Pen* —6G **134**
Woodville Rd. W. *Pen* —6F **134**
Woodville St. *Far* —4L **153**
Woodville St. *Lanc* —8L **23**
Woodville Ter. *Dar* —9B **158**
Woodville Ter. *Lyth A* —5M **129**
Woodward Clo. *Bury* —8L **201**
Woodward Rd. *Know I* —6A **224**
Woodway. *Ful* —5F **114**
Woodwell La. *Silv* —1G **10**
Wookey Clo. *Ful* —3N **115**
Wooley La. *Acc* —5E **142**
Woolfold. —9G 201
Woolfold Trad. Est. *Bury* —9H **201**
Woolman Rd. *Blac* —6C **88**
Woolwich St. *B'brn* —3B **140**
Woone La. *Clith* —5K **81**
Worcester Av. *Acc* —1N **141**
Worcester Av. *Gars* —5M **59**
Worcester Av. *Lanc* —2M **29**
Worcester Av. *Ley* —7L **153**
Worcester Pl. *Chor* —1G **195**
Worcester Rd. *B'brn* —3C **140**
Worcester Rd. *Blac* —7F **88**
Worcester St. *Bury* —9J **201**
Worchester Gdns. *Cot* —4A **114**
Worden Clo. *Ley* —8J **153**
Worden La. *Ley* —8K **153**
Worden La. *Withn* —4N **155**
Worden Rd. *Ash R* —6G **114**
Wordsworth Av. *Bil* —9G **221**
Wordsworth Av. *Blac* —8H **89**
Wordsworth Av. *Bolt S* —4L **15**
Wordsworth Av. *Lyth A* —4C **130**
Wordsworth Av. *Orr* —5J **221**
Wordsworth Av. *Pad* —2K **123**
Wordsworth Av. *T Clev* —1F **62**
Wordsworth Av. *W'ton* —2K **131**
Wordsworth Clo. *Orm* —6J **209**
Wordsworth Clo. *Osw* —4J **141**
Wordsworth Cres. *L'boro* —3J **205**
Wordsworth Dri. *Gt Har* —4H **121**
Wordsworth Gdns. *Dar* —6B **158**
Wordsworth Pl. *Walt D* —6N **135**
Wordsworth Rd. *Acc* —5N **141**
Wordsworth Rd. *Col* —6A **86**
Wordsworth St. *Brclf* —8K **105**
Wordsworth St. *Burn* —3A **124**
Wordsworth St. *Hap* —5H **123**
Wordsworth Ter. *Chor* —4F **174**
Wordsworth Way. *Roch* —7J **203**
Wordworth Ct. *Lyth A* —4J **129**
Workshop Rd. *Hey* —5L **27**
Worrall St. *Roch* —3A **204**
Worsicks Cotts. *Sing* —1D **90**
Worsley Av. *Blac* —2C **108**
Worsley Clo. *Kno S* —8K **41**
Worsley Clo. *Wig* —6L **221**
Worsley Ct. *Osw* —4L **141**
Worsley Grn. *Wig* —6L **221**
Worsley Ho. *Fltwd* —2E **54**
Worsley Pl. *Roch* —6E **204**
Worsley Rd. *Lyth A* —3J **129**
Worsley St. *Acc* —4C **142**
Worsley St. *Ris B* —9F **142**
Worsley St. *Roch* —6E **204**
Worsley St. *Tot* —6D **200**
Worsley St. *Wig* —6L **221**
Worsthorne. —4M 125
Worston. —1C 82
Worston Clo. *Acc* —4M **141**
Worston Clo. *Ross* —3M **161**
Worston La. *Gt Har* —3L **121**
Worston Pl. *B'brn* —3J **139**
Worston Rd. *Chat* —9B **74**
Worswick Cres. *Ross* —5M **161**
Worthalls Rd. *Read* —8C **102**
Worthing Clo. *South* —2F **186**
Worthing Rd. *Ing* —5D **114**
Worthington Rd. *Blac* —5G **109**
Worthy St. *Chor* —7G **174**
Wragby Clo. *Bury* —8J **201**
Wraith St. *Dar* —7A **158**
Wrampool. —5N 43
Wrangling, The. —5L 139
Wrath Clo. *Bolt* —8H **199**
Wray. —8E 18
Wray Ct. *Lanc* —4J **23**
Wray Cres. *Ley* —9C **152**
Wray Cres. *W Grn* —5H **111**
Wray Gro. *T Clev* —3D **62**
Wray Pl. *Roch* —7F **204**
Wrayton. —3F 18
Wraywood Ct. *Fltwd* —3C **54**
Wrea Green. —5G 111
Wrekin Dri. *Liv* —8D **222**
Wren Av. *Pen* —3H **135**
Wrenbury Clo. *Wig* —5L **221**
Wrenbury Dri. *Bolt* —7F **198**
Wrenbury Dri. *Roch* —9F **204**
Wren Clo. *Orr* —2L **221**
Wren Clo. *Poul F* —7G **63**
Wren Clo. *T Clev* —3J **63**
Wren Dri. *Bury* —9N **201**
Wren Grn. *Roch* —7E **204**
Wren Gro. *Blac* —8E **88**
Wrennalls La. *E'ston* —1D **192**
Wren St. *Burn* —3A **124**
Wren St. *Nels* —2K **105**
Wren St. *Pres* —8L **115**
Wrightington. —9E 192
Wrightington Bar. —6J 193
Wrights Fold. *Ley* —7M **153**
Wrights Ter. *South* —2H **187**
Wright St. *Bacup* —9K **145**
Wright St. *Chor* —6G **174**
Wright St. *Hor* —9C **196**
Wright St. *South* —7H **167**
Wright St. *Wesh* —3L **111**
Wright St. W. Hor —9C ***196***
(off Julia St.)
Wrigley Pl. *L'boro* —2J **205**
Wrigleys Clo. *Liv* —7A **206**
Wrigleys La. *Liv* —7A **206**
Wrigley's Sq. *Roch* —5C **204**
Written Stone La. *L'rdge* —1N **97**
Wroxham Clo. *Burn* —8H **105**
Wroxham Clo. *Bury* —8J **201**
Wroxton Clo. *T Clev* —4F **62**
Wuerdle. —2H 205
Wuerdle Clo. *Roch* —1H **205**
Wuerdle Farm Way. *Roch* —1H **205**
Wuerdle Pl. *Roch* —1H **205**
Wuerdle St. *Roch* —1H **205**
Wycherley Rd. *Roch* —3M **203**
Wychnor. *Ing* —2E **114**
Wycollar Clo. *Acc* —4B **142**
Wycollar Dri. *B'brn* —2H **139**
Wycollar Rd. *B'brn* —2H **139**
Wycoller. —8K 87
Wycoller Av. *Burn* —4H **125**
Wycoller Country Pk. & Vis. Cen. —8K 87
Wycoller Rd. *Traw* —7G **86**
Wycombe Av. *Blac* —3B **108**
Wyfordby Av. *B'brn* —1G **139**
Wyke Cop Rd. *South* —1C **188**
Wykeham Gro. *Roch* —4M **203**
Wykeham Rd. *Lyth A* —4A **130**
Wyke La. *South* —6B **168**
Wyke Wood La. *South* —6E **168**
Wyllin Rd. *Liv* —8M **223**
Wymott. —9C 152
Wymundsley. *Chor* —5B **174**
Wyndene Clo. *L'rdge* —2L **97**
Wyndene Gro. *Frec* —2N **131**
Wyndham Gdns. *Blac* —3D **108**
Wyndham Pl. *More* —2F **22**
Wynnstay Av. *Liv* —8C **216**
Wynnwood Av. *Blac* —1C **88**
Wynotham St. *Burn* —8F **104**
Wyre Av. *K'ham* —4N **111**
Wyre Bank. *St M* —4F **66**
Wyre Chalet Pk. *Poul F* —7C **64**
Wyre Clo. *Gt Ecc* —6A **66**
Wyre Clo. *More* —6F **22**
Wyre Ct. *Fltwd* —1E **54**
Wyre Cres. *Dar* —4L **157**
Wyredale Rd. *Lyth A* —9C **108**
Wyre Estuary Country Pk. —9M 55
Wyrefields. *Poul I* —8N **63**
Wyre Gro. *Blac* —7C **88**
Wyre La. *Gars* —3N **59**
Wyre Rd. *T Clev* —5L **63**
Wyresdale Av. *Acc* —9N **121**
Wyresdale Av. *Blac* —7D **62**
Wyresdale Av. *Hey* —7M **21**
Wyresdale Av. *Poul F* —8J **63**
Wyresdale Av. *South* —1K **187**
Wyresdale Ct. *Fltwd* —1F **54**
Wyresdale Ct. *Lanc* —9M **23**
Wyresdale Cres. *Glas D* —2C **36**
Wyresdale Cres. *Rib* —5N **115**
Wyresdale Cres. *Scor* —6B **46**
Wyresdale Dri. *Ley* —8L **153**
Wyresdale Gdns. *Lanc* —9M **23**
Wyresdale Rd. *Kno S* —8K **41**
Wyresdale Rd. *Lanc* —9L **23**
Wyresdale Rd. *Quer* —3C **30**
Wyreside. —3K 65
Wyre Side. *Kno S* —8K **41**
Wyreside Clo. *Gars* —4N **59**
Wyreside Dri. *Hamb* —1A **64**
Wyre St. *Ash R* —8F **114**
Wyre St. *Fltwd* —1F **54**
Wyre St. *Pad* —1J **123**
Wyre St. *St A* —1G **128**
Wyre St. *Wesh* —3L **111**
Wyre Va. Pk. *Gars* —3M **59**
Wyre Vw. *Kno S* —7L **41**
Wytham St. *Pad* —2J **123**
Wythburn Av. *B'brn* —8F **138**
Wythburn Clo. *Burn* —1N **123**
Wythorpe Cft. *More* —4B **22**
Wyvern Way. *Poul F* —6J **63**

Yardley Rd. *Know I* —9A **224**
Yare St. *Ross* —7D **162**
Yarlside. —8D 52
Yarlside La. *Brac* —8D **52**
Yarmouth Av. *Has* —5H **161**
Yarm Pl. *Burn* —3E **124**
Yarraville St. *Ross* —5M **161**
Yarrow Av. *Liv* —9E **216**
Yarrow Clo. *Crost* —4M **171**
Yarrow Clo. *Roch* —8C **204**
Yarrow Clo. *Withn* —6B **156**
Yarrow Ga. *Chor* —8G **174**
Yarrow Gro. *Hor* —9C **196**
Yarrow Pl. *Ley* —7G **153**
Yarrow Rd. *Chor* —7G **175**
Yarrow Rd. *Ley* —7G **153**
Yarrow Valley Pk. —3C 194
Yarrow Wlk. *More* —6B **22**
Yarwell. Roch —5B ***204***
(off Spotland Rd.)
Yates Fold. *B'brn* —6N **139**
Yates St. *Blac* —4B **88**
Yates St. *Chor* —8D **174**
Yates Ter. *Bury* —8K **201**
Yeadon Gro. *Chor* —7C **174**
Yeadon Way. *Blac* —1C **108**
Yealand Av. *Gigg* —2N **35**
Yealand Av. *Hey* —1L **27**
Yealand Clo. *Roch* —7M **203**
Yealand Conyers. —1B 12
Yealand Dri. *Lanc* —3L **29**
Yealand Gro. *Carn* —8B **12**
Yealand Redmayne. —7B 6
Yealand Rd. *Yeal C* —1B **12**
Yealand Storrs. —6N 5
Yellow Hall. —7D 78
Yellow Hall. *Kel* —7D **78**
Yellow Ho. La. *South* —8H **167**
Yenham Rd. *Over* —6B **28**
Yeoman's Clo. *Miln* —6J **205**
Yeovil Ct. *Pres* —8N **115**
Yerburgh Rd. *Mel* —7F **118**
Yewbarrow Clo. *Burn* —9A **104**
Yew Ct. *Fltwd* —3C **54**
Yew Ct. *Roch* —3E **204**
Yewdale. *Shev* —6L **213**
Yewdale. *Skel & S'way* —2L **219**
(in three parts)
Yewdale Av. *Hey* —1L **27**
Yewdale Gdns. *Roch* —9M **203**
Yew Grn. Wesh —2N ***111***
(off Mowbreck La.)
Yewlands Av. *Bam B* —7B **136**
Yewlands Av. *Ful* —3H **115**
Yewlands Av. *Ley* —6K **153**
Yewlands Cres. *Ful* —3H **115**
Yewlands Dri. *Burn* —7F **104**
Yewlands Dri. *Ful* —3H **115**
Yewlands Dri. *Gars* —3N **59**
Yewlands Dri. *Ley* —6J **153**
Yew St. *B'brn* —1A **140**
Yew St. *Bury* —9A **202**
Yew Tree Av. *Eux* —2M **173**
Yew Tree Av. *Grims* —8E **96**
Yewtree Clo. *Chor* —2E **194**
Yew Tree Clo. *Clay D* —3M **119**
Yew Tree Clo. *Gars* —4M **59**
Yew Tree Clo. *Newt* —6D **112**
Yew Tree Ct. *Todm* —7K **165**
Yew Tree Dri. *B'brn* —9G **119**
Yew Tree Dri. *L Bent* —6K **19**
Yew Tree Dri. *Osw* —5M **141**
Yew Tree Gdns. *Silv* —9G **4**
Yew Tree Grn. *Liv* —6G **223**
Yewtree Gro. *Los H* —9K **135**
Yew Tree Gro. *Ross* —7L **161**
Yew Tree La. *Bolt* —8G **198**
Yew Tree Rd. *Blac* —1G **89**
Yew Tree Rd. *Orm* —5K **209**
Yew Trees Av. *Rib* —5C **116**
York. —1D 120
York Av. *Fltwd* —1E **54**
York Av. *Ful* —5H **115**
York Av. *Has* —7F **160**
York Av. *Roch* —7L **203**
York Av. *South* —9G **167**
York Av. *T Clev* —1D **62**
York Clo. *Clay M* —6M **121**
York Clo. *Form* —6A **206**
York Clo. *Ley* —8H **153**
York Clo. *Walt D* —5N **135**
York Cres. *B'brn* —6N **119**
York Dri. *Frec* —7N **111**
York Dri. *Gt Ecc* —6A **66**
York Dri. *Ram* —1F **200**
Yorke St. *Burn* —4D **124**
York Fields. *Barn* —3M **77**
York Gdns. *South* —9G **166**
York Gro. *Gars* —5M **59**
York Ho. *Pres* —1K **135**
York La. *Lang* —1C **120**
York Mnr. *Liv* —9A **206**
York Pl. *Acc* —1A **142**
York Pl. *Adl* —5J **195**
York Pl. *More* —3B **22**
York Pl. Todm —2L ***165***
(off Bond St.)
York Rd. *B'brn* —4C **120**
York Rd. *Blac* —7B **62**
York Rd. *Brier* —5F **104**
York Rd. *Form* —9A **206**
York Rd. *Lanc* —2L **29**
York Rd. *Lyth A* —3F **128**
York Rd. *Mag* —3C **222**
York Rd. *South* —1F **186**
Yorkshire St. *Acc* —4B **142**
Yorkshire St. *Bacup* —4K **163**
Yorkshire St. *Blac* —7B **88**
Yorkshire St. *Burn* —3E **124**
(in two parts)
Yorkshire St. *Hun* —7D **122**
Yorkshire St. *Nels* —2J **105**
Yorkshire St. *Roch* —6C **204**
(in three parts)
Yorkshire St. E. *More* —4N **21**
Yorkshire St. W. *More* —4M **21**
York St. *Acc* —1A **142**
York St. *Bacup* —2K **163**
York St. *Barn* —2M **77**
York St. *B'brn* —5M **139**
York St. *Blac* —7B **88**
York St. *Chor* —7F **174**
York St. *Chu* —2L **141**
York St. *Clith* —2M **81**
York St. *Col* —6B **86**
York St. *Gt Har* —4K **121**
York St. *Nels* —2K **105**
York St. *Osw* —5J **141**
York St. *Rish* —8H **121**
York St. *Roch* —7E **204**
York St. *Ross* —9M **143**
York St. *Todm* —1L **165**
York Ter. *B'brn* —8E **138**
York Ter. *South* —6J **167**
York Vw. *Live* —1J **157**
Young Av. *Ley* —6M **153**
Young St. *B'brn* —6J **139**
Young St. *Ram* —8G **181**

Zama St. *Ram* —1F **200**
Zebudah St. *B'brn* —6K **139**
Zechariah Brow. *B'brn* —6J **119**
Zedburgh. Roch —5B ***204***
(off Spotland Rd.)
Zetland Pl. *Roch* —5E **204**
Zetland St. *Pres* —1M **135**
Zetland St. *South* —7K **167**
Zion Rd. *B'brn* —9A **120**
Zion St. *Bacup* —4L **163**
Zion St. *Col* —7A **86**
Zion Ter. *Roch* —4J **203**

HOSPITALS and HOSPICES
covered by this atlas.

N.B. Where Hospitals and Hospices are not named on the map, the reference
given is for the road in which they are situated.

ABRAHAM ORMEROD DAY HOSPITAL —2L **165**
Burnley Rd.
TODMORDEN
Lancashire
OL14 7BY
Tel: 01706 817911

ACCRINGTON VICTORIA COMMUNITY HOSPITAL —1A **142**
Haywood Rd.
ACCRINGTON
Lancashire
BB5 6AS
Tel: 01254 263555

ASHWORTH HOSPITAL —9G **216**
Parkbourn
LIVERPOOL
L31 1HW
Tel: 0151 4730303

BILLINGE HOSPITAL —9G **221**
Upholland Rd.
Billinge
WIGAN
Lancashire
WN5 7ET
Tel: 01942 244000

BIRCH HILL HOSPITAL —9G **185**
Union Rd.
ROCHDALE
Lancashire
OL12 9QB
Tel: 01706 377777

BLACKBURN ROYAL INFIRMARY —6L **139**
Bolton Rd.
BLACKBURN
BB2 3LR
Tel: 01254 263555

BRIAN HOUSE (HOSPICE) —9F **62**
Within Trinity - the Hospice in the Fylde
Low Moor Rd.
BLACKPOOL
FY2 0BG
Tel: 01253 358881

BURNLEY GENERAL HOSPITAL —8G **104**
Casterton Av.
BURNLEY
Lancashire
BB10 2PQ
Tel: 01282 425071

BURY GENERAL HOSPITAL —8L **201**
Walmersley Rd.
BURY
BL9 6PG
Tel: 0161 764 6081

CALDERSTONES —3G **101**
Mitton Rd., Whalley
CLITHEROE
Lancashire
BB7 9PE
Tel: 01254 822121

CASTLEBERG HOSPITAL —3M **35**
Raines Rd., Giggleswick
SETTLE
North Yorkshire
BD24 0BN
Tel: 01729 823515

CHORLEY AND SOUTH RIBBLE DISTRICT GENERAL HOSPITAL
—4E **174**
Preston Rd.
CHORLEY
Lancashire
PR7 1PP
Tel: 01257 261222

CLIFTON HOSPITAL —3H **129**
Pershore Rd.
LYTHAM ST ANNES
Lancashire
FY8 1PB
Tel: 01253 306204

CLITHEROE COMMUNITY HOSPITAL —9N **73**
Chatburn Rd.
CLITHEROE
Lancashire
BB7 4JX
Tel: 01200 427311

DERIAN HOUSE (HOSPICE) —3D **174**
Chancery Rd.
CHORLEY
Lancashire
PR7 1DH
Tel: 01257 233300

DEVONSHIRE ROAD HOSPITAL —4D **88**
Devonshire Rd.
BLACKPOOL
FY3 8AZ
Tel: 01253 303364

EAST LANCASHIRE HOSPICE —7M **139**
Park Lee Rd.
BLACKBURN
BB2 3NY
Tel: 01254 342810

EUXTON HALL HOSPITAL —5M **173**
Wigan Rd.
Euxton
CHORLEY
Lancashire
PR7 6DY
Tel: 01257 276261

FAIRFIELD GENERAL HOSPITAL —9C **202**
Rochdale Old Rd.
Jericho
BURY
Lancashire
BL9 7TD
Tel: 0161 764 6081

FLEETWOOD HOSPITAL —8H **41**
Pharos St.
FLEETWOOD
Lancashire
FY7 6BE
Tel: 01253 306000

FULWOOD HALL HOSPITAL (C.H.G.) —4M **115**
Midgery La.
Fulwood
PRESTON
PR2 9SZ
Tel: 01772 704111

FYLDE COAST BUPA HOSPITAL —3F **88**
St Walburgas Rd.
BLACKPOOL
FY3 8BP
Tel: 01253 394188

GISBURNE PARK ABBEY HOSPITAL —8A **52**
Gisburn Park Est.
Gisburn
CLITHEROE
Lancashire
BB7 4HX
Tel: 01200 445693

GUILD PARK —6B **96**
Whittingham La.
Goosnargh
PRESTON
PR3 2JH
Tel: 01772 865531

HESKETH CENTRE, THE —5J **167**
51-55 Albert Rd.
SOUTHPORT
Merseyside
PR9 0LT
Tel: 01704 530940

HETTINGA HOUSE (HOSPICE) —6N **209**
Dark La.
Lathom
ORMSKIRK
Lancashire
L40 5TR
Tel: 01695 578713

LANCASTER & LAKELAND NUFFIELD HOSPITAL —9L **23**
Meadowside
LANCASTER
LA1 3RH
Tel: 01524 62345

LYTHAM HOSPITAL —5C **130**
Warton St.
LYTHAM ST ANNES
Lancashire
FY8 5EE
Tel: 01253 303953

ORMSKIRK AND DISTRICT GENERAL HOSPITAL —8M **209**
Wigan Rd.
ORMSKIRK
Lancashire
L39 2AZ
Tel: 01695 577111

PARKWOOD —5G **88**
East Park Dri.
BLACKPOOL
FY3 8PW
Tel: 01253 306824

PENDLE COMMUNITY HOSPITAL —1J **105**
Leeds Rd.
NELSON
Lancashire
BB9 9SZ
Tel: 01282 474900

PENDLESIDE HOSPICE —6E **104**
Colne Rd.
BURNLEY
Lancashire
BB10 2LW
Tel: 01282 440100

QUEENSCOURT HOSPICE —1M **187**
Town La.
SOUTHPORT
Merseyside
PR8 6RE
Tel: 01704 544645

QUEEN'S PARK HOSPITAL —6A **140**
Haslingden Rd.
BLACKBURN
BB2 3HH
Tel: 01254 263555

QUEEN VICTORIA HOSPITAL —3B **22**
Thornton Rd.
MORECAMBE
Lancashire
LA4 5NN
Tel: 01524 411661

RAMSBOTTOM COTTAGE HOSPITAL —9G **181**
Nuttall La.
Ramsbottom
BURY
BL0 9JZ
Tel: 01706 823123

RENACRES HALL HOSPITAL —8B **188**
Renacres La., Halsall
ORMSKIRK
Lancashire
L39 8SE
Tel: 01704 841133

RIBBLETON HOSPITAL —7B **116**
Miller Rd.
Ribbleton
PRESTON
PR2 6LS
Tel: 01772 401600

RIBCHESTER COMMUNITY HOSPITAL —4A **98**
Ribchester Rd., Ribchester
PRESTON
PR3 3XD
Tel: 01772 782216

RIDGE LEA HOSPITAL —7N **23**
Quernmore Rd.
LANCASTER
LA1 3JR
Tel: 01524 586200

ROCHDALE INFIRMARY —4B **204**
Whitehall St.
ROCHDALE
Lancashire
OL12 0NB
Tel: 01706 377777

ROSSALL HOSPITAL —4C **54**
Westway
Rossall
FLEETWOOD
Lancashire
FY7 8JH
Tel: 01253 303800

ROSSENDALE GENERAL HOSPITAL —5J **161**
Haslingden La.
ROSSENDALE
Lancashire
BB4 6NE
Tel: 01706 215151

ROSSENDALE HOSPICE —6J **161**
Cribden Ho.
Rossendale General Hospital
Haslingden Rd.
ROSSENDALE
Lancashire
BB4 6NE
Tel: 01706 240084

ROYAL LANCASTER INFIRMARY —9K **23**
Ashton Rd.
LANCASTER
LA1 4RP
Tel: 01524 65944

Hospitals and Hospices

ROYAL PRESTON HOSPITAL —3H **115**
Sharoe Green La. N., Fulwood
PRESTON
PR2 9HT
Tel: 01772 716565

ST CATHERINE'S HOSPICE —9M **135**
Lostock La., Lostock Hall
PRESTON
PR5 5XU
Tel: 01772 629171

ST JOHN'S HOSPICE —4K **23**
Lancaster Rd.
LANCASTER
LA2 6AW
Tel: 01524 847257

SHAROE GREEN HOSPITAL —5J **115**
Sharoe Green La. S., Fulwood
PRESTON
PR2 8DU
Tel: 01772 716565

SOUTHPORT & FORMBY DIST. GEN. HOSP. & CHRISTIANA
HARTLEY MATERNITY WARD —1L **187**
Town La.
SOUTHPORT
Merseyside
PR8 6PN
Tel: 01704 547471

SOUTHPORT GENERAL INFIRMARY —9K **167**
Scarisbrick New Rd.
SOUTHPORT
Merseyside
PR8 6PH
Tel: 01704 547471

SOUTH SHORE HOSPITAL —4C **108**
Stony Hill Av.
BLACKPOOL
FY4 1HX
Tel: 01253 306100

BEARDWOOD BMI HOSPITAL, THE —2H **139**
Preston New Rd.
BLACKBURN
BB2 7AE
Tel: 01254 507607

HIGHFIELD BMI HOSPITAL, THE —8B **204**
Manchester Rd.,
ROCHDALE
Lancashire
OL11 4LZ
Tel: 01706 655121

TRINITY - THE HOSPICE IN THE FYLDE —9F **62**
Low Moor Rd.
BLACKPOOL
FY2 0BG
Tel: 01253 358881

VICTORIA HOSPITAL (BLACKPOOL) —4G **89**
Whinney Heys Rd.
BLACKPOOL
FY3 8NR
Tel: 01253 300000

WESHAM PARK HOSPITAL —2L **111**
Derby Rd.
Wesham
PRESTON
PR4 3AL
Tel: 01253 303280

WRIGHTINGTON HOSPITAL —2G **213**
Hall La.
Appley Bridge
WIGAN
Lancashire
WN6 9EP
Tel: 01257 252211